HØST'S
ENGELSK-DANSKE
OG
DANSK-ENGELSKE
LOMMEORDBOG

HØST'S
ENGLISH-DANISH
AND
DANISH-ENGLISH
POCKET DICTIONARY

REVISED AND ENLARGED
BY
DAVID HOHNEN

HØST & SØNS FORLAG
KØBENHAVN

HØST'S
ENGELSK-DANSKE
OG
DANSK-ENGELSKE
LOMMEORDBOG

REVIDERET OG UDVIDET

AF

DAVID HOHNEN

HØST & SØNS FORLAG
KØBENHAVN

© *Høst og Søns Forlag, 1930, 1945 og 1966.*
Sat i Langkjærs Bogtrykkeri
og trykt i S.L. Møllers Bogtrykkeri.
Tredie reviderede og stærkt forøgede udgave ved
David Hohnen. 3. oplag 1970.

ISBN 87 14 61170 8

I samme serie findes

**FRANSK-DANSK & DANSK-FRANSK
LOMMEORDBOG**

★

**ITALIENSK-DANSK & DANSK-ITALIENSK
LOMMEORDBOG**

★

**RUSSISK-DANSK & DANSK-RUSSISK
LOMMEORDBOG**

★

**SPANSK-DANSK & DANSK-SPANSK
LOMMEORDBOG**

★

**TYSK-DANSK & DANSK-TYSK
LOMMEORDBOG**

Samt udenfor serien:

**PORTUGISISK-DANSK &
DANSK-PORTUGISISK ORDBOG**

Acknowledgements

In preparing this completely new and reset edition I have drawn on a large number of English, Danish and American dictionaries for assistance and inspiration.

I am particularly grateful to Mr. Hans Nielsen for his careful reading of the proofs and for numerous corrections and suggestions.

D. H.

Abbreviations / Forkortelser

abbr.	=	abbreviation, forkortelse.
adj.	=	adjective, tillægsord.
adv.	=	adverb, biord.
aero.	=	aeronautics, flyvning.
anat.	=	anatomy, anatomi.
arch.	=	archaic, arkaisk.
archit.	=	architecture, bygningsudtryk.
art.	=	article, kendeord.
astr.	=	astronomy, astronomi.
Austr.	=	Australian, australsk.
aux.	=	auxiliary, hjælpe-.
best.	=	definite, bestemt.
bibl.	=	biblical, bibelsk.
bot.	=	botany, botanik.
Brit.	=	British, britisk.
carp.	=	carpentry, snedkeri.
chem.	=	chemistry, kemi.
coll.	=	colloquial, daglig tale.
commerc.	=	commercial, handel.
conj.	=	conjunction, bindeord.
cul.	=	culinary, madlavning.
derog.	=	derogatory, nedsættende.
elect.	=	electrical, elektricitet.
f. eks.	=	e. g., for eksempel.
fig.	=	figuratively, overført betydning.
film.	=	film, filmudtryk.
geogr.	=	geographic, geografisk.
gram.	=	grammar, grammatik.
gymn.	=	gymnastics, gymnastik.
hist.	=	historical, historisk.
hort.	=	horticulture, havebrug.
imperf.	=	imperfect, imperfektum.
int.	=	interjection, udråbsord.
interrog.	=	interrogative, spørgende.
Ir.	=	Irish, irsk.
jur.	=	law, jura.
mech.	=	mechanics, mekanik.
med.	=	medical, medicin.
meteor.	=	meteorological, meteorologisk.
mil.	=	military, militær.
min.	=	mineral, mineral.
mus.	=	music, musik.
n.	=	noun, common gender, navneord af fælleskøn
n. n.	=	neuter noun, navneord af intetkøn.
naut.	=	nautical, søfartsudtryk.
omtr.	=	approximately, omtrent.
part.	=	participle, tillægsmåde.
perf.	=	perfect, perfektum, førnutid.
phot.	=	photography, fotografi.
phys.	=	physics, fysik.
pl.	=	plural, pluralis, flertal.
poet.	=	poetic, poetisk.

poss.	=	possessive, ejefald.
pref.	=	prefix, præfix.
prep.	=	preposition, forholdsord.
pres.	=	present, præsens, nutid.
pron.	=	pronoun, stedord.
r.	=	relative, relativ.
radio.	=	radio, radio.
rail.	=	railway, jernbane.
rel.	=	religion, religion.
Scot.	=	Scottish, skotsk.
sing.	=	singular, singularis, ental.
sl.	=	slang, slang.
snedk.	=	carpentry, snedkeri.
sport.	=	sports, sportsudtryk.
tech.	=	technical, teknisk udtryk.
tel.	=	telephone, telefon.
theat.	=	theatre, teater.
typ.	=	typography, typografi.
ubest.	=	indefinite, ubestemt.
u. n.	=	uninflected noun, ubøjeligt navneord.
U. S.	=	American, amerikansk.
vet.	=	veterinary, veterinær.
v. i.	=	verb intransitive, intransitivt udsagnsord.
v. refl.	=	verb reflexive, henvisende udsagnsord.
v. t.	=	verb transitive, transitivt udsagnsord.
vulg.	=	vulgar, vulgært.
zool.	=	zoology, zoologi.

Nogle grundtræk af den engelske grammatik

Kendeord. Sættes altid foran.

Det bestemte kendeord: *the*. Det ubestemte kendeord: *a* foran medlyd (konsonant), *an* foran selvlyd (vokal).

Foran en selvlyd ændres udtalen af "the" til "thi".

Navneord. Flertal dannes ved tilføjelse af *s*, eller *es* efter en hvislelyd. Flertalsendelsen udtales i sidste tilfælde som en stavelse. Hvis ordet har stumt *e* efter hvislelyden, tilføjes kun *s*.

Ender ordet på *y* efter en medlyd, ændres det til *ie* i flertal. Nogle ord på *o* får stumt *e* tilføjet; endelserne *f* og *fe* ændres i nogle tilfælde til *v* og *ve*.

Omlyd får blandt andet følgende ord:

Ental		Flertal
foot	fod	*feet*
tooth	tand	*teeth*
man	mand	*men*
woman	kvinde	*women*
child	barn	*children*
goose	gås	*geese*
mouse	mus	*mice*

8

Sheep, deer, means og *alms* er éns i ental og flertal. *advice, business, furniture, knowledge, money, news, progress etc.* er altid ental; *wages, oats, scissors, tongs, pliers etc.* er altid flertal.

Ejeform dannes ved tilføjelse af *'s* (apostrof s) – i flertal kun apostrof ', med mindre ordet ikke ender på *s* i flertal. Ofte anvendes omskrivning med *of.*

Tillægsord bøjes ikke i køn og tal men kun i grad. Anden grad ender på *-(e)r,* tredie grad på *-(e)st.* Første grad forstærkes med *very,* anden grad med *much.*

Biord dannes af tillægsord som oftest ved tilføjelsen *-ly.*

Talord og **stedord:** se den danske grammatik.

UDSAGNSORD

Hjælpeverberne er følgende:

Navnemåde:

   to be, at være; *to have,* at have; *to do,* at gøre.

Tillægsmåde:

Nutid:	*being*	*having*	*doing*
Fortid:	*been*	*had*	*done*

Fremstillingsmåde:

Nutid:	*I am*	*I have*	*I do*
	you are	*you have*	*you do*
	he is	*he has*	*he does*
Flertal:	*are*	*have*	*do*
Fortid:	*I was*	*had*	*did*
	you were	i	i
	he was	alle	alle
Flertal:	*were*	personer	personer

Ufuldstændige udsagnsord er:

Nutid:	*shall*	Fortid:	*should*
	will		*would*
	can		*could*
	may		*might*
	must		*must*
	ought		*ought*

som hedder det samme i alle personer og bruges kun i nutid og fortid i den fremsættende måde.

I regelmæssig bøjning ender udsagnsordene på *-ing* i nutids tillægsmåde og på *-ed* i fortids tillægsmåde.

I nutid får tredie person ental endelsen *s,* fortid ender på *ed* helt igennem. Øvrige former dannes ved hjælpeverberne *have, be, shall, will* og *do.*

I lideform anvendes *be,* og i spørgende og nægtende sætninger *do,* der også anvendes for at give eftertryk.

Some Elements of Danish Grammar

DANISH PRONUNCIATION

a sounds like	*a*	in	far
a	„	„	*a*	„ hat
e	„	„	*a*	„ rare
e	„	„	*e*	„ let
i	„	„	*ee*	„ bee
i	„	„	*i*	„ lid
o	„	„	*o*	„ slope
o	„	„	*o*	„ hot
u	„	„	*oo*	„ too
u	„	„	*u*	„ bull
æ	„	„	*ea*	„ bear
ø	„	„	*ea*	„ early
ø	„	„	*u*	„ burden
å	„	„	*oh*	„ oh
å	„	„	*aw*	„ claw
eg, aj and ej sound	„	*y*	„ my, by

c is pronounced like *k* before a, o, u; like *s* before other vowels.

d is pronounced as in English at the beginning of a word, but like *th* at the end or between vowels.

g is hard at the beginning of a word, soft at the end, and mute in ordinary conversation if between two vowels.

j is pronounced like *y* in yet.

s is pronounced like a sibilant English *s*.

w is pronounced like *v*.

y is pronounced like the Scottish *ui* as in *guid* (for good).

z is pronounced like *s*.

ARTICLES

The definite article is added to the end of a word in the following manner:

Common, *-en, -n.*   Neuter, *-et, -t.*   Plural, *-ene, -ne.*
Or it may be placed before an adjective preceding a noun as follows:

Common, *den.*   Neuter, *det.*   Plural, *de.*
The indefinite article is:

Common, *en.*   Neuter, *et.*
and is placed before the noun.

ADJECTIVES

1. Are of the same gender and number as the relative noun.

2. After the definite article they always end with an *e*.

3. Except when used as nouns they are not declined for case.

4. The degrees are: – positive, comparative and superlative. Comparative is formed by adding *ere* or *er*, superlative by adding *est* or *st* to the positive.

The comparative is formed in some cases by using the word *mere* (more) and the superlative by placing the word *mest* (most) before the positive.

Of irregular adjectives may be mentioned:

gammel	old,	god	good,	ond	bad
ældre	older	bedre	better,	værre	worse
ældst	oldest (eldest)	bedst	best,	værst	worst
lille	small,	mange	many,	megen	much
mindre	smaller,	flere	more,	mere	more
mindst	smallest,	flest	most,	mest	most

In the following cases the vowel is mutated:

stor	great,	ung	young
større	greater,	yngre	younger
størst	greatest,	yngst	youngest
lang	long,	få	few
længere	longer,	færre	fewer
længst	longest,	færrest	fewest

Adverbs are formed in many cases by adding the ending *-t* to the corresponding adjective.

NUMERICAL ADJECTIVES

1. Cardinal Numbers

en (én)	1 one
to	2 two
tre	3 three
fire	4 four
fem	5 five
seks	6 six
syv	7 seven
otte	8 eight
ni	9 nine
ti	10 ten
elleve	11 eleven
tolv	12 twelve
tretten	13 thirteen
fjorten	14 fourteen
femten	15 fifteen
seksten	16 sixteen
sytten	17 seventeen
atten	18 eighteen
nitten	19 nineteen
tyve	20 twenty
enogtyve	21 twenty-one
toogtyve	22 twenty-two
treogtyve	23 twenty-three
fireogtyve	24 twenty-four
femogtyve	25 twenty-five

seksogtyve	26	twenty-six
syvogtyve	27	twenty-seven
otteogtyve	28	twenty-eight
niogtyve	29	twenty-nine
tredive	30	thirty
enogtredive	31	thirty-one
fyrre(tyve)	40	forty
halvtreds(indstyve)	50	fifty
tres(indstyve)	60	sixty
halvfjerds(indstyve)	70	seventy
firs(indstyve)	80	eighty
halvfems(indstyve)	90	ninety
hundrede og en	101	a hundred and one
hundrede og ti	110	a hundred and ten
to hundrede	200	two hundred
ni hundrede	900	nine hundred
tusind	1,000	a (one) thousand
elleve hundrede	1,100	eleven hundred (or one thousand one hundred)
tolv hundrede	1,200	twelve hundred (or one thousand two hundred)
to tusind	2,000	two thousand
ti tusind	10,000	ten thousand
hundrede tusind	100,000	a (one) hundred thousand
en million	1,000,000	a (one) million

2. Ordinal Numbers

den første	1st	the	first
„ anden	2nd	„	second
„ tredie	3rd	„	third
„ fjerde	4th	„	fourth
„ femte	5th	„	fifth
„ sjette	6th	„	sixth
„ syvende	7th	„	seventh
„ ottende	8th	„	eighth
„ niende	9th	„	ninth
„ tiende	10th	„	tenth
„ ellevte	11th	„	eleventh
„ tolvte	12th	„	twelfth
„ trettende	13th	„	thirteenth
„ fjortende	14th	„	fourteenth
„ femtende	15th	„	fifteenth
„ sekstende	16th	„	sixteenth
„ syttende	17th	„	seventeenth
„ attende	18th	„	eighteenth
„ nittende	19th	„	nineteenth
„ tyvende	20th	„	twentieth
„ enogtyvende	21st	„	twenty-first
„ tredivte	30th	„	thirtieth
„ fyrretyvende	40th	„	fortieth
„ halvtredsindstyvende	50th	„	fiftieth
„ tresindstyvende	60th	„	sixtieth

den halvfjerdsindstyvende 70th the seventieth
    „ firsindstyvende 80th „ eightieth
    „ halvfemsindstyvende 90th „ ninetieth

Fractions are expressed in Danish by adding *-del* to the ordinal numbers, except halvdelen (one half).

Proportional numbers are formed by adding *-dobbelt* or in some cases *-fold* to the cardinal numbers, except firdobbelt (fourfold).

NOUNS

Nouns are either of common gender (fælleskøn) or neuter (intetkøn). Compound nouns are of the same gender as the last noun.

The genitive of nouns is formed by adding *s*, e. g. mand, mands, but without an apostrophe.

The *plural* is formed (1) by adding *e*, *r*, or *er* to the singular, (2) by mutation of vowel, (3) as 2, but with change of ending. Some few words remain unchanged in the plural, such as dyr (animal), får (sheep), lig (corpse) etc.

PRONOUNS

1. Personal Pronouns

First Person

Singular	Plural
jeg, *I*	vi, *we*
mig, *me*	os, *us*

Second Person

du, De, *you*	I, De, *you*
dig, Dem, *you*	eder, jer, Dem, *you*

Third Person

Masc.	Fem.	Com.	Neut.	Plur.
han, *he*	hun, *she*	den, *it*	det, *it*	de, *they*
ham, *him*	hende, *her*	den, *it*	det, *it*	dem, *them*

himself, herself, itself, themselves = sig.

2. Possessive Pronouns

First Person

Common	Neuter	Plural
min,	mit,	mine, *my, mine*
vor,	vort,	vore, *our, ours*

Second Person

din, Deres,	dit,	dine, Deres, eders jeres, *your(s)*

Third Person

Masc.	Fem.	Com	Neut.
hans,	hendes,	dens,	dets,
his	*her(s)*	*its*	*its*

sin

Plural
deres, *their(s)*
sine

The pronoun *sig*, likewise *sin, sit, sine* refer to the nearest subject, e.g.: *han barberede sig*, he shaved himself; *hun tog sin bog*, she took her (own) book; while *hun tog hendes bog*, would indicate that she took a book belonging to another woman.

Titles are sometimes used when addressing persons, or else the person's name preceded by *herr* (Mr.), *fru* (Mrs.) or *frøken* (Miss). The pronouns used when addressing people are *De, Dem, Deres*, the forms, *du, dig, jer*, etc., only being used between relatives, close friends and children.

3. Demonstrative Pronouns
Singular

Common	Neuter	
denne	dette	*this*
den, hin	det, hint	*that*
den samme	det samme	*the same*
sådan	sådant	*such*

Plural

disse	*these*
de, hine	*those*
de samme	*the same*
sådanne	*such*

4. Relative Pronouns

der, *who, which, that*
som, *who, whom, which, that*
hvad, *what*
hvilken (neut. hvilket, pl. hvilke)
hvem, *whom*
hvis, *whose, of which*
The relative pronoun is frequently omitted.

5. Interrogative Pronouns

hvem?	*who? whom?*	*hvad? what?*
hvilken?	*which?*	*hvilket? which (neut.)*
hvis?	*whose? of which?*	*hvilke? which? (pl.)*

6. Other Pronouns

	Singular		Plural
Common		Neuter	
én	*one*	ét	
man	*one, you, people*		
nogen	*any, some (one)*	noget	nogle
ingen	*no (one)*	intet	ingen
enhver, hver	*each, every (one)*	ethvert, hvert	
al, hel, hele	*all*	alt, helt	alle
begge	*both*		
hinanden	*each other, one another*	(two or more)	
hverandre		(more than two)	

DANISH SPELLING

has undergone considerable changes of recent years. Formerly, all nouns commenced with a capital letter. Now, all words, including nouns, begin with a small letter. Capitals are used at the beginning of sentences, in proper names and in the personal pronouns *De, Dem* and *Deres*.

The letter *å (Å)* was formerly written *aa (Aa)* and placed at the beginning of the alphabet. It now comes at the end, the last six letters of the Danish alphabet being: X, Y, Z, Æ, Ø, Å. – Persons whose names begin with Å are free to choose either spelling form.

ENGLISH-DANISH DICTIONARY

A, a; *mus.* a; A flat, *mus.* as; A sharp, *mus.* ais; ~ (an), *ubest art.* en, et; ~, *prep.* om.

aback, *adv.* be taken ~, forbløffet.

abaft, *adv. naut.* agter, agten for.

abandon, *vt.* forlade, opgive; overlade; ~, *n.* løssluppenhed; -ment, *n.* opgivelse; forladthed.

abase, *v. t.* fornedre, ydmyge; -ment, *n.* fornedrelse, ydmygelse.

abash, *v. t.* beskæmme, gøre forlegen.

abate, *v. t.* formindske; nedsætte; slå af; ~, *v. i.* aftage; -ment, *n.* aftagen; afslag.

abattoir, *n.* slagteri.

abbreviate, *v. t.* forkorte; -ation, *n.* forkortelse.

abdicate, *v.t.* abdicere.

abdication, *n.* tronfrasigelse, abdikation.

abdomen, *n.* underliv.

abduct, *v. t.* bortføre.

abeam, *adv. naut.* på tværs.

abed, *adv. arch.* i seng.

aberrance, *n.* afvigelse; forvildelse.

abet, *v. t.* tilskynde, hjælpe (til ondt formål).

abeyance, *n.* leave in ~, lade stå hen; in ~, i bero.

abhor, *v. t.* afsky.

abide, *v. i.* blive, forblive; ~, *v.t.* I can't ~ him, jeg kan ikke udstå ham.

ability, *n.* evne; færdighed, kunnen; formåen; dygtighed.

abject, *adj.* foragtelig, ynkelig, ussel.

ablaze, *adv.* i flammer.

able, *adj.* duelig; dygtig; skikket; befaren; be ~ to, være i stand til; ~-bodied, *adj.* stærk; *naut.* helbefaren.

ablution, *n.* afvaskning.

abnormal, *adj.* uregelmæssig; abnorm; vanskabt.

aboard *adv.* om bord.

abode, *n.* bopæl; bolig; paulun.

abolish, *v. t.* afskaffe, ophæve; sløjfe; -ment, abolition, *n.* afskaffelse, ophævelse.

abominable, *adj.* afskyelig; vederstyggelig.

abominate, *v. t.* afsky, hade.

aboriginal, *adj.* oprindelig; ~ (*pl.* aborigines) *n.* indfødt; oprindelig beboer.

abort, *v. i.* abortere; -ion, *n.* abort; misfoster; fejlslag; svangerskabsafbrydelse; fosterfordrivelse; -ive, *adj.* resultatløs, forfejlet; utidig.

abound, *v. i.* findes i stor mængde; ~in, have rigeligt af.

about, *prep. & adv.* angående; hos; ved; omtrent; i begreb med; omkring; næsten; be ~ to, være i begreb med; bring ~, få i stand; go ~ a thing, tage fat på.

above, *prep.* over, mere end; ophøjet over, for stolt til; ~, *adv.* ovenpå; ~ all, fremfor alt; ~-mentioned, *adj.* ovenomtalt.

abrasion, *n.* (hud-)afskrabning.

abreast, *adv.* ved siden af hinanden.

abridge, *v. t.* forkorte, afkorte, sammendrage.

abroad, *adv.* ude; udenlands; go ~, rejse udenlands.

abrogate, *v. t.* ophæve.

abrupt, *adj.* pludselig; brat; brysk; stejl.

abscess, *n.* svulst, byld.

abscond, *v. i.* rømme; *jur.* skjule sig.

absence,*n.*fraværelse;mangel; ~ of mind, åndsfraværelse.

absent, *adj.* fraværende; ~ oneself, fjerne sig; -ee, *n.* fraværende.

absolute, *adj.* absolut; uindskrænket; ubetinget; fuldkommen; egenmægtig; -ly, *adv.* absolut, ganske.

absolution, *n.* syndsforladelse; frifindelse.

absolutism, *n.* enevælde.

absolve, *v. t.* tilgive; frikende; løse.

absorb, *v. t.* indsuge; optage i sig, absorbere; -ed, *adj.* fordybet (i tanker); -ent, *adj.* indsugende.

absorption, *n.* indsugning; fordybelse.

abstain, *v. i.* afholde sig fra; -er, *n.* afholdsmand.

abstemious, abstinent, *adj.* afholden.

abstract, *v. t.* abstrahere; fjerne; stjæle; ~, *adj.* abstrakt; ~, *n.* uddrag; sammendrag; -tion, *n.* abstrakt begreb, abstraktion.

abstruse, *adj.* vanskelig at forstå, dunkel.

absurd, *adj.* tåbelig, urimelig, meningsløs; -ity, *n.* meningsløshed, urimelighed.

abund|ance, *n.* overflod, mængde; -ant, *adj.* rigelig, overflødig.

abuse, *v. t.* misbruge; skælde ud; ~, *n.* misbrug; (term of ~) skældsord, ukvemsord; grovhed.

abusive, *adj.* grov; use ~ language, sige grovheder.

abut, *v. i.* støde op mod, hvile på; -ment, *n. archit.* underlag; støtte.

abyss, *n.* afgrund, svælg.

academy, *n.* akademi, højere læreanstalt, kunstakademi.

acanthus, *n. bot.* bjørneklo.

accede, *v. i.* tiltræde, gå ind på.

accelerate, *v. t.* fremskynde.

accent, *n.* accent, udtale; betoning, eftertryk; tonefald; ~, *v. t.* betone; ac-centuere; -uate, *v. t.* betone, fremhæve.

accept, *v. t.* modtage, godkende, antage, acceptere; -able *adj.* antagelig, velkommen; -ance, *n.* modtagelse; antagelse; accept.

access, *n.* adgang; -ary, *n.* medskyldig; -ible, *adj.* tilgængelig; -ion, *n.* tronbestigelse; tiltrædelse; -ory, *adj.* delagtig, medskyldig, underordnet; ~, *n.* biting; -ories, *pl.* tilbehør; rekvisitter; staffage.

accident, *n.* uheld; ulykke; tilfældighed; -al, *adj.* tilfældig; uvæsentlig; one kt uheld; -ally, *adv.* tilfældigvis; ved et uheld.

acclaim, *v. t.* hylde; ~, *n.* hyldest, bifaldsråb.

acclimatize, *v. t.* akklimatisere.

acclivity, *n.* skråning (opad).

accolade, *n.* ridderslag.

accommodate, *v.t.* anbringe; tilpasse (sig); huse; tjene.

accomod|ating, *adj.* forekommende, hjælpsom, medgørlig; -ation, *n.* husrum; tilpasning; plads.

accom|paniment, *n. mus.* akkompagnement; ledsagelse; -pany, *v. t.* ledsage; akkompagnere.

accomplice, *n.* medskyldig.

accomplish, *v. t.* fuldbyrde; udrette; opnå; -ed *adj.* talentfuld, fuldendt; -ment, *n.* fuldbyrdelse; bedrift -ments, *pl.* talenter; kundskaber; færdighed.

accord, *n.* samtykke; overensstemmelse; with one

~, enstemmig; of one's own ~, af sig selv; ~, *v. t.* tilstå (én noget); ~, *v. i.* stemme overens; -ance, *n.* overensstemmelse; -ing to, efter, ifølge; -ingly, *adv.* altså, følgelig.

accordion *n.* harmonika.

accost, *v. t.* antaste, tiltale.

accouchment, *n.* nedkomst, barsel.

account, *n.* konto; beretning; fortælling; årsag, grund; on no ~, på ingen måde; on ~ of, på grund af; call to ~, kræve til regnskab; -s, *pl.* regnskab; ~ for, *v. t.* gøre rede for, motivere; *commerc.* afregne, aflægge regnskab for; -ancy, *n.* revision, bogholderi; -ant, *n.* bogholder.

accoutrements, *pl. n.* udrustning, udstyr.

accredit, *v. t.* akkreditere; befuldmægtige.

accrue, *v. i.* (to) tilfalde; påløbe.

accumu|late, *v.t.* opdynge, sammenhobe; påløbe; hobe sig op; -lator, *n.* akkumulator.

accu|racy, *n.* nøjagtighed, præcision; -rate, *adj.* akkurat, nøjagtig, nøje.

accursed, *adj.* forbandet.

ac|cusation, *n.* beskyldning, anklage; -cuse, *v. t.* anklage, beskylde.

accustom, *v. t.* vænne (til); -ed, *adj.* tilvant, sædvanlig; be ~ to, pleje at.

ace, *n.* es; [særlig dygtig flyver]; within an ~ of, på nippet til, på et hængende hår.

acerbity, *n.* bitterhed.

acetic, *adj.* sur; ~ acid, eddikesyre.

acetate, *n.* eddikesurt salt.

ache, *n.* smerte, pine; ~, *v. i.* smerte, gøre ondt.

achieve, *v. t.* udføre, fuldende; vinde; opnå, drive

det til; -ment, *n.* dåd, bedrift; præstation.

acid, *adj.* sur; skarp; ~ *n.* syre,; -ity, *n.* syrlighed; skarphed.

acknowledge, *v. t.* erkende; tilstå; anerkende.

acme, *n.* spids, top; afgørende punkt; højdepunkt.

acorn, *n.* agern.

acoustics, *pl. n.* akustik; lydlære.

acquaint, *v. t.* gøre bekendt med, underrette; -ance, *n.* bekendtskab, kendskab; bekendt.

acquiesce, *v. i.* indvillige (i); tie og samtykke.

acquire, *v. t.* erhverve (sig), forskaffe sig, opnå.

acquisition, *n.* erhvervelse, vinding.

acquit, *v. t.* løslade; frikende; afgøre gæld.

acre, *n.* = 0,4 *ha.*

acrid, *adj.* besk, skarp, bitter.

acrimonious, *adj.* skarp, bitter.

across, *adv. & prep.* over; overfor; på den anden side (*af* gaden, floden, *o.s.v.*), på tværs.

act, *v. t.* opføre, optræde; spille; ~, *v. i.* handle; virke; ~, *n.* handling, gerning; beslutning; optrin; akt; ~ of Parliament, lov; ~ of God, uafvendelig begivenhed; -ing, *adj.* fungerende; ~, *n. theat.* spil.

action, *n.* handling; virkning; *mil.* kamp, slag; *jur.* sagsanlæg.

ac|tive, *adj.* virksom; livlig; behændig; aktiv; -tivity, *n.* virksomhed; driftighed; livlighed, aktivitet.

act|or, *n.* skuespiller; -ress, *n.* skuespillerinde.

actual, *adj.* virkelig, aktuel, faktisk; -ly, *adv.* virkelig, faktisk.

actuate, *v. t.* sætte i bevægelse; drive.

acumen, *n.* skarpsindighed; lærenemhed.

acuity, *n.* skarphed; skarpsindighed.

acute, *adj.* spids; skarpsindig; (*of* pain) heftig; ~ angle, spids vinkel.

adage, *n.* ordsprog, mundheld.

adamant, *adj.* hård; ubøjelig.

adapt, *v. t.* tilpasse; bearbejde; -ation, *n.* afpasning; omarbejdelse, bearbejdelse.

add, *v. t.* tilføje; lægge sammen; ~ up, addere.

adder, *n. zool.* hugorm.

addicted, *adj.* ~ to, forfalden til.

addition, *n.* tilføjelse, tilsætning; addition; sammenlægning; -al, *adj.* yderligere; -ally, *adv.* desuden.

addled, *adj.* fordærvet; *sl.* halvtosset.

address, *v. t.* henvende sig til; tiltale; ~, *n.* tiltale; adresse.

adduce, *v. t.* fremføre.

adenoids, *pl. n.* polypper.

adept, *adj.* erfaren; adept.

adequate, *adj.* tilstrækkelig.

adhere, *v. i.* hænge ved, klæbe ved.

adhe|sive, *adj.* fasthængende, klæbrig; -sion, *n.* fasthængen.

adieu, *int. arch. & poet.* farvel.

adipose, *adj.* fed; ~ tissue, fedtvæv.

adjacent, *adj.* tilstødende, nærliggende.

adjoining, *adj.* tilstødende.

adjourn, *v. t.* udsætte, hæve.

adjudicate, *v. t.* pådømme.

adjunct, *n.* tilbehør; (person) medhjælper.

adjure, *v. t.* besværge.

adjust, *v. t.* tilpasse; afpasse; indstille; bilægge; regulere.

administer, *v. t.* forvalte; bestyre; give (*f. eks.* medicin).

ad|mirable, *adj.* beundringsværdig, fortræffelig, ud-mærket; -miration, *n.* beundring; -mire, *v. t.* beundre; sværme for.

admission, *n.* adgang; optagelse; entré (*til* udstilling *o.s.v.*); indrømmelse.

admit, *v. t.* tilstede adgang, indlade; anerkende; indrømme, tilstå.

admonish, *v. t.* formane; advare.

adolescent, *adj.* halvvoksen; ~, *n.* ungt menneske.

adopt, *v. t.* antage; adoptere.

adore, *v. t.* tilbede.

adorn, *v. t.* smykke; pryde.

adrift, *adj.* i drift, drivende.

adroit, *adj.* adræt.

adult, *adj.* voksen; ~, *n.* voksen, voksent menneske.

adul|terate, *v. t.* forfalske; -tery, *n.* ægteskabsbrud.

advance, *v. t.* rykke frem; avancere; fremføre; (money) give forskud; ~, *n.* forskud; fremrykning; lån; ~ guard, *mil.* avantgarde; -ment, *n.* fremgang; forfremmelse; ophøjelse.

advantage, *n.* fordel; fortrin; take ~ of, benytte sig af; misbruge; -ous, *adj.* fordelagtig, gunstig.

advent, *n.* ankomst; komme; advent.

adventure, *n.* eventyr; vovestykke; ekspedition; togt.

adverb, *n. gram.* biord, adverbium.

ad|versary, *n.* modstander; fjende; -verse, *adj.* modvirkende, ugunstig; -versity, *n.* modgang.

advertise, *v. t.* bekendtgøre, annoncere; reklamere.

ad|vice, *n.* råd; -visable, *adj.* tilrådelig; -vise, *v. t.* tilråde; underrette, advisere.

advocate, *n.* advokat; forsvarer; ~, *v. t.* forfægte.

adze, *n.* skarøkse.

aerate, *v. t.* behandle med kulsyre.

aerial, *adj.* luftig; højtliggende; ~, *n. radio.* antenne.

aero|naut, *n.* luftskipper; -plane, *n.* flyvemaskine.

afar, *adv.* fjernt, langt borte.

affable, *adj.* omgængelig, venlig.

affair, *n.* anliggende; affære; sag; it's none of your ~, det kommer ikke dig ved.

affect, *v. t.* indvirke på, røre, vedrøre; angribe; give udseende af, hykle; -ation, *n.* affektation; krukkeri; skabagtighed; -ed, *adj.* kunstlet; krukket; -ion, *n.* kærlighed, hengivenhed.

affidavit, *n.* [beediget skriftligt vidnesbyrd].

affiliation, *n.* adoption; optagelse; tilslutning.

affinity, *n.* slægtskab; lighed; gensidig tiltrækning.

affirm, *v. t.* påstå; bekræfte; stadfæste.

affix, *v. t.* vedhæfte.

afflict, *v.t.* pine, bedrøve; hjemsøge; -ion, *n.* lidelse; sorg; smerte.

affluen|ce, *n.* rigdom; -t, *adj.* rig.

afford, *v.t.* yde; skaffe; overkomme; have råd til.

afforest, *v.t.* beplante med skov.

affront, *n.* fornærmelse, forhånelse.

afield, *adv.* i marken; far ~, vidt og bredt, langt omkring.

afire, *adv.* i brand.

aflame, *adv.* i luer.

afloat, *adv.* flydende, til søs, flot.

afoot, *adv.* til fods; *fig.* i gære.

aforesaid, *adj.* bemeldte, førnævnte.

afraid, *adj.* bange, ræd.

afresh, *adv.* på ny.

aft, *adv. naut.* agter.

after, *prep.* efter; ifølge; ~, *conj.* efter at; bagefter; ~ all, når alt kommer til alt;

-glow, *n.* aftenrøde; -math, *n.* efterslæt; -noon, *n.* eftermiddag; -taste, *n.* bismag; -thought, *n.* nærmere eftertanke; -wards, *conj.* senere, derefter.

again, *adv.* igen, atter; ~ and ~, atter og atter; as much ~, endnu en gang så meget.

against, *prep.* imod; mod; henimod.

age, *n.* alder; (epoch) tidsalder; (century) århundrede; of ~, fuldmyndig.

aged, *adj.* gammel, bedaget; i en alder af; ældet.

agency, *n.* agentur.

agenda, *n.* dagsorden.

agent, *n.* agent; repræsentant; fuldmægtig.

agglomeration, *n.* ophobning.

aggravate, *v. t.* forværre; skærpe; irritere.

aggregate, *n. & adj.* totalbeløb; samlet masse; aggregat; ~, *v.t.& i.* samle.

aggres|sive, *adj.* angribende, pågående; -sor, *n.* angriber.

aggrieve, *v. t.* krænke, forurette.

aghast, *adj.* forfærdet.

agile, *adj.* hurtig, behændig, væver.

agitate, *v. t.* ryste; sætte i bevægelse, ophidse.

aglow, *adv.* glødende, hed.

ago, *adv.* long ~, for længe siden; how long ~?, hvor længe siden?

agog, *adv. & adj.* be all ~, være yderst spændt.

agonizing, *adj.* kvalfuld.

agony, *n.* dødskamp; kval.

agree, *v.t.& i.* stemme overens; enes; indrømme; -able, *adj.* behagelig; passende; I am -able, det har jeg ikke noget imod; -d, *adj.* afgjort; enig; -ment, *n.* overenskomst; aftale; kontrakt; forlig.

agriculture, *n.* landbrug; landvæsen; agerdyrkning.

agronomy, *n.* jordbrugslære.

aground, *adv.* på grund.

ague, *n.* koldfeber.

ah, *int.* ah; ak; -a!, nu forstår jeg!

ahead, *adv.* forud; foran; fremad.

aid, *v.t.* hjælpe, stå bi; ~, *n.* hjælp, bistand.

aide-de-camp, *n. mil.* adjudant.

ail, *v.t.&i. arch.* være upasselig, være syg; skrante; what -s you?, hvad fejler du?; -ment, *n.* upasselighed, sygdom.

aim, *v. t. & i.* sigte på; sigte til; stræbe efter; tilstræbe; stile efter; ~, *n.* sigte, retning; mål, øjemed; -less, *adj.* formålsløs.

air, *n.* luft; *mus.* melodi; (attitude) mine; ~, *v.t.* lufte, afdampe; -borne, *adj.* luftbåren; -brake, *n.* luftbremse; -cooled, *adj.* luftafkølet; -craft, *n.* flyvemaskine; -craft-carrier, *n.* hangarskib; -cushion, *n.* luftpude; -gun, *n.* luftbøsse; -hole, *n.* lufthul; -letter, *n.* aerogram; -line, *n.* luftfartsselskab; -pocket, *n.* lufthul; -pump, *n.* luftpumpe; -raid, *n.* luftangreb; ~ shelter, beskyttelsesrum; -shaft, *n.* luftskakt; -ship, *n.* luftskib; -tight, *adj.* lufttæt; -y, *adj.* luftig.

aisle, *n.* kirkeskib; gang.

ajar, *adv.* på klem.

akimbo, *adj.*, arms ~, med hænderne i siden.

akin, *adj.* ~ to, i slægt med.

alacrity, *n.* kvikhed, raskhed; beredvillighed.

alarm, *n.* alarm, uro; ængstelse; angst; ~, *v. t.* kalde til våben; opskræmme; ~ clock, vækkeur.

alas, *int.* ak.

albatross, *n. zool.* albatros.

albeit, *conj.* skønt.

album, *n.* album.

albumen, *n.* æggehvidestof.

alcohol, *n.* alkohol; spiritus; sprit; -ist, *n.* alkoholiker, dranker, spritter.

alder, *n. bot.* el(letræ).

alderman, *n.* rådmand.

ale, *n.* øl.

alert, *adj.* årvågen, rask.

alfalfa, *n.* lucerne.

alias, *adv.* også kaldet; ~, *n.* påtaget navn.

alien, *n.* fremmed, udlænding; ~, *adj.* fremmed, udenlandsk.

alight, *v.i.* stige ud, stå af; dale ned; ~, *adj.* oplyst, tændt.

align, *v.t.* bringe på linie; afstikke med snor.

alike, *adv.* ens, uden forskel; på samme måde.

aliment|ary, *adj.* ~ canal, fordøjelseskanal; -ation, *n.* ernæring, underhold; underholdningsbidrag.

alimony, *n.* alimentation; underholdningsbidrag.

alive, *adv. & adj.* i live, levende, livlig.

all, *adj.* alle; ~, *adv.* ganske, aldeles; ~ at once, ~ of a sudden, ganske uventet; ~ the same, alligevel; ~ the better, desto bedre; not at ~, selv tak; slet ikke; once and for ~, én gang for alle; ~ alone, ganske alene; ~, *n.* hele, alt.

allay, *v. t.* dæmpe, formilde, lindre.

allege, *v. t.* påstå, påberåbe sig; angive.

allegiance, *n.* troskab, huldskab.

allegorical, *adj.* allegorisk, billedlig.

alleviate, *v.t.* formilde, lindre; lette.

alley, *n.* gang; gyde.

alliance, *n.* forbund; forbindelse; giftermål.

allied, *adj.* forbunden; beslægtet; allieret.

allocate, *v. t.* anvise, tildele.

allot, *v.t.* anvise; fordele; -ment, *n.* parcel; koloni-have.

allow, *v. t. & i.* tillade; til-stå, indrømme; slå af; -ance, *n.* indrømmelse; ration; rabat; lomme-penge; dagpenge, diæter; make ~(s) for, tage i be-tragtning, tage hensyn til.

alloy, *v. t.* legere; ~, *n.* lege-ring.

allspice, *n.* allehånde.

allude, *v.i.* ~ to, hentyde til.

allure, *n.* charme; tiltræk-ning.

allusion, *n.* hentydning.

ally, *n.* allieret, forbunds-fælle; ~, *v. t.* forene, for-binde.

almond, *n.* mandel.

almost, *adv.* næsten, omtrent.

alms, *n.* almisse; -house, *n.* fattighus; stiftelse.

aloft, *adv.* til vejrs; højt.

alone, *adj. & adv.* alene, ene; leave me ~, lad mig være i fred.

along, *adv. & prep.* langs med, hen ad; afsted; -side, *adv.* side om side; *naut.* langbords; come ~, *naut.* lægge til.

aloof, *adv.* på afstand; reser-veret.

aloud, *adj.* lydelig, højt.

alpine, *adj.* alpe-.

already, *adv.* allerede.

also, *adv.* også, og.

altar-piece, *n.* altertavle.

alter, *v.t.* ændre, forandre; -nate, *v.i.* veksle, skifte; -native, *n.* valg (mellem to ting); there is no ~, der er ikke noget at vælge imellem.

although, *conj.* endskønt; til trods for; skønt; uagtet.

altitude, *n.* højde; højde-punkt.

altogether, *adv.* tilsammen; aldeles; helt; i alt; i det hele taget; alle sammen.

altruism, *n.* uegennytte; al-truisme.

alum, *n.* alun.

always, *adv.* altid; for be-standig.

a. m. (ante meridiem) = før kl. 12; om formiddagen.

amalgamate, *v. t.* sammen-slutte; sammensmelte.

amass, *v. t.* sammendynge, samle.

amaze, *v. t.* forbløffe; for-bavse.

amber, *n.* rav.

ambigu|ity, *n.* tvetydighed; -ous, *adj.* tvetydig, dunkel.

ambi|tion, *n.* ærgerrighed; -tious, *adj.* ærgerrig.

ambler, *n.* pasgænger.

am|buscade, *n.* baghold; -bush, *n.* baghold.

ameliorate, *v. t.* forbedre.

amenable, *adj.* medgørlig, føjelig; ansvarlig.

amend, *v.t. & i.* rette, ændre; forbedre; -ment, *n.* for-bedring; ændringsforslag.

amenity, *n.* behagelighed.

amiable, *adj.* elskværdig.

amicable, *adj.* venskabelig.

amid(st), *prep.* midt i; imel-lem.

amiss, *adv.* forkert; galt; it would not be ~, det ville ikke være så ilde.

amity, *n.* venskab.

ammonia, *n.* ammoniak; spirits of ~ (or household ~), salmiakspiritus.

amok, *see* amuck.

among(st), *prep.* iblandt, blandt, imellem; they talked Danish ~ them-selves, de talte dansk ind-byrdes.

amorous, *adj.* elskovsfuld; forelsket.

amount, *n.* beløb; sum; mængde; ~ to, *v.i.* be-løbe sig til; andrage; ud-gøre; gå ud på; that -s to the same thing, det kom-mer ud på ét.

amperage, *n. elect.* strøm-styrke.

ample, *adj.* rigelig; tilstræk-kelig; rummelig.

ampli|fier, *n.elect.* forstærker;
-fy, *v.t.* udvide, forstørre;
-tude, *n.* rummelighed;
rigelighed.

amputate, *v.t.&i.* amputere.

amuck, *n.* amok; run ~, gå
amok.

amuse, *v. t.* more, under-
holde; -ment, *n.* under-
holdning; morskab; for-
nøjelse.

amusing, *adj.* morsom; for-
nøjelig.

an, *ubest. art.* (foran vokal).

anachronism, *n.* tidsreg-
ningsfejl; ubetimelighed.

anaesthetic, *n.* bedøvelses-
middel.

analogous, *adj.* analog, lig.

analyse, *v.t.* analysere; *gram.*
opløse (en sætning); un-
dersøge.

anarchy, *n.* anarki, lovløs-
hed.

anathema, *n.* forbandelse;
band.

ancest|or, *n.* stamfader; ane,
forfader; -ry, *n.* forfædre,
aner; herkomst.

anchor, *n.* anker; weigh ~,
lette anker; ~, *v.t.* (or cast
~), ankre, kaste anker.

ancient, *adj.* gammel, old-
tids-; the ~ Greeks, de
gamle grækere; the -s,
oldtidsmenneskene.

and, *conj.* og.

anew, *adv.* på ny.

angel, *n.* engel; guardian ~,
skytsengel.

anger, *n.* vrede, harme; ~,
v. t. gøre vred, fortørne.

angle, *n.* vinkel; ~, *v. t.*
angle, mede; -r; *n.* snøre-
fisker; lystfisker.

angry, *adj.* vred, opbragt.

anguish, *n.* sjæleangst; vold-
som smerte.

angular, *adj.* vinkeldannet;
kantet.

animal, *n.* dyr; ~, *adj.*
dyrisk.

ani|mate, *v.t.* besjæle, op-
muntre; -mated, *adj.*
munter, livlig; -mation,

n. liv; livlighed; -mosity,
n. forbitrelse; heftig uvilje.

ankle, *n.* ankel.

annals, *pl. n.* annaler, år-
bøger, *pl.*

anneal, *v. t.* udgløde, efter-
gløde.

annex, *v. t.* vedføje, til-
knytte; vedlægge; annek-
tere; ~, *n.* anneks.

annihilate, *v. t.* tilintetgøre.

anniversary, *n.* årsdag.

announce, *v.t.* bekendtgøre;
meddele; -ment, *n.* be-
kendtgørelse, meddelelse;
tilkendegivelse; -r, *n. radio.*
speaker.

annoy, *v. t.* plage, foru-
lempe, ærgre; -ance, *n.*
ærgrelse, fortrædelighed.

annual, *adj.* årlig; ~, *n.* én-
årig; -ly, *adv.* hvert år.

annuity, *n.* livrente; årlig
ydelse.

annul, *v. t.* ophæve, annul-
lere.

annular, *adj.* ringformet.

annunciation, *n.* bebudelse;
the A~, Mariæ bebudelse.

anode, *n.* anode, positiv pol.

anodyne, *n.* smertestillende
middel.

anoint, *v. t.* salve.

anomaly, *n.* uregelmæssig-
hed; [afvigelse fra en re-
gel]; anomali.

anon, *adv.* snart.

anonymous, *adj.* anonym.

another, *pron. & adj.* en an-
den, et andet; en til, et
til; one after ~, den ene
efter den anden; one ~,
hinanden, hverandre.

answer, *v. t.* svare; ~ back,
svare igen; ~ the helm,
naut. lystre roret; ~ the
door, lukke op; ~ the
purpose, svare til hensig-
ten; ~, *v. i.* være anvende-
lig; besvare; ~, *n.* svar;
resultat; facit.

ant, *n. zool.* myre.

antagon|ism, *n.* [provoka-
tion af fjendtlighed];
modstand; -ize, *v.t.* pro-

vokere til modstand (*el.* fjendtlighed); imodstå.

antarctic, *adj.* antarktisk; ved Sydpolen; the A~, *n.* sydpolarkredsen.

ant-bear, *n. zool.* myresluger.

ante|cedent, *adj.* forudgående, tidligere; ~, *n.* forudgående begivenhed; -chamber, *n.* forværelse; -date, *v. t.* tilbagedatere; -diluvian, *adj.* fra før Syndfloden; meget gammeldags; -meridian, *adj.* formiddags-.

antenna (*pl.* -e), *n.* følehorn; ~ (*pl.* -s), *radio.* antenne.

anterior, *adj.* foregående, tidligere.

anteroom, *n.* forværelse.

anthem, *n.* vekselsang; national ~, nationalsang.

anthrax, *n. med.* brandbyld.

anticipate, *v. t.* imødese; foregribe; komme i forkøbet.

antics, *pl. n.* [grotesk opførsel]; krumspring.

antidote, *n.* modgift.

anti|quarian, *n.* oldkyndig, arkæolog; ~, *adj.* oldkyndig, arkæologisk; antikvar-; ~ bookseller, antikvarboghandler; -quated, *adj.* forældet.

antique, *adj.* antik; gammeldags; ~, *n.* antikvitet.

antiquity, *n.* oldsag; oldtid.

antirrhinum, *n. bot.* løvemund.

anti-social, *adj.* asocial; samfundsfjendtlig.

antler, *n.* hjortetak; -s (*also*) gevir.

anvil, *n.* ambolt.

anxiety, *n.* angst, uro; ængstelse; bekymring; iver.

anxious, *adj.* ængstelig, urolig; spændt, ivrig.

any, *adj. & pron.* en, nogen; enhver, hvilken som helst; -body, *n. & pron.* nogen; enhver; -how, *adv. & conj.* på enhver måde; -thing, *pron. & n.* noget; alt;

hvad som helst; -way, *adv. & conj.* i hvert fald; under alle omstændigheder; -where, *adv.* hvor som helst, overalt.

apart, *adv.* afsides, særskilt; -ment, *n.* værelse; lejlighed.

apathy, *n.* følelsesløshed, apati, sløvhed.

ape, *n.* abe; nar; ~, *v. t.* efterabe.

aperient, *n.* afføringsmiddel.

aperture, *n.* åbning.

apex, *n.* spids, top; højeste punkt.

aphis, *n.* bladlus.

api|ary, *n.* bihave; -arist, *n.* biavler; -culture, *n.* biavl.

apiece, *adv.* hver, til hver.

apocryphal, *adj.* af tvivlsom ægthed.

apolo|getical, *adj.* undskyldende; -gize, *v. i.* gøre undskyldning; -gy, *n.* undskyldning.

apostate, *n.* frafalden.

apothecary, *n.* apoteker; ~'s shop, apotek.

appal, *v. t.* forfærde.

apparatus, *n.* apparat; redskab.

apparel, *n.* klædning, dragt.

apparent, *adj.* øjensynlig, tilsyneladende; åbenbar.

apparition, *n.* syn; genfærd.

appeal, *v. i.* påanke, klage; appellere; ~, *n.* opfordring; (attractiveness) tiltrækning; -ing, *adj.* bedende; tiltalende.

appear, *v. i.* vise sig, optræde; synes, forekomme; -ance, *n.* udseende, tilstedekomst; fremkomst; his first ~, hans første optræden; put in an ~, indfinde sig, møde; to all ~s, efter al sandsynlighed.

appease, *v. t.* berolige; (appetite) stille.

appellation, *n.* benævnelse.

append, *v. t.* vedhæfte, tilføje, knytte til; -age, *n.* vedhæng; -icitis, *n. med.*

blindtarmsbetændelse; -ix,
n. tillæg; appendiks; anat.
blindtarm.

appertain, v. i. tilhøre.

appe|tite, n. appetit; begær-
lighed; -tizing, adj. appe-
titvækkende.

applaud, v. t. applaudere;
klappe; modtage med bi-
fald.

applause, n. bifald.

apple, n. æble; ~ of discord,
stridsæble; ~ of some-
body's eye, øjesten; upset
the ~ cart, stikke en kæp
i hjulet; in ~ pie order, i
fineste orden, klappet og
klart.

appliance, n. redskab.

appli|cant, n. ansøger; -ca-
tion, n. anvendelse; ansøg-
ning; henvendelse; an-
bringelse.

applied, adj. ~ art, kunst-
industri, brugskunst; see
also apply.

apply, v. t. anvende; ansøge;
(place) anbringe; ~, v. i.
henvende sig; ~ oneself
to, koncentrere sig om.

appoint, v. t. fastsætte aftale;
bestemme; udnævne; an-
sætte; -ment, n. ansættelse,
udnævnelse; aftale; aftalt
møde; purveyor by ~,
hofleverandør.

apportion, v. t. tildele; for-
dele.

apposite, adj. træffende, pas-
sende.

appraise, v. t. vurdere, syne.

appreci|able, adj. kendelig,
mærkbar; -ate, v.t. sætte
pris på, påskønne, skatte;
~, v.i. stige i værdi; -ation,
n. påskønnelse; værdistig-
ning.

apprehend, v.t. pågribe; for-
stå; frygte.

apprehen|sion, n. frygt; på-
gribelse; forståelse; -sive,
adj. ængstelig.

apprentice, n. lærling; ~, v. t.
sætte i lære; be -d to, stå
i lære hos.

approach, v. t. nærme sig,
komme nær; henvende sig
til; ~, n. adgang, indkør-
sel; naut. indsejling.

approbation, n. billigelse;
bifald.

appropriate, v. t. tilegne sig;
~, adj. passende, hensigts-
mæssig.

approval, n. bifald; billi-
gelse; on ~, på prøve.

approve, v.t. godkende,
approbere; ~ of, billige,
bifalde.

approximate, adj. omtrent-
lig; -ly, adv. cirka, til-
nærmelsesvis.

appurtenance, n. tilbehør.

apricot, n. abrikos.

apron, n. forklæde.

apt, adj. egnet, passende;
træffende; be ~ to, være
tilbøjelig til; -itude, n.
evne; anlæg.

aqua|marine, adj. blågrøn;
-tic, adj. vand-; -tics, pl. n.
vandsport.

aqueduct, n. vandledning.

aquiline, adj. ~ nose, ørne-
næse.

arable, adj. dyrkbar; ~ land,
agerjord, pløjejord.

arbit|er, n. dommer, vold-
giftsmand; -rary, adj. vil-
kårlig; egenmægtig; -rate,
v.t. afgøre ved voldgift;
-ration, n. voldgift; -rator,
n. voldgiftsmand.

arbor, n. lysthus.

arc, n. cirkelbue; lysbue; ~
lamp, buelampe; -ade, n.
buegang.

arch, n. bue; hvælving;
fallen ~, platfod; ~, v. i.
hvælve; bue; ~, adj. ærke-,
durkdreven; -bishop, n.
ærkebiskop; -duke, n. ærke-
hertug; -er, n. bueskytte.

archipelago, n. skærgård.

archive, n. (usually in pl. -s)
arkiv.

arch|ly, adv. skælmsk, skalk-
agtig; -way, n. buegang;
port.

Arctic, arctic, *adj.* arktisk; the A~ Circle, den nordlige polarkreds; A~, *n.* the ~, nordpolsområdet; de arktiske egne.

ardent, *adj.* brændende; fyrig; ivrig.

ardour, *n.* hede; inderlighed; fyrighed; iver.

arduous, *adj.* vanskelig, besværlig; stejl.

area, *n.* fladeindhold; areal; område.

argue, *v.t.* ræsonnere, diskutere; strides om; debattere.

argument, *n.* bevisgrund; ræsonnement; ordstrid.

arid, *adj.* tør, udtørret.

arise (arose, arisen), *v.t.* rejse sig; opstå; fremstå.

arisen, *see* arise.

aristocracy, *n.* aristokrati.

arithmetic, *n.* regning; aritmetik.

arm, *n.* arm; (of chair, *also*) sidelæn; keep somebody at ~'s length, holde én tre skridt fra livet; -s, *pl.* (*also*) våben; lay down -s, overgive sig; ~, *v. t. & i.* bevæbne; opruste; udruste; -ed forces, væbnede styrker; -ament, *n.* armering; oprustning; bevæbning; -hole, *n.* ærmegab; -chair, *n.* lænestol; -istice, *n.* våbenstilstand; -our, *n.* rustning, panser, panserbeklædning; -oured, *adj.* pansret, beklædt med panserplader; -pit, *n.* armhule.

army, *n.* hær, armé.

aroma, *n.* aroma, duft.

arose, *see* arise.

around, *adv. & prep.* omkring; rundt omkring; i nærheden.

arouse, *v.t.* vække, opildne.

arraign, *v. t.* stille for retten; beskylde.

arrange, *v. t.* ordne, indrette; foranstalte; træffe aftale om; arrangere.

arrant, *adj.* berygtet, ærke-.

array, *n.* orden; slagorden; (clothes) (klæde)dragt.

arrears, *pl. n.* restance.

arrest, *n.* fængsling, anholdelse; arrest; ~, *v. t.* anholde, arrestere; (stop) standse.

arrival, *n.* ankomst.

arrive, *v. t.* ankomme; indtræffe; *fig.* skabe sig en position.

arro|gance, *n.* hovmod; anmasselse; -gant, *adj.* hovmodig, overmodig; anmassende; -gate, *v.t.* anmasse sig; tilrive sig.

arrow, *n.* pil; ligsom; -root, *n. bot.* vestindisk salep.

arsenal, *n.* tøjhus, arsenal.

arson, *n.* brandstiftelse, ildspåsættelse.

art, *n.* kunst; kunstfærdighed; kløgt, list; the fine -s, de skønne kunster; Bachelor of Arts, Master of Arts, (*approx.*) cand. mag., mag. art.

artefact, *n.* kunstprodukt; menneskeværk.

artery, *n. anat.* pulsåre; (road) hovedfærdselsåre.

artful, *adj.* dreven, snu; snild.

article, *n.* genstand; afsnit; artikel, vare; ~, *v.t.* sætte i lære; -d clerk, sagførerfuldmægtig.

articulate, *adj.* tydelig, klar; ~, *v. t.* udtale tydelig, artikulere.

arti|fice, *n.* kunststykke; list; kunstgreb; -ficer, *n.* kunsthåndværker; opfinder; -ficial, *adj.* kunstig; kunstlet; ~ teeth, (tand)-protese; gebis.

artilleryman, *n.* artillerist.

art|isan, *n.* håndværker; -ist, *n.* kunstner; -iste, *n.* artist; -istic, *adj.* kunstnerisk; -less, *adj.* naiv; ukunstlet.

as, *adv. & conj.* ligesom; som; idet; da, eftersom; ~ for, ~ to, hvad angår; angående.

asbestos, *n.* asbest.

ascend, *v.t. & i.* stige op; bestige; -ancy, *n.* overtag; indflydelse; magt; overlegenhed.

ascension, *n.* opstigning; bestigning; himmelfart; A~ Day, Kristi Himmelfartsdag.

ascent, *n.* opstigning; opgang; stigning (i terræn).

ascertain, *v. t.* overbevise sig om, forvisse sig om.

ascetic, *adj.* asketisk.

ascribe, *v. t.* tilskrive, tillægge.

ash, *n. bot.* ask; (residue after fire) aske.

ashamed, *adj.* skamfuld; be ~, skamme sig; genere sig.

ashen, *adj.* askegrå.

ashore, *adv.* i land; run ~ løbe på grund.

aside, *adv.* til side; ~, *n.* afsides replik, sidebemærkning.

ask, *v. t. & i.* spørge om; bede; anmode; forlange; invitere.

askance, *adv.* look ~, skotte til, skæve til.

askew, *adv.* skævt.

aslant, *adv. & prep.* på skrå, skråt.

asleep, *adj. & adv.* i søvn; fall ~, falde i søvn.

aspect, *n.* udseende; beliggenhed; synspunkt.

aspen, *n. bot.* asp.

asper|ity, *n.* ruhed; barskhed; -sion, *n.* bagtalelse; cast -sions, bagtale.

asphodel, *n. bot.* pinselilje.

asphyxiate, *v. t.* kvæle.

aspic, *n.* gelé; sky.

as|piration, *n.* higen; aspiration; -pire, *v.i.* ~ to, aspirere til; hige efter, tragte efter, stile mod.

ass, *n.* asen; fjols.

assail, *v. t.* anfalde, angribe.

assassin, *n.* snigmorder; -ate, *v. t.* snigmyrde.

assault, *n.* angreb; vold; overfald; ~, *v. t.* angribe, overfalde.

assay, *v.t.* prøve (metal, *o.s.v.*); probere; -er, *n.* mønt-guardein.

assemble, *v. t.* samle, forsamle; ~, *v. i.* komme sammen.

assent, *n.* samtykke, bifald; ~, *v.i.* samtykke, indvil(li)ge.

assert, *v. t.* påstå; hævde; -ion, *n.* påstand, hævdelse.

assess, *v. t.* påligne; ansætte; fastsætte; vurdere.

asset, *n.* aktiv.

assidu|ity, *n.* flid; driftighed; -ous, *adj.* vedholdende; flittig, ufortrøden.

assign, *v. t.* anvise; ansætte; tillægge; overdrage; -ee, *n.* befuldmægtiget; -ment, *n.* anvisning; overdragelse; opgave.

assimilate, *v. t.* fordøje, omsætte; optage i sig.

assist, *v. t.* understøtte, hjælpe; -ance, *n,* hjælp, bistand.

assize, *n.* (usually in *pl.* -s) [retsmøder i provinsen].

associ|ate, *v.t.* forene; associere; forbinde; knytte til sig, optage som medlem; ~, *v.i.* slutte sig til; omgås med; ~, *n.* kollega, fælle; -ation, *n.* forening; selskab.

assortment, *n.* kollektion; udvalg.

assuage, *v.t.* lindre; berolige.

assume, *v. t.* antage; formode; overtage; -d name, pseudonym, påtaget navn.

assumption, *n.* antagelse; forudsætning; overtagelse.

assurance, *n.* forvisning; selvtillid; forsikring.

assure, *v. t.* forsikre, love; assurere; -d, *adj.* forvisset.

asterisk, *n. typ.* stjerne.

astern, *adv. naut.* agterude; ~ of, agten for.

astonish, *v. t.* forbavse, overraske.

astound, *v. t.* forbavse; lamslå; fortumle.

astraddle, *adv.* på skrævs, overskrævs.

astray, *adv.* på vildspor; go ~, fare vild.

astride, *adv.* skrævende; overskrævs.

astringent, *n.* astringerende middel; ~, *adj.* sammensnerpende; *fig.* streng.

astute, *adj.* snu.

asunder, *adj.* i stykker; itu; sønder.

asylum, *n.* asyl; tilflugtssted; lunatic ~, sindssygeanstalt.

at, *prep.* ved; i, på; å; hos; over; ~ once, straks; not ~ all, slet ikke; selv tak; ~ all events, i ethvert tilfælde; ~ first, i begyndelsen; ~ large, på fri fod; ~ last, endelig; his honour is ~ stake, hans ære er på spil; ~ the moment, for øjeblikket.

athletics, *pl. n.* atletik; idræt.

athwart, *prep. naut.* tværs for.

atone, *v. i.* sone, bøde for.

atonic, *adj.* slap; tonløs.

atop, *adv.* ovenpå.

atro|cious, *adj.* ond; grusom; afskyelig; -city, *n.* afskyelighed, grusomhed.

atrophy, *n.* atrofi; svind.

attach, *v. t.* knytte til, fæste; fastgøre; ~ importance to, tillægge betydning.

attack, *v. t.* angribe; anfalde; overfalde; ~, *n.* angreb; overfald.

attain, *v. t.* nå; opnå, vinde.

attempt, *v. t.* forsøge, prøve; efterstræbe; ~, *n.* forsøg; ~ on a person's life, attentat.

attend, *v. t.* ledsage; betjene; passe, pleje, være til stede ved; ~ *v. i.* høre efter; -ance, *n.* pleje; opvartning; nærværelse; besøg.

atten|tion, *n.* opmærksomhed; agtpågivenhed; omsorg; -tive, *adj.* opmærksom; agtpågivende; omsorgsfuld.

attenuate, *v. t.* fortynde; findele; *fig.* svække.

attest, *v. t.* bevidne.

attic, *n.* kvist; kvistværelse.

attire, *n.* påklædning; ~, *v. t.* klæde; ifore.

attitude, *n.* stilling, holdning; standpunkt; indstilling.

attorney, *n.* fuldmægtig; *U.S.* sagfører; ~ general, statsadvokat.

attract, *v. t.* tiltrække; drage; -ion, *n.* tiltrækning; trækningskraft; attraktion; forlystelse.

attribute, *v. t.* tilskrive, tillægge; ~, *n.* egenskab; særkende.

attrition, *n.* opslidning; slid.

attune, *v. t.* afstemme.

auburn, *adj.* kastaniebrun.

auction, *n.* auktion; ~, *v. t.* auktionsholder; auktionarius.

auda|cious, *adj.* forvoven, dristig, fræk; -city, *n.* dristighed; frækhed; forvovenhed.

audible, *adj.* hørlig, lydelig.

audience, *n.* audiens; publikum.

audit, *v. t.* revidere; ~, *n.* revision; -or, *n.* tilhører; revisor, regnskabsrevisor.

auger, *n.* navbor.

aught, *n. & adv. arch.* noget; for ~ I know, så vidt jeg ved.

augment, *v. t.* forøge; ~, *v. i.* tiltage.

augur, *v. t.* spå, varsle; -y, *n.* varsel.

august, *adj.* ophøjet.

auk, *n. zool.* alk; great ~, gejrfugl.

auld, *adj. Scot.* gammel; ~ lang syne, i længst forsvundne dage.

aunt, *n.* tante.

aura, *n.* udstråling.

aureole, *n.* glorie.

aurora, *n.* morgenrøde; ~ borealis, nordlys.

auspicious, *adj.* lykkevarslende, lovende.

austerity, *n.* strenghed; askese.

Austria, *n.* Østrig; -n, *adj.* østriger.

authentic, *adj.* ægte, autentisk; -ate, *v. t.* bevisliggøre.

author, *n.* forfatter; skribent; ophavsmand.

authority, *n.* autoritet, myndighed; hjemmel.

authorize, *v. t.* bemyndige; autorisere.

auto|cracy, *n.* enevælde; -crat, *n.* selvhersker, autokrat; -cycle, *n.* knallert; -nomy, *n.* selvstyre, autonomi; -psy, *n.* obduktion.

autumn, *n.* efterår.

auxiliary, *adj.* hjælpe-; ~, *n.* hjælper; *gram.* hjælpeverbum.

avail, *v. i.* gavne, være til nytte, hjælpe; ~ oneself of, benytte sig af; ~, *n.* nytte, fordel; -able, *adj.* disponibel, til rådighed.

avalanche, *n.* sneskred; lavine.

avarice, *n.* havesyge; gerrighed; gridskhed.

avast, *int. naut.* stå!, stop!

avenge, *v. t.* hævne.

avenue, *n.* allé, boulevard.

aver, *v. t.* erklære, forsikre.

average, *n.* middeltal, gennemsnit; *naut.* havari.

averse, *adj.* uvillig; imod.

aversion, *n.* afsky; uvilje.

avert, *v. t.* afværge, afvende.

aviary, *n.* flyvebur.

aviation, *n.* flyvning; luftfart.

avidity, *n.* griskhed, begærlighed.

avoid, *v. t.* undgå, undvige, slippe bort fra.

avoirdupois, *n.* [engelsk vægt: 1 pund — 16 ounces].

avow, *v. t.* vedkende sig; -al, *n.* anerkendelse, tilståelse; -ed, *adj.* erklæret.

await, *v. t.* vente på; imødese.

awake, *v. t.* vække; ~, *v. i.* vågne; ~, *adj.* vågen.

award, *v. t.* tilkende, tilstå; ~, *n.* præmie, pris.

aware, *adj.* vidende; be ~ of, være opmærksom på, være klar over.

awash, *adv. naut.* i vandskorpen.

away, *adv.* borte; ~ with you!, afsted med dig!, væk!; far and ~, langt.

awe, *n.* rædsel; ærefrygt; ~, *v. t.* indgyde ærefrygt; skræmme; imponere; ~-inspiring, *adj.* respektindgydende; ~-stricken, ~-struck, *adj.* rædselsslagen.

awful, *adj.* ærefrygtindgydende, højtidelig; *sl.* forfærdelig; rædselsfuld.

awhile, *adv.* en stund.

awkward, *adj.* akavet, kejtet.

awl, *n.* syl.

awning, *n.* solsejl.

awoke, *see* awake.

awry, *adj.* skæv.

axe, *n.* økse.

axiom, *n.* grundsætning; anerkendt princip.

axis, *n.* akse.

axle, *n.* aksel, hjulaksel.

ay(e), *adv. arch. & Scot.* ja; the -s and noes, *parl.* ja- og nej-stemmer.

azure, *adj.* himmelblå.

B. A., *see* Bachelor of Arts.

babble, *v. i.* pludre; sladre af skole.

babe, *n.* spædbarn; pattebarn.

baboon, *n. zool.* bavian.

baby, *n.* spædbarn, baby, pattebarn; pass the ~, *sl.* lade sorteper gå videre.

bachelor, *n.* ungkarl, pebersvend; B~ of Arts (*abbr.* B. A.) (*approx.*) mag. art.; cand. mag.

back, *n.* ryg; bagside; get somebody's ~ up, gøre nogen vred; at the ~, bagest; have eyes at the ~ of one's head, have øjne i nakken; put one's ~ into something, lægge kræfterne i; know something like the ~ of one's hand, kende noget som sin egen lomme; ~, adv. tilbage; a few years ~, for nogle år siden; ~, v. t. rykke tilbage; (support) understøtte, beskytte; (bet on) vædde på; -bite, v. t. bagtale; -bone, n. rygrad; -handled, adj. med bagen af hånden; -ing, n. støtte; underlag; -side, n. bagdel; -slide, v. i. falde fra; -stay, n. naut. bardun; -ward, adj. bageftersen; sen; ~ child, sinke; ~(s), adv. tilbage, baglæns; -wash, n. naut. modsø; -water, n. bagvande; fig. dødvande; -woods, n. fig. gudsforladt sted; -woodsman, n. skovrydder; pioner.

bacon, n. flæsk.

bad, adj. ond, slem, slet; falsk; skadelig; dårlig; syg; styg; it's too ~, det er en skam; it's not too ~, det er ikke så dårligt; go from ~ to worse, blive værre og værre.

bade, see bid.

badge, n. tegn, kendetegn, mærke.

badger, n. zool. grævling.

baffle, v. t. forvirre; forbløffe; narre; -ling, adj. forvirrende, uforståelig.

bag, n. pose, sæk, taske; ~, v. t. nedlægge; skyde (vildt); ~ and baggage, rub og stub; the whole ~ of tricks, alle hundekunsterne; let the cat out of the ~, røbe hemmeligheden, gøre i nælderne; -s, sl. bukser.

baggage, n. bagage; rejsegods; mil. tros; sl. tøs, pakke; pigebarn.

bagman, n. coll. handelsrejsende; -pipe, n. sækkepibe.

bail, n. kaution, borgen, kautionist; sport. tværpind; ~, v. t. gå i kaution for; løslade imod kaution; -iff, n. foged; (of farm) forvalter; jur. retsbetjent.

bairn, n. Scot. barn.

bait, v. t. lokke; sætte madding på; hidse; ~, n. lokkemad; tillokkelse; forfriskning.

bake, v. t. bage; stege; brænde (tegl); -r, n. bager; ~'s dozen, tretten el. fjorten stykker.

baking-pan, n. kageform.

balance, n. skålvægt; ligevægt; overensstemmelse; overskud; ~ in our/your favour, saldoen i vor/Deres favør; lose one's ~, miste balancen; ~, v. t. veje; bringe i ligevægt; commerc. saldere, afslutte; ~, v. i. være i ligevægt; ~-sheet, n. status; balance.

balcony, n. altan; balkon.

bald, adj. skaldet; as ~ as a coot, pilskaldet; -pate, n. skaldepande.

bale, n. balle; ~, v. t. indpakke; naut. øse, lænse; ~ out, aero. springe ud med faldskærm.

baleful, adj. ulykkelig, jammerlig.

balk, n. bjælke; blok; anstødssten; ~, v. t. skuffe, narre; gøre til intet; knibe uden om; skulke fra.

ball, n. bold; kugle; bal; keep the ~ rolling, coll. holde samtalen i gang; ~ pen, kuglepen.

ballad, n. ballade; folkevise.

ball-bearing, n. kugleleje.

ballerina, n. balletdanserinde.

ballon d'essai, n. prøveballon.

balloon, n. ballon.

ballot, n. ballotering, hemmelig afstemning.

ball-point, adj. ~ pen, kuglepen.

bally, adj. sl. forbandede; -hoo, n. tvivlsomt postulat.

balm, balsam, n. balsam; -y, adj. mild; beroligende; duftende; sl. åndssvag.

Baltic, n. the ~, Østersøen.

bamboo, n. bambus.

bamboozle, *v.t.* narre.

ban, *v.t.* forbande, bandlyse.

banal, *adj.* banal.

banana, *n.* banan.

band, *n.* bånd, bælte; forening; skare; musikkorps; -age, *n.* bandage, forbinding; bind; ~, *v.t.* forbinde, bandagere; -box, *n.* hatteæske; -it, *n.* bandit; røver; -master, *n.* dirigent; kapelmester; -saw, *n.* båndsav; -stand, *n.* musiktribune.

bandy, *n. sport.* bandy; ~, *v.t.* ~ words about, udveksle bemærkninger, diskutere; ~-legged, *adj.* hjulbenet.

bane, *n.* gift; banesår.

bang, *n.* brag, drøn; ~, *v.t.* smælde med, dundre på, slå hårdt; go ~, knalde af.

bangle, *n.* armring, ankelring.

banish, *v.t.* landsforvise, bortjage.

banisters, *pl. n.* gelænder; rækværk.

bank, *n.* bred; banke; bank; dæmning; ~ rate, officiel diskonto; ~, *v.t.* omdæmme; sætte i banken; B~ Holiday, [anden helligdag i England, samt sidste mandag i august]; -er, *n.* bankier; -rupt, gå fallit; -ruptcy, *n.* konkurs, fallit; bankerot.

banner, *n.* banner, fane.

banns, *pl. n.* lysning; put up the ~, lade lyse til ægteskab; forbid the ~, gøre indsigelse mod ægteskab.

banquet, *n.* banket; festmåltid.

banshee, *n.* spøgelse.

bantam, *n. zool.* dværghøne.

banter, *n.* godmodigt drilleri; skæmt.

bap|tism, *n.* dåb; -tist, *n.* baptist, gendøber; John the B~, Johannes Døberen; -tize, *v.t.* døbe.

bar, *n.* slå, tværstang, bom, tremme; hindring; skranke; buffet; skænkestue; *mus.* takt; the B~, sagførerstanden; ~, *v.t.* spærre, udelukke; forbyde; undtage; stænge for.

barb, *n.* modhage; -ed wire, pigtråd.

barbarian, *n.* barbar, umenneske; ~, *adj.* barbarisk, rå.

barbecue, *n.* stegerist; gilde med helstegte dyr.

barber, *n.* barber; ~'s pole, barberskilt.

barberry, *n. bot.* berberis.

bard, *n.* skjald.

bare, *adj.* bar; blottet, nøgen; tom; ~, *v.t.* blotte, afklæde; -faced, *adj.* fræk, uforskammet; -ly, *adv.* næppe; knap.

bargain, *n.* handel; forretning; aftale; into the ~, oven i købet; a ~ price, spotpris; ~, *v. i.* slutte en handel, købslå, tinge; aftale; more than one had -ed with, mere end man havde regnet med.

barge, *n.* pram.

bark, *n. bot.* bark; (*of dog*) gøen; *naut.* skib, snekke; ~, *v.t.* af barke; ~, *v.i.* gø.

bar|keeper, -tender, *n.* værtshusholder; bartender.

barley, *n. bot.* byg.

barmaid, *n.* opvartningspige; barpige; buffetjomfru.

barn, *n.* lade; ~-door, *n.* ladeport.

barnacle, *n.* langhals.

baroque, *adj.* barok.

barrack, *n.* kaserne.

barrage, *n.* spærring; spærreild; dæmning.

barrel, *n.* tønde; bøsseløb; ~-organ, *n.* lirekasse.

barren, *adj.* gold, ufrugtbar.

barrier, *n.* afspærring; barriere; bom, skranke.

barring, *prep.* undtagen.

barrister, *n.* advokat.

barrow, *n.* trillebør; (grave) kæmpehøj, gravhøj.

barter, *n.* tuskhandel.

bascule,*adj.*~ bridge,klapbro.

base, *n.* fundament; basis; fodstykke; søjlefod; ~,*v.t.* basere; grunde, grundlægge; ~, *adj.* uægte, ringe, (metal) uædel; *mus.* dyb; -less, *adj.* grundløs; -ment, *n.* kælderetage; -ness, *n.* ringhed, nedrighed, slethed, falskhed.

bashful, *adj.* genert.

basin, *n.* kumme; vandfad; dam; bassin.

basis, *n.* grundlag; basis.

bask, *v. i.* sole sig.

basket, *n.* kurv.

basking-shark, *n.* kæmpehaj.

bass, *n. zool.* aborre, bars; ~, *adj. mus.* bas; ~ drum, stortromme; ~ clef, *mus.* basnøgle.

bassoon, *n. mus.* fagot.

bast, *n.* bast.

bastard, *n.* uægte barn; bastard; ~, *adj.* uægte.

baste, *v.t.* (steg) dryppe; (needlework) rimpe sammen; prygle.

bastinado, *n.* stokkeprygl.

bat, *n.* boldtræ; kølle; *zool.* flagermus.

batch, *n.* hold; sæt; portion; bundt.

bate, *v. t.* formindske; with -d breath, med tilbageholdt åndedræt.

bath, *n.* bad; badekar; ~ towel, frottéhåndklæde; B~ chair, rullestol; B~ bun, tebolle; -e, *v. t. & i.* bade; -ing cap, *n.* badehætte; ~ resort, badested; ~ suit, badedragt; ~ trunks, badebukser; -room, *n.* badeværelse.

batman, *n. mil.* oppasser.

baton, *n.* stav; taktstok; marskalstav.

batten, *n.* smal planke; ~, *v. t. naut.* skalke.

batter, *v. t.* forslå, rampo-

nere; ~, *n.* [dej sammenrørt af æg, mel og mælk]; -ing-ram, *n.* stormbuk; murbrækker.

battery, *n.* batteri; *jur.* vold, overfald.

battle, *n.* slag; træfning; ~, *v. t.* kæmpe, stride; ~-axe, *n.* stridsøkse; ~-cry, *n.* krigsråb; slagord; -field,*n.* slagmark; valplads; -ship, *n.* slagskib; -ment, *n.* brystværn.

batty, *adj. coll.* tosset.

bauble, *n.* narrebriks.

baulk, *see* balk.

bawbee, *n. Scot.* skilling.

bawdy, *adj.* sjofel.

bawl, *v.i.* skråle;vræle;~out, brøle; (scold) skælde ud.

bay, *n.* havbugt, bugt; *bot.* laurbærtræ; stand at~,sætte sig til modværge, være hårdt trængt; ~, *v. i.* halse, glamme; ~, *adj.* rødbrun; ~ window, karnapvindue; -onet, *n.* bajonet.

bazaar, *n.* basar.

be (*pres.* am, is, are; *past.* was, were; *past. part.* been), *v. substantive, copulative & aux.* være; betyde; ske; eksistere; blive.

beach, *n.* strand, strandbred; ~, *v. t. naut.* sætte på land.

beacon, *n.* sømærke, fyrtårn; færdselsfyr.

bead, *n.* perle; dråbe; *mil.* sigtekorn.

beadle, *n.* retsbud; pedel.

beagle, *n.* harehund.

beak,*n.*næb; tud;*sl.*dommer; *sl.* skolelærer; -er,*n.*bæger.

beam, *n.* bjælke; stang; bom; lysstråle; on the ~, *naut.* tværskibs.

bean, *n.* bønne; ~-feast, *n. coll.* sommerudflugt.

bear (bore, borne *el.* born), *v.t. & i.* bære; overbringe; bringe til verden, føde; støtte; fordrage, tåle; ~, *n. zool.* bjørn; -berry, *n. bot.* melbær; -able, *adj.* tålelig, udholdelig.

beard, n. skæg; ~, v.t. trodse.
bearer, n. overbringer; ihændehaver.
bearing, n. opførsel, holdning; retning; *mech.* leje; *naut.* pejling.
beast, n. dyr, umenneske; ~ of burden, lastdyr; -ly, *adj.* dyrisk, bestialsk, gemen, fæl; nederdrægtig; *sl.* møg.
beat (beat, beaten *el.* beat), v.t. & i. slå, banke; overvinde; ~ down, prutte i pris ned; ~, n. slag; runde; -ing, n. banken; prygl; klø.
beatitude, n. lyksalighed.
beau, n. kavaler.
beautiful, *adj.* skøn, smuk.
beauty, n. skønhed; ~ sleep, søvn før midnat; ~ spot, skønhedsplet; (scenic) naturskønt sted.
beaver, n. *zool.* bæver.
becalmed, *adj.* *naut.* i vindstille.
became, *see* become.
because, *conj.* fordi; ~ of, på grund af.
beck, n. (bjerg)bæk; be at somebody's ~ and call, stå på pinde for nogen.
beckon, v.t. kalde til sig ved tegn.
become, (became, become), v.t. klæde, anstå; ~ v.i. blive.
becoming, *adj.* klædelig.
bed, n. seng; leje; bed; ~, v.t. lægge i seng; plante; -ding, n. sengetøj.
bedeck, v.t. pynte, dække.
bed|fellow, n. sovekammerat; -jacket, n. sengetrøje.
bedizen, v.t. udmaje.
bedlam, n. dårekiste.
bed|plate, n. bundplade; fundament; -post, n. sengestolpe.
bedraggle, v.t. tilsøle.
bed|ridden, *adj.* sengeliggende; -rock, n. grundfjeld; -room, n. soveværelse; -sitter (-sittingroom) n.

[kombineret sove- og opholdsværelse]; -spread, n. sengetæppe; -stead, n. sengested.
bee, n. bi; have a ~ in one's bonnet, have en fiks idé.
beech, n. bøg.
beef, n. oksekød; -eater, n. [opsynsmand i the Tower of London]; -steak, n. bøf; ~-tea, n. kødekstrakt, bouillon.
beehive, n. bikube.
been, *see* be.
beer, n. øl; small ~, tyndt øl.
beet, n. roe, bede; sugar ~, sukkerroe; -root, n. rødbede.
beetle, n. bille; skarnbasse; ~-browed, *adj.* med buskede bryn.
befall (befell, befallen), v.t. hænde; overgå.
befit, v.t. passe til; as -s a lady, som det sømmer sig for en dame.
befogged, *adj.* omtåget.
before, *prep.* foran; i nærværelse af; fremfor; ~, *adv.* & *conj.* førend, før; -hand, *adv.* på forhånd.
befoul, v.t. tilsmudse.
befriend, v.t. vise velvilje imod, hjælpe.
beg, v.t. & i. bede om, udbede sig; tigge, betle; -gar, n. tigger.
began, *see* begin.
beget (begot, *arch.* begat, begot(ten)), v.t. *arch.* & *fig.* avle.
begin (began, begun), v.t. & i. begynde; to ~ with, for det første.
begone, *int.* bort!, pak dig!
begot(ten), *see* beget.
begrime, v.t. tilsøle.
begrudge, v.t. misunde.
beguile, v.t. besnære; ~ away the time, fordrive tiden.
begun, *see* begin.
behalf, n. on X's ~, på X's vegne.
behave, v.i. opføre sig, skikke sig.

behaviour, n. opførsel, adfærd.

behead, v. t. halshugge.

beheld, see behold.

behind, prep. & adv. bagefter, bagved; tilbage; -hand, adv. tilbage, bagud.

behold (beheld, beheld), v. t. skue; se; -en, adj. be ~ to, stå i taknemmelighedsgæld til.

beige, adj. beige.

being, n. tilværelse; væsen; human ~, menneske.

belabour, v. t. prygle.

belated, adj. forsinket.

belay, v. t. naut. fastgøre; -ing pin, kofilnagle.

belch, v. t. ræbe.

belfry, n. klokketårn.

belie v. t. gøre til løgn, fornægte; her words -d her actions, hendes ord gjorde hendes handlinger til skamme.

belief, n. tro.

believe, v. t. & i. tro.

belittle, v. t. forkleine.

bell, n. klokke; kjælde.

bell|boy, n. hotelpiccolo; ~-buoy, n. klokkebøje.

belle, n. skønhed, smuk pige.

belli|cose, adj. krigersk; -gerent, adj. krigsførende.

bellow, v. i. brøle; ~, n. brøl; -s, pl. n. blæsebælg.

belly, n. bug; underliv; vom; -ache, n. mavepine.

belong, v. i. høre hjemme; ~ to, tilhøre.

beloved, adj. elsket, afholdt.

below, adv. & prep. under; nede; nedenfor.

belt, n. bælte; rem; hit below the ~, also fig. slå under bæltestedet.

bench, n. bænk; høvlebænk; the B~, dommerne, dommerstanden.

bend (bent, bent), v.t. bøje, krumme; spænde; ~, v.i. bukke sig; be bent on, være besluttet på; ~, n. krumning, bøjning; ~ in a road, vejsving.

beneath, adv. & prep. under; neden under.

bene|diction, n. velsignelse; -factor, n. velgører; -ficial, adj. gavnlig; velgørende; heldig; -fit, n. velgerning, fordel; ~, v.t. gavne; v.i. profitere, have fordel; ~-performance, n. beneficeforestilling; -volence, n. velvillighed; godgørenhed; velgerning.

benighted, adj. uvidende; overrasket af natten; (usually fig.) åndsformørket.

benign, adj. huld, nådig, velgørende.

bent, see bend; ~, n. retning; tilbøjelighed.

bequeath, v. t. testamentere.

bequest, n. legat.

bereave (bereft or -d, -d), v. t. berøve; -ment, n. dødsfald; sorg.

bereft, see bereave.

beret, n. baskerhue.

berry, n. bær.

berserk, n. bersærk; go ~, få besærkergang.

berth, n. køje; soveplads; ankerplads; give a wide ~, fig. gå langt uden om.

beseech (besought, besought), v. t. bønfalde.

beset, v. t. omringe; angribe; indeslutte.

beside, prep. ved siden af; be ~ oneself, være ude af sig selv.

besides, adv. & prep. desuden; foruden.

besiege, v. t. belejre.

besmear, v. t. oversmøre.

besom, n. riskost.

besought, see beseech.

bespeak (bespoke, bespoken), v.t. bestille; forudbestille; bespoke tailor, skrædder der kun syr efter mål.

best, adj. & adv. bedst.

bestial, adj. dyrisk.

bestow, v.t. tilstå, skænke; anbringe; ~ honours, vise ære.

bet, *n.* væddemål; ~, *v. t.* vædde.

betake (betook, betaken), *v. refl.* ~ oneself to, begive sig til.

betide, *v. i. & t.* times; hænde; woe ~ you!, ve dig!

betimes, *adv.* i god tid.

betoken, *v. t.* varsle; tyde på.

betray, *v. t.* forråde; svigte, røbe, svige.

betrothal, *n.* trolovelse.

better, *adj. & adv.* bedre; so much the ~, så meget desto bedre; ~ off, bedre stillet; I hope you will soon be ~!, god bedring!; his elders and ~s, *pl. n.* folk, der er ældre, klogere end han selv; ~, *v. t.* forbedre; overgå.

between, *prep. & adv.* imellem, mellem.

betwixt, *prep. & adv.* ~ and between, midt imellem; en mellemting.

bevel, *n.* skråkant, vinkel; ~, *v. t.* afskrå.

beverage, *n.* drik.

bevy, *n.* flok; sværm.

bewail, *v. t.* jamre over.

beware, *v. i. & t.* vogte sig (for).

bewilder, *v. t.* forvirre; gøre ør.

bewitch, *v. t.* forhekse; fortrylle.

beyond, *prep.* hinsides; på den anden side af; udover; udenfor.

bias, *n.* hældning; forudindtagethed; skrå retning; partiskhed; ~, *v. t.* gør forudindtaget; påvirke; cut on the ~, klippe (or skære) på skrå.

bib, *n.* hagesmæk; best ~ and tucker, stiveste puds.

bib|le, *n.* bibel; -lical, *adj.* bibelsk.

bicarbonate, *n.* bikarbonat; ~ of soda, tvekulsurt natron.

biceps, *n.* overarmsmuskel; biceps.

bicker, *v. i.* småskændes, mundhugges; -ing, *n.* kævl.

bicycle, *n.* cykel.

bid (bade *el.* bid, bidden), *v. t. & i.* byde, befale; indbyde; tilbyde; give er bud; melde; ~ goodnight, sige godnat; -ding, *n.* befaling; bud; melding.

bide, *v. t. & i. arch. & poet.* vente &; afvente.

biennial, *n.* toårig plante; ~, *adj.* toårig; som varer to år.

bier, *n.* båre, ligbåre.

bifurcated, *adj.* togrenet; gaffeldannet.

big, *adj.* stor; tyk; svær.

bigot, *n.* snæversynet person; -ed, *adj.* bigot.

bight, *n.* bugt.

bigwig, *n. sl.* stor kanon; vigtig person.

bike, *n. sl.* cykel.

bilberry, *n. bot.* blåbær.

bile, *n.* galde; dårligt humør.

bilge, *n. naut.* kiming; *sl.* vrøvl; ~ pump, lænsepumpe.

bilingual, *adj.* tosproget.

bilious, *adj.* galdesyg.

bill, *n.* (halberd) økse; (beak) næb; (invoice) regning; *commerc.* veksel; (poster) plakat; *parl.* lovforslag; ~ of lading, konnossement; ~ of exchange, veksel; ~ of fare, spiseseddel; menukort; ~ of sale, overdragelsesdokument; pantebrev i løsøre; ~ broker, vekselmægler.

billet, *n.* indkvarteringsseddel; kvarter; ~, *v. t.* indkvartere.

billfold, *n.* tegnebog.

billiard|-ball, *n.* billardkugle; -s, *pl. n.* billard.

billow, *n.* stor bølge; ~, *v. i.* bølge voldsomt.

bill|posting, *-sticking*, *n.* opklæbning af plakater.

bin, *n.* kasse; beholder; dust ~, *n.* skarnkasse.

bind (bound, bound), *v. t.* binde; forbinde, forpligte; indbinde; forstoppe; forårsage forstoppelse; ~, *v.i.* binde, stivne; -ing, *n.* indbinding; binding; bog-bind.

binnacle, *n. naut.* kompashus.

binoculars, *pl. n.* kikkert.

biped, *n.* tobenet dyr.

birch, *n. bot.* birk; ~-rod, *n.* ris.

bird, *n.* fugl; a little ~ told me, det har jeg hørt en lille fugl synge om; ~'s eye view, fugleperspektiv; a ~ in the hand is worth two in the bush, én fugl i hånden er bedre end ti på taget; -s of a feather flock together, krage søger mage.

birth, *n.* fødsel; herkomst; -day, *n.* fødselsdag.

biscuit, *n.* tvebak; kiks.

bisect, *v. t.* halvere.

bishop, *n.* biskop; (chess) løber; -ric, *n.* bispedømme; bispeembede.

bismuth, *n.* vismuth.

bit, *n.* bidsel; lille stykke; bid; lille sølvmønt; lidt, en smule; ~, *see* bite.

bitch, *n.* hunhund.

bite, *n.* bid; stik; ~ (bit, bitten), *v. t. & i.* bide; svide; stikke; tage fat; ~ the dust, *sl.* bide i græsset; be bitten, *sl.* blive snydt; once bitten twice shy, brændt barn skyr ilden;

biter, *n.* the ~ bit, det var hug over høg.

bitten, *see* bite.

bitter, *adj.* bitter, besk; bidende, barsk.

bittern, *n. zool.* rørdrum.

blab, *v. t. & i.* plapre ud med.

black, *adj.* sort, mørk; (angry) vredladen; (dirty) snavset; the ~ art, den sorte kunst; ~ bread, rugbrød; ~ eye, blåt øje; ~ Maria, *sl.* salatfadet; ~, *v. t.* sværte; gøre sort; -beetle, *n.* kakerlak;

-berry, *n.* brombær; -bird, *n.* solsort; -board, *n.* sort tavle; -currant, *n.* solbær; -en, *v. t.* gøre sort, sværte; *fig.* bagtale; -friar, *n.* sortebroder, dominikaner; -guard, *n.* slyngel; -mail, *n.* pengeafpresning; ~, *v. t.* øve p. mod; -out, *n.* mørklægning; hukommelsestab; -smith, *n.* grovsmed; -thorn, *n. bot.* slåen.

bladder, *n.* blære.

blade, *n.* græsstrå; klinge; blad; (gay lad) lystig fyr.

blame, *v. t.* dadle, laste; ~, *n.* dadel; skyld.

blanch, *v. t.* blege.

bland, *adj.* blid; -ish, *v. t.* smigre og lokke.

blank, *adj.* blank, ubeskrevet; ren, tom; *poet.* rimfri; ~ cartridge, løs patron; ~, *n.* blanket; tomrum; tom plads.

blanket, *n.* uldtæppe; wet ~ *fig.* lyseslukker.

blare, *v. i.* gjalde.

blarney, *n.* fagre ord; smiger; use ~, besnakke.

blast, *n.* vindstød; sprængning; skrald; (*in* furnace) træk; ~ furnace, smelteovn; ~, *v. t.* sprænge med krudt; brænde, svide; -ed, *adj. sl.* forbistret, forbandet.

blatant, *adj.* støjende; klar, oplagt; pågående.

blaze, *n.* lue; stærkt lys; blis; like -s, *sl.* som bare pokker; ~, *v. i.* blusse, flamme; ~, *v. t.* [afmærke en sti ved afhugning af fliser af træernes bark].

blazon, *v. t.* udbasunere, stille til skue; sætte stærk farve på; sætte våbenmærke på.

bleach, *v. t. & i.* blege; af-blege.

bleak, *adj.* trist, råkold.

blear-eyed, *adj.* med betændte (or rindende) øjne.

bleat, *v. i.* bræge.

bled, *see* bleed.
bleed (bled, bled), *v.i.* bløde;
~, *v.t.* årelade; -er, *n.*
bløder.
blemish, *v.t.* plette; vanære;
~, *n.* skavank; skamplet.
blend, *v.t.* blande; ~, *n.*
blanding.
bless, *v.t.* velsigne, lyksalig-
gøre; ~ me!, du godeste!
blether, *v.i.* vrøvle, sludre.
blew, *see* blow.
blight, *n.* plantesygdom;
ruin, ødelæggelse.
blind, *adj.* blind; hemmelig;
~ man's buff, blindebuk;
~, *v.t.* gøre blind; blænde;
~, *n.* rullegardin; Venetian
~, jalousi; -fold, *v.t.* binde
for øjnene; ~, *adj.* med
bind for øjnene.
blink, *v.i.* plirre (*or* blinke)
med øjnene; blinke,
glimte;-ers, *pl. n.* skyklap-
pen.
bliss, *n.* salighed.
blister, *n.* vable; blære;
blist.
blithe, *adj.* lykkelig, munter.
blithering, *adj. coll.* forvrøv-
let; ~ idiot, kraftidiot.
blizzard, *n.* snestorm.
bloat, *v.t.* opblæse; røge;
-ed, *adj.* oppustet, hoven;
-er, *n.* letrøget sild.
blob, *n.* klat; dråbe.
block, *n.* blok; klods; (build-
ing) kompleks; (obstacle)
standsning, hindring; ~,
v.t. spærre; -head, *n.* dum-
rian, klodrian, dosmer.
bloke, *n. sl.* fyr.
blonde, *n.* blondine; ~, *adj.*
blond, lyshåret.
blood, *n.* blod; slægt, stam-
me; ~-curdling, *adj.* ræd-
selsvækkende; ~-group, *n.*
blodtype; ~-hound, *n.*
blodhund; -shed, *n.* blods-
udgydelse; blodbad;-shot,
adj. blodskudt; -sucker, *n.*
blodigle; vampyr; ~-ves-
sel, *n.* blodkar; -y, *adj.*
blodig, blodtørstig, gru-

som; *sl.* helvedes, for-
bandet.
bloom, *n.* blomst; blom-
string; ~, *v.i.* blomstre.
bloomer, *n.* bommert; -s,
pl. n. pludderbukser.
blossom, *n.* blomst.
blot, *v.t.* plette, tilklatte;
lægge trækpapir på; ~ out,
udslette; ~, *n.* klat; plet.
blotch, *n.* plet; betændt sted;
skjold.
blotting-paper, *n.* trækpapir.
blouse, *n.* bluse, kittel.
blow (blew, blown), *v.t. & i.*
blæse; puste; ~ one's nose,
pudse næse; (spend freely)
ødsle; spendere; ~ a fuse,
sprænge en sikring; ~ up,
sprænge, eksplodere;
over, drive over; ~, *n.*
slag, stød; come to -s,
komme op at slås; -pipe,
n. blæserør; pusterør.
blubber, *n.* hvalspæk; ~, *v.i.*
flæbe.
bludgeon, *n.* knippel.
blue, *adj.* blå; in a ~ funk,
hundeangst; ~, *n.* [univer-
sitetsrepræsentant i sport];
B ~ Peter, *naut.* lodsflag;
the -s, *pl.* melankoli; ~, *v.
t.* blåne; -beard, *n.* blå-
skæg; -bottle, *n.* spyflue;
-jacket, *n.* orlogsmatros.
bluff, *adj.* stejl, barsk; lige-
frem; ~, *n.* brink, ås;
maske; komediespil; ~,
v.t. & i. dupere, bluffe;
skræmme.
bluish, *adj.* blålig.
blunder, *n.* forseelse; fadæse;
bommert; ~, *v.t. & i.*
kludre, rave om; famle
sig frem; -buss, *n.* muske-
donner.
blunt, *adj.* stump, sløv; klod-
set; ligefrem; ~, *v.t.* sløve;
svække; afstumpe; -ly,
adv. to say it ~, for at sige
det rent ud.
blur, *n.* slør, uklarhed; ~,
v.t. sløre; formørke.
blurb, *n. sl.* [forlagsreklame
for en bog].

blurt, *v.t.* ~ out, buse ud med.

blush, *n.* rødme, blussen; ~, *v. i.* rødme.

bluster, *v. i.* buldre; (wind) storme, blæse.

boa(-constrictor), *n.* zool. kvælerslange.

boar, *n.* zool. orne; vildsvin.

board, *n.* bræt; bord, tavle; (food) kost; ~ of directors, bestyrelse; examining ~, kommission; on ~, om bord; ~, *v. t.* (feed) tage i kost; (cover with -s) beklæde med brædder; *naut.* borde, entre; -er, *n.* pensionær; -ing-house, *n.* pensionat; -ing-school, *n.* kostskole.

boast, *v. i.* prale, rose sig; ~, *n.* praleri, skryderi.

boat, *n.* båd; fartøj; damp-båd; in the same ~, i samme båd; ~ race, kaproning; -hook, *n.* bådshage; -swain, *n.* bådsmand.

bob, *n.* ryk, kast; *naut.* lod; *sl.* shilling; ~, *v.i.* dingle, bevæge sig i små ryk; ~ up, dukke op; -bin, *n.* garnspole; -tail, *n.* zool. stumphale.

bode, *v. t.* varsle.

bodice, *n.* kjoleliv.

bodkin, *n.* trækkenål.

body, *n.* legeme; krop; (person) person; (group) afdeling, flok; (corpse) lig; -guard, *n.* livvagt.

bog, *n.* mose; sump.

bogie, *n.* bogie; ~-carriage, *n.* bogievogn.

bogus, *adj.* forloren.

bogy, bogey, *n.* bussemand.

boil, *v. t. & i.* koge; syde; ~, *n.* byld; kog; come to ~ boil, komme i kog; -ed shirt, *sl.* stivet skjorte; -er, *n.* dampkedel.

boisterous, *adj.* voldsom, støjende, højrøstet.

bold, *adj.* dristig, kæk; frimodig; fræk; ~-faced type, *typ.* halvfed.

bole, *n.* bul; stamme.

bollard, *n.* fortøjningspæl.

bolster, *n.* pølle, underpude; ~ up, *v. t.* *fig.* understøtte, stive af.

bolt, *n.* slå; pil; *mil.* bundstykke; (paper, cloth) rulle; (thunderbolt) tordenkile; (on door) slå; ~, *v. t.* slå slåen for; sluge hel; ~, *v. i.* løbe sin vej, stikke af; (horse) løbe løbsk; ~ upright, *adv.* ret op og ned.

bomb, *n.* bombe.

bombastic, *adj.* højtravende, svulstig.

bond, *n.* bånd; gældsbevis; obligation; *archit.* forbandt; put in ~, lade henlægge under toldsegl; -ed warehouse, toldpakhus; -age, *n.* trældom; livegenskab; -sman, *n.* træl, livegen.

bone, *n.* ben; knogle; ~ of contention, stridens æble; ~, *v. t.* tage benene ud; ~-dry, *adj.* knastør; ~-idle, *adj.* luddoven; ~-shaker, *n.* *sl.* skærveknuser.

bonfire, *n.* glædesblus; bål.

bonnet, *n.* damehat; kyse; hue; (car) hjælm; have a bee in one's ~, have en fiks idé.

bonny, *adj.* Scot. køn; fin; ~, *n.* kæreste.

bonus, *n.* gratiale; bonus; cost of living ~, dyrtidstillæg.

bony, *adj.* knoglet; radmager.

boob(y), *n.* fjols, dumrian; ~ trap, fælde; ~ prize, præmie til nummer sjok.

book, *n.* bog; hæfte; -s *commerc.* regnskab(er), bøger; be in somebody's good (, bad) -s, have en stjerne (, være i unåde) hos nogen; ~, *v. t. & i.* bestille; reservere; notere; ~ in advance, forudbestille; -bin-der, *n.* bogbinder; -case,

n. reol; bogskab; -ing-
office, *n.* billetkontor;
-keeper, *n.* bogholder;
-maker, *n.* væddemåls-
agent; -seller, *n.* boghand-
ler; -worm, *n.* bogorm.

boom, *n. naut.* bom; drøn;
dur (af søen); opsving;
hausse; ~, *v. i.* bruse;
stryge for fulde sejl, slå
på stortromme for.

boon, *n.* nådegave, gunst;
~, *adj.* lystig; flink; a ~
companion, bonkamme-
rat.

boor, *n.* bondeknold.

boost, *v. t.* gøre re-
klame for.

boot, *n.* støvle; to ~, oven i
købet.

booth, *n.* bod; boks.

boot|lace, snørebånd; -leg-
ger, *n.* spritsmugler; -ma-
ker, *n.* skomager.

boots, *n.* støvlepudser; ho-
telkarl.

booty, *n.* bytte; rov.

booze, *v. i. sl.* drikke tæt,
svire; solde.

boracic, *adj.* boraks-, bor-;
~ acid, borsyre.

border, *n.* bort; bræmme;
kant; grænse; bed; (gar-
den) rabat; ~, *v.i.* grænse til;
~, *v. t.* begrænse; indfatte.

bore, *v.t.* (drill) bore, ud-
bore; (make weary) kede;
~, *n.* kedelig person, pla-
geånd; (of gun) kaliber;
-dom, *n.* kedsomhed.

boring, *adj.* kedsommelig;
trættende.

borough, *n.* købstad; by-
valgkreds; kommune.

borrow, *v. t.* låne; borge.

bosh, *n. sl.* sludder.

bosom, *n.* bryst; barm;
hjerte; ~ friend, hjertens-
ven(inde).

boss, *n.* bule; knop; nav;
sl. principal, mester, for-
mand; ~, *v. t. & i. coll.*
kommandere; dirigere;
make a ~-shot, *coll.* slå
fejl, ramme ved siden af.

bosun, *see* boatswain.

botany, *n.* botanik.

botch, *v.t.* (for)fuske; jaske;
~, *n.* makværk.

both, *pron. & adv.* begge
(to); begge dele; ~ ...
and ..., både ... og ...

bother, *v.t.* plage, forstyrre;
I can't be -ed, jeg gider
ikke; ~, *n.* plage; besvær;
besværlighed; forstyrrelse;
~, *int.* det var sørens!;
-some, *adj.* besværlig,
plagsom.

bottle, *n.* flaske; ~, *v. t.* af-
tappe på flasker; ~-opener,
*n.*oplukker; *coll.* madonna.

bottom, *n.* bund; grund;
bagdel; at the ~, neden-
for, forneden; get to the
~ of something, nå til
bunds i en sag; ~ upwards,
med bunden i vejret; ~,
v.t. bunde; -less, *adj.*
bundløs; uudgrundelig;
uden bund.

bough, *n.* gren.

bought, *see* buy.

boulder, *n.* kampesten; rul-
lesten.

bounce, *v. i.* springe, fare;
prale; (of cheque, *sl.*) blive
returneret; ~, *n.* spring;
stød; slag; praleri; -r, *n.*
coll. (lie) kæmpeløgn; *sl.*
(chucker-out) udsmider.

bound, *n.* grænse; skranke;
hop; spring; ~, *see* bind;
I'm ~ to admit, jeg er nødt
til at indrømme; ~ for,
bestemt for; på rejse til;
-ary, *n.* grænse; grænse-
skel; -er, *n. coll.* tølper;
-less, *adj.* grænseløs; uen-
delig.

bounty, *n.* gavmildhed, gave.

bourse, *n.* børs.

bout, *n.* tørn; runde.

bovine, *adj.* kvæg-; okse-,
ko-.

bow, *v. t.* bøje, krumme;
~, *v. i.* bukke; bøje sig;
~, *n.* buk; sløjfe; *naut.*
bue; bov-; ~ window,
karnapvindue.

bowels, *pl. n.* indvolde, *pl.*

bower, *n.* lysthus, løvhytte.

bowie-knife, *n.* skovmands-
kniv.

bowl, *n.* skål, kumme;
(*of* pipe) pibehoved; ~,
v.t. trille; *sport.* kaste;
~ over, vælte.

bow|legged, *adj.* hjulbenet;
-ler, *n.* rundpuldet hat,
bowler.

bowling, *n.* bowling, kast;
keglespil; ~-alley, *n.* keg-
lebane; ~-green, *n.* boccia-
plæne.

bow|sprit, *n. naut.* bovspryd;
~-tie, *n.* butterfly; ~-wow,
n. coll. vov-vov; ~, *v.i.* gø.

box, *n.* æske; skrin; kasse;
loge; *bot.* buksbom; ~ on
the ear, ørefigen; ~, *v.t.*
pakke i æske; bokse;
Christmas ~, julegave;
B~ing Day, anden jule-
dag; ~ing-gloves, *n.*-bokse-
handsker; ~-kite, *n.* kasse-
drage; ~-office, *n.* billet-
kontor.

boy, *n.* dreng; knøs; -cott, *n.*
boykot; ~, *v.t.* boykotte;
-hood, *n.* drengeår, *pl.*;
-ish, *adj.* drengeagtig.

brace, *n.* bånd; rem; par;
archit. stiver; -s, *pl. n.*
bukseseler, *pl.*; ~, *v.t.*
sammenbinde, stramme,
spænde; afstive; *naut.*
brase.

bracelet, *n.* armbånd.

bracken, *n. bot.* ørnebregne.

bracket, *n.* konsol; vinkel-
jern; (parenthesis) klam-
me, parentes.

brackish, *adj.* ~ water, brak-
vand.

brad, *n.* stift; dykkersøm;
-awl, *n.* spidsbor.

brae, *n. Scot.* bakkeskråning.

brag, *v.i.* prale, brovte,
skryde; -gart, *n.* pralhans.

braid, *n.* flettet snor, flet-
ning; ~, *v.t.* besætte med
snore.

braille, *n.* blindskrift.

brain, *n.* hjerne; hoved; for-
stand; intelligens; ~, *v.t.*
slå hjernen ud.

brake, *n. mech.* bremse; *bot.*
krat; bregne.

bramble, *n. bot.* brombær;
brombærranke.

bran, *n.* klid.

branch, *n.* gren; afdeling;
filial; ~, *v.i.* forgrene sig.

brand, *n.* brand; brænde-
mærke; varemærke; *fig.*
skamplet; ~, *adj.* ~ new,
splinterny; ~, *v.t.* brænde-
mærke; stemple; -ish, *v.t.*
svinge (et våben).

brandy, *n.* cognac; brænde-
vin.

brass, *n.* messing, bronze;
sl. penge, stakater; *coll.*
uforskammethed; ~ band,
hornorkester.

brat, *n. derog.* barn; unge.

brave, *adj.* modig, tapper,
gæv; udmærket; ~, *v.t.*
trodse; ~, *n.* indiansk kri-
ger; -ly, *adv.* tappert,
kækt; -ry, *n.* tapperhed;
heltemod.

brawl, *n.* klammeri; ~, *v.i.*
larme, skråle.

brawn, *n.* svinesylte, sylte;
muskelkraft.

bray, *v.i.* skryde; ~, *n.*
(*of* trumpet) skrald; (*of*
donkey) skryden.

braze, *v.t.* lodde.

brazen, *adj.* fræk, skamløs,
ublu; af kobber, messing.

brazier, *n.* kulbækken; gørt-
ler.

brazil-nut, *n.* paranød.

breach, *n.* overtrædelse;
brud; breche.

bread, *n.* brød.

breadth, *n.* bredde.

breadwinner, *n. coll.* familie-
forsørger.

break (broke, broke *el.*
broken), *v.t.* brække; rui-
nere; knække; tæmme,
skole; (af)bryde; bringe
på bane; sprænge; ~, *v.i.*
springe; ~ out, bryde ud,
komme til udbrud; ~

cover, springe frem; ~
down, falde sammen; ~,
n. mellemrum; åbning;
afbrydelse; brud; -able,
adj. skør, skrøbelig; -age,
n. brud; -down, n. uheld;
sammenbrud; (statistical)
opdeling, analyse; ~ lorry,
n. kranvogn; -er, n. brod-
sø; afbryder; -fast, n.
morgenmad; -neck, adj.
halsbrækkende; -water, n.
bølgebryder.
breast, n. bryst.
breath, n. ånde; åndedræt;
pust; -e, v.t. & i. ånde,
trække vejret; hviske.
bred, see breed.
breech, n. bagparti; bund-
stykke; -es, pl. n. rideben-
klæder, pl.
breed, n. slægt; race; kuld;
~ (bred, bred), v.t. avle,
frembringe; opføde; op-
drage, volde, vække; ~,
v. i. yngle; formere sig.
breez|e, n. brise; kuling; -y,
adj. frisk, livlig.
brethren, pl. n. brødre, pl.
brevity, n. korthed, kort-
fattethed.
brew, v. t. brygge; lave; ~,
v. i. (storm) trække op;
-ery, n. bryggeri.
briar, see brier.
bribe, n. stikpenge; bestik-
kelse; ~, v.t. underkøbe,
bestikke; -ry, n. bestik-
kelse.
bric-à-brac, n. nipsting;
kuriositeter.
brick, n. mursten, tegl; sl.
flink fyr, knop; -bat, n.
murbrok; -kiln, n. tegl-
ovn; -layer, n. murer.
bride, n. brud; -groom, n.
brudgom; -smaid, n. bru-
depige.
bridge, n. bro; stol (of violin,
etc.); (of nose) næseryg;
~, v.t. bygge bro over;
spænde over.
bridle, n. tøjle; hovedtøj,
tømme og bidsel; ~, v. t.

tøjle; lægge tømme og
bidsel på.
brief, adj. kort, kortfattet,
sammentrængt; ~ n. ud-
tog af en retssag; hold a ~
for, være advokat for; ~,
v. t. resumere; instruere,
~-case, n. (dokument)-
mappe.
brier (el. briar), n. bruyere-
lyng; tornebusk; (pipe)
bruyerepibe; sweet ~, vild
rose.
brigadier, n. brigadegeneral.
brigand, n. røver.
bright, adj. blank, klar;
klogtig; lys.
brilliant, adj. glimrende,
funklende; åndrig; ~, n.
brillant; -ine, n. brillantine.
brim, n. bred, rand; skygge;
-ful, adj. fyldt til randen;
-stone, n. svovl.
brindled, adj. sortbroget,
spættet.
brine, n. saltvand; lage.
bring, v.t. bringe; ~ about,
fremkalde, få i stand; ~
forth, føde, frembringe;
bringe for dagen; ~ up,
opdrage; opfostre; (for
discussion) bringe på bane.
brink, n. brink, kant.
brisk, adj. kvik, fyrig.
brisket, n. brystkød (kalve-
bryst, oksebryst, o.s.v.).
bristle, n. børste; stift hår;
~, v. i. stritte.
Britain, n. (Great) ~, Stor-
britannien.
Briton, n. brite.
brittle, adj. skør, sprød.
broach, v. t. tage hul på; an-
bore; fig. bringe på bane.
broad, adj. bred; ~ daylight,
højlys dag.
broadcast, adj. bredsået,
strøet omkring; ~, v.t. & i.
udsende (i radioen); sprede
vidt og bredt; ~, n. radio-
tale, radioforedrag; -ing,
n. radiofoni, radioudsen-
delse,
broad¦cloth, n. dobbeltbredt
fint klæde; ~-minded, adj.

forstående, frisindet; -side,
n. side af et skib; *also fig.*
det glatte lag.

broccoli, *n. bot.* italiensk
blomkål.

brochure, *n.* brochure.

brock, *n. zool.* grævling.

brogue, *n.* svær sko; (Irish)
~, irsk accent.

broil, *v.t. & i.* stege, riste; ~,
n. klammeri.

broke, *adj.* (*see also* break);
sl. på spanden.

broken (*see also* break), *adj.*
brækket, brudt; nedbrudt;
at brudt; ~-hearted, *adj.*
sønderknust, nedslået.

bronze, *adj. & n.* bronze.

brooch, *n.* broche.

brood, *v. i.* ruge; udruge;
gruble; ~, *n.* yngel; ~ hen,
n. liggehøne; ~ mare, *n.*
følhoppe.

brook, *n.* bæk, å; ~, *v. t.*
tåle, finde sig i.

broom, *n. bot.* gyvel; (brush)
fejekost; -stick, *n.* koste-
skaft.

broth, *n.* kødsuppe.

brother, *n.* broder; -hood,
n. broderskab; -(s) and
sister(s), søskende; ~-in-
law, *n.* svoger.

brought, *see* bring.

brow, *n.* øjenbryn; pande;
-beat, *v. t.* søge at skræm-
me.

brown, *adj.* brun; be in a
~ study, være i dybe tan-
ker; ~ bread, grahams-
brød; ~ paper, pakpapir;
~ sugar, puddersukker;
-ed off, *sl.* led og ked af
det.

browse, *v. i.* græsse, afbide.

bruise, *v. t.* støde, forslå;
knuse.

brunt, *n.* bear the ~ of; tage
stødet af; trække læsset.

brush, *n.* børste; pensel;
kvas; krat; ~, *v.t. & i.* bør-
ste; stryge hen over, be-
røre let; ~ off, afbørste;
~ up, opfriske; -wood, *n.*
krat.

brute, *n.* dyr; umenneske;
~, *adj.* dyrisk, rå; umen-
neskelig.

bubble, *n.* boble; ~, *v. i.*
boble; sprudle.

buck, *n. zool.* dåhjort; han;
coll. flot fyr; ~, *v.i.* skyde
ryg; *fig.* stejle; pass the ~,
coll. lade sorteper gå vide-
re; ~ up!, op med humø-
ret!; (hurry!) skynd dig!

bucket, *n.* spand.

buckle, *n.* spænde; ~, *v. t.*
spænde; ~ to, tage alvor-
lig fat; ~, *v.i.* krølles.

buck|jumper, *n.* [hest, der
slår rytteren af]; -ram, *n.*
stivlærred; -shot, *n.* dyre-
hagl; -skin, *n.* hjorteskind;
-thorn, *n.* slåen; -wheat, *n.*
boghvede.

bud, *n.* knop; nip in the ~,
kvæle i fødslen; ~, *v. t.*
pode; ~, *v. i.* sætte knop-
per; *fig.* spire; a -ding
actor, en vordende skue-
spiller.

buddy, *n.* bro'rmand; *sl.*
kammerat.

buff, *adj.* brungult; ~, *n.* bøf-
fellæder.

buffalo, *n. zool.* bøffel.

buffer, *n.* buffer; stødpude;
sl. fyr.

buffet, *n.* stød; buffet; ~
supper, stående souper; ~,
v.t. støde, puffe.

buffoon, *n.* klovn, fæ.

bug, *n.* væggelus; -s, *pl.* væg-
getøj, kryb.

bugbear, *n.* bussemand.

bugle, *n.* (signal)horn; *bot.*
læbeløs.

build (built, built), *v. t. & i.*
bygge; -ing, *n.* bygning.

bulb, *n.* løg; svibel; pære,
glødelampe; -ous, *adj.*
løgformet.

bulge, *v. i. & t.* bugne ud;
strutte; bule; ~, *n.* puk-
kel; bule.

bulk, *n.* masse; hovedmasse;
in ~, løst stuvet; -head, *n.*
skot; -y, *adj.* tyk, svær.

bull, *n.* tyr; (papal decree) bulle; *commerc.* hausse-spekulant.

bullet, *n.* kugle.

bull-fight, *n.* tyrefægtning; -er, *n.* tyrefægter.

bullfinch, *n.* zool. dompap.

bullion, *n.* [guld og sølv i barrer].

bullock, *n.* okse, stud.

bull's-eye, *n.* plet; pletskud; (sweet) pebermyntebolsje.

bully, *n.* tyran; plageånd; ~, *v. t.* tyrannisere.

bulrush, *n.* siv.

bulwark, *n.* bolværk; bastion.

bumble-bee, *n.* humlebi.

bump, *n.* stød, dunk; bule; ~, *v. t.* støde, dunke.

bumper, *n.* (glass) bredfyldt glas; (on car) kofanger; (record) rekord; stort resultat; stort eksemplar.

bumpkin, *n.* bondeknold.

bumptious, *adj.* opblæst, indbildsk.

bun, *n.* bolle.

bunch, *n.* klase; bundt; knippe.

bundle, *n.* bundt; byldt; knippe; pakke; ~, *v. t.* binde i bundt; pakke sammen; ~ out, kaste ud.

bung, *n.* spuns; ~ *v. t.* spunse; ~ up, tilstoppe.

bungle, *v. t.* forfuske, forkludre; ~, *v. i.* fuske, kludre; ~ in, klubber, makværk.

bunion, *n.* knyst.

bunk, *n. naut.* køje; vrøvl, sludder.

bunker, *n.* kulrum; (in golf) forhindring.

bunkum, *n.* valgflæsk.

bunny, *n. coll.* lille kanin.

bunting, *n.* flagdug.

buoy, *n. naut.* bøje; ~, *v. t.* udlægge bøjer; ~ up, *fig.* holde oppe; -ant, *adj.* som kan flyde; optimistisk.

burble, *v. i.* pludre.

burden, *n.* byrde; ~, *v. t.* belæsse, bebyrde.

bureau, *n.* skrivebord; kontor.

burgee, *n.* stander.

burglar, *n.* indbrudstyv.

burgundy, *n.* bourgogne-(vin).

burial, *n.* begravelse; jordefærd; bisættelse; ligtog; ~-ground, *n.* begravelsesplads; kirkegård.

burlap, *n.* sækkelærred.

burlesque, *adj.* burlesk, lavkomisk.

burly, *adj.* kraftig; svær.

burn, *v. t.* brænde; ~, *v. i.* forbrænde; ~ one's boats, *fig.* brænde sine skibe; ~, *n.* brandsår.

burnish, *v. t.* polere.

burr, *n.* snurren; grat.

burrow, *n.* hule; kaningang; ~, *v. t. & i.* grave gange i jorden.

burst, *v. i.* briste; revne, eksplodere; springe itu; ~, *v. t.* sprænge; ~ into tears, briste i gråd; ~ out laughing, briste i latter; ~, *n.* udbrud; brist; eksplosion.

bury, *v. t.* begrave; nedgrave; skjule; -ing-ground, *see* burial-ground.

bus, *n.* (omni)bus.

busby, *n.* pelshue.

bush, *n.* busk; (shrubbery) buskads; (uncultivated tract) kratskov; *Austr.* landet (i mods til byen); (hair, *etc.*) dusk; *mech.* bøsning; ~ metal, hvidtmetal; beat about the ~, *coll.* gøre omsvøb; ~-ranger, *n.* stimand.

bushel, *n.* [engelsk skæppe = 36,55 liter].

busily, *adv.* travlt, virksomt; ivrigt; -ness, *n.* forretning; gerning; opgave; dagsorden; næring; profession; sag; ærinde; the whole ~, hele historien; that's your ~, det må du om; he means ~, han mener det alvorligt.

buss, *n.* kys, smask.

bust, *n.* buste.

bustle, *v. i.* have travlt, vimse omkring; ~, *n.* travlhed; *(for skirt)* tournure.

busy, *adj.* beskæftiget, travl; ~, *v. t.* beskæftige.

but, *conj.* men; undtagen; kun; hvis ikke; it lasted ~ a moment, det varede kun et øjeblik.

butcher, *n.* slagter; ~, *v. t.* slagte.

butler, *n.* hushovmester.

butt, *n.* vinfad, ølfad; *forest.* rodende; *(of cigar, cigarette)* stump; *fig.* skive for spøg; ~, *v. t.* støde, stange.

butter, *n.* smør; ~, *v. t.* smøre; smøre om munden; -cup, *n.* smørblomst; ~-fingered, *adj.* fummelfingret; ~-fingers, *n.* klodsmajor; -fly, *n.* sommerfugl; -fly-nut, *n.* vingemøtrik; -milk, *n.* kærnemælk; -scotch, *n.* karamel.

buttock, *n.* balde; ende, bag.del.

button, *n.* knap; ~, *v. t.* knappe; -hole, *n.* knaphul; knaphulsblomst.

buttress, *n.* stræbepille; støtte.

buxom, *adj.* rask, livlig; trivelig.

buy, *v. t.* købe.

buzz, *n.* surren, summen; ~, *v. i.* surre; summe; brumme; ~ off!, *sl.,* se at komme af sted!

buzzard, *n. zool.* musvåge.

by, *prep.* ved, ved siden af, hos; forbi; med; ifølge; via; senest; nærved; ~ and ~, senere hen; ~ the ~, medens jeg husker det; ~ the way, for resten; ~ all means, endelig; ~ twos, to ad gangen; ~-election, *n.* erstatningsvalg; -gone, *adj.* forbigangen; ~-law, *n.* vedtægt; -pass, *n.* omkørselsvej.

byre, *n.* kostald.

by|road, *n.* sidevej; -stander, *n.* tilstedeværende; -standers, *pl.* de omkringstående; -word, *n.* mundheld; be a ~ for, være et eksempel på, være berygtet for.

cab, *n.* droske; *(of lorry)* førerhus.

cabbage, *n.* kål; kålhoved.

cabin, *n.* hytte; hybel; kabine; *naut.* kahyt.

cabinet, *n.* kabinet, skab; ministerium; ~ council, ministerråd; -maker, *n.* møbelsnedker.

cable, *n.* (hawser) trosse; (tow-rope) kabeltow; (telegram) kabeltelegram; ~, *v. t.* telegrafere; kable.

caboodle, *n. sl.* the whole ~, hele banden.

caboose, *n. naut.* kabys.

cache, *n.* skjulested.

cackle, *v. i.* kagle; skvadre.

cacophony, *n.* dissonans.

cactus, *n. bot.* kaktus.

cad, *n.* sjover.

caddie, *n. coll.* golfdreng.

caddy, *n.* tedåse.

cadence, *n.* kadence.

cadet, *n.* officersaspirant; kadet.

cadge, *v. t. coll.* tigge; nasse; -r, *n.* én der nasser.

cadre, *n.* kadre.

Caesar, *n.* Cæsar; kejser; -ian, *adj.* ~ birth *(el.* operation) *med.* kejsersnit.

cage, *n.* bur; ~, *v. t.* sætte i bur.

cairn, *n.* stendysse.

cajole, *v. t.* smigre, lokke.

cake, *n.* kage; ~ of soap, stykke sæbe; ~, *v. i.* sætte skorpe.

calamity, *n.* ulykke; kalamitet.

calculate, *v. t. & i.* beregne; regne ud.

calf *(pl. calves),* *n. zool.* kalv; *anat.* læg; (leather) kalveskind; ~-love, *n.* barnefor-elskelse.

calico, *n.* kattun.

calipers, *pl. n.* krumpasser; sliding ~, skydelære.

call, *v. t. & i.* kalde (på); ringe op; råbe; sammenkalde; (visit) gøre visit; nævne; tilkalde; melde; vække; aflægge besøg; ~ attention to, gøre opmærksom på; ~ names, skælde ud; ~, *n.* råb, tilråb; kald; opfordring, indkaldelse; (visit) kort besøg; (whistle) bådsmandspibe; -er, *n.* besøgende; -ing, *n.* profession, stand.

callous, *adj.* hård; ufølsom; hårdhudet.

calm, *n.* vindstille; ~, *adj.* stille, rolig; ~, *v. t.* stille, berolige, formilde; -ness, *n.* stilhed, ro, sagtmodighed.

calumny, *n.* bagvaskelse.

calvary, *n.* Golgatha.

calve, *v. i.* kælve; -s, see calf.

calyx, *n. bot.* bæger.

camber, *n.* krumning; runding.

cambric, *n.* kammerdug.

came, see come.

camel, *n. zool.* kamel.

camomile, *n. bot.* kamille.

camp, *n.* lejr; ~, *v. i.* ligge i lejr.

campaign, *n.* felttog; ~, *v. i.* deltage i felttog.

camphor, *n.* kamfer.

campstool, *n.* feltstol.

camwheel, *n.* kamhjul.

can, *v. t.* henkoge i dåser; ~ (could), *v. aux.* kan; ~, *n.* kande; konservesdåse.

canal, *n.* kanal.

canary, *n.* kanariefugl.

cancel, *v. t.* udstrege; ophæve; annullere; overstemple; *math.* eliminere.

cancer, *n.* kræft; the Tropic of C~, Krebsens vendekreds.

candid, *adj.* oprigtig.

candidate, *n.* kandidat; ansøger.

candied, *adj.* ~ peel, sukat.

candle, *n.* lys; kærte; the game is not worth the ~, det er ikke ulejligheden værd; C-mas, *n.* kyndelmisse; -stick, *n.* lysestage.

candour, *n.* oprigtighed.

candy, *n.* kandis, sukkertøj; konfekt; ~, *v. t.* kandisere, indkoge med sukker.

cane, *n.* spadserestok; sukkerrør; spanskrør; ~ chair, rørstol; ~, *v. t.* prygle med spanskrør; ~-sugar, *n.* rørsukker.

canine, *adj.* hundeagtig, hunde-.

canister, *n.* dåse.

canker, *n.* kræft; sår; ~, *v. t.* tære, fordærve.

canned, *adj.* henkogt; dåse-; *sl.* fuld.

cannibal, *n.* menneskeæder, kannibal.

cannon, *n.* kanon; kanoner; (*in* billiards) karambola; ~-fodder, *n.* kanonføde.

cannot = kan ikke, see can.

canny, *adj.* forsigtig; snu.

canoe, *n.* kano.

canon, *n.* kannik; kanon; kirkelov; ~ law, kanonisk ret.

canopy, *n.* tronhimmel; baldakin.

can't = cannot, kan ikke, see can.

cant, *n.* hykleri; floskel; *tech.* hældning, bøjning; ~, *v. i.* tale hyklerisk, bruge floskler; *naut.* svinge rundt; ~, *v. t. & i.* kante; kæntre; hælde; skråne.

Cantab. [fra Cambridge].

cantankerous, *adj.* krakilsk.

canteen, *n.* marketenderi; kantine.

canter, *n.* rolig galop; ~, *v. i.* løbe i kort galop.

canvas, *n.* lærred; sejldug; ~, *adj.* lærreds-; sejldugs-.

canvass, *v. t.* drøfte; undersøge; kolportere; agitere; ~, *n.* stemmehvervning; kolportage.

canyon, *n.* fjeldkløft.

cap, *n.* kappe; hue; kasket; sixpence; kapsel; hætte; percussion ~, fænghætte, tændsats; ~, *v. t.* sætte hatten på; tilkapsle; overgå.

capable, *adj.* duelig, skikket; dygtig.

capacity, *n.* vidde; rumindhold; rumfang; (ability) duelighed; (quality) egenskab.

cap-à-pie, *adv.* fra top til tå.

cape, *n. geog.* forbjerg; næs; cape; (garment) slængkappe.

caper, *n.* bukkespring; kapriol; cut a ~, gøre bukkespring; ~, *v. i.* danse; hoppe; -s, *pl. n. cul.* kapers.

capillary, *n. anat.* hårkar.

capital, *adj.* fortræffelig, ypperlig; hoved-; ~ offence, halsløs gerning; ~, *n.* hovedstad; (letter) stort bogstav; *archit.* kapitæl; *comerc. & fig.*

caprice, *n.* lune, indfald.

capricorn, *n.* stenbukken; the Tropic of C~, Stenbukkens vendekreds.

capsicum, *n.* spansk peber.

capsize, *v. t.* kæntre.

capstan, *n. naut.* gangspil.

captain, *n.* kaptajn; kommandør; leder; anfører.

caption, *n.* billedtekst.

captious, *adj.* spidsfindig, kritisk, vanskelig.

captivating, *adj.* bedårende, indtagende.

captive, *n.* fange.

capture, *n.* pågribelse, tilfangetagelse; *naut.* opbringelse; erobring; ~, *v. t.* fange; *naut.* opbringe; erobre.

car, *n.* vogn; automobil; bil.

caravan, *n.* påhængsvogn; karavane; gøglervogn.

caraway, *n.* kommen.

carbolic, *n. & adj.* karbol; ~ acid, *n.* karbolsyre.

carbon, *n.* kulstof; ~ copy, gennemslag; -aceous, *adj.*

kulstofholdig; -ate, *n.* kulsurt salt; karbonat.

carboy, *n.* syreballon.

carbuncle, *n.* karbunkel; brandbyld.

carcass, *n.* ådsel; skrog; kadaver.

card, *n.* uldkarde; visitkort; kort; it's on the -s, det er meget muligt; pack of -s, et spil kort; ~, *v. t.* karte; -board, *n.* pap; karton.

cardigan, *n.* cardigan [strikket vest med ærmer].

cardinal, *adj.* hoved-; vigtigst; ~, *n.* kardinal.

card-index, *v. t.* føre kartotek over; ~, *n.* kartotek.

cardsharper, *n.* falskspiller.

care, *n.* bekymring; omsorg; ~, *v. i.* sørge for, bryde sig om; bære omsorg for; what do I ~?, hvad bryder jeg mig om det?; have a ~!, tag dig i agt!; take ~!, pas på, forsigtig!

careen, *v. t. & i. naut.* kølhale; krænge.

career, *n.* løbebane; levevej; ~, *v. i.* fare af sted.

care|free, *adj.* sorgløs, sorgfri; -ful, *adj.* omhyggelig; forsigtig; -less, *adj.* ligegyldig, skødesløs.

caress, *n.* kærtegn; ~, *v. t.* kærtegne, kæle for.

care|taker, *n.* vicevært; portner; opsynsmand; -worn, *adj.* bekymret, tynget af sorg.

cargo, *n.* ladning; last.

caribou, *n. zool.* rensdyr.

caricature, *n.* karikatur; ~, *v. t.* karikere.

carillon, *n.* klokkespil.

carman, *n.* vognmand, fragtkusk; konduktør; vognstyrer.

car|nage, *n.* blodbad; -nal, *adj.* kødelig; sanselig; -nation, *n. bot.* nelliker; -nival, *n.* karneval; -nivorous, *adj.* kødædende.

carol, *n.* julesang; ~, *v. t. & i.* lovsynge, synge.

car|ousal, *n.* drikkegilde; -ouse, *v. i.* svire.

carp, *v. i.* hænge sig i småting; kritisere småligt.

carpenter, *n.* tømrer; -'s bench, høvlebænk.

carpet, *n.* tæppe; gulvtæppe; be put on the ~, *coll.* få en irettesættelse; ~, *v. t.* belægge med tæpper; ~-bag, *n.*vadsæk; ~-bagger, *n.* levebrødspolitiker; ~-beater, *n.* tæppebanker; ~-sweeper, *n.* tæppefejemaskine.

carriage, *n.* hestevogn; køretøj; railway ~, personvogn; (transport) kørsel, fragt; (behaviour) opførsel; (bearing) holdning; ~ paid, frit leveret.

carrier, *n.* fragtmand, vognmand; (*on bicycle*) bagagebærer; (aircraft ~) hangarskib; (disease) smittebærer; (bearer) overbringer; ~ pigeon, brevdue.

carrion, *n.* ådsel.

carrot, *n.* gulerod.

carry, *v. t.* bære, føre; erobre; ~ the day, vinde sejr; føre igennem; ~ out, gennemføre; udføre; ~ on business, drive forretning.

cart, *n.* kærre; arbejdsvogn; hestevogn; ~, *v. t.* transportere med vogn; ~-age, *n.* kørsel, køreløn; ~-er, *n.* vognmand, fragtmand.

cartilage, *n.* brusk.

cartoon, *n.* arbejdstegning, karikatur; (joke) vittighedstegning; animated ~, tegnefilm.

cartridge, *n.* patron; ~-paper, *n.* karduspapir.

carve, *v. t. & i.* udskære, udhugge; skære for.

cascade, *n.* vandfald.

case, *n.* foderal, etui; bogbind; skede; (matter) tilfælde; *gram.* kasus; in ~, i tilfælde af at; hvis; ~-harden, *v. t.* hærde; -ment, *n.* hængselsvindue.

cash, *n.* rede penge; kontanter; ~ down, kontant; ~ on delivery, pr. efterkrav; ~ register, kasseapparat; ~, *v.t.* ~ a cheque, hæve en check; ~-account, *n.* kassekonto.

cashier, *n.* kasserer; ~, *v. t.* kassere; afskedige (i unåde).

casing, *n.* overtræk.

cask, *n.* fad; drittel; tønde; fustage; ~, *v. t.* fylde på fad.

casket, *n.* skrin.

casserole, *n.* ildfast fad.

cassock, *n.* præstekjole.

cast, *v. t.* kaste, afkaste; støbe; afgive (stemme); *theat.* fordele roller; ~ iron, støbejern; ~ lots, trække lod; ~ off, aflægge; kassere; *naut.* kaste los; ~ on, (knitting) slå op; ~, *n.* (*of statue*), *etc.* afstøbning; (touch, shade, *etc.,*) præg; (fishing, wrestling, *etc.*) kast; *theat.* rollebesætning; (dice) terningkast; -away, *n.* skibbruden, havarist.

caste, *n.* kaste.

castigate, *v. t.* tugte.

casting-vote, *n.* afgørende stemme.

cast-iron, *adj.* jernhård; støbejerns-; *fig.* bombesikker.

castle, *n.* slot; borg; ~ in the air, ~ in Spain, luftkasteller; ~, *v.i.* (*in chess*) rokere.

cast-off, *adj.* aflagt.

castor, *n.* (*for sugar*) strødåse; (little wheel) møbelrulle; ~ oil, amerikansk olie; ~ sugar, melis.

casual, *adj.* tilfældig; ligegyldig; overfladisk; ~ ward, [fattighus for midlertidigt subsistensløse]; -ty, *n.* ulykkestilfælde.

cat, *n.* kat; ~ burglar, klatretyv; be like a ~ on hot bricks, stå på nåle; let the ~ of the bag, slippe katten ud af sækken.

cataclysm, n. stor oversvømmelse.

catalogue, n. katalog.

catapult, n. slangebøsse; hist. blide, katapult.

cataract, n. vandfald; fos; med. stær.

catarrh, n. forkølelse, stærk snue.

catcall, n. mjaven; piben, pift; -s, pl. pibekoncert.

catch (caught, caught), v. t. & i. fange; opsnappe; blive hængende; (disease) pådrage sig; blive smittet: (ball, etc.) gribe; (draw level) indhente; (trick) besnære; ~ a cold, blive forkølet; ~ fire, komme i brand; ~, n. (fish) fangst; greb; (on door) krog, spærhage; (trap) fælde; mus. rundsang, vekselsang; there must be a ~ somewhere, der må være noget, der stikker under; ~ phrase, slagord.

catching, adj. tiltrækkende; iørefaldende; smitsom, smittende.

catch|penny, adj. tom, værdiløs, formuleret for at tjene penge; -word, n. stikord; slagord.

catchy, adj. iørefaldende; tiltrækkende.

catechize, v. t. udspørge.

categor|ical, adj. bestemt, absolut; kategorisk; -y, n. kategori; slags; inddeling.

cater, v. i. levere fødevarer; ~ for, sørge for; levere til; -er, n. leverandør af fødevarer.

caterpillar, n. kålorm; larve.

caterwaul, n. kattekoncert.

cat|fish, n. havkat; -gut, n. tarmstreng.

cathedral, n. domkirke.

catherine-wheel, n. fyrværkerisol; turn -s, pl. slå vejrmøller.

cathode, n. elect. negativ pol; katode.

catholic, n. katolik; ~, adj. katolsk.

catkin, n. bot. rakle.

catmint, n. bot. katteurt.

catnap, n. call. lur; lille blund.

cat-o'-nine-tails, n. (nihalet) kat; tamp.

cattle, n. kvæg; ~ show, dyrskue; beef ~, slagtekvæg; ~-plague, n. kvægpest; ~-rustler, n. kvægtyv.

catty, adj. coll. ondskabsfuld.

caught, see catch.

cauldron, n. stor kedel

cauliflower, n. blomkål.

caulk, v. t. naut. kalfatre.

causal, adj. kausal; ~ relation, årsagssammenhæng.

cause, n. årsag; sag; ~, v. t. forårsage, bevirke; forvolde; -way, n. stenbro; landevej.

caustic, adj. ætsende.

cauterize, v. t. udbrænde.

caution, n. (care) forsigtighed, varsomhed; (warning) advarsel; ~, v. t. advare.

caval|ier, n. rytter; ridder, kavaler; -ry, n. kavaleri; rytteri.

cave, n. hule; ~, v. t. & i. udhule; ~ in, styrte sammen.

cavern, n. hule.

cavil, v. i. chikanere; skumle; kritisere småligt.

cavity, n. hulhed, fordybning; hulrum.

cease, v. t. & i. holde op med; ophøre; ~, n. ophør; without ~, uden ophør; -less, adj. uophørlig.

cedar, n. bot. ceder.

cede, v. t. afstå.

ceiling, n. loft; aero. stigehøjde.

cele|brate, v. t. fejre, højtideligholde; prise; -brated, adj. berømt; -brity, n. (person) berømthed; (fame) berømmelse.

celerity, n. hurtighed.

celery, n. selleri.

celestial, adj. himmelsk; ~, n. himmelbeboer; kineser.

celi|bacy, n. cølibat; -bate, n. ugift person; peber-

svend, pebermø; ~, adj.
ugift.
cell, n. celle.
cellar, n. kælder.
Celt, n. kelter.
cement, n. bindemiddel; ce-
ment; fig. bånd.
cemetery, n. kirkegård.
censer, n. røgelseskar.
censor, n. censor; ~, v. t.
censurere; -ious, adj. dad-
lelysten.
censure, n. dadel; irettesæt-
telse; ~, v. t. dadle, irette-
sætte; dømme.
census, n. folketælling.
centenary, n. hundredårsdag.
centipede, n. zool. tusindben;
skolopender.
centre, n. centrum, midt-
punkt; ~, v. t. & i. kon-
centrere; ~ punch, tech.
kørner; ~ bit, centrums-
bor; ~ of gravity, tyng-
depunkt.
century, n. århundrede.
ceramic, adj. keramisk; -s,
pl. n. keramik.
cereal, n. korn, kornsort.
cerise, adj. kirsebærrød.
certain, adj. vis, bestemt;
-ly, adv. sikkert; ganske
vist; ja vel; -ty, n. vished,
sikkerhed.
certi|ficate, n. attest; certifi-
kat; bevis; -tude, n. vis-
hed.
cessation, n. ophør; stands-
ning.
cession, n. afståelse.
cesspool, n. slamkiste, skarn-
grube.
chafe, v. t. & i. gnave, gnide;
irritere; fnyse af utålmo-
dighed
chafer, n. zool. torbist.
chaff, n. avner, pl. hakkelse;
drilleri.
chaffinch, n. zool. bogfinke.
chagrin, n. ærgrelse.
chain, n. kæde, lænke; ~
armour, ~ mail, ring-
brynje; ~ reaction, kæde-
reaktion; ~gang, n. [et
hold sammenlænkede fan-

ger]; ~letter, n. kæde-
brev; ~smoker, n. kæde-
ryger; ~stitch, n. kæde-
sting; ~store, n. kædefor-
retning.
chair, n. stol; formandspost;
lærestol; (sedan-~) bære-
stol; ~bottom, n. stole-
sæde; -man, n. præsident,
formand, dirigent.
chalet, n. sæterhytte.
chalice, n. bæger; kalk.
chalk, n. kridt; ~ pit, kridt-
brud; not by a long ~,
ikke på langt nær; ~, v. t.
kridte; ~ up, skrive op.
challenge, n. udfordring;
opfordring; ~, v. t. ud-
fordre; opfordre; gøre
indsigelse mod; anråbe;
påtale.
chamber, n. kammer; sal;
retssal; -s, pl. ungkarle-
lejlighed; (offices) konto-
rer, pl.; -lain, n. kammer-
herre; -maid, n. kammer-
jomfru, stuepige.
chamfer, n. skråkant; fas.
chamois, n. gemse; ~leather,
n. vaskeskind.
champ, v. t. & i. tygge, knase;
n. sl. mester, champion.
champagne, n. champagne.
champion, n. forkæmper;
mester; champion; ~, v. t.
forsvare, forfægte; ~, adj.
sl. førsteklasses.
chance, n. tilfælde, lykke-
træf; mulighed, udsigt;
anledning, lejlighed; by
~, tilfældigvis; ~, v. t. & i.
hænde; risikere; tage risi-
koen; ~ upon, støde på.
chancel, n. kor.
chancellor, n. kansler; Lord
High C~, lordkansler.
chandelier, n. lysekrone.
change, v. t. & i. forandre,
skifte, bytte, veksle; for-
andre sig; (clothes) skifte;
klæde sig om; ~, n. for-
andring, skiften, omslag;
bytte; småpenge pl.,
penge tilbage; -able, adj.
foranderlig, ustadig, ube-

standig; -less, *adj.* ufor-
anderlig; -ling, *n.* skifting.
channel, *n.* kanal, strøm-
rende; flodleje; fure.
chant, *n.* messe; sang; ~,
v. t. & i. messe; synge.
chanterelle, *n. bot.* kantarel.
chanticleer, *n.* hane.
chanty (*el.* shanty), *n.* sø-
mandsvise.
chaos, *n.* kaos; forvirring.
chap, *v. i.* revne, sprække;
~, *n.* sprække, revne; *coll.*
fyr, knark.
chapel, *n.* kapel.
chaperon, *n.* anstandsdame.
chaplain, *n.* [slots-, felt- *el.*
skibspræst].
chaplet, *n.* krans; rosen-
krans; perlesnor.
chapter, *n.* kapitel; dom-
kapitel.
char, *v. t. & i.* forkulle; ~,
v. i. coll. [gøre husligt
arbejde for dagløn]; ~, *n.
coll.* rengøringskone.
char-à-banc, *n.* turistbus.
character, *n.* præg; egen-
skab; rolle; karakter;
skudsmål; bogstav, skrift-
tegn; skrift, personlighed;
original; -ize, *v. t.* karak-
terisere; betegne; præge;
kendetegne.
charade, *n.* stavelsesgåde;
ordsprogsleg.
charcoal, *n.* trækul.
charge, *v. t.* læsse; pålægge;
beregne sig; ~ too much,
forlange en for høj pris;
how much does he ~?,
hvor meget tager han?;
jur.; beskylde, anklage; ~,
n. byrde; befaling; forma-
ning; myndling; betroet
gods; omkostning; takst;
tarif; beskyldning; *mil.*
angreb; in ~ of, under
kommando (*el.* opsyn) af;
be in ~, have vagt (*el.*
kommando); holde opsyn
med; have i forvaring;
give in ~, lade anholde;
free of ~, gratis.

charger, *n.* stridshest; gan-
ger; (dish) fad.
charily, *adv.* forsigtigt, var-
somt.
chariot, *n.* stridsvogn.
charitable, *adj.* gavmild,
godgørende; mild.
charity, *n.* menneskekærlig-
hed; næstekærlighed; vel-
vilje; godgørenhed; al-
misse; velgerning.
charlady, *n.* rengøringsdame.
charlatan, *n.* charlatan.
charlock, *n. bot.* agersennep.
charm, *n.* tryllemiddel; for-
tryllelse; charme; ynde;
~, *v. t. & i.* fortrylle; be-
dåre, indtage.
charnel-house, *n.* lighus.
chart, *n.* søkort; tabel.
charter, *n.* frihedsbrev; pri-
vilegium; håndfæstning;
rettighedsbrev; ~, *v.t. & i.*
fragte, befragte; ~-party,
n. certeparti; befragt-
ningsparti.
charthouse, *n. naut.* bestik-
lukaf.
charwoman, *n.* rengørings-
kone.
chary, *adj.* varsom; sparsom.
chase, *v. t.* jage, forfølge;
(metal) ciselere; ~, *n.* jagt;
forfølgelse.
chasing, *n.* ciselering.
chasm, *n.* kløft.
chassis, *n.* chassis; understel.
chaste, *adj.* kysk, ren; -n,
v.t. lutre; rense.
chas|tise, *v. t.* tugte, revse;
-tity, *n.* kyskhed, renhed.
chasuble, *n.* messehagel.
chat, *v.i.coll.* snakke, passiare;
sludre; ~, *n.* passiar; slud-
der.
chattels, *pl. n.* løsøre.
chatter, *v. i.* klapre; pludre,
plapre; -box, *n.* sludre-
hoved.
chauffeur, *n.* chauffør.
cheap, *adj.* billig; godtkøbs;
letkøbt; tarvelig; -en,
v. t. & i. gøre billig(ere).
cheat, *v. i. & i.* bedrage,
narre, snyde; ~, *n.* (act)

bedrageri; (person) snyder, bedrager.

check, *v. t. & i.* standse; hæmme; tøjle; kontrollere; (*in chess*) byde skak; ~, *n.* standsning; kontrolmærke; garderobebillet; bon; garantiseddel; *U.S.* check; ~-book, *n. U.S.* checkhæfte; -ed, *adj.* ternet.

cheek, *n.* kind; kæbe; *sl.* frækhed; uforskammethed; ~ by jowl, side om side.

cheer, *n.* glæde; munterhed; bifaldsråb; god behandling, mad; -s! *int.* skål!; ~, *v. t. & i.* opmuntre, indgive mod; ~ up, *v. i.* fatte mod; ~, *v.t.* opmuntre; -ful, *adj.* opmuntrende; frejdig; glad; hyggelig; -io! *int.* farvel!; -less, *adj.* bedrøvelig; trist; -y, *adj.* glad, munter.

cheese, *n.* ost; -monger, *n.* ostehandler; ~-paring, *n.* osteskorpe; ~, *adj. sl.* gerrig.

chemist, *n.* kemiker, apoteker; ~'s shop; apotek; -ry, *n.* kemi.

cheque, *n.* check; ~-book, *n.* checkhæfte.

chequer, *n. U.S.* dambrik; -ed, *adj.* ternet; broget.

cherish, *v.t.* pleje, opelske; hæge om, have kær.

cheroot, *n.* cerut.

cherry, *n.* kirsebær.

chervil, *n. bot.* kørvel.

chess, *n.* skakspil; -board, *n.* skakbræt; -man, *n.* skakbrik.

chest, *n.* kiste; *anat.* bryst(kasse); ~ of drawers, kommode.

chestnut, *n. bot.* kastanie; ~, *adj.* kastaniebrun.

chew, *v.t. & i.* tygge; skrå; ~ the cud, tygge drøv; bite off more than one can ~, påtage sig mere end man kan gabe over.

chick, *n.* kylling.

chicken, *n.* kylling; ~-broth, *n.* hønsekødsuppe; ~-feed, *n.* hønsefoder; (*money*) småpenge; ubetydelighed; ~-hearted, *adj.* forsagt; -pox, *n.* skoldkopper.

chicory, *n.* kaffetilsætning.

chide, *v. t. & i.* skænde på; irettesætte.

chief, *adj.* først, vigtigst; ~, *n.* chef; overhoved; anfører; -ly, *adv.* hovedsagelig; -tain, *n.* høvding.

chignon, *n.* hårknude.

chilblain, *n.* frostknude.

child (*pl.* children), *n.* barn; with ~, frugtsommelig, svanger; -birth, *n.* fødsel; -hood, *n.* barndom; -ish, *adj.* barnlig; -ren, *see* child.

chili, *n.* spansk peber.

chill, *adj.* kold; kølig; ~, *n.* kølighed; take the ~ off, kuldslå; forkølelse; ~, *v. t. & i.* gøre kold; nedslå; -y, *adj.* kølig, kuldskær.

Chiltern Hundreds, *pl. n.* (*Eng. parl.*) apply for, accept the ~, nedlægge sit mandat.

chime, *n.* kimen; klokkespil; ~, *v. i.* kime; harmonere.

chimney, *n.* skorsten; ~ pot, skorstenspibe.

chimpanzee, *n. zool.* chimpanse.

chin, *n.* hage; ~-wag, *v.i. sl.* sludre.

china, *n.* porcelæn; C~, *n.* Kina.

Chinese, *n.* kineser; the ~ kineserne; (language) kinesisk; ~, *adj.* kinesisk.

chink, *n.* sprække; klirren.

chip, *v.t. & i.* mejsle; hugge; slå en flis af; ~, *n.* huggespån; skår; splint; flis; a ~ of the old block, af samme stof som sin fader; -s, *pl.* franske kartofler; -munk, *n. zool.* jordegern.

chiropodist, *n.* fodplejer; fodlæge.

chirp, v. i. kvidre, pippe; -y, adj. munter.

chisel, n. mejsel; ~, v. t. mejsle; sl. snyde.

chit, n. seddel; lille brev; (child) barn, unge.

chit-chat, n. småsnak.

chitterlings, pl. n. finker, pl.

chival|rous, adj. ridderlig; -ry, n. ridderstand; ridderlighed.

chive, n. purløg.

chloro|dyne, n. [smertestillende middel]; -phyl, n. bladgrønt, klorofyl.

chock, n. klods; kile; ~, v. t. kile; klampe; ~ up, opklodse; ~ full, ~-a-block, adj. propfuld.

chocolate, n. chokolade; a bar of ~, en plade chokolade.

choice, n. valg; udvalg; det udvalgte, det foretrukne; for ~, helst, fortrinsvis; ~, adj. udsøgt, fortrinlig.

choir, n. kor.

choke, v. t. & i. kvæle; tilstoppe; tilsnøre; undertrykke; kvæles, få noget i den gale hals; ~, n. mech. choker.

choose (chose, chosen), v. t. & i. vælge; udvælge; kåre; if I so ~, hvis det passer mig; -y, adj. kræsen.

chop, v.t. & i. kløve; hugge; hakke; ~ and change, skifte frem og tilbage; skifte; ~, n. kotelet; (stroke) hug; (jaw) kæbe; -py, adj. (sea) krap; -stick, n. spisepind.

choral, adj. kor-; ~ society, sangforening.

chord, n. streng; mus. akkord; math. korde.

chore, n. husligt arbejde.

choreographer, n. koreograf.

chortle, v. i. klukke, ~, n. kluklatter.

chorus, n. kor; omkvæd; refræn.

chose, see choose.

Christ, n. Kristus; before ~ (abbr. B.C.) før Kristi fødsel.

christen, v.t. & i. døbe; -ing, n. dåb.

Christian, n. kristen; ~, adj. kristelig; ~ name, fornavn, døbenavn; -ity, n. kristendom, kristenhed.

Christmas, n. jul; ~ card, julekort; ~ Day, første juledag; ~ Eve, juleaften.

chromate, n. chem. kromsalt.

chronicle, n. krønike; ~, v.t. optegne.

chrysalis, n. puppe.

chubby, adj. buttet; pludskæbet.

chuck, v.t. klappe, stryge; slænge, kaste; opgive; ~ out, smide ud; ~, n. mech. borepatron, drejepatron; kluk.

chuckle, v.i. klukke, skoggerle, småle.

chuff, v. i. (locomotive) pruste.

chug, n. coll. ~-~, dunken.

chum, n. kammerat.

chump, n. fæhoved, dosmer.

chunk, n. tykt stykke; humpel.

church, n. kirke; -warden, n. kirkeværge; [lang kridtpibe]; -yard, n. kirkegård.

churl, n. tølper; -ish, adj. ubehøvlet; bondsk.

churn, n. kærne; mælkejunge; ~, v.t. & i. kærne; hvirvle; male.

chute, n. slidsk; nedstyrtningsskakt; rutschebane.

cicatrice (el. cicatrix), n. ar.

cicerone, n. fører.

cider, n. æblemost.

cinch, n. sadelgjord; it's a ~, coll. det er oplagt, det er ligetil (el. sikkert).

cinder, n. glødende kul; slagge; -s, pl. kulaske.

cinema, n. biografteater.

cinnamon, n. kanel.

cipher, n. ciffer; nul; ~, v. t. & i. regne.

circle, n. cirkel; ring; kreds; forsamling; ~, v. t. & i. omgive, indeslutte; kredse om.

cir|cuit, n. kredsløb; rundrejse; retskreds; periferi; *elec.* strømkreds; short ~, kortslutning; -cular, *adj.* rund, kredsformet; ~ tour, rundrejse; ~, n. cirkulære; -culate, v. t. & i. sætte i omløb; cirkulere; -culating library, lejebibliotek.

circum|cise, v. t. omskære; -ference, n. omkreds; omfang; -navigate, v. t. omsejle; -scribe, v. t. indskrænke, begrænse; -spect, *adj.* omsigtsfuld, forsigtig; -stance, n. omstændighed; forhold; -stantial, *adj.* evidence, indicier; -vent, v.t. omgå, afskære; overliste.

circus, n. cirkus; rund plads; runddel.

cistern, n. cisterne.

citadel, n. kastel; citadel.

cite, v. t. indstævne (for retten) anføre; citere.

citizen, n. borger; statsborger; -ship, n. borgerret; borgerskab.

city, n. stad.

civet, civet-cat, n. *zool.* desmer(kat).

civic, *adj.* borgerlig; kommunal; -s, n. samfundskundskab.

civil, *adj.* høflig; borgerlig; ~ action, privat søgsmål; ~ rights, borgerrettigheder; ~ war, borgerkrig.

clack, v. i. klapre, rasle; ~valve, n. klapventil.

clad, *adj.* klædt, iført.

claim, v.t. gøre fordring på; kræve, fordre; ~, n. fordring; krav; jordlod; -ant, n. fordringshaver.

clam, n. skaldyr; musling.

clamber, v. i. klavre.

clamorous, *adj.* skrigende, støjende, larmende.

clamp, n. klampe; klemme.

clan, n. stamme; familie.

clandestine, *adj.* i smug; hemmelig.

clang, n. klang; klirren; ~, v.i. klinge, klemte.

clank, n. raslen; ~, v. t. & i. rasle, klirre.

clap, v.t.&i. klappe, applaudere; ~, n. skrald; slag; smæld; håndklap; *med.* (el. the ~), gonorré; ~trap, n. *coll.* fraser, *pl.*

claret, n. rødvin.

clarify, v. t. & i. klare, afklare; blive klar.

clarion, n. trompet.

clash, v. t. & i. tørne sammen; slå imod; kollidere, være i strid med.

clasp, n. spænde; hægte; omfavnelse; ~, v. t. holde fast; omfavne.

class, n. klasse; kursus; milieu; stand; ~, v. t. klassificere, ordne.

class|ic, n. klassiker; ~, *adj.* klassisk; -ification, n. klasseinddeling; klassifikation; -ify, v.t. inddele.

clatter, v. i. klapre; rasle; ~, n. klapren.

clause, n. klausul; forbehold; passus; paragraf; sætning.

claw, n. klo; ~, v. t. kradse; gribe med kløerne.

clay, n. ler; jord; (pipe) kridtpibe.

clean, *adj.* ren; renlig; ~, *adv.* rent, ganske; ~, v. t. rense; gøre rent; pudse, vaske; ~ somebody out, *sl.* blanke nogen af; make a ~ breast of it, gør rent bord; -liness, n. renlighed; -se, v. t. rense, pudse.

clear, *adj.* klar, lys; ren; tydelig; ryddet; fri; gennemsigtig; ~, *adv.* ganske, aldeles; ~, v. t. rense; rydde; betale (gæld); klarere; opklare; indbringe; ~ one's throat, rømme sig; -ance, n. klarering; realisation; åbning.

cleat, n. klampe.

cleave (clove or cleft, cloven or cleft), *v.t. & i.* kløve, spalte; (cleaved or clave, cleaved) klæbe; ~ to, være tro mod; -r, *n.* slagterkniv.

cleft, *n.* kløft; spalte; ~, *see* cleave.

clemency, *n.* skånsel.

clench, clinch, *v.t.* besegle (handel); knytte (næven); ~ one's teeth, bide tænderne sammen.

clergy, *n.* the ~, den gejstlige stand; -man, *n.* gejstlig; præst.

clerical, *adj.* gejstlig; ~ error, skrivefejl.

clerk, *n.* kontorist; skriver; fuldmægtig; ~ in orders, gejstlig; ~ of a parish, klokker.

clever, *adj.* flink, dygtig, behændig; begavet, åndrig.

cliché, *n.* kliché; forslidt frase.

click, *v. i.* tikke, smælde; ~ beetle, smælder.

client, *n.* kunde; klient.

cliff, *n.* klint; klippeskrænt.

clim|ate, *n.* klima; -acteric, *n.* overgangsalder; klimakterium; overgangsperiode.

climax, *n.* toppunkt; klimaks; højdepunkt.

climb, *v.t. & i.* klatre; klatre op ad; stige op i; bestige; -er, *n.* stræber; *bot.* slyngplante.

clinch, *see* clench.

cling, (clung, clung), *v. i.* klynge, klamre sig fast.

clink, *v.i.* klirre; ~, *n. sl.* spjældet; (a ~ of brandt sten; slagge (*af* kul, *o.s.v.*); -er-built, *adj.* klinkbygget.

clip, *v. t.* klippe, beklippe; klemme sammen; afsnubbe; stække; beskære; paper ~, *n.* clip, papirklemme; -pers, *pl. n.* billetsaks; klippemaskine.

cloak, *n.* kåbe; kappe; *fig.* påskud; -room, *n.* garderobe.

clock, *n.* slagur; ur; stueur; he worked all round the ~, han arbejdede døgnet rundt; at 4 o'~, klokken 4; -face, *n.* urskive; -maker, *n.* urmager; -wise, *adj.* med solen (or uret); -work, *n.* urværk.

clod, *n.* knold; jordklump; ~, -hopper, *n.* bondeknold.

clog, *n.* trætøffel; træsko; ~, *v.t. & i.* hindre; besvære; tilstoppe; fylde op; hænge sammen.

cloister, *n.* klostergang; søjlegang; kloster.

close, *v.t. & i.* lukke; slutte; afslutte; rykke ind på; nedlægge; lukke sig, læges; forene sig; ~, *n.* indhegnet plads; slutning; ende; ~, *adj.* lukket; (reserved) indesluttet, tilbageholden; (stingy) sparsommelig, nøjeregnende; (oppressive) trykkende; lummer; (confined) snæver, sammentrængt; nær; ~, *adv.* tæt; a ~ fight, håndgemæng; ~ by, tæt ved, nær ved; ~ season, fredningstid.

close|fisted, *adj.* påholdende, nærig, ~-hauled, *adj. naut.* klods, bidevind; ~-reefed, *adj. naut.* klodsrebet.

closet, *n.* kammer; *U.S.* vægskab; -ed with, *fig.* under fire øjne med.

close-up, *n.* nærbillede.

closing-time, *n.* lukketid.

closure, *n.* afslutning; call for a ~, *parl.* forlange afstemning.

clot, *n.* (størknet) klump; ~ of blood, blodprop; ~, *v. i.* løbe sammen, stønke, klumpe sig sammen.

cloth, *n.* klæde; (table) dug; vævet stof; -e, *v. t.* klæde; beklædes; -es, *pl. n.* klæder; suit of ~, sæt tøj; ~-peg, *n.* tøjklemme.

cloud, n. sky; to be under a ~, være i unåde (*el.* miskredit); ~, v. t. formørke; blive overskyet; ~burst, n. skybrud; -less, adj. skyfri, klar; -y, adj. skyet; dunkel, uklar.

clout, n. (cloth, rag) klud, lap; (blow) lussing; kedrag; -nail, n. rørsøm.

clove, n. kryddernellike; *see also* cleave.

cloven, adj. kløftet; ~ hoof, n. bukkefod; show the ~ hoof, stikke hestefoden frem; *see also* cleave; ~-footed animal, klovdyr.

clover, n. kløver; be in ~, *coll.* have det som blommen i et æg.

clown, n. bajads; bonde.

cloy, v.t. overmætte; overfylde.

club, n. kølle; knippel; klub; -s, *pl.* (cards) klør; ~, v.t. together, skyde sammen; splejse; slå sig sammen; -foot, n. klumpfod.

cluck, v. i. klukke.

clue, n. nøgle; *fig.* ledetråd.

clump, n. klump; ~ of trees, trægruppe; ~, v.t. & i. få til at klumpe sig sammen; plante i klynge, trampe.

clumsy, adj. klodset, kejtet.

clung, *see* cling.

cluster, n. klynge; sværm; klase; ~, v. i. vokse i klynger; flokkes; hænge tæt.

clutch, n. greb; tag; *mech.* kobling; ~, v. t. gribe.

clutter, n. uorden; forvirring; ~ up, v.t. & i. bringe (*el.* være) i uorden; the box-room was badly -ed up, pulterkammeret fløð med ting og sager.

coach, n. (horse-drawn) karet; diligence; (motor-~) turistbus; rutebil; (person) manuduktør; (sport) træner, sportsinstruktør; ~, v.t. manuducere, give undervisning; -man, n. kusk.

coagulate, v. i. størkne; koagulere.

coal, n. kul; ~ mine, ~ pit, kulmine, kulgrube; ~ scuttle, kulkasse; ~-tar, n. kultjære.

coalesce, v. i. vokse sammen, smelte sammen.

coarse, adj. grov; rå; simpel; plump.

coast, n. kyst; ~, v. t. sejle i kystfart; -guardsman, n. kystvagt.

coat, n. (overcoat) frakke; (jacket) jakke; (paint, *etc.*) hinde; lag; (animal) pels; ~ of arms, våbenskjold; ~ of mail, brynje; ~, v. t. beklæde; overtrække; overstryge; ~-hanger, n. bøjle; ~-tail, n. frakkeskøde.

coax, v. t. & i. lokke; lirke; besnakke; overtale.

cob, n. majskolbe; halvblods ridehest.

cobbler, n. skoflikker.

cobblestone, n. toppet brosten.

cobra, n. *zool.* brilleslange.

cobweb, n. spindelvæv.

cock, n. hane; (male bird) han; live like a fighting ~, leve godt; ~ of the walk, ene hane i kurven; ~, v.t. (hat) sætte på snur; spænde (hanen på et gevær); ~ knock somebody into a -ed hat, slå én til plukfisk; ~-a-doodledoo, *int.* kykiliky; ~-a-hoop, adj. jublende, triumferende; ~-and-bull, adj. ~ story, røverhistorie; -atoo, n, kakadue; -chafer, n. oldenborre; -crow, n. hanegal; -er, ~ spaniel, n. cocker spaniel; -erel, n. hanekylling; -eyed, adj.skeløjet.

cockle, n. *zool.* hjertemusling; *bot.* klinte; (boat) nøddeskal; ~-shell, n. muslingeskal.

cock|ney, *n.* ægte londoner; cockney; (language) cockneydialekt; -pit, *n.* hanekampplads; *naut., aero.* cockpit; -roach, *n.* kakerlak; -sure, *adj.* selvsikker; -y, *adj.* næbbet, kry.

cocoa, *n.* kakao.

coconut, *n.* kokosnød.

cocoon, *n. zool.* kokon.

cod, *n.* kabliau, torsk.

coddle, *v. t.* forkæle, pusle om; pylre om én.

code, *n.* lovsamling; lovbog; kode; system; ~, *v. t.* omsætte til kodeskrift.

codex (*pl.* codices), *n.* kodeks.

codfish, *n.* torsk; dried ~, klipfisk.

codger, *n. coll.* gammel særling.

cod-liver, *n.* torskelever; ~ oil, levertran.

co|-ed, *n.* studine; pigeelev; ~-education, *n.* fællesundervisning.

co|erce, *v. t.* tvinge; -ercion, *n.* tvang.

co-existence, *n.* samtidig bestået; peaceful ~, fredelig sameksistens.

C. of. E., = Church of England.

coffee, *n.* kaffe; ~-bean, *n.* kaffebønne; ~-grounds, *pl. n.* kaffegrums; ~-pot, *n.* kaffekande.

coffer, *n.* kasse, kiste.

coffin, *n.* kiste, ligkiste.

cog, *n.* tand.

cogent, *adj.* kraftig; overbevisende.

cogitate, *v. i.* tænke, fundere.

cognate, *adj.* beslægtet.

cognizance, *n.* kundskab; *jur.* kompetence.

cognomen, *n.* tilnavn, øgenavn; efternavn.

cogwheel, *n.* tandhjul.

cohabit, *v. i.* bo sammen, leve sammen.

co-heir, *n.* medarving.

cohere, *v. i.* hænge sammen.

cohesion, *n.* sammenhold;

sammenhæng(skraft); logisk forbindelse.

coil, *v. t.* lægge i rulle; ~, *n.* ring, rulle, spiral; *mech., radio.* spole.

coin, *n.* mønt; møntsort; ~, *v.t.* præge; smede; ~ a word, lave et nyt ord.

coincide, *v. i.* træffe sammen; stemme overens.

coiner, *n.* møntner; falskmøntner.

coir, *n.* kokosfiber; ~ rope, *n.* kokostov.

coke, *n.* koks.

Col., = Colonel.

colander, *n.* dørslag.

cold, *adj.* kold; ligegyldig; I am (*el.* feel) cold, jeg fryser; ~, *n.* kulde, frost; forkølelse; snue; to catch ~, blive forkølet; give somebody the ~ shoulder, vise én (d)en kold(e) skulder; leave out in the ~, *fig.* gøre til stedbarn; ~-blooded, *adj.* kold, følelsesløs; *zool.* koldblodet; ~-storage, *n.* opbevaring i fryseanlæg.

colitis,*n.*tyktarmsbetændelse.

collaborator, *n.* medarbejder.

collapse, *v. i.* falde sammen, klappe sammen; ~, *n.* sammenfalden; krak; sammenbrud.

collar, *n.* flip; halsbånd; krave; ~, *v. t.* gribe i kraven; få fat i; ~-bone, *n.* kraveben.

colleague, *n.* kollega.

collect, *v. t. & i.* samle, indsamle; indkassere; ~, *n.* kollekt; -ion, *n.* indsamling; samling; inkasso; -ive, *adj.* samlet; fælles; kollektiv.

colleen, *n. Ir.* girl.

college, *n.* kollegium.

col|lide, *v.i.* støde sammen; kollidere.

col|lie, *n.* collie, skotsk hyrdehund; -lier, *n.* kulminearbejder; (ship) kulskib.

colloquial, *adj.* som hører til omgangssproget; ~ speech, daglig tale.

collusion, *n.* hemmelig forståelse.

collywobbles, *n.* rumlen i maven.

colonel, *n.* oberst.

colour, *n.* farve; kulør; off ~, ikke helt rask; -s, *pl.* fane, flag; come off with flying ~, klare sig stolt; ~, *v. t.* farve; kolorere; ~, *v. i.* rødme; -ful, *adj.* malerisk, farverig; -ing, *n.* farve, farvning; kolorit; -less, *adj.* farveløs, gennemsigtig.

colt, *n.* ung hingst, plag.

coltsfoot, *n. bot.* følfod.

columbine, *n. bot.* akeleje.

column, *n.* søjle; (*in* newspaper) spalte.

comb, *n.* kam; (honey) bikage; ~, *v. t.* rede; kæmme; karte; *fig.* finkæmme.

combat, *n.* kamp; fægtning; ~, *v. i.* kæmpe, *v. t.* bekæmpe.

comber, *n.* brodsø.

combin|ation, *n.* forbindelse; forening; ' sammensætning; -e, *n. agric.* mejetærsker; *commerc.* ring, sammenslutning, kartel; ~, *v. t.* forene, forbinde; ~, *v. i.* forbinde sig.

combust|ible, *adj.* brændbar, brandfarlig; -ion, *n.* forbrænding; internal ~ engine, forbrændingsmotor.

come (came, come), *v. i.* komme; ankomme; ~, ~!, nej, hør nu!; how ~ you can...?, hvordan kan det være, at du kan...?; ~ to pass, ske; ~ true, gå i opfyldelse; ~ across, støde på; ~ by, komme i besiddelse af; (pass by) komme forbi; ~ for, hente; ~ into money, arve; ~ into one's own, komme til sin ret; ~ into being, opstå; ~

loose, løsne sig; ~ into effect, træde i kraft; I don't think anything will ~ of it, jeg tror ikke, det bliver til noget; ~ of age, blive myndig; ~ off, finde sted; falde af (ud, *osv.*); *coll.* lykkes; ~ off it, *coll.* hold op med det; ~ on, trives; komme frem; ~ out, komme frem; debutere i selskabslivet; (cards, patience, *etc.*) gå op; ~ round, blive overtalt; (regain consciousness) komme til sig selv; ~ under, høre ind under; ~ back with, vende tilbage med; svare rapt; ~-back, *n.* tilbagevenden; come-back.

comedian, *n.* komiker.

comely, *adj.* tækkelig.

comer, *n.* the first ~, den først ankomne; all -s, alle, der melder sig.

comestibles, *pl. n.* madvarer.

comfort, *n.* trøst; velvære; bekvemmelighed; behagelighed; ~, *v.t.* trøste; vederkvæge; styrke; -able, *adj.* behagelig, bekvem, hyggelig; trøstende.

comfy, *adj. coll.* = comfortable.

coming, *n.* komme; ankomst; *see also* come.

comma, *n.* komma; inverted -s, *pl.* anførselstegn, *pl.*

command, *v. t.* befale; overskue; beherske; råde over; ~, *n.* befaling, kommando; -eer, *v.t.* udskrive; bemægtige sig.

commemorate, *v. t.* mindes; fejre, højtideligholde.

commence, *v.t.&i.* begynde.

commend, *v.t.* rose; anbefale; prise.

commen|surable, *adj.* kommensurabel; -surate, *adj.* be ~ with, svare til; his expenses were not ~ with his income, hans udgifter stod ikke i forhold til hans indkomst.

comment, *n.* anmærkning; kommentar; ~, *v. i.* kommentere, forklare; -tary, *n.* kommentar; foredrag; -tator, *n.* kommentator; speaker.

commerce, *n.* handel; samkvem.

commission, *n.* kommission; hverv; provision; officerspatent; -ed officer, officer; non-~ officer, underofficer; ~, *v. t.* befuldmægtige, give en kommission; -aire, *n.* dørvogter, portier; -er, *n.* kommissær; kommitteret.

commit, *v. t.* begå; ~ to prison, fængsle; ~ for trial, sætte under tiltale; ~ oneself, forpligte sig; ~ to memory, lære udenad; -tee, *n.* komité; udvalg.

commodi|ous, *adj.* rummelig; -ty, *n.* vare, handelsvare.

commodore, *n. naut.* kommandør.

common, *adj.* almindelig; fælles; simpel; ~, *n.* fælled; overdrev; have much in ~, have meget til fælles; the (House of) C-s, (the House of) C-s, underhuset; ~ gender, fælleskøn; ~ law, *(approx.)* domsamling; ~ room, lærerværelse; ~ sense, sund fornuft; -er, *n.* af borgerklassen; medlem af Underhuset; -place, *n.* banalitet; fortærsket frase; ~, *adj.* banal; -sensical, *adj.* fornuftig; -wealth, *n.* statssamfund; republik.

commotion, *n.* bevægelse; tumult.

communica|te, *v. t.* meddele; ~, *v. i.* stå i forbindelse, forhandle; gå til alters; -tion, *n.* meddelelse; forbindelse; samfærdsel.

communi|on, *n.* fællesskab; omgang; *rel.* altergang; -ty, *n.* fællesskab; samfund.

commut|ation, *n.* omskiftelse; formildelse, benådning; -e, *v. t. & i.* rejse på abonnementskort; afløse; formilde; ombytte.

compact, *adj.* tæt, kompakt; sammentrængt; ~, *n.* pagt, overenskomst.

companion, *n.* kammerat; ledsager; (thing to match) pendant; ~ ladder, *naut.* kahytstrappe.

company, *n.* selskab, følgeskab; forening; aktieselskab, handelsselskab; *mil.* kompagni; keep ~ with, gøre selskab; omgås.

comparative, *adj.* forholdsvis, relativ; -ly, *adv.* forholdsvis, nogenlunde.

compare, *v. t.* sammenligne; sidestille; jævnføre.

compartment, *n.* afdeling; fag; (in railway carriage) kupé.

compass, *n.* omkreds; udstrækning; tidsrum; omfang; kompas; a pair of-es, *pl.* passer; ~, *v. t.* omgive; omfatte; (attain) nå, opnå.

compassion, *n.* medlidenhed, medfølelse; barmhjertighed.

compatible, *adj.* forenelig.

compatriot, *n.* landsmand.

compeer, *n.* ligemand.

compel, *v. t.* tvinge; fremtvinge.

compendium, *n.* kompendium.

compensat|e, *v. t.* erstatte, opveje; -ion, *n.* kompensation, godtgørelse; afståelsessum; erstatning.

compete, *v. i.* konkurrere.

competent, *adj.* tilstrækkelig; sagkyndig; kompetent.

competition, *n.* konkurrence.

compile, *v. t.* samle, udarbejde.

complacency, *n.* velbehag; selvtilfredshed.

complain, *v. i.* klage, besvære sig; -ant, *n. jur.*

klager; -t, *n.* anke; klage;
besværing; *med.* sygdom.
complement, *n.* udfyldning;
komplement; *naut.* be-
manding.
complete, *adj.* fuldstændig;
komplet; ~, *v.t.* fuldende;
udfylde, fuldstændiggøre.
complex, *adj.* indviklet, sam-
mensat, kompliceret; -ion,
n. teint.
compliance, *n.* føjelighed,
eftergivenhed.
complicate, *v.t.* komplicere.
complicity, *n.* medskyld.
compliment, *n.* hilsen; kom-
pliment; ~, *v.t.* lykønske,
komplimentere.
comply, *v.i.* efterkomme;
rette sig efter; indvillige.
component, *n.* bestanddel.
comportment, *n.* opførsel,
holdning.
compose, *v.t.&i.* sammen-
sætte; komponere; sætte;
ordne; berolige; -r, *n.*
komponist; forfatter; sæt-
ter.
composition, *n.* sammen-
sætning; affattelse; stil;
sats.
compost, *n.* kompost; ~
heap, kompostbunke.
composure, *n.* fatning.
compound, *v.t.* sammen-
sætte; bilægge; *commerc.*
akkordere; ~, *v.i.* komme
til forlig; komme over-
ens; ~, *n.* sammensætning;
blanding; [indhegnet *el.*
afgrænset område]; ~ frac-
ture, splintret brud; ~
interest, rentes rente.
compre|hend, *v.t.* indbe-
fatte; omfatte; forstå;
-hension, *n.* forståelse;
fatteevne.
compress, *v.t.* sammen-
trænge; sammentrykke;
~, *n.* kompres.
comprise, *v.t.* indbefatte;
omfatte.
compromise, *n.* forlig; ~,
v.t.&i. bilægge; kompro-
mittere; sætte på spil.

compul|sion, *n.* tvang; -sory,
adj. tvungen.
compunction, *n.* samvittig-
hedsnag.
compute, *v.t.&i.* beregne.
comrade, *n.* kammerat.
con, *n.* the pros and -s,
grundene for og imod;
~ man, *coll.* bondefanger;
~, *v.t.* studere; *naut.* styre.
conceal, *v.t.* skjule; lægge
skjul på.
concede, *v.t.&i.* indrømme;
bevilge.
conceit, *n.* grille; indbild-
ning; indbildskhed; -ed,
adj. indbildsk.
conceiv|able, *adj.* mulig,
tænkelig, trolig; -e, *v.t.*
&i. forestille sig; fatte;
undfange.
concen|trate, *v.t.&i.* kon-
centrere; samle tankerne;
-tration, *n.* koncentration.
concentric, *adj.* koncentrisk.
concept, *n.* begreb.
conception, *n.* forestilling;
begreb; idé.
concern, *v.t.* angå, ved-
komme; bekymre, æng-
ste; ~, *n.* sag; foretagende;
bekymring; -ing, *prep.*
angående, med hensyn til.
concert, *n.* koncert; samråd;
~, *v.i.* aftale; rådslå; -ina,
n. harmonika.
concession, *n.* bevilling; ind-
rømmelse; koncession.
conch, *n.* konkylie.
conciliate, *v.t.* mægle, for-
sone; vinde (for sig).
concise, *adj.* kortfattet; kort
og fyndig.
conclude, *v.t.* slutte, afslutte;
(resolve) beslutte.
conclu|sion, *n.* slutning;
ende; -sive, *adj.* afgørende.
concoct, *v.t.* udklække;
(plan) sammenbrygge.
concord, *n.* endrægtighed;
sammenhold; *mus.* sam-
klang.
concrete, *n.* beton; rein-
forced ~, armeret beton;
~, *adj.* fast, hård; konkret.

concur, v. i. stemme overens; træffe sammen; indtræffe samtidig; medvirke.

concussion, n. rystelse; ~ of the brain, hjernerystelse.

condemn, v. t. dømme; fordømme; forkaste; kassere.

condens|ation, n. kondensation; sammentrængning; fortætning; -e, v. t. fortætte; -er, n. radio kondensator.

condescend, v. i. nedlade sig.

condign, adj. velfortjent.

condiment, n. krydderi.

condition, n. tilstand, forfatning; rang; betingelse; vilkår; kondition; -al, adj. betinget.

con|dole, v. i. kondolere; -done, v. t. tilgive; lade være glemt.

con|duce, v. i. bidrage; -ducive, adj. ~ to, som bidrager til.

conduct, n. opførsel, adfærd, optræden; ledelse; ~, v. t. & i. føre, bestyre, drive; ~ oneself, opføre sig; -or, n. fører, leder; dirigent; omnibuskonduktør; ledningstråd.

conduit, n. rørledning.

cone, n. kegle; tech. conus; ice-cream ~, kræmmerhus; vaffel.

confab (sl. for confabulate, confabulation); ~, v. i. snakke, passiare; ~, n. passiar.

confection, n. konfekt; konditorvare; syltetøj; konfektion.

confederate, n. forbundsfælle; medskyldig.

confer, v. t. & i. tildele, skænke; konferere, pleje råd; overdrage; jævnføre; -ence, n. rådslagning, konference.

confess, v. t. & i. tilstå; skrifte; erkende; -ion, n. tilståelse; skriftemål; bekendelse.

con|fide, v. t. & i. (secret) betro; ~ in, stole på; -fidence, n. tillid; selvtillid; fortrolighed.

configuration, n. form; omrids; (indbyrdes) stilling.

confine, n. (usually pl. -s) grænser, pl.; ~, v. t. indskrænke; indeslutte, holde fangen; -ment, n. indespærring, arrest; (for birth) barsel.

confirm, v. t. bekræfte; bestyrke; rel. konfirmere; -ation, n. bekræftelse; rel. konfirmation.

conflagration, n. brand; flammehav.

conflict, n. strid, brydning; sammenstød; v. i. stride (mod); støde sammen.

confluence, n. sammenløb; tilstrømning.

conform, v. t. & i. tillempe, afpasse; ~ to, være i overensstemmelse med; rette sig efter.

confound, v. t. forvirre; sammenblande; forveksle; beskæmme; besejre; ~ it!, så for pokker!

confrère, n. kollega.

confront, v. t. stå (lige) overfor; møde; konfrontere.

confuse, v. t. forvirre; forveksle, sammenblande.

confusion, n. forvirring; uorden; nederlag; beskæmmelse; ruin.

confutation, n. gendrivelse.

congeal, v. i. størkne, stivne.

congenial, adj. beslægtet; sympatisk; samstemmende; passende.

conger, n. havål.

congestion, n. ophobning; blodstigning.

conglomerate, n. sammenhobning; konglomerat.

congratulate, v. t. lykønske, gratulere.

congre|gate, v. i. samles; -gation, n. forsamling; menighed.

congru|ence, *n.* -ency, *n.* overensstemmelse; -ous, *adj.* passende, kongruent.

conifer, *n.* nåletræ.

conjecture, *n.* formodning; gisning; ~, *v. t. & i.* formode, gætte.

conjoint, *adj.* forenet; -ly, *adv.* i forening.

conju|gal, *adj.* ægteskabelig; -gate, *v. t. & i. gram. & math.* konjugere; bøje.

conjunction, *n.* forbindelse; *gram.* bindeord.

con|jure, *v. t.* mane, hekse; -jurer (*el.* -juror), *n.* trylle-kunstner.

conk, *n. sl.* tud, næse; ~ out, *v. i. sl.* bryde sammen; -er, *n.* kastanje.

con|nect, *v.t.* sammenknytte, forbinde; -nection, (*el.* -nexion), *n.* forbindelse, sammenhæng.

conning-tower, *n. naut.* kommandotårn.

connive, *v. i.* ~ at, se igennem fingre med; aftale hemmeligt.

connoisseur, *n.* kender.

connotation, *n.* bibetydning.

connubial, *adj.* ægteskabelig.

conquer, *v. t.* erobre; besejre; -or, *n.* sejrherre.

conquest, *n.* erobring; sejr.

conscience, *n.* samvittighed; bevidsthed.

conscientious, *adj.* samvittighedsfuld.

conscious, *adj.* bevidst; -ness, *n.* bevidsthed.

conscript, *n.* værnepligtig; ~, *v. t.* udskrive; -ion, *n.* udskrivning; værnepligt.

consecrate, *v. t.* indvie.

consecutive, *adj.* i rækkefølge; i træk.

consensus, *n.* samstemmen.

consent, *n.* indvilligelse; samtykke; ~, *v. i.* samtykke, indvillige.

consequence, *n.* følge; betydning; indflydelse.

consequent, *adj.* følgende -ly, *adv.* følgelig, altså.

conser|vation, *n.* bevarelse, beskyttelse; -vative,*n.*&conservativ; højremand; ~, *adj.* konservativ; bevarende; forsigtig; -vator, *n.* konservator; -vatory, *n.* vinterhave, drivhus; musikkonservatorium; -ve, *v.t.*bevare; sylte; henkoge.

consider, *v. t. & i.* tage i betragtning; overlægge, overveje; betænke sig; -able, *adj.* anselig, betydelig; vigtig; -ation, *n.* betragtning; overvejelse; (importance) vigtighed; agtelse; (thoughtfulness) hensyn; (payment) vederlag.

consign, *v. t.* overdrage; *commerc.* konsignere; tilsende; -ment, *n.* parti, sending; konsignation; overdragelse; ~ note, fragtbrev.

consist, *v.i.* ~ of (,in), bestå af (i); -ence, *n.* tæthed, fasthed; konsistens; -ency, *n.* konsekvens, følgerigtighed; overensstemmelse; -ent, *adj.* konsekvent; be ~ with, passe med, stemme med.

console, *v. t.* trøste.

consolidate, *v. t. & i.* gøre fast; *fig.* forene; styrke; blive fast.

consolidation, *n.* konsolidering; forening; sammenslutning.

consommé, *n.* klar suppe.

consonant, *adj.* overensstemmende; harmonisk; ~, *n.* konsonant, medlyd.

consort, *n.* gemal, ægtefælle; ledsagende skib; kammerat; ~, *v. i.* omgås.

conspicuous, *adj.* iøjnefaldende, fremtrædende; be ~ by one's absence, glimre ved sin fraværelse.

conspir|acy, *n.* sammensværgelse; -e, *v. i.* sammensværge sig; forene sig.

constable, *n.* politibetjent.

constant, *adj.* bestandig, ved-
varende; standhaftig.
constellation, *n.* stjernebil-
lede.
conster|nate, *v. t.* forfærde;
-nation, *n.* bestyrtelse;
forfærdelse.
constipation, *n.* forstoppelse.
constituency, *n.* valgkreds.
constitu|te, *v. t.* udgøre; be-
stemme; antage; -tion, *n.*
grundlov, forfatning; con-
stitution; ansættelse; ind-
retning; bestemmelse; le-
gemsbeskaffenhed; -tion-
al, *n.* spadseretur; motion;
~, *adj.* konstitutionel;
(physical, etc.) medfødt,
naturlig.
constraint, *n.* tvang.
constrict, *v.t.* sammenpresse,
indsnøre; -or, *n. zool.*
kvælerslange.
constringent, *adj.* sammen-
trækkende.
construct, *v. t.* bygge, kon-
struere, opføre; -ion, *n.*
konstruktion; bygning;
bygningsmåde; (interpre-
tation) fortolkning; me-
ning.
construe, *v. t.* konstruere;
fortolke.
consul, *n.* konsul; ~ general,
generalkonsul.
consult, *v. t.* spørge til råds;
se efter i; (doctor) søge;
-ation, *n.* rådslagning;
(doctor's) konsultation;
-ing, *adj.* rådgivende;
~ room, konsultationsvæ-
relse.
consume, *v. t.* fortære; for-
bruge.
consummate, *v.t.* fuldbyrde;
~, *adj.* fuldkommen.
consumption, *n.* forbrug;
fortæring;svindsot;tæring.
contact; *n.* berøring, kon-
takt; ~, *v. t.* berøre; få
føling med; træde (or
sætte sig) i forbindelse
med, kontakte; ~ lens,
kontaktlinse; ~-breaker,*n.*
elect. strømafbryder.

contagious, *adj.* smitsom.
contain, *v. t.* indeholde;
rumme; ~ oneself, be-
herske sig; -er, *n.* behol-
der.
contaminate, *v. t.* besmitte.
contemplate, *v. t.* beskue,
betragte; påtænke; over-
veje.
contemporaneous, *adj.* sam-
tidig.
contempt, *n.* foragt.
contend, *v. i.* strides; kappes;
bestride, påstå.
content, *adj.* tilfreds; ~, *v. t.*
tilfredsstille; ~, *n.* tilfreds-
hed, tilfredsstillelse; ind-
hold (*see also* -s); -s, *pl. n.*
indhold; table of ~, ind-
holdsfortegnelse.
contention, *n.* strid; (claim)
påstand; bone of ~, stri-
dens æble.
contest, *v. t.* bestride; stille
sig til valg; ~, *v. i.* strides
om, kappes om; ~, *n.*
strid.
context, *n.* sammenhæng.
contiguous, *adj.* tilstødende.
continent, *adj.* afholdende;
mådeholden; kysk; ~, *n.*
fastland; the C~, det eu-
ropæiske fastland.
contingen|cy, *n.* eventuali-
tet; -t, *adj.* eventuel, mu-
lig.
continu|al, *adj.* vedvarende,
uafbrudt; -ation, *n.* fort-
sættelse; forlængelse; -e,
v. t. & i. fortsætte; ved-
vare; blive ved med; ved-
blive.
contort, *v. t.* vride, sno;
-ionist, *n.* slangemenneske.
contour, *n.* omrids.
contraband, *adj.* kontra-
bande; ~, *adj.* forbudt.
contracep|tion, *n.* svanger-
skabsforebyggelse; -tive,
n. forebyggende middel.
contract, *v. t. & i.* sammen-
trække; trække sig sam-
men; indskrænke; *com-
merc.* kontrahere; (incur)
pådrage sig; ~, *n.* kon-

trakt; -or, *n.* kontrahent; leverandør.

contradict, *v. t.* modsige; ~ somebody, sige én imod.

contralto, *n. & adj.* (kontra)-alt.

contraption, *n.* indretning.

contrary, *adj.* modsat; omvendt; kontrær; ~ to, i modsætning til; imod; ~, *n.* modsætning; on the ~, tværtimod; omvendt.

contrast, *n.* kontrast; modsætning; ~, *v.t. & i.* stå i modsætning (til); danne en modsætning (til).

contravene, *v.t.* modvirke; overtræde.

contribut|e, *v.t. & i.* bidrage, give; yde; -or, *n.* (to a newspaper, *etc.*) medarbejder; bidragyder.

contrite, *adj.* angerfuld.

contriv|ance, *n.* opfindelse; indretning; -e, *v.t. & i.* opfinde; udtænke.

control, *n.* kontrol; opsyn; herredømme; ~, *v. t.* kontrollere, have opsyn med; holde i tømme; beherske; styre.

controversy, *n.* polemik, uenighed.

contusion, *n.* kvæstelse; stød.

conundrum, *n.* gåde; ordspil.

conval|esce, *v.i.* være i bedring; -escence, *n.* rekonvalescens.

convene, *v.t. & i.* sammenkalde.

convenience, *n.* bekvemmelighed; marriage of ~, fornuftægteskab; public ~, offentlig toilet.

convenient, *adj.* bekvem, belejlig, passende.

convent, *n.* nonnekloster.

convention, *n.* forsamling; overenskomst; aftale.

converge, *v.t. & i.* løbe sammen.

conver|sant, *adj.* ~ (with), kendt med, fortrolig med; -sation. *n.* samtale; konversation.

converse, *v. i.* samtale; ~, *n.* det omvendte (or modsatte) af; *adj.* omvendt, modsat.

convert, *v.t.* ombytte; omregne; omdanne, konvertere; omvende; ~, *n.* proselyt; omvendt; konvertit.

convey, *v. t.* føre, transportere; overbringe; meddele; -ance, *n.* befordring; transport; deed of ~, skøde; -or, *n.* ~ (belt), transportbånd.

convict, *v. t.* erklære for skyldig; domfælde; ~, *n.* forbryder, straffefange; -ion, *n.* overbevisning; (sentence) dom.

convince, *v. t.* overbevise, overtyde.

convivial, *adj.* selskabelig.

convocation, *n.* sammenkaldelse; præstemøde.

convoke, *v.t.* sammenkalde.

convoy, *v. t.* eskortere, konvojere.

convulsion. *n.* krampetrækning; rystelse.

coo, *n.* kurren; ~, *v. t. & i.* kurre.

cook, *n.* kok; (female) kokkepige; ~, *v. t. & i.* lave mad; *sl.* ødelægge; ~ the accounts, pynte på regnskaberne; -ery-book, *n.* kogebog.

cook|-general, *n.* kokkeenepige; -ie, *n.* småkage; -ing, *n.* madlavning.

cool, *adj.* kølig; sval; ligegyldig; koldblodig; ~, *n.* kølighed; ~, *v. t. & i.* afkøle, kølne.

coon, *n.* U.S. *sl.* bondeknold; neger.

coop, *n.* hønsebur; ~ up, (*el.* in) *v. t.* indespærre.

cooper, *n.* bødker.

co-op, *n. coll.* brugsen.

co-operate, *v. i.* medvirke; samvirke; samarbejde.

co-ordinate, *adj.* sideordnet.

coot, *n. sl.* dumrian; as bald as a ~, pilskaldet.

cop, *n.* spole; *sl.* panser; stridser; *v. t. sl.* fange, nappe; you'll ~ it, du får sikkert en omgang.

cope, *v. i.* ~ with, hamle op med.

copious, *adj.* rigelig; udførlig.

copper, *n.* kobber; (vaske)-kedel; kobbermønt; *sl.* panser; ~ beech, *bot.* rødbøg.

coppice, copse, *n.* underskov, lav skov.

copulate, *v. i.* parre sig.

copy, *n.* afskrift; kopi; eksemplar; aftryk; ~, *v. t.* kopiere; efterligne; skrive af, afskrive; -hold, *n.* arvefæste; -right, *n.* forlagsret; forfatterret, kunstnerisk ejendomsret; ~,*adj.*beskyttet; copyright; ophavsretligt; -writer, *n.* reklametekstforfatter.

coquet, *adj.* koket.

cord, *n.* strikke, snor, tov; spinal ~, rygmarv; (wood) favn; -age, *n.* tovværk; -ed, *adj.* snøret; ribbet; snorebesat.

cordial, *n.* hjertestyrkning; ~, *adj.* hjertelig; kordial.

cordon, *n.* bånd; afspærring.

corduroy, *n.* jernbanefløjl; -s, *pl. n.* bukser af jernbanefløjl.

core, *n.* kærne; kærnehus.

co-respondent, *n.* medindstævnte i skilsmissesag.

cork, *n.* kork; prop; -screw, *n.* proptrækker; ~, *v. t.* proppe (flasker).

corm, *n. bot.* løgknold; -orant, *n. zool.* ålekrage, kormoran.

corn, *n.* korn; sæd; (Indian) majs; (*on* foot) ligtorn; ~, *v. t.* sprænge, salte; -cob, *n.* majskolbe; -crake, *n. zool.* vagtelkonge.

corner, *n.* hjørne; vinkel; krog; flig.

cornice, *n.* karnis; loftsliste.

coronation, *n.* kroning.

coroner, *n.* ligsynsmand.

corporal, *n.* korporal; ~, *adj.* korporlig; legemlig.

corporation, *n.* kommunalbestyrelse; korporation; *coll.* borgmestermave; (company) aktieselskab.

corps, *n.* korps.

corpse, *n.* lig.

corral, *n.* kreaturfold.

correct, *v. t.* rette, korrigere; ~, *adj.* rigtig, fejlfri, korrekt; -ion, *n.* rettelse; irettesættelse.

correlat|e, *n.* korrelat, modstykke; ~,*v.t. & i.* (få til at) svare til hinanden; -ion, *n.* gensidighedsforhold.

correspond, *v. i.* korrespondere; svare til; modsvare; -ence, *n.* brevveksling; overensstemmelse.

corri|dor, *n.* gang, korridor; -genda, *pl. n.* rettelser.

corroborate, *v. t.* stadfæste, bestyrke.

cor|rode, *v. t. & i.* tære; -rosion, *n.* ætsning, korrosion.

corrugate, *v. t. & i.* rynke, rifle, -d iron, bølgeblik; -d paper, bølgepap.

corrupt, *v. t.* fordærve; demoralisere; forvanske; bestikke; ~, *v. i.* rådne, fordærves; ~, *adj.* lastefuld, demoraliseret; -ible, *adj.* bestikkelig; -ion, *n.* fordærvelse; bestikkelse; forrådnelse; forfalskning.

corset, *n.* korset.

cortège, *n.* kortege; tog; følge.

cortex, *n. bot.,* bark; *anat.* hud.

cosi|ly, *adv.* lunt; hyggeligt; -ness, *n.* hygge; lunhed.

cosmetic, *n.* skønhedsmiddel.

cosmic, *adj.* kosmisk; ~ rays, kosmiske stråler.

cosmopolitan, *n.* kosmopolit, verdensborger; ~, *adj.* kosmopolitisk; verdens-.

cost, *n.* omkostning; pris; bekostning; ~ price, ind-

købspris; ~, v. i. koste;
-ing, n. beregning af om-
kostninger; -ly, adv. kost-
bar; -s, pl. procesomkost-
ninger; sagsomkostnin-
ger; at all -s, for enhver
pris.

cost of living, n. leveomkost-
ninger, pl.; ~-~-~ bonus,
dyrtidstillæg; ~-~-~ in-
dex, pristal.

costermonger, n. gadesælger.

cosy, adj. hyggelig; lun.

cot, n. køje, barneseng.

coterie, n. klike.

cottage, n. mindre hus;
(bonde)hus; hytte; som-
merhus.

cotton, n. bomuld; bom-
uldstøj; ~ waste, pudse-
tvist; bomuldsaffald; ~
wool, vat; ~ on to, sl.
synes godt om; forstå;
-seed cake, bomuldsfrø-
kager, pl.

couch, v. t. & i. (spear)
fælde; (express) udtrykke;
med. operere for stær; (lie
in wait) ligge på lur; ~,
n. chaiselongue; løjbænk;
-grass, n. bot. kvikgræs.

cough, n. hoste; ~, v. t. & i.
hoste.

could, see can.

council, n. råd; rådsforsam-
ling; ~ of war, krigsråd;
skole; ~ school, kommune-
-lor, n. (by)rådsmedlem;
borgerrepræsentant.

counsel, n. råd; rådslagning;
rådgiver; advokat; -lor, n.
rådgiver.

count, v.t.&i. tælle; sam-
menregne; anse for; have
betydning; keep ~, holde
tal på; take ~ of, tælle;
~ on, regne med; ~ up,
regne op, optælle; ~, n.
regning; tælling; (noble-
man) greve.

countenance, n. fatning;
ansigtsudtryk; mine; yn-
dest; ~, v. t. bifalde, støtte.

counter, n. (table) disk; skran-
ke; (disc)jeton; spillemønt;

~, adv. modsat; mod-;
imod; -act, v. t. modvirke;
-attack, n. modangreb;
-balance, v. t. opveje;
-claim, n. modkrav; -feit,
v. t. eftergøre, forfalske;
hykle; ~, adj. eftergjort,
falsk, forloren; -foil, n. ta-
lon; -mand, v. t. afbestille;
tilbagekalde; -move, n.
modtræk; -pane, n. senge-
tæppe; -part, n. side-
stykke; pendant; -plot,
n. modplan; -point, n.
kontrapunkt; -poise, v. t.
holde i ligevægt; -sign, v. t.
medunderskrive; -sink,
v. t. forsænke.

countess, n. grevinde; (in
England) [earl's hustru el.
enke].

countless, adj. utallig.

coun|trified, adj. landlig; -try,
n. land; fædreland; egn;
terræn; -ryside, n. egn;
out in the ~, ud på landet.

county, n. amt; ~ court,
[civil underret].

couple, n. par; kobbel; ~, v.t.
forbinde; koble; parre.

coupling, n. kobling; for-
bindelse.

courage, n. mod; have
Dutch ~, drikke sig mod
til; -ous, adj. modig.

courier, n. ilbud, kurér.

course, n. (for)løb; bane;
kurs, gang; kursus; van-
del; ret; jagt med hunde;
kur; of ~, naturligvis; ~,
v. t. jage; ~ i. (blood)
løbe.

court, n. hof; gård; gårds-
plads; forgård; jur. ret;
~ plaster, hæfteplaster;
~, v. t. gøre sin opvart-
ning, bejle til; gøre kur
til; ~ disaster, lege med
skæbnen; -eous, adj. høf-
lig, artig; -esy, n. høflig-
hed; venlighed; -house, n.
ret; domstol; -ier, n. hof-
mand; smigrer; -ly, adj.
høflig, beleven, sleben;
~-martial, n. krigsret;

-ship, n. friere, bejler;
-yard, n. gårdsplads.

cousin, n. fætter; kusine;
first ~, søskendebarn.

cove, n. vig, bugt; sl. fyr.

covenant, n. pagt.

cover, n. dække; betræk;
hylster; konvolut; om-
slag, bind; låg; ly; maske;
..vert; skjul; krat; ~,
v.t. bedække, dække; be-
skytte; skjul; omslutte;
-age, n. dækning; -ing
letter, følgeskrivelse.

covert, n. smuthul, skjul.

covet, v.t. begære; hige
efter; -ous, adj. havesyg.

covey, n. kuld.

cow, n. ko; ~, v.t. kue; be-
røve modet.

coward, n. kujon, kryster;
-ice, n. fejghed; -ly, adj.
fejg, ræd.

cowbane, n. bot. gifttyde.

cow|boy, n. røgter; cow-
boy; -catcher, n. ko-
fanger, skinnerømmer;
-dung, n. komøg; -hide,
n, kohud; -house, n. ko-
stald.

cower, v.i. krybe sammen.

cowl, n. munkehætte.

cowslip, n. bot. kodriver.

cox, n. styrmand; ~, v.t.&i.
styre (en kaproningsbåd);
-comb, n. narrehue; nar,
laps; -swain, n. styrmand;
naut. kvartermester.

coy, adj. bly, undselig; ge-
nert, beskeden.

coyote, n. zool. prærieulv.

crab, n. krabbe; ~ apple,
skovæble; (rowing) catch
a ~, fange ugle; -by, adj.
gnaven.

crack, n. knald, smæld, brag;
sprække, revne; ~, v.t.&i.
knalde; knække; revne;
sprække; brage; his voice
is -ing, hans stemme er i
overgang, ~, adj. første-
rangs; ~-brained, -ed, adj.
halvtosset, forrykt; -er, n.
(firework) kineser; knal-
lert; cul. biscuit.

cradle, n. vugge; bedding.

craft, n. list; håndtering;
fag; naut. fartøj; -sman, n.
håndværker; fagmand; -y,
adj. snu; durkdreven;
(of politican) forslagen.

crag, n. stejl klippe.

cram, v.t. proppe, stoppe;
v.i. terpe.

cramp, n. krampe; mur-
anker; klamme; ~, v.t.
trykke, holde sammen-
presset; -ed, adj. trang;
indskrænket.

cranberry, n. bot. tranebær.

crane, n. zool. trane; kran;
~, v.t.&i. løfte med
en kran; ~ one's neck,
strække hals; ~ fly, stankel-
ben; ~'s bill, storkenæb.

cranium, n. kranium, hjer-
neskal.

crank, n. krumtap; særling;
~-shaft, n. krumtapaksel.

cranny, n. sprække.

crape, n. flor, krep.

crash, v.i. knase, brage;
~, n. brag, bulder, rabal-
der; krak; sammenstød.

crass, adj. kras, grov; dum.

crate, n. tremmekasse; -r, n.
krater; granathul.

crav|e, v.t. begære; hige
efter; forlange; -en, n.
kujon, fej person; -ing, n.
trang; begær; higen.

crawfish, n. flodkrebs.

crawl, v.i. kravle, krybe.

cray|fish, n. (flod)krebs; -on,
n. tegnekridt; pastel; far-
veblyant.

craz|e, n. mani; the ~, sidste
skrig; -y, adj. forrykt;
tosset, vanvittig; skrøbe-
lig.

creak, v.i. knirke, pibe; ~,
n. knirken.

cream, n. fløde; creme; ~
separator, mælkecentri-
fuge; skim the ~ off, also
fig. skumme fløden; ~,
adj. flødefarvet; -ery, n.
mejeri.

crease, n. fold; læg; presse-

fold; ~, v. t. folde; ~, v. i.
slå folder, krølle.
creat|e, v. t. skabe; frem-
bringe; oprette; -ion, n.
skabelse; skabning; ud-
nævnelse; (dress) kreation;
-ure, n. skabning; dyr;
væsen.
crèche, n. vuggestue.
cre|dence, n. tro; give ~ to,
tro på; -entials, pl. n. legi-
timation; (ak)kreditiver;
-ible, adj. troværdig; tro-
lig; -it, n. kredit; anseelse;
godt navn; ~, v. t. tro;
stole på; fæste lid til;
commerc. kreditere; -able,
adj. agtværdig; hæderlig,
ærefuld; -dulity, n. let-
troenhed.
creed, n. trosbekendelse; tro.
creek, n. vig, lille bugt.
creep, v. i. krybe; liste (sig),
snige (sig); it made my
skin ~, det gav mig en
kriblende fornemmelse;
-s, pl. n. it gives me the ~,
det løber mig koldt ned
ad ryggen.
crema|te, v. t. kremere,
brænde; -tion, n. lig-
brænding.
crept, see creep.
crescent, n. halvmåne.
cress, n. karse.
crest, n. kam, top; hjelm-
busk; -fallen, adj. slukøret.
Crete, n. Kreta.
crevasse, n. gletscherspalte.
crevice, n. sprække, revne.
crew, n. skare, hob; naut.
mandskab; ~-cropped, ~-
cut, adj. ~ hair, karsehår;
~-cut, n. karsehår.
crib, n. krybbe; barneseng;
~, v.t. &i. skrive af; snyde
(i skolen).
crick, n. stivhed, forvrid-
ning.
cricket, n. zool. fårekylling;
sport. kricket.
cried, see cry.
crime, n. forbrydelse.
criminal, adj. forbryderisk;
kriminel; ~, n. forbryder.

crimp, v. t. kruse.
crimson, n. karmoisin; turn
~, rødme dybt.
cringe, v. i. krybe, ligge på
maven for.
crinkle, v.t.&i. krølle, kruse.
cripple, n. krøbling; ~, v. t.
lemlæste; lamme.
crisis, n. vendepunkt; krise.
crisp, adj. sprød, knasende;
frisk; kruset.
criss-cross, adj. på kryds og
tværs.
criterion, n. kendemærke,
kriterium.
critic, n. anmelder, kritiker;
-al, adj. kritisk; nøje,
streng; afgørende; betæn-
kelig, farlig; -ism, n. kri-
tik; -ize, v.t.&i. kritisere;
dadle; anmelde.
critique, n. anmeldelse; kri-
tik.
croak, v. t. & i. kvække;
knurre; hyle, jamre.
crochet, v. t. & i. hækle; ~-
hook, n. hæklenål.
crock, n. lerkrukke; potte-
skår; rallike; (horse) øg;
stakkel; -ery, n. service,
porcelæn.
crocodile, n. zool. krokodille.
croft, n. toft; -er, n. hus-
mand.
crocus, n. bot. krokus.
crook, n. hage; krog; kneb;
filur; hyrdestav; sl. for-
bryder, svindler; ~, v. t.
& i. krumme; dreje; -ed,
adj. krum, skæv; fordrejet,
kroget; coll. uhæderlig,
uærlig.
croon, v. t. smånynne; -er,
n. refrænsanger(inde).
crop, n. fuglekro; top; af-
grøde; ~ of hair, hår-
vækst; ~, v. t. afskære, af-
studse; indhøste, meje; ~,
v. i. ~ up, dukke op; -per,
come a ~, coll. falde; fig.
gøre fiasko.
croquet, n. kroket.
cross, n. kors; kryds; lidelse;
krydsning; be at ~ purpos-
es, modvirker hinanden; ~

reference, krydshenvisning; ~, adj. tvær, knarvorn, fortrædelig; ~, adv. tværs, på tværs; ~, v.t. & i. gå tværs over; komme på tværs; krydse; -bones, n. korslagte dødningeben; -bow, n. armbrøst; -breed, n. blandingsrace; ~-examine, v.t. krydsforhøre; ~-eyed, adj. skeløjet; -ing, n. vejkryds; overfart; overgang; ~-section, n. tværsnit; ~-stitch, n. korssting; -word, n. kryds-og-tværs(opgave).

crotch, n. anat. skridt; grenvinkel.

crotchet, n. mus. fjerdedelsnode; -y, adj. lunefuld; gnaven.

crouch, v.i. krybe sammen; ligge på lur.

croup, n. strubehoste; vet. kryds.

crow, n. krage; hanegal; ~'s nest, naut. udkigstønde; ~, v.i. gale, hovere; as the ~ flies, i lige linje; -bar, n. koben.

crowd, n. hob, mængde; trængsel; skare, flok; ~, v.t. fylde, sammentrænge, pakke, presse; ~ all sail, naut. sætte alle sejl til; ~, v.i. stimle sammen, trænge på; flokkes.

crown, n. krone; (obs. British coin) 5 shillings; anat. isse; (hat) puld; the C~, staten; kronen; ~ prince, kronprins; ~, v.t. krone.

crucial, adj. afgørende; med. kors-.

crucible, n. digel.

cruci|fer, n. bot. korsblomstret; -fy, v.t. korsfæste; -fixion, n. korsfæstelse.

crude, adj. rå, ubearbejdet; umoden, ufordøjet.

cruel, adj. grusom, grum.

cruet(-stand), n. plat-de-menage.

cruise, n. krydstogt; ~, v.i. krydse; -r, n. krydser.

crumb, n. krumme; -le, v.t. & i. smuldre.

crumpet, n. [slags engelsk tebrød].

crumple, v.t. & i. blive krøllet; kramme, krølle sammen.

crunch, v.t. & i. knase, knuse.

crupper, n. (strap) halerem; vet. kryds.

crusade, n. korstog.

crush, v.t. & i. knuse; undertrykke; tilintetgøre; klemme, presse; ~, n. trængsel; have a ~ on, sl. være varm på, sværme for.

crust, n. skorpe; -y, adj. skorpet; gnaven, mut.

crutch, n. krykke; åregaffel; anat. skridt.

cry, v.i. skrige, råbe; græde; ~, n. gråd; råb, skrig; opsang; ~-baby, n. skrighals.

cryolite, n. kryolit.

crypt, n. krypt; -ic, adj. gådefuld.

crystal, n. krystal; ~-gazer, n. spåkone.

cub, n. hvalp, unge.

cube, n. terning; math. kubiktal; ~ root, math. kubikrod; ~, v.t. math. opløfte til tredie potens.

cubicle, n. aflukke; sovekabine.

cuckold, n. hanrej.

cuckoo, n. zool. gøg, kukker; ~, adj. sl. skør.

cucumber, n. agurk.

cud, n. drøv; chew the ~, tygge drøv.

cuddle, v.t. & i. kæle for; ~ up to, smyge sig ind til.

cudgel, n. knippel, kæp.

cue, n. stikord; vink; (billiards) kø.

cuff, n. (light blow) dask; knubs; (on sleeve) opslag; manchet; ~, v.t. give en lussing.

cull, v.t. udsøge; udplukke.

culminate, v.i. kulminere.

3*

culpable, *adj.* kriminel; straf-
skyldig.
culprit, *n.* synder, gernings-
mand.
cult, *n.* kultus.
cul|tivate, *v. t.* dyrke; ud-
danne, forædle; pleje;
-tivator, *n.* dyrker, kulti-
vator; -ture, *n.* kultur,
dannelse; dyrkning, avl;
-tured, *adj.* dannet, kulti-
veret; -vert, *n.* (cables,
etc.) rør; (*under* road)
stenkiste.
cum|ber, *v. t.* belemre;
-bersome, -brous, *adj.* byr-
defuld, besværlig; uhånd-
terlig; plump, klodset.
cumin, *n. bot.* kommen.
cummerbund, *n.* indisk
skærf.
cumulative, *adj.* opsamlende;
ophobet.
cumulus, *n.* klodesky.
cuneiform, *adj.* kileformet;
~ characters, kileskrift.
cunning, *adj.* kyndig, snild;
forslagen, listig.
cup, *n.* (over)kop; bæger;
pokal; *bibl.* kalk.
cupboard, *n.* skab; skeleton
in the ~, ubehagelig
familiehemmelighed.
Cupid, *n.* Eros, Amor.
cupidity, *n.* begærlighed.
cupola, *n.* kuppel.
cu|preous, *adj.* kobber-, kob-
beragtig; -pric, *adj.* ku-
pri-; -prous, *adj.* kupro-.
cur, *n.* køter; tølper.
curable, *adj.* helbredelig.
curate, *n.* kapellan.
curator, *n.* kustode.
curb, *n.* tøjle; ~ roof,
archit. mansardtag; ~stone,
kantsten.
curd, *n.* ostet mælk; oste-
masse; -le, *v. t. & i.* løbe
sammen; (blood) stivne.
cure, *n.* kur, helbrede|lse, be-
handling; ~, *v. t.* helbrede,
kurere; nedsalte.
curfew, *n.* aftenklokke.
curiosity, *n.* nysgerrighed;
seværdighed, raritet.

curious, *adj.* nysgerrig, vide-
begærlig; kunstig; inter-
essant; besynderlig.
curl, *n.* krølle, krusning; ~,
v. t. & i. krølle, kruse; sno;
-y, *adj.* krøllet.
curmudgeon, *n.* gnier.
currant, *n.* korende; red ~,
ribs; black ~, solbær.
currency, *n.* cirkulation;
gangbar mønt; omløb;
gangbarhed.
current, *adj.* cirkulerende;
gangbar, gyldig; ~, *n.*
strøm; strømning.
curry, *v. t.* (leather) garve;
(horse) strigle; ~ favour,
indsmigre sig; ~, *n.* karry.
curse, *v. t.* forbande; ~, *v. i.*
bande; ~, *n.* forbandelse,
ed.
cursory, *n.* flygtig, hastig.
curt, *adj.* studs, kort.
curtail, *v. t.* afstudse, be-
klippe.
curtain, *n.* gardin; forhæng;
fortæppe; ~ pole, ~ rod,
gardinstang; behind the
-s, *fig.* bag kulisserne.
curtsey, *n.* kniks.
curve, *v. t.* krumme; ~, *n.*
krumning, kurve; vej-
sving; -d, *adj.* krum,
bøjet.
cushion, *n.* pude.
cuss, *n. sl.* fyr, person; ed;
~, *v. i. sl.* bande; -ed, *sl. adj.*
forbistret; stædig.
custard, *n.* creme.
cus|todian, *n.* opsynsmand,
kustode; -tody, *n.* forva-
ring; arrest; varetægt;
(guardianship) forældre-
myndighed.
custom, *n.* sædvane, skik;
hævd; kutyme; søgning;
-ary.*adj.* sædvanlig, gængs;
-er, *n.* kunde; ~-house, *n.*
toldbod; ~-made, *adj.*
skræddersyet; lavet efter
mål; -s, *n.* (tax) told; (au-
thorities) toldvæsen.
cut, *v. t. & i.* skære; hugge;
udskære, snitte; klippe;
(trees) fælde; (price, *etc.*)

nedskære, nedsætte; (make
shorter) beskære; (grass)
slå; (cards) tage af; *fig.*
ignorere, bide; have one's
hair ~, blive klippet; have
one's work ~ out, *coll.*
have meget travlt; ~ in,
afbryde; sell at ~ prices,
sælge til underpriser; ~
up, *sl.* medtagelse, rystet;
~ glass, slebet glas; ~
~,*n.* snit; flænge, skramme;
genvej;tilsnit;slags;~-and-
dried, *adj.* færdiglavet.
cutaneous, *adj.* hud-.
cut-away, *adj.* ~ coat, jaket.
cute, *adj.* snild, vågen; *U.S.*
køn.
cuticle, *n.* neglebånd.
cut|lass, *n.* marinesabel;
-lery, *n.* spisebestik; -let,
n. kotelet; -ter, *n.* kutter;
skærende redskab; -ting
n. (newspaper, *etc.*) ud-
klip; *bot.* stikling; (rail-
way) overskæring;-throat,
n. bandit, morder; ~
bridge, *sl.* tremandsbridge.
cuttlefish, *n.* blæksprutte.
cwt., *see* hundredweight.
cybernetics, *n.* [læren om
'elektronhjerner']; cyber-
netik.
cyclamen, *n. bot.* alpeviol.
cycle, *n.* kreds; cyklus;
cykel.
cygnet, *n.* svaneunge.
cylinder, *n.* rulle, valse;
cylinder.
cymbal, *n.* bækken, cymbel.
cyme, *n. bot.* kvast.
cynic, *n.* kyniker.
cynosure, *n.* tiltrækning;
midtpunkt; *astron.* Den
lille Bjørn.
cyst, *n. med.* sæksvulst.

dab, *n.* klat; klask; *zool.*
slette; ~, *v. t. & i.* klaske,
klapse, slå let; duppe.
dabble, *v. t. & i.* pjaske;
stænke; fuske.
dace, *n. zool.* strømskalle.
dachshund, *n.* grævlinge-
hund, gravhund.

dad, *n.* far; farmand; -dy, *n.*
= dad; ~ longlegs, *zool.*
stankelben.
daffodil, *n. bot.* påskelilje.
daft, *adj. coll.* skør, tosset.
dagger, *n.* dolk; daggert;
be at -s drawn, være døds-
fjender.
dago, *n. sl. neds.* [spanier,
italiener *el.* portugiser].
dahlia, *n. bot.* georgine.
daily, *adj.* daglig, hver-
dags; (newspaper) dag-
blad; (help) rengørings-
kone.
dainty, *adj.* fin, smagfuld;
lækker, kræsen; ~, *n.* læk-
kerbisken.
dairy, *n.* ismejeri; mejeri;
~ produce, mejeriproduk-
ter; ~ breed, mælkerace;
-man, mejerist; mejeri-
ejer.
dais, *n.* podium; forhøjning.
daisy, *n. bot.* bellis; tusind-
fryd; gåseurt.
dale, *n.* dal.
dal|liance, *n.* pjank; smøleri;
-ly, *v. i.* pjatte, pjanke;
smøle.
dam, *n.* moderdyr; dæm-
ning, dige; ~, *v. t.* ind-
dige, opdæmme.
damage, *v. t.* skade; havari;
-s, *pl. n.* skadeserstatning.
damask, *n.* damask; ~, *adj.*
rosenrød.
dame, *n. poet. & arch.* frue,
dame; D~, [kvindelig rid-
der af en orden].
damn, *v. t.* fordømme; for-
bande;~it!, pokkers også!;
~, *n.* I don't care a ~, jeg
er fuldstændig ligeglad,
det bryder jeg mig pok-
ker om; -ed, *adj.* forban-
det; satans.
damp, *adj.* fugtig, klam;
~, *n.* fugtighed; ~, *v. t.*
fugte; (down) dæmpe;
-er, *n.* (sound) lyd-
dæmper); (chimney, *etc.*)
spjæld; *fig.* put a ~ on,
lægge en dæmper på;

-ness, *n.* fugtighed, klam-
hed.
damsel, *n. arch. & poet.* jom-
fru; mø.
damson, *n. bot.* kræge; [lille
sveskeblomme].
dance, *n.* dans; bal; ~,
v. t. & i. danse.
dandelion, *n. bot.* løvetand.
dander, *n.* vrede; get some-
body's ~ up, *coll.* gøre én
gal i hovedet.
dandified, *adj.* lapset.
dandle, *v. t.* vugge på ar-
mene; lade ride ranke.
dandruff, *n.* skæl.
dandy, *n.* laps; modeherre;
~, *adj. sl.* glimrende.
Dane, *n.* dansker; Great ~,
grand danois; -geld, *n.*
danegæld; -lagh, -law, *n.*
Danelag(en).
danger, *n.* fare; -ous, *adj.*
(livs)farlig.
dangle, *v. t. & i.* dingle (med);
daske.
Danish, *adj.* dansk; ~, *n.*
(language) dansk.
dank, *adj.* fugtig, klam.
dapper, *adj.* rask; net.
dappled, *adj.* skimlet.
dare, *v. t. & i.* turde; vove;
driste; udfordre; I ~ say
she'll come, hun kommer
nok; -devil, *n.* vovehals.
daring, *n.* dristighed; ~, *adj.*
dristig, fræk.
dark, *adj.* mørk; sort; keep
it ~, holde det skjult;
-en, *v. t. & i.* mørkne(s);
sortne; skumre; (make
dark) blænde, fordunkle,
formørke; -ness, *n.* mørke.
darling, *n.* yndling; øjesten;
snut.
darn, *v. t. & i.* stoppe; ~, *n.*
stopning; -ed, *sl.* fordømt.
dart, *n.* kastepil; kastespyd;
pludselig bevægelse; ~,
v. t. kaste, slynge; *v. i.*
fare, styrte afsted.
dash, *v. t.* kaste, slænge;
drive; oppspæde; kuldeka-
ste; *v. i.* styrte sig, fare;
~ off, fare afsted; ~, *n.*

(vigour) raskhed; (punctu-
tion mark) tankestreg;
(stroke of pen) pennestrøg;
(touch) anstrøg; -ing, *adj.*
rask, flot.
dastard, *n.* kryster; -ly, *adv.*
fej.
date, *n.* dato; årstal; bestemt
tid; aftale; stævnemøde;
bot. daddel; up to ~, mo-
derne; keep up to ~,
holde sig à jour; out of ~,
forældet; ~, *v. t.* datere;
stamme fra; -d, *adj.*
forældet; *see also* date.
dat|ive, *n.* the ~, dativ, hen-
synsfuld; -um (*pl.* -a), *n.*
fact, datum, kendsge-
ning.
daub, *v. t. & i.* oversmøre.
daughter, *n.* datter; -in-law,
n. svigerdatter.
daunt, *v. t.* skræmme; -less,
uforknyt.
davenport, *n.* sofa.
davit, *n. naut.* david.
Davy Jones's Locker, *n.* hav-
sens bund.
dawdle, *v. t. & i.* smøle;
drive; -r, *n.* smøl.
dawn, *n.* daggry; ~, *v. i.*
dages; dæmre.
day, *n.* dag; tid; døgn; one
fine ~, en skønne dag;
~ by ~, dag for dag; to
this ~, den dag i dag; in
my ~, i min tid; the ~
before yesterday, i for-
gårs; the ~ after to-
morrow, i overmorgen;
win the ~, gå ad med
sejren; every other ~,
hveranden dag; pass the
time of ~ with somebody,
passiare med, snakke med;
~ boy, ekstern elev;
-dream, *n.* dagdrømme;
~, *v. i.* drømme; -light, *n.*
dagslys; -time, *n.* in the ~,
om dagen.
daze, *v. t.* gøre forvirret.
dazzle, *v. t.* blænde; ~, *n.*
stråleglans.
deacon, *n.* diakon.
dead, *adj.* død, livløs; (dull,

matt) mat; (numb) uden følelse; (barren) øde, tom; (deserted) uddød; (exact) nøjagtig; stik, ret; (completely) ganske; fuldstændig; ~ end, blindgade; (*also fig.*) ~ calm, blikstille; cut somebody ~, ignorere fuldstændig; ~ heat, dødt løb; ~ line, grænse som ikke må overskrides; sidste frist; ~ reckoning, *naut.* bestik; ~-beat, *adj.* dødtræt; -lock, *n.* reach a ~, gå i hårdknude; -ly, *adj.* dødelig; dræbende; døds-.

deaf, *adj.* døv; dump; ~ and dumb, døvstum; -en, *v.t.* overdøve; ~-mute, *n.* døvstum; -ness, *n.* døvhed.

deal, *n.* handel; fyrreplanke; del; mængde; kortgivning; a great ~, en hel del; ~, *v.t.* uddele, give; ~ with, have at gøre med; behandle; ~ in, handle med; -er, *n.* handelsmand; (cards) kortgiver.

dean, *n.* provst.

dear, *adj.* (expensive) dyr; (loved) dyrebar, kær; -ly, *adv.* dyrt; ømt, kærligt.

dearth, *n.* knaphed.

death, *n.* død; hang on like grim ~, klamre sig fast til; put to ~, aflive; ~ duty, arveafgift; ~ sentence, dødsdom; the Black D~, den sorte død; -bed, *n.* dødsleje; -ly, *adj.* dødelig; ~ pale, ligbleg; ~-watch beetle, *n.* borebille.

deb., *see* debutante.

debar, *v.t.* udelukke.

debase, *v.t.* fornedre; forringe.

debat|able, *adj.* omtvistelig; -e, *n.* debat; diskussion; ~, *v.t. & i.* debatere; diskutere; drøfte.

debauch, *n.* svir; udskejelse; ~, *v.t.* forføre; fordærve.

debenture, *n.* obligation.

debility, *n.* svaghed.

debit, *n.* debet; ~, *v.t.* debitere.

debonair, *adj.* venlig og høflig.

debris, *n.* (mur)brokker.

debt, *n.* gæld; fordring; a bad ~, uerholdelig fordring; ~ collector, inkassator; -or, *n.* skyldner; debitor.

debunk, *v.t.* afromantisere.

debut, *n.* debut; make one's ~, optræde offentlig for første gang; -ante, *n.* [ung pige der debuterer i selskabslivet].

decad|e, *n.* årti; -ence, *n.* forfald, dekadence.

decamp, *v.i.* bryde op; rømme.

decant, *v.t.* omhælde; -er, *n.* karaffel.

decapitate, *v.t.* halshugge.

decarbonize, *v.t.* afkulle.

decay, *v.i.* forfalde; visne; rådne; gå i opløsning; ~, *n.* forfald; forrådnelse; brøstfældighed.

decease, *n.* død; ~, *v.i.* dø; the -d, den afdøde.

deceit, *n.* bedrag, svig; -ful, *adj.* bedragerisk, svigefuld, falsk.

deceive, *v.t.* bedrage; narre, skuffe, vildlede.

decency, *n.* sømmelighed; anstændighed; offence against public~,blufærdighedskrænkelse; have the ~ to, være flink nok til at.

decent, *adj.* sømmelig, anstændig; passende; flink; ordentlig; ærbar.

deception, *n.* bedrag; svig.

decide, *v.t. & i.* afgøre, bestemme; beslutte.

deciduous, *adj.* løvfældende.

decision, *n.* afgørelse; kendelse; bestemthed.

decisive, *adj.* afgørende.

deck, *n.* skibsdæk; ~, *v.t.* smykke, pynte; ~ oneself out, *sl.* maje sig ud; ~-chair, *n.* liggestol; ~-hand, *n.* dæksmand; ~-house, *n.* *naut.* ruf.

declar|ation, *n.* erklæring; deklaration; angivelse; -e, *v. t.* erklære, forkynde; angive; have you anything to ~?, har De toldpligtige varer?

declension, *n.* hældning; *gram.* deklination.

decline, *v. t.* afslå; ~ responsibility, fralægge sig ansvaret; afbøje; deklinere, bøje; ~, *v. i.* betakke sig; bøje af; hælde, skråne; gå tilbage; ~ to, nægte at; ~, *n.* afvigelse; aftagen; nedgang; dalen.

declivity, *n.* hældning (nedad).

declutch, *v. i.* koble fra.

decoct, *v. t.* afkoge.

decode, *v. t.* dechifrere.

decompose, *v. t. & i.* opløse; gå i opløsning.

decontaminate, *v. t.* desinficere; rense.

decor (décor), *n.* dekoration; -ate, *v. t.* dekorere, smykke; -ous, *adj.* sømmelig; -um, *n.* sømmelighed.

decoy, *n.* lokkefugl; lokkemad.

decre|ase, *v. t. & i.* aftage; formindskes; ~, *n.* aftagen; formindskelse.

decree, *v. t. & i.* påbyde; forordne; ~, *n.* forordning; kendelse; ~ nisi, foreløbig skilsmissedom.

decrepit, *adj.* affældig, skrøbelig.

decry, *v. t.* bringe i slet rygte; rakke ned.

dedicate, *v. t.* indvie; tilegne; hellige; ~ oneself to, hellige sig.

deduce, *v. t.* udlede, slutte.

deduct, *v. t.* fradrage; -ion, *n.* fradrag, rabat; slutning.

deed, *n.* dåd; gerning; kontrakt; dokument; skøde.

deem, *v. t.* anse for; regne for; ~, *v. i.* mene.

deep, *adj.* dyb; dybsindig;

grundig; udspekuleret; mørk; go off the ~ end, blive rasende; ~, *n.* dyb; ~-rooted, *adj.* indgroet.

deer, *n.* hjort; fallow ~, dådyr.

deface, *v. t.* ødelægge; skæmme; beskadige; skamfere.

defalcation, *n.* underslæb.

defame, *v. t.* bagvaske, ærekrænke.

default, *n.* forsømmelse; mangel; forseelse; misligholdelse.

defeat, *n.* nederlag; ~, *v. t.* overvinde; slå; forpurre.

defect, *n.* mangel, fejl; -ive, *adj.* defekt; mangelfuld; mentally ~, åndsvag.

defence, *n.* forsvar; værn; beskyttelse.

defend, *v. t.* forsvare; ~ oneself, sætte sig til modværge; -ant, *n.* sagsøgte; indstævnte.

defer, *v. t.* opsætte; udsætte; -red payment system, afbetaling.

defian|t, *adj.* trodsig, udfordrende; -ce, *n.* udfordring; trods; in ~ of, stik imod.

deficient, *adj.* mangelfuld; utilstrækkelig; manglende.

deficit, *n.* underskud.

defile, *n.* pas; ~, *v. t.* besudle; besmitte; ~, *v. i.* (march) defilere.

define, *v. t.* definere; bestemme; afgrænse; præcisere.

definit|e, *adj.* bestemt, afgrænset; -ion, *n.* forklaring; definition.

deflate, *v. t.* slippe luften ud af; (finance) skabe deflation.

deflect, *v. t. & i.* afbøje; aflede; bøje af.

deflower, *v. t.* deflorere; (rape) voldtage.

deforestation, *n.* skovrydning.

deform, *v. t.* misdanne.

defraud, *v. t.* bedrage, besvige.

defray, *v. t.* bestride; afholde; bekoste.

deft, *adj.* behændig.

defunct, *adj.* afdød.

defy, *v. t.* trodse, udfordre.

degenerate, *v.i.* udarte, vanslægte; degenerere; ~, *adj.* vanslægtet, udartet.

degradation, *n.* nedværdigelse, fornedrelse.

degrade, *v.t.* degradere; fornedre, nedværdige.

degree, *n.* grad; klasse; orden; third ~, *coll.* tredjegrads forhør.

dehydrate, *v. t.* tørre; dehydrere.

deify, *v. t.* forgude; gøre til en gud.

deign, *v. t.* værdige; nedlade sig til.

deity, *n.* guddom(melighed).

deject, *v. t.* nedslå; gøre forstemt.

delay, *v.t. & i.* opsætte, udsætte; forhale, forsinke; ~, *n.* opsættelse; forhaling; forsinkelse; frist.

delectable, *adj.* liflig.

delegate, *v. t.* delegere; befuldmægtige; ~, *n.* delegeret.

delete, *v. t.* slette, overstrege.

deleterious, *adj.* skadelig.

deliberate, *v.i. & t.* overveje; rådslå; ~, *adj.* betænksom; rolig; overlagt; bevidst; -ly, *adv.* med overlæg.

deli|cacy, *n.* delikatesse; lækkerbisken; ~ (of feeling) finfølelse, sarthed; finhed; -cate, *adj.* fin; svagelig; vanskelig; delikat.

delicious, *adj.* lækker; liflig; delikat.

delight, *n.* fryd, glæde; velbehag; Turkish ~, geléagtig konfekt; ~, *v. t. & i.* henrykke; fryde; -ful, *adj.* henrivende, yndig; dejlig.

delineate, *v. t.* skitsere; aftegne.

delinquen|cy, *n.* lovovertræ-

delse; juvenile ~, ungdomskriminalitet; -t, *n.* delinkvent.

deliri|ous, *adj.* i vildelse; -um, *n.* delirium; ekstase; vildelse.

deliver, *v. t.* (af)levere, indlevere; overgive; befri; frelse; (letters, *etc.*) ombære.

dell, *n.* snæver dal.

delouse, *v. t.* afluse.

delphinium, *n. bot.* ridderspore.

delude, *v.t.* bedrage; narre; indbilde.

deluge, *n.* oversvømmelse; syndflod.

delusion, *n.* selvbedrag; labour under a ~, lide under en vrangforestilling; forkert indtryk; illusion.

delve, *v.t. & i.* grave; *fig.* forske; undersøge.

demand, *n.* fordring; begæring; efterspørgsel; krav; ~, *v. t.* kræve, fordre, forlange.

demarcate, *v. t.* afstikke; afgrænse; demarkere.

demean, *v. refl.* ~ oneself, nedværdige sig; -our, *n.* opførsel; holdning.

demented, *adj.* afsindig.

demerit, *n.* mangel; fejl.

demesne, *n. jur.* selveje; domæne.

demi, *prefix.* halv-; -john, *n.* kurveflaske.

demise, *n.* dødelig afgang, død; overdragelse; ~ of the Crown, tronskifte.

demob, *v. t.* demobilisere; hjemsende.

democracy, *n.* demokrati.

demolish, *v.t.* nedrive, sløjfe; ødelægge.

demon, *n.* dæmon; djævel.

demonstrate, *v.t. & i.* bevise.

demote, *v. t.* degradere.

demur, *v. i.* nøle; have betænkeligheder; ~, *n.* nølen.

demure, *adj.* ærbar; from; knibsk.

demurrage, *n. commerc.* overliggedage; overliggedags-penge; forsinkelse.

demy, *n.* papirstørrelse: $17\frac{1}{2}'' \times 22\frac{1}{2}''$.

den, *n.* hule; hybel.

denationalize, *v. t.* afnationalisere.

denial, *n.* nægtelse; afslag; dementi.

denim, *adj.* ~ cloth, [slags drejl specielt til overalls]; -s, *pl.* overalls.

denizen, *n.* beboer; naturaliseret plante (dyr, *etc.*); (person) udlænding med visse rettigheder.

Denmark, *n.* Danmark.

denominat|e, *v. t.* betegne som; benævne; -ion, *n.* navn; benævnelse; sekt, klasse; (note) pålydende.

denote, *v. t.* betegne; tyde på.

denouement, *n.* afsløring; opklaring.

denounce, *v. t.* angive; anmelde; opsige.

dense, *adj.* tæt, sammentrængt; (thick-headed) dum, tung.

dent, *n.* bule, hulning; ~, *v. t.* slå bule i.

dent|al, *adj.* tand-; ~ surgeon, tandlæge; -ifrice, *n.* tandpasta; -ist, *n.* tandlæge; -ition, *n.* tandstilling; (cutting of teeth) tandbrud; secondary ~, tandskifte; -ure, *n.* tandsæt; protese.

denude, *v. t.* blotte.

denunciation, *n.* fordømmelse; angivelse.

deny, *v. t.* nægte; fornægte; afslå; dementere.

deodorant, *n.* transpirationsmiddel; desodoriserende middel; lugtfjerner.

depart, *v. i.* gå bort; afrejse; afvige; dø; the -ed, den afdøde; -ment, *n.* afdeling; departement; ~store, stormagasin; Government D~, ministerium; -ure, *n.* afrejse; bort-

gang; afvigelse; idé; opbrud.

depend, *v. i.* hænge ned; ~ on, stole på; bero på; være afhængig af; -able, *adj.* pålidelig; -ant, *n.* person som forsørges af en anden; -ent, *adj.* afhængig.

depict, *v. t.* male, skildre.

deplete, *v. t.* (ud)tømme.

deplore, *v. t.* beklage; begræde.

deploy, *v. t. & i.* mil. deployere; sprede.

deponent, *n.* vidne.

depopulate, *v. t.* affolke.

deport, *v. t.* deportere; ~ oneself, opføre sig; -ment, *n.* holdning; adfærd; opførsel.

depose, *v. t. & i.* afsætte; vidne.

deposit, *v. t.* lægge; afsætte; anbringe; aflejre; indskyde; deponere; ~, *n.* betroet gods, pant; bankindskud; *chem.* bundfald; *geol.*, *min.* aflejring; -or, *n.* indskyder.

depot, *n.* depot; pakhus; (railway) banegård.

deprave, *v. t.* fordærve.

deprecat|e, *v. t.* misbillige; -ingly, *adv.* misbilligende.

depreciate, *v. t. & i.* forklejne; forringe; depreciere; falde i værdi.

depredation, *n.* plyndring; hærgning.

depress, *v. t.* (ned)trykke; nedslå; deprimere; hæmme; -ion, *n.* nedtrykthed; depression; sænkning, fordybning; *meteor.* lavtryk; *commerc.* lavkonjunktur.

deprive, *v. t.* berøve; fratage.

depth, *n.* dybde; dybsindighed; be out of one's ~, ikke kunne bunde; *fig.* være ude at svømme; ~-charge, *n.* dybdebombe.

deputy, *n.* stedfortræder; repræsentant; deputeret.

derail, *v. t.* afspore.

derange, *v. t.* forvirre, forstyrre; mentally -d, sindsforvirret.

derelict, *adj.* herreløs, forladt; ~, *n.* flydende vrag; menneskevrag.

deride, *v. t.* håne, spotte.

deris|ion, *n.* hån, spot; -ive, -ory, *adj.* hånlig.

deriv|ation, *n.* oprindelse; afledning; afstamning; -ative, *n. chem.* derivat; *gram.* afledt ord; -e, *v. t. & i.* aflede; stamme fra; (obtain) opnå; *gram.* være afledt af.

derma|titis, *n. med.* hudbetændelse; -tologist, *n.* dermatolog, hudlæge.

derogatory, *adj.* nedsættende.

derrick, *n.* kran; boretårn.

derring-do, *n. pseudo-arch.* dumdristighed.

descant, *n. mus.* diskant; overstemme.

descend, *v. t. & i.* stige ned (i); gå ned (ad); skråne; ~ to, nedværdige sig til; ~ upon, slå ned på; be -ed from, nedstamme fra; -ant, *n.* efterkommer.

descent, *n.* nedstigning; dalen; herkomst, afstamning.

describe, *v. t.* beskrive; betegne; skildre.

descry, *v. t.* få øje på.

desecrate, *v. t.* vanhellige.

desert, *n.* ørken; -s, *pl.* fortjeneste; -ed, *adj.* øde, ubeboet; ~, *v.t. & i.* forlade; svigte; -er, *n.* desertør.

deserv|e, *v. t.* fortjene; -ing, *adj.* værdig; ~ cases, trængende tilfælde.

desiccate, *v. t.* tørre; blive tørre.

desideratum, *n.* ønske; savn.

design, *v.t. & i.* skitsere, udtænke; tegne; planlægge; ~, *n.* udkast; plan; mønster; projekt; (purpose) forsæt; have -s upon, have planer med; -ate, *v. t.*

betegne; bestemme; udpege; -er, *n.* tegner; arkitekt.

desir|able, *adj.* attråværdig; ønskelig; -e, *n.* begær; lyst; attrå; ønske; ~, *v. t.* forlange; attrå, ønske; begære; anmode.

desist, *v. i.* holde op (med); afstå (fra).

desk, *n.* pult; kateder.

desolat|e, *adj.* øde, forladt, trist; -ion, *n.* forladthed; ødelæggelse; sorg.

despair, *n.* fortvivlelse; ~, *v. i.* fortvivle.

despatch, *see* dispatch.

desperado, *n.* bandit.

desperate, *adj.* desperat; fortvivlet; farlig.

despise, *v. t.* foragte; ringeagte.

despite, *prep.* trods; til trods for.

despoil, *v. t.* plyndre, berøve.

desponden|cy, *n.* modløshed; -t, *adj.* modløs, forknyt.

despot, *n.* despot.

dessert, *n.* dessert, efterret.

destin|ation, *n.* mål; bestemmelsessted; -ed, *adj.* bestemt af skæbnen; -y, *n.* skæbne.

destitute, *adj.* fattig, subsistensløs; ~ of, blottet for.

destroy, *v. t.* ødelægge; tilintetgøre; -er, *n. naut.* destroyer, torpedojager.

destruction, *n.* tilintetgørelse; destruktion; aflivning.

desultory, *adj.* planløs.

detach, *v. t.* afsondre, udskille, løsgøre; -ment, *n. mil.* afdeling; isolation; objektivitet.

detail, *n.* enkelthed, detalje; in ~, indgående; ~, *v. t. & i.* specificere; *mil.* beordre.

detain, *v. t.* tilbageholde; holde fangen; sinke; opholde.

detect, *v. t.* opdage; -ive, *n.*

opdager, detektiv; ~ inspector, kriminalassistent.

detention, n. detention; arrest; (school) eftersidning.

deter, v. t. afskrække; -gent, n. rensemiddel; vaskepulver.

deteriorate, v. t. & i. forværre(s).

determin|ation, n. beslutsomhed; bestemthed; bestemmelse; målbevidsthed; -e, v. t. & i. bestemme; betinge; beslutte, afgøre.

deterrent, n. afskrækkende middel.

detest, v. t. afsky.

detonation, n. eksplosion; detonation.

detour, n. omvej.

detract, v. t. & i. ~ from, forringe; forklejne; (weaken) afsvække. ~ attention from, bortlede opmærksomheden fra.

detriment, n. skade; -al, adj. skadelig.

deuce, n. djævlen; (cards) toer; what the ~?, hvad pokker?

devaluate, v. t. & i. devaluere.

devastate, v. t. hærge; ødelægge.

develop, v. t. & i. udvikle, udfolde; (ud)arte sig; *photo.* fremkalde; (build) bebygge.

deviate, v. i. afvige.

device, n. opfindelse; anordning; plan; valgsprog; devise; leave him to his own -s, lade ham sejle sin egen sø.

devil, n. djævel; fanden; dæmon; she's a little ~, hun er en lille satan; betwixt the ~ and the deep blue sea, som en lus mellem to negle; -ish, adj. forbandet; djævelsk; ~-may-care, adj. dumdristig.

devious, adj. afvigende; slynget; by ~ means, ad omveje; -ly, adv. ad omveje.

devise, v. t. udtænke; opfinde; testamentere.

devoid, adj. ~ of, blottet for, fri for.

devolve, v. t. & i. ~ upon, tilfalde; påhvile; overdrage til.

devot|e, v. t. hellige, vie, ofre; -ed, adj. hengiven; -ee, n. tilhænger, tilbeder; -ion, n. andagt; opofrelse; hengivenhed.

devour, v. t. sluge.

devout, adj. andægtig; religiøs, from.

dew, n. dug; ~-drop, n. dugdråbe; ~-lap, n. doglæp.

dex|terity, n. behændighed; -terous, adj. behændig.

diabe|tes, n. sukkersyge; -tic, n. sukkersygepatient; diabetiker.

diabol|ic, -ical, adj. djævelsk; -o, n. djævlespil.

diag|nose, v. t. stille en diagnose.

dial, n. solur; urskive; *radio.* skala; ~, v. t. (telephone) dreje; -ling tone, summetone.

dialect, n. dialekt; -ics, n. dialektik.

dialogue, n. samtale; dialog.

dia|meter, n. diameter; -metrical, adj. diametral.

diamond, n. diamant; (cards) ruder, *pl.*

diaper, n. (for infant) ble.

diaphragm, n. membran; *anat.* mellemgulv; *photo.* blænder.

diarrhoea, diarrhea, n. diarré.

diary, n. dagbog.

diatribe, n. heftige udtalelser.

dibble, v. t. plante med plantepind.

dibs, *pl. n. sl.* gysser.

dice, *n. pl.* terninger, *see* die.

dickens, n. what the ~?, hvad pokker?

dic|tate, v. t. & i. diktere; ~, n. befaling; -tation, n. diktat; magtsprog; -tator, n. diktator; -tatorship, n. diktatur.

diction, *n.* diktion.

dictum, *n.* maxime; grundsætning.

didactic, *adj.* docerende; didaktisk.

dictionary, *n.* ordbog.

did, *see* do.

diddle, *v. t. coll.* snyde.

die, *v. i.* dø; visne; ~, (*pl.* dice), *n.* terning; *mech.* matrice; møntstempel; as straight as a ~, bundhæderlig.

diet, *n.* diæt, kost; (assembly) stænderforsamling; landdag; -ician, *n.* diætetiker; kostekspert.

differ, *v. i.* afvige fra; være af forskellig mening; -ence, *n.* forskel; *math.* differens; stridspunkt; uenighed; -ent, *adj.* anderledes; forskellig; uens; ah, but that's ~!, jamen, det er noget andet!; -ential, *n.* (gear) differentiale; -entiate, *v. t. & i.* skelne.

difficult, *adj.* vanskelig; -y, *n.* besvær(lighed); vanskelighed; sværhed.

diffidence, *n.* mangel på selvtillid; usikkerhed.

diffuse, *v. t. & i.* udbrede; sprede; ~, *adj.* vidtløftig; udspredt; bred; diffus.

dig, *v. t. & i.* grave; ~, *n.* stød, puf.

digest, *v. t. & i.* fordøje; gennemtænke; ordne; ~, *n.* resumé; oversigt; sammendrag; *jur.* lovbog; -ible, *adj.* letfordøjelig; -ion, *n.* fordøjelse; -ive, *adj.* fordøjelses-; ~ biscuit, fuldkornskiks.

digit, *n.* finger; tå; (number) ciffer; encifret *tal.

dignified, *adj.* værdig; ophøjet; højtidelig.

dignity, *n.* værdighed.

digress, *v. i.* afvige; lave sidespring; -ion, *n.* afvigelse; sidespring.

digs, *pl. n. coll.* logi.

dike, *n.* grøft; dæmning; dige.

dilapidated, *adj.* brøstfældig.

dilate, *v. i.* udvide, udbrede sig.

dilemma, *n.* dilemma.

dili|gence, *n.* flid; (carriage) postvogn; -gent, *adj.* flittig.

dill, *n.* dild.

dilly-dally, *v. i. sl.* smøle.

dilute, *v. t.* fortynde.

dim, *adj.* mat, tåget; (eyes) sløret; ~, *v. t. & i.* blænde; sløre.

dime, *n. U.S.* = 10 cents.

dimension, *n.* mål; -s, *pl.* omfang; størrelse; dimensioner, *pl.*

diminish, *v. t. & i.* formindske(s).

dimple, *n.* smilehul.

din, *n.* bulder, spektakel.

dine, *v. i. & t.* spise til middag; -r, *n.* (person) middagsgæst; (railway carriage) spisevogn.

dingy, *adj.* smudsig, lurvet; falmet.

dining-room, *n.* spisestue.

dinner, *n.* middag; diner; middagsmad; ~-jacket, *n.* smoking.

dint, *n.* by ~ of, ved hjælp af.

diocese, *n.* stift; bispedømme.

dip, *v. t. & i.* dyppe; dykke; ~ the flag, kippe med flaget; sænke; (headlights) blænde ned; ~, *n.* (short swim) dukkert; (declivity) hældning; sænkning.

diptheria, *n. med.* difteritis.

diphtong, *n.* diftong.

diploma, *n.* diplom; -cy, *n.* diplomati.

dipper, *n. zool.* vandstær.

dipsomaniac, *n.* alkoholiker.

dipstick, *n.* pejlstok.

dire, *adj.* skrækkelig; sørgelig.

direct, *adj.* lige, ret, direkte; ~, *v. t. & i.* lede, styre; anvise; befale; adressere; -ion, *n.* retning; styrelse;

adresse; instruktion; -ly, *adv*. straks; umiddelbart; -ory, *n*. vejviser; telephone ~, telefonbog.

dirge, *n*. sørgesang.

dirigible, *adj*. styrbar.

dirk, *n*. dolk.

dirt, *n*. smuds, snavs; ~ cheap, til spotpris; ~ track, slaggebane; -y, *adj*. snavset, smudsig; lav; sjofel; nedrig; ~, *v. t*. tilsmudse, svine til.

disabled, *adj*. invalid; vanfør.

disadvantage, *n*. skade; tab; uheldigt forhold; ulempe; -ous, *adj*. ufordelagtig.

disaffection, *n*. misfornøjelse.

disafforestation, *n*. skovrydning.

disagree, *v. i*. være uenig; coffee -s with me, jeg kan ikke tåle kaffe; -able, *adj*. ubehagelig; -ment, *n*. uenighed; uoverensstemmelse.

disappear, *v. i*. forsvinde.

disappoint, *v. t*. skuffe; -ment, *n*. skuffelse.

disapprobation, *n*. misbilligelse.

disapprove, *v.t. & i*. ~ of, misbillige.

disarm, *v. t. & i*. afvæbne.

disarrange, *v. t*. bringe i uorden.

disaster, *n*. ulykke; katastrofe.

disastrous, *adj*. katastrofal.

disavow, *v. t*. fragå, fornægte; underkende.

disband, *v. t*. opløse; hjemsende.

disbelieve, *v.t. & i*. betvivle; ikke tro på; -r, *n*. vantro.

disburse, *v.t. & i*. udbetale.

disc, *n*. skive; (grammofon)-plade.

discard, *v.t*. afkaste; aflægge, kassere, udrangere.

discern, *v.t. & i*. skelne; -ing, *adj*. skarpsindig; skønsom; -ment, *n*. dømmekraft; skønsomhed.

discharge, *v.t*. (unload) losse,

aflæsse; (duty, *etc*.) opfylde; udføre; (gun) affyre; (release) løslade; (dismiss) afskedige; *naut*. afmønstre; (emit) afsondre, afgive; (*from* hospital) udskrive; ~, *n*. skud, knald; udladning; (dismissal) afskedigelse; *jur*. frikendelse; *naut*. losning; aflæsning; (completion) udførelse.

disci|ple, *n*. discipel, elev; -plinary, *adj*. disciplinær; -pline, *n*. disciplin.

disclaim, *v. t*. fralægge sig; fornægte.

disclose, *v. t*. røbe; blotte; åbenbare.

discolour, *v. t*. misfarve.

discomfiture, *n*. forstyrrelse; skuffelse; nederlag.

discomfort, *n*. ubehagelighed; mangel på komfort.

discompo|se, *v. t*. bringe ud af fatning; forstyrre; -sure, *n*. forvirring, forlegenhed.

disconcert, *v. t*. forstyrre; forpurre; bringe fra koncerterne.

disconnect, *v. t*. koble fra; (telephone) afbryde; -ed, *adj*. løsreven, usammenhængende.

disconsolate, *adj*. trøstesløs, utrøstelig.

discontent, *n*. utilfredshed; -ed, *adj*. misfornøjet.

discontinue, *v.t. & i*. ophøre; afbryde; nedlægge.

discord, *n*. disharmoni; uenighed; splid.

discount, *n*. rabat; diskonto; ~, *v. t*. diskontere; trække fra; ignorere.

discourage, *v. t*. afskrække; fratage (*or* betage) lysten.

discourse, *n*. tale; afhandling; ~, *v. i*. ~ on, udbrede sig over.

discourtesy, *n*. uhøflighed.

discover, *v. t*. opdage; åbenbare, afdække; -y, *n*. opdagelse.

discredit, *v. t*. ikke tro;

bringe i vanry; -able, adj. skammelig, vanærende.

discreet, adj. diskret; taktfuld.

discrepancy, n. uoverensstemmelse.

discretion, n. forstand; skøn; takt; ~ is the better part of valour, forsigtighed er en borgmesterdyd.

discriminate, v.t. & i. skelne, gøre forskel på.

discuss, v. t. drøfte; diskutere; behandle.

disdain, v.t. ringeagte; forsmå.

disease, n. sygdom; lidelse; sygelighed.

disembark, v.t. & i. gå fra borde; landsætte.

disembarrass, v.t. frigøre for.

disembowel, v. t. rive indvoldene ud (på).

disenchant, v. t. hæve fortryllelsen over; desillusionere; skuffe.

disengage, v. t. frigøre, løse; få klar.

disentangle, v. t. udrede.

disestablish, v. t. opløse; -ment, n. [kirkens adskillelse fra staten].

disfavour, n. unåde.

disfigure, v. t. vansire; skamfere; skæmme.

disgorge, v. t. gylpe op; (river) munde ud.

disgrace, n. unåde; skændsel, vanære; ~, v. t. bringe i unåde; vanære; -ful, adj. vanærende; skændig, skammelig.

disgruntled, adj. misfornøjet; sur.

disguise, v. t. forklæde; maskere, skjule; ~, n. forklædning.

disgust, n. væmmelse, afsky; ~, v. t. vække afsky.

dish, n. fad; ret; ~, v. t. anrette; ~ up, opdiske, servere; ~-cloth, n. viskestykke; (small, thick) karklud.

dishearten, v. t. gøre modløs; -ing, adj. nedslående.

dishevelled, adj. i uorden; pjusket.

dishonest, adj. uærlig.

dishonour, n. vanære; ~, v.t. vanære; -able, adj. vanærende, vanæret; uhæderlig.

dish|towel, n. viskestykke; -washer, n. opvaskemaskine; -water, n. opvaskevand.

disillusion, v. t. desillusionere.

disinclination, n. ulyst.

disinfect, v. t. desinficere.

disingenuousness, n. perfidi.

disinherit, v. t. gøre arveløs.

disintegrate, v.t. & i. opløse; forvitre.

disinter, v. t. opgrave.

disinterested, adj. uegennyttig.

disjoin, v. t. skille, splitte; -t, v. t. vride af led; -ted, adj. usammenhængende.

disk, see disc.

dislike, n. mishag; modvilje; ~, v. t. ikke kunne lide.

dislocate, v. t. forvride; bringe af led; forskyde.

dislodge, v. t. fordrive; flytte; jage op.

disloyal, adj. troløs; illoyal.

dismal, adj. trist; nedtrykt.

dismantle, v. t. demontere; gøre ubrugelig.

dismay, n. sorg; modløshed; skræk.

dismember, v. t. sønderlemme.

dismiss, v. t. bortsende; afskedige; udskrive; (refuse) afvise.

dismount, v.t. & i. stå af; demontere.

disobey, v.t. & i. være ulydig; ikke adlyde.

disobliging, adj. uvillig; uelskværdig.

disorder, n. uorden; rod; urolighed; sygdom; -ly, adj. uordentlig.

disown, v.t. fornægte; forstøde.

disparage, v. t. omtale

nedsættende; forklejne; -ment, *n.* forklejnelse.

dis|parate, *adj.* ulig; forskelligartet; -parity, *n.* ulighed; uoverensstemmelse.

dispatch, *n.* afsendelse; *mil.* depeche; (speed) hurtighed; (killing) hurtig; ~, *v. t.* afsende; ekspedere; aflive.

dispel, *v. t.* fordrive.

dispen|sable, *adj.* undværlig; -sation, *n.* uddeling; salg; (exemption) dispensation; -se, *v.t. & i.* uddele; tilberede lægemidler; ~ with, undvære, give afkald på; (grant exemption from) dispensere; -sing chemist, *n.* farmaceut.

disperse, *v. t. & i.* adsprede; sprede; adsplitte.

dispirited, *adj.* forstemt.

displace, *v. t.* flytte; forskyde; -d person, flygtning; -ment, *n.* forskydning; fortrængelse.

display, *v. t.* udfolde; prange med; vise; fremhæve; ~, *n.* fremstilling; udfoldelse; prangen.

displease, *v. t.* mishage.

disport, *v. refl. & i.* ~ oneself, boltre sig.

disposal, *n.* rådighed; disposition; *commerc.* afhændelse.

dispose, *v. t.* opstille; ordne; råde; afhænde; anbringe; ~ of, (control) råde over; disponere over; (get rid of) blive af med; (settle) bringe ud af verden; -d to, tilbøjelig til, stemt for; modtagelig for; man proposes but God -s, mennesket spår, men Gud rå'r.

disposition, *n.* tilrettelæggelse; ordning; fordeling; indretning; (tendency) tilbøjelighed; (mood) stemning; sindelag; (bent) anlæg.

disproportion, *n.* misfor-

hold; -ate, *adj.* uforholdsmæssig.

disprove, *v. t.* modbevise; gendrive.

dispute, *n.* disput, ordstrid; ~, *v. t.* & *i.* disputere; bestride.

disqualify, *v.t.* diskvalificere.

disquiet, *n.* uro; ~, *v. t.* forurolige.

disregard, *v. t.* se bort fra; forbigå; ignorere; overse, lade uænset; ~, *n.* ringeagt.

disrepu|table, *adj.* berygtet; -e, *n.* fall into ~, komme i miskredit, få dårligt rygte.

disrupt, *v.t.* sprænge; splitte; -ion, *n.* sprængning; splittelse.

dissatis|faction, *n.* utilfredshed; -fied, *adj.* misfornøjet; utilfreds; -fy, *v. t.* ikke tilfredsstille; mishage.

dissect, *v. t.* dissekere.

dissemble, *v. t. & i.* forstille sig; skjule.

disseminate, *v.t.* udbrede; så.

dissent, *v.i.* være af en anden mening; afvige; ~, *n.* meningsforskel; afvigelse.

dissertation, *n.* afhandling.

disservice, *n.* bjørnetjeneste.

dissident, *adj.* uenig.

dissimilar, *adj.* ulig.

dissimulate, *v. t. & i.* hykle, forstille sig.

dissipate, *v.t. & i.* adsprede; forøde; sprede; -d, *adj.* spredt; forsoldet.

dissoluble, *adj.* opløselig.

dissolute, *adj.* løsagtig; tøjlesløs; forsoldet.

dissolution, *n.* opløsning; ophævning.

dissolve, *v. t. & i.* opløse; hæve; (film) overtone.

dissuade, *v. t.* fraråde.

distaff, *n.* rokkehoved; håndten; the ~ side, spindesiden.

distance, *n.* afstand, vejlængde; distance; fjernhed; at a safe ~, i sikker afstand.

distant, *adj.* (langt) borte; fjern; *fig.* reserveret.

distaste, *n.* afsmag, ulyst.

distemper, *n.* limfarve; hundesyge.

distend, *v. t. & i.* udspile; svulme op.

distil, *v. t. & i.* destillere; -ler, *n.* destillationsapparat; spritfabrikant; -lery, *n.* brænderi; spritfabrik.

distinct, *adj.* forskellig; tydelig; distinkt; særpræget, særskilt; -ive, *adj.* udpræget; tydelig.

distinguish, *v. t. & i.* skelne; adskille; opfatte; betegne; udmærke; -ed, *adj.* distingveret.

distort, *v. t.* forvride; *fig.* fordreje.

distract, *v. t.* adsprede; forvirre; gøre afsindig; plage; it drives me -ed, det gør mig vanvittig.

distraction, *n.* adspredelse; forvirring; vildelse; vanvid.

distrain, *v. i. jur.* udpante, gøre udlæg.

distraught, *adj.* vanvittig; ude af sig selv.

distress, *n.* nød, fortvivlet stilling; *jur.* udpantning; ~, *v. t.* pine; plage; bedrøve.

distribut|e *v. t.* uddele, fordele; distribuere; sprede; -ion, *n.* fordeling; uddeling; udbredelse; *elec.* strømfordeling; -or, *n.* fordeler; *elect.* strømfordeler; *film.* filmudlejer.

district, *n.* distrikt; kvarter; ~ nurse, distriktssygeplejerske.

distrust, *n.* mistillid; ~, *v. t.* mistro.

disturb, *v. t.* forstyrre; afbryde; forurolige.

disuse, *n.* fall into ~, gå af brug.

ditch, *n.* grøft; grav; ~, *v. t. & i.* grave grøft; køre i grøften.

dither, *n.* be in a ~, all of a ~, forfjamsket, nervøs.

ditto, *n.* ditto, do.

ditty, *n.* vise.

diurnal, *adj.* dag-; daglig.

dive, *v. i.* dykke; fordybe sig; ~, *n.* dukkert; udspring; *aero.* styrtdykning.

divergence, *n.* afvigelse.

divers, *adj. arch.* adskillige; diverse; -e, *adj.* forskellig.

diversion, *n.* adspredelse; afledning.

divert, *v. t.* aflede, bortlede; (traffic) omdirigere.

divest, *v. t.* afklæde; berøve; ~ oneself of, frigøre sig for.

divide, *v. t. & i.* dele; dividere; inddele; fordele; splitte; dele sig; stemme; -rs, *pl. n.* (pair of) ~, passer.

divine, *adj.* guddommelig; teologisk; ~, *n.* gejstlig; ~, *v. t.* gætte; spå.

divining-rod, *n.* ønskekvist.

divinity, *n.* guddom(melighed); teologi.

divis|ible, *adj.* delelig; -ion, *n.* inddeling; (vote) afstemning; (section) afdeling; (dividing line) skel; splittelse; *mil., math., sport.* division.

divorce, *n.* skilsmisse; ~, *v. t.* skille, separere.

divulge, *v. t.* røbe.

dizzy, *adj.* svimmel; svimlende.

do (3rd pres. does; did, done), *v. t. & i. & aux.* gøre; lave; arbejde på; bevirke; bringe istand; berejse; handle; bestille; gå an, være nok; bære sig ad; foretage sig; (*sl.* swindle) svindle, snyde; ~ for *coll.* gøre rent for; ~ up, istandsætte; (button, *etc.*) knappe; have to ~ with, have at gøre med; make ~ with, nøjes med; ~ one's hair, rede sig; how ~ you ~, god dag!; ~ better, (*also*) have det bedre; ~ or die, sejre eller dø; ~ away with, afskaffe; fjerne; gøre en ende på; ~ without, undvære.

dobbin, *n.* arbejdshest.

docile, *adj.* føjelig, medgørlig; lærenem.

dock, *n.* dok; anklagebænk; *bot.* skræppe; *zool.* halestump; ~, *v. t. & i.* gå i dok; kupere; (hair) klippe kort; -s, *pl. n.* havneanlæg; -yard, *n.* skibsværft.

doctor, *n.* læge; doktor; ~, *v. t.* doktorere; forfalske; reparere.

document, *n.* dokument, akt; -ary, *adj.* dokumentarisk; ~, *n. film.* dokumentarfilm.

dodder, *v. i.* vakle; -er, *n.* olding; gammel støder.

dodge, *v. i.* springe tilside; bruge kneb; sno sig; ~, *n.* kneb, list.

dodo, *n. zool.* dronte.

doe, *n. zool.* hunhare; hunkanin; dådyr.

does, *see* do.

doff, *v. t.* afføre sig.

dog, *n.* hund; ~, *v. t.* følge i sporet; jage; ~-ear, (in a book) *n.* æseløre; -ged, *adj.* sej, egensindig; -gerel, *n.* burlesk (*or* haltende) vers; -goned, *adj. U.S. sl.* forbistret; ~-tired, *adj.* udaset; -trot, *n.* luntetrav; ~-watch, *n.* hundevagt; -wood, *n. bot.* kornel.

doily, *n.* mellemlægsserviet; kniplingsserviet; fadserviet.

doldrums, *pl. n. naut.* det vindstille bælte; in the ~, *also fig.* nedtrykt; forstemt.

dole, *n.* almisse; be on the ~, få arbejdsløshedsunderstøttelse; -ful, *adj.* sørgelig; melankolsk.

doll, *n.* dukke; ~ (up) *v. t.* pynte (sig).

dollop, *n.* klat; portion.

dolmen, *n.* stendysse; dolmen.

dolorous, *adj.* sørgelig.

dolphin, *n.* delfin.

dolt, *n.* dumrian.

domain, *n.* enemærker; domæne; gebet.

dome, *n.* kuppel.

domestic, *adj.* hus-, huslig; tam; hjemmegjort; ~ animal, husdyr; ~ industry, husflid; ~ science, husholdningslære; ~ service, husgerning.

domicile, *n.* bopæl.

domin|ant, *adj.* dominerende; -ate, *v. t. & i.* dominere; beherske; -eering, *adj.* herskesyg; -ion, *n.* herredømme; dominion.

don, *v. t.* iføre sig; ~, *n.* universitetslærer.

donat|e, *v. t.* skænke; -ion, *n.* gave.

done, *see* do; gjort; færdig; lavet; kogt; ~!, det er en aftale!; ~ for, færdig; ubrugelig; I was ~, *sl.* jeg blev narret; well-~, *adj. cul.* gennemstegt.

donkey, *n.* æsel.

donor, *n.* giver.

doom, *n.* dom; lod; undergang; ~, *v. t.* dømme; -ed, dødsdømt.

door, *n.* dør; port; next ~, ved siden af; ~-keeper, *n.* dørvogter; ~-nail, *n.* as dead as a ~, død som en sild.

dope, *n. mech.* smørelse; *sl.* narkotika; (person) idiot; (tips, *etc.*) information, staldfiduser; ~, *v. t.* bedøve; bruge narkotiske midler.

dormant, *adj.* slumrende; sovende; passiv.

dormer-window, *n.* kvistvindue.

dormitory, *n.* sovesal.

dormouse, *n.* syvsover.

dorsal, *adj.* ryg-.

dose, *n.* dosis; portion.

dot, *n.* prik; punkt.

dot|age, *n.* alderdomssløvhed; -ard, *n.* sløv gammel

mand; -e, *v. i.* gå i barndom; ~ on, forgude.

dottle, *n.* pibeudkrads.

dotty, *adj. coll.* bims; tosset.

double, *adj.* ,dobbelt; ~ Dutch, volapyk; ~, *v. t. & i.* fordoble; doble; folde sammen; vende om; (cheat) bruge kneb; (understudy) dublere; (run) løbe; ~ up, bukke sammen; ~-barrelled, *adj.* dobbeltløbet; ~-breasted, *adj.* toradet; ~-cross, *v. t.* forråde; ~-bass, *n.* kontrabas; ~-dealing, *n.* tvetungethed; dobbeltspil; ~-decker, *n.* toetagers bus; ~-quick, *adj. sl.* så hurtigt som muligt.

doubt, *n.* tvivl; ~, *v. t. & i.* tvivle, betvivle; -ful, *adj.* tvivlsom; tvivlende; problematisk;-less,*adj.* utvivlsomt.

dough, *n.* dej; *sl.* gysser; -nut, *n.* berlinerpfannkuchen.

doughty, *adj.* gæv, drabelig.

dour, *adj.* tillukket; mut; (strict) streng; hård.

douse, dowse, *v. t.* slukke; gennemvæde.

dove, *n.* due; -cot(e), *n.* dueslag; -tail, *n.* sinke; svalehale.

dowager, *n.* fornem enke; ældre, værdig dame.

dowdy, *adj.* gammeldags; ufiks.

dowel, *n. carp.* dyvel.

dower, *n.* medgift.

down, *n.* dun; bakke; fnug; *fig.* ups and -s, *pl.* medgang og modgang; ~, *prep. & adv.* ned, ned ad; sit ~, sidde ned; upside ~, med bunden i vejret; -cast, *adj.* nedslået, forsagt; -fall, *n.* nedstyrtning; ruin; -hearted, *ndj.* nedslået; -pour, *n.* skylregn; -right, *adv.* ligefrem; ~-trodden, *adj.* undertrykt; -ward, *adj.* nedadgående.

dowry, *n.* medgift.

doze, *v. i.* døse, slumre; blunde.

dozen, *n.* dusin; talk nineteen to the ~, snakke fanden et øre af.

drab, *adj.* gråbrun; prosaisk.

draft, *n. commerc.* tratte; *mil.* detachement; udkast; ~, *v.t.* gøre udkast til; detachere;-sman,*see* draughtsman.

drag, *v.t.&i.* trække, slæbe; hale; slæbe sig af sted; ~, *n.* dræg; skraber; bremseklods; *fig.* hemsko.

dragon, *n.* drage; -fly, *n.* guldsmed.

dragoon, *n.* dragon; ~, *v. t.* tvinge.

drain, *v. t. & i.* udtømme; tørlægge; dræne; ~, *n.* afløb; -age, *n.* afledning; dræning; -ing-board, *n.* opvaskebakke; -pipe, *n.* drænrør.

drake, *n.* andrik.

drama, *n.* drama; -tic, *adj.* dramatisk; -tis personae, personer.

drank, *see* drink.

drape, *v. t.* drapere; -r, *n.* manufakturhandler; -ry, *n.* manufakturvarer; (curtains, *etc.*) gardiner.

drastic, *adj.* drastisk.

draught, *n.* (gennem)træk; (mouthful) slurk; drik; drag; (sketch) udkast, rids, *naut.* dybgående; ~ beer, fadøl; ~-horse, *n.* arbejdshest; -s, *pl. n.* damspil; -sman, *n.* tegner, layoutmand; (piece in game) dambrik; -smanship, *n.* tegnekunst; -y, *adj.* utæt.

draw (drew, drawn), *v.t.&i.* (pull) trække; (beer, *etc.*) tappe; (suck) suge; (*with* pencil, *etc.*) tegne; (money) hæve; *commerc* trassere; tiltrække; (teeth) trække ud; ~ near, nærme sig; ~ blank, finde ingenting; ~ upon, trække veksler på; ~ a conclusion, drage en slutning; ~ up, indhente; -back, *n.* ulempe; -bridge, *n.* vindebro; -ee, *n. commerc.* trassat; -er, *n. commerc.* trassent; (*in* table, *etc.*) skuffe; not quite (out of the) top ~, ikke fra de bedste kredse; -ers, *pl. n.* underbenklæder; chest of ~, kommode; -ing, *n.* tegning; trækning; ~ room, dagligstue; salon; ~ pin, tegnestift.

drawl, *v. i.* dræve; ~, *n.* dræven.

drawn, *see also* draw; ~, *adj.* trukket; tegnet; *sport.* uafgjort; ~-thread work, hulsøm.

dray, *n.* sluffe; ølvogn.

dread, *n.* skræk, gru; frygt; ~, *v. t. & i.* frygte; -ful, *adj.* frygtelig; skrækkelig.

dream, *n.* drøm; ~, (-t *el.* -ed, -t *el.* -ed) *v. t. & i.* drømme.

dreary, *adj.* trist, trøstesløs.

dredge, *v. t.* mudre op; drægge; ~ with sugar, drysse med sukker.

dregs, *n.* bundfald; drink to the ~, tømme til bunden.

drench, *v. t.* gennembløde; *vet.* give medicin.

dress, *v. t. & i.* (prepare) tilave, tilberede; rense; pudse op; *med.* forbinde; (hair) frisere; smykke; behandle; klæde sig på; ~, *n.* kjole; klædning; dragt; ~ circle, første balkon; ~ coat, (liv)kjole; ~ rehearsal, generalprøve; ~ shirt, hvid manchetskjorte; -er, *n.* (person) påklæder; (table) anretterbord; -ing, *n.* marinade; *med.* forbinding; ~ gown, slåbrok; ~ table, toiletbord; -maker, *n.* dameskrædderinde; -y, *adj.* pyntet.

drew, *see* draw.

dribble, *v. t. & i.* dryppe;

klatte; *sport.* drible; -t, *n.* lille dråbe.

dried, *see* dry.

drier, *adj. see* dry; ~, *n.* tørrehjelm.

drift, *n. naut.* drift; (snow ~) drive; (tendency) retning; (purpose, idea) hensigt; mening; ~, *v. i. & t.* drive; svæve; fyge sammen; -wood, *n.* drivtømmer.

drill, *n. mech.* drilbor; *hort.* rille; *agric.* radsåmaskine; *mil.* eksercits; (textile) drejl; ~, *v. t. & i.* bore; radså; eksersere.

drily, *adv.* tørt.

drink (drank, drunk), *v. t. & i.* drikke; opsuge; nyde; ~, *n.* drik.

drip, *v. t. & i.* dryppe; ~, *n.* dryp; tagdryp; -ping, *n.* stegefedt; ~ wet, drivvåd.

drive (drove, driven), *v. t. & i.* køre; jage; drive; tvinge; styre; ~ at, sigte til; ~, *n.* køretur; opkørsel; (hunt) klapjagt, drift; (blow) slag; (push) fremstød; right-hand ~, højrestyring.

drivel, *n.* vrøvl, vås; savl; ~, *v. i.* vrøvle; savle.

drizzle, *n.* støvregn; ~, *v. i. & t.* støvregne.

droll, *adj.* pudsig, løjerlig.

drone, *v. i.* tale monotont; summe.

drool, *v. i.* savle; bavle.

droop, *v. i.* hænge; segne; hensygne.

drop, *n.* dråbe; stænk; fald; faldhøjde; ~, *v. t. & i.* lade falde; tabe; (give up) opgive; (friend, matter) droppe; (drip) dryppe; (voice) sænke; (acquaintanceship) afbryde; (fall) falde; (collapse) segne, styrte.

dropsy, *n. med.* vattersot.

dross, *n.* slagge.

drought, *n.* tørke.

drove, *n.* hjord, flok; ~, *see* drive.

drown, *v. t. & i.* drukne; overdøve; be -ed, drukne.

drowsy, *adj.* søvnig, døsig.

drubbing, *n.* kløv; prygl.

drudge, *v. i.* trælle, slide; -ry, *n.* slid, slæb.

drug, *n.* materialvare; medicinalvare; narkotisk middel; a ~ in the market, en usælgelig vare; ~, *v. t.* forgifte; forgive, bedøve; -gist, *n.* materialist; -store, *n.* materialhandel; *U.S.* [apotek og isbar i ét].

drum, *n.* tromme; tromle; *anat.* trommehinde; kettle ~, *pauke; ~, *v. t. & i.* tromme; ~ up, tromme sammen; -mer, *n.* trommeslager; janitshar; -stick, *n.* trommestik.

drunk, *adj.* fuld, beruset; -ard, *n.* drukkenbolt; -en, *adj.* fordrukken; -enness, *n.* drukkenskab, fuldskab.

dry, *adj.* tør; tørstig; udtørret; *sl.* tørlagt; ~, *v. t. & i.* tørre(s); ~ goods, manufakturvarer; ~ nurse, goldamme; *also fig.* barnepige; ~ rot, (tømmer)svamp, hussvamp; ~-dock, *n.* tørdok; ~-shod, *adj.* tørskoet.

dual, *adj.* dobbelt, tvedelt.

dub, *v. t.* titulere; kalde; *film.* synkronisere.

dubious, *adj.* tvivlsom; tvivlende.

ducal, *adj.* hertugelig.

duch|ess, *n.* hertuginde; -y, *n.* hertugdømme.

duck, *n.* *zool.* and; (textile) ravndug; *sl.* snut, pus; like water off a ~'s back, som at slå vand på en gås; like a lame ~, hjælpeløs; play -s and drakes, slå smut; ~, *v. t. & i.* dykke; dukke sig; -ing, *n.* dukkert; -ling, *n.* *zool.* ælling; -weed, *n.* *bot.* andemad.

duct, *n.* kanal; gang.

ductile, *adj.* smidig.

dud, *n.* *sl.* fiasko; blind-

gænger; ~, *adj.* mislykket, unyttig; -s, *pl. n.* *sl.* tøj.

dude, *n.* laps.

dudgeon, *n.* in a ~, vred, fortørnet.

due, *adj.* skyldig; forfalden; passende; ventet, ventende; ~, *n.* skyldighed; ret; afgift; ~ south, stik syd; ~ to, på grund af; in ~ course, til sin tid; with ~ respect, med al respekt.

duffer, *n.* dumrian, fjols.

dug, *see* dig.

duke, *n.* hertug.

dulcet, *adj.* melodiøs; sød.

dulcimer, *n.* hakkebræt.

dull, *adj.* træg; sløv; mat; flov; dum; kedelig; dump.

duly, *adv.* tilbørligt; behørigt.

dumb, *adj.* stum; målløs; dum; -bell, *n.* håndvægt; -founded, *adj.* forbløffet, lamslået; helt paf.

dummy, *n.* (doll) dukke; (partner) blind makker; (figure) attrap; gine; voksmannequin; (ammunition) blind patron.

dump, *n.* losseplads; depot; *sl.* sted; ~, *v. t.* smide ned; *commerc.* dumpe; -ling, *n.* melbolle; indbagt æble; -s, *pl. n. coll.* be in the ~, være deprimeret; -y, *adj.* buttet.

dun, *adj.* a ~ horse, en blakket hest; ~, *v. t.* kræve, rykke.

dunce, *n.* fuks; sinke.

dunderhead, *n.* dosmer.

dune, *n.* klit.

dung, *n.* staldgødning; møg; -aree, *n.* drilling; -arees, *pl.* overalls; -hill, *n.* mødding.

dungeon, *n.* fangehul.

dunnage, *n.* *naut.* garnering.

dupe, *n.* nar; offer; ~, *v. t.* narre.

dupli|cate, *n.* genpart; duplikat; -city, *n.* falskhed; dobbeltspil.

durable, adj. varig; holdbar.

durance, n. fangenskab.

duration, n. varighed.

duress, n. tvang.

during, prep. mens; under; i.

dusk, n. skumring; tusmørke; -y, adj. mørk, dunkel.

dust, n. støv; ~, v. t. tilstøve; støve af; ~ cart, skraldevogn; -er, n. støveklud; -man, n. skraldemand; -pan, n. fejebakke; -y, adj. støvet; not so ~, sl. ikke så tosset.

Dutch, n. (language) hollandsk; the ~, hollænderne; ~, adj. hollandsk; talk like a ~ uncle, prædike; ~treat, sammenskudsgilde; go ~, betale hver for sig; ~ courage, mod, man har drukket sig til; double ~, volapyk; -man, n. hollænder.

dutiful, adj. lydig, tro; ærbødig.

duty, n. pligt, skyldighed; afgift, told; ærbødighed; mil. vagt; tjeneste; ~-free, adj. afgiftsfri, toldfri.

dwarf, n. dværg; ~, v. t. forkrøble, hæmme; få til at se lille ud.

dwell (dwelt, dwelt), v. i. bo; dvæle; -ing, n. bolig.

dwindle, v. i. svinde ind, skrumpe sammen.

dye, n. farve; farvestof; ~, v. t. & i. farve; -d in the wool, gennemfarvet; fig. vaskeægte; -ing, n. farvning; -stuff, n. farvestof.

dying, adj. døende; be ~, ligge for døden; be ~ for, længes voldsomt efter.

dysentery, n. med. dysenteri; blodgang.

dyspepsia, n. med. slet fordøjelse.

each, pron. hver; ~ other, hinanden; hverandre; pr. styk; hver især.

eager, adj. begærlig; ivrig; utålmodig; spændt.

eagle, n. ørn; ~-eyed, adj. med falkeøjne.

ear, n. øre; mus. gehør; bot. aks; ~ trumpet, hørerør; I'm all -s, jeg er lutter øre; ~-ache, n. ørepine; ~-drum, n. trommehinde.

earl, n. jarl.

early, adj. & adv. tidlig; poet. årle; betids; snarlig, snart; at your earliest convenience, snarest beleiligt.

earmark, v. t. hensætte; bestemme; afsætte.

earn, v. t. tjene; indtjene; fortjene; erhverve.

earnest, adj. alvorlig; indtrængende; ~ money, penge på hånden, håndpenge.

earnings, pl. n. fortjeneste.

ear|phone, n. hovedtelefon; ~-ring, n. ørenring; ~-shot, n. hørevidde; ~-splitting, adj. øredøvende.

earth, n. jord; (world) jordklode, klode; elect. jordforbindelse; hule, hul; how on ~?, hvordan i alverden?; ~, v. i. gå i hi, forsvinde i jorden; -en-ware, n. fajance; -ly, adj. jordisk, verdslig; sanselig; -quake, n. jordskælv; -worm, n. regnorm; -y, adj. jord-, jordagtig; fig. jordbunden.

ear|wax, n. ørevoks; -wig, n. ørentvist.

ease, n. magelighed; frihed; utvungenhed; hvile; lindring, lettelse; lethed; at ~, i ro og mag; ill at ~, ilde til mode; stand at ~, stå rør; ~, v. t. & i. lette; lindre; naut. fire (på); slække; løsne; aftage.

easel, n. staffeli.

easement, n. servitut.

easily, adv. med lethed, let; nemt; sagtens; langt.

east, n. øst; the E~, østen; the Far E~, det fjerne

østen; the Middle E~, mellemøsten; ~, *adj.* østlig; ~, *adv.* østpå; ~ wind, østenvind.

Easter, *n.* påske; ~ Monday, anden påskedag.

eastern, *adj.* østerlandsk; orientalsk; øst-, østre.

easy, *adj.* let, rolig; behagelig; fri; nem; utvungen, naturlig; magelig; sorgløs; tilfreds; medgørlig; ~!, roligt!; be in E~ Street, sidde godt i det; ~ chair, lænestol; lady of ~ virtue, prostitueret; free and ~, utvungen.

eat; *v.t. & i.* spise; æde; fortære; -able, *adj.* spiselig; -ables, *pl. n.* spisevarer, levnedsmidler.

eaves, *pl. n.* tagskæg; -drop, *v. i.* lytte; -dropper, *n.* lurer.

ebb, *n.* ebbe; ~, *v. i.* ebbe; svinde bort.

ebony, *n.* ibenholt.

ebullition, *n.* kogning, opbrusen; udbrud.

eccentric, *n.* excentrisk person; *tech.* excentrik; -ity, *n.* excentricitet; særhed.

ecclesiastic, *n.* gejstlig (person); -al, *adj.* kirkelig.

echo, *n.* genlyd; ekko; efterklang; ~-sounder, *n.* ekkolod.

éclair, *n.* [fingerformet flødebolle].

eclipse, *v. t.* formørke, fordunkle; ~, *n.* formørkelse; fordunkling.

econo|mic, *adj.* økonomisk; -al, *adj.* økonomisk; sparsommelig; -s, *pl. n.* samfundsøkonomi; nationaløkonomi; -mize, *v.t. & i.* spare (på); -my, *n.* økonomi; sparsommelighed; besparelse.

ecstacy, *n.* henrykkelse; ekstase.

eczema, *n. med.* eksem.

eddy, *n.* hvirvel; bagstrøm.

edentate, *n.* gumler.

edge, *n.* æg; kant; rand; snit; udkant; skarphed; bræmme; bort; brink; my nerves are on ~, mine nerver står på højkant; that sound sets my teeth on ~, den lyd får det til at isne i mine tænder; ~, *v. t. & i.* hvæsse, slibe; kante; rykke til siden; liste sig ind; -ways, med kanten først; sidelæns; (upright) på højkant.

edg|ing, *n.* bort; kantebånd; -y, *adj.* irritabel.

edible, *adj.* spiselig.

edi|fication, *n.* opbyggelse; -fice, *n.* bygning; -fy, *v.t.* opbygge, belære.

edit, *v.t.* udgive; redigere; -ion, *n.* udgave; oplag; -or, *n.* redaktør; udgiver; -orial, *adj.* redaktionel; ~, *n.* leder; ledende artikel; ~ office, redaktion.

educat|e, *v. t.* opdrage; oplære; uddanne; oplyse; sende i skole; -ion, *n.* opdragelse; oplæring; uddannelse; skolegang; -ional, *adj.* skole-; -ionalist, -or, *n.* pædagog.

eel, *n.* ål.

eerie, *adj.* sær, uhyggelig, troldet.

efface, *v.t.* udslette; udviske; gøre utydelig.

effect, *n.* virkning; indvirkning; påvirkning; indtryk; effekt; carry into ~, gøre til virkelighed; fuldbyrde; virkeliggøre; come into ~, take ~, træde i kraft; in ~, faktisk; words to this ~, ord, som går ud på; to no ~, forgæves; with the ~ that, med det resultat; -s, *pl.* ejendele, *pl.*; effekter, *pl.*; ~, *v. t.* bevirke; udrette; effektuere; -ive, *adj.* virkningsfuld, effektiv; -uate, *v. t.* udvirke; effektuere; gennemføre.

effeminate, *adj.* blødagtig; kvindagtig.

effervescent, *adj.* mousserende, opbrusende; (of person) munter, kåd.

effete, *adj.* udslidt; svag.

efficient, *adj.* dygtig; effektiv.

effigy, *n.* billede; afbildning.

effluent, *adj.* udstrømmende, udflydende.

effort, *n.* anstrengelse; præstation; bestræbelse; besvær; indsats; forsøg; -less, *adj.* uden anstrengelse.

effrontery, *n.* frækhed; uforskammethed.

effusive, *adj.* overstrømmende.

e. g. = *exempli gratia* = for example, for eksempel.

egg, *n.* æg; fried ~, spejlæg; soft-boiled ~, blødkogt æg; hard-boiled ~, hårdkogt æg; scrambled -s, *pl.* røræg; ~-cup, *n.* æggebæger; ~-shell, *n.* æggeskal; ~-whisk, *n.* æggepisker.

eglantine, *n. bot.* vild rose.

ego, *n.* ego; the ~, jeg'et; -centric, *adj.* egocentrisk, selvoptaget; -ism, *n.* egoisme; -tism, *n.* selvoptagethed; indbildskhed.

eiderdown, *n.* edderdun; dyne.

eight, *n. & adj.* otte; -een, *n. & adj.* atten; -eenth, *n.* attendedel; ~, *adj.* attende; -h, *n.* ottendedel; ~, *adj.* ottende; -ieth, *adj.* firsindstyvende; ~, *n.* firsindstyvendedel; -y, *n.* firs.

Eire, *n.* Eire; Irland; den irske fristat.

either, *pron.* en (af to); hver; begge; nogen; ~, *adv.* heller; she can't come ~, hun kan heller ikke komme; ~, *conj.* ~ ... or, enten ... eller.

ejaculate, *v. t.* udbryde, ytre; ejakulere.

eject, *v. t.* udstøde, forstøde, udvise; kaste ud; fordrive.

eke, *v. t.* ~ out, få til at strække; supplere.

elaborate, *v. t.* udarbejde; forklare nærmere; ~, *adj.* udarbejdet; raffineret; kunstfærdig.

elapse, *v. i.* forløbe; hengå.

elastic, *n.* elastik; ~, *adj.* elastisk; fjedrende; spændstig.

elate, *v. t.* sætte i godt humør; -d, *adj.* opstemt; glad.

elbow, *n.* albue; bøjning, knæk; ~ one's way, albue sig frem; ~ grease, *coll.* "knofedt"; -pipe, *n.* knærør.

elder, *n.* ældste; ældre person; ~, *adj.* ældre; ~ brother (sister) storebroder (søster).

elder, *n. bot.* hyld; -berry, *n. bot.* hyldebær.

eld|erly, *adj.* aldrende, ældre; -est, *adj.* ældst.

elect, *v. t.* vælge; ~, *adj.* kåret, udvalgt; -ion, *n.* valg; -or, *n.* vælger.

electric, *adj.* elektrisk; ~ bell, ringeapparat; ~ mains, lysnet; ~ torch, lommelygte; -al *adj.* ~ engineer, elektroingeniør.

electrocute, *v. t.* henrette i den elektriske stol.

elegan|ce, *n.* elegance; -t, *adj.* elegant; fin; flot.

elegy, *n.* elegi; sørgedigt.

element, *n.* element; grundstof; stof; faktor; -s, *pl.* begyndelsesgrunde; -al, *adj.* væsentlig; natur-; element-; -ary, *adj.* elementær; ~ school, grundskole; folkeskole.

elephant, *n.* elefant; white ~, *fig.* en besværlig, uønsket gave; -ine, *adj.* elefantagtig.

elevat|e, *v. t.* ophøje; løfte; hæve; -ed, *adj.* ophøjet; (gay) opstemt; -ing, *adj.* opløftende; -or, *n.* elevator; hejseapparat eleven, *adj. & n.* elleve; *sport.* hold; -s(es), *pl. n.* [let forfriskning ved ellevetiden om formiddagen].

elf (*pl.* elves) *n.* alf (*pl.* ellefolk).

elicit, *v. t.* fremlokke, få frem.

eligible, *adj.* valgbar; antagelig; kvalificeret.

eliminate, *v. t.* bortskaffe; eliminere; lade ude af betragtning.

elixir, *n.* eliksir; ~ of life, livseleksir.

elk, *n. zool.* elsdyr; elg.

ell, *n. arch.* = 45 inches = ca. 2 alen.

elm, *n. bot.* elm.

elocution, *n.* foredragskunst; talekunst.

elongate, *v. t. & i.* forlænge.

elope, *v. i.* løbe bort (med en elsker); -ment, *n.* bortførelse; flugt.

eloquent, *adj.* veltalende.

else, *adv.* ellers; nothing ~, intet andet; -where, *adv.* andetsteds.

elucidate, *v. t.* belyse, forklare.

elu|de, *v. t.* undgå, omgå; smutte fra; -sive, *adj.* undvigende; flygtig; ubestemmelig; listig, snu.

elves, *see* elf.

emaciate, *v. t.* udtære; -d, udtæret; afmagret; udpint.

emanate, *v. i.* ~ (from) udspringe (fra); strømme ud (fra).

emancipate, *v. t.* frigøre, emancipere.

embalm, *v. t.* balsamere.

embankment, *n.* dæmning.

embargo, *n.* beslaglæggelse; forbud; embargo; arrest.

embark, *v. t. & i.* indskibe (sig); ~ on (upon) *fig.* indlade sig på, gå i gang med; -ation, *n.* indskibning.

embarrass, *v. t.* forvirre;

sætte i forlegenhed; genere; -ment, *n.* forlegenhed; financial ~, økonomiske vanskeligheder.

embassy, *n.* gesandtskab; ambassade.

embellish, *v. t.* forskønne; udsmykke.

ember, *n.* glød.

embezzlement, *n.* underslæb; kassesvig.

embitter, *v. t.* gøre bitter; gøre sur.

emblazon, *v. t.* male i stærke farver; pryde med heraldiske figurer.

embody, *v. t.* indbefatte; optage; samle; personificere; legemliggøre.

embolden, *v. t.* give mod til; opmuntre til.

emboss, *v. t.* udføre i ophøjet arbejde.

embrace, *v. t.* omfavne; indbefatte; omfatte; indeholde; ~, *n.* omfavnelse.

embrasure, *n.* skydeskår.

embrocation, *n.* lægemiddel til indgnidning.

embroider, *v. t. & i.* brodere; *fig.* pynte på.

embroil, *v. t.* indblande.

embryo, *n.* foster.

emend, *v. t.* rette; korrigere.

emerald, *n.* smaragd.

emerge, *v. i.* dukke op; komme frem; -ncy, *n.* nødsfald; ~ exit, reserveudgang, nødudgang; state of ~, undtagelsestilstand.

emery, *n.* smergel; ~ paper (~ cloth) smergellærred.

emetic, *n.* brækmiddel.

emig|rant, *n.* udvandrer; emigrant; -rate, *v. i.* emigrere.

eminent, *adj.* høj; fremragende; fortrinlig.

emissary, *n.* udsending.

emit, *v. t.* udsende; udkaste, udstråle; udstede.

emolument, *n.* sportel.

emotion, *n.* sindsbevægelse; rørelse; -s, *pl.* følelsesliv; -al, *adj.* følelsesmæssig;

stemningsfuld; følelsesfuld; patetisk; -less, *adj.* følelsesløs.

empale, *v. t.* spidde.

emperor, *n.* kejser.

empha|sis, *n.* eftertryk; betoning; -size, *v. t.* lægge vægt på; fremhæve; understrege; -tic, *adj.* eftertrykkelig; fyndig; kraftig.

empire, *n.* imperium; (verdens)rige; E~ (style), empire (stil).

empiric, *adj.* erfaringsmæssig; empirisk; ~, *n.* empiriker; kvaksalver.

employ, *v. t.* beskæftige; anvende; ansætte; anvende benytte; ~, *n.* tjeneste, ansættelse; -ment, *n.* arbejde; beskæftigelse; stilling; (application) anvendelse; ~ exchange, arbejdsanvisningskontor.

emporium, *n.* handelscentrum; varehus; magasin.

empower, *v. t.* bemyndige; give fuldmagt; sætte i stand til.

empress, *n.* kejserinde.

empty, *adj.* tom; ledig; indholdsløs; ~, *v. t. & i.* tømme.

emulate, *v. t.* kappes med; efterligne.

enable, *v. t.* sætte i stand til.

enact, *v. t.* forordne; opføre; spille.

enamel, *n.* emaille; ~, *v. t.* emaillere.

enamour, *v. t. arch.* be -ed of, være forelsket i.

encamp, *v. t. & i.* slå lejr; ligge i lejr.

encase, *v. t.* overtrække; emballere; indkapsle.

enchain, *v. t.* lænke; fængsle.

enchant, *v. t.* fortrylle; henrykke.

encircle, *v. t.* omringe, omslutte.

enclose, *v. t.* indhegne; indelukke; indslutte; (*in letter, etc.*) vedlægge; medsende.

encompass, *v. t.* omfatte; omringe; omgive.

encore, *inter.* da capo.

encounter, *n.* møde; (hostile) sammenstød; træfning; ~, *v. t. & i.* møde; støde på; træffe sammen med.

encourage, *v. t.* opmuntre; ophjælpe; støtte; fremme.

encroach, *v. i.* ~ on, gøre indgreb i; trænge sig ind på.

encumber, *v. t.* belemre; besvære, bebyrde.

encyclop(a)edia, *n.* (konversations)leksikon; encyklopædi.

end, *n.* ende; slutning; øjemed; død; stump, tamp; afslutning; endeligt; *film.* slut; ~ paper, forsatspapir; his hair stood on ~, hårene rejste sig på hans hoved; no ~ of, en vældig masse; come to a sad ~, tage en sørgelig ende; be at an ~, være til ende; and that is the ~ of that, og dermed basta; make both -s meet, få det til at slå til; ~, *v. t. & i.* ende, slutte; ophøre; ~ up, havne, ende.

endanger, *v. t.* bringe i fare.

endeavour, *v. i.* bestræbe sig; prøve; stræbe efter; ~, *n.* bestræbelse.

endemic, *adj.* stedsegen; endemisk.

ending, *n.* slutning; *gram.* endelse.

endless, *adj.* endeløs; uendelig.

endorse, *v. t.* endossere, påtegne; skrive under på; godkende.

endow, *v. t.* udstyre; *jur.* dotere; -ment, *n.* gave; -s, *pl.* evner, *pl.*

endur|able, *adj.* udholdelig; -ance, *n.* udholdenhed; -e, *v. t.* udholde, tåle; ~, *v. i.* vedvare.

enema, *n. med.* lavement.

enemy, *n.* fjende.

energy, n. energi, kraft; handlekraft.

enervate, v. t. enervere; udmarve; svække.

enfeeble, v. t. svække; afkræfte.

enforce, v. t. fremtvinge; indskærpe; håndhæve; gennemtvinge.

engage, v. t. & i. hverve; leje; hyre; fæste; (attack) angribe; (keep busy) beskæftige; ~ in, indlade sig på; give sig af med; lægge beslag på; engagere; -d, optaget, forpligtet; (to be married) forlovet; -ment, n. forpligtelse; beskæftigelse; fægtning; træfning; forlovelse.

engine, n. maskine; motor; lokomotiv; ~-driver, n. lokomotivfører; -er, n. maskinist; ingeniør; tekniker; maskinmester; *naut.* maskinofficer; civil ~, civilingeniør; construction ~, bygningsingeniør.

English, *adj.* engelsk; he is ~, han er englænder; ~, n. (language) engelsk; in ~, på engelsk; the ~, englænderne; -man, n. englænder.

engrave, v. t. gravere, stikke; indpræge.

engross, v. t. optage; be -ed in, opslugt af; fordybet i.

engulf, v. t. opsluge.

enhance, v. t. forhøje; forøge.

enigma, n. gåde.

enjoin, v. t. pålægge.

enjoy, v. t. nyde; glæde sig over; -ment, n. nydelse; fornøjelse.

enlace, v. t. indvikle; omringe.

enlarge, v. t. & i. forstørre; udvide; forøge; ~ on, udbrede sig over; -ment, n. forstørrelse; forøgelse; udvidelse.

enlighten, v. t. oplyse.

enlist, v. t. & i. hverve; indrullere; lade sig hverve (or indrullere).

enmity, n. fjendskab.

ennoble, v. t. forædle.

enormity, n. uhyrlighed; udåd; -ous, adj. overordentlig, umådelig; enorm.

enough, adj., n. & adv. nok, tilstrækkelig; would you be kind ~ to ...?, vil De være så venlig at ...? he's nice ~, han er ganske flink; be ~, slå til; række.

enquire, see inquire.

enrage, v. t. gøre rasende.

enrapture, v. t. henrykke; henrive.

enrich, v. t. berige; udsmykke; forbedre.

enrol, v. t. indrullere; lade sig indrullere.

ensconce, v. t. forskanse sig.

ensemble, n. hele; helhedsvirkning; ensemble.

ensilage, n. ensilage; ensilering.

enshrine, v. t. gemme i et skrin.

enshroud, v. t. indhylle.

ensign, n. fane; flag; tegn; mærke; (officer) fænrik; kornet.

enslave, v. t. trælbinde; gøre til slave.

ensnare, v. t. fange ved list; besnære.

ensue, v. i. følge, påfølge.

ensure, v. t. sikre; sørge for; sikre sig.

entail, v. t. medføre; båndlægge; -ed estate, fideikommis; stamgods.

entangle, v. t. forvikle; indfiltre.

enter, v. t. indføre; indskrive; anmelde til fortolding; ~, v. i. indlade sig; indgå; gå ind; trænge ind, komme ind; trænge ind; tiltræde.

enterprise, n. foretagende; driftighed.

entertain, v. t. & i. underholde; bevæte; nære; optage.

enthrall, *v. t.* trælbinde; fængsle; betage.

enthus|e, *v. i.* være begejstret; **-iasm**, *n.* begejstring.

entice, *v. t.* lokke.

entire, *adj.* hel, udelt; fuldstændig; **-ly**, *adv.* ganske, helt; aldeles.

entitle, *v.t.* (give right to) berettige; (give title to) titulere.

entity, *n.* væsen.

entourage, *n.* følge.

entrails, *pl. n.* indvolde.

entrain, *v.t. & i.* tage plads i et tog; få til at tage plads i et tog.

entrance, *n.* indtrædelse; indtog; indgang; adgang; indtræden; optagelse; indkørsel; *naut.* indsejling.

entrap, *v. t.* lokke i fælden; fange.

entreat, *v. t.* bønfalde, bede indstændig.

entrust, *v. t.* betro.

entry, *n.* indtrædelse; indtog; postering; anmeldelse.

entwine, *v. t.* indflette.

enumerate, *v. t.* opregne.

envelop, *v. t.* indhylle; indpakke; **-e**, *n.* omslag; konvolut; kuvert.

envi|able, *adj.* misundelsesværdig; **-ous**, *adj.* misundelig.

environ|ment, *n.* miljø; omgivelser, *pl.*; **-s**, *pl. n.* omgivelser, *pl.*; omegn.

envisage, *v.t.* forestille sig; danne sig et billede af.

envoy, *n.* gesandt; udsending.

envy, *n.* misundelse; **~**, *v. t.* misunde.

ephemeral, *adj.* flygtig; døgn-.

epidermis, *n. anat.* overhud.

epiglottis, *n. anat.* strubelåg.

epiphany, *n.* helligtrekonger.

episcopal, *adj.* biskoppelig.

epistemology, *n.* erkendelsesteori.

epitaph, *n.* gravskrift.

epithet, *n.* tilnavn; tillægsord; epitet.

epitome, *n.* udtog; sammenfatning.

epoch, *n.* epoke; **~-making**, *adj.* epokegørende; skelsættende.

equable, *adj.* jævn; rolig; ligelig.

equal, *adj.* lige; jævn; ligelig; upartisk; on an **~** footing, på lige fod; **~**, *n.* ligemand; **~**, *v.t.* være lig; måle sig med; **-ity**, *n.* lighed; **-ize**, *v. t. & i.* udjævne; stille lige.

equator, *n.* ækvator.

equanimity, *n.* sindsligevægt.

equation, *n.* ligning; udligning.

equerry, *n.* staldmester.

equestrian, *n.* rytter; **~** statue, rytterstatue.

equi|distant, *adj.* i samme afstand; **-lateral**, *adj.* ligesidet; **-librium**, *n.* ligevægt.

equine, *adj.* hest-.

equinox, *n.* jævndøgn.

equip, *v.t.* udruste, udstyre; **ekvipere**; **-ment**, *n.* udstyr; udrustning; ekvipering.

equipoise, *n.* ligevægt; modvægt.

equit|able, *adj.* rimelig; retfærdig; billig; *jur.* efter billighedsretten; **-y**, *n.* billighed; retfærdighed.

equivalent, *n.* noget tilsvarende; ensbetydende ord; ækvivalent; **~**, *adj.* tilsvarende; ækvivalent.

equivocal, *adj.* tvetydig; tvivlsom.

era, *n.* tidsalder; æra.

eradiate, *v. i.* udstråle.

eradicate, *v.t.* oprykke; udrydde.

erase, *v. t.* udviske; bortradere; **-r**, *n.* viskelæder.

erasure, *n.* radering; udslettelse.

ere, *adv. arch. & poet.* før, førend; ~ long, snart.

erect, *v. t.* rejse, opføre; ~, *adj.* opret(stående); rank; oprejst; -ion, *n.* opførelse; bygning; rejsning; *phys.* erektion.

Erin, *n. poet.* Irland.

ermine, *n. zool.* hermelin; lækat.

erode, *v. t.* tære på, æde; udgrave.

erosion, *n.* erosion; ætsning.

erotic, *adj.* erotisk; elskovs-; ~, *n.* erotiker; -ism, *n.* erotik.

err, *v. i.* fejle; synde; tage fejl.

errand, *n.* ærinde; ~ boy, bydreng.

errant, *adj.* omvandrende; omflakkende.

erratic, *adj.* omstrejfende; ustadig; excentrisk.

erratum (*pl.* -ta), *n.* trykfejl.

erroneous, *adj.* fejlagtig.

error, *n.* fejltagelse; fejlgreb; fejl; -s and omissions excepted (*abbr.* E. & O. E.), med forbehold af fejl og forglemmelser (*abbr.* S. E. & O.).

erudite, *adj.* lærd; -ition, *n.* lærdom.

eruption, *n.* udbrud; udslæt.

escalator, *n.* rullende trappe; escalator.

escapade, *n.* gal streg; eskapade.

escape, *v. t. & i.* undgå; undvige; sive ud; strømme ud; flygte; slippe bort; ~, *n.* undvigelse, flugt; undgåelse; udvej, frelse; (fire-)~, brandtrappe.

escapism, *n.* eskapisme; flugt fra virkeligheden.

escarpment, *n.* skråning.

eschew, *v. t.* sky.

escort, *n.* eskorte; ledsagelse; ~. *v. t.* eskortere; ledsage.

escutcheon, *n.* våbenskjold; nøgleskilt.

esparto, *n.* ~ grass, alfagræs.

especial, *adj.* særlig; speciel; -ly, *adv.* især.

esplanade, *n.* strandpromenade; esplanade.

espouse, *v. t.* ægte; *fig.* slutte sig til.

espy, *v. t.* få øje på.

esquire, *n. hist.* godsejer; (høflighedstitel på breve, *abbr.* Esq.) hr.; John Brown, Esq., Hr. John Brown.

essay, *v.t. & i.* forsøge, prøve; ~, *n.* forsøg; essay; afhandling.

essence, *n.* væsen; kraft; essens; kerne; ekstrakt.

essential, *adj.* væsentlig; ~, *n.* hovedpunkt.

establish, *v. t.* fastsætte; oprette; anlægge, grunde; etablere; bevise, befæste; konstatere; påvise; slå fast; -ment, *n.* etablissement; virksomhed; konstatering; påvisning; stiftelse; grundlæggelse; oprettelse; the E~, statskirken; [de anerkendte statsinstitutioner som helhed]; *mil.* styrke; be on the ~, være fast ansat.

estate, *n.* formue; ejendom; gods; stand; døds(bo); *arch.* (condition) stand; real ~, fast ejendom; ~ agent, ejendomsmægler.

esteem, *v. t.* skatte; sætte stor pris på; agte; ~, *n.* agtelse.

estimate, *v. t. & i.* vurdere; anslå; beregne; kalkulere; ~, *n.* skøn; overslag; vurdering; beregning.

estimation, *n.* agtelse, omdømme; skøn.

Estonia, *n.* Estland; -n, *adj.* estisk; ~, *n.* ester.

estrange, *v. t.* ~ from, gøre fremmed over for; become -d, blive fremmede for hinanden.

estuary, *n.* flodmunding.

etc. = et cetera, etc.; osv.

etch, *v. t. & i.* radere; ætse.

eternal, *adj.* evig; evindelig.

eternity, *n.* evighed; evindelighed.

ethereal, *adj.* flygtig; æterisk.

Ethiopia, *n.* Abessinien; -n, *n.* abessinier; ~, *adj.* abessinsk.

eugenics, *n.* raceforbedring.

eulogy, *n.* lovtale.

eunuch, *n.* eunuk; kastrat.

euphony, *n.* vellyd.

Eurasian, *n.* eurasier.

evacuate, *v. t.* rømme; tømme; flytte; evakuere.

evade, *v. t.* undgå; unddrage sig; omgå; undslippe.

evaluation, *n.* vurdering.

evanescent, *adj.* forsvindende; flygtig.

evaporate, *v. t. & i.* fordampe, fordufte; inddampe; tørre.

evasion, *n.* udflugt; undvigelse, omgåelse.

eve, *n.* aften; kvæld; Christmas E~, juleaften(sdag); on the ~ of, kort forinden.

even, *adj.* lige, jævn; rolig; kvit; ~, *adv.* lige, netop, just; endog; ~ now, allerede nu; ~ so, netop sådan; odd and ~, lige eller ulige; not ~, ikke engang; ~ if, ~ though, selv om; I'll get ~ with you one day!, det skal du få betalt en skønne dag!; ~, *v. i.* jævne.

evening, *n.* aften; good ~!, god aften!; this ~, i aften; yesterday ~, i (går) aftes; in the ~, om aftenen; ~ dress, (tails) kjole og hvidt; (dinner jacket) smoking; (lady's) selskabskjole.

event, *n.* begivenhed; tilfælde; hændelse; in the ~ of, i tilfælde af; ~-ual, *adj.* endelig, sluttelig; -ually, *adv.* endelig, til slut.

ever, *adv.* altid; nogensinde; stedse; ~ so much, aldrig så meget; for ~ and ~, for bestandig; -green, *adj. & n. bot.* stedsegrøn; ~-lasting, *adj.* stedsevarende; -more, *adv.* stedse.

every, *adj.* enhver; -body, -one, *n.* enhver; -thing, *n.* alt; -where, *adv.* overalt, alle vegne.

evict, *v. t.* sætte ud.

evidence, *n.* vidnesbyrd; bevis; vidneudsagn.

evident, *adj.* indlysende; tydelig.

evil, *adj.* ond, ilde, slet; the E~ One, den onde; ~, *n.* onde; -doer, *n.* ugerningsmand; ~-minded, *adj.* ildesindet, ondskabsfuld.

evince, *v. t.* vise, røbe; ytre.

evoke, *v. t.* fremkalde.

evolution, *n.* udvikling; evolution.

evolve, *v. t. & i.* udvikle; udfolde.

ewe, *n.* (hun) får; -lamb, *n.* gimmerlam.

exact, *adj.* nøjagtig, punktlig; præcis; eksakt; ~, *v. t.* fordre; inddrive; -ing, *adj.* krævende; fordringsfuld; -ly, *adv.* netop; nøjagtigt.

exaggerate, *v. t. & i.* overdrive.

exalt, *v. t.* opløfte; ophøje; forherlige.

exam, *n.* eksamen; prøve; -ination, *n.* prøve; eksamen; undersøgelse; eftersyn; -ine, *v. t.* undersøge; forhøre; eksaminere.

example, *n.* eksempel; forbillede.

exasperate, *v. t.* irritere; gøre rasende.

excavate, *v. t.* udgrave; udhule.

exceed, *v. t.* overskride; overgå; overstige; gå for vidt, overdrive.

excel, *v. t. & i.* overgå, overtræffe; udmærke sig; -lence, *n.* fortræffelighed; fortrinlighed; -lency, *n.* excellence; -lent, *adj.* ud-

mærket; fortræffelig; for-
trinlig.
except, *v. t. & i.* undtage;
gøre indvending imod;
~, -ing, *prep. & conj.* und-
tagen; med undtagelse af;
undtaget; -ion, *n.* undta-
gelse; indsigelse; take ~
to, gøre indsigelse mod;
tage ilde op; -ional, *adj.*
usædvanlig; særlig; ene-
stående; -ionally, *adv.*
usædvanlig; enestående;
(by way of exception)
undtagelsesvis.
excerpt, *n.* uddrag.
excess, *n.* overskridelse;
overmål; overskud; -es, *pl.*
udskejelser, *pl.*; -ive, *adj.*
overdreven; for meget
(for stor, *osv.*).
exchange, *v. t.* udveksle;
veksle; bytte; ~, *n.* bytte;
kurs; børs; valuta; (tele-
phone ~) central.
exchequer, *n.* finanshoved-
kasse.
excise, *n.* (forbrugs)afgift.
excit|e, *v. t.* ophidse; ægge;
pirre; anspore; stimulere;
-ed, *adj.* spændt; ophidset;
opstemt; -ement, *n.* op-
hidselse; spænding; sinds-
bevægelse; opstemthed;
-ing, *adj.* spændende; op-
hidsende.
exclaim, *v. t. & i.* udbryde.
exclamation, *n.* udbrud; ud-
råb; ~ mark, udråbstegn.
exclude, *v. t.* udelukke.
exclusive, *adj.* eksklusiv; for-
nem; ene-; eneste; ~ of,
ikke medregnet; ~ rights,
eneret.
excommunicate, *v. t.* band-
lyse; ekskommunicere.
excre|ment, *n.* ekskrement;
-s, *pl.* skarn; -te, *v. t.* af-
sondre; udskille; -tion, *n.*
afsondring.
excru|ciate, *v. t.* pine, mar-
tre; -ciating pain, ulide-
lige smerter.
exculpate, *v. t.* rense (for
skyld).

excursion, *n.* udflugt; af-
stikker.
excusable, *adj.* undskyldelig.
excuse, *v. t.* undskylde; fri-
tage; ~, *n.* undskyldning.
execrable, *adj.* afskyelig.
execut|e, *v. t.* udføre; ud-
stede; henrette; -ion, *n.*
henrettelse; udførelse; ud-
færdigelse; -ioner, *n.* bød-
del; -ive, *adj.* udøvende;
eksekutiv; overordnet;
ledende; ~, *n.* overordnet
(or ledende) person.
exemplary, *adj.* eksempla-
risk; mønstergyldig.
exempt, *v. t.* fritage; -ion, *n.*
fritagelse.
exercise, *n.* øvelse; idræt,
motion; udøvelse; stil;
eksercits; ~, *v. t. & i.* øve;
opøve; bruge; anvende;
udøve.
exert, *v. t.* udøve; anspænde,
anstrenge; -ion, *n.* an-
strengelse.
exhal|ation, *n.* udånding;
uddunstning; -e, *v. t. & i.*
udånde; uddunste; ud-
sende.
exhaust, *v. t.* (empty) udtøm-
me; (tire) udmatte; (use
up) opbruge; ~, *n.* udblæs-
ning; udtømning; ~ pipe,
udblæsningsrør.
exhibit, *v. t.* udstille; (frem)-
vise; *jur.* fremlægge; -ion,
n. udstilling; fremvisning;
studielegat.
exhilarate, *v. t.* oplive, op-
muntre.
exhort, *v. t.* formane.
exhume, *v. t.* opgrave; eks-
humere.
exigency, *n.* behov; krav.
exile, *v. t.* landflygtighed;
~, *v. t.* landsforvise.
exist, *v. i.* eksistere; leve;
bestå.
exit, *n.* udgang; bortgang;
afgang.
exodus, *n.* udvandring; E~,
Anden Mosebog.
exonerate, *v. t.* frifinde; fri-
tage.

exorbitant, *adj.* ublu; op-skruet; overdreven.

exorcise, *v. t.* uddrive (onde ånder); mane bort; be-sværge.

exotic, *adj.* eksotisk.

expand, *v. t. & i.* udbrede; udvide; udfolde.

expans|e, *n.* vidde, udstræk-ning; -ion, *n.* udfoldelse; udvidelse; ekspansion; -ive, *adj.* ekspansiv; vid-strakt; åbenhjertig.

expatriate, *v. t.* landsforvise; ~, *v. refl.* emigrere.

expect, *v.t.* vente; forvente; vente sig; tro; regne med; -ancy, *n.* forventning; -ant, *adj.* forventnings-fuld; afventende; -ation, *n.* forventning; forhåb-ning; -s, *pl.* udsigter, *pl.*

expectorate, *v. t.* hoste op; spytte op.

expedient, *adj.* hensigtsmæs-sig, tjenlig; ~, *n.* middel; udvej; råd.

expedit|e, *v. t.* udføre hur-tigt; fremskynde; -ion, *n.* krigstog; ekspedition; hurtighed.

expel, *v. t.* udstøde; for-drive; udjage.

expend, *v. t.* udgive; an-vende; udlægge; opbruge.

expens|e, *n.* udgift; omkost-ning; -ive, *adj.* dyr.

experience, *n.* erfaring; ~, *v. t.* erfare; prøve; opleve.

experiment, *n.* forsøg; eks-periment; ~, *v. t.* eksperi-mentere.

expert, *adj.* øvet; erfaren; kyndig; dygtig.

expiate, *v. t.* sone.

expiration, *n.* udløb; ophør; udånding.

expire, *v. i.* (die) udånde; (run out) udløbe; (cease) ophøre.

explain, *v. t.* forklare.

explanation, *n.* forklaring.

expletive, *n.* ed; fyldeord.

explicable, *adj.* forklarlig.

explicit, *adj.* tydelig, klar, udtrykkelig.

explode, *v. t. & i.* sprænge (i luften); (reveal) afsløre; bringe i miskredit; eks-plodere.

exploit, *v. t.* udnytte; ~, *n.* bedrift; dåd; -ation, *n.* udnyttelse.

explor|ation, *n.* udforsk-ning; undersøgelse; -e, *v. t.* udforske; berejse.

explo|sion, *n.* sprængning; eksplosion; -sive, *n.* sprængstof; ~, *adj.* eksplo-siv; sprængfarlig.

exponent, *n.* repræsentant; fortolker; talsmand.

export, *n.* eksport; udførsel; ~, *v. t.* eksportere; udføre.

expose, *v. t.* udsætte; blotte, afsløre, røbe; forklare; ud-vikle.

exposition, *n.* forklaring; udstilling; fortolkning.

expostulate, *v. i.* foreholde; bebrejde.

exposure, *n.* udsættelse; blot-telse, afsløring; *phot.* eks-ponering; belysning; time ~, eksponering på tid.

expound, *v. t.* fortolke.

express, *v. t.* udtrykke; ud-presse; ~, *adj.* udtrykkelig, tydelig; ~, *n.* ilbud; iltog; -ion, *n.* udtryk; udpres-ning; -ionless, *adj.* ud-tryksløs.

expropriate, *v. t.* ekspro-priere.

expulsion, *n.* udstødelse; for-drivelse; udstødning; re-legation.

expunge, *v. t.* slette.

expurgate, *v. t.* (book, *etc.*) rense for anstødelige ting.

exquisite, *adj.* udsøgt.

extant, *adj.* eksisterende.

extemporise, *v. t. & i.* im-provisere.

extend, *v. t. & i.* udstrække; udvide; forøge; skænke; strække sig; forlænge.

extension, *n.* udvidelse; ud-strækning; forlængelse.

extent, *n.* udstrækning; rækkevidde; område; omfang; to a certain ~, til en vis grad.

extenuate, *v. t.* formilde; undskylde.

exterior, *n.* ydre; ~, *adj.* ydre, udvortes; udvendig.

exterminate, *v. t.* udrydde.

external, *adj.* udvortes; udvendig; ydre.

extinct, *adj.* udslukt; uddød; ophævet; forældet.

extinguish, *v. t.* udslukke; (fire) -er, *n.* ildslukker.

extirpate, *v. t.* oprykke; udrydde.

extol, *v. t.* prise; berømme.

extort, *v. t.* aftvinge; afpresse.

extra, *adj. & adv.* ekstra; ~ pay, tillæg, ekstrabetaling; ~, *n.* (film) statist.

extract, *v. t.* uddrage; udvinde; destillere; ~, *n.* uddrag; ekstrakt; -ion, *n.* uddragning; afstamning.

extradition, *n.* udlevering.

extraneous, *adj.* fremmed; uvedkommende.

extraordinary, *adj.* overordentlig, usædvanlig; ekstraordinær.

extravagant, *adj.* ødsel; ubehersket; overdreven.

extrem|e, *adj.* yderst; yderlig; ~, *n.* yderlighed; yderste grænse; -ity, *n.* ydergrænse; ende; yderste nød; -ities, *pl.* ekstremiteter.

extricate, *v.t.* udrede; hjælpe ud af.

exuberant, *adj.* yppig; frodig; overstrømmende.

exude, *v. t. & i.* udsvede; afsondre.

exult, *v.i.* juble; hovere.

eye, *n.* øje; hook and ~, hægte og malle; with an ~ to ..., med ... for øje; a black ~, et blåt øje; have an ~ for, have sans for; she is the apple of my ~, hun er min øjesten; set one's -s on, kaste sit blik på; ~, *v. t.* betragte, iagttage; -brow, *n.* øjenbryn; -glass, *n.* monokle; -lash, *n.* øjenvippe; -lid, *n.* øjenlåg; -shot, *n.* synsvidde; -sight, *n.* syn(sevne); -sore, *n.* torn i øjet; ~-tooth, *n.* hjørnetand; ~-witness, *n.* øjenvidne.

eyrie, *n.* ørnerede.

fable, *n.* fabel; sagn.

fabric,*n.*(building) bygningsværk; (stuff) stof; (method of construction) struktur; -ate, *v.t.* opfinde; fabrikere; forfalske.

fabulous, *adj.* fabelagtig.

façade, *n.* facade.

face, *n.* ansigt; udseende; yderside, overflade; forside, facade; mine; to my ~, i mine åbne øjne; make -s, skære ansigter; ~, *v. t.* vende ansigtet imod; ~ value, pålydende (værdi); ~ powder, ansigtspudder.

facetious, *adj.* (anstrengt) spøgefuld; spøgende.

facial, *n.* ansigtsmassage; ~, *adj.* ansigts-.

fa|cile, *adj.* let; føjelig; -cilitate, *v.t.* lette; fremme; -cility, *n.* lethed; færdighed; lempelse.

facing, *n.* opslag.

facsimile, *n.* faksimile.

fact, *n.* kendsgerning; omstændighed; forhold; faktum; in ~, faktisk, i virkeligheden; the ~ is, sagen er den.

faction, *n.* klike; strid.

factious, *adj.* oprørsk.

factitious, *adj.* kunstig, affekteret.

factor, *n.* faktor; agent; -y, *n.* fabrik.

factotum, *n.* altmuligmand.

factual, *adj.* faktisk; saglig.

faculty, *n.* evne; talent; fakultet.

fad, *n.* kæphest; grille.

fade, *v. i. & t.* falme; visne; forsvinde lidt efter lidt; *film.* ~ in, optone; ~ out, udtone.

fag, *n. sl.* cigaret; (at Brit. public school) [mindre dreng som opvarter en eller flere større].

faïence, *n.* fajance.

fail, *v. t. & i.* skuffe, svigte; slå fejl; udeblive; svigte; dumpe; lade dumpe; falde af; mislykkes; fallere; -ing, *n.* fejl; svaghed; -ure, *n.* svigten; misligholdelse; fiasko; konkurs; without ~, med garanti.

fain, *adj. & adv. arch.* villig; would ~, ville gerne.

faint, *v. i.* besvime; ~, *n.* besvimelse; ~, *adj.* svag; mat; træt; kraftløs.

fair, *adj.* ren, blond, lys; klar; gunstig; fri; grå; rimelig; god; ~, *n.* marked; -ly, *adv.* retfærdigt; temmelig; ganske; ~-minded, *adj.* rettænkende; ~-sized, *adj.* mellemstor; -way, *n.* sejlløb.

fairy, *n.* fe; alf; ~-tale, *n.* eventyr.

faith, *n.* løfte, ord; tro; -ful, *adj.* tro, trofast; troende.

fake, *v. t.* forfalske; efterligne; ~, *n.* forfalskning; efterligning.

falcon, *n. zool.* falk.

fall, *v. i.* falde; ~ asleep, falde i søvn; ~ due, forfalde; ~ short, ikke slå til; ~ sick, blive syg; ~ in love, forelske sig; ~ off, falde fra, svigte; aftage; gå tilbage; ~ out, blive uenig; ~ upon, overfalde; ~ in with, træffe; ~, *n.* fald; nedgang; vandfald; *U.S.* efterår.

fallacy, *n.* vildfarelse; fejlslutning.

fallible, *adj.* som kan tage fejl.

fallow, *adj.* grågul; lie ~, ligge brak; ~ deer, dådyr.

false, *adj.* falsk, uægte; urigtig; -hood, usandhed.

falsetto, *n.* falset.

falter, *v.i. & t.* stamme; vakle.

fame, *n.* berømmelse; ry.

familiar, *adj.* bekendt; fortrolig, intim; familiær.

family, *n.* familie; slægt; in the ~ way, *coll.* i omstændigheder.

famine, *n.* hungersnød.

famish, *v. t. & i.* udsulte; sulte; I'm ~ed, *coll.* jeg er skrupsulten.

famous, *adj.* berømt, navnkundig; famøs.

fan, *n.* vifte; *mech.* rensemaskine; blæser; ventilator; *coll.* entusiast; ~, *v. t.* vifte; rense.

fanatic, *n.* fanatiker.

fancier, *n.* ynder; opdrætter; -ful, *n.* fantasifuld; lunefuld.

fancy, *n.* indbildning; fantasi; indfald; lune; forkærlighed; ~, *v. t.* formode; indbilde sig; forestille sig; ~ seeing you here!, tænk at støde på dig her!; ~ goods, galanterivarer, *pl.*; ~ dress, kostume; ~ price, pebret pris; ~ work, fint håndarbejde.

fang, *n.* hugtand; (of snake) gifttand.

far, *adv.* fjernt, langt borte; ~ and away, langt; ~ and wide, vidt og bredt; ~, *adj.* langt borte; fjern; in so ~ as, for så vidt som; ~-away, *adj.* fjern; ~-fetched, *adj.* søgt; ~-flung, *adj.* vidtstrakt; ~-sighted, *adj.* langsynet; fremsynet.

fare, *n.* kørepenge; passager; kost; bill of ~, spiseseddel; ~, *v. i.* befinde sig, leve; -well, *int.* farvel; ~, *n.* afsked.

farm, *n.* (bonde)gård; ~, *v. t. & i.* drive landbrug; forpagte, bortforpagte; -er, *n.* landmand; farmer;

bonde; -house, *n.* stue-hus; -yard, *n.* gårdsplads.

Faroe, *adj.* the ~ Islands, the -s, Færøerne; -se, *n.* fæ-ring; (language) færøsk; ~, *adj.* færøsk.

farrier, *n.* beslagsmed; dyr-læge.

farrow, *v. i.* fare; få grise; ~, *n.* kuld grise.

farthing, *n.* [¼ penny].

fascinate, *v. t.* fortrylle; fængsle.

fashion, *n.* snit; facon; mode, skik; måde; form; slags; the latest ~, sidste mode, sidste skrig; ~, *v. t.* danne, forme; tilpasse; ~-parade, *n.* mannequin-opvisning; ~-plate, *n.* modetegning; modebil-lede.

fast, *v. i.* faste; ~, *n.* faste; ~, *adj. & adv.* hurtig, rask; fast; varig; holdbar; my watch is ~, mit ur går for stærkt; she is a ~ girl, hun lever livet let; -en, *v. t. & i.* fæstne, fastgøre; lukke; binde.

fastidious, *adj.* kræsen.

fat, *adj.* fed; tyk; svær; ~, *n.* fedt; fedme; -(ten) (up), *v. t. & i.* fede.

fatal, *adj.* skæbnesvanger; dødelig, dræbende.

fata morgana, *n.* fata mor-gana.

fate, *n.* skæbne; the F~s, *pl.* (Greek) skæbnegudinder-ne; (Scand.) nornerne.

father, *n.* fa(de)r; F~ Christ-mas, julemanden; -hood, *n.* faderskab, paternitet; ~-in-law, *n.* svigerfa(de)r; -land, *n.* fædreland.

fathom, *n.* favn; ~, *v. t.* favne op; *fig.* lodde; udgrunde; fatte; -less, *adj.* bundløs; uudgrundelig.

fatigue, *n.* træthed; ~, *v. t.* trætte, anstrenge; ~ party, *mil.* arbejdskommando.

fat|ness, *n.* fedme; -ten, *v. t. & i.* fede; blive fed; -ty,

adj. fed; fedtagtig; ~, *n.* (boy) tyksak.

fatuous, *adj.* tom, enfoldig, dum.

faucet, *n. U. S.* vandhane; (*in* barrel) tap.

fault, *n.* fejl; skyld; (tennis) fejlserve; find ~ with, kri-tisere; dadle; -less, *adj.* fejlfri.

fauna, *n.* dyreverden, fauna.

favour, *n.* gunst, nåde; (kind-ness) tjeneste; fordel; we are in ~ of, vi er stemt for; ~, *v. t.* begunstige; bære; støtte; favorisere; -able, *adj.* gunstig; -ite, *n.* ynd-ling; favorit; my ~ dish, min livret; -itism, *n.* par-tiskhed.

fawn, *v. i. & t.* (dog, *etc.*) logre; ~ on, *fig.* krybe for, fedte for; ~, *adj.* lysebrun.

fealty, *n.* troskab.

fear, *n. v. t. & i.* frygte; ~, *n.* frygt; -ful, *adj.* frygtsom, bange; frygtelig; -less, *adj.* uforfærdet.

feasi|bility, *n.* mulighed; gennemførlighed; -ble, *adj.* mulig, gennemførlig.

feast, *n.* fest; festmåltid; gilde; gæstebud; ~, *v. i. & t.* beværte, traktere; fe-ste; ~ one's eyes on, fryde sig ved synet af.

feat, *n.* dåd; bedrift; kunst-stykke.

feather, *n.* fjer; a ~ in one's cap, en fjer i hatten; birds of a ~ fly together, krage søger mage; as light as a ~, fjerlet; ~, *v. t.* sætte fjer i; (when rowing) skive; ~ one's nest, mele sin egen kage; ~-brained, *adj.* tan-keløs; ~-weight, *n.* fjer-vægt.

feature, *n.* ansigtstræk; sær-kende; træk; særpræg; ~ article, stor artikel; ~ film, hovedfilm; ~, *v. t.* kendetegne; fremhæve.

February, *n.* februar.

fecundity, *n.* frugtbarhed.

fed, *see* feed; ~ up, led og
ked af det.

federal, *adj.* forbunds-; føde-
rativ.

fee, *n. hist.* len; (money)
honorar, salær, gebyr;
school -s, skolepenge.

feeble, *adj.* svag; ~-minded,
adj. åndsvag.

feed (fed, fed), *v. t.* nære; fod-
re; *mech.* føde; ~, *v. i.* spise,
æde; ~ on, leve af; ~, *n.* fo-
der; måltid; *mech.* tilførsel.

feel (felt, felt), *v.t. & i.* føle;
mærke; (be) befinde sig;
(touch) føle på; (impres-
sion) føles; ~ cold, fryse; I
~ we should pay it, jeg
synes, vi skulle betale
det; I don't ~ well, jeg
føler mig sløj; -ing,
n. følelse; fornemmelse;
stemning.

feign, *v.t. & i.* fingere; hykle;
simulere.

feint, *n..* finte; kneb.

felicit|ous, *adj.* lykkelig; hel-
dig; -y, *n.* lyksalighed.

feline, *adj.* katte-.

fell, *adj.* fæl, grusom; ~, *n.*
høj; fjeld; skind; hud; ~,
v.t. fælde; *see also* fall.

fellow, *n.* fælle, kollega;
[medlem af et videnskabe-
ligt selskab]; fyr; svell, old
~!, nå, gamle ven!; ~ crea-
ture, medskabning; ~-
feeling, *n.* medfølelse;
-ship, *n.* fællesskab; (uni-
versity) stipendium; uni-
versitetsadjunktur.

felon, *n.* forbryder; -y, *n.*
forbrydelse.

felt, *n.* filt; ~ roof, paptag;
see also feel.

female, *adj.* kvindelig; hun-;
the ~ sex, hunkønnet; ~,
n. (person) kvindemenne-
ske; (animal) hun.

feminine, *adj.* kvindelig, fe-
minin; the ~ gender, hun-
køn, femininum.

femur, *n. anat.* lårben.

fen, *n.* mose; sump.

fence, *n.* gærde, hegn; be

sitting on the ~, *fig.* indtage
en neutral holdning; (re-
ceiver of stolen goods),
hæler; ~, *v. t. & i.* ind-
hegne; fægte.

fencing, *n.* fægtning; ind-
hegning.

fend, *v. t. & i.* ~ off, afværge;
afbøde; ~ for oneself,
sørge for sig selv; -er, *n.*
kamingitter; *naut.* friholt.

ferment, *v.t. & i.* gære, fer-
mentere; ~, *n.* gærings-
middel, surdej; *fig.* gæ-
ring.

fern, *n. bot.* bregne.

feroci|ous, *adj.* glubsk, vild;
-ty, *n.* glubskhed, rovbe-
gærlighed; vildhed.

ferret, *n.* fritte; ~ out, op-
snuse.

fer|ric, *v.t. & i.* jern; ferri-; -ro-
concrete, *n.* jernbeton, ar-
meret beton; -rous, *adj.*
ferro-; jernholdig.

ferrule, *n.* dupsko.

ferry, *n.* færge; færgested; ~,
v. t. overføre, færge.

fer|tile, *adj.* frugtbar; -tility,
n. frugtbarhed; -tilize, *v.t.*
befrugte; gøre frugtbar;
(manure) gøde; -tilizer, *n.*
(kunst)gødning.

fer|vent, *adj.* brændende; in-
derlig; hed; glødende;
-vid, *adj.* brændende; hef-
tig; -vour, *n.* ildhu; inder-
lighed.

fester, *v. t. & i.* bulne; af-
sondre materie.

fes|tival, *n.* festdag; festlig-
hed; højtid; -tive, *adj.*
festlig, lystig; fest-.

fester, *v.t.& i.* blive betændt;
bulne; afsondre materie.

festoon, *n.* guirlande.

fetch, *v. t. & i.* hente; gå
efter; indbringe; -ing, *adj.*
indtagende.

fête, *v. t.* fejre, feste for; ~, *n.*
stort festarrangement.

fetish, *n.* fetich.

fetlock, *n.* hovskæg; kode.

fetter, *v. t.* lænke; ~, *n.* fod-
lænke; *fig.* bånd.

fettle, *n.* in fine ~, i fin form.

feud, *n.* fejde; len; -al, *adj.* lens-; feudal.

fever, *n.* feber.

few, *adj.* få; a ~, nogle få; enkelte; ~ and far between, få og spredte; -er, færre; -est, færrest.

fey, *adj.* dødsmærket; visionær; fantasifuld.

fiancé, fiancée, *n.* forlovede.

fib, *n.* skrøne.

fibre, *n.* fiber, trævl.

fickle, *adj.* vægelsindet.

fiction, *n.* opspind; (op)digt; romanlitteratur.

fiddle, *n.* violin; ~, *v. t. & i.* spille violin; fjase; play second ~, *fig.* spille anden violin; -sticks, *int.* sludder.

fidelity, *n.* troskab; nøjagtighed.

fidget, *v. i. & t.* være rastløs; ~ with, pille ved; fingre nervøst; -y, *adj.* rastløs nervøs.

fiduciary, *adj.* betroet; ~, *n.* tillidsmand.

fie, *int.* arch. fy.

fief, *n.* len.

field, *n.* mark; ager; felt; (sport) bane; ~ of battle, slagmark; ~-day, *n. mil.* tropperevy; *fig.* stor begivenhed; ~-glasses, *pl. n.* feltkikkert; ~-marshal, *n.* feltmarskal; ~-mouse, *n.* markmus; -piece, *n.* feltkanon.

fiend, *n.* djævel; a fresh-air ~, friluftsentusiast; dope ~, narkoman.

fierce, *adj.* vild, voldsom; heftig; bister.

fiery, *adj.* fyrig; vælig.

fife, *n.* piccolofløjte; pibe.

fif|teen, *n.* femten; -th, *adj. & n.* femtedel; femte; -ty, *adj. & n.* halvtreds; go ~~~, slå halv skade.

fig, *n.* figen; (tree) figentræ; I don't care a ~, det rager mig en døjt.

fight, *v. t. & i.* kæmpe, slås;

strides; bekæmpe; ~ shy of, gå uden om; ~, *n.* kamp, strid; slagsmål; show ~, vise mod.

fig-leaf, *n.* figenblad.

figment, *n.* opspind; a ~ of the imagination, hjernespind.

figur|ative, *adj.* overført, billedlig, figurativ; -e, *n.* figur, form; (shape) skikkelse; (number) tal, ciffer; (price) pris; ~, *v. t. & i.* fremstille; beregne; forestille sig; spille en rolle, optræde; ~-head, *n.* galionsfigur; *fig.* topfigur.

filament, *n.* fiber; *bot.* støvtråd; *elec.* glødetråd.

filch, *v. t. sl.* rapse, hugge.

file, *n.* (tool) fil; *(for documents)* samlemappe, brevordner; (archives) arkiv; register; (row) række; *mil.* rode; walk in single *(el.* Indian) ~, gå i gåsegang; ~, *v. t.* (application, return, etc.) indgive; (documents, etc.) ordne, registrere; (use tool) file; ~ past, *v. i.* defilere forbi.

filial, *adj.* sønlig.

filibuster, *n.* sørøver; *polit.* obstruktionsmager.

filigree, *n.* filigran.

fill, *v. t. & i.* fylde; mætte; udfylde; (tooth) plombere; (become full) fyldes; ~, *n.* eat one's ~, spise sig mæt; a ~ of tobacco, et stop.

fillet, *n.* (ribbon) bånd, pandebånd; (meat) mørbrad, filet; (fish) filet.

filling, *n.* fyldning; (tooth) plombe, plombering; ~ station, benzintank.

fillip, *n. fig.* stimulans.

filly, *n.* ung hoppe.

film, *n.* (thin layer) hinde; film; ~, *v. t. & i.* filme, filmatisere.

filter, *n.* filter; filtrerapparat; ~, *v. t. & i.* filtrere(s); sive igennem.

filth, *n.* smuds, skidt; sjofelhed; **-y**, *adj.* snavset, smudsig; skiden; sjofel.

fin, *n.* (svømme)finne.

final, *adj.* endelig, afgørende; afsluttende; **~**, *n. sport.* slutkamp; **-e**, *n.* finale; **-ly**, *adv.* til sidst, til slut, endelig.

finan|ce, *n.* finansvidenskab; **-ces**, *pl.* (money) financer, *pl.*; **-cier**, *n.* finansmand.

finch, *n. zool.* finke.

find (found, found), *v.t.* finde, opdage; erfare; skaffe; udrede; *jur.* afsige kendelse; kende; **~** oneself, befinde sig; **~** opdage; all found, fri station, alt frit; **~**, *n.* fund; **-ing**, *n. jur.* kendelse.

fine, *adj.* fin, tynd; smuk, klar; køn; the **~** arts, de skønne kunster; one **~** day, en skønne dag; **~**, *adv.* cut things **~**, *fig.* give sig for lidt tid; **~** mulkt; bøde; **~**, *v. t. & i.* idømme en bøde; multktere; **~-**grained, *adj.* finkornet; **-ry**, *n.* pynt, stads.

finesse, *n.* finesse; list; behændighed; **~**, *v. i.* (cards) knibe.

finger, *n.* finger; put one's **~** on, *fig.* finde; udpege; be all **-s** and thumbs, have til tommelfingre; **~**, *v. t.* fingerere; rapse; **~-bowl**, *n.* skylleskål; **-ing**, *n. mus.* fingersætning; **~-language**, *n.* fingersprog; **-print**, *n.* fingeraftryk; **~-stall**, *n.* fingertut.

finic|al, **-king**, **-ky**, *adj.* pertentlig.

finish, *v. t. & i.* fuldende, slutte; afslutte, ende; blive færdig med; (stop) holde op; (polish) afpudse; **~**, *n.* slutning; afslutning; opløb.

finite, *adj.* begrænset.

Finland, *n.* Finland.

Finn, *n.* finne; **-ish**, *adj.* finsk; **~**, *n.* (language) finsk.

fir, *n.* gran; **~-cone**, *n.* grankogle.

fire, *n.* ild; brand; ildebrand; (bonfire) bål; (shooting) skydning; catch **~**, fænge, komme i brand; light a **~**, tænde op; set on **~**, set **~** to, sætte ild på; **~**, *v.t. & i.* tænde; sætte i brand; (shoot) affyre; (dismiss) fyre; **~** on (*el.* at) beskyde; **~** off, affyre; **~-arm**, *n.* skydevåben; **~-brick**, *n.* ildfast sten; **~-brigade**, *n.* brandkorps; **~-engine**, *n.* brandsprøjte; **~-escape**, *n.* brandtrappe; redningsstige; **~-extinguisher**, *n.* ildslukningsapparat; **-guard**, *n.* kamingitter; **-man**, *n.* brandmand; (stoker) fyrbøder; **-place**, *n.* kamin, ildsted; **-proof**, *adj.* ildfast; brandsikker; **-side**, *n.* arne; *fig.* hjem; **-wood**, *n.* brænde; **-works**, *n.* fyrværkeri.

firing-squad, *n.* eksekutionspeloton.

firm, *n.* firma; **~**, *adj.* fast; bestemt.

first, *adj. & adv.* først; at **~**, i begyndelsen; **~** and foremost, først og fremmest; love at **~** sight, kærlighed ved første blik; come in **~**, vinde et kapløb; what is your **~** name?, hvad er dit fornavn?; **~** aid, første hjælp; **-ly**, *adv.* for det første; **~-rate**, *adj.* førsteklasses, førsterangs.

firth, *n.* fjord.

fiscal, *adj.* finans-; the **~** year, finansåret.

fish, *n.* fisk; **~**, *v.t. & i.* fiske; **-er**, **-erman**, *n.* fisker; **-er**-man's wife, fiskerkone; **~-hook**, *n.* fiskekrog; **-ing**, *n.* fiskeri; **-ing-line**, *n.* fiskesnøre; **-ing-rod**, *n.* fiskestang; **-monger**, *n.* fiskehandler; **~-pond**, *n.* fiskedam; ~-slice, n. fiskeske; ~-wife, n. fiskerkone; -y, adj. med fiskesmag; (suspicious, sl.) mistænkelig, tvivlsom.

fis|sion, n. spaltning; -sure, n. spalte, revne.

fist, n. næve; -icuffs, pl. n. nævekamp.

fit, n. (of suit, etc.) pasform, snit; (attack) anfald; a ~ of laughter, latteranfald; by -s and starts, rykvis; ~, adj. skikket, passende; tjenlig, moden; rask, frisk, sund; keep ~, holde sig i form; as is ~ and proper, som det sig hør og bør; ~, v.t. tilpasse;montere;indrette; udstyre; ~, v.i. passe; ~ out, udruste; -ful, adj. rykvis; ustadig; -ness, n. sundhed, god fysisk form; -ter, n. mech. montør, maskinarbejder; (cloth) tilskærer; -ting, adj. passende; ~, n. (dressmaker's, tailor's) prøvning.

five, adj. & n. fem.

fix, v.t.&i. fæste, fastsætte; ~ up, arrangere, ordne; phot. fiksere; (repair) reparere; ~, n. knibe, klemme.

fixture, n. fast tilbehør, inventar; -s and fittings, fast inventar.

fizz, n. sl. sodavand; ~, v.i. bruse op; sprutte; -le, v.i. hvisle; sprutte; -y, adj. mousserende, brusende.

flabbergast, v.t. forbløffe; -ed, adj. lamslået.

flabby, adj. slap, slatten; blegfed, kvabset.

flaccid, adj. slap; hængende.

flag, n. flag; flise; bot. sværdlilje; ~, v.i. slappes; dø hen.

flagellate, v.t. piske.

flagrant, adj. åbenbar; skamløs, skrigende.

flag|ship, n. admiralskib; -pole, -staff, n. flagstand; -stone, n. flise.

flail, n. plejl.

flair, n. have a ~ for, have næse for, være dygtig til.

flake, n. skive; skal; flage; spåne; (snow) fnug; soap -s, pl. sæbespåner, pl.

flamboyant, adj. spraglet, farvestrålende.

flame, n. flamme; ~, v.i. flamme, lue.

flan, n. frugttærte.

flange, n. ophøjet kant; flange.

flank, n. side; mil. flanke; ~, v.t. flankere.

flannel, n. flonel.

flap, n. klap; flig; dask; (on pocket) overfald; ~, v.t. daske; ~, v.i. baske; (sails) slå; sl. blive nervøs, gøre stor ståhej.

flapjack, n. slags pandekage; (for face-powder) pudderdåse.

flapper, n. fugleunge; (girl) backfisch; (flap) klap.

flare, v.i. blusse, flamme; ~ up, blusse op; fig. fare op; ~, n. blus.

flash, n. glimt, blink, lyn; ~, v.i.&t. glimte; funkle, lyne; ~-light, n. lommelygte; -y, adj. blændende; pralende; uægte.

flask, n. lommeflaske, lommelærke; feltflaske.

flat, adj. flad, jævn; mat; svag; flov; tydelig; pure; direkte; ~, n. lejlighed; theat. sætstykke; mus. med b for; ~-footed, adj. platfodet; -iron, n. strygejern; -ly, adv. rent ud.

flatter, v.t. smigre, flattere.

flatware, n. spisebestik.

flaunt, v.t. & i. flagre; prale med.

flavour, n. smag; ~, v.t. krydre.

flaw, n. brud; fejl; skavank; brist.

flax, n. hør.

flea, n. loppe.

fleck, n. plet; stænk.

fled, see flee and fly.

fledged, *adj.* flyvefærdig; fully-~, *fig.* udlært.

flee (fled, fled), *v. i.* flygte, fly.

fleece, *n.* uld; skind; the golden ~, det gyldne skind; ~, *v. t.* klippe; flå; *coll.* (take money) flå.

fleet, *n.* flåde; ~, *adj.* rap.

Flem|ing, *n.* flamlænder; **-ish**, *adj.* flamsk; ~, *n.* (language) flamsk.

flesh, *n.* kød; **-y**, *adj.* kødfuld.

flew, see **fly**.

flex, *n.* ledningssnor; **-ible**, *adj.* bøjelig.

flick, *n.* knips; (whip) snert; go to the **-s**, *sl.* gå i biografen; ~, *v. t.* knipse; snerte.

flicker, *n.* flimren; ~, *v. i.* blafre, flagre; flimre.

flight, *n.* flugt; sværm; ~ of steps, trappe; **-y**, *adj.* forfløjen; fjollet. ·

flimsy, *adj.* løs; tyng; svag; let; spinkel.

flinch, *v. i.* krympe sig.

fling (flung, flung), *v. t. & i.* slynge, kaste; ~ open the door, slå døren op; ~, *n.* kast; Highland ~, [skotsk dans].

flint, *n.* flint; (cigarette-lighter) sten; **~-lock**, *n.* flintbøsse.

flip, *v. t. & i.* knipse; flip (*el.* toss) a coin, slå plat og krone.

flippant, *adj.* kådmundet.

flirt, *n.* flirt; **-e**, *v. i.* flirte, kokettere. .

flit, *v. i.* flytte; flagre.

flitch, *n.* ~ of bacon, flæskeside.

float, *v.t.* bringe flot; ~, *v.i.* flyde; svæve; svømme; *commerc.* ~ a company, starte et aktieselskab; ~, *n.* flåd; (tømmer)flåde; flyder.

flock, *n.* flok; hob; hjord; (wool) uldtot; menighed; ~, *v. i.* flokkes.

floe, *n.* isflage.

flog, *v.t.* tampe; piske; prygle.

flood, *n.* oversvømmelse; the F~, syndfloden; (tide) højvande; flod; ~, *v.t. & i.* oversvømme; **~-light**, *n.* projektørlys.

floor, *n.* gulv; etage; bund; ~, *v. t.* lægge gulv; ~ somebody, slå én i gulvet; *fig.* (defeat) slå; **~-board**, *n.* gulvbræt; **~-walker**, *n.* inspektør.

flop, *v.t. & i.* plumpe; lade falde; **-py**, *adj. coll.* slapt nedhængende.

florid, *adj.* rødmosset.

florin, *n.* (Brit.) to-shilling-stykke; (Dutch) gylden.

florist, *n.* blomsterhandler; blomsterdyrker.

flossy, *adj.* dunet, flosset; silkeagtig.

flotsam, *n. naut.* drivende vraggods; drivgods.

flounce, *v. i.* spralle; she **-d** out of the room, hun svansede ud af værelset.

flounder, *v. i.* spralle; begå fejl; ~, *n.* flynder, skrubbe.

flour, *n.* mel.

flourish, *v. t. & i.* blomstre; trives; florere; svinge; ~, *n.* fanfare; prydelse; snirkel; sving.

flout, *v.t. & i.* håne, spotte.

flow, *v. i.* flyde; strømme; ~, *n.* strøm; flod.

flower, *n.* blomst; *fig.* det bedste, det fineste; ~, *v. i.* blomstre; **-pot**, *n.* urtepotte; **-y**, *adj.* blomstrende.

flowing, *adj.* flydende; ~ hair, flagrende hår.

flown, see **fly**.

fluctuate, *v. i.* bølge; svinge; variere.

flue, *n.* røgkanal.

fluent, *adj.* flydende.

fluff, *n.* dun; fnug.

fluid, *n.* vædske; ~, *adj.* flydende; omskiftelig.

fluke, *n.* slumpeheld; svineheld.

flummox, *v. t. sl.* forvirre.

flung, see **fling**.

flunkey, *n.* lakaj.

fluor, *n.* fluormalm; -escent, *adj.* fluorescerende; ~ lamp, lysstofrør; -ine, *n.* fluor.

flurry, *n.* befippelse; vindstød.

flush, *v. i.* rødme; blusse; ~, *v. t.* spule, skylle; jage op; ~, *n.* rødme; (*with water, etc.*) udskylning; (cards) ruse, flush; ~, *adj.* (level) plan; jævn; *sl.* velbeslået.

fluster, *v. t.* forfjamske, forvirre.

flute, *n.* fløjte; (groove) fure; ~, *v. t.* rifle.

flutter, *v. i.* flagre; vimse; sitre, banke; ~, *n.* viften; uro; forvirring; *sl.* væddemål.

flux, *n.* flod; flyden; a state of ~, stadig skiften.

fly (flew, flown; *but in sense of* flee: fled, fled), *v. i. & t.* flyve; (*of flag, etc.*) vifte, vaje; (flee) flygte; ~, *n.* flue; droske; a ~ in the ointment, en hage ved sagen; there are no flies on him, han er ikke født i går; -leaf, *n.* forsatsblad; -paper, *n.* fluepapir; ~-swatter, *n.* fluesmækker; -wheel, *n.* svinghjul.

foal, *n.* føl.

foam, *n.* skum; fråde; ~, *v. i.* skumme, fråde.

f.o.b. (free on board), *commerc.* fob.

fob, *v. t. sl.* ~ something off on somebody, prakke én noget på; ~, *n.* urlomme; ~-watch, *n.* lommeur.

fodder, *n.* foder.

foe, *n.* fjende.

foetus, *n.* foster.

fog, *n.* tåge; -gy, *adj.* tåget.

fogey, *n.* an old ~, en gammel snegl.

foible, *n.* svag side.

foil, *v.t.* narre; forpurre; ~, *n.* folie; spejlbelægning; fleuret.

foist, *v. t.* ~ something off on somebody, prakke én noget på.

fold, *n.* fold; ombøjning; fals; ~, *v. t.* lægge sammen; folde; false; -er, *n.* sammenfoldelig tryksag; -ing, *adj.* ~ doors, fløjdør; ~ table, klapbord.

foliage, *n.* løv.

folk, *n.* folk, mennesker; my old -s, de gamle, min familie; ~-lore, *n.* folklore.

follow, *v.t. & i.* følge, gå efter; komme efter; fatte, forstå; ~ out, fuldføre; ~ up, forfølge; ~ suit (cards) bekende kulør; ~ *n.* ledsager, følgesvend; tilhænger.

folly, *n.* dårskab, dumhed.

foment, *v. t.* lægge varmt omslag på; *fig.* anstifte, opægge; -ation, *n.* (behandling med) varmt omslag; (emotional) ophidselse.

fond, *adj.* kærlig; øm; svag; be ~ of, være indtaget i, holde af.

fondle, *v.t. & i.* kæle for.

font, *n.* døbefont.

food, *n.* mad, føde, næring; ~ for thought, stof til eftertanke; -stuffs, *pl. n.* madvarer, fødevarer, *pl.*

fool, *n.* tåbe, nar, fjols; apple ~, æblegrød; April F~, aprilsnar; make a ~ of oneself, dumme sig; play the ~, fjolle; ~, *v. t.* narre; -hardy, *adj.* dumdristig; -ish, *adj.* tåbelig, dum; naragtig, latterlig; -proof, *adj.* sikret mod fejltagelser; -scap, *n.* folioark.

foot, *n.* fod; *mil.* fodfolk; on ~, til fods; put one's ~ in it, *fig.* træde i spinaten; at the ~ of the page, nederst på siden; put one's ~ down, sige sin mening; ~ rule, tommestok; ~, *v.t. & i.* gå (til fods); ~ the bill, betale hvad det koster; ~-and-mouth dis-

ease, mund- og klovsyge;
-ball, *n.* fodbold; -board,
n. trinbræt; -hold, *n.* fod-
fæste; -ing, *n.* fodfæste;
fast fod; on an equal ~, på
lige fod; -lights, *pl. n.*
rampelys; -man, *n.* tjener;
-mark, *n.* fodspor; -path,
n. gangsti; -print, *n.* fod-
spor; -sore, *adj.* ømfodet;
-step, *n.* fodtrin, fodspor;
-stool, *n.* fodskammel.

foozle, *v. t.* coll. (for)kludre.

fop, *n.* laps.

for, *prep.* for; til; med hen-
syn til; hvad angår; I have
been waiting ~ one hour,
jeg har ventet i én time;
~ this reason, af denne
grund; ~ all we know, så
vidt vi ved; ask ~, bede
om; ~ ever, for stedse,
for altid; what ~?, hvor-
for?; ~, *conj.* thi; for;
nemlig.

forage, *n.* foder; fourage; ~,
v.t. &i. skaffe foder.

foray, *n.* plyndringstogt.

forbade, *see* forbid.

forbear (forbore, forborne),
v.t. &i. undlade, afholde
sig fra; ~, *n.* forfader;
-ance, *n.* overbærenhed,
skånsomhed.

forbid (forbade, forbidden),
v. t. forbyde; forhindre;
God ~!, Gud forbyde det!;
-ding, *adj.* frastødende.

forbore, forborne, *see* for-
bear.

force, *n.* kraft; styrke; magt;
tvang; ~, *v.t.* tvinge; fra-
vriste; drive; tage med
magt; -d, tvungen; for-
ceret; -meat, *n.* fars; -s,
pl. n. tropper, *pl.*

forceps, *n. pl.* tang.

forcibl|e, *adj.* stærk, kraftig;
indtrængende, voldsom;
-y, *adv.* med magt.

ford, *n.* vadested; ~, *v. t.*
vade over.

fore, *adj.* forrest; ~, *n.* forre-
ste del; ~, *adv. & prep.*
foran, forud; -arm, *n.* un-

derarm; ~, *v.t.* forberede;
-bode, *v.t.* varsle; ane;
-boding, *n.* anelse; varsel;
-cast, *n.* spådom; forud-
sigelse; (weather) vejrud-
sigt; vejrmelding; -castle,
n. naut. folkelukaf; bak;
-close, *v.t.* overtage (pant)
udelukke; -father, *n.* stam-
fader; -finger, *n.* pegefin-
ger; -gather, *see* forgather;
-go (-went, -gone), *v.t.
& i.* gå forud for; -going,
adj. forudgående; før-
omtalte; a -gone con-
clusion; bestemt på for-
hånd; -ground, *n.* for-
grund; -head, *n.* pande.

foreign, *adj.* fremmed, uden-
landsk; F~ Office, uden-
rigsministerium; -er, *n.*
udlænding, fremmed.

fore|man, *n.* formand; ord-
fører; -mast, *n.* naut. fok-
kemast; -most, *adj. & adv.*
forrest, først; first and ~,
først og fremmest; -noon,
n. formiddag.

forensic, *adj.* rets-; ~ medi-
cine, retsmedicin.

fore|runner, *n.* forløber;
-sail, *n.* fok; -saw, *see* fore-
see; -see (-saw, -seen), *v.t.*
forudse; in the -seeable
future, i en overskuelig
fremtid; -seen, *see* foresee;
-shadow, *v. t.* forudane;
bebude; -shorten, *v.t.* for-
korte; -sight, *n.* fremsyn;
(firearm) sigtekorn; -skin,
n. anat. forhud.

forest, *n.* skov; ~ supervisor,
skovrider.

forestall, *v.t.* komme i for-
købet.

forestry, *n.* forstvæsen, skov-
brug.

fore|taste, *n.* forsmag; -tell,
v. t. spå, forudsige;
-thought, *n.* forudseen-
hed; omtanke; -top, *n.*
naut. fokkemærs.

forever, *adv.* U.S. for altid,
for stedse; *see* ever.

forfeit, *n.* mulkt, bøde;

pant; game of -s, pante-
leg; ~, *v. t.* forspilde, mi-
ste; forskertse.

forgather, *v. i.* forsamles;
mødes.

forgave, *see* forgive.

forge, *n.* esse; smedje; ~, *v.t.
& i.* smede; (falsify) efter-
gøre; skrive falsk; -r, *n.*
forfalsker, falskner; -ry, *n.*
dokumentfalsk; falskneri;
forfalskning.

forget (forgot, forgotten),
v.t. & i. glemme; be for-
gotten, gå i glemmebo-
gen; -ful, *adj.* glemsom;
-fulness, *n.* glemsomhed;
forsømmelse; ~-me-not,
n. bot. forglemmigej.

for|give (-gave, -given), *v.t.*
tilgive; eftergive; *bibl.* for-
lade; -go (-went, -gone),
v.t. give afkald på; op-
give; undvære; -got, -got-
ten, *see* forget.

fork, *n.* gaffel; fork; (hay-)
høtyv; ~, *v. i.* dele sig; ~,
v.t. grave med en greb;
~ out, *sl.* punge ud.

forlorn, *adj.* fortabt, hjælpe-
løs, ulykkelig.

form, *n.* form, skikkelse;
formalitet; skik og brug;
blanket; bænk; klasse;
formel, formular; ~, *v.t.*
danne, forme, skabe; ud-
gøre; opstille; formere;
-al, *adj.* formel, højtide-
lig afmålt, stiv; -ality, *n.*
formalitet; højtidelighed;
stivhed; -ation, *n.* dan-
nelse; formation.

former, *adj.* foregående, for-
rige; førstnævnt; tidligere,
fordums; -ly, *adv.* forhen,
tidligere.

formication, *n.* myrekravl.

formidable, *adj.* frygtelig,
skrækindjagende.

for|mula, *n.* formel, formu-
lar; -mulate, *v. t.* formu-
lering.

fornication, *n.* utugt, hor.

for|sake (-sook, -saken), *v.t.*
forlade; svigte; opgive;

-sooth, *adv. arch.* i sand-
hed; -sythia, *n. bot.* for-
sythia.

fort, *n.* fæstning; borg.

forth, *adv.* ud; videre, frem-
ad; and so ~, og så videre;
-coming, *adj.* forestående;
it is ~, det bliver frem-
skaffet; -right, *adj.* oprig-
itg; -with, *adv.* straks,
omgående.

fortification, *n.* befæstning;
forstærkning.

fortieth, *adj.* fyrretyvende;
~, *n.* fyrretyvendedel.

fortify, *v.t.* styrke, befæste.

fortitude, *n.* fasthed, kæk-
hed; sjælsstyrke.

fortnight, *n.* fjorten dage.

fortress, *n.* fort.

fortuitous, *adj.* tilfældig.

fortunate, *adj.* heldig, lykke-
lig; -ly, *adv.* heldigvis.

fortune, *n.* skæbne, tilskik-
kelse; lykke; (wealth) for-
mue; ~ favours the bold,
lykken står den kække bi;
Dame F~, fru fortuna;
~-hunter, *n.* lykkejæger;
~-teller, *n.* sandsiger; spå-
kone.

forty, *adj. & n.* fyrre; ~
winks, en lille lur.

forward, *n. sport.* forward;
~, *adj.* fremrykket; frem-
melig; fremskreden; ivrig;
(impudent) næsvis; ~, *v.t.*
fremskynde, befordre;
sende; ~(s), *adv.* fremad,
videre; -ing agent, spe-
ditør.

fossil, *n.* forstening; fossil;
fortidslevning; -ize, *v. t.
& i.* forstene(s).

foster, *v.t.* opfostre; nære;
begunstige; støtte; ~-
child, *n.* plejebarn; ~-
mother, *n.* fostermoder,
plejemoder.

fought, *see* fight.

foul, *adj.* styg; plump; falsk;
uklar; smudsig; modby-
delig; stinkende; sjofel,
svinsk; a ~ blow, et slag
under bæltestedet; ~ play,

ureglementeret (*or* uærlig)
spil; ~, *n.* uregelementeret
spil; ~, *v.t.* besudle, for-
urene; *naut.* få uklar; ~-
mouthed, *adj.* grov i
munden.

found (*see also* find), *v. t.*
grundlægge; stifte, op-
rette; støbe; -ation, *n.*
grundlæggelse; stiftelse;
fundament; -er, *n.* stifter;
støber; ~, *v.i. naut.* synke;
-ling; *n.* hittebarn; -ry, *n.*
støberi.

fount, *n.* kildevæld, kilde;
-ain, *n.* springvand; ~ pen,
fyldepen.

four, *adj. & n.* fire; firtal;
firer; ~-poster, *n.* him-
melseng; ~-stroke, *adj.*
firetakts-; -teen, *adj. & n.*
fjorten; -teenth, *n.* fjor-
tendedel; ~, *adj.* fjortende;
-th, *n.* kvart, fjerdedel; ~,
adj. fjerde.

fowl, *n.* fugl; fjerkræ; boil-
ing-~, *n.* høns; -ing piece,
haglbøsse.

fox, *n.* ræv; a sly ~, en snu
ræv; ~, *v.t.* snyde; ~
terrier, foxterrier; ~
hole, rævegrav, rævehule;
-glove, *n. bot.* fingerbøl;
-hound, *n.* rævehund;
-tail, *n.* rævehale; -trot, *n.*
foxtrot.

fraction, *n.* brøk; brøkdel;
brudstykke.

fractious, *adj.* gnaven; van-
skelig.

fracture, *n.* brud; ~, *v.t.*
brække; knuse.

fragile, *adj.* skør, skrøbelig.

fragment, *n.* brudstykke;
stump.

fragrant, *adj.* vellugtende,
duftende.

frail, *adj.* skrøbelig.

frame, *n.* ramme; indfat-
ning; form; legeme; byg-
ning, legemsbygning; stel;
plan; *naut.* spant; ~ of
mind, sindsstemning; cold
~,kold drivbænk; ~ aerial,
radio. rammeantenne; ~,

v. t. forme, danne, bygge,
forfærdige; indrette; sam-
mensætte; udarbejde; for-
fatte; *sl.* henlede mistanke
på.

France, *n.* Frankrig.

franchise, *n.* frihed, rettig-
hed; (vote) valgret, stem-
meret.

frank, *adj.* åben; frimodig;
oprigtig; to be quite ~,
for at være helt ærlig; ~,
v. t. frankere.

frank|furter, *n.* bayersk pølse;
-incense, *n.* røgelse.

frantic, *adj.* afsindig, rasende.

frat|ernal, *adj.* broderlig;
-ernity, *n.* broderskab;
-ricide, *n.* (crime) broder-
mord; (person) broder-
morder.

fraud, *n.* (crime) svig, be-
drageri; (person) bedra-
ger, svindler; -ulent, *adj.*
bedragerisk.

fraught, *adj.* ~ with, svanger
med; fyldt med.

fray, *n.* slagsmål; kamp,
strid; ~, *v. t. & i.* gnide;
flosse.

frazzle, *n.* worn to a ~, ud-
mattet.

freak, *n.* vanskabning; ~, *adj.*
underlig; usædvanlig.

freckle, *n.* fregne.

free, *adj.* fri; (unreserved)
utvungen; (open) åben;
(frank) frimodig; (gener-
ous) gavmild; gratis; (not
engaged) ledig; (inde-
pendent) selvstændig, uaf-
hængig; (familiar) fami-
liær; ~ and easy, utvun-
gen; I am ~ to do as I like,
jeg har fået frie hænder;
~ lance, uafhængig jour-
nalist, free-lance journa-
list (, skuespiller, *osv.*); a ~
fight, håndgemæng, slags-
mål; ~ speech, ytringsfri-
hed; ~, *v. t.* befri, fri-
tage; -booter, *n.* fribytter;
-dom, *n.* frihed; privile-
gium; -hand, *adj.* fri-
hånds-; -hold, *n.* selvejen-

dom; -ly, *adv.* frit; vil-
ligt; -mason, *n.* frimurer;
-wheel, *v.i.* køre på fri-
hjul.
freeze (froze, frozen), *v.t.&i.*
fryse; stivne; være iskold;
få til at fryse; *commerc.*
spærre, indefryse; -r, *n.*
fryseapparat.
freight, *n.* fragt; fragtgods;
ladning; ~, *v.t.* fragte.
French, *adj.* fransk; ~, *n.*
(language) fransk; the ~,
pl. n. franskmændene; ~
chalk, skrædderkridt; take
~ leave, stikke af, liste af;
~ polish, møbelpolitur; ~
windows, glasdøre; -man,
n. franskmand.
frenzy, *n.* vanvid, raseri.
fre|quency, *n.* hyppighed;
radio. vekselstrømsperi-
ode; frekvens; svingnings-
tal; -quent, *adj.* hyppig;
-quently, *adv.* hyppig,
jævnlig.
fresco, *n.* freskomaleri, kalk-
maleri.
fresh, *adj.* frisk; fersk; kølig;
livlig; uerfaren; ny; *sl.*
fræk; ~ tea, nylavet te; -en,
v.t.&i. friske op; gøre
frisk; -et, *n.* flom; over-
svømmelse; -man, *n.* rus;
-water, *adj.* ferskvands-.
fret, *n.* in a ~, irriteret vrip-
pen; ~, *v.t.&i.* gnave,
gnide; ærgre, græmme
sig; -ful, *adj.* pirrelig;
-saw, *n.* løvsav; -work, *n.*
løvsavsarbejde.
friar, *n.* munk, klosterbroder.
friction, *n.* gnidning, stryg-
ning; friktion.
Friday, *n.* fredag; Good ~,
langfredag.
fridge, *n. sl.* køleskab.
friend, *n.* ven; (female) ven-
inde; make ~s (with), gøre
sig gode venner (med);
-ly, *adj.* venlig, venskabe-
lig; hjælpsom; -ship, *n.*
venskab.
frieze, *n.* frise; (cloth) vad-
mel, frise.

frigate, *n.* fregat.
fright, *n.* skræk; you look a
~!, du ser skrækkelig ud!;
-en, *v.t.* skræmme; for-
skrække; -ful, *adj.* skræk-
kelig, frygtelig.
frigid, *adj.* kold; frigid; for-
mel; -ity, *n.* kulde; frigi-
ditet.
frill, *n.* rynket strimmel; -s,
fig. udenomsnak; dikke-
darer.
fringe, *n.* frynse, bræmme;
(hair) pandehår; *fig.* ud-
kant.
frisk, *v.i.&t.* hoppe, springe;
sl. kropsvisitere; -y, *adj.*
livlig; spræelsk.
fritter, *n.* apple ~, [skive æble
indbagt i pandekagedejg];
v.t. ~ away, klatte bort.
frivol|ity, *n.* overfladiskhed;
-ous, *adj.* let, løs; flag-
rende; pjanket, pjattet.
frizzle, *v.t. & i.* krølle; stege
sprødt.
fro, *adv.* to and ~, frem og
tilbage.
frock, *n.* kjole; kittel; ~ coat,
diplomatfrakke.
frog, *n. zool.* frø.
frolic, *n.* leg, lystighed; sjov;
~, *v.i.* boltre sig, lege.
from, *prep.* fra; af.
frond, *n. bot.* bregneblad.
front, *n.* forside, facade; for-
reste række; *mil.* front; ~,
adj. for-, forrest; -ier, *n.*
grænse.
frost, *n.* frost; rim; ~-bite, *n.*
forfrysning; -ed glass,
matteret glas.
froth, *n.* skum, fråde; ~, *v.i.*
skumme, fråde.
frown, *v.t. & i.* rynke pan-
den; se truende ud; se
tankefuld ud; ~, *n.* pande-
rynken.
froze, *see* freeze.
frozen, *adj.* frossen; *see also*
freeze.
frugal, *adj.* tarvelig; nøjsom.
fruit, *n.* frugt; -erer, *n.* frugt-
handler; ~-fly, *n.* banan-
flue; -ful, *adj.* frugtbar.

frump, *n.* [gammeldags (*el.* sjusket) klædt kvinde].

frustrate, *v. t.* forhindre, forpurre; krydse.

fry, *n.* fiskeyngel; small ~, unger; småfolk; ~, *v. t. & i.* stege; brase; fried egg, spejlæg.

fuddled, *adj.* omtåget, beruset.

fudge, *v. t.* fuske; snyde; ~, *n.* blød nougat; (nonsense) sludder.

fuel, *n.* brændsel; brændstof; ~ oil, brændselsolie.

fug, *n.* indelukkethed, dårlig luft.

fugacious, *adj.* flygtig.

fugitive, *n.* flygtning; ~, *adj.* flygtig.

fulfil, *v. t.* opfylde; fuldbyrde.

full, *adj.* fuld; mæt; udførlig, fuldstændig; fyldig; ~, *adv.* fuldt, ganske; ~, *v. t.* valke; ~-blooded, *adj.* lidenskabelig; kraftig; ~-blown, *adj.* udsprungen; ~-length, *adj.* i hel figur; -ness, *n.* fylde; in the ~ of time, *bibl.* i tidens fylde; -y, *adv.* fuldkommen, ganske, fuldt.

fulminate, *v. t. & i.* tordne.

fulsome, *adj.* vammel; overdreven.

fumble, *v. i.* famle, fumle.

fume, *n.* dunst; røg; ~, *v. i.* ryge; skumme, fnyse.

fumigate, *v. t.* ryge ud; desinficere ved røg.

fun, *n.* løjer, *pl.;* morskab; skæg; sjov; have ~, more sig; make ~ of, drille, gøre grin med.

function, *n.* funktion; højtidelighed; ~, *v. i.* fungere; virke.

fund, *n.* fond; -s, *pl.* penge; kapital.

fundamental, *n.* grundregel; grundprincip; ~, *adj.* principiel, fundamental; grund-; -ly, *adv.* principielt; inderst inde.

Funen, *n.* Fyn.

funeral, *n.* begravelse; ~, *adj.* begravelsesagtig; sørgelig, trist.

fungus, *n.* svamp.

funicular, *adj.* ~ railway, tovbane, svævebane.

funk, *n. coll.* skræk; (person) bangebuks; ~, *v. t. & i.* være bange for; vige tilbage for.

funnel, *n.* tragt; (on ship, railway engine) skorsten.

fun|nies, *pl. n.* the ~, tegneserierne; -ny, *adj.* morsom, sjov, pudsig; (peculiar) sær, besynderlig, mærkelig; mistænkelig; I'm feeling a bit ~, jeg har det lidt halvskidt; ~ bone, snurreben.

fur, *n.* pels; skind; -s, *pl. n.* pelsværk; ~, *v. t. & i.* fore (med pelsværk).

furbish, *v. t.* pudse op.

furcate, *adj.* gaflet, grenet.

fur-coat, *n.* pels, pelskåbe.

furious, *adj.* rasende.

furl, *v. t. & i.* rulle sammen; *naut.* beslå.

furlong, *n.* [ottendedel af en engelsk mil = 220 yards = 201.17 meter].

furlough, *n.* orlov.

furnace, *n.* smelteovn; fyr.

furnish, *v. t.* møblere; (supply) skaffe, levere; ~ with, forsyne med.

furniture, *n.* bohave; møbler, *pl.*

furrier, *n.* buntmager.

furrow, *n.* fure; ~, *v. t.* fure; rynke.

furry, *adj.* pelsklædt; pelslignende.

further, *adj. & adv.* fjernere, videre; længere bort; endvidere; yderligere; nærmere; ~, *v. t.* fremme, befordre; -more, *adv.* desuden, endvidere.

furthest, *adj. & adv.* (= farthest) længst.

furtive, *adj.* stjålen.

furuncle, *n.* byld.

fury, *n.* raseri; furie.

furze, *adj. bot.* tornblad.

fuse, *v.t. & i.* sammensmelte; sammenslutte; the lights have -d, der er sprunget en sikring; ~, *n.* lunte; *elec.* sikring.

fusilier, *n.* musketer.

fusillade, *n.* geværsalve.

fusion, *n.* sammensmeltning.

fuss, *n.* blæst; ståhej; make a ~ about, kværulere; make a ~ of, gør stads af; ~, *v. i.* kværulere, lave ballade; hænge sig i bagateller; ~-pot, *n.* pernittengryn; -y, *adj.* pertentlig; omstændelig; smålig.

fusty, *adj.* muggen; jordslået.

futile, *adj.* unyttig, forgæves.

future, *adj.* fremtidig; tilkommende; ~, *n. gram.* fremtid; futurum.

fuzzy, *adj.* (hair) kruset; (indistinct) uklar.

gab, *n. sl.* the gift of the ~, et godt snakketøj.

gabardine, *n.* gabardine.

gabble, *v.t. & i.* jappe; ~, *n.* japperi.

gable, *n.* gavl.

gad, *v. i. sl.* ~ about, farte omkring; ~-fly, *n.* brems(e).

gadget, *n.* indretning; tingest.

gag, *n.* knebel; improviseret tilføjelse; nummer, trick; ~, *v.t. & i.* kneble; improvisere.

gaiety, *n.* munterhed; lystighed.

gain, *n.* vinding; fordel; profit; gevinst, fortjeneste; ~, *v. t. & i.* opnå; vinde; må; tiltage; ~ weight, tage på; ~ admission, skaffe sig adgang; ~ the upper hand, få overhånd (or overtaget).

gainsay, *v. t.* modsige.

gait, *n.* gang, gangart.

gaiter, *n.* gamache.

galaxy, *n.* stjernehær; mælkevej; *fig.* strålende selskab.

gale, *n.* storm; stærk blæst.

gall, *n.* galde; bitterhed; ~ and wormwood, gift og galde; ~, *v.t. & i.* gnave; ærgre.

gallant, *adj.* tapper; strålende; galant; ~, *n.* elsker, galan; dameven; -ry, *n.* ridderlighed; tapperhed.

gall-bladder, *n.* galdeblære.

galleon, *n.* galion (or galeon).

gallery, *n.* billedgalleri; malerisamling; (on house) svalegang; (corridor) korridor, galleri; *theat.* galleri.

galley, *n.* kabys; galej.

gallivant, *v. t.* farte omkring, more sig.

gallon, *n.* = 4.54 liter.

gallows, *n.* galge.

galore, *adv. & n.* i overflod.

galosh, *n.* galoche.

gamble, *v.i. & t.* spille hasard.

gambler, *n.* spiller.

gambol, *v. i.* springe omkring.

game, *n.* leg; spil; parti; vildt; make ~ of, drive spøg med; play the ~, spille fair, spille fint; ~, *adj.* tapper; oplagt; ~ cock, kamphane; -keeper, *n.* skovløber.

gammon, *n.* røget skinke; ~, *int. arch.* vrøvl!

gammy, *adj. sl.* a ~ leg, et dårligt ben.

gamp, *n. coll.* paraply.

gamut, *n.* skala.

gander, *n.* gase.

gang, *n.* bande; hold; sjak.

gangling, *adj.* ranglet.

gangrene, *n. med.* koldbrand.

gangster, *n.* bandit; gangster.

gangway, *n. naut.* landgangsbro; *theat.* gang; ~, *inter.* af vejen!

gantry, *n.* signalbro; tøndelad.

gaol, *n.* fængsel; -er, *n.* fangevogter.

gap, n. åbning; gab; stop (up) a gap, udfylde et hul.

gape, v. i. gabe, glo; måbe.

garage, n. garage.

garb, n. dragt; klædning.

garbage, n. køkkenaffald.

garden, n. have; common or ~, almindelig.

garfish, n. zool. hornfisk.

gargle, v. t. & i. gurgle.

garish, adj. skrigende; prangende.

garland, n. krans.

garlic, n. bot. hvidløg.

garment, n. klædningsstykke.

garnet, n. granat.

garnish, v. t. garnere; ~, n. pynt.

garret, n. kvistværelse.

garrison, n. garnison.

garrulous, adj. snakkesalig.

garter, n. strømpebånd; hosebånd; U.S. sokkeholder; Knight of the G~, hosebåndsridder.

gas, n. gas; luftart; U.S. benzin; ~, v. t. gasse; sl. ævle, vrøvle.

gash, n. flænge.

gasometer, n. gasbeholder.

gasp, v. i. gispe.

gate, n. port; indkørsel; låge; ~-crasher, n. uinviteret gæst; -way, n. indkørselsport.

gather, v. t. & i. samle, forsamle; plukke, samle; trække sammen, rynke; forstå; -ing, n. forsamling.

gaudy, adj. prunkende.

gauge, n. måleredskab; sporvidde.

gaunt, adj. udtæret, mager.

gauntlet, n. kravehandske; spidsrod.

gauze, n. gaze.

gave, see give.

gawky, adj. klodset.

gay, adj. munter; livlig; broget.

gaze, v. i. stirre; ~, n. blik; stirren.

gazette, n. gazette; (stats)-tidende.

gear, n. apparat; tilbehør, redskab; mech. gear; ~box, n. gearkasse; ~-lever, n. gearstang; ~-wheel, n. tandhjul, gearhjul.

gee, int. nej dog!; ~ up!, hyp!; ~~, n. coll. pruhest.

geese, see goose.

gelatin(e), n. husblas, gelatine.

gem, n. ædelsten; fig. perle.

gender, n. køn.

gene, n. gen.

genealogy, n. genealogi; slægtshistorie.

general, n. general; ~, adj. almindelig; almen; general; in ~, i almindelighed.

generate, v. t. avle; frembringe; udvikle.

generous, adj. ædelmodig; gavmild; large; rundhåndet.

genesis, n. skabelseshistorie; G~, I. Mosebog.

genial, adj. venlig; gemytlig; elskværdig.

genie (pl. genii), n. ånd; djinn.

genital, adj. genital-, køns-; -s, pl. n. genitalier, ydre kønsorganer.

genitive, n. gram. genitiv; ejefald.

genius, n. geni; genius; (quality) genialitet.

genre, n. genre; ~-painting, n. genremaleri.

gent, n. coll. herre; gentleman.

genteel, adj. iron. dannet, fin.

gentile, n. ikke-jøde; ~, adj. ikke-jødisk.

gentle, adj. mild, blid; svag, dæmpet; fornem; -man, n. herre; gentleman; -man -in-waiting, n. kammerherre.

gently, adv. blidt; nænsomt; mildt.

genuine, adj. ægte, uforfalsket.

genus, n. slægt.

germ, n. kim; spire; med. bacille, bakterie.

German, *n.* tysker; (language) tysk; ~, *adj.* tysk; ~measles, *med.* røde hunde; -y, *n. n.* Tyskland.

germi|cide, *n.* desinfektionsmiddel; -nate, *v. i.* spire.

gesture, *n.* gestus; håndbevægelse.

get (got, got; *U. S.* got, gotten), *v. t. & i.* (fetch) hente, bringe; (procure) skaffe; (obtain) få; opnå; (reach) nå; (understand) forstå; ~ married, blive gift; she always got her own way, hun fik altid sin vilje; ~ well, komme sig; ~ rid of, blive af med; ~ back, få tilbage; ~ in, stige ind; ~ on, stige på; *fig.* gøre fremskridt; klare sig; we ~ on well together, vi kommer godt ud af det sammen; ~ out, stå ud; ~ out of a difficulty, redde sig ud af en vanskelig situation; ~ to know somebody, lære nogen at kende; ~ to know something, få noget at vide; ~-at-able, *adj.* tilgængelig; -away, *n.* flugt; start; ~-up, *n.* kostume; antræk.

ghastly, *adj.* dødbleg; frygtelig; uhyggelig.

gherkin, *n.* lille agurk.

ghost, *n.* genfærd; spøgelse; ånd; the Holy G~, Helligånden.

giant, *n.* kæmpe.

gibberish, *n.* kaudervælsk; (*of* monkey) pludren.

gibbet, *n.* galge.

gibe, *n.* skose; hån.

giblets, *pl. n.* indmad; kråser.

giddy, *adj.* svimmel; letsindig; play the ~ goat, fjante; anlæg.

gift, *n.* gave; begavelse; talent; anlæg.

giggle, *v. i.* fnise.

gigot, *n.* bedekølle.

gild, *v. t.* forgylde.

gill, *n.* = ¼ pint = 0.142 liter; *anat.* kødlap, gælle;

(*on* mushroom) lamel; green about the -s, *coll.* bleg om næbbet.

gillyflower, *n. bot.*gyldenlak.

gilt, *n.* forgyldning; ~, *adj.* guld-, forgyldt; ~-edged, *adj.* guldrandet; ~ securities, guldrandede obligationer.

gimbal, *n.* slingrebøjle.

gimcrack, *adj.* værdiløs, billig.

gimlet, *n.* vridbor.

gin, *n.* snare; *naut.* hejseværk; gin, genever.

ginger, *n.* ingefær; ~ *adj.* (*of* hair) rødblond; -ly, *adv.* forsigtigt, varsomt.

gipsy, *n.* sigøjner; tater.

giraffe, *n. zool.* giraf.

gird (-ed *el.* girt), *v. t.* omgive; spænde; omgjorde; -er, *n.* bjælke, overligger; steel ~, stålbjælke.

girdle, *n.* bælte; ~, *v. t.* omgive, indhegne, omgjorde; ringe (et træ).

girl, *n.* pige; ~-friend, *n.* veninde; G~ Guide, pigespejder.

girt, *see* gird.

girth, *n.* gjord; omfang.

gist, *n.* kerne, pointe; the ~ of the story, hovedtrækkene i historien.

give (gave, given), *v. t. & i.* udstede; skænke; afholde; give efter; ~ away, give bort; ~ oneself away, røbe sig; ~ up, opgive; ~ way to, vige for; ~ chase, jage efter; it -s me pleasure, det glæder mig; I am given to understand, man har ladet mig forstå.

gizzard, *n.* (fugle-)kro.

glabrous, *adj.* glat, hårløs.

glacier, *n.* bræ.

glad, *adj.* glad; glædelig; lykkelig.

glade, *n.* lysning.

gladly, *adv.* gerne, med glæde.

glamour, *n.* trylleskær; glans.

glance, *n.* glimt; øjekast,

blik; ~, *v. t. & i.* strejfe; kaste et blik; glimte; a glancing blow, et strejfende slag.

gland, *n.* kirtel.

glare, *n.* skarpt lys; ~, *v. i.* skinne, skære i øjnene; stirre, glo.

glaring, *adj.* blændende; skærende, iøjnefaldende.

glass, *n.* glas, drikkeglas; spejl; (eye-) kikkert; barometer; ~-blower, *n.* glaspuster; -es, *pl. n.* briller, *pl.*; ~-house, *n.* drivhus; (asylum) *sl.* åndsvageanstalt; ~-paper, *n.* glaspapir; ~-wort, *n. bot.* glasurt.

glaze, *v. t. & i.* sætte glas i; glassere; glitte; polere.

glazier, *n.* glarmester.

gleam, *n.* lysskær; glimt; ~, *v. i.* glimte, stråle.

glean, *v. i. & t.* sanke aks; ~ information, indsamle oplysninger.

glee, *n.* lystighed; fryd; -ful, *adj.* glad; triumferende.

glen, *n. Scot.* bjergdal.

glib, *adj.* glat; raptunget.

glide, *v. i.* glide; smutte; -r, *n.* svæveplan.

glimmer, *n.* svagt lys; glimt; ~, *v. i.* flimre, lyse svagt.

glimpse, *n.* glimt; ~, *v.t. & i.* skimte.

glint, *n.* glimt; ~, *v.i.* lyse; glimte.

glisten, *v. i.* funkle, glimre, blinke.

glitter, *n.* glans; ~, *v. i.* funkle; glimre.

gloaming, *n.* skumring.

gloat, *v. i.* gotte sig over.

globe, *n.* klode; kugle; kuppel; globus.

globule, *n.* lille kugle; dråbe.

gloom, *n.* mørke; tungsindighed; -iness, *n.* mørke; tungsindighed; -y, *adj.* mørk; nedtrykt; tungsindig.

glorify, *v. t.* forherlige.

glorious, *adj.* ærefuld; be-

rømmelig; ypperlig; strålende.

glory, *n.* berømmelse; hæder; ære; glans; (halo) glorie; ~-hole, *n. coll.* pulterkammer.

gloss, *n.* glans; ~, *v. t.* over, besmykke; bortforklare.

glossary, *n.* ordliste.

glottal, *adj.* ~ stop, stød.

glove, *n.* handske; it fits like a ~, det passer som hånd i handske.

glow, *v. i.* gløde, blusse; ~, *n.* glød.

glower, *v. i.* glo, stirre vredt.

glowworm, *n.* sankthansorm.

glue, *n.* lim; ~, *v. t.* lime; klæbe.

glum, *adj.* tungsindig; mut.

glut, *n.* overflod; overmættelse.

glutinous, *adj.* klæbrig.

glutton, *n.* slughals, grovæder.

glycerine, *n.* glycerin.

gnarled, *adj.* knastet.

gnash, *v. t.* ~ one's teeth, skære tænder.

gnat, *n.* myg.

gnaw, *v. t. & i.* gnave.

gnome, *n.* dværg; (maxim) sentens.

go, *n.* it's no ~, *coll.* det går ikke; now it's your ~, nu er det din tur; have a ~!, prøv du!; make a ~ af something, få noget til at klappe; ~ (went, gone), *v.t. & i.* gå; rejse, drage afsted, tage afsted; starte; bevæge sig; køre; passere; løbe; (die) falde fra; ~ to sleep, falde i søvn; ~ far, række langt; it -es without saying, det er en selvfølge; ~ in for, dyrke; ~ on, vedblive; ~ shares, dele; ~ the whole hog, vove alt; ~ without, undvære; ~ for, hente; ~ together, passe sammen; ~ into, undersøge; ~ off, eksplodere; he went out of his way to help me, han gjorde sig umage for at hjælpe mig; I'm -ing to England next week, jeg rejser til England i næste uge; ~ round, strække, være tilstrækkelig; gå uden om; ~ to great lengths, bestræbe sig energisk; who -es there?, hvem der?; ~ out, slukkes; the story -es like this, historien er følgende; ~!, afsted!

goad, *n.* pigkæp; spore; *v. t.* anspore.

goal, *n.* mål.

goat, *n.* ged.

gobble, *v. t.* sluge; ~, *v. i.* pludre, klukke.

go-between, *n.* mellem-mand.

goblet, *n.* bæger.

goblin, *n.* nisse.

god, *n.* (idol, deity) gud, af-gud; G~, Gud; thank G~!, gudskelov!; -child, *n.* gudbarn; -dess, *n.* gud-inde; -father, *n.* fadder; gudfader; -forsaken, *adj.* gudsforladt; -send, *n.* gudsgave.

goggle, *v. i.* gør store øjne; stirre med opspilede øjne; -s, *pl. n.* støvbriller, *pl.*

going, *n.* heavy ~, dårligt føre; noget, der går drøjt; ~, *adj.* a ~ concern, en virksomhed, der er i fuld vigør.

gold, *n.* guld; ~, -en, *adj.* gylden; guld; -finch, *zool.* stillids; -fish, *n. zool.* guld-fisk; -mine, *n.* guldmine; -smith, *n.* guldsmed.

golf, *n.* golf; ~ links, golf-bane; ~-club, *n.* golfklub; (stick) golfkølle.

golliwog, *n.* negerdukke.

gone, *see* go.

good (better, best), *adj.* god, godt; in ~ time, i god tid; have a ~ time, more sig; ~ luck!, held og lykke!; a ~ deal, en hel del; it's very

~ for him, det har han godt af; it's no ~, det kan ikke nytte noget; I've a ~ mind to, jeg har faktisk lyst til; a ~ turn, en tjeneste; it's a ~ thing you told me, godt, at De fortalte mig det; ~ afternoon, god-dag; ~ morning, godmor-gen; ~ night, godnat; far-vel; ~, n. bedste; gode; vel; nytte; for ~, for bestan-dig; much ~ will it do him, det kan han have megen fornøjelse af; for your own ~, i din egen interesse; -s, *pl.* gods; varer, *pl.*; bo-have; ~-bye, *int. & n.* far-vel; ~-looking, *adj.* køn; nydelig, smuk; ~-natured, *adj.* godmodig; godhjer-tet; -ness, *n.* godhed; -will, *n.* velvilje; good-will; kundekreds.

goose, *n.* gås; -berry, *n. bot.* stikkelsbær.

gore, *n.* blod; kile; ~, *v. t.* gennembore; stange.

gorge, *n.* svælg; dyb kløft; strube; ~, *v. i. & t.* sluge; frådse, proppe sig.

gorgeous, *adj.* pragtfuld.

gorse, *n. bot.* tornblad.

goshawk, *n.* hønsehøg.

gosling, *n.* gæsling.

gospel, *n.* evangelium.

gossamer, *n.* flyvende som-mer; flor; gaze; tyndt stof.

gossip, *n.* passiar, sladder; (person) sladderkælling, sladdertaske.

got, *see* get; I have ~, jeg har; I have ~ to, jeg skal, jeg er nødt til.

gotten, *see* get.

gouge, *n.* huljern; ~, *v. t.* udhule.

gourd, *n.* græskar.

gout, *n. med.* podagra, gigt.

govern, *v. t. & i.* regere; styre, lede; -ess, *n.* guver-nante; -ment, *n.* regering; herredømme; styre; sta-ten; -or, *n.* guvernør;

kommandant; *mech.* regulator.

gown, *n.* kjole; kappe.

grab, *v. t. & i.* snappe, snuppe; ~, *n.* greb; fangst; grab; gribeklo; -ble, *v. i.* gramse; gribe efter.

grace, *n.* ynde; anstand; gunst, velvilje, nåde; say ~, bede bordbøn; a year's ~, et års henstand; ~, *v. t. & i.* bære; begunstige; smykke; -ful, *adj.* yndefuld, skøn; graciøs; -less, *adj.* skamløs; ugraciøs.

gracious, *adj.* nådig.

grade, *n.* rang; trin; grad; stigningsforhold; (*in a school*) klasse; ~, *v.t.* sortere, gradere; give karakter.

gradient, *n.* hældningsvinkel; stigning; fald.

gradual, *adj.* gradvis; -ly, *adv.* efterhånden, gradvis.

graduate, *n.* kandidat; ~, *adj.* universitetsuddannet; akademisk; ~, *v. i.* tage embedseksamen, tage en akademisk grad.

graft, *n.* podekvist; podning; *sl.* korruption; ~, *v. t. & i.* pode.

Grail, *n.* the Holy ~, den hellige gral.

grain, *n.* korn; gran; (*in wood*) åre; (*texture*) tekstur; (*small amount*) smule; *fig.* it goes against the ~, det koster selvovervindelse.

grammar, *n.* grammatik; ~ school, latinskole; mellemskole; realskole; gymnasium og mellemskole.

gramophone, *n.* grammofon.

granary, *n.* kornlade.

grand, *adj.* storartet; fornem; flot; storslået; stor-; ~ piano, (koncert)flygel; ~ slam, (cards) storeslem; ~ stand, tribune; -child, *n.* barnebarn; -daughter, *n.* (son's daughter) sønnedat-

ter; (daughter's daughter) datterdatter; -eur, *n.* storladenhed; -father, *n.* bedstefader; -mother, *n.* bedstemoder, -son, *n.* (son's son) sønnesøn; (daughter's son) dattersøn.

grange, *n.* avlsgård.

grant, *v.t.* bevilge; indrømme, tilstå; skænke; take for ~ed, forudsætte; ~, *n.* bevilling; gave; tilskud.

granulated, *adj.* kornet; nopret; ~ sugar, stødt melis.

grape, *n. bot.* drue; ~-fruit, *n. bot.* grapefrugt; ~-shot, *n.* kartæske.

grapple, *v. t. & i.* brydes; gribe; ~ with, kæmpe med.

grasp, *v.t. & i.* gribe, tage fat i; fastholde; forstå; ~, *n.* greb; tag; besiddelse; magt.

grass, *n.* græs; ~ widow(er), græsenke(mand); -hopper, *n.* græshoppe; ~-snake, *n. zool.* snog.

grate, *n.* gitter; rist, kaminrist; ~, *v. t. & i.* gnide, rive; skurre; ~ one's teeth, skære tænder; -r, *n.* rivejern.

grateful, *adj.* teknemmelig; behagelig; velgørende.

grati|fication, *n.* tilfredshed; tilfredsstillelse; (bonus) gratiale; -fy, *v.t.* tilfredsstille; opfylde.

gratin, *n.* gratin.

gratis, *n.* gratis.

gratitude, *n.* taknem(me)lighed.

gratui|tous, *adj.* gratis; -ty, *n.* drikkepenge; gratiale.

grave, *n.* grav; ~, *adj.* alvorlig; værdig, højtidelig; dyb; ~-digger, *n.* graver.

gravel, *n.* grus; ~ walk, grusgang; ~-pit, *n.* grusgrav.

graven, *adj.* a ~ image, et udskåret billede.

grave|stone, *n.* gravsten; -yard, *n.* kirkegård.

gravity, n. (seriousness) alvor; højtidelighed; tyngde; centre of ~, tyngdepunkt; specific ~, vægtfylde.

gravy, n. sky; kødsaft; sky-sovs.

gray, U.S. see grey.

graze, v. t. strejfe; ~, v. i. græsse; ~, n. hudafskrabning.

grease, n. fedt; smørelse; ~, v. t. smøre; ~-paint, n. sminke; ~-proof paper, pergamentpapir.

great, adj. stor; svær; ~-coat, n. vinterfrakke; ~-grandfather, n. oldefader; -ly, adv. i høj grad, meget; -ness, n. storhed; størrelse.

Grecian, adj. græsk.

Greece, n. Grækenland.

greed, n. grådighed; begærlighed; -y, adj. grådig; begærlig.

Greek, n. græker; (language) græsk; ~, adj. græsk.

green, adj. grøn; frisk; umoden; uerfaren; ~, n. grønt; grønning; -s, pl. pl. grøntsager, pl.; -back, n. U.S. sl. pengeseddel; -fly, n. bladlus; -gage, n. bot. reineclaude; -grocer, n. grønthandler; -horn, n. grønskolling; -house, n. drivhus.

greet, v. t. hilse; -ing, n. hilsen; -ings telegram, lykønskningstelegram.

gregarious, adj. selskabelig.

grew, see grow.

grey, adj. (U.S. gray) grå; -hound, n. mynde.

grid, n. gitter; elec. højspændingsnet; radio. gitter; ~ bias, radio. gitterforspænding; ~-iron, n. rist.

grief, n. sorg, kummer, smerte; come to ~, have uheld; komme til skade.

grievance, n. klage.

grieve, v. t. & i. volde sorg, bedrøve; ~, v. i. sørge, græmme sig.

grievous, adj. alvorlig; graverende.

grill, n. grill; (stege)rist; ~, v. t. stege på rist, grillere; -e, n. gitter.

grim, adj. fæl, uhyggelig; barsk.

grimace, n. grimasse; ~, v. i. gøre grimasser.

grime, n. smuds; snavs; ~, v. t. tilsmudse, sværte.

grin, n. grin; ~, v. i. & t. grine; ~ and bear it, gøre gode miner til slet spil.

grind, n. slid; ~ (ground, ground), v. t. & i. knuse; male; slibe; -stone, n. slibesten.

grip, n. tag, greb; (bag) håndkuffert; (handle) håndtag; come to ~s with, fig. give sig i lag med; ~, v. t. & i. holde fast.

gripe, v. i. sl. beklage sig; -s, pl. n. mavekneb.

grippe, n. influenza.

grisly, adj. fæl, uhyggelig.

grist, n. korn til formaling; everything is ~ to the mill, alt kan udnyttes.

gristle, n. brusk.

grit, n. sand, grus; fig. ben i næsen.

griz|zled, adj. gråsprængt; -zly, n. zool. gråbjørn.

groan, v. i. sukke; stønne; ~, n. suk; stønnen.

groat, n. stiver; -s, pl. (havre)gryn.

grocer, n. købmand; kolonialhandler; -ies, pl. n. kolonialvarer.

groggy, adj. usikker, vaklende; (drunk) fuld, beruset.

groin, n. lyske.

groom, n. rideknægt, staldkarl; brudgom; ~, v. t. passe heste; strigle; well -ed, velsoigneret.

groove, n. rille; not; fals.

grope, v. i. famle.

gross, adj. stor, tyk, grov, plump; brutto; kras; ~, n. brutto; (144) gros.

grouch, v. i. surmule.

ground, n. grund, jord;

jordbund; bund; terræn; ~ floor, stueetage; ~, *v.t. &i.* grunde; give et godt grundlag; basere, bygge; *aero.* beordre startforbud; *naut.* grundstøde; grundsætte; *see also* grind.

group, *n.* gruppe; ~, *v.t.&i.* gruppere.

grouse, *n.* rype; *sl. v. i.* mukke.

grove, *n.* lund.

grovel, *v.i.* krybe; ligge på maven.

grow (grew, grown), *v.t.&i.* dyrke; gro, vokse; (increase) tiltage; (become) blive; ~ out of, vokse fra; ~ a beard, lade skægget stå; -er, *n.* dyrker, avler; -ing, *n.* avl; dyrkning; ~, *adj.* voksende; tiltagende; ~ pains, voks(e)værk; *fig.* begyndelsesvanskeligheder.

growl, *v. i. & t.* knurre, brumme; ~, *n.* knurren, brummen.

grown, *see* grow; ~-up, *n.* voksen.

growth, *n.* vækst; (vegetation) vegetation; (increase) tiltagen; *med.* svulst.

grub, *n.* maddike; *sl.* føde; ~, *v. t. &i.* grave; rode; fodre, bespise; -by, *adj.* snavset; -stake, *n.* forskud.

grudge, *n.* nag; ~, *v. t.* ikke unde; misunde.

gruel, *n.* havresuppe; -ling, *adj.* udmattende, enerverende.

gruesome, *adj.* uhyggelig.

gruff, *adj.* grov, barsk.

grumble, *v. i. & t.* knurre, brumme; mukke; -r, *n.* gnavpotte.

grumpy, *adj.* gnaven, sur.

grunt, *v.i.&t.* grynte.

guarantee, *n.* garanti; borgen.

guard, *n. mil. etc.* vagt, garde; *rail.* konduktør; (shield) skærm; sikkerhedsskærm; (*on* sword) parérplade; ~,

v.t.&i. bevogte; beskytte; værne; ~ against, gardere sig mod, sikre sig mod; -ed, *adj.* bevogtet; forsigtig; -ian, *n.* formynder; vogter; forstander; opsynsmand; ~ angel, skytsengel; -room, *n.* vagtstue; -sman, *n.* gardist.

gudgeon, *n. mech.* akseltap, rorløkke; *zool.* grundling.

guelder, *n.* ~ rose, *bot.* snebold.

guess, *v. t. & i.* gætte; formode; I ~, *U.S.* jeg regner med; ~, *n.* gisning; ~-work, *n.* gætværk.

guest, *n.* gæst.

guffaw, *v. i.* briste i latter; ~, *n.* grov latter.

guidance, *n.* vejledning; styrelse; førelse.

guide, *v. t.* vejlede; styre; lede; føre; ~, *n.* fører; vejledning; ~-book, *n.* rejsefører.

guild, *n.* lav.

guile, *n.* svig, list; -less, *adj.* naiv.

guilt, *n.* skyld; -less, *adj.* uskyldig; -y, *adj.* skyldig; skyldbevidst.

guinea, *n.* = 21 shillings; ~-fowl, *n. zool.* perlehøne; ~ pig, *n. zool.* marsvin.

guise, *n.* skikkelse; udseende.

gulf, *n.* havbugt; golf; svælg; afgrund.

gull, *n. zool.* måge.

gullet, *n.* spiserør; svælg.

gullible, *adj.* lettroende.

gully, *n.* kløft; rende.

gulp, *n.* slurk; synkebevægelse.

gum, *n.* gummi; harpiks; (glue) lim; (chewing ~) tyggegummi; -boil, *n.* tandbyld; ~-boot, *n.* gummistøvle.

gumption, *n. coll.* gåpåmod.

gun, *n.* bøsse; kanon; gevær; revolver; stick to one's -s, *fig.* holde fast ved sin mening; ~ carriage, lavet; -boat, *n.* kanonbåd; -ner, *n.* artillerist; -powder, *n.* krudt; ~-smith, *n.* bøssemager; -wale, *n.* naut. ræling; essing.

gurgle, *v. i.* gurgle; skvulpe; klukke; ~, *n.* gurglen; kluk.

gush, *v. i.* strømme; bruse; udgyde sig; ~, *n.* strøm; stråle.

gust, *n.* kastevind; udbrud.

gusto, *n.* velbehag; nydelse.

gut, *n.* tarm; gut; -s, *pl.* indvolde; *pl.,* also *fig.* mod; ~, *v. t.* tage indvoldene ud; plyndre, rasere.

gutter, *n.* tagrende; rendesten; ~, *v. t. & i.* fure; (*about* candle) løbe, dryppe; -snipe, *n.* gadedreng.

guttural, *adj.* strube-; ~, *n.* strubelyd.

guy, *n.* naut. bardun; *sl.* fyr; (effigy) fuglekræmsel.

gym, *n.* gymnastik; (hall) gymnastiksal; -khana, *n.* ridestævne; -nasium, *n.* gymnastiksal; (continental school) gymnasium.

gynaecological, *n.* gynækolog, kvindelæge.

gyrate, *v. i.* rotere, hvirvle.

habeas corpus, writ of = ordre til at fremstille en person i retten.

haberdasher, *n.* manufakturhandler; galanterivarehandler.

habit, *n.* vane; I am in the ~ of, jeg plejer at; riding ~, ridedragt; -able, *adj.* beboelig; -at, *n.* hjemsted; bosted; -ation, *n.* bolig; -ual, *adj.* vanemæssig; -ué, *n.* stamgæst.

hack, *n.* lejehest; (blow) hak; (writer) neger; ~, *v. t. & i.* hakke; (football) sparke; a -ing cough, en hård, tør hoste; -ney, *n.* hyrevogn; (horse) ridehest; -neyed, *adj.* fortærsket.

had, *see* have.

haddock, *n.* zool. kuller.

haemorrhage, *n.* blødning.

haft, *n.* skæfte, skaft.

hag, *n.* heks; gammel kælling.

haggard, *adj.* vild; udtæret, forgræmmet.

haggis, *n.* [kogt fåreindmad].

haggle, *v. i.* prutte.

Hague, *n.* the ~, Haag.

hail, *n.* hagl; (salute) hilsen; (call) praj; ~, *v. t. & i.* naut. praje; hilse; hagle; hilse; råbe; ~, *int.* hil'!, velmødt!; ~ a taxi, råbe en taxa an; -stone, *n.* hagl, haglkorn; -storm, *n.* haglvejr.

hair, *n.* hår; keep your ~ on, *sl.* bare rolig!; split -s, kløve hår; she never turned a ~, hun fortrak ikke en mine; his ~ stood on end, hårene rejste sig på hans hoved; ~-cut, *n.* klipning; -dresser, *n.* frisør; -pin, *n.* hårnål; ~-raising, *adj.* nervepirrende; -splitter, *n.* hårkløver.

hake, *n.* zool. kulmule.

halcyon, *adj.* fredelig; ~, *n.* isfugl.

hale, *adj.* sund, frisk; ~ and hearty, rask og rørig.

half, *adj. & n.* halv; halvdel; cut in ~, skære midt over; I have ~ a mind to, jeg har næsten lyst til; ~ holiday, halv fridag; one and a ~, halvanden; ~ past four, halv fem; ~-a-crown, *n.* = 2½ shillings; ~-breed, *n.* halvblods; ~-caste, *n.* halvblods; ~-crown, *n.* = 2½ shillings; ~-hearted, *adj.* lunken; valen; ~-timbering, *n.* bindingsværk; -way, *adv.* midtvejs; meet trouble ~, tage bekymringerne på forskud; ~-witted, *adj.* åndssvag.

halibut, *n.* zool. helleflynder.

hall, *n.* hal, forstue; sal; -mark, *n.* prøvemærke; *fig.* stempel.

hallow, *v. i.* hellige, indvie, ære.

hall-porter, *n.* portier.

hallucination, *n.* sansebedrag.

halo, *n.* glorie.

halt, *v. t. & i.* standse, holde stille; tøve; -er, *n.* strikke; grime.

halve, *v. t.* halvere.

halyard, *n. naut.* fald.

ham, *n.* skinke; ~ (actor). *coll.* frikadelle; -burger, *n.* hakkebøf; ~-handed, *adj.* klodset.

hamlet, *n.* lille landsby.

hammer, *n.* hammer; (on gun) geværhane; ~, *v. t. & i.* hamre; banke.

hammock, *n.* hængekøje.

hamper, *n.* lågkurv; ~, *v. t.* hæmme.

hand, *n.* hånd; (hand's breadth) håndsbred (4 tommer); (on clock, watch) viser; (handwriting) håndskrift; (man) arbejder; give a ~, give en håndsrækning; at ~, ved hånden; first-~ knowledge; førstehånds viden; get the upper ~, få magt over; have on ~, på lager; be on ~, stå til rådighed; on the other ~, på den anden side; the situation is well in ~, situationen er under kontrol; I can't tell you off ~, jeg kan ikke sige det på stående fod; cash in ~, kassebeholdning; shake -s, give hinanden hånden; on -s and knees, på alle fire; ~, *v. t.* række, overrække; levere; indgive; indlevere; ~-bag, *n.* håndtaske; -bill, *n.* løbeseddel; -book, *n.* håndbog; -clasp, *n.* håndtryk; -cuff, *n.* håndjern; -ful, *n.* håndfuld; -icap, *n.* handikap; hindring; ~, *v. t.* handikappe; -icraft, *n.* håndværk; -iwork, *n.* håndarbejde; -kerchief, *n.* lommetørklæde.

handle, *n.* håndtag; skaft;

hank; fly off the ~, blive gal; ~, *v. t.* håndtere; behandle; beføle, manøvrere; have at gøre med; easy to ~, let håndterlig.

hand|made, *adj.* håndgjort; ~-out, *n.* almisse; ~-shake, *n.* håndtryk; -some, *adj.* køn, smuk, pæn; fin; -writing, *n.* håndskrift; -y, *adj.* praktisk; behændig; bekvem; -yman, *n.* altmuligmand.

hang (hung, hung; *but in sense of* execute, hanged, hanged), *v. t. & i.* hænge; ophænge; (wallpaper) tapetsere; svæve; hænge ved; hænge sig; ~ back, nøle; ~ about, drive om; ~ on, holde fast; hænge på; ~ together, hænge sammen; ~ up, (telephone) lægge røret på.

hangar, *n.* hangar.

hang|er, *n.* (clothes) bøjle; -man, *n.* bøddel; -over, *n. sl.* tømmermænd.

hanker, *v. i.* hige.

hanky-panky, *n.* fiksfakserier.

haphazard, *n. adj. & adv.* på slump, på må og få; tilfældig.

hapless, *adj.* ulykkelig.

happen, *v. i.* ske, hænde; I ~ to know, tilfældigvis ved jeg; -ing, *n.* hændelse; tildragelse; -stance, *n. U.S. coll.* tilfældig hændelse.

hap|pily, *adv.* lykkeligt; heldigt; -piness, *n.* lykke; lyksalighed; -py, *adj.* lykkelig; heldig; ~-go-lucky, *adj.* sorgløs, på må og få.

harangue, *n.* tale; præk.

harass, *v. t.* plage, pine.

harbinger, *n.* bebuder.

harbour, *n.* havn; ~, *v. t.* beskytte; huse; (thoughts) nære; ~ master, havnefoged.

hard, *adj.* hård; streng; vanskelig, svær; barsk; ~ by, tæt ved; ~ cash, klingende mønt; a ~ and fast rule, en ufravigelig regel; ~ of hearing, tunghør; ~ labour, tvangsarbejde; ~-earned, *adj.* surt tjent; -en, *v.t. & i.* hærde, hærdes; -ly, *adv.* strengt; næppe; næsten ikke; knap; -pan, *n.* al; -ship, *n.* byrde; lidelse; genvordighed; -ware, *n.* isenkram; -y, *adj.* djærv; robust, hårdfør.

hare, *n.* hare, -bell, *n. bot.* blåklokke; -lip, *n.* hareskår.

hare's-foot, *n. bot.* harefod.

haricot, *n.* ~ (bean), snittebønne.

hark, *v.i.* høre efter; lytte; ~ back to, *fig.* vende tilbage til.

harlot, *n.* skøge.

harm, *n.* ondt; skade, fortræd; ~, *v.t.* skade, fortrædige; gøre fortræd; I mean no ~, jeg mener det ikke så slemt; -ful, *adj.* skadelig; -less, *adj.* uskadelig, uskyldig.

harmon|ica, *n.* (mouth organ) mundharmonika; -ious, *adj.* harmonisk; *fig.* fredelig, venskabelig; -ize, *v.t. & i.* harmonisere; afstemme; -y, *n.* harmoni.

harness, *n.* seletøj; ~, *v.t.* lægge seletøj på; spænde for.

harp, *n.* harpe; ~ on, vende tilbage til det samme emne.

harpoon, *n.* harpun.

harridan, *n.* gammel hejre.

harrier, *n.* støver.

har|row, *n.* harve; ~, *v.t.* harve; (torment) pine, oprive; -ry, *v.t.* hærge.

Harry, Old ~, *n.* fanden.

harsh, *adj.* stram, sur; hård; barsk, streng; skurrende; ru, grov.

hart, *n.* hjort.

hartshorn, *n.* hjortetak; salt of ~, hjortetaksalt.

harvest, *n.* høst; afgrøde; ~,

v.t. høste; -er, *n.* høstarbejder; (machine) høstmaskine.

hash, *n. coll.* biksemad; (mess) kludder; make a ~ of things, kludre i det.

has, *see* have.

hasp, *n.* haspe.

hassock, *n.* knælepude.

haste, *n.* hast; skynding; make ~, skynde sig; more ~, less speed, hastværk er lastværk; ~, *v.t. & i.* fremskynde; -y, *adj.* hastig; overilet.

hat, *n.* hat.

hatch, *v.t. & i.* ruge; udruge, udklække; don't count your chickens before they're ~ed, sælg ikke skindet før bjørnen er skudt; ~, *n.* udrugning; kuld; *naut.* luge; lem.

hatchet, *n.* lille økse.

hate, *n.* had; afsky; ~, *v.t.* hade; afsky.

hatred, *n.* had.

hatter, *n.* hattemager; mad as a ~, skrupskør.

haughty, *adj.* overmodig, hovmodig, overlegen.

haul, *v.t. & i.* hale, trække; ~ down one's flag, stryge flaget; *sl.* ~ somebody over the coals, give én en overhaling; ~, *n.* fangst; dræt.

haunch, *n.* kølle; -es, *pl.* bagfjerding.

haunt, *v.t. & i.* overhænge, plage; forfølge; spøge; hjemsøge; ~, *n.* tilholdssted.

hautboy, *n.* obo.

have (3rd *pres.* has; had, had), *v.t. & i. & aux.* have; få; tage sig; I ~ to, jeg skal; he has come, han er kommet; I had to wait, jeg måtte vente; I had better, jeg må hellere; he will ~ it that, han hævder at; I ~ my shoes mended at a shoemaker's, jeg lader mine sko reparere hos en sko-mager.

haven, *n.* havn.

haversack, *n.* brødpose.

havoc, *n.* ødelæggelse, ravage.

hawk, *n.* zool. høg; ~, *v. t.* sælge ved døren; -er, *n.* bissekræmmer; gadehandler.

hawser, *n.* naut. pertline.

hawthorn, *n. bot.* hvidtjørn.

hay, *n.* hø; make ~ while the sun shines, smede mens jernet er varmt; -cock, *n.* høstak; ~-fever, *n.* høfeber; ~-fork, *n.* høtyv; -stack, *n.* høstak; -wire, *adj. sl.* tosset.

hazard, *n.* tilfælde; træf; fare; hasardspil; ~, *v. t.* sætte på spil, vove.

haze, *n.* dis; begrebsforvirring.

hazel, *n. bot.* hassel; ~ eyes, nøddebrune øjne.

hazy, *adj.* diset; uklar, ubestemt.

H-bomb, *n.* (hydrogen bomb) brintbombe, B-bombe.

he, *pron.* han; ~ who, den som.

head, *n.* hoved; (intelligence) forstand; (leader, chief, *etc.*) leder; top; chef; overhoved; (about cattle) høved; (of a river) udspring; at the ~ of the ilst, øverst på listen; from ~ to foot, fra top til tå; turn ~ over heels, slå en kolbøtte; I can't make ~ or tail of it, jeg kan ikke hitte ud af det; -s or tails, plat eller krone; we must put our ~s together, vi må stikke hovederne sammen; ~, *v. t. & i.* lede; anføre; stille sig ispidsen for; (be at top of), stå øverst på; ~ straight for, styre lige imod; -ache, *n.* hovedpine; -dress, *n.* hovedprydelse; -ing, *n.* overskrift; -land, *n.* næs, kap;

-light, *n.* forlygte; -line, *n.* overskrift; -long, *adv.* hovedkuls; -master, *n.* rektor; skoleinspektør; ~-on, *adj.* a ~ collision, frontalt sammenstød; -quarters, *n.* hovedkvarter; -strong, *adj.* halsstarrig, stædig; -way, *n.* bevægelse fremad; fremskridt; -wind, *n.* modvind; -y, *adj.* berusende.

heal, *v. t & i.* læge, helbrede; kurere; hele(s); læges.

health, *n.* helbred; sundhed; velgående; ~ resort, kursted; -y, *adj.* sund; rask.

heap, *n.* hob, dynge; bunke, masse; ~, *v. t.* sammenhobe, opdynge; overøse; ~ up, bunke sammen, dynge op.

hear (heard, heard), *v.t. & i.* høre; få at vide; lære; erfare; (listen to) høre på; *jur.* afhøre; ~! ~!, hør!; -ing, *n.* hørelse; hard of ~, døv; -say, *n.* rygte; omtale.

hearse, *n.* ligvogn.

heart, *n.* hjerte; kerne; mod; by ~, udenad; with all my ~, af mit ganske hjerte; I haven't the ~ to, jeg kan nænner ikke at; -beat, *n.* hjerteslag; -breaking, *adj.* hjerteskærende; -broken, *adj.* med knust hjerte; -burn, *n.* halsbrand; -en, *v. t. & i.* opmuntre; ~-failure, *n.* hjertelammelse; -felt, *adj.* inderlig.

hearth, *n.* arne; kamin.

heart-rending, *adj.* hjerteskærende.

hearty, *adj.* hjertelig; sund; kraftig.

heat, *n.* hede, varme; zool. brunst; *sport.* a dead ~, dødt løb; ~, *v. t. & i.* varme, ophede; opvarme; *fig.* ophidse; blive hed; blive varm.

heath, *n.* hede.

heathen, *n.* hedning.

heather, *n. bot.* lyng.

heat|ing, *n.* varme; opvarmning; central ~, centralvarme.

heat|-stroke, *n.* hedeslag; ~-unit, *n.* varmeenhed; ~-wave, *n.* hedebølge.

heave, *v.t.&i.* løfte hæve; hejse; *naut.* hive; ~ a sigh, drage et suk; (swell) svulme; a heaving bosom, en bølgende barm; ~ to, *naut.* lægge bi; ~ in sight, komme i sigte; ~ hævning, svulmen; dønning; bølgen.

heaven, *n.* himmel; good -s!, du godeste!; -ly, *adj.* himmelsk.

heavy, *adj.* tung, svær; (boring) kedelig; ~ price, høj pris; ~ industry, sværindustri; ~ water, tungt vand; -weight, *n.* sværvægt; (person) sværvægtsbokser.

heckle, *v.t.* (in politics) plage med spørgsmål.

hector, *v.t.&i.* tyrannisere, herse med.

hedge, *n.* hæk; levende hegn; ~, *v.t.&i.* indhegne; (hesitate, avoid) tøve, gå uden om; -hog, *n.* zool. pindsvin; ~-sparrow, *n.* zool. jernspurv.

heed, *n.* take ~ of (or pay ~ to) ænse; lægge mærke til; ~, *v.t.&i.* give agt på, bemærke; -less, *adj.* uagtsom.

heel, *n.* hæl; take to one's -s, stikke af; ~, *v.t.&i.* naut. hælde, krænge over; (shoes) bagflikke.

hefty, *adj.* tung, svær.

heifer, *n.* kvie.

height, *n.* højde; toppunkt.

heinous, *adj.* afskyelig.

heir, *n.* arving; ~ apparent, retmæssig arving; ~ presumptive, arveprins(esse); ~ to the throne, tronarving; -loom, *n.* arvestykke.

held, *see* hold.

helical, *adj.* spiral-, skrueformet.

helix, *n.* spiral.

hell, *n.* helvede.

helm, *n.* naut. ror; ~, -et, *n.* hjelm; -sman, *n.* rorgænger.

help, *v.t.&i.* hjælpe, fremme; (food) forsyne; ~ yourself!, tag selv!; I couldn't ~ doing it, jeg kunne ikke lade være med at gøre det; he won't do it again if I can ~ it, han gør det ikke igen, hvis jeg kan forhindre det; it can't be -ed, der er ikke noget at gøre ved det; ~, *n.* hjælp; hjælpemiddel; bistand; støtte; domestic ~, hushjælp, husassistent.

helter-skelter, *adj.* i huj og hast; over hals og hoved.

hem, *n.* søm; ~, *v.t.* sømme; ~ in, omringe.

hemisphere, *n.* halvkugle.

hemlock, *n.* bot. skarntyde; (poison) skarntydegift.

hemp, *n.* hamp.

hemstitch, *n.* hulsøm.

hen, *n.* høne; -bane, *n.* bot. bulmeurt.

hence, *adv.* herfra; (therefore) derfor; -forth, *adv.* fra nu af.

henchman, *n.* lakaj, håndgangen mand.

her, *pron.* hende; sig; *poss. pron.* hendes; sin, sit, sine; it is ~ hat, det er hendes hat; it is -s, det er hendes.

herald, *v.t.* forkynde, varsle om; ~, *n.* budbringer; -ry, *n.* heraldik.

herb, *n.* urt; plante; -ivorous, *adj.* planteædende.

herd, *n.* hjord; flok; follow the ~, følge flokken; ~, *v.i.&t.* flokke sig, samle sig; vogte; -sman, *n.* hyrde.

here, *adv. & n.* her; herhen; her henne; from ~, herfra; ~ we are, nu er vi der; ~ you are, vær så god;

that's neither ~ nor there, det hører ingen steder hjemme; -after, *adv.* herefter, for fremtiden; ~, *n.* livet efter døden; -by, *adv.* herved; -in, *adv.* heri; -of, *adv.* heraf; herom.

heredi|tary, *adj.* arvelig; -ty, *n.* arvelighed.

here|sy, *n.* kætteri; -tic, *n.* kætter.

here|tofore, *adv.* hidtil; -upon, *adv.* herefter; (on) herpå; -with, *adv.* hermed.

hermetic, *adj.* hermetisk.

hermit, *n.* eremit, eneboer.

hernia, *n.* med. brok.

hero, *n.* helt; -ine, *n.* heltinde; -ism, *n.* heltemod.

heron, *n.* zool. hejre.

hero-worship, *n.* heltetilbedelse.

herring, *n.* sild; neither fish, fowl, nor good red ~, hverken fugl eller fisk; draw a red ~ across the path, aflede opmærksomheden; ~-bone, *n.* (pattern) sildebensmønster.

hers, *see* her.

hesi|tant, *adj.* nølende; ubeslutsom; -tate, *v. i.* nøle, betænke sig; stamme.

hew (hewed, hewed *or* hewn), *v. t.* hugge.

hexagon, *n.* sekskant.

hey-day, *n.* stortid; velmagtsdage.

hibernate, *v. i.* overvintre; ligge i dvale.

Hibernian, *n.* irlænder.

hiccough, hiccup, *n.* hikke; ~, *v. i.* hikke.

hickory, *n.* bot. nordamerikansk valnøddetræ.

hid, hidden, *see* hide.

hide (hid, hidden), *v. t. & i.* skjule; skjule sig; ~, *n.* skind; hud; ~-and-seek, *n.* (game) skjul; -bound, *adj.* forstokket, snæversynet.

hideous, *adj.* hæslig, styg.

hiding, *n.* (punishment)

prygl; go into ~, krybe i skjul.

higgledy-piggledy, *adj.* hulter til bulter.

high, *adj.* høj; højtliggende; højtstående; fornem; ~and dry, på grund; be left ~ and dry, *fig.* stå med håret ned ad nakken; on ~, højt på toppen; ~ time, på høje tid; this meat smells ~, kødet har en tanke; ~ and mighty, storsnudet; ~ tea, [kold aftensmad med te]; ~ tension, højspænding; ~ treason, højforræderi; ~-born, *adj.* højbåren; ~-brow, *n.* intellektuel person; åndssnob; ~, *adj.* intellektuel; åndssnobbet; -faluting, *adj.* bombastisk; højtravende; ~-handed, *adj.* egenmægtig; -land, *n.* højland; -ly, *adv.* højt; højlig; i høj grad; ~ coloured, stærkt farvet; -ness, *n.* højhed; -road, *n.* landevej; ~-spirited, *adj.* fyrig; -wayman, *n.* landevejsrøver.

hike, *v. i.* vandre; -r, *n.* vandrefugl.

hilari|ous, *adj.* munter, lystig; -ty, *n.* munterhed, lystighed.

hill, *n.* høj, bakke; bjerg, fjeld; -ock, *n.* lille høj; tue; -side, *n.* skrænt; skråning.

hilt, *n.* fæste.

him, *pron.* ham; sig; -self, *pron.* han selv; ham selv; sig selv; sig.

hind, *n.* hind; bondekarl; ~, *adj.* bag-, bagest.

hinder, *v. t.* hindre, opholde; forsinke; forstyrre.

hindrance, *n.* hindring; gene.

hinge, *n.* hængsel; ~, *v. t. & i.* forsyne med hængsler; ~ on, *fig.* bero på.

hint, *n.* vink, nys; antydning, hentydning; ~, *v. t. & i.* antyde; insinuere; ymte om; give et vink.

hip, *n.* hofte; *bot.* hyben; ~-bath, *n.* sædebad.

hippopotamus, *n. zool.* flodhest.

hire, *v. t.* leje, hyre; fæste; ~ out, leje ud; ~, *n.* leje, hyre; ~-purchase, *n.* køb på afbetaling.

hirsute, *adj.* stridhåret.

his, *pron.* hans; sin, sit; sine.

hiss, *v. t, & i.* hvæse; hysse, hvisle, pibe.

his|torian, *n.* historiker; -tory, *n.* historie; -trionic, *adj.* teatralsk; -trionics, *n.* skuespilkunst.

hit, *v. t. & i.* ramme, træffe; slå, støde; ~ upon, finde på; ~ off, tage på kornet; komme godt ud af det (med hinanden); ~, *n.* slag; lykketræf; træffer.

hitch, *v. t. & i.* gøre fast; hænge fast; rykke; hale; ~, *n.* hindring; standsning; uheld; *naut.* stik; ~-hike, *v. i.* rejse på tommelfingeren, blaffe.

hither, *adv.* hid, her; ~ and thither, hid og did; -to, *adv.* hidtil.

hive, *n.* bikube.

hoard, *n.* forråd; sparepenge; ~, *v. t. & i.* hamstre; puge penge sammen; -ing, *n.* hamstring; plankeværk.

hoarfrost, *n.* rimfrost.

hoarse, *adj.* hæs.

hoary, *adj.* hvidgrå af ælde; (white) hvid.

hoax, *v. t.* drive spøg med, narre; ~, *n.* spøg; puds.

hob, *n.* kaminplade.

hobble, *v. i.* humpe, halte.

hobby, *n.* kæphest; fritidsbeskæftigelse, hobby; ~horse, *n.* kæphest; (rocking-horse) gyngehest.

hobgoblin, *n.* nisse.

hobnail, *n.* skosøm.

hobnob, *v. i.* drikke sammen; omgås med.

hobo, *n.* landstryger, vagabond.

Hobson, *n.* ~'s choice, intet valg (dette eller intet).

hock, *n.* (horse's) hase; (wine) rhinskvin; ~, *v. t. sl.* pantsætte; ~-shop, *n. sl.* lånekontor; onkel.

hockey, *n.* hockey.

hocus-pocus, *n.* bedrag; illusion; hokus-pokus.

hod, *n.* kalktrug.

hoe, *n.* hakke; hyppejern; ~, *v. t. & i.* hakke, hyppe, skuffe.

hog, *n.* svin; orne; go the whole ~, tage skridtet fuldt ud; ~-shead, *n.* oksehoved.

hoi polloi, *see* polloi.

hoist, *v. t.* hejse.

hold (held, held), *v. t. & i.* holde; (contain) indeholde, rumme; (restrain) tilbageholde; fange; gribe; (last) holde sig; vare; (last out) holde stand, stå sig; (regard) anse for; ~ on, holde fast ved; ~ up, holde op; holde oppe; fremholde; standse; *tel.* ~ the line!, et øjeblik!; his story doesn't ~ water, hans storie hænger ikke rigtig sammen; ~ forth, præke, holde tale; ~, *n.* hold, tag, greb; støtte; *naut.* last-(rum); -er, *n.* holder; besidder; indehaver; -ing, *n.* (security) beholdning; (farm) landbrug; (small farm) husmandssted.

hole, *n.* hul; *sl.* klemme; pick -s in, finde fejl ved.

holiday, *n.* (public) helligdag; (private, single day) fridag; (several days) ferie.

holiness, *n.* hellighed.

hollow, *adj.* hul; dump; falsk; ~, *n.* hulning; fordybning; ~, *v. t.* udhule; ~-cheeked, *adj.* hulkindet.

holly, *n. bot.* kristtjørn; -hock, *n. bot.* stokrose.

holster, *n.* pistolhylster.

holy, *adj.* hellig; ~ water, vievand; the H~ Ghost,

den hellige ånd; H~
Week, *n.* den stille uge;
-stone, *n. naut.* skuresten.

homage, *n.* hyldest; do (*el.*
pay) ~, hylde.

home, *n.* hjem; at ~,
hjemme; make yourself
at ~!, lad som om De er
hjemme!; ~ affairs, indre
anliggender; H~ Secre-
tary, indenrigsminister;
H~ Office, indenrigsmini-
sterium; H~ Guard; H~ er
mevern; -ly, *adv.* hjem-
lig; ~-made, *adj.* hjemme-
lavet; -sickness *n.* hjemve;
-spun, *n.* hvergarn; -stead,
n. bosted; hjemsted;
-wards, *adv.* hjemad;
-work, *n.* lektier, hjem-
mearbejde.

homicide, *n.* drab.

homily, *n.* prædiken.

homing, *adj.* ~ pigeon, brev-
due.

hominy, *n.* majsgrød.

homogeneity, *n.* ensartethed.

homonym, *adj.* enslydende.

homosexual, *n. & adj.* homo-
seksuel.

hone, *v. t.* hvæsse.

honest, *adj.* ærlig, redelig; i
god tro; skikkelig, an-
stændig; -ly, *adv.* redeligt;
ærligt; oprigtig talt; -y, *n.*
ærlighed.

honey, *n.* honning; -comb,
n. bikage; -moon, *n.*
hvedebrødsdage; -suckle,
n. bot. kaprifolium.

honorary, *adj.* honorær,
æres-; ~ title, ærestitel;
~ secretary, ulønnet sekre-
tær.

honour, *n.* ære; hæder; *mil.*
& cards honnør; -, *v. t.*
ære; *commerc.* honorere.

hood, *n.* hætte; kyse; *auto.*
Brit. kaleche; *U.S.* motor-
hjelm; -ed crow, grå-
krage; -wink, *v. t.* stikke
blår i øjnene.

hoof, *n.* hov; klov.

hook, *n.* hægte; krog; hage;
by ~ or by crook, på den

ene eller den anden måde;
~, *v. t. & i.* hægte; fange
på krog; hage; ~ it, *sl.* for-
svinde, stikke af; -ah, *n.*
vandpibe; ~-nosed, *adj.*
krumnæset.

hooligan, *n.* bølle, bisse.

hoop, *n.* tøndebånd; bånd;
~, *v. t.* lægge tøndebånd
om; beslå; -ing cough, *see*
whooping-cough.

hoopoe, *n. zool.* hærfugl.

hoot, *n.* tuden; (owl) skrig;
I don't care a ~ (*el.* two
-s), jeg er revnende lige-
glad; ~, *v. i. & t.* tude;
skrige; huje; -er, *n. auto.*
bilhorn; (at factory) fa-
brikssirene (or fabriks-
fløjte).

hop, *n. bot.* humle; hop;
dans; ~, skip and a jump,
trespring; ~, *v. i. & t.* pille
humle; (jump) hoppe,
hinke; (dance) danse.

hope, *n.* håb; forhåbning;
Cape of Good H~, Kap
Det Gode Håb; ~, *v. i. & t.*
håbe; ~ for, håbe på; I
hope he won't come, jeg
håber ikke, at han kom-
mer; -ful, *adj.* håbefuld;
-less, *adj.* håbløs.

hopscotch, *n.* hinkeleg.

horde, *n.* horde.

horizon, *n.* horisont; syns-
kreds; -al, *adj.* vandret,
horisontal.

horn, *n.* horn; -beam, *n.*
bot. avnbøg.

hornet, *n. zool.* gedehams.

horn|fish, *n. zool.* hornfisk;
~- rimmed spectacles,
hornbriller; -y, *adj.* horn-
agtig; hornet; a ~ hand,
en barket næve.

horologist, *n.* urmager.

horrible, *adj.* skrækkelig,
rædsom, grufuld.

horrid, *adj.* afskyelig, ræd-
som; væmmelig; modby-
delig.

horrify, *v. t.* forskrække.

horror, *n.* rædsel; ~-stricken,

~-struck, *adj.* rædselsslagen.

horse, *n.* hest; kavaleri; (clothes-~) buk; ~ chestnut, hestekastanie; ~ race, hestevæddeløb; -breaking, *n.* tilridning; -comb, *n.* strigle; -fly, *n.* hestebremse; -hair, *n.* hestehår, krølhår; -leech, *n.* igle; -man, *n.* rytter; -play, *n.* rå leg; ~-power, *n.* hestekraft; 75 ~, 75 hestekræfter; ~-radish, *n.* peberrod; -shoe, *n.* hestesko; -whip, *n.* ridepisk.

horticulture, *n.* havebrug; havekunst.

hose, *pl. n.* strømper, *pl.;* ~, *n.* (pipe) slange.

hosiery, *n.* trikotage.

hospitable, *adj.* gæstfri.

hospital, *n.* hospital; -ity, *n.* gæstfrihed.

host, *n.* vært; (army) hær, hærskare; -age, *n.* gidsel; -el, *n.* herberg; youth ~, vandreherberg; -elry, *n.* kro; -ess, *n.* værtinde; air ~, stewardesse; -ile, *adj.* fjendtlig.

hot, *adj.* hed, meget varm; (angry) hidsig, heftig; (taste) skarp; (fiery) ildfuld; -bed, *n.* mistbænk; -headed, *adj.* hidsig; -house, *n.* drivhus; ~-tempered, *adj.* heftig, hidsig; ~-water, *adj.* varmtvands-; ~ bottle, varmedunk.

hotchpotch, *n.* ruskomsnusk.

hound, *n.* jagthund.

hour, *n.* time; a quarter of an ~, et kvarter; an ~ and a half, halvanden time; for -s and -s, i timevis; ~ of need, nødens stund; at the eleventh ~, i den ellevte time; ~-glass, *n.* timeglas; ~-hand, *n.* lille viser.

house, *n.* hus; (dynasti) slægt; *commerc.* firma; keep ~, føre (*or* holde) hus; þub-

lic ~, værtshus; H~ of Commons, Underhuset; H~ of Lords, Overhuset; ~, *v. t. & i.* huse; bringe under tag; skaffe bolig til; ~-agent, *n.* ejendomsmægler; -boat, *n.* husbåd; -breaker, *n.* indbrudstyv; -hold, *n.* husstand; husholdning; -holder, *n.* husejer; -keeper, *n.* husholderske; -maid, *n.* stuepige; ~-trained, *adj.* stueren; -wife, *n.* husmoder.

housing, *n.* boliger, *pl.;* boligbyggeri; ~ conditions, boligforhold; ~ shortage, bolignød.

hovel, *n.* rønne, skur.

hover, *v. i.* svæve; kredse.

how, *adv.* hvordan, hvorledes; hvor; ~ do you do?, goddag?; ~ are you?, hvordan har De det?; ~ nice!, hvor morsomt!; ~ he eats!, sikke en appetit han har!; ~'s things?, ~'s tricks?, hvordan går det?; ~-ever, *adv.* hvorledes end; imidlertid; dog; hvor ... end.

howl, *v. i. & t.* hyle; tude; ~, *n.* hyl.

hub, *n.* hjulnav; midtpunkt.

hubbub, *n.* hurlumhej.

hubby, *n. sl.* mand.

huckleberry, *n. U. S.* blåbær.

huckster, *n.* gadehandler; høker.

huddle, *v. t. & i.* stimle sammen; stuve sammen; -d up, sammenkrøbet.

hue, *n.* farve, lød; raise a ~ and cry, gøre anskrig.

huff, *n.* fortørnelse, fornærmelse, vrede; be in a ~, være smækfornærmet.

hug, *v. t.* omfavne, knuge; holde sig tæt ved; ~, *n.* omfavnelse; favntag.

huge, *adj.* uhyre, umådelig.

hulk, *n. naut.* skrog.

hulking, *adj.* stor, svær; tyk og klodset.

hull, *n.* (pod) bælg; (*of* nut) hase; (*of* ship) skrog.

hullabaloo, *n.* ståhej.

hum, *v.t. & i.* surre, summe, snurre; nynne; mumle; ~ and haw, tøve; ~, *n.* surren; nynnen; mumlen.

human, *adj.* menneskelig; -e, *adj.* menneskekærlig; human; velvillig; -ism, *n.* humanisme; -ist, *n.* humanist; -itarian, *n.* menneskeven; ~, *adj.* menneskekærlig; humanitær; -ity, *n.* (quality) menneskelighed; (mankind) menneskeheden; menneskene.

humble, *adj.* ydmyg; beskeden; underdanig; ringe; ~, *v. t.* ydmyge; eat ~ pie, krybe til korset.

humbug, *n.* humbug; snyderi; (sweet) pebermyntebolsje.

humdrum, *adj.* dagligdags, kedelig.

humid, *adj.* fugtig; -ity, *n.* fugt; fugtighed.

humili|ate, *v. t.* ydmyge; -ation, *n.* ydmygelse; -ty, *n.* ydmyghed.

humming, *n.* summen; ~-bird, *n.* kolibri; ~-top, *n.* snurretop.

hummock, *n.* lille høj.

humor|ist, *n.* humorist; -ous, *adj.* humoristisk.

humour, *n.* humor; a sense of ~, humoristisk sans, sans for humor; (mood) humør; lune, stemning, sind; out of ~, i dårligt humør, full of ~, lunerig; ~, *v.t.* føje.

hump, *n.* pukkel; *sl.* dårligt humør.

Hun, *n. hist.* hunner; *derog. sl.* tysker.

hunch, *n.* (presentiment) anelse, fornemmelse; pukkel; -ed up, sammenkrøbet; ~-back, *n.* pukkelryg; pukkelrygget person.

hundred, *n. & adj.* hun-

drede; by -s, i hundredvis; Chiltern H~s, *see* Chiltern; -s and thousands, krymmel; -weight, *n.* centner.

hung, *see* hang.

Hungar|ian, *n.* ungarer; (language) ungarsk; ~, *adj.* ungarsk; -y, *n.* Ungarn.

hunger, *n.* sult, hunger; ~, *v. i.* sulte; hungre; ~ for (*el.* after) hungre efter.

hungry, *adj.* sulten.

hunk, *n.* humpel.

hunt, *v. t. & i.* jage; forfølge, ~ down, jage til døde; ~ out, opsnuse, opspore; ~, *n.* jagt; forfølgelse; -er, *n.* (person) jæger; (horse) jagthest; (dog) jagthund; -ing, *n.* jagt; parforcejagt; happy ~-grounds, de evige jagtmarker.

hurdle, *n.* risgærde; (sport) hurdle, hæk.

hurdy-gurdy, *n.* lirekasse.

hurl, *v. t.* slynge, kaste.

hurly-burly, *n.* tumult; postyr.

hurricane, *n.* orkan; ~-lamp (*el.* ~-lantern) *n.* stormlygte.

hurry, *v. t.* drive, skynde på; ~, *v. i.* ile, skynde sig; ~, *n.* hastværk; skynding.

hurt, *v. t. & i.* såre, gøre ondt; skade; ~, *n.* skade; sår, stød; men.

hurtle, *v.t. & i.* tumle, styrte.

husband, *n.* ægtemand; ship's ~, skibsinspektør; -man, *n.* landmand; -ry, *n.* landbrug.

hush *inter.* tys! stille!; ~, *n.* stilhed; ~, *v.t. & i.* dysse, berolige, dæmpe; ~~, *adj.* hemmelighedsfuld; ~-money, *n. sl.* penge for at holde mund.

husk, *n.* (grain) avne; (nut) skal; ~, *v. t.* afbælge, afskalle.

husky, *adj.* hæs, grødet; ~, *n.* (Eskimo dog) eskimohund, grønlandsk hund.

hussy, *n.* tøs; tøjte.

hustle, *v.t. & i.* puffe, skubbe, trænge; skynde sig.

hut, *n.* hytte; skur; *mil.* barak.

hutch, *n.* kaninhus.

hyacinth, *n. bot.* hyacint.

hybrid, *n.* bastard, krydsning.

hydrangea, *n. bot.* hortensia.

hydrant, *n.* brandhane.

hydro, *adj.* -brinte; hydro-; ~-electric, *adj.* hydroelektrisk; -gen, *n.* brint; ~ peroxide, brintoverilte; -meter, *n.* flydevægt; -phobia, *n.* hundegalskab.

hyena, *n. zool.* hyæne.

hy|giene, *n.* sundhedspleje; hygiejne; -gienic, *adj.* hygiejnisk.

hymen, *n.* jomfruhinde, hymen.

hymn, *n.* salme; hymne.

hyperbole, *n.* overdrivelse.

hyphen, *n.* bindestreg.

hypno|sis, *n.* hypnose; -tic, *n.* sovemiddel.

hypo, *n.* fiksersalt.

hypocrisy, *n.* hykleri.

hypodermic, *adj.* ~ syringe, injektionssprøjte.

hys|teria, *n.* hysteri; -terical, *adj.* hysterisk; -terics, *pl. n.* hysteri.

I, *pron.* jeg.

iambic, *adj.* jambisk; -s, *pl. n.* jambiske vers.

ibex, *n. zool.* stenbuk.

ice, *n.* is; (~-cream) flødeis; iskage; ~ age, istid; ~ rink, skøjtebane; -berg, *n.* isbjerg; -bound, *adj.* indefrosset; (harbour) tilfrosset; ~-box, *n.* køleskab; ~-breaker, *n.* isbryder; ~-cream, *n.* flødeis.

Iceland, *n.* Island; -er, *n.* islænding; -ic, *n.* (language) islandsk; ~, *adj.* islandsk.

icicle, *n.* istap.

icing, *n.* sukkerglasur.

icy, *adj.* iskold; isnende.

idea, *n.* ide; begreb; forestilling; tanke.

ideal, *adj.* ideal.

identi|cal, *adj.* ens; identisk; -fy, *v. t.* identificere; -ty, *n.* identitet.

idiom, *n.* idiom; vending; -atic, *adj.* mundret; idiomatisk.

idiosyncrasy, *n.* ejendommelighed; ejendommelig tankegang; idiosynkrasi.

idle, *adj.* ledig, ubeskæftiget; doven; unyttig, ørkesløs; ~, *v.i. & t.* gå ledig, drive; *mech.* løbe i tomgang; -ness, *n.* lediggang, dovenskab; tomhed.

idol, *n.* afgud; afgudsbillede; -ator, *n.* afgudsdyrker; tilbeder; beundrer.

if, *conj.* dersom; hvis; om; ifald; om end; skønt; ~ only, bare; ~ so, i så fald.

igloo, *n.* snehytte.

ig|nite, *v. t. & i.* antænde; -nition, *n.* antændelse; *mech.* tænding.

ignoble, *adj.* uædel; gemen.

igno|minious, *adj.* forsmædelig; (humiliating) ydmygende; -miny, *n.* forsmædelse.

igno|ramus, *n.* ignorant; -rance, *n.* uvidenhed; -ant, *adj.* uvidende, ukendt med; -re, *v. t.* ignorere, overhøre.

ilk, *n.* of that ~, af denne slægt; af den samme; af denne slags.

ill, *adj.* syg; dårlig; utilpas; slet; ~, *n.* onde; ulykke; ~, *adv.* ilde; ~-advised, *adj.* uklogt, ubetænksomt; ~-bred, *adj.* uopdragen; ~-disposed, *adj.* ildesindet; vrangvillig.

illegal, *adj.* ulovlig, lovstridig.

illegible, *adj.* utydelig, ulæselig.

illegitimate, *adj.* uretmæssig; uægte.

ill|-fated, *adj.* ulyksalig; ~-

5

feeling, *n.* fjendskab; bitterhed; ~-gotten, *adj.* uretmæssigt erhvervet.

illicit, *adj.* ulovlig.

illimitable, *adj.* grænseløs.

illiter|acy, *n.* analfabetisme; uvidenhed; -ate,·*adj.* analfabetisk; uvidende.

ill|-judged, *adj.* uoverlagt; ~-mannered, *adj.* uopdragen; ~-natured, *adj.* knarvorn; gnaven; -ness, *n.* sygdom; ~-omened, *adj.* ulykkelig; ~-tempered, *adj.* sur; gnaven; ~-timed, *adj.* ubetimelig, utidig; ~-treat, *v.t.* mishandle.

illuminate, *v. t.* belyse; (inform) oplyse.

ill-use, *v. t.* maltraktere, mishandle.

illusion, *n.* illusion; blændværk; -ist, *n.* tryllekunstner.

illusive, *adj.* illusorisk, illuderende.

illus|trate, *v. t.* illustrere; -tration, *n.* illustration; billede; -trious, *adj.* ophøjet; berømt.

image, *n.* billede; (reflection) spejlbillede; -ry, *n.* billeder; (figures of speech) billedsprog.

imagin|ary, *adj.* indbildt; imaginær; -ation, *n.* indbildningskraft; fantasi; forestillingsevne; -e, *v. t.* forestille sig; bilde sig ind; I ~ you'll want to eat something, jeg kan tænke mig, du vil gerne have noget at spise; just ~!, tænk engang!

imbecile, *adj.* sløv, åndssvag; ~, *n.* imbecil; åndssvag.

imbibe, *v. t.* indsuge; drikke.

imbroglio, *n.* indviklet situation.

imbue, *v.t.* gennemtrænge; mætte; inspirere.

imi|tate, *v. t.* efterligne; imitere; -tation, *n.* efterligning; imitation; ~, *adj.*

kunstig; ~ pearls, kunstige perler.

immaculate, *adj.* uplettet; ulastelig; *rel.* ubesmittet.

immanent, *adj.* iboende; immanent.

immaterial, *adj.* uvæsentlig; (incorporeal) ulegemlig.

immature, *adj.* umoden.

immeasurable, *adj.* umådelig.

immediate, *adj.* omgående; umiddelbar, øjeblikkelig; in the ~ future, i den nærmeste fremtid; -ly, *adv.* straks; omgående; med det samme; direkte.

immemorial, *adj.* umindelig.

immense, *adj.* umådelig; uhyre.

immerse, *v.t.* dyppe; dukke, sænke; fordybe.

immigrant, *n.* indvandrer; immigrant.

imminent, *adj.* overhængende; forestående.

immitigable, *adj.* uformildelig, uforsonlig.

immobil|ity, *n.* ubevægelighed; -ize, *v. t.* sætte ud af funktion; gøre ubevægelig.

immoderate, *adj.* (drinking, *etc.*) umådeholden; (zeal, *etc.*) overdreven.

immodest, *adj.* ubeskeden; (indelicate) usømmelig.

immolate, *v. t.* ofre.

immoral, *adj.* umoralsk; -ity, *n.* umoralitet.

immortal, *adj.* udødelig; ~, *n.* (god) gud; -ize, *v. t.* udødeliggøre; forevige.

immovable, *adj.* urokkelig; ubevægelig; uanfægtet.

immune, *adj.* uimodtagelig; immun.

immutable, *adj.* uforanderlig.

imp, *n.* djævleunge.

impact, *n.* sammenstød, anslag; ~, *v. t.* presse; trykke ind i.

impair, *v. t.* svække, skade, nedsætte.

impale

131

impoverish

impale, *v. t.* spidde.

impalpable, *adj.* som ikke kan føles; ufattelig; uhåndgribelig.

impart, *v. t.* meddele; (give) bibringe; tildele.

impartial, *adj.* upartisk.

impassable, *adj.* ufarbar; uoverstigelig; ufremkommelig.

impasse, *n.* blindgyde.

impas|sible, *adj.* ufølsom, kold, upåvirket; -sive, *adj.* ufølsom; uanfægtet.

impatient, *adj.* utålmodig.

impeach, *v. t.* anklage; mistænkeliggøre; afkræfte.

impeccable, *adj.* skyldfri, fejlfri; ulastelig.

impecunious, *adj.* pengeløs; ubemidlet.

impedance, *n. radio.* indre modstand.

impede, *v. t.* hindre, sinke, besværliggøre.

impediment, *n.* hindring; (*in* speech) talefejl.

impel, *v. t.* drive, tilskynde.

impend, *v. i.* true, hænge; -ing, *adj.* overhængende, nær forestående.

impenetrable, *adj.* uigennemtrængelig.

imperative, *adj.* bydende; befalende; tvingende.

imperceptible, *adj.* umærkelig.

imperfect, *adj.* ufuldkommen; ufuldstændig.

imperial, *adj.* rigs-; kejserlig.

imperil, *v. t.* bringe i fare.

imperious, *adj.* bydende.

imperishable, *adj.* uforgængelig.

impermiable, *adj.* uigennemtrængelig; tæt.

imperson|al, *adj.* upersonlig; -ate, *v. t.* fremstille; spille.

impertinent, *adj.* uforskammet; næsvis.

imperturbable, *adj.* uforstyrrelig.

impervious, *adj.* uigennemtrængelig; uanfægtet.

impetuous, *adj.* voldsom, heftig.

impetus, *n.* drivkraft; bevægende kraft.

impinge, *v. t. & i.* ramme, slå.

implacable, *adj.* uforsonlig.

implausible, *adj.* usandsynlig.

implement, *n.* redskab; værktøj; ~, *v. t.* fuldbyrde; fuldføre; opfylde.

implicate, *v. t.* indvikle; inddrage; implicere.

implicit, *adj.* underforstået; *rel.* (unreserved) ~ faith, blind tro.

implore, *v. t.* bønfalde, trygle.

imply, *v. t.* forudsætte; antyde; indebære.

impolite, *adj.* uhøflig.

impolitic, *adj.* uklog.

imponderable, *adj.* uvejelig; ~, *n.* [noget, der hverken kan vejes eller måles].

import, *v. t.* indføre; importere; (mean) betyde, ~, *n.* betydning; vigtighed; indhold; (merchandise) import(vare); ~ licence, indførselstilladelse.

impor|tance, *n.* vigtighed; betydning; -tant, *adj.* betydningsfuld; vigtig; (self-~), selvglad, vigtig.

impor|tunate, *adj.* påtrængende, besværlig; -tune, *v. t.* opfordre; plage.

impos|e, *v. t. & i.* pålægge; påtvinge; ~ oneself, trænge sig på, ~ (up)on, udnytte; benytte sig af; narre; -ing, *adj.* imponerende.

impossible, *adj.* umulig.

impost, *n.* skat; afgift.

impostor, *n.* bedrager.

impo|tence, -tency, *n.* afmagt; *med.* impotens; -tent, *adj.* afmægtig; impotent.

impound, *v. t.* tage i forvaring; beslaglægge.

impoverish, *v. t.* gøre fattig; become -ed, blive forarmet.

5*

impracticable, *adj.* ugørlig;
uigennemførlig; vanske-
lig; (*about* road, *etc.*) ufar-
bar.
imprecation, *n.* forbandelse.
impreg|nable, *adj.* uindtage-
lig; -nate, *v. t.* (make
pregnant) besvangre; (sat-
urate) gennemtrænge;
mætte; indgyde.
impresario, *n.* impresario,
manager.
impress, *v. t.* (apply stamp,
etc.) stemple; *fig.* præge;
imponere; gøre indtryk;
~, -ion, *n.* aftryk; præg;
-ion, *n.* (printing) oplag;
(effect, idea) indtryk; -ion-
able, *adj.* let påvirkelig;
-ionism, *n.* impressio-
nisme; -ive, *adj.* impone-
rende.
imprint, *v. t.* aftrykke; præ-
ge; påtrykke; ~, *n.* (print)
aftryk; *fig.* præg.
imprison, *v. t.* fængsle; inde-
spærre.
improbable, *adj.* usandsyn-
lig.
impromptu, *adv.*, *n.* & *adj.*
impromptu.
improper, *adj.* (unsuitable)
upassende; (indecent) u-
sømmelig.
improve, *v. t.* forbedre; op-
dyrke; forædle; ~, *v. i.*
bedres; -ment, *n.* forbed-
ring; fremskridt.
improvident, *adj.* ikke for-
synlig; letsindig.
improvise, *v. t.* & *i.* impro-
visere.
imprudent, *adj.* uklog; ufor-
sigtig, ubetænksom.
impudent, *adj.* uforskammet,
fræk, næsvis.
impugn, *v. t.* bestride, drage
i tvivl.
impulse, *n.* fremstød; drift;
impuls, indskydelse; act
on ~, handle impulsivt.
impunity, *n.* with ~, ustraf-
fet; uden skade.
im|pure, *adj.* uren; (not

chaste) ukysk; -purity, *n.*
urenhed.
impute, *v. t.* tilskrive, til-
lægge.
in, *adv.* ind; indad; inde;
hjemme; ~, *prep.* i; om;
på; under; ~ three days,
om tre dage; believe ~
God, tro på Gud; be ~
luck, være heldig; ~
English, på engelsk; ~ the
field, på marken; cut ~
half, skære midt over.
inability, *n.* manglende evne.
inaccessible, *adj.* utilgænge-
lig; uopnåelig; (of person)
utilnærmelig.
inaccuracy, *n.* unøjagtighed.
inactive, *adj.* uvirksom; træg.
inadequate, *adj.* utilstrække-
lig.
inadmissible, *adj.* uantagelig;
utilladelig.
inadvertently, *adv.* af van-
vare; ved forglemmelse;
utilsigtet.
inadvisable, *adj.* uklog; util-
rådelig.
inane, *adj.* tom, indholdsløs.
inanimate, *adj.* livløs.
inappropriate, *adj.* uskikket.
inapt, *adj.* upassende; ueg-
net; -itude, *n.* uegnethed.
inarticulate, *adj.* uartikuleret;
stum.
inasmuch, *adv.* forsåvidt;
eftersom.
inaugurate, *v. t.* indvie, åbne;
indføre.
inborn, *adj.* medfødt.
inbred, *adj.* medfødt, natur-
lig; indavlet.
inbreeding, *n.* indavl.
incapable, *adj.* uduelig; ikke
i stand til.
incarcerate, *v. t.* spærre inde.
incarnadine, *adj.* blodrød.
incar|nate, *adj.* skinbarlig;
inkarneret; the devil ~,
den skinbarlige djævel;
-nation, *n.* legemliggø-
relse, inkarnation.
incautious, *adj.* uforsigtig.
incendiary, *adj.* brandstiftel-
ses-; *fig.* æggende; ~

bomb, brandbombe; ~,
n. (person) brandstifter;
(bomb) brandbombe.

incense, n. røgelse; *fig.* virak;
~, *v. t.* opirre.

incentive, n. spore; opmun-
tring.

inception, n. begyndelse.

incessant, *adj.* uophørlig.

incest, n. blodskam.

inch, n. tomme; within an
~ of, lige ved at; every ~
a gentleman, en gentle-
man til fingerspidserne.

incident, n. begivenhed;
hændelse; tildragelse; -al,
adj. tilfældig; -ally, *adv.* i
øvrigt; forresten; tilfæl-
digt.

inciner|ate, *v. t.* brænde til
aske; -ator, n. destruk-
tionsovn.

incipient, *adj.* begyndende.

incision, n. indsnit; indskæ-
ring.

incite, *v.t.* anspore, ægge til-
skynde; -ment, n. tilskyn-
delse; incitament.

inclement, *adj.* barsk.

inclination, n. (slope) hæld-
ning; (liking) lyst; (ten-
dency) tilbøjelighed.

incline, *v.t. & i.* hælde; være
tilbøjelig til; bøje.

include, *v. t.* indbefatte; in-
deholde; medregne.

incoherent, *adj.* usammen-
hængende.

incombustible, *adj.* ufor-
brændelig.

income, n. indtægt; ind-
komst; ~ bracket, ind-
tægtsklasse; ~ tax, ind-
komstskat; ~ tax return,
selvangivelse.

incommensurate, *adj.* util-
strækkelig; inkommensu-
rabel.

incommode, *v. t.* ulejlige,
besvære.

incomparable, *adj.* uforlig-
nelig.

incompatible, *adj.* uforenelig.

incompetence, n. udygtig-
hed; inkompetence.

incomplete, *adj.* ufuldstæn-
dig.

incomprehensible, *adj.* ube-
gribelig, uforståelig.

inconceivable, *adj.* ufattelig.

inconclusive, *adj.* ikke afgø-
rende.

incongruous, *adj.* afstik-
kende.

inconsid|erable, *adj.* ubety-
delig; -ate, *adj.* hensynsløs.

inconsistent, *adj.* inkonse-
kvent; ~ with, i modstrid
med.

inconsolable, *adj.* utrøstelig.

inconspicuous, *adj.* (insigni-
ficant) uanselig; (not strik-
ing) ikke iøjnefaldende.

inconstancy, n. flygtighed;
omskiftelighed.

incontestable, *adj.* ubestride-
lig.

incontinent, *adj.* uafhol-
dende; ukysk.

incontrovertible, *adj.* uom-
tvistelig.

inconven|ience, n. ulejlig-
hed; -ient, *adj.* ubelejlig.

incorporate, *v. t. & i.* ind-
lemme; indkorporere.

incorrect, *adj.* forkert; fejl-
agtig; (*of* behaviour) ukor-
rekt.

incorruptible, *adj.* ubestik-
kelig.

increas|e, *v. t. & i.* forøge;
vokse, tiltage; forstærke,
formere; ~, n. tilvækst,
forøgelse; forhøjelse; stig-
ning; -ingly, *adv.* mere til
mere.

incredible, *adj.* utrolig.

incredulous, *adj.* vantro.

increment, n. tilvækst.

incriminate, *v. t.* inddrage;
(charge) anklage.

incrustation, n. belægning;
(crust) skorpedannelse.

incubate, *v. t. & i.* udruge,
udklække.

inculcate, *v. t.* indprente.

inculpate, *v. t.* dadle, an-
klage.

incumbent, *adj.* be ~ upon,
påhvile.

incur, v. t. pådrage sig; udsætte sig for; ~ debts, sætte sig i gæld.

incurable, adj. uhelbredelig.

incursion, n. indfald; strejftog.

indebted, adj. i gæld; forbunden; taknemmelig.

indecent, adj. uanstændig; usømmelig.

indecision, n. ubeslutsomhed.

indeclinable, adj. gram. ubøjelig.

indecorous, adj. ufin; usømmelig.

indeed, adv. virkelig, sandelig; ganske vist; ~!, nå!, ja så!; thank you very much ~!, tusind tak!

indefatigable, adj. utrættelig.

indefensible, adj. uforsvarlig.

indefinable, adj. udefinerlig.

indefinite, adj. ubestemt; ubegrænset; -ly, adv. på ubestemt tid.

indelible, adj. uudslettelig; ~ pencil, blækstift.

indelicate, adj. ufin; usømmelig.

indemni|fication, n. skadeserstatning; skadesløsholdelse; -fy, v. t. erstatte; holde skadesløs; -ty, n. erstatning; skadesløsholdelse.

indent, n. hak, skår; indskæring; (requisition) rekvisition; ~, v. t. & i. afgive ordre; rekvirere; typ. indrykke; -ation, n. indskæring; hak; typ. indrykning.

indenture, n. kontrakt; (for apprentice) lærlingekontrakt.

indepen|dence, n. uafhængighed; -dent, adj. selvstændig; uafhængig; ~ of means, formuende; ~ of, uden hensyn til; foruden; uafhængig af.

indescribable, adj. ubeskrivelig.

indestructible, adj. uforgængelig.

indeterminable, adj. ubestemmelig.

index (pl. indices), n. viser; indeks; ~ finger, pegefinger; (list) (stikords) register.

India, n. Indien; Forindien; -n, n. inder; Red ~, indianer; ~ file, gåsegang.

India rubber, n. viskelæder.

indi|cate, v. t. anvise, angive; tyde på; -cation, n. antydning; tegn; -cative, n. & adj. gram. indikativ.

indices, see index.

indict, v. t. tiltale, anklage.

Indies, pl. n. the ~, hist. Indien; the East ~, Ostindien; the West ~, Vestindien.

indifferent, adj. ligegyldig; betydningsløs; ligeglad; middelmådig.

indigenous, adj. indfødt; ~ to, hjemmehørende i.

indigent, adj. trængende.

indiges|tible, adj. ufordøjelig; -tion, n. dårlig fordøjelse.

indig|nant, adj. harmfuld; indigneret; -nation, n. forargelse; harme; -nity, n. ydmygelse.

indirect, adj. indirekte.

indis|creet, adj. indiskret; -cretion, n. uforsigtighed.

indiscrimate, adj. vilkårlig; -ly, adv. i flæng.

indispensable, adj. uundværlig.

indisposed, adj. uoplagt; utilpas; ugunstig stemt; uvillig.

indisposition, n. ildebefindende; uvilje.

indissoluble, adj. uopløselig.

individual, adj. enkelt; individuel; personlig; særskilt; ~, n. individ; -ly, adv. enkeltvis, hver for sig.

indivisible, adj. udelelig.

Indo-China, n. Indokina.

indoctrinate, v. t. oplære.

indolent, adj. magelig; træg.

indomitable, adj. ukuelig.

Indonesia, *n.* Indonesien.

indoor, *adj.* indendørs; -s, *adv.* inde; inden døre.

indubitable, *adj.* utvivlsom.

induce, *v. t.* fremkalde; forårsage; (persuade) formå; -ment, *n.* lokkemiddel; bevæggrund.

indul|ge, *v. t. & i.* føje; ~ in, nyde, tillade sig, henfalde til; -gence, *n.* overbærenhed; (favour) begunstigelse; *rel.* aflad; ~ in, nydelse af; -gent, *adj.* mild.

indus|trial, *adj.* industriel; industri-; -trious, *adj.* flittig; -try, *n.* flid, stræbsomhed; (business) industri; erhverv.

inebriate, *v. t.* beruse; ~, *n.* dranker.

inedible, *adj.* uspiselig.

ineffec|tive, *adj.* unyttig; virkningsløs; -tual, *adj.* frugtesløs; virkningsløs.

inefficiency, *n.* udygtighed; uduelighed.

ineligible, *adj.* uegnet; uvalgbar.

inept, *adj.* uegnet; tåbelig.

inequality, *n.* ulighed; ujævnhed.

inequity, *n.* uretfærdighed.

inert, *adj.* træg; -ia, *n.* træghed.

inestimable, *adj.* uvurderlig.

inevi|table, *adj.* uundgåelig; -tably, *adv.* uvægerlig.

inexact, *adj.* unøjagtig.

inexcusable, *adj.* utilgivelig.

inexhaustible, *adj.* uudtømmelig.

inexorable, *adj.* ubønhørlig.

inexpensive, *adj.* billig.

inexperienced, *adj.* uerfaren.

inexplicable, *adj.* uforklarlig.

inexpert, *adj.* ukyndig.

inexplicable, *adj.* uforklarlig.

inextricable, *adj.* uløselig; som ikke kan sættes fri.

infallible, *adj.* ufejlbarlig.

infamy, *n.* skændsel(sgerning).

infancy, *n.* barndom.

infant, *n.* barn; mindreårig; ~ mortality, spædbørns-

dødelighed; -ile, *adj.* barne-; barnlig; ~ paralysis, børnelammelse; -ry, *n.* infanteri.

infatuation, *n.* forgabelse; forblindelse.

infect, *v.t.* smitte; inficere; -ed, *adj.* smittebefængt; -ion, *n.* smitte; infektion; -ious, *adj.* smitsom.

infer, *v.t.* slutte; -ence, *n.* slutning.

inferior, *adj.* nedre, lavere; ringere, underordnet; ~, *n.* underordnet; -ity, *n.* (of quality) ringhed; (of ability) mindreværd; underlegenhed; (of position) lavere stand; ~ complex, mindreværdskompleks.

infern|al, *adj.* djævelsk, infernalsk; helvedes; -o, *n.* helvede, inferno.

infest, *v.t.* befænge; myldre.

infidel, *n.* vantro; hedning.

infinit|e, *adj.* uendelig; -esimal, *adj.* uendelig lille; -ive, *n. gram.* navnemåde; infinitiv; -y, *n.* uendelighed.

infirm, *adj.* svag, svagelig; skrøbelig; -ary, *n.* sygehus; -ity, *n.* skrøbelighed.

inflame, *v.t. & i.* ophidse; opflamme; *med.* betænde.

inflam|mable, *adj.* brandfarlig; -mation, *n. med.* betændelse.

inflat|e, *v.t.* oppuste; pumpe op; -ion, *n.* oppustning; (finance) inflation.

inflect, *v. t. gram.* bøje; (voice) modulere.

inflex|ible, *adj.* ubøjelig; -ion, *n. gram.* bøjning; (voice) tonefald.

inflict, *v. t.* tilføje, bibringe; (punishment) tildele.

influ|ence, *n.* indflydelse; påvirkning; under the ~, *sl.* fuld; ~, *v.t.* påvirke; have indflydelse på; -ential, *adj.* indflydelsesrig; -enza, *n.* influenza.

inform, *v.t. & i.* underrette,

oplyse; angive; -ation, *n.* underretning; oplysning, besked; meddelelse; -er, *n. coll.* stikker.

infraction, *n.* brud; krænkelse.

infra-red, *adj. & n.* infrarød.

infrequent, *adj.* sjælden.

infringe, *v.t.* overtræde, bryde; ~ upon, gøre indgreb i.

infuriate, *v.t.* gøre rasende.

in|fuse, *v.t.* indgyde; -fusion, *n.* indgydelse; infusion; udtræk.

ingenious, *adj.* snild.

ingenuity, *n.* sindrighed; snildhed; opfindsomhed.

ingenuous, *adj.* naiv; åbenhjertig.

inglenook, *n.* kaminkrog.

ingot, *n.* barre.

ingrat|e, *n.* utaknemmelig person; -iating, *adj.* indsmigrende; -itude, *n.* utaknemmelighed.

ingredient, *n.* bestanddel, ingrediens.

inhabit, *v.t.* bebo; bo i; -ant, *n.* indbygger; beboer.

inhale, *v.t. & i.* indånde; indhalere.

inherent, *adj.* iboende.

inherit, *v.t. & i.* arve; -ance, *n.* arv.

inhibit, *v.t.* hæmme; forhindre; -ion, *n.* hæmning.

inhospitable, *adj.* ugæstfri.

inhuman, *adj.* umenneskelig.

inimical, *adj.* (hostile) fjendtlig.

inimitable, *adj.* uforlignelig.

iniquity, *n.* synd.

initial, *adj.* først, begyndelses-; ~, *n.* begyndelsesbogstav.

initiate, *v.t.* begynde, indlede; åbne; indvie; starte.

inject, *v.t.* indsprøjte; -ion, *n.* indsprøjtning.

injunction, *n.* forbud, pålæg.

in|jure, *v.t.* skade, beskadige; krænke; forurette; -jury, *n.* kvæstelse; skade; (harm) mén.

injustice, *n.* uretfærdighed; uret.

ink, *n.* blæk; (printer's) tryksværte; (Indian) tusch.

inkling, *n.* anelse.

ink-stand, *n.* blækhus.

inlaid, *adj.* indlagt; (*see also* inlay).

inland, *n.* indland; inde i landet.

inlay, *n.* indlagt arbejde; ~, *v.t.* indlægge.

inlet, *n.* fjord, vig; *mech.* indsugnings-.

inmate, *n.* beboer; lem.

inmost, *adj.* inderst.

inn, *n.* kro; -keeper, *n.* krovært.

innate, *adj.* medfødt; iboende.

inner, *adj.* indre; -most, *adj.* inderst.

inno|cence, *n.* (guiltlessness) uskyld; uskyldighed; (simplicity) troskyldighed; -cent, *n.* uskyldig person; enfoldig person; ~, *adj.* uskyldig; troskyldig, enfoldig.

innocuous, *adj.* uskadelig.

innovation, *n.* nyhed; ændring.

innuendo, *n.* hentydning, insinuation.

innumerable, *adj.* utallig.

inoculate, *v.t.* indpode; vakcinere.

inoffensive, *adj.* uskadelig; skikkelig.

inopportune, *adj.* ubelejlig.

inquest, *n.* undersøgelse; coroner's ~, retsligt ligsyn.

in|quire, *v.t. & i.* spørge, forhøre sig; henvende sig til; ~ into, undersøge; -quiry, *n.* (investigation) undersøgelse; (question) spørgsmål.

inqui|sition, *n.* inkvisition; -sitive, *n.* nysgerrig.

inroad, *n.* indhug; indgreb.

insane, *adj.* sindssyg, vanvittig.

insanitary, *adj.* uhygiejnisk.

insatiable, *adj.* umættelig.

inscribe, *v.t.* indskrive; ind-gravere.

inscrutable, *adj.* uransagelig.

insect, *n.* insekt; -icide, *n.* insektdræbende middel.

insecure, *adj.* usikker.

inseminat|e, *v.t.* inseminere; -ion, *n.* befrugtning.

insensible, *adj.* bevidstløs; ufølsom; umærkelig.

inseparable, *adj.* uadskillelig.

insert, *v.t.* indrykke; ind-skyde; indføre.

inside, *adj.* indre; inder-; indvendig; ~, *adv.* ind(e); (indoors) indenfor; indeni; ~, *n.* inderside; indvendige del; turn inside out, kræn-ge; ~, *prep.* indeni; inden-for.

insidious, *adj.* lumsk.

insight, *n.* indblik; indsigt.

insignificant, *adj.* betyd-ningsløs, uanselig.

insincere, *adj.* uoprigtig.

insinuate, *v.t.* insinuere; an-tyde.

insipid, *adj.* flov; fad.

insist, *v.i.* insistere; fast-holde; -ence, -ency, *n.* fastholdelse; -ent, *adj.* vedholdende.

insolence, *n.* uforskammet-hed.

insoluble, *adj.* uopløselig.

insolvent, *adj.* konkurs; in-solvent.

insomnia, *n.* søvnløshed.

inspect, *v.t.* efterse, syne, un-dersøge; inspicere; -ion, *n.* eftersyn; kontrol.

inspir|ation, *n.* inspiration; a sudden ~, en pludselig indskydelse; -e, *v.t.* inspi-rere, indgyde; -ing, *adj.* inspirerende; opløftende.

install, *v. t.* anbringe; ind-sætte; indlægge; installere.

instalment, *n.* afdrag; rate; (*of* story, article) afsnit.

instance, *n.* tilfælde; eksem-pel; *jur.* instans.

instant, *adj.* øjeblikkelig; (this month) dennes; ~, *n.*

øjeblik; -aneous, *adj.* øje-blikkelig.

instead, *adv.* i stedet; ~ of, i stedet for.

instep, *n.* vrist.

instigate, *v.t.* anstifte, til-skynde; foranledige.

instil, *v.t.* inddryppe; *fig.* indgyde.

instinct, *n.* instinkt.

institute, *n.* institut; ~, *v.t.* oprette; indlede.

instruct, *v.t.* undervise; an-vise; beordre; instruere.

instrument, *n.* instrument; (*fig. & tool*) redskab.

insubordinate, *adj.* opsætsig.

insubstantial, *adj.* svag; let.

insufferable, *adj.* utålelig.

insufficient, *adj.* utilstrække-lig.

insulate, *v.t.* isolere.

insult, *v.t.* fornærme; ~, *n.* fornærmelse; add ~ to in-jury, føje spot til skade.

insuperable, *adj.* uovervinde-lig.

insupportable, *adj.* uudhol-delig.

insur|ance, *n.* forsikring; na-tional ~, folkeforsikring; ~ policy, forsikringspo-lice; third party ~, an-svarsforsikring; fire ~, brandforsikring; -e, *v.t.* forsikre; sikre (sig); assu-rere.

insur|gent, *n.* oprører; ~, *adj.* oprørsk; -rection, *n.* op-stand; oprør.

intact, *adj.* uskadt; uberørt.

intake, *n.* tilgang; *mech.* ind-sugning.

intangible, *adj.* uhåndgribe-lig.

integrity, *n.* retskaffenhed.

intellect, *n.* forstand; intel-lekt.

intelli|gence, *n.* (information) efterretning; (intellect) forstand, intelligens; -gent, *adj.* intelligent; forstandig; -gentsia, *n.* the ~, de intel-lektuelle.

intend, *v.t.* have til hensigt;

påtænke; agte; ~ to, have
i sinde at; -ed, *adj.* på-
tænkt; ~ for, tiltænkt.

intens|e, *adj.* anstrengt,
spændt; stærk; gennem-
trængende; -ify, *v.t. & i.*
skærpe; -ity, *n.* intensitet;
styrke; -ive, *adj.* intensiv.

intent, *n.* hensigt; ~ on doing
something, opsat på at
gøre noget; to all -s and
purposes, praktisk talt;
-ion, *n.* hensigt; forsæt;
-ional, *adj.* forsætlig; til-
sigtet; -ionally, *adv.* med
forsæt.

intently, *adv.* spændt; kon-
centreret.

inter, *v.t.* begrave.

inter|cede, *v.i.* gå i forbøn;
træde imellem; -cept, *v.t.*
opsnappe, opfange; af-
skære, spærre; -change,
v.t. ombytte, udskifte;
~, *n.* veksling; udveks-
ling; ombytning; -course,
n. omgang; forbindelse;
samkvem; -dict, *n.* for-
bud; *rel.* interdikt.

interest, *v.t.* interessere;
~, *n.* interesse; (partici-
pation), deltagelse; (share)
andel; *commerc.* rente;
compound ~, rentes rente;
rate of ~, rentefod; -ed,
adj. interesseret; -ing, *adj.*
interessant.

inter|fere, *v.i.* gribe ind;
blande sig i; -im, *n.* mel-
lemtid; ~, *adj. & adv.* in-
terimistisk; midlertidig(t).

interior, *adj.* indre; *polit.*
indenrigs-; ~ decorator,
indendørsarkitekt; ~, *n.*
indre; interiør.

interject, *v.t.* indskyde;
-ion, *n.* udråb; udråbsord.

inter|lace, *v.t. & i.* sammen-
flette; -lard, *v.t.* spække;
-lock, *v.i.* gribe ind i hin-
anden; -loper, *n.* ubuden
person; *hist.* smughand-
ler; -lude, *n.* mellemspil;
theat. mellemakt.

inter|marry, *v.i.* gifte sig

indbyrdes; -mediary, *n.*
mellemmand; mellemled;
mægler; ~, *adj.* mellem-;
-mediate, *adj.* mellem-;
mellemliggende; -min-
able, *adj.* uendelig;
-mingle, *v.t. & i.* blande
(sig); -mission, *n.* ophør;
standsning; -mittent, *adj.*
periodisk.

intern, *v.t.* internere; ~, *n.*
kandidat.

internal, *adj.* indvortes; in-
dre; indvendig; ~ com-
bustion engine, forbræn-
dingsmotor.

international, *n. sport,* lands-
kamp; ~, *adj.* international.

interplay, *n.* samspil.

interpose, *v.t.* lægge imel-
lem.

interpret, *v. t.* fortolke;
-ation, *n.* fortolkning; -er,
n. fortolker.

inter|rogate, *v.t.* spørge; for-
høre; -rupt, *v.t.* afbryde.

inter|section, *n.* skærings-
punkt; -sperse, *v.t.* an-
bringe hist og her; udstrø;
-stice, *n.* mellemrum.

inter|twine, *v.t. & i.* sam-
menslynge.

inter|val, *n.* mellemtid; mel-
lemrum; *theat.* mellemakt,
pause; -vene, *v.i.* komme
imellem; skride ind; -ven-
tion, *n.* indgriben; inter-
vention.

intestate, *adj.* uden testa-
mente; die ~, dø uden at
have skrevet testamente;
~, *n.* person, som dør
uden at have skrevet testa-
mente.

intestine, *n.* tarm.

inti|macy, *n.* fortrolighed;
intimitet; -mate, *adj.* for-
trolig; ~, *v.t.* antyde, til-
kendegive.

intimidate, *v.t.* skræmme.

into, *prep.* ind i; ned i; ud i;
til.

intoler|able, *adj.* utålelig;
-ance, *n.* intolerance.

intoxicate, *v.t.* beruse.

intractable, *adj.* umedgørlig.
intransigent, *adj.* uforsonlig.
intransitive, *adj.* intransitiv.
intravenous, *adj.* ~ injection, indsprøjtning i en åre.
intrepid, *adj.* frygtløs; uforfærdet.
intricate, *adj.* indviklet.
intri|gue, *n.* intrige; -guing, *adj.* intrigant; (interesting) interessant.
intrinsic, *adj.* indre; egentlig.
intro|duce, *v.t.* indføre; indlede; præsentere; forestille; Mr. A, may I ~ you to Mr. B?, hr. A, må jeg præsentere Dem for hr. B?; -duction, *n.* præsentation; forestilling; indførelse; indledning.
intro|spection, *n.* selvbeskuelse; indadvendthed; -vert, *n.* introvert, indadvendt person.
intrude, *v.t. & i.* trænge ind, påtrænge sig, komme til ulejlighed; forstyrre.
inundate, *v.t.* oversvømme.
inure, *v.t.* be -d to, være vænnet til; være hærdet imod.
invade, *v.t.* trænge ind i; krænke; overfalde.
invalid, *adj.* ugyldig; svag; ~, *n.* patient, invalid; -ate, *v.t.* omstøde; afkræfte.
invaluable, *adj.* uvurderlig.
invari|able, *adj.* uforanderlig; -ably, *adv.* uvægerlig.
invasion, *n.* indfald; indrykning; invasion; indgreb.
invective, *n.* skældsord, *pl.*
inveigle, *v.t.* forlokke.
invent, *v.t.* opfinde, udtænke; opdigte.
inventory, *n.* lageropgørelse, fortegnelse; inventarliste.
inverse, *adj.* omvendt.
invert, *v.t.* krænge; vende op og ned på; bytte om på; -ed commas, anførselstegn.
invertebrate, *n.* hvirvelløst dyr.

invest, *v.t. & i.* udstyre; give; investere; ~ in, sætte penge i; anbringe penge i; udstyre; iklæde.
investigate, *v.t.* undersøge, efterforske.
investiture, *n.* indsættelse; iklædning.
investment, *n.* investering; pengeanbringelse.
inveterate, *adj.* indgroet; uforbederlig.
invidious, *adj.* uretfærdig; forhadt; odiøs.
invigorate, *v. t.* styrke.
invincible, *adj.* uovervindelig.
inviolable, *adj.* ukrænkelig, ubrydelig.
invisible, *adj.* usynlig.
invit|ation, *n.* indbydelse; opfordring; -e, *v. t.* indbyde; invitere; opfordre.
invoice, *n.* faktura.
invoke, *v.t.* påkalde; anråbe.
involuntary, *adj.* uvilkårlig.
involve, *v.t.* indebære; indvikle; forudsætte; implicere; inddrage; medføre.
invulnerable, *adj.* usårlig.
inward, *adj.* indre; indgående; ~, *adv.* indad; indefter; ~, *n.* indre; -ly, *adv.* indvendigt; ~ I thought, i mit stille sind tænkte jeg.
iodine, *n.* jod.
iota, *n.* tøddel.
irascible, *adj.* opfarende, hidsig.
ire, *n.* vrede, harme.
Ireland, *n.* Irland.
iridescent, *adj.* spillende i regnbuens farver.
iris, *n. bot.* iris; sværdlilje; *anat.* regnbuehinde.
Irish, *n. &* irsk; the ~, irlænderne, irerne.
irksome, *adj.* trættende, ærgerlig.
iron, *n.* jern; (flat-~) strygejern; the ~ curtain, jerntæppet; strike while the ~ is hot, smede mens jernet er varmt; -s, *pl.* lænker, *pl.*; ~, *adj.* hård; jern-;

stærk; ~, *v.t.* stryge; ~ out, *v.t.* klarlægge; glatte ud; -bound, *adj.* jernbeslået; jernhård; -clad, *adj.* pansret; -ic, *adj.* ironisk; -ing-board, *n.* strygebræt; -monger, *n.* jernhandler, isenkræmmer; -y, *n.* ironi.

irreconcilable, *adj.* uforsonlig.

irrecoverable, *adj.* som ikke kan fås tilbage; ubodelig.

irrefutable, *adj.* uigendrivelig.

irregular, *adj.* uregelmæssig; mislig.

irrelevant, *adj.* uvedkommende; irrelevant.

irreparable, *adj.* ubodelig; uoprettelig.

irreplaceable, *adj.* uerstattelig.

irreproachable, *adj.* ulastelig.

irresistible, *adj.* uimodståelig.

irrespective, *adj.* ~ of, uanset; uden hensyn til.

irresponsible, *adj.* ansvarsløs.

irretrievable, *adj.* som ikke kan fås tilbage; uoprettelig.

irrevocable, *adj.* uigenkaldelig.

irrigate, *v.t.* overrisle.

irritable, *adj.* pirrelig; irritabel.

isinglass, *n.* husblas.

island, *n. ø*; -er, *n.* øbo.

isle, *n. poet. ø*; the British I~s, De Britiske Øer; -t, *n.* lille ø, holm.

isolate, *v.t.* afsondre, isolere.

issue, *n.* (way out) udgang; (result) udfald; (progeny) afkom; (controversy) stridspunkt; (granting, *etc.*) udstedelse, emission; (impression) udgave; número; ~, *v. i.* udgå; løbe ud, flyde ud, udspringe; bryde ud, bryde frem; ~, *v.t.* udstede; udgive; udsende; hidrøre, stamme.

isthmus, *n.* landtange.

it, *pron.* den, det.

Italian, *n.* italiener (*language*) italiensk; ~, *adj.* italiensk.

ital|ics, *n.* kursiv; -icize, *v.t.* kursivere.

Italy, *n.* Italien.

itch, *v.t. & i.* klø; ~, *n.* kløe.

item, *n.* (entry, *etc.*) post; punkt; (stage act) nummer; -ize, *v.t.* specificere.

iterate, *v.t.* gentage.

itine|rant, *adj.* rejsende, vandrende; ~, *n.* omrejsende; -rary, *n.* rejserute.

its, *pron.* dens, dets; sin, sit, sine.

itself, *pron.* sig selv; sig; selv, selve.

ivory, *n.* elfenben.

ivy, *n. bot.* vedbend.

jab, *v.t.* støde, stikke; ~, *n.* stød, stik.

jabber, *v.i.* lade munden løbe; pludre.

jack, *n.* every man ~, hvermand; (flag) gøs; (card) knægt; *mech.* donkraft; ~ tar, matros; before you could say J~ Robinson, i en håndevending; ~ (*el.* J~) of all trades, tusindkunstner; ~ (up) *v.t.* løfte med donkraft; -al, *n.* sjakal; -anapes, *n.* Per Næsvis; -ass, *n.* hanæsel; -boot, *n.* skaftestøvle; -daw, *n.* allike.

jacket, *n.* jakke, trøje; (*of* book) smudsomslag.

jack|-in-the-box, *n.* æsketrold; -pot, *n.* (cards) pulje; jackpot; *fig.* stor gevinst.

jade, *n.* (stone) jade; ~, *adj.* jadegrøn; -d, *adj.* udkørt, sløvet.

jag, *n.* spids; tak; ~, *v.t.* flænge, rive; lave takker i; -ged, *adj.* forreven; takket.

jaguar, *n. zool.* jaguar.

jail, *etc.*, see gaol.

jam, *n.* syltetøj; marmelade; (crowd) trængsel; ~, *v.t.* klemme, presse sammen; (block) stoppe; blokere; *radio.* forstyrre; støjsende; ~, *v.i.* sidde fast.

jamb, *n.* dørstolpe.

jam-jar, *n.* syltetøjskrukke.

jangle, *v. t. & i.* skurre; skramle; rasle.

janitor, *n.* dørvogter, portner; pedel.

Japan, *n.* Japan; -ese, *n.* japaner; (language) japansk; ~, *adj.* japansk.

jar, *v.t.&i.* skurre; it -s on my nerves, det virker stødende på mig; (shock) støde; chokere; (not harmonize) gå dårligt sammen; harmonere dårligt; ~, *n.* skurren; (container) krukke; (shock) rystelse; chok; stød.

jargon, *n.* kaudervælsk; jargon.

jasmine, *n. bot.* jasmin.

jaundice, *n. med.* gulsot.

jaunt, *n.* tur, udflugt; -y, *adj.* kæk.

javelin, *n.* kastespyd.

jaw, *n.* kæbe; *sl.* kæft, kaje; his ~ fell, han blev lang i ansigtet; -bone, *n.* kæbeben.

jay, *n. zool.* skovskade.

jealous, *adj.* skinsyg; jaloux; misundelig; nidkær; -y, *n.* skinsyge; jalousi; nidkærhed; misundelse; professional ~, brødnid.

jeer, *v. i.* håne, spotte.

jelly, *n.* gelé; (fruit-flavoured dish) frugtgelé; frugtgrød; -fish, *n.* vandmand.

jemmy, *n.* koben.

jeopardize, *v.t.* sætte på spil.

jerk, *n.* ryk; (twitch) trækning; spjæt; with a ~, med et sæt (*or* ryk); -in, *n.* (jacket) vams; -y, *adj.* stødvis, rykvis.

jerry, *n.* natpotte; ~-built, *adj.* smækket op; bygget (dårligt) på spekulation.

jersey, *n.* (garment) jerseytrøje; (cloth) jersey.

jessamine, *n. bot.* jasmin.

jest, *n.* spøg, vits; in ~, for spøg; ~, *v. i.* skæmte, spøge; -er, *n.* (hof)nar.

jet, *n.* stråle; sprøjt; (mineral) jet; (nozzle) dyse; ~ engine, jetmotor, reaktionsmotor; ~ plane, jetfly, reaktionsfly(vemaskine); ~-black, *adj.* kulsort; ~-propelled, *adj.* reaktionsdrevet.

jetsam, *n.* drivgods [kastet over bord for at lette et skib].

jettison, *v.t.* kaste over bord.

jetty, *n. naut.* mole, skibsbro.

Jew, *n.* jøde.

jewel, *n.* juvel; ædelsten; -ler, *n.* juvelér; -lery, *n.* smykker, *pl.*

Jewish, *adj.* jødisk.

jib, *n. naut.* klyver; fok; ~, *v. t. & i. naut.* slå over, gibbe; ~, *v. i.* (*of* horse) nægte at gå videre; stejle; standse op; *fig.* vise modvilje imod; nægte.

jiff, -y, *n.* øjeblik; half a ~!, lige et sekund!

jig, *n.* skotsk dans; *mech.* skabelon; ~, *v.i.* danse jig; ~ up and down, hoppe op og ned; -ggery-pokery, *n.* snyd; hundekunster; -saw-puzzle, *n.* puslespil.

jilt, *v.t.* svigte; lade i stikken.

jingle, *v.t.&i.* klirre, klinge; rasle.

jitter, *v. i.* være nervøs; -s, *pl. n.* the ~, nervøsitet.

job, *n.* plads, arbejde, job; (piece-work) akkordarbejde; -ber, *n.* mægler; spekulant.

jockey, *n.* jockey; rideknægt.

jocose, jocular, *adj.* spøgefuld.

jog, *n.* puf; stød; ~, *v. t.* puffe; støde; skumple; (*of* horse) lunte; ~-trot, *n.* luntetrav.

join, *v.t.&i.* forene; forbinde; sammenføje; samle; slutte sig til; indtræde i; støde til; (meet) møde, træffe; (singing) ~ in, stemme i; ~ forces, gøre fælles sag; ~ up, forbinde, (army, *etc.*) melde sig til, træde ind i; -er, *n.* snedker.

joint, *n.* sammenføjning; fuge; forbandt; *anat.* led, knogleled; *sl.* (dive) bule, knejpe; (meat) steg; out of ~, af led, af lave; ~, *adj.* fælles; forenet; samlet; -ly, *adv.* i fællesskab.

joist, *n.* bjælke.

joke, *n.* vittighed; spøg; morsomhed; skæmt; I don't see the ~, jeg kan ikke se komikken; ~, *v.i.* spøge; -r, *n.* spøgefugl; (card) joker.

jolly, *adj.* livlig, morsom; lystig; ~, *adv. sl.* meget; morderlig.

jolt, *v.t. & i.* skumple; støde.

jostle, *v.i. & t.* skubbe; puffe.

jot, *n.* tøddel; ~, *v.t.* ~ down, notere; kradse ned.

journal, *n.* dagblad; tidsskrift; *commerc.* journal; (diary) dagbog; -ism, *n.* journalistik; -ist, *n.* journalist.

journey, *n.* rejse; ~, *v.i.* rejse.

jovial, *adj.* munter; gemytlig; selskabelig.

jowl, *n.* kæbe; (cheek) kind.

joy, *n.* fryd; glæde; ~ of living, livslyst; -ful, *adj.* glad, lystig; -less, *adj.* glædesløs; ~-stick, *n. aero.* styrepind.

jubi|lant, *adj.* jublende; -lation, *n.* jubel; -lee, *n.* jubilæum; silver ~, 25 års jubilæum; diamond ~, 60 års jubilæum.

judge, *n.* dommer; (connoisseur) kender; ~, *v.t. & i.* dømme; fælde dom; (pass an opinion) skønne; ~ by, dømme efter; -ment, (*el.* judgment) *n.* dom; kendelse; retskendelse; (ability) dømmekraft; omdømme; (estimate) vurdering; ~ day, dommedag.

judicious, *adj.* klog; skønsom.

jug, *n.* kande.

juggins, *n. sl.* fæhoved.

juggler, *n.* taskenspiller, jonglør.

Jugoslav, *n.* jugoslav(er); ~, *adj.* jugoslavisk; -ia, *n.* Jugoslavien.

jugular, *adj. anat.* hals.

juice, *n.* saft; vædske.

juke-box, *n. U.S. sl.* spilleautomat; grammofonautomat.

July, *n.* juli.

jumble, *n.* virvar; rod, roderi; miskmask; ~, *v.t. & i.* blande sammen.

jump, *v.t. & i.* springe, hoppe; fare sammen; ~, *n.* spring; hop; sæt; -er, *n.* jumper; bluse.

junction, *n.* forening; forbindelse; *rail.* jernbaneknudepunkt.

juncture, *n.* tidspunkt.

June, *n.* juni.

jungle, *n.* jungle.

juniper, *n. bot.* ene; enebærbusk.

junk, *n.* (Chinese boat) junke; (old metal, wood, *etc.*) skrammel; ~, *v.t.* kassere.

junket, *n.* tykmælk; (feast) kalas, fest.

jur|idical, *adj.* retslig; juridisk; -isdiction, *n.* jurisdiktion; kompetence; -ist, *n.* jurist; retslærd; -or, *n.* nævning; -y, *n.* jury; nævninge, *pl.*

just, *adj.* retfærdig; korrekt, rigtig, ret; (upright) retskaffen; ~, *adv.* netop; (only) bare; kun; ~ as, idet; netop som; ~ now, lige nu; she ~ had to say it, hun måtte simpelt hen fortælle det.

justice, *n.* (fairness) retfærdighed; (equity) billighed; (judge) dommer; højesteretsdommer; ~ of the peace, fredsdommer.

justify, *v.t.* retfærdiggøre, berettige; begrunde; motivere.

jut, *v. i.* ~ out, rage frem.

jute, *n.* jute.

Jutland, *n.* Jylland; -er, *n.* jyde; -ic, -ish, *adj.* jydsk.

juvenile, *adj.* ung, ungdommelig; ungdoms-; ~ delinquency, ungdomskriminalitet.

juxta|pose, *v. t.* sidestille; sammenstille.

kale, *n. bot.* grønkål.

kangaroo, *n. zool.* kænguru.

kedge, *v.t. naut.* varpe; ~, *n.* varpanker.

keel, *n. naut.* køl; -haul, *v.t.* kølhale.

keen, *adj.* (eager) ivrig; (sharp) skarp, hvas; (caustic) bidende; ~ on, ivrig efter, opsat på.

keep (kept, kept), *v. t. & i.* holde; (retain, possess) beholde; (have charge of) bevare, opbevare; (protect, guard) beskytte, bevogte; (provide for, maintain) underholde; (observe) overholde; (maintain) vedligeholde; passe; (celebrate) fejre; (stock) føre; ~ off, holde fra livet, afværge; ~ up, holde gående; ~ on, beholde på; *fig.* blive ved; ~ accounts, føre regnskab; ~ somebody company, holde én med selskab; ~ your hair on!, *sl.* tag det med ro!; ~, *n.* underhold; forplejning; (stronghold) borgtårn; for -s, *sl.* for bestandig; -ing, *n.* (safe-keeping) forvaring; røgt; opbevaring; (agreement) overensstemmelse; harmoni; stil; -sake, *n.* erindring; souvenir.

keg, *n.* lille tønde.

kelp, *n.* tang, tangaske.

ken, *v.t. Scot.* kende; ~, *n.* it is beyond my ~, det er uden for mit kendskab.

kennel, *n.* hundehus; (breed-

ing-establishment) kennel, hundestutteri.

kept, *see* keep.

kerbstone, *n.* kantsten.

kernel, *n.* kærne.

kerosene, *n.* petroleum.

kettle, *n.* kedel; a pretty ~ of fish, en køn suppedas; -drum, *n.* pauke.

key, *n.* nøgle; (wedge) kile; (piano-~) tangent; *mus.* toneart; ~, *v.t.* kile; *mus.* stemme; ~ up, *fig.* stramme op; stimulere; -board; *n.* klaviatur; -note, *n.* grundtone; -stone, *n.* slutsten.

kick, *v.t. & i.* sparke; (twitch) spjætte; (recoil) rekylere; ~, *n.* spark; tilbageslag; spjæt; (excitement) *sl.* spænding.

kid, *n.* (child) barn; pode; rolling; (young goat) gedekid; ~-glove, *n.* glacéhandske; ~, *v.t. sl.* narre; -nap, *v.t.* bortføre; -napper, *n.* barnerøver, kidnapper.

kidney, *n.* nyre; ~-shaped, *adj.* nyreformet.

kill, *v.t. & i.* dræbe; slå ihjel; ombringe; aflive; ~ two birds with one stone, slå to fluer med et smæk; be -ed, omkomme; -ed in action, faldet i kamp; -er, *n.* morder; drabsmand; -joy, *n.* lyseslukker.

kiln, *n.* (tørre)ovn; (tegl)brænderi.

kilt, *n.* skotteskørt.

kin, *n.* slægt; slægtninge; next of ~, nærmeste slægtning(e).

kind, *adj.* god; venlig; kærlig; how very ~ of you!, hvor er det pænt af Dem!; ~, *n.* art; slags; sort; pay in cash or ~, betale i penge eller naturalier; I ~ of expected it, jeg havde nærmest ventet det; something of the ~, noget i den retning.

kindergarten, *n.* børnehave.

kind-hearted, *adj.* venlig; godhjertet.

kindle, *v.t. & i.* antænde; tænde; *fig.* vække, tænde.

kindliness, *n.* venlighed.

kindling, *n.* pindebrænde.

kindly, *adv.* venligt; ~, *adj.* venlig.

kindred, *n.* slægtninge; slægtskab; (similarity) lighed; ~, *adj.* beslægtet; a ~ spirit, åndsfrænde.

king, *n.* konge; -dom, *n.* kongerige; rige; -fisher, *n. zool.* isfugl; -ship, *n.* kongeværdighed.

kink, *n.* kinke; (mental twist) karakterbrist; fiks idé.

kin|ship, *n.* slægtskab; -sman, *n.* frænde; mandlig slægtning; -swoman, *n.* frænde; kvindelig slægtning.

kipper, *n.* røget flækkesild.

kirk, *n. Scot.* kirke.

kismet, *n.* skæbne.

kiss, *n.* kys; ~, *v. t.* kysse.

kit, *n.* udstyr; *mil. & naut.* mundering; ·bag, *n.* rejsetaske; kitbag.

kitchen, *n.* køkken; -ette, *n.* tekøkken.

kite, *n.* drage; ~, *n. zool.* glente.

kith, *n.* ~ and kin, venner og frænder.

kitten, *n.* kattekilling.

knack, *n.* færdighed; håndelag.

knacker, *n.* hestehandler, hesteopkøber.

knapsack, *n. mil.* tornyster.

knave, *n.* kæltring, slyngel; (card) knægt, bonde.

knead, *v.t.* ælte; -ing-trough, *n.* dejtrug.

knee, *n.* knæ; ~-cap, *n.* knæskal; ~-deep, *adj.* til knæene.

kneel (knelt, knelt), *v. i.* knæle.

knell, *n.* ringning (til begravelse).

knelt, *see* kneel.

knew, *see* know.

knicker|bockers, *pl. n.* knick-

ers; knæbenklæder; (dame)bukser.

knick-knack, *n.* nipsgenstand.

knife, *n.* kniv; ~, fork & spoon, bestik; ~, *v.t.* stikke med kniv; ~-grinder, *n.* skærslipper.

knight, *n.* ridder; (chessman) springer; ~-errant (*pl.* knights errant), *n.* vandrende ridder; ~, *v.t.* slå til ridder; adle; -hood, *n.* ridderskab.

knit (-ted *el.* knit), *v. t. & i.* strikke; knytte; binde; ~ one's eyebrows, rynke panden; -ting, *n.* strikketøj; ~ needle, strikkepind; -wear, *n.* strikkevarer, *pl.*

knob, *n.* knap; greb; håndtag; (lump) klump.

knock, *v.t. & i.* slå; banke; dunke; hamre; ~ down, slå i gulvet; ~ against, støde på; ~ off (work), holde fyraften; ~-kneed, *adj.* kalveknæet; ~-out, *n.* knock-out.

knoll, *n.* høj; bakketop.

knot, *n.* knude; (in wood) knast; *fig.* vanskelighed; ~, *n. naut.* knob; ~, *v.t. & i.* slå en knude; tie a ~, slå (or binde) en knude; untie a ~, løse en knude; -ty, *adj.* knudret; *fig.* vanskelig, indviklet; (of wood) knastet.

know (knew, known), *v. t. & i.* (recognize) genkende, kende igen; (be aware of) vide; (be acquainted with) kende; (be versed in, skilled in) kunne; (understand) forstå; get to ~, lære at kende; -ing, *adj.* kyndig; erfaren; medvidende; snu; -ledge, *n.* viden; kundskab; kendskab; lærdom; -n, *adj.* bekendt; kendt; (*see* know).

knuckle, *n.* kno; ~, *v. i.* ~

down to, tage fat på; ~-duster, *n.* knojern.
kow-tow, *v. i.* ~ to somebody, være servil over for én.
kudos, *n.* hæder.

label, *n.* mærke(seddel); etikette; ~, *v. t.* mærke, etikettere.
labial, *adj.* læbe-.
labor|atory, *n.* laboratorium; _-ious, *adj.* møjsommelig.
labour, *n.* arbejde; møje, besvær; (childbirth) fødselsveer; (manpower) arbejdskraft; L~ (Party) arbejderpartiet, socialdemokratiet; L~ Exchange, arbejdsanvisningskontor; ~, *v.t. & i.* arbejde; stræbe; slide; -ed, *adj.* anstrengt; -er, *n.* arbejder; arbejdsmand.
laburnum, *n. bot.* guldregn.
labyrinth, *n.* labyrint.
lace, *n.* blonde, knipling(er); (cloth) lidse; (shoe-~) snøreband; ~, *v.t. & i.* snøre ~ beer with whisky, *coll.* komme whisky i øl.
lacerate, *v. t.* flænge, sønderrive.
lack, *n.* mangel; afsavn; savn; ~, *v.t. & i.* mangle; fattes; savne.
lackey, *n.* lakaj.
lacklustre, *adj.* mat, glansløs.
laconic, *adj.* kortfattet; lakonisk.
lacquer, *n.* lak; lakfernis; ~, *v. t.* lakere.
lactic, *adj.* mælke-.
lad, *n.* knøs, dreng.
ladder, *n.* stige; there's a ~ in my stocking, en maske er løbet i min strømpe.
laden, *see* load.
lading, *n.* bill of ~, konnossement.
ladle, *n.* slev; øse; ~, *v.t. & i.* øse.
lady, *n.* dame; frue; Our L~, Vor Frue, Jomfru Maria; ~-bird, *n.* mariehøne; ~-in-waiting, *n.* hofdame;

~-killer, *n. coll.* hjerteknuser -like, *adj.* dameagtig; ladylike; -ship, *n.* your ~!, Deres nåde!; ~'s-maid, *n.* kammerpige; ~'s-slipper, *n. bot.* fruesko.
lag, *n.* forsinkelse; ~, *v. i.* nøle; sakke bagud.
lager, *n.* pilsner.
laggard, *n.* efternøler.
lagoon, *n.* lagune.
laid, *see* lay.
lain, *see* lje.
lair, *n.* leje; hule; hi.
laird, *n. Scot.* skotsk godsejer.
laity, *n.* lægfolk.
lake, *n.* sø; indsø; (colour) lakfarve.
lamb, *n.* lam; (meat) lammekød; as docile as a ~, modstandsløs.
lame, *adj.* halt; vanfør; a ~ excuse, en dårlig undskyldning.
lament, *v.t. & i.* klage; jamre; sørge over; begræde; vånde sig; ~, *n.* klage; -able, *adj.* beklagelig; sørgelig.
lamina (*pl.* -e), *n.* skive; lamel.
lamp, *n.* lampe; lygte; lys; ~-post, *n.* lygtepæl; ~-shade, *n.* lampeskærm.
lance, *n.* lanse, spyd; *med.* lancet; ~, *v.t. med.* punktere, skære op; ~-corporal, *n.* underkorporal; -r, *n. mil.* lansenér; -t, *n. med.* lancet.
land, *n.* land; jord; jordegods; the Promised L~, det forjættede land; have a look at the lie of the ~, sondere terrænet; ~, *v. t. & i.* lande; havne; (deposit) landsætte; losse; ~-agent, *n.* godsforvalter; -ed, *adj.* ~ proprietor, proprietær; ~ gentry, landadel; -fall, *n. naut.* landkending; -ing, *n. archit.* trappeafsats; (disembarcation) landgang; -ing-place, *n.* landingsplads;

-ing-stage, *n.* landgangsbro; -lady, *n.* værtinde; indehaverske; ~-locked, *adj.* lukket; indesluttet (af land); -lord, *n.* vært; ejer; godsejer; kroejer; -lubber, *n.* landkrabbe; -mark, *n.* landmærke; -owner, *n.* godsejer; -scape, *n.* landskab; (picture) landskabsmaleri; ~ architect, ~ gardener, *n.* havearkitekt; anlægsgartner; -slide, *n.* jordskred; ~-tax, *n.* grundskyld.

lane, *n.* smal vej på landet; (on wide road) kørebane; bane.

language, *n.* sprog; bad ~, grovheder, *pl.*

lan|guid, *adj.* træg, sløv, slap; -guish, *v.i.* vansmægte, sygne hen.

lank, *adj.* mager; -y, *adj.* ranglet, mager; lang; opløben.

lantern, *n.* lanterne; lygte; ~ lecture, foredrag med lysbilleder; ~ slide, lysbillede.

lanyard, *n. naut.* taljereb; snor.

lap, *n.* skød; (flap) flig; (circuit) runde; omgang; ~, *v.t.* labbe, slikke; ~, *v.i.* skvulpe; he -ped up the story, han slugte historien råt.

lapel, *n.* revers.

Lapland, *n.* Lapland; -er, *n.* laplænder; same.

Lapp, *n.* laplænder; (language) lappisk, samisk; ~, *adj.* lappisk; -ish, *adj.* laplandsk.

lapse, *n.* lapsus; fejltagelse; ~ of time, tidsforløb; et stykke tid; ~, *v.i.* ~ into, henfalde til.

lapwing, *n. zool.* vibe.

larceny, *n.* tyveri.

larch, *n. bot.* lærk, lærketræ.

lard, *n.* svinefedt; ~, *v.t.* spække; -er, *n.* spisekammer.

large, *adj.* stor; (extensive) udstrakt; vidtspændende; omfattende; (of volume) rummelig; be at ~, være på fri fod; ~-minded, *adj.* storsindet; a ~-scale effort, en storstilet indsats.

lark, *n. zool.* lærke; just for a ~, *sl.* bare for sjov; -spur, *n. bot.* ridderspore.

lar|yngitis, *n. med.* halsbetændelse; -ynx, *n. anat.* strubehoved.

lascivious, *adj.* liderlig.

lash, *n.* piskeslag; snert; (eye-~) øjenhår; ~, *v.t. & i.* piske, hudflette; (fasten) binde fast; ~ out, lange ud; piske; -ings of, *sl.* masser af.

lass, -ie, *n.* (lille)pige.

lasso, *n.* lasso; ~, *v.t.* fange med lasso.

last, *adj.*, *n. & adv.* sidst; yderst; forrige; at ~, til sidst; endelig; at long ~, langt om længe; ~, *n.* læst; ~, *v.t. & i.* vare; holde; vedvare; -ing, *adj.* vedvarende, holdbar, varig; -ly, *adv.* til sidst.

latch, *n.* smækkelås; klinke.

late, *adj.* sen; forsinket; (deceased) afdød; (former) forhenværende; (recent) nylig; fornylig; he came ~, han kom for sent; it is ~, klokken er mange; -ly, *adv.* fornylig; i den senere tid.

latent, *adj.* latent; *fig.* skjult.

lath, *n.* liste; lægte.

lathe, *n.* drejebænk.

lather, *n.* skum; ~, *v.t. & i.* indsæbe; skumme.

Latin, *n.* latin; (person) latiner; ~, *adj.* latinsk.

latitude, *n. geog.* bredde; *fig.* spillerum.

latrine, *n.* latrin.

latter, *adj.* sidstnævnte; nyere; -ly, *adv.* i den senere tid.

lattice, *n.* gitter; -work, *n.* gitterværk.

Latvia, *n.* Letland; -n, *n.* lette; ~, *adj.* lettisk.

laud, *v.t.* lovprise; -able, *adj.* rosværdig; -atory, *adj.* rosende.

laugh, *v.i.* le; grine; ~ at, le ad; grine ad; it's no -ing matter, det er ikke noget at grine ad; be a -ingstock, være en skive for spot; -ter, *n.* latter; burst into ~, slå en latter op.

launch, *v.t. & i. naut.* søsætte; sætte i vandet; *fig.* starte, indlede; ~, *n.* chalup; motorbåd; -ing, *n.* stabelafløbning; søsætning; *fig.* sta.t.

laun|der, *v.t.* vaske; -dry, *n.* (business) vaskeri; (clothes) vasketøj.

laureate, *adj. & n.* hæderkronet; poet ~, hofdigter.

laurel, *n. bot.* laurbær; -s, *fig.* hædersbevisning(er); rest on one's -s, hvile på sine laurbær.

lavatory, *n.* toilet; wc.

lavender, *n. bot.* lavendel.

lavish, *v.t.* ødsle med; ~, *adj.* ødsel; flot; rigelig; -ly, *adv.* rundhåndet; ødselt.

law, *n.* lov; (science) jura; retsvidenskab; lay down the ~ to somebody, sætte én stolen for døren; ~abiding, *adj.* lovlydig; ~court, *n.* ret; domstol; -ful, *adj.* lovlig; lovmæssig; -giver, *n.* lovgiver; -less,. *adj.* lovløs.

lawn, *n.* græsplæne; ~mower, *n.* græsslåmaskine.

law|suit, *n.* retssag; proces; sagsanlæg; -yer, *n.* sagfører; advokat; jurist.

lax, *adj.* slap; løs; -ative, *n.* afføringsmiddel; -ity, *n.* slaphed.

lay (laid, laid), *v.t. & i.* lægge; sætte; stille; ~ a table, dække bord; ~ claim to; gøre krav på; ~ eggs, lægge æg; ~ emphasis upon, lægge vægt på, un-

derstrege; ~ down arms, nedlægge våbnene; ~ down rules, fastsætte regler; ~ off, holde op med; afskedige; ~ in a store, gemme væk; be laid up, være sengeliggende; ~, *n.* kvad; sang; ~, *adj.* læg; -man, *n.* lægmand; ~out, *n.* opsætning; anlæg; layout.

laz|e, *v.i.* dovne; -iness, *n.* dovenskab; -y, *adj.* doven.

lead, *n.* bly; sænkelod, blylod; (seal) plombe; ~ shot, hagl; ~ pencil, blyant; ~, *n.* (advantage) forspring; (leadership) ledelse; *theat.* hovedrolle; *elect.* ledning; (for dog) snor; ~ (led, led), *v.t. & i.* føre, anføre; lede; (cards) spille ud; (go first, be at head of) føre an; gå foran; stå i spidsen for; (begin) indlede; -en, *adj.* af bly; tung; -er, *n.* anfører; leder; (leading article in paper) leder; -ership, *n.* førerskab; ~-poisoning, *n.* blyforgiftning.

leaf, *n.* blad; (in table) klap; plade; -let, *n.* brochure.

league, *n.* forbund; liga; L~ of Nations, folkeforbundet; (distance) 3 engelske mil; in ~ with, allieret med.

leak, *n.* læk, lækage; ~, *v.i.* lække; ~ out, sive ud.

lean (leaned *or* leant), *v.t. & i.* læne; læne sig; (incline) hælde; ~ on, støtte sig til; ~, *adj.* mager; -ing, *n.* (inclination) tilbøjelighed; (incline) hældning; ~-to, *n.* halvtag.

leap (leaped *or* leapt), *v.t. & i.* springe, hoppe; sætte over; ~, *n.* spring; -frog, *n.* play ~, springe buk; ~-year, *n.* skudår.

learn (learnt *or* learned), *v.t. & i.* lære; få at vide; høre; erfare; ~ by heart, lære udenad; -ed, *adj.* lærd;

-er, *n.* begynder, elev; L~, (car) skolevogn; -ing, *n.* lærdom.

lease, *n.* leje; forpagtning; (period) forpagtningstid; (contract) lejekontrakt; forpagtningskontrakt; *v. t.* leje; leje ud; forpagte; bortforpagte.

leash, *n.* rem; snor.

least, *adj. & adv.* mindst; at ~, i det mindste; not in the ~, ikke det mindste; take the line of ~ resistance, hoppe over hvor gærdet er lavest.

leather, *n.* læder; (skin) skind; patent ~ shoes, laksko; chamois ~, ruskind; full ~, ~-binding, skindbind.

leave, *n.* lov, tilladelse; *mil.* permission; orlov; take one's ~, sige farvel; take sin afsked; grant ~, give lov; ~ (left, left), *v. t.* (leave behind) levne; (desert) forlade; (depart) afrejse; (forget) efterlade; glemme; (move) fraflytte; we'd better ~ it at that, vi må hellere lade det være sådan; let's ~ the date open, vi behøver ikke at bestemme en dato nu; ~ out, overspringe; undlade.

leaven, *v. t.* syre; gennemsyre.

lectern, *n.* læsepult.

lecture, *n.* foredrag; (at university) forelæsning; give a ~, holde et foredrag; *v.t. & i.* holde foredrag; holde forelæsning; -r, *n.* foredragsholder; (at university) lektor.

led, *see* lead.

ledge, *n.* (in rock) klippeafsats; (shelf) liste.

ledger, *n. commerc.* hovedbog.

lee, *n.* ly; læ; læside.

leech, *n.* igle.

leek, *n.* porre.

leer, *n.* lumsk grin; ~, *v. i.* skæve.

lee|ward, *adj., adv. & n.* læ; læside; i læ; -way, *n. naut.* afdrift.

left, *see* leave; ~, *adj., adv. & n.* venstre; ~-handed, *adj.* kejthåndet; ~-over, *n.* levning, ~-overs, *pl.* madrester, *pl.*

leg, *n.* ben; (meat) skank, kølle; pull somebody's leg, *sl.* lave sjov, drille; he hasn't a ~ to stand on, han kan overhovedet ikke forsvare sig.

legacy, *n.* legat; arv.

legal, *adj.* retmæssig; lovlig; juridisk; lovformelig; -ize, *v.t.* stadfæste; legalisere.

legation, *n.* gesandtskab; legation.

legend, *n.* legende; sagn; -ary, *adj.* legendarisk.

legible, *adj.* læselig, tydelig.

legion, *n.* legion; hærskare; their name is ~, deres tal er legio.

legis|late, *v. i.* give love; -lation, *n.* lovgivning; -lature, *n.* lovgivningsmagt.

legitimate, *adj.* retmæssig; lovmæssig; (born in wedlock) ægtefødt; legitim; ~, *v. t.* gøre lovlig; lyse i kuld og køn.

leisure, *n.* fritid; at your ~, når det er Dem belejligt; at ~, i ro og mag.

lemming, *n. zool.* lemming.

lemon, *n.* citron; (colour) citrongul; -ade, *n.* limonade, citronvand; a bottle of fizzy ~, en gul sodavand; ~-squeezer, *n.* citronpresser.

lemur, *n. zool.* halvabe.

lend (lent, lent), *v.t.* låne; udlåne; ~ us a hand, vil you?, giv os et nap!; -ing library, lejebibliotek.

length, *n.* længde; (duration) varighed; (distance) strækning; udstrækning; he ex-

plained at great ~, han
forklarede det udførligt;
he went to great -s, han
gjorde alt, hvad han
kunne; -en, *v.t. & i.* for-
længe; (clothes) lægge
ned; blive længere.

lenient, *adj.* lemfældig; mild.

lens (*pl.* lenses) *n.* linse.

lent, *see* lend; L~, *n.* fastetid.

lentil, *n.* linse.

leonine, *adj.* løve-.

leopard, *n. zool.* leopard.

lep|er, *n.* spedalsk; **-rosy,** *n.*
spedalskhed.

Lesbian, *adj.* lesbisk; ~, *n.*
lesbisk kvinde.

lesion, *n. med.* læsion.

less, *adj., prep., n. & adv.*
mindre; ringere; none the
~, ikke desto mindre;
nothing ~ would satisfy
him, han ville ikke være
tilfreds med mindre; -en,
v.t. & i. gøre mindre; for-
mindske(s); nedsætte; -er,
adj. mindre.

lesson, *n.* lektie; undervis-
ningstime; lærestreg.

lest, *conj.* for at ikke; (for) at;
af frygt for at.

let (let, let), *v. t. & aux.* lade;
tillade; (lease) udleje; bort-
forpagte; he can't act, ~
alone sing, han kan ikke
spille, for ikke at tale om
synge; ~ off (not punish),
lade slippe; (gun) lade af-
fyre; (fireworks, *etc.*) futte
af; ~ down, svigte;
(clothes) lægge ned; ~
blood, årelade; ~ me
know, lad mig få det at
vide; ~ go, lade falde;
slippe.

lethal, *adj.* dødelig; død-
bringende.

lethargy, *n.* sløvhed; døs;
letargi.

letter, *n.* (*of* alphabet) bog-
stav; (missive) brev; a
man of -s, en lærd (mand);
capital ~, stort bogstav;
small ~, lille bogstav;

~-box *n.* brevkasse; post-
kasse; -press, *n.* trykt tekst.

lettuce, *n.* (hoved)salat.

level, *adj.* lige; jævn; flad;
vandret; plan; do your ~
best!, gør dit yderste!;
on the ~, ærligt; ~, *n.*
flade; plan; niveau; stade;
~-headed, *adj.* sindig; lige-
vægtig; ~, *v.t.* jævne; pla-
nere; gøre lige; ~ a gun,
sigte med et gevær; ~ a
charge against, rette en
sigtelse imod; ~ a town
to (el. with) the ground,
jævne en by med jorden.

lever, *n.* løftestang; vægt-
stang; gear ~, gearstang;
~-watch, *n.* ankergangs-
ur; ~, *v. t.* løfte med løfte-
stang.

levity, *n.* letsind; overfla-
diskhed; munterhed.

levy, *n.* (enrolment) udskriv-
ning; (collection) opkræv-
ning; ~, *v.t.* udskrive; op-
kræve; ~ a fine, pålægge
en bøde.

lewd, *adj.* liderlig; frivol.

lia|bility, *n.* (obligation) for-
pligtelse; (responsibility)
ansvar; limited ~ compa-
ny, aktieselskab; third
party ~, ansvarsforsikring;
-ble, *adj.* forpligtet; plig-
tig; ansvarlig; ~ to, udsat
for; problems are ~ to
arise, problemerne kom-
mer nok.

liaison, *n. mil.* forbindelses-
led; (relationship) kærlig-
hedsforhold.

liar, *n.* løgner; løgnhals.

libel, *n.* bagvaskelse; injurie;
-lous, *adj.* ærekrænkende.

liber|al, *adj.* gavmild; large;
(plentiful) rigelig; (free-
thinking) frisindet, liberal;
-ate, *v.t.* sætte fri; frigøre;
-ty, *n.* frihed; take -ties,
tage sig friheder.

librar|ian, *n.* bibliotekar; -y,
n. bibliotek.

lice, *see* louse.

li|cence (*U.S.* license) *n.* be-

villing; licens; tilladelse;
driving ~, kørekort; po-
etic ~, digterisk frihed;
-cense, *v.t.* autorisere; til-
lade; give bevilling; -cen-
tious, *adj.* frivol, liderlig.
lichen, *n.* bot. lav.
lick, *n.* slik, slikken; *sl.* fart;
~, *v.t. & i.* slikke; *sl.*
prygle; -ing, *n. sl.* prygl;
klø.
licorice, *n.* lakrids.
lid, *n.* låg; dæksel; (eye-~)
øjenlåg; that just about
puts the tin ~ on, *coll.* det
sætter en ordentlig stop-
per for det hele.
lie, *n.* løgn; white ~, hvid
løgn; (position, *etc.*) be-
liggenhed; retning; know
the ~ of the land, *fig.* vide,
hvordan landet ligger; ~
(lying; lied, lied), *v.t. & i.*
lyve; ~ (lying; lay, lain),
v.i. ligge; ~ around, ligge
og flyde; ~ down, ligge
ned; lægge sig; ~ to, *naut.*
ligge bi; it ~s with me, det
er op til mig.
lief, *adv.* I would as ~ (*el.*
had as ~), jeg ville gerne.
lien, *n.* tilbageholdelsesret.
lieutenant, *n.* løjtnant; first
~, premierløjtnant; ~-
colonel, *n.* oberstløjtnant.
life, *n.* liv; levetid; levned;
levnedsløb; ~ annuity, liv-
rente; ~ insurance, livsfor-
sikring; ~ interest, liv-
rente; ~ sentence; livs-
varigt fængsel; for ~, på
livstid; true to ~, virkelig-
hedstro; ~-belt, *n.* red-
ningsbælte; ~-boat, *n.* red-
ningsbåd; -less, *adj.* livløs;
~-like, *adj.* naturtro, livs-
agtig; ~-preserver, *n.*
knippel; ~-time, *n.* livstid;
~-work, *n.* livsværk.
lift, *v.t. & i.* løfte; hæve; (of
fog) lette; ~, *n.* elevator;
hejseapparat; get a ~, få
lov at køre med én; ~-
boy, *n.* elevatorfører.
light, *n.* lys; belysning;

lampe; (brightness) skær;
naut. fyr; bring to ~,
bringe for dagen; could
you give me a ~?, må jeg
be' om en tændstik?;
throw ~ on, kaste lys
over; a leading ~, en fø-
rende skikkelse; in the ~ of
your remarks, i betragt-
ning af det, De siger; ~,
v. t. & i. lyse; lyse op; an-
tænde; ~, *adj.* let; mild;
(pale) lyseblond; (light-
hearted) munter; make
~ of, gå let hen over;
grow ~, (become paler)
lysne; ~ upon, støde
på, falde over; -en, *v. t.*
gøre lettere; -er, *n.* lighter;
tænder; fyrtøj; (barge)
lægter, pram; ~-hearted,
adj. munter; ~-house, *n.*
fyrtårn; -ing, *n.* belysning;
-ly, *adv.* let; muntert;
skødesløst; -ning, *n.* lyn;
like ~, som lyn og torden;
-s, *pl. n. anat.* (sheep, pigs)
lunger.
lignite, *n.* brunkul.
likable, *adj.* tiltalende.
like, *adj.* lig; lignende;
... and the ~, og deslige;
ligeså; in ~ manner, på
samme måde; I feel ~ a
walk, jeg har lyst til at gå
en tur; what's he ~?,
hvordan er han?; a book
~ that, sådan en bog; she
sings ~ an angel, hun syn-
ger som en engel; it looks
~ rain, det regner nok
snart; something ~ 5,000
kroner, noget i retning af
5.000 kroner; nothing ~
as good, ikke nær så godt;
~, *v.t. & i.* kunne lide; I ~
fish, jeg kan lide fisk; I ~
Anne, jeg holder af Anne;
do you ~ Mozart?, synes
De om Mozart?; I
wouldn't ~ to be in his
shoes, jeg ville nødig være
i hans sted; -lihood, *n.*
sandsynlighed; -ly, *adj. &
adv.* sandsynlig; very ~,

det er meget muligt; it seems ~ to rain, det bliver nok regnvejr; -n, *v.t.* sammenligne; -ness, *n.* lighed; -wise, *adj.* ligeledes; ~, *conj.* endvidere, også.

liking, *n.* smag; sympati; behag; it is not to my ~, det er ikke efter min smag.

lilac, *n. bot.* syren.

lilt, *v.t.&i.* tralle; a -ing song, sang med en rytmisk, svingende melodi.

lily, *n. bot.* lilje; ~ of the valley, liljekonval; water ~, åkande.

limb, *n.* lem; (*of tree*) gren.

limber, *adj.* smidig; myg.

lime, *n. bot.* (tree) lind; (fruit) lille, grønlig slags citron; (calcium) kalk; ~-kiln, *n.* kalkbrænderi; -light, *n. theat.* rampelys; -stone, *n.* kalksten.

limit, *n.* grænse; (time ~) sidste frist; begrænsning; that's the pink ~!, *sl.* det er den stiveste, jeg har hørt!; ~, *v.t.* indskrænke; begrænse.

limp, *v.i.* hinke; halte; walk with a ~, halte; ~, *adj.* slap; blød; svag.

limpid, *adj.* gennemsigtig, klar.

line, *n.* linie; streg; (cord, wire, *etc.*) snor, snøre, line, ledning; (transport company) selskab; (route, service) rute; (row) række; (family) slægt; *theat.* replik; *commerc.* artikel; parti; it's not exactly my ~, det er ikke netop mit fag; ~ of action, fremgangsmåde; take a strong ~ with somebody, være streng imod én; make somebody toe the ~, få én til at makke ret; marriage -s, vielsesattest; hard -s!, *sl.* det var synd for dig!; ~, *v.t.&i.* liniere;

stå langs; sætte langs; ~ up, *mil.* stille på linie; ~, *v.t.* fore; beklæde indvendig.

lineage, *n.* afstamning.

linen, *n.* lærred; (underwear, bedclothes, *etc.*) linned; ~-press, *n.* klædeskab.

liner, *n.* passagerskib; ruteskib.

linesman, *n.* linievogter.

linger, *v.i.* dvæle, tøve, nøle; smøle; a -ing death, en langsom død.

linguist, *n.* sprogforsker; filolog; (good at languages) sprogkyndig.

lining, *n.* for; foring; belægning.

link, *n.* forbindelsesled; bånd; (in chain) led; golf -s, golfbane; cuff -s, manchetknapper; ~, *v.t.&i.* forbinde; kæde sammen.

linnet, *n. zool.* irisk.

lino|cut, *n.* linoleumssnit; -leum, *n.* linoleum.

linseed, *n.* hørfrø; ~ oil, linolie.

lint, *n.* charpi.

lion, *n. zool.* løve; the ~'s share, broderparten; -ize, *v.t.* behandle én som en berømthed.

lip, *n.* læbe; rand; kant; ~-reading, *n.* mundaflæsning; -stick, *n.* læbestift.

liquefy, *v.t.* gøre flydende.

liqueur, *n.* likør.

liquid, *n.* væske; ~, *adj.* flydende; *commerc.* likvid; -ate, *v.t.* (pay) betale; (exterminate) udrydde; likvidere; (settle) afvikle.

liquor, *n.* spiritus; brændevin; -ice, *n.* lakrids.

lisp, *v.t.&i.* læspe; ~, *n.* læspen.

list, *n.* liste; fortegnelse; *naut.* slagside; enter the -s, *fig.* træde i skranken; ~, *v.t.* katalogisere; lave en liste over.

listen, *v.i.* lytte; høre efter; -er, *n.* lytter.

listless, *adj.* ugidelig; lige-
gyldig; apatisk.

lit, *see* light.

liter|al, *adj.* bogstavelig; ord-
ret; -ally, *adv.* bogstavelig
talt; -ary, *adj.* boglig litte-
rær; -ature, *n.* litteratur.

lithe, *adj.* smidig.

litigation, *n.* proces.

litmus, *n.* lakmus; ~ paper,
lakmuspapir.

litter, *n.* (papir)affald;
(stretcher) båre; a ~ of
puppies, et kuld hunde-
hvalpe; the garden was
-ed with paper, haven
flød med papir.

little, *adj.* lille (*pl.* små);
liden, lidt; noget; wait a
~!, vent lidt!; I've only
got a ~, jeg har kun en
smule; ~ by ~, lidt efter
lidt.

littoral, *adj.* kyst-, strand-.

liturgy, *n.* liturgi.

live, *v. t. & i.* leve; (reside)
bo, opholde sig; ~ in,
bebo; ~ by, leve af, er-
nære sig ved; ~ on, leve
af; -lihood, *n.* levebrød;
-long, *adj.* the ~ day, den
udslagne dag; -ly, *adj.* liv-
lig; rask; livfuld; levende;
-n, *v. t. & i.* gøre glad;
muntre op.

liver, *n.* lever; ~ paste, lever-
postej; -ish, *adj.* irritabel.

livery, *n.* liberi; livré.

livestock, *n.* kvæg(bestand).

livid, *adj.* blygrå; sortblå;
his face was ~, han var lig-
bleg; he was ~, han var
rasende.

living, *n.* levebrød; (in-
cumbency) præsteembede;
earn one's ~, tjene til
livets ophold; way of ~,
levevis, levemåde; ~, *adj.*
levende; nulevende; ~-
room, *n.* opholdsstue.

lizard, *n. zool.* firben.

llama, *n. zool.* lama.

lo, *int. arch.* se!

load, *v. t.* læsse; laste; lade;

belaste; ~ a gun, lade e
gevær.

loaf, *n.* brød; ~, *v. i.* drive
-er, *n.* dagdriver.

loam, *n.* lerjord.

loan, *n.* lån; may I have the
~ of your ...?, må jeg få
lov at låne Deres ...?; ~
v. t. udlåne.

loath, *adj.* uvillig; nødig; I
am ~ to part with it, jeg
vil nødig skille mig a
med det.

loath|e, *v. t.* afsky; -some,
adj. afskyelig; væmmelig.

lobby, *n.* forværelse; vesti-
bule; foyer.

lobe, *n.* flig; ear-~, *n.* øreflip.

lobster, *n.* hummer; ~ pot,
hummertejne.

local, *adj.* lokal; stedlig; ~, *n.*
the '~', det lokale værts-
hus; ~ anæsthetic, lokal-
bedøvelse; -ity, *n.* lokali-
tet; -ly, *adv.* her i nær-
heden; her på egnen;
stedvis.

lo|cate, *v. t.* stedfæste; an-
bringe; be -cated, være
beliggende; -cation, *n.*
sted; *film.* udendørs scene
(for optagelser).

loch, *n. Scot.* sø.

lock, *n.* lås; (sluice) sluse; ~,
stock and barrel, rub og
stub; (hair) lok; ~, *v. t.*
låse; lukke; ~ up, låse
inde, låse af; -er, *n.* lille
skab; -et, *n.* medaljon;
~-jaw, *n. med.* stivkrampe;
trismus; -smith, *n.* klein-
smed.

locomo|tion, *n.* bevægelse;
means of ~, befordrings-
middel; -tive, *n.* loko-
motiv.

locust, *n. zool.* græshoppe.

lode|star, *n.* ledestjerne;
-stone, *n.* magnet (*also*
fig.).

lodg|e, *n.* portnerbolig;
hytte, jagthytte; loge; ~,
v. t. & i. give logi; sætte
sig fast; ~ a protest, ind-

give protest; -er, *n.* loge-
rende; -ings, *pl.* n. logi.

loft, *n.* loft; -y, *adj.* ophøjet;
høj.

log, *n.* træstamme; brænde-
knude; (log-book) *naut.*
logbog; I've slept like a ~,
jeg har sovet som en sten.

loganberry, *n.* bot. loganbær.

loggerhead, *n.* be at -s with
each other, være i totterne
på hinanden.

logic, *n.* logik.

loin, *n.* lænd; (meat) mør-
brad; nyrestykke; -cloth,
n. lændeklæde.

loiter, *v. i.* stå og hænge;
drive om.

loll, *v. i.* sidde henslængt;
hænge (ud).

lollipop, *n.* coll. slikkepind.

lone, *adj.* ene; alene; enlig;
-liness, *n.* ensomhed; -ly,
adj. ensom.

long, *adj.* lang; langvarig;
a ~ time ago, for længe
siden; ~, *adv.* længe; ~, *n.*
længe; it will not take ~,
det varer ikke længe; ~,
v. i. længes; ~-drawn, *adj.*
langtrukken; -ing, *n.*
længsel; -itude, *n.* længde;
~-standing, *adj.* mange-
årig; ~-term, *adj.* lang-
fristet; ~-winded, *adj.*
kedsommelig; snaksom.

look, *v. t. & i.* se; syne; se
ud; ~ at, betragte; ~
down on, se ned på; ~
into, undersøge; ~ for-
ward to, se hen til; ~ out!,
pas på!; ~ around, se sig
om; ~ for, lede efter;
søge; ~ up, besøge; op-
søge; ~ up something in
a book, slå noget op i en
bog; ~ after, se efter,
passe; ~-ing-glass, *n.* spejl;
~-out, *n.* vagt; udkig;
I'm on the ~ for, jeg er på
udkig efter; that's your ~,
det må være din sag.

loom, *n.* vævestol; ~, *v. i.*
rage op; fortone sig.

loop, *n.* løkke; strop; sløjfe;

bue; ~-hole, *n.* skydeskår;
fig. smuthul.

loose, *adj.* løs; løstsiddende;
vid; slap; ubestemt;
usammenhængende; ~
leaf notebook, ringbog;
-n, *v. t.* løsne. løse op.

loot, *n.* plyndring; bytte;
~, *v. t.* plyndre.

lop, *v. t.* afhugge; kappe.

lope, *v. i.* løbe fjedrende.

lop-sided, *adj.* skæv.

loquacious, *adj.* snakkesalig.

lord, *n.* herre; hersker;
drunk as a ~, fuld som en
pave; the L~, Herren; the
L~'s Prayer, fadervor;
House of L~s, Overhuset;
L~ Mayor, overborgme-
ster; your ~-ship, Deres
nåde.

lore, *n.* kundskab.

lorgnette, *n.* stanglorgnet.

lorry, *n.* lastbil; lastvogn.

lose, (lost, lost), *v. t. & i.* tabe;
miste; lose a fortune,
sætte en formue til; ~
one's patience, tabe tål-
modigheden; ~ a train,
komme for sent til toget;
~ one's way, fare vild; ~
face, tabe ansigtet; ~ heart,
miste modet; ~ time,
spilde tid; be lost in
thought, være hensunken
i tanker.

loss, *n.* tab; *naut.* forlis; spild;
fortabelse; be at a ~, ikke
vide hvad man skal gøre;
sell at a ~, tabe penge på
handelen.

lost, *adj.* tabt, fortabt, *see*
lose; L~ Property Office,
hittegodskontor.

lot, *n.* lod; (land) jordlod;
(fate) skæbne; (much, a
great deal) masse; take
the ~!, tag det hele!; he's
got quite a ~, han har en
hel del; we've got -s of
time, vi har masser af tid;
draw -s, afgøre ved lod-
trækning; trække lod om.

loth, *see* loath.

lottery, *n.* lotteri; ~-ticket, *n.* lodseddel.

loud, *adj.* høj; højlydt; støjende; ~-speaker, *n.* højttaler.

lounge, *v. i.* slentre; drive omkring; ligge henslængt; ~, *n.* (*in* hotel) salon; (sitting-room) opholdsstue.

louse (*pl.* lice), *n.* lus.

lousy, *adj.* luset; *sl.* meget dårlig; gemen.

lout, *n.* lømmel; bondeknold.

lovable, *adj.* elskelig.

love, *n.* kærlighed; (passion) elskov; (sweetheart) elskede; falling in ~, forelskelse; in ~, forelsket; *sport.* nul; with ~ from, kærlig hilsen; give her my ~!, hils hende fra mig!; there's no ~ lost between them, de kan ikke udstå hinanden; ~, *v.t.&i.* elske; holde af; I'd ~ to!, det vil jeg meget gerne!; -ly, *adj.* dejlig; yndig; henrivende; storartet; -r, *n.* elsker.

low, *adj.* lav; lavtliggende; (soft) dæmpet; (of voice) dyb; (mean) nedrig; tarvelig; (humble) ringe, simpel; feel ~, være deprimeret; lie ~, holde sig skjult; ~, *v. i.* (of cattle) brøle; -er, *v. t. & i.* sænke, hejse ned; (prices, *etc.*) nedsætte; ~ oneself, ydmyge sig; -ly, *adv.* ringe, simpel.

loyal, *adj.* tro; loyal; trofast.

lozenge, *n.* rude; (sweet) pastil.

lubri|cant, *n.* smørelse; -cate, *v.t.* smøre.

lucid, *adj.* klar; overskuelig; (shining) lysende.

luck, *n.* held; lykke; good ~!, held og lykke!; (fate) lykketræf; tilfælde; what ~!, sikken et held!; -ily, *adv.* heldigvis; -y, *adj.* heldig.

lucrative, *adj.* indbringende.

ludicrous, *adj.* latterlig.

lug, *v. t.* slæbe; -gage, *n.* bagage, rejsegods.

lugubrious, *adj.* bedrøvelig; trist.

lukewarm, *adj.* lunken.

lull, *n.* vindstille; (pause) stilstand, pause; ~, *v.t.&i.* lulle; berolige; dysse i søvn; tage af; -aby, *n.* vuggesang.

lumbago, *n. med.* lændegigt; hekseskud.

lumber, *n.* tømmer; ~, *v. i.* rumle; slæbe sig af sted; -jack, *n.* skovhugger; ~-room, *n.* pulterkammer.

luminous, *adj.* lysende; (phosphorescent) selvlysende.

lump, *n.* klump, stykke; a ~ sum, et samlet beløb; (swelling) bule; how many -s?, hvor mange stykker sukker?; ~, *v. t. & i.* klumpe sammen; slå sammen; if you don't like it you may ~ it, hvis du ikke ka' lide det, så kan du la' være; -y, *adj.* klumpet.

lunar, *adj.* måne-.

lunatic, *n.* sindssyg; ~, *adj.* sindssyg; vanvittig; ~ asylum, sindssygeanstalt.

lunch, -eon, *n.* frokost, lunch.

lung, *n.* lunge.

lunge, *n.* udfald; ~, *v.i.* gøre udfald.

lurch, *n.* ryk; slingren; leave somebody in the ~, lade én i stikken.

lure, *n.* lokkemad; ~, *v.t.* lokke; ~ into, forlede.

lurid, *adj.* brandrød; (wan) dødbleg; (awful) uhyggelig.

lurk, *v. i.* lure; ligge skjult.

luscious, *adj.* fyldig; delikat.

lush, *adj.* frodig, saftig.

lust, *n.* lyst; vellyst; liderlighed; begær; ~, *v. i.* ~ for, begære; -ily, *adv.* kraftigt.

lustre, *n.* glans.

lusty, *adj.* sund; kraftig.

luxurious, *adj.* overdådig.

luxury, *n.* luksus; overdådighed.

lye, *n.* lud.

lying, *see* lie.

lynch, *v.t.* lynche.

lynx, *n. zool.* los.

ma'am, *see* madam.

macabre, *adj.* makaber.

macaroon, *n.* makron.

mace, *n.* scepter; *bot.* muskatblomme.

machin|ation, *n.* intrige, rænke; -e, *n.* maskine; ~-gun, *n.* maskingevær; -ery, *n.* maskiner; maskineri.

mackerel, *n.* makrel.

mackintosh, *n.* regnfrakke.

mad, *adj.* gal; vanvittig; rasende; run like ~, løbe som en vild.

madam, *n.* frue.

mad|cap, *n.* galfrans; -den, *v.t.* gøre rasende; -der, *n. bot.* krap; (colour) krapfarve; ~, *adj.* kraprød.

made, *see* make.

mad|man, *n.* sindssyg; -ness, *n.* sindssyge, vanvid; galskab.

maelstrom, *n.* malstrøm.

magazine, *n.* magasin; (periodical) tidsskrift.

maggot, *n.* maddike.

magic, *n.* magi; trolddom; ~, *adj.* magisk; -ian, *n.* troldmand; tryllekunstner.

magistrate, *n.* fredsdommer; dommer.

mag|nanimous, *adj.* storsindet; ædelmodig; -nate, *n.* stormand; magnat; -net, *n.* magnet; -netism, *n.* magnetisme; (charm) tiltrækningskraft; -nificent, *adj.* storslået; pragtfuld; -nify, *v.t.* forstørre; -nifying glass, lup, forstørrelsesglas; -nitude, *n.* størrelse; vigtighed; størrelsesorden; -num, *n.* stor

flaske; ~, *adj.* ~ opus, storværk.

magpie, *n. zool.* skade.

mahogany, *n.* mahogni.

mahout, *n.* elefantfører.

maid, *n.* pige; jomfru; (domestic servant) husassistent; lady's ~, kammerpige; old ~, pebermø.

maiden, *n.* pige; jomfru; ~ name, pigenavn; ~ voyage, jomfrurejse; -hair, *n. bot.* venushår; -head, *n.* jomfruhinde; -hood, *n.* jomfruelighed.

mail, *n.* post; coat of ~, brynje; ~, *v.t.* afsende; sende med posten; ~-van, *n.* postbil.

maim, *v.t.* lemlæste.

main, *adj.* hoved-; vigtigst; væsentligst; ~ road, hovedvej; ~, *n.* hovedledning; -land, *n.* fastland; -ly, *adv.* hovedsageligt; -spring, *n.* drivfjeder; -stay, *n. naut.* storstag; *fig.* hovedstøtte.

main|tain, *v.t.* (provide for) underholde; forsørge; (keep up) holde, opretholde; (assert) fastholde, påstå; (enforce) håndhæve; (engines, *etc.*) vedligeholde; -tenance, *n.* vedligeholdelse; opretholdelse; (of children) alimentationsbidrag.

maisonette, *n.* lejlighed; lille hus.

maize, *n. bot.* majs.

majesty, *n.* majestæt.

major, *adj.* større; the ~ share, størstedelen; ~, *n. mil.* major; *mus.* dur; -ity, *n.* majoritet; flertal; (of age) fuldmyndighed.

make (made, made), *v.t. & i.* gøre; frembringe; fabrikere; forfærdige; we'll ~ him do it, vi må tvinge ham til at gøre det; I can't ~ him go, jeg kan ikke få ham til at gå; ~ a bed, rede en seng; ~ fun

of, drille; ~ good, få
succes; (replace) erstatte;
you must ~ do with one,
du må nøjes med én; I
don't think we'll ~ that
train!, jeg tror ikke, vi
når dette tog!; it won't ~
any difference, det gør
ingen forskel; ~ for, styre
hen imod; I can't ~ it out,
jeg forstår det slet ikke;
~ a mistake, begå en fejl;
~ up your mind!, tag en
beslutning!; ~ up for lost
time, indhente det for-
sømte; ~, *n.* fabrikat; ar-
bejde; ~-shift, *n.* nød-
hjælp.

malady, *n.* sygdom.

male, *n.* mandsperson; (ani-
mals) handyr, han; ~, *adj.*
mandlig; mands-.

male|diction, *n.* forbandelse;
-factor, *n.* misdæder; (cri-
minal) forbryder; -volent,
adj. ondskabsfuld.

mal|ice, *n.* ondskab; nag;
with ~ aforethought, i
ond hensigt; med over-
læg; -icious, *adj.* ond-
skabsfuld.

malignant, *adj.* ondartet;
ondskabsfuld

malingerer, *n.* simulant.

mallard, *n.* zool. vildand.

malleable, *adj.* smedelig; *fig.*
bøjelig.

mallet, *n.* træhammer; kølle.

mal|nutrition, *n.* underernæ-
ring; -odorous, *adj.* ilde-
lugtende.

malt, *n.* malt; ~-house, *n.*
malteri.

maltreat, *v.t.* mishandle.

mammal, *n.* pattedyr.

mammoth, *n.* zool. mam-
mut; ~, *adj.* kæmpe-.

man (*pl.* men), *n.* mand;
mandfolk; menneske;
(mankind) menneskehe-
den; (games) brik; spiller;
to a ~, alle som én; best
~, forlover; the ~ in the
street, meningmand; ~ of

the world, verdensmand;
~, *v.t.* bemande.

manacle, *n.* håndjern.

manage, *v.t. & i.* (control)
lede, styre; administrere;
(succeed) overkomme,
klare; I'll ~ all right, jeg
skal nok klare mig; -able,
adj. medgørlig; håndter-
lig; -ment, *n.* ledelse; be-
styrelse; -r, *n.* direktør;
bestyrer; chef; forvalter;
theat. inpresario; *sport.*
manager.

mandarin, *n.* mandarin.

mandate, *n.* mandat.

mane, *n.* manke.

mangel-wurzel, *n.* runkel-
roe.

manger, *n.* krybbe.

mangle, *v.t.* rulle; (tear)
lemlæste; (ruin) ødelægge.

mangy, *adj.* skabet; ussel.

man|handle, *v.t.* flytte ved
håndkraft; (ill-treat) mis-
handle; -hood, *n.* mand-
dom.

mania, *n.* galskab; mani;
persecution ~, forfølgel-
sesvanvid; -c, *adj. & adj.* gal,
sindssyg.

manifest, *adj.* håndgribelig;
klar; åbenbar; ~, *v.t. & i.*
vise; bevise; manifestere;
lægge for dagen; ~,
n. manifest, ladningsliste;
-ation, *n.* tilkendegivelse.

mani|fold, *adj.* mangfoldig;
~, *n. mech.*; -pulate, *v.t.*
behandle; håndtere; ma-
nipulere.

mankind, *n.* menneskeheden.

mannequin, *n.* mannequin.

manner, *n.* (way) måde; vis;
facon; I don't care for his
~, jeg kan ikke lide hans
optræden; all ~ of, al slags;
-s, *pl. n.* adfærd; manerer;
skikke; sæder.

mannerism, *n.* manér.

manoeuvre, *n.* manøvre.

man-o'-war, *n.* krigsskib.

manor, *n.* herregård; gods.

manpower, *n.* arbejdskraft.

mansion, *n.* palæ; -s, *pl. n.* boligkompleks.

manslaughter, *n.* manddrab.

mantelpiece, *n.* kamingesims.

mantle, *n.* kappe, kåbe; incandescent ~, glødenet.

manual, *n.* håndbog; lærebog; ~, *adj.* hånd-; manuel.

manufacture, *n.* fabrikation; fabrikat; produkt; ~, *v.t.* fremstille; fabrikere; tilvirke; -r, *n.* fabrikant.

manure, *n.* gødning; liquid ~, alje.

manuscript (*abbr.* MS, *pl.* MSS) *n.* manuskript.

many, *adj. & n.* mange; a great ~, en mængde; ~ happy returns of the day!, til lykke med fødselsdagen!

map, *n.* kort; landkort; ~, *v.t.* kortlægge; ~ out, planlægge.

maple, *n. bot.* ahorn; navr.

mar, *v.t.* skæmme, spolere.

marauder, *n.* marodør.

marble, *n.* marmor; (glass ball) kugle; ~, *v.t.* marmorere.

March, *n.* marts; mad as a ~ hare, skrupskør.

march, *n.* march; the ~ of time, tidens gang; ~, *v.i.* marchere.

marchioness, *n.* markise.

mare, *n.* hoppe; *fig.* ~'s nest, afbrænder.

margarine, *n.* margarine.

margin, *n.* (*of* page) margen; rand; kant; (room to operate) spillerum; (excess) overskud.

marigold, *n. bot.* morgenfrue.

marinade, *n.* marinade.

marine, *n.* marine; flåde; (soldier) marinesoldat; ~, *adj.* sø-, hav-, marine-; -r, *n.* sømand; matros.

marionette, *n.* marionet.

marital, *adj.* ægteskabelig.

maritime, *adj.* sø-, søfarts-.

marjoram, *n.* merian.

mark, *n.* mærke; tegn; bomærke; kendetegn; (trade-~) varemærke; (spot) plet; good -s, bad -s, gode karakterer, dårlige karakterer; (target) mål; he made his ~ in life, han opnåede berømmelse; I don't feel quite up to the ~, jeg føler mig lidt utilpas; ~, *v.t.* mærke; afmærke; markere; bedømme; ~ my words!, hør nu godt efter! ~ time, marchere på stedet; be -ed by, bære præg af.

market, *n.* marked; torv; black ~, sort børs; -able, *adj.* salgbar; ~-gardener, *n.* handelsgartner; ~-town, *n.* købstad; ~-value, *n.* værdi i handel og vandel.

marking, *n.* aftegning; mærkning; ~-ink, *n.* mærkeblæk.

marksman, *n.* skarpskytte.

marl, *n.* mergel.

marmalade, *n.* orangemarmelade.

marmot, *n. zool.* murmeldyr.

maroon, *adj.* rødbrun; ~, *v.t.* efterlade på en ubeboet ø.

marquee, *n.* stort telt.

marquess, *n.* markis.

marriage, *n.* giftermål; ægteskab; (wedding) bryllup; vielse; ~ certificate, vielsesattest; ~ settlement, ægtepagt.

marrow, *n.* marv; vegetable ~, græskar.

marry, *v.t. & i.* gifte sig; (perform ceremony) vie.

marsh, *n.* marsk, sump; mose; ~ marigold, *bot.* kabbeleje.

marshal, *n.* marskal; ~, *v.t.* opstille; ordne.

mart, *n.* marked; auktionslokale.

martial, *adj.* krigerisk; state of ~ law, belejringstilstand.

Martinmas, *n.* mortensdag; M~ Eve, mortensaften.

martyr, *n.* martyr; -dom, *n.* martyrium; martyrdød.

marvel, *n.* vidunder; ~, *v. i.* ~ at, undre sig over; -lous, *adj.* vidunderlig.

marzipan, *n.* marcipan.

mascot, *n.* maskot.

masculine, *n.* *gram.* hankøn; ~, *adj.* maskulin; hankøn; mandlig; (manly) mandig.

mash, *v. t.* knuse, mase; mose; -ed potatoes, kartoffelmos; ~, *n.* mos; mæsk.

mask, *n.* maske; ~, *v. t.* maskere (sig); -ed ball, maskebal.

mason, *n.* murer; (free-) frimurer; -ry, *n.* murerarbejde.

mass, *n.* masse; *rel.* messe; ~ production, masseproduktion, it's a case of ~ production, det hele foregår på samlebånd; the -es, *pl.* mængden, masserne, *pl.*; yes, -es!, ja, i massevis!

massacre, *n.* blodbad, massakre; ~, *v. t.* nedsable, massakrere.

massage, *n.* massage.

mast, *n.* mast; (beech-) olden.

master, *n.* mester; herre; (school-) lærer; (ruler) hersker; be ~ of the situation, have situationen under kontrol; ~, *adj.* mester-; M~ of Arts (*abbr.* M.A.) magister artium, (*abbr.* mag. art.); magister; cand. mag.; ~'s certificate, skibsførerbevis; ~, *v. t.* mestre, beherske; magte; få bugt med; -piece, *n.* mesterværk; -stroke, *n.* mesterstykke; -y, *n.* herredømme; magt.

mas|ticate, *v. t.* tygge; -tiff,

n. dogge; -turbation, *n.* onani.

mat, *n.* måtte; (*for* plates, *etc.*) briks; ~, *v. t.* sammenfiltre; -ted hair, sammenfiltret hår; ~, *adj.* mat; uden glans.

match, *n.* tændstik; (equal) mage; lige; he's a ~ for him, han kan måle sig med ham; *sport.* kamp, match; (prospective husband or wife) parti; ~, *v.t.&i.* afpasse; passe sammen; kunne måle sig med; ~-box, *n.* tændstiksæske; -less, *adj.* mageløs; -lock, *n.* luntelås; -wood, *n.* make ~ of, slå til pindebrænde.

mate, *n.* mage; (*in* marriage) ægtefælle; (fellow worker) arbejdskammerat, makker; *naut.* styrmand; første officer; ~, *v. t. & i.* parre; parre sig; (chess) gøre mat.

material, *adj.* materiel; stoflig; væsentlig; ~, *n.* stof; materiale; -ize, *v. i.* åbenbare sig; blive til virkelighed.

mater|nal, *adj.* moderlig; (on the mother's side) mødrene; -nity, *n.* moderskab; ~ home, fødeklinik.

mathematician, *n.* matematiker.

matinée, *n.* *theat.* eftermiddagsforestilling.

matins, *n.* morgengudstjeneste.

matrimony, *n.* ægtestand; ægteskab.

matron, *n.* oldfrue, økonoma; (widow) matrone.

matter, *n.* (substance) materie, stof; (affair) sag, anliggende; no ~, det gør ikke noget; a ~ of fact, en kendsgerning; ~ of course, selvfølge; printed ~, tryksag(er); no ~ what happens, uanset hvad der sker; what's the ~?, hvad er der i vejen? ~, *v.i.* være af betydning; it doesn't ~, det gør ikke noget, det har ingen betydning.

mattress, *n.* madras.

mat|ure, *adj.* moden; ~, *v.t. & i.* modne; blive moden; -urity, *n.* modenhed.

maudlin, *adj.* sentimental; rørstrømsk.

maul, *v.t.* mishandle.

Maundy Thursday, *n.* skærtorsdag.

mauve, *adj. & n.* lilla.

mawkish, *adj.* rørstrømsk.

maxim, *n.* grundsætning; leveregel.

May, *n.* maj.

may (*3rd sing.* may, *past.* might) *v. aux.* (have permission) må; må gerne; have lov til; (possibility) kan; kan være; ~, *n. bot.* hvidtjørn; -be, *adv.* måske; -fly, *n. zool.* døgnflue.

mayonnaise, *n.* mayonnaise.

mayor, *n.* borgmester; Lord M~, overborgmester.

maypole, *n.* majstang.

maze, *n.* labyrint.

me, *pron.* mig.

mead, *n.* mjød.

meadow, *n.* eng.

meagre, *adj.* mager; tarvelig.

meal, *n.* usigtet mel; (repast) måltid; -time, *n.* spisetid.

mean, *adj.* ringe; simpel; gemen; (stingy) nærig; (small-minded) smålig; *math.* mellem-, middel-; ~, *n. math.* middeltal; the golden ~, den gyldne middelvej; ~ (meant, meant), *v.t.* (denote, signify) betyde; (indicate opinion) mene; (intend) agte, have i sinde; he -s well, han mener det godt.

meander, *v. i.* slentre, vandre; bugte sig.

meaning, *n.* (opinion) mening; (intention) tanke; hensigt; (signification) be-

tydning; -less, *adj.* meningsløs.

means, *pl. n.* middel; midler, *pl.*; formue; by no ~!, på ingen måde!; by ~ of, ved hjælp af; by all ~, gerne, endelig; by some ~ or other, på en eller anden måde.

mean|time, -while, *adv.* imidlertid; i mellemtiden; imens.

measles, *pl. n.* mæslinger, *pl.*; German ~, røde hunde.

measly, *adj. coll.* sølle.

measure, *n.* mål; (degree) grad; unit of ~, målestok; (corrective action) skridt; foranstaltning; ~, *v.t.* måle; tage mål af; af-måle; -d, *adj.* regelmæssig; taktfast; -ment, *n.* mål; måling.

meat, *n.* kød; ~-safe, *n.* flueskab.

mechan|ic, *n.* mekaniker; -ical, *adj.* mekanisk; -ics, *n.* mekanik; -ization, *n.* mekanisering.

medal, *n.* medalje; -lion, *n.* medaljon.

meddle, *v. i.* blande sig i; ~ with, pille ved.

mediaeval (*el.* medieval) *adj.* middelalderlig.

mediate, *v.t. & i.* mægle.

medi|cal, *adj.* læge-; medicinsk; ~ examination, lægeundersøgelse; the ~ profession, lægestanden; -cament, *n.* lægemiddel; -cine, *n.* medicin; (science) lægevidenskab.

medieval, *see* mediaeval.

mediocre, *adj.* middelmådig.

meditate, *v. t. & i.* tænke på; gruble over; grunde; -d, *adj.* påtænkt.

Mediterranean, *n. & adj.* the M~, Middelhavet.

medium (*pl.* -s, media), *n.* middel; hjælpemiddel; *psych.* medium; ~, *adj.* mellem-; middel-; mellemstor; the happy ~, den gyldne middelvej; ~ wave, mellembølge.

medley, *n.* blanding; skrabsammen; a ~ crowd, et blandet selskab.

meek, *adj.* ydmyg, from.

meet (met, met), *v. t. & i.* møde; træffe; mødes; træffes, ses; ~ expenses, dække udgifter; make both ends ~, få det til at løbe rundt; ~ again, gense; ~ with, møde, komme ud for; ~, *n.* parforcejagt; stævne; -ing, *n.* møde; forsamling; sammenkomst.

megalomania, *n.* storhedsvanvid.

megaphone, *n.* råber, megafon.

megrim, *n.* migræne.

melancholy, *n.* melankoli; ~, *adj.* tungsindig, melankolsk.

mêlée, *n.* håndgemæng, slagsmål.

mellow, *adj.* mild; mør; moden; blød; in a ~ mood, glad.

melody, *n.* melodi.

melon, *n.* melon.

melt, *v. t. & i.* smelte; blive opløst; -ing-pot, *n.* smeltedigel; in the ~, *fig.* i støbeskeen.

member, *n.* medlem; *anat.* lem.

membrane, *n.* hinde, membran.

memento, *n.* erindring; souvenir; minde.

memo, *n.* notat; memorandum.

memoir, *n.* -s, *pl.* memoirer.

mem|orable, *adj.* mindeværdig; -orial, *n.* mindesmærke; ~, *adj.* minde-; -orize, *v. t.* lære udenad; -ory, *n.* hukommelse; commit to ~, lære udenad; in ~ of, til minde om; within living ~, i mands minde.

men, *see* man.

menace, *n.* trusel; ~, *v. t.* true.

menagerie, *n.* menageri.

mend, *v. t. & i.* reparere; (patch) lappe; (darn) stoppe; ~ one's ways, forbedre sig; be on the ~, være i bedring.

mendacious, *adj.* løgnagtig.

mendicant, *n.* tigger; ~ friar, tiggermunk.

menial, *adj.* ringe; tjenende; ~, *n.* tyende.

meningitis, *n. med.* hjernehindebetændelse, meningitis.

menopause, *n.* overgangsalder.

mental, *adj.* sinds-; ånds-; mental; åndelig; ~ arithmetic, hovedregning; -ity, *n.* mentalitet; forstand.

menthol, *n.* mentol.

mention, *n.* omtale; ~, *v. t.* omtale, nævne; don't ~ it!, åh, jer be'r!

menu, *n.* spisekort.

mercantile, *adj.* handels-; merkantil.

mercenary, *adj. hist.* lejet; (calculating) beregnende; ~, *n. hist.* lejesoldat.

mercer, *n.* manufakturhandler.

mer|chandise, *n.* varer; -chant, *n.* grosserer; storkøbmand; -chantman, *n.* koffardiskib, handelsskib.

merciful, *adj.* barmhjertig.

mercury, *n.* kviksølv.

mercy, *n.* nåde; barmhjertighed; have ~ on, forbarme sig over; without ~, uden skånsel.

mere, *adj.* blot; lutter; ren; ~, *n.* sø; -ly, *adv.* kun, blot.

merge, *v. t. & i.* slå sammen; -r, *n. commerc.* sammenslutning.

meridian, *n.* meridian; højdepunkt.

meringue, *n.* marengs.

merit, *n.* fortjeneste; (quality) fortrin; ~, *v. t.* fortjene; -orious, *adj.* fortjenstfuld.

mer|maid, *n.* havfrue; -man, *n.* havmand.

merriment, *n.* lystighed.

merry, *adj.* lystig, munter; M~ Christmas!, Glædelig Jul!; ~-go-round, *n.* karrusel; ~-making, *n.* lystighed.

mesh, *n.* maske; net; ~, *v. i. mech.* gribe ind i.

mesmerize, *v. t.* hypnotisere.

mess, *n.* rod, roderi; uorden; *mil.* messe; (dirt) griseri; ~ about, *v. i.* rode med; ~ up, *v. t.* tilsøle; snavse til.

mes|sage, *n.* budskab; besked; meddelelse; -senger, *n.* bud; sendebud; ~ boy, bydreng.

messy, *adj.* tilsølet; rodet; griset.

met, *see* meet.

metabolism, *n.* stofskifte.

metal, *n.* metal; (for roads) skærver.

metamorphosis, *n.* forvandling.

metaphor, *n.* metafor; -ical, *adj.* billedlig.

meter, *n.* måler.

method, *n.* metode, system.

meticulous, *adj.* pertentlig.

metre, *n.* meter; (verse) versemål.

metric, *adj.* metrisk; ~ system, metersystem.

metro|polis, *n.* storstad; -politan, *adj.* hovedstads-; storstads-.

mettle, *n.* kraft; fyrighed; be on one's ~, være anspændt.

mew, *v. i.* mjave.

mewl, *v. i.* klynke.

mews, *n.* staldbygning.

mica, *n.* glimmer; marieglas.

mice, *see* mouse.

Michaelmas, *n.* mikkelsdag.

mid, *adj.* midt-; midt i.

midday, *n.* (noon) middag.

midden, *n.* mødding.

middle, *n.* middel-; mellem-; midterste; midt-; the ~ classes, borger-

standen, middelstanden; the M~ Ages, middelalderen; ~ watch, *naut.* hundevagt; ~, *n.* midte; ~-aged, *adj.* midaldrende; ~-sized, *adj.* mellemstor.

middling, *adj.* jævn; middelgod.

midge, *n.* myg.

midget, *n.* dværg; lille person.

mid|night, *n.* midnat; -riff, *n.* mellemgulv; -shipman, *n.* kadet; -st, *n., adv. & prep.* midte; midt i; in the ~ of, midt i; -summer, *n.* midsommer; M~'s Day, Sankt Hans; -way, *adv.* midtvejs; -wife, *n.* jordemoder.

might, *see* may; ~, *n.* magt, kraft; -ily, *adv.* mægtig, meget, vældig; -y, *adj.* kraftig, vældig; high and ~, storsnudet.

migraine, *n.* migræne.

migrat|e, *v. i.* udvandre; (birds) trække bort; -ion, *n.* folkevandring; vandring; (birds) træk.

milch, *adj.* mælkegivende; ~ cow, malkeko.

mild, *adj.* mild, let; lind, blid.

mildew, *n.* meldug.

mildly, *adv.* mildt; to put things ~, mildest talt.

mile, *n.* mil; -s better, *coll.* langt bedre.

mili|tant, *adj.* krigerisk; -tary, *n. &* adj.* militær; ~ service, værnepligt; -tia, *n.* hjemmeværn; milits.

milk, *n.* mælk; ~ chocolate, flødechokolade; ~, *v. t.* malke; ~-tooth, *n.* mælketand; -y, *adj.* mælkeagtig; mælket; uklar; the M~ Way, mælkevejen.

mill, *n.* mølle; (cotton-~), spinderi; ~, *v. t.* male; *mech.* valse, fræse.

millennium, *n.* årtusinde.

millepede, *n.* tusindben.

miller, *n.* møller.

millet, *n. bot.* hirse.

milliner, *n.* modehandler; hattesyerske.

million, *n.* million; -aire, *n.* millionær.

mill|-pond, *n.* mølledam; -stone, *n.* møllesten.

mime, *n.* mime.

mimic, *n.* parodist; ~, *v. t.* efterabe; parodiere; -ry, *n.* efterabelse; *zool.* mimicry.

mince, *n.* fars; ~ pie, [lille pie lavet af 'mincemeat']; ~, *v.t.&i.* farsere; hakke; (walk) trippe; don't ~ matters!, sig det rent ud!; -d meat, kødfars; -meat, *n.* blandede, tørrede frugter; -r, *n.* kødhakkemaskine.

mind, *n.* sind; sindelag; (soul) sjæl; presence of ~, åndsnærværelse; a piece of one's ~, ren besked; I've a good ~ to, jeg har lyst til; what's on your ~?, hvad er det, der bekymrer dig?; out of ~, ude af sind; be out of one's ~, være fra forstanden; we are of the same ~, vi er enige; I have made up my ~ to, jeg har besluttet mig til at; be of two -s, tøve; ~, *v.t.&i.* give agt på, passe på; (look after) passe; (be concerned about) bryde sig om; (object to) have noget imod; never ~!, pyt med det!, det gør ingenting!; ~ you tell him!, husk at sige det til ham!; -ed, *adj.* interesseret; tilbøjelig til; bloody ~, *coll.* ondskabsfuld; -ful, *adj.* be ~ of, huske på.

mine, *pron.* min (mit, mine); ~, *n.* mine, grube, bjergværk; (explosive) mine; ~, *v.t.* udvinde; (business) drive gruber; -r, *n.* minearbejder.

mineral, *n.* mineral.

minesweeper, *n.* minestryger.

mingle, *v.t.* blande.

miniature, *n.* miniatur.

minimize, *v.t.* reducere til det mindst mulige.

mining, *n.* grubedrift; minedrift.

minion, *n.* håndlanger.

minister, *n.* (parson) pastor, præst; (political, *etc.*) minister, ~, *v.t. & i.* ~ to, hjælpe; sørge for; passe.

minium, *n.* mønje; mønjerød.

mink, *n. zool.* mink, nertz.

minnow, *n. zool.* elritse.

minor, *n.* mindreårig; umyndig; ~, *adj.* mindre; mindreårig, umyndig; *mus.* mol; -ity, *n.* mindretal, minoritet.

minstrel, *n.* skjald, sanger.

mint, *n. bot.* mynte; (coin factory) mønt; ~, *v. t.* præge; mønte.

minute, *adj.* meget lille; nøjagtig; ~, *n.* minut; just a ~!, lige et øjeblik!; -s, *pl.* mødeprotokol; ~-hand, *n.* minutviser; -ly, *adv.* minutiøst.

minx, *n.* tøs.

miracle, *n.* mirakel, under.

mirage, *n.* fata morgana; luftspejling.

mire, *n.* søle, dynd, mudder; mose.

mirror, *n.* spejle; ~, *v. t.* afspejle.

mirth, *n.* munterhed, lystighed, latter.

misadventure, *n.* ulykke; uheld.

misanthrope, *n.* menneskehader.

misapprehension, *n.* misforståelse.

misappropriation, *n.* uretmæssig tilegnelse; ~ of funds, underslæb.

misbegotten, *adj. fig.* afskylig.

misbehave, *v. i.* være uartig; opføre sig dårligt.

mis|carriage, *n.* (abortion)
abort; ~ of justice, justits-
mord; -carry, *v. i.* abor-
tere; slå fejl.

miscellaneous, *adj.* blandet.

mis|chief, *n.* fortræd, skade;
spilopper, gale streger;
keep out of ~!, opfør dig
pænt!; ~-maker, *n.* uro-
stifter; -chievous, *adj.* dril-
agtig; drillevorn; skælmsk.

misconception, *n.* misfor-
ståelse.

misconstruction, *n.* mistyd-
ning.

miscreant, *n.* skurk.

misdeed, *n.* udåd.

misdemeanour, *n.* forseelse.

miser, *n.* gnier.

miser|able, *adj.* elendig;
ulykkelig; ynkelig; -y, *n.*
elendighed; bedrøvelig-
hed.

misfire, *v. i.* ikke gå af,
klikke.

misfit, *n.* [noget *el.* nogen
der passer dårligt].

misfortune, *n.* ulykke.

misgiving, *n.* tvivl; betæn-
kelighed; bange anelser.

mishandle, *v. t.* mishandle,
behandle dårligt.

mishap, *n.* lille uheld.

mislay, *v. t.* forlægge; for-
putte.

mislead, *v. t.* vildlede; for-
lede.

misnomer, *n.* fejlagtig be-
nævnelse.

misplace, *v. t.* anbringe for-
kert.

misprint, *n.* trykfejl.

Miss, *n.* frøken.

miss, *n.* forbier; fejlskud;
kikser; ~, *v. t. & i.* (regret
absence of) savne; ~ a
train, komme for sent til
toget; we ~ed each other
in the dark; vi gik fejl af
hinanden i mørket; ~
a lecture, forsømme en
forelæsning; I ~ed what
he said, jeg hørte ikke,
hvad han sagde; (not hit)

ikke ramme, ramme ved
siden af.

missile, *n.* projektil.

missing, *adj.* manglende; list
of ~ persons, liste over
savnede personer.

mission, *n.* mission; her ~ in
life, hendes livsopgave;
-ary, *n.* missionær.

missive, *n.* skrivelse.

mis-spell, *v. t.* stave forkert.

mist, *n.* tåge; tåget.

mistake (mistook, mistaken),
v.t. & i. tage fejl af; for-
veksle; misforstå; ~, *n.*
fejl; make a ~, tage fejl,
begå en fejl; -nly, *adv.*
fejlagtigt.

mister, *n.* hr.

mistletoe, *n. bot.* mistelten.

mistook, *see* mistake.

mistress, *n.* ~ of the house,
fruen i huset; (kept wo-
man) elskerinde; (teacher)
lærerinde.

mistrust, *v.t.* mistro.

misunderstand, *v.t.* misfor-
stå.

misuse, *n.* misbrug.

mite, *n.* skærv; (child) lille
kræ.

mitigate, *v.t.* formilde, lin-
dre.

mitre, *n.* bispehue; (joint)
gering.

mitten, *n.* luffe, vante;
muffedise.

mix, *v.t. & i.* blande; blan-
des; ~ up, forveksle,
blande sammen; ~, *n.*
blanding; -ture, *n.* blan-
ding; *med.* mikstur.

mizzen, *n. naut.* mesan.

moan, *v. i.* stønne, klage sig,
jamre; ~, *n.* klage; støn-
nen.

moat, *n.* slotsgrav; voldgrav.

mob, *n.* pøbel; hob; pak.

mobile, *adj.* bevægelig.

mobilization, *n.* mobilise-
ring.

mocha, *n.* mocca.

mock, *v. t. & i.* spotte;
håne; latterliggøre; (defy)
trodse; ~, *n.* make a ~ of,

gøre latterlig; ~, adj. falsk, uægte; -ery, n. spot; (imitation) efterligning; -ingbird, n. zool. spottefugl; ~-turtle, n. forloren skildpadde.

mode, n. måde; (fashion) mode.

model, n. model; forbillede; (copy) efterligning; ~, adj. mønsterværdig, eksemplarisk.

moderate, adj. moderat; mådeholden; (modest) beskeden; ~, v.t.&i. moderere; dæmpe ned; beherske; -ly, adv. med måde.

modern, adj. moderne; nutids-; -ization, n. modernisering.

modest, adj. beskeden; (shy) blufærdig; (moderate) fordringsløs.

modicum, n. lille smule.

modify, v.t. tillempe; omdanne; modificere.

modulate, v.t.&i. modulere.

Mohammedan, n. muhamedaner; ~, adj. muhamedansk.

moiety, n. jur. halvdel.

moist, adj. fugtig; -en, v.t. &i. fugte; blive fugtig; -ure, n. fugtighed.

molar, n. anat. kindtand.

molasses, n. sirup.

mole, n. zool. muldvarp; (pier) havnedæmning; mole; (birthmark) modermærke.

molecule, n. molekyle.

molehill, n. muldvarpeskud; make mountains out of -s, gøre en myg til en elefant.

molest, v.t. forulempe; antaste.

mollify, v.t. blødgøre; formilde.

mollusc, n. zool. bløddyr.

mollycoddle, v.t. forkæle; pylre om.

molten, adj. smeltet.

moment, n. øjeblik; just a ~, lige et øjeblik; the ~ I saw him, straks efter jeg så

ham; a matter of some ~, en vigtig sag; the topic of the ~, dagens emne; -ary, adj. kortvarig; -ous, adj. skæbnesvanger; betydningsfuld; -um, n. fart; bevægelsesmængde.

monarch, n. hersker; fyrste; -y, n. monarki; absolute ~, enevælde.

monastery, n. kloster.

Monday, n. mandag.

monetary, adj. penge-; mønt-.

money, n. penge, pl.

mongoose, n. zool. desmerdyr.

mongrel, n. køter.

monk, n. munk.

monkey, n. zool. abe; abekat; ~ nut, jordnød; ~ tricks, hundekunster; ~ wrench, skruenøgle, universalnøgle, svensk nøgle.

monogram, n. navnetræk; monogram.

monopolize, v.t. monopolisere; få monopol på.

monosyllable, n. enstavelsesord.

monotonous, adj. ensformig, monoton.

monsoon, n. monsun; (rainy season) regntid.

monster, n. uhyre; monstrum.

monstrosity, n. uhyre, monstrum; fig. vederstyggelighed.

month, n. måned; -ly, adj. månedlig; måneds-.

monument, n. mindesmærke; monument.

mood, n. sindsstemning; humør; lune; be in the ~ for, være oplagt til; -y, adj. lunefuld.

moon, n. måne; ~, v.i. dagdrømme; -light, n. måneskin; -struck, adj. månesyg; vanvittig.

Moor, n. maurer; mor.

moor, n. hede; ~, v.t. fortøje; -age, n. fortøjningsplads; (tax) fortøjnings-

afgift; -hen, *n. zool.* rør-
høne.

moose, *n. zool.* amerikansk
elg.

moot, *adj.* diskutabel; om-
stridt; kilden.

mop, *n.* svaber, mop; ~, *v.t.*
moppe; (brow, *etc.*) tørre.

mope, *v.i.* [gå rundt og være
forknyt].

moral, *adj.* moralsk; sædelig;
~, *n.* moral; -s, *pl.* moral;
(habits) sæder; -e, *n.* mo-
ral, kampmoral.

morass, *n.* morads.

morbid, *adj.* sygelig; pato-
logisk.

more, *adj. & adv.* mere; mer;
A has ~ books than B,
A har flere bøger end B;
the ~, jo mere (jo flere);
~ or less, mere eller min-
dre; once ~, én gang til;
-over, *adv.* desuden.

morganatic, *adj.* ~ marriage,
ægteskab til venstre hånd.

morgue, *n.* lighus.

moribund, *adj.* døende.

morn, *n. poet.* morgen; -ing,
n. morgen; formiddag;
in the ~, om formiddagen;
this ~, nu til morgen,
i morges; tomorrow ~, i
morgen formiddag; ~
coat, jaket; ~ star, mor-
genstjerne.

morsel, *n.* bid.

mortal, *n.* menneske; døde-
lig; ~, *adj.* dødelig; døds-;
~ wound, banesår; -ity, *n.*
dødelighed.

mortar, *n.* mørtel; kalk;
(gun) mortér; ~-board,
n. mørtelbræt; (academic
headgear) doktorhat, stu-
denterhat.

mort|gage, *n.* prioritet; pant;
~, *v.t.* belåne, pantsætte;
~ deed, pantebrev; pante-
obligation; -gagee, *n.* pri-
oritetshaver, panthaver.

mortician, *n.* bedemand.

mortification, *n.* krænkelse;
sorg; skuffelse; · ydmy-
gelse; *med.* koldbrand.

mortise, *n. carp.* taphul.

mortuary, *n.* lighus.

mosaic, *n.* mosaik.

Moscow, *n.* Moskva.

Moslem, *n.* muhamedaner;
~, *adj.* muhamedansk.

mosque, *n.* moské.

mosquito, *n.* moskito; myg.

moss, *n. bot.* mos; -y, *adj.*
mosklædt.

most, *adj. & adv.* mest; det
meste; (number) flest; de
fleste; særdeles; højst; at
~, højst; the ~ beautiful,
det smukkeste; -ly, *adv.*
for det meste, for største
delen.

mote, *n.* støvgran; *bibl.*
skæve.

motel, *n.* motel.

moth, *n.* møl; natsværmer;
~-ball, *n.* mølkugle; ~-
eaten, *adj.* mølædt.

mother, *n.* moder, mor; ~
tongue, modersmål; ~,
v.t. være som en moder
for; ~-in-law, *n.* sviger-
mor; ~-of-pearl, *n.* perle-
mor.

motif, *n.* motiv.

motion, *n.* bevægelse; gang;
(proposal) forslag; pic-
ture, film; ~, *v.t. & i.*
vinke (til); gøre tegn (til);
-less, *adj.* ubevægelig.

moti|vate, *v.t.* motivere;
-vation, *n.* motivering;
-ve, *v.t.* motivere; ~, *n.*
motiv, bevæggrund; ~,
adj. motiv-; driv-; ~ force,
drivkraft.

motley, *adj.* broget; sprag-
let; blandet; ~, *n.* narre-
dragt.

motor, *n.* bil; motor; ~
road, motorvej; ~, *adj.*
motor-; bil-; motorisk;
~ bicycle (*el.* ~ bike, *coll.*),
motorcykel; ~ boat, mo-
torbåd; -car, *n.* (auto-
mo)bil.

mottled, *adj.* marmoreret,
spraglet.

motto, *n.* valgsprog, motto,
devise.

mould, n. form, støbeform;
(growth) skimmel(svamp);
mug; (soil) muld, jord; ~,
v.t. forme; danne; støbe;
-er, v.i. hensmuldre; -ing,
n. (kel)liste; karnis; støb-
ning; -y, adj. muggen.
moult, v.t.&i. fælde, skifte
ham.
mound, n. jordhøj; vold.
mount, n. bjerg; fjeld;
(horse) ridehest; ~, v.t.
bestige; stige (op på); ~ a
jewel, indfatte en juvél;
(set up) montere; an-
bringe; (metal) beslå.
mountain, n. bjerg; make
a ~ out of a molehill, gøre
en myg til en elefant;
-eer, n. bjergbestiger;
bjergboer; -ous, adj.
bjergrig.
mountebank, n. charlatan.
mounting, n. montering;
(paper, etc.) opklæbning;
(metal) beslag.
mourn, v.t.&i. sørge; ~,
n. sørgende; -ing, n. sør-
gedragt, sorg; go into ~,
anlægge sørgedragt.
mouse (pl. mice), n. mus;
~-trap, n. musefælde.
moustache, n. overskæg.
mouth, n. mund; (of river)
munding; åbning; by
word of ~, mundtlig; ~-
organ, n. mundharmonika.
movable, adj. bevægelig,
rørlig.
move, v.t.&i. flytte; be-
væge; sætte i gang; (affect)
røre, bevæge; gå videre;
~, n. bevægelse; skridt;
(chess) træk; -ment, n.
bevægelse; mus. sats.
movie, n. film; -ola, n. film.
klippebord.
moving, adj. ~ staircase,
rulletrappe.
mow (mowed, mown), v.t.
&i. slå; meje; -er, n.
(lawn-~) (græs)slåmaskine.
Mr (el. Mr.), (abbr. of mister),
n. hr., herre; -s (el. -s.), n.
fru.

much, adj. & adv. megen;
meget; (number) mange;
~ the same, omtrent det
samme; ~ more, langt
mere; so ~ the better, så
meget desto bedre; he said
as ~, han sagde netop det;
I thought as ~, jeg tænkte
det jo nok; ~ of a -ness,
omtrent det samme.
mucilage, n. planteslim.
muck, n. møg; skarn; ~
about, v.i. rode med,
nusse omkring; ~ up, v.t.
ødelægge, spolere.
mucous, adj. slimet; ~ mem-
brane, slimhinde.
mucus, n. slim.
mud, n. mudder, dynd.
muddle, n. kludder; roderi;
~, v.t. forvirre; forkludre.
mud|guard, n. stænkeskærm;
-slinging, n.coll. bagtalelse.
muff, n. muffe; ~, v.t. for-
kludre.
muffin, n. [slags engelsk te-
bolle].
muffle, v.t. dæmpe, sløre;
indhylle; -r, n. halstør-
klæde; (for sound) lyd-
dæmper.
mufti, n. civilt tøj.
mug, n. krus; sl. tåbe; -gy,
adj. lummer.
mulatto, n. mulat.
mulberry, n. bot. morbær-
træ; morbær.
mulct, v.t. mulktere; ~, n.
bøde, mulkt.
mule, n. muldyr; (slipper)
tøffel; -teer, n. muldyr-
driver.
mull, n. næs, forbjerg; ~,
v.t. (of wine) opvarme og
krydre.
mulligatawny, n. [en krydret
suppe].
multi|farious, adj. mangfol-
dig; -form, adj. mange-
artet; -millionaire, n.
mangemillionær; -ple, n.
multiplum; -plication, n.
multiplikation; -plicity, n.
mangfoldighed; -ply, v.t.
& i. multiplicere; gange;

mangfoldiggøre; (procreate) formere (sig); -tude, *n.* mængde.

mum, *n.* mor; ~'s the word!, *sl.* ikke et ord!

mumble, *n.* mumlen; ~, *v.i.* mumle.

mummery, *n.* pantomimeforestilling; *fig.* tom komedie.

mummify, *v.t.* balsamere; mumificere.

mumps, *n. med.* fåresyge.

munch, *v.t. & i.* gnaske, tygge.

mundane, *adj.* verdslig.

municipal, *adj.* kommune-; stads-; kommunal; -ity, *n.* kommune.

munifi|cence, *n.* rundhåndethed; -cent, *adj.* gavmild, rundhåndet.

munition, *n.* ammunition.

mural, *n.* vægmaleri; ~, *adj.* væg-; mur-.

murder, *n.* mord; ~, *v.t.* myrde; -er, *n.* morder.

murky, *adj.* mørk, skummel.

murmur, *n.* mumlen; ~, *v.i.* mumle; knurre.

muscadel, *n.* (wine) muskatvin.

muscle, *n.* muskel.

museum, *n.* museum.

mush, *n.* grød; blød masse; *fig.* sentimentalitet; -room, *n. bot.* paddehat; svamp; champignon.

music, *n.* musik; (written notes) noder; -al, *adj.* musikalsk; ~ box, spilledåse; ~ comedy, operette; ~ hall, *n.* varieté; -ian, *n.* musiker.

musk, *n.* moskus.

musket, *n.* musket; -eer, *n.* musketer.

musk|ox, *n. zool.* moskusokse; -rat, *n. zool.* bisamrotte; ~ rose, *bot.* moskusrose.

muslin, *n.* musselin.

mussel, *n.* musling.

must, *v. aux.* (*3rd sing.* must) *past, special instances only,* must) må; måtte; skal;

you ~ lose, du er nødt til at tabe; he said he ~ go, han sagde, han måtte gå; ~, *n.* most; the Tower of London is a ~!, Londons Tower skal man se!; (mould) skimmel, mug.

mustang, *n.* mustang.

mustard, *n.* sennep.

muster, *n.* mønstring; pass ~, gå an, passere; ~, *v.t.* samle; mønstre.

musty, *adj.* sløret; skimlet.

mut|able, *adj.* foranderlig; -ation, *n.* mutation.

mute, *adj.* stum; tavs; (*of* letter) ikke udtalt; ~, *n.* stum person; *mus.* sordin, dæmper; ~, *v.t. mus.* dæmpe.

mutilate, *v.t.* lemlæste.

mutiny, *n.* mytteri; ~, *v.i.* gøre mytteri.

mutter, *v.i.* mumle; brumme.

mutton, *n.* fårekød, bedekød; ~-chop, *n.* lammekotelet; ~-head, *n.* dumrian.

mutual, *adj.* gensidig; indbyrdes; fælles.

muzzle, *n.* snude; mule; (to prevent biting) mundkurv; (mouth of gun) munding; ~, *v.t.* give mundkurv på.

my, *pron.* min, mit, mine.

mycology, *n.* svampelære.

myopia, *n.* nærsynethed.

myriad, *adj.* utallig.

myrrh, *n. bot.* myrra.

myrtle, *n. bot.* myrte.

myself, *pron.* jeg selv; selv; mig.

myster|ious, *adj.* gådefuld, mystisk; -y, *n.* gåde; mysterium; (secret) hemmelighed.

mysti|cism, *n.* mystik; -fy, *v.t.* mystificere.

myth, *n.* myte; sagn; -ology, *n.* mytologi.

nab, *n.t. sl.* nappe, nuppe.

nag, *n.* hest; krikke; ~, *v.t.* plage; finde fejl.

nail, *n.* (finger-~) negl; (*for wood*) søm; ~ varnish, neglelak; hit the ~ on the head, slå hovedet på sømmet; ~, *v. t.* sømme; nagle, ~-scissors, *pl. n.* neglesaks.

naïve (*el.* naive) *adj.* naiv; godtroende.

naked, *adj.* nøgen; bar; blottet.

namby-pamby, *adj.coll.*blødsøden; fad; ~, *n.* blødsøden person.

name, *n.* navn; his ~ is, han hedder; (*reputation*) ry, rygte; ~, *v. t.* nævne; benævne; kalde; opkalde; -ly, *adv.* nemlig; ~-sake, *n.* navnefælle.

nanny, *n.* barnepige; ~-goat, *n.* hunged.

nap, *n.* blund; lur; be careful they don't catch you -ping!, pas på, de ikke overrumpler dig!

nape, *n.* the ~ of the neck, nakken.

nap|kin, *n.* serviet; (*diaper*) ble; -py, *n.* ble.

narco|maniac, *n.* narkoman; -tic, *n.* bedøvende middel.

nar|rate, *v. t.* berette; fortælle; -ration, *n.* beretning, fortælling; *film.* speakerkommentar; -rator, *n.*fortæller; kommentator;*film.* speaker.

narrow, *adj.* smal; snæver; trang; ~-minded, *adj.* snæversynet.

nasal, *adj.* nasal; snøvlende.

nascent, *adj.* i sin vorden; begyndende.

nasturtium, *n. bot.* nasturtium.

nasty, *adj.* styg; grim; væmmelig; ækel.

natal, *adj.* føde-; fødsels-.

nation, *n.* nation; folk; -al, *n.* statsborger; ~, *adj.* national; stats-; lands-; folke-; lande-.

native, *n.* indfødt; ~, *adj.* indfødt; hjemlig; hjem-

mehørende; ~ country, fædreland; ~ soil, hjemstavn; -vity, *n.* fødsel; the N~ of Christ, Kristi fødsel.

natty, *adj. sl.* net; fiks; smart.

natural, *adj.* naturlig; natur-; selvfølgelig; ~ history, naturhistorie; ~ science, naturvidenskab; -ly, *adv.* naturligt; selvfølgeligt; naturligvis.

nature, *n.* natur; naturen; of this ~, af denne art (*or* slags); in the ~ of, i retning af; it's only human ~, det er kun menneskeligt.

naught, *n.* nul; intet; come to ~, ikke blive til noget.

naughty, *adj.* uartig.

nause|a, *n.* kvalme; væmmelse; -ate, *v. t.* kvalme.

nautical, *adj.* sø-; nautisk; sømands-; ~ mile, sømil.

naval, *adj.* flåde-; orlogs-; sø-; marine-; ~ engagement, søtræfning.

nave, *n.* nav, hjulnav; (*of church*) kirkeskib, langskib.

navel, *n. anat.* navle.

navi|gable, *adj.* farbar, sejlbar; -gate, *v. t. & i.* sejle; styre; beseile; navigere.

navvy, *n. sl.* vejarbejder; jord- og betonarbejder.

navy, *n.* flåde; marine.

nay, *n. arch.* nej.

near, *adj.* nær; the N~ East, den nære Orient; ~, *adv. & prep.* lige ved; i nærheden; nær; næsten; -by, *adv.* nærliggende; -ly, *adv.* omtrent; næsten; henimod; nær; lige ved; ~-sighted, *adj.* nærsynet.

neat, *adj.* net, proper; ordentlig; soigneret; (*dexterous*) fiks, behændig; (*of drink*) ren, ublandet.

neces|sarily, *adv.* nødvendigvis; -sary, *n.* nødvendighed; the -saries of life, livsfornødenheder; ~, *adj.*

nødvendig; påkrævet;
-sity, *n.* nødvendighed;
nød; fornødenhed.

neck, *n.* hals; ~ or nothing,
koste hvad det vil; ~, *v. i.*
sl. kysse; omfavne; -er-
chief, *n.* halstørklæde;
-lace, *n.* halskæde; hals-
bånd; -let, *n.* halsring;
-tie, *n.* slips.

necrology, *n.* nekrolog.

nectar, *n.* gudedrik.

née, *adj.* født; Mrs. Smith,
~ Williams, fru Smith,
født Williams.

need, *n.* (requirement) brug;
behov; (necessity) nød-
vendighed; nød; (short-
age) mangel; there is no
~ to, der er ingen grund
til; we are in ~ of, vi
mangler; ~, *v. t. & i.* be-
høve; trænge til; -ful, *adj.*
nødvendig; nødig; forø-
den; the ~, det fornødne.

needle, *n.* nål; synål; gramo-
phone ~, grammofonstift;
knitting ~, strikkepind;
the eye of a ~, nåleøjet.

needless, *adj.* unødvendig;
overflødig.

needlework, *n.* (craft) hånd-
arbejde; broderi; (work
in hand) sytøj.

needs, *adv.* nødvendigvis; ~
must do, absolut behøve.

needy, *adj.* trængende.

ne'er-do-well, *n.* døgenigt.

negative, *n.* benægtelse; *gram.*
nægtelse; in the ~, benæg-
tende; *math. & phot.* nega-
tiv; ~, *adj.* negativ; næg-
tende; benægtende.

neglect, *v. t.* negligere; for-
bigå; forsømme; svigte;
~, *n.* forsømmelse; (state
of ~) forsømthed.

negli|gence, *n.* forsømmelig-
hed; forsømmelse; uagt-
somhed; skødesløshed;
-gible, *adj.* ubetydelig.

negoti|ate, *v. t. & i.* for-
handle; omsætte; bringe
i stand; underhandle;

-ation, *n.* forhandling;
underhandling.

ne|gress, *n.* negerinde; -gro,
n. neger.

neigh, *v. i.* vrinske.

neighbour, *n.* nabo; -hood,
n. nabolag.

neither, *adj., adv. & pron.*
ingen; ingen af dem; in-
gen af delene; ~ ... nor,
hverken ... eller; that is
~ here nor there; det har
intet med sagen at gøre.

neo-, *adj.* neo-; ny.

neon, *n.* neon; ~ light, neon-
lys.

neophyte, *n.* begynder; no-
vice.

nephew, *n.* nevø; broder-
søn; søstersøn.

nerve, *n.* nerve; (courage)
mod; it get's on my -s,
det går mig på nerverne;
~, *v. t.* I -d myself to do
it, jeg samlede mod til at
gøre det; a fit of -s, ~-
attack, *n.* nerveanfald.

nervous, *adj.* nervøs; nerve-
-ness, *n.* nervøsitet.

nescience, *n.* uvidenhed.

ness, *n.* forbjerg; næs.

nest, *n.* rede; ~-egg, *n.* *fig.*
spareskilling.

nestle, *v. i. & t.* sætte sig godt
tilrette; smyge sig ind til.

net, *n.* net; garn; ~, *adj.*
netto; ~, *v. t.* fange i net;
commerc. indbringe (or
tjene) netto; *fig.* fange i
sit garn.

nether, *adj.* nedre; under-;
~ regions, underverdenen.

nettle, *n. bot.* brændenælde;
nælde; be stung by a ~,
brænde sig på en nælde;
~, *v. t.* irritere; ærgre;
~-rash, *n.* nældefeber.

network, *n.* net; netværk.

neuralgia, *n. med.* nerve-
smerter; neuralgi.

neuter, *n. gram.* intetkøn;
neutrum; the ~ gender,
intetkøn.

neutral, *n.* -neutral person;
mech. frigear; ~, *adj.* neu-

tral; -ity, *n.* neutralitet; -ize, *v. t.* opveje; neutralisere; ophæve.

never, *adv.* aldrig; aldrig nogen sinde; ~ mind!, bryd dig ikke om det!; well, I ~!, nu har jeg aldrig hørt magen; -theless, *adj. & conj.* ikke desto mindre.

new, *adj.* ny; frisk; moderne; N~ Year, nytår; ~-comer, *n.* nyankommen; ~-fangled, *adj.* nymodens; ~-laid, *adj.* nylagt; -ly-wed, *adj.* nygift.

news, *n.* nyhed; *pl.* nyheder, *pl.*; radioavis; what is the ~?, er der noget nyt?; I have a piece of good ~ for you, jeg har godt nyt til dig; -agent, *n.* bladhandler; -paper, *n.* avis; blad; ~ cutting, avisudklip; -print, *n.* avispapir; -reel, *n.* filmsjournal; -sheet, *n.* løbeseddel.

newt, *n. zool.* salamander.

next, *adj.* næst; næste; nærmest; they live ~ door, de bor lige ved siden af; what ~?, hvad nu?

nib, *n.* pennespids.

nibble, *v. t.* nippe (til).

nice, *adj.* net; pæn; nydelig; dejlig; tiltalende; how ~ of you to say so!, hvor var det pænt af Dem at sige sådan!; -ty, *n.* to a ~, på en prik.

nick, *n.* snit; hak; skår; in the ~ of time, i sidste øjeblik; ~, *v. t.* snitte; hugge.

nickel, *n.* nikkel; (U.S. coin) femcentstykke; ~-plating, *n.* fornikling.

nickname, *n.* øgenavn; kælenavn.

niece, *n.* niece; broderdatter; søsterdatter.

niggardly, *adj.* smålig; gnieragtig.

nigger, *n. arch. sl.* nigger; neger.

niggle, *v. i.* nusse (med).

nigh, *adv. & adj.* nær; næsten; he was well ~ dead, han var næsten død.

night, *n.* nat; at ~, om natten; last ~, i går aftes; sidste nat; stay the ~, overnatte; ~-dress, *n.* natkjole; -ingale, *n. zool.* nattergal; -mare, *n.* mareridt; (deadly) ~-shade, *n. bot.* belladonna; ~-shirt, *n.* natskjorte; ~-watchman, *n.* nattevagt; natvægter.

nil, *n.* nul.

nimble, *adj.* adræt; kvik; rap.

nincompoop, *n.* fjols.

nine, *adj. & n.* ni; nital; ~-pin, *n.* kegle; -teen, *adj. & n.* nitten; -ty, *adj. & n.* halvfems; niti.

ninth, *adj. & n.* niende.

nip, *v. t. & i.* nappe; nippe; nive; ~ round the corner, stikke lige hen om hjørnet; ~ in the bud, *fig.* kvæle i fødselen; ~, *n.* nap; there's a ~ in the air, der er frost i luften; have a ~, tage sig en slurk, tage sig en strammer.

nipple, *n. anat.* brystvorte; *mech.* nippel.

nippy, *adj.* (nimble) rap; adræt; (cold) skarp, bidende.

nisi, *conj. jur.* decree ~, foreløbig skilsmissebevilling.

nitric, *adj.* salpetersur; ~ acid, salpetersyre.

nitrogen, *n.* kvælstof.

nitwit, *n.* fjols; tåbe.

No., *n.* (*abbr. of* numero, number) nummer, nr.

no, *adj. & adv.* nej; (none, not any) ingen, intet; ~ more, ikke mere; ~ trumps (cards), sans.

nob, *n. sl.* burgøjser.

nobility, *n.* adel; adelskab.

noble, *adj.* adelig; ædel; nobel; distingveret; ~, -man, *n.* adelsmand.

nobody, *n.* ingen; a ~, et

rent nul; there was ~, der var ikke nogen.

nocturnal, *adj.* natlig; natte-; nat-.

nod, *n.* nik; ~, *v. i.* nikke; he's a -ding acquaintance of mine, jeg er på hat med ham.

node, *n.* knude; knudepunkt.

noise, *n.* støj; lyd; spektakel; a big ~, *sl.* en stor kanon.

noisy, *adj.* larmende; støjende.

nomad, *n.* nomade.

nomi|nal, *adj.* nominel; ~ value, pålydende værdi; -nate, *v. t.* nominere; udnævne; indstille; -native, *adj. gram.* the ~ (case), nævnefald, nominativ.

nonagenarian, *n.* halvfemsindstyveårig.

non-alcoholic, *adj.* alkoholfri.

nonce, *n.* for the ~, midlertidigt, foreløbig.

nonchalant, *adj.* nonchalant; skødesløs.

non-commissioned, *adj.* ~ officer, underofficer.

non-committal, *adj.* uforbindende; a ~ answer, et uforbindende svar.

non-compliance, *n.* ulydighed; vægring.

non-conductor, *n. elect.* isolator.

non-conformist, *n.* [medlem af en frimenighed].

nondescript, *adj.* ubestemmelig.

none, *pron.*, *adj. & adv.* (of persons) ingen; ikke nogen; (of things) intet; ikke noget; it is ~ of your business, det kommer ikke dig ved; ~ the less, desto mindre; I was ~ the wiser, jeg blev ikke spor klogere; ~ too good, ikke særlig god.

nonentity, *n.* nul; ubetydelig person.

nonesuch, see **nonsuch**.

non-payment, *n.* manglende betaling.

non-poisonous, *adj.* ikke giftig; giftfri.

nonsense, *n.* vrøvl; sludder; nonsens; skvadder; what utter ~!, det er det værste sludder!

non-smoker, *n.* ikke-ryger(e).

non-stop, *adj.* uden ophold; ~ train, tog, der ikke standser ved mellemstationer.

nonsuch, nonesuch, *n.* uforlignelig ting (or person).

noodle, *n.* nudel; (chump) *coll.* tossehoved.

nook, *n.* krog; hjørne; dining-~, n. spisekrog.

noon, *n.* middag; klokken tolv.

noose, *n.* løkke.

nor, *conj.* heller ikke; *poet.* ej heller; neither ... nor, hverken ... eller.

Nordic, *adj.* nordisk.

norm, *n.* norm; -al, *adj.* normal; -alcy, *n.* normalitet.

Norman, *n.* normanner; -dy, *n.* Normandiet.

Norse, *adj.* norsk; ~, *n.* (language) norsk; old ~, oldnordisk; -man, n. nordboer.

north, *n.* nord; ~, *adj.* nord-; nørre; nørre-; nordlig; the N~ Sea, Nordsøen; Vesterhavet; -erly, *adj.* nordlig; mod nord; -ern, *adj.* nordisk; nordlig.

Nor|way, *n.* Norge; ~ lobster, jomfruhummer; -wegian, *n.* nordmand; (language) norsk; ~, *adj.* norsk.

Nos., see **No.**

nose, *n.* næse; blow one's ~, pudse næsen; follow your ~!, gå lige efter næsen!; he turned up his ~ at the offer, han rynkede på næsen ad tilbudet; we paid through the ~, vi betalte i dyre domme;

~, *v.t.&i.* ~ out, opsnuse; ~-bag, *n.* mulepose; ~-bleed, *n.* næseblod; -gay, *n.* buket.

nostalgia, *n.* hjemve.

nostril, *n.* næsebor.

nosy, *adj.* nysgerrig; N~ Parker, snushane.

not, n't, *adv.* ikke; ej; I hope he doesn't ..., jeg håber ikke, at han ...; ~ ... either, ej heller.

nota|ble, *n.* notabilitet; ~, *adj.* bemærkelsesværdig; a ~ difference, en tydelig forskel; -bly, *adv.* i særdeleshed; navnlig.

notary, *n.* notar; ~ public, norarius publicus.

notch, *n.* hak; indsnit.

note, *n.* optegnelse, notat; *mus.* node; tone; (short letter) billet; a person of ~, en betydningsfuld person; (bank-~) banknote, pengeseddel; ~, *v.t.* bemærke; tage notits af; notere; notere sig; -book, *n.* notesbog; -paper, *n.* brevpapir; -worthy, *adj.* nævneværdig.

nothing, *n. & adv.* ingenting; intet; ~ at all, slet ingenting; he could make ~ of it, han kunne ikke forstå det; you can have it for ~, du må få det gratis; it came to ~, det blev ikke til noget; there's ~ to it, det er såre enkelt; multiply 4 by ~ and the result is ~, 4 gange nul er lig nul.

notice, *n.* opslag; bekendtgørelse; meddelelse; (dismissal) opsigelse; take no ~ of him!, tag dig ikke af ham!; at short ~, med kort varsel; give ~, sig op; it has been brought to my ~, min opmærksomhed er blevet henledt på; ~, *v.t.* lægge mærke til; tage notits af; blive opmærksom på; fornemme; -able, *adj.*

synlig; mærkbar; ~-board, *n.* opslagstavle.

notify, *v.t.* underrette; kundgøre.

notion, *n.* begreb; idé; forestilling; I haven't the slightest ~, jeg har ikke den ringeste anelse.

notor|iety, *n.* kendt person; -ious, *adj.* berygtet; notorisk.

no-trump, *n.* (cards) sans.

notwithstanding, *prep. & conj.* til trods for; trods; ikke desto mindre.

nougat, *n.* nougat.

nought, *n.* intet; nul; come to ~, blive kuldkastet; ~ point nine (0.9), nul komma ni (0,9).

noun, *n.* navneord.

nourish, *v.t.* ernære; nære; -ment, *n.* ernæring; næring.

novel, *n.* roman; ~, *adj.* ny; ualmindelig; -ty, *n.* nyhed.

novice, *n.* begynder; *rel.* novice.

now, *adv.* nu; ~ and then, ~ and again, nu og da; af og til; en gang imellem; -adays, *adv.* nutildags; nu om stunder.

nowhere, *adv.* ingen steder; ingensteds; intetsteds.

noxious, *adj.* skadelig; usund; (poisonous) giftig.

nozzle, *n.* tud; munding; spray ~, strålerør.

nuance, *n.* nuance.

nu|clear, *adj.* kerne-; atom-; ~ physics, atomkernefysik; -cleus, *n.* kerne; grundstamme.

nude, *n.* nøgen figur; nøgenmodel; akt; ~, *adj.* nøgen; blottet; in the ~, nøgen.

nudge, *v.t.* puffe (til).

nugget, *n.* guldklump.

nuisance, *n.* plage; ubehagelighed; uvæsen; gene; what a ~!, hvor er det kedeligt!

null, *n.* nul; ~ and void, *jur.* ugyldig.

numb, *adj.* stiv; følelsesløs; ~, *v.t.* gøre følelsesløs.

number, *n.* (*abbr. to* No., *pl.* Nos.*) nummer; tal; antal; (journal, *etc.*) nummer; look after ~ one, *coll.* mele sin egen kage; without ~, talløs; ~, *v.t.* nummerere; I ~ him among my friends, jeg regner ham blandt mine venner; -less, *adj.* talløs; utallig.

Numbers, *n.* fjerde Mosebog.

numer|al, *n.* tal; -ically, *adv.* talmæssigt; -ous, *adj.* talstærk; talrig.

numismatist, *n.* møntkender; numismatiker.

numskull, *n.* kvajhoved.

nun, *n.* nonne.

nuncio, *n.* papal ~, paveligt sendebud.

nunnery, *n.* nonnekloster.

nuptial, *adj.* bryllups-.

nur|se, *n.* barnepige, nurse, barneplejerske; *med.* sygeplejerske; male ~, sygeplejer; wet ~, amme; ~, *v.t. & i.* (suckle) amme; die; (take care of) pleje, passe; pusle om; -maid, *n.* barnepige; -sery, *n.* børneværelse; ~ school, børnehave; ~ garden, planteskole; handelsgartneri; -sing, *n.* sygepleje; ~ home, plejehjem, sygehjem.

nurture, *v. t.* nære; opdrage; opfostre.

nut, *n.* nød; *mech.* møtrik; -cracker, *n.* nøddeknækker; -hatch, *n.* *zool.* spætmejse; -meg, *n.* muskat.

nutrition, *n.* ernæring.

nuts, *adj. sl.* skør; be ~ on, være skør efter; ~, *inter.* vrøvl!

nutshell, *n.* nøddeskal.

nuzzle, *v.t. & i.* trykke snuden mod.

nymph, *n.* nymfe.

oaf, *n.* dumrian.

oak, *n.* *bot.* eg.

oakum, *n.* værk; pick ~, pille værk.

oar, *n.* åre.

oasis (*pl.* oases), *n.* oase.

oast-house, *n.* kølle.

oat, *n.* (*generally used in pl.*) havre; sow one's wild -s, løbe hornene af sig.

oath, *n.* ed; (swear-word) bandeord, kraftudtryk.

oatmeal, *n.* havregryn.

obdurate, *adj.* stædig; forstokket.

obedi|ence, *n.* lydighed; -ent, *adj.* lydig.

obes|e, *adj.* smækfed; -ity, *n.* fedme.

obey, *v.t. & i.* adlyde; lystre.

obituary, *n.* nekrolog.

object, *n.* genstand; (aim) hensigt, formål; *gram.* objekt; ~, *v.t. & i.* gøre indvendinger; indvende; ~ lesson, [time i anskuelsesundervisning]; *fig.* praktisk eksempel; -ion, *n.* indvending; -ionable, *adj.* stødende; utiltalende; -ive, *n.* mål; *phot.* objektiv; ~, *adj.* saglig, objektiv; -or, *n.* én, der protesterer; conscientious ~, militærnægter.

oblig|ation, *n.* forpligtelse; taknemmelighedsgæld; -atory, *adj.* obligatorisk.

oblige, *v. t.* nøde; forpligte; binde; (do favour) gøre en tjeneste.

obliging, *adj.* imødekommende.

oblique, *adj.* skrå; skrånende.

obliterate, *v.t.* udslette.

obli|vion, *n.* glemsel; forglemmelse; -vious, *adj.* glemsom; ~ of, intetanende om.

oblong, *adj.* aflang; ~, *n.* aflang figur.

obloquy, *n.* bebrejdelse.

obnoxious, *adj.* afskyelig; utiltalende.

oboe, *n.* obo.

obscene, *adj.* obskøn; smudsig.

obscur|e, *v. t.* formørke; skjule; **-ity,** *n.* mørke; ukendthed.

obsequious, *adj.* servil.

obser|vance, *n.* overholdelse; iagttagelse; **-vant,** *adj.* opmærksom; **-vation,** *n.* iagttagelse; **-ve,** *v.t. & i.* iagttage, bemærke; (maintain) overholde.

obsess, *v. t.* besætte; **-ion,** *n.* besættelse.

obso|lescence, *n.* forældelse; **-lete,** *adj.* forældet.

obstacle, *n.* hindring; ~ **race,** forhindringsløb.

obstetrician, *n.* fødselslæge.

obstinate, *adj.* hårdnakket; stædig; forstokket.

obstreperous, *adj.* uregerlig; larmende.

obstruct, *v.t. & i.* spærre; tilstoppe; standse; (for)sinke; **-ion,** *n.* spærring; tilstopning; hindring.

obtain, *v.t. & i.* få; opnå; vinde; skaffe; **-able,** *adj.* til at skaffe; opnåelig.

obtrusion, *n.* påtrængenhed.

obtuse, *adj.* stump; ~ **angle,** stump vinkel.

obverse, *n.* forside; (opposite part) modstykke; ~, *adj.* omvendt.

obviate, *v. t.* undgå; forebygge.

obvious, *adj.* indlysende; klar; øjensynlig; åbenbar.

occasion, *n.* tilfælde; lejlighed; anledning; I have no ~ to be concerned, jeg har ingen grund til at være bekymret; may I take this ~ to, må jeg benytte denne lejlighed til at; ~, *v. t.* foranledige, bevirke; forårsage; **-al,** *adj.* lejligheds-; tilfældig; **-ally,** *adv.* af og til; lejlighedsvis.

Occidental, *adj.* vesterlandsk.

occult, *adj.* okkult; overnaturlig; mystisk.

occu|pant, *n.* besidder; be-

boer; -pation, *n.* beskæftigelse; erhverv; profession; (possession) besiddelse; *mil.* besættelse; **-pational,** *adj.* erhvervsmæssig; ~ **therapy,** beskæftigelsesterapi; **-py,** *v.t.* bebo; (possess) besidde; *mil.* besætte; okkupere; (a seat) indtage; (employ) beskæftige; sysselsætte; be **-pied with,** være optaget af.

occur, *v. i.* forekomme; hænde; indtræffe; it -s to me that, det falder mig ind, at; **-rence,** *n.* hændelse; forekomst; indtræffen.

ocean, *n.* verdenshav; ocean.

ochre, *n.* okker.

o'clock, *see* clock.

octagon, *n.* ottekant.

October, *n.* oktober.

octogenarian, *n.* firsårig.

octopus, *n. zool.* blæksprutte.

oculist, *n.* øjenlæge.

odd, *adj.* ulige; (peculiar) sær, mærkelig; underlig; (one of a pair) umage; at ~ **moments,** ved tilfældige lejligheder; an ~ **number,** et ulige tal; twenty ~ **pounds,** ca. tyve pund; **-ity,** *n.* besynderlighed; **-ly,** *adv.* ~ **enough,** besynderligt nok.

odds, *n.* forskel; it makes no ~, det gør ingen forskel; (chances) odds, chancer; ~ **and ends,** rester; tilfældige stumper.

ode, *n.* ode.

odious, *adj.* forhadt; modbydelig.

odontology, *n.* tandlægevidenskab; odontologi.

odour, *n.* duft; vellugt; body ~, kropsved.

of, *prep.* af; i; for; 22 years ~ **age,** 22 år gammel; proud ~, stolt af; guilty ~, skyldig i; a sort ~ **hat,** en slags hat; ~ **late,** for nylig; a glass ~ **water,** et glas vand; the 3rd ~ March, den 3. marts.

off, adv., prep., adj., n. af sted; bort; af; fjern; ~ you go!, af sted med dig!; this is one of his ~ days, han er lidt uoplagt i dag; be well ~, være rig, velhavende; where is he ~ to?, hvor skal han hen?

offal, n. affald; indmad.

offen|ce, n. (insult) fornærmelse; (crime) forbrydelse; give (el. cause) ~, vække anstød; take ~, blive fornærmet; -d, v.t. & i. fornærme; støde; (commit offence) forsynde sig; overtræde en lov; -sive, n. angreb, offensiv; ~, adj. stødende.

offer, n. tilbud; commerc. bud, offerte; ~, v.t. & i. byde; tilbyde; ~ an opinion, fremsætte sin mening; -ing, n. offer.

off-hand, adj. an ~ manner, en affejende facon; I can't say ~, jeg kan ikke sige det på stående fod.

office, n. kontor; (employment) embede; hold an ~, beklæde et embede; -r, n. officer.

official, n. funktionær; tjenestemand; embedsmand; ~, adj. officiel; embeds-; offentlig.

officiate, v.i. fungere; forrette.

officious, adj. påtrængende; geskæftig.

offing, n. in the ~, fig. på trapperne.

off|-licence, n. [bevilling til kun at sælge øl, spiritus osv., der ikke nydes på stedet]; ~-print, n. særtryk; -set, n. offset; bot. aflægger; ~, v.t. opveje; danne modvægt til; -shoot, n. bot. sideskud; fig. udløber; -shore, adj. fralands-; -spring, n. afkom; fig. resultat.

oft, adv. poet. ofte; -en, adv. ofte; tit; very ~, som oftest.

ogle, v.t. se forelsket på.

ogre, n. trold; umenneske.

oil, n. olie; -s, pl. oliefarver. pl.; v.t. smøre; (bribe) sl. smøre, bestikke; -cloth, n. voksdug; ~-fired burner, n. oliefyr; ~-painting, n. oliemaleri; -skins, pl. n. olietøj; ~-stove, n. petroleumsovn; ~-tanker, n. olietankskib.

ointment, n. salve; there is a fly in the ~, der er noget malurt i bægeret.

old, adj. gammel; ~ maid, gammeljomfru; ~-fashioned, adj. gammeldags.

olive, n. bot. oliven; ~-branch, n. oliegren.

omelette, n. æggekage; omelet.

omen, n. varsel, omen; bird of ill ~, ulykkesfugl; ~, v.t. varsle (om).

ominous, adj. ildevarslende.

omission, n. undladelse; udeladelse.

omit, v.t. undlade; udelade.

omnipotence, n. almagt.

on, prep. på; om; over; ved; ~, adv. frem; videre; later ~, senere hen; ~ the whole, stort set, i det hele taget; ~ principle, af principp; what's ~ this evening?, hvad sker der i aften?; what's spilles der i aften?

onanism, n. ufuldbyrdet samleje; onani.

once, adv. én gang; en gang; engang; for ~, for en gangs skyld; ~ upon a time, der var engang; at ~, omgående; ~ in a while, en gang imellem; ~, conj. når engang, når først; ~ more, en gang til; ~ and for all, én gang for alle; ~ you begin you'll understand, når først du får begyndt, vil du forstå det; at ~, straks; not ~

did he falter, ikke en ene-
ste gang tøvede han.

oncoming, *adj.* ~ traffic,
modgående trafik.

one, *adj. & n.* én, ét; man; ~
after another, den ene efter
den anden; ~ can try, man
kan prøve; it encourages
~, det opmuntrer én; ~ of
these days, en af dagene;
the ~ thing, det eneste;
~-sided, *adj.* ensidig; ~-
way, *adj.* ~ traffic, ens-
rettet kørsel.

onerous, *adj.* byrdefuld.

onion, *n.* løg.

onlooker, *n.* tilskuer.

only, *adv.* kun; alene; blot;
bare; they ~ started
yesterday, de startede først
i går; ~, *adj.* eneste; my
one and ~, min eneste.

onomatopoeic, *adj.* lydefter-
lignende.

on|rush, *n.* fremstød.
~-slaught, *n.* stormløb.

onus, *n.* byrde.

onward(s), *adv.* fremad; vi-
dere; from now ~, fra
nu af.

onyx, *n.* onyks.

ooze, *n.* dynd; ~, *v. t. & i.*
flyde trægt; sive ud; sive.

opa|city, *n.* uigennemsigtig-
hed; -que, *adj.* uigennem-
sigtig.

open, *adj.* åben; åbenhjertig;
oprigtig; fri; in the ~ air,
i det fri; have an ~ mind,
være upartisk; ~, in the
~, i det fri; ~, *v. t. & i.*
åbne; lukke op; åbnes;
åbne sig; ~-air, *adj.* fri-
lufts-; ~-handed, *adj.*
rundhåndet; -ing, *n.*
åbning; indledning; ~-
minded, *adj.* fordomsfri;
~-work, *n.* gennembrudt
arbejde.

opera, *n.* opera; ~-hat, *n.*
chapeaubas.

oper|ate, *v.t. & i.* virke; ope-
rere; *mech.* styre, drive;
med. operere; -ation, *n.*

operation; gang; *mech.*
funktion; drift.

opinion, *n.* mening; skøn;
in my ~, efter min me-
ning; -ated, *adj.* påståelig.

opium, *n.* opium.

opponent, *n.* modstander.

oppor|tune, *adj.* betimelig;
opportun; -tunity, *n.* lej-
lighed; chance.

op|pose, *v. t.* modsætte;
sætte imod; modsætte sig;
gøre modstand mod; -po-
site, *n.* modsætning; the
very ~, det stik modsatte;
~, *adj.* modsat; ~, *prep.*
overfor; -position, *n.* (con-
trast) modsætning; (action)
modstand; the ~ (parlia-
mentary) oppositionen.

oppress, *v. t.* undertrykke;
tynge; -ion, *n.* under-
trykkelse.

optic, *adj.* syns-; optisk; ~
illusion, synsbedrag; -ian,
n. optiker.

optimism, *n.* optimisme.

option, *n.* valg; option; -al,
adj. valgfri; frivillig.

opu|lence, *n.* overdådighed;
rigdom; -lent, *adj.* over-
dådig; rig, velhavende.

or, *conj.* eller; ellers; one ~
two, en-to.

oracle, *n.* orakel.

oral, *adj.* mundtlig.

orange, *n.* appelsin; orange;
~, *adj.* orangefarvet; ~-
peel, *n.* appelsinskal; ~-
stick, *n.* neglerenser.

orang-outang, *n. zool.* oran-
gutang.

orator, *n.* taler; -io, *n.* ora-
torium; -y, *n.* talekunst.

orb, *n.* klode; kugle; (re-
galia) rigsæble.

orbit, *n.* bane; *fig.* virkefelt.

orchard, *n.* frugthave; frugt-
plantage.

orchestra, *n.* orkester.

orchid, *n. bot.* orkidé.

ordain, *v. t. rel.* præstevie;
(decide) bestemme.

ordeal, *n.* ildprøve.

order, *n.* orden; (command)

befaling, ordre; (sequence) rækkefølge, opstilling; *commerc.* ordre; bestilling; postal ~, postanvisning; (rank, class, *etc.*) rang, stand, klasse; ~, *v.t.* ordne; indrette; (command) befale; beordre; *commerc.* bestille; -ly, *adj.* ordentlig; stille; ~, *n. mil.* ordonnans.

ordinar|ily, *adv.* sædvanligvis; -y, *adj.* almindelig; sædvanlig.

ordnance, *n.* artilleri; skyts.

ore, *n.* malm, erts.

organ, *n.* organ; *mus.* orgel; mouth ~, mundharmonika; barrel ~, lirekasse; ~-grinder, *n.* lirekassemand; -ic, *adj.* organisk.

organ|ization, *n.* organisation; organisering; ordning; -ize, *v.t.* organisere; indrette; arrangere.

orgy, *n.* orgie.

orient, *n.* the ~, orienten; orient, *adj.* østerlandsk; orientalsk; -tate, *v.t.* orientere; -tation, *n.* orientering.

orifice, *n.* åbning; munding.

origin, *n.* oprindelse; -al, *adj.* original; oprindelig; -ate, *v.i.* ~ from, stamme fra; have sin oprindelse i; -ator, *n.* ophavsmand.

ormolu, *n.* guldbronze.

ornament, *n.* prydelse; ornament; -al, *adj.* dekorativ, ornamental.

ornate, *adj.* udsmykket, pyntet.

ornithologist, *n.* fuglekender; ornitolog.

orphan, *n.* forældreløst barn; ~, *v.t.* gøre forældreløs; -age, *n.* vajsenhus.

orthodox, *adj. rel.* ortodoks, rettroende; *fig.* vedtægtsmæssig.

orthography, *n.* retskrivning; ortografi.

oscillate, *v.i.* svinge; oscillere.

osier, *n. bot.* pil, vidie.

ossify, *v.t. & i.* forbene(s).

osten|sible, *adj.* tilsyneladende; -tation, *n.* pralen, prunk.

ostler, *n.* staldkarl.

ostracism, *n.* boykotning.

ostrich, *n. zool.* struds.

other, *adj. n. & pron.* anden; andet; andre; the ~ day, forleden dag; each ~, hinanden; every ~, hver anden; -wise, *adv.* anderledes; (if not) ellers.

otter, *n. zool.* odder.

ought, *v. aux.* (*past* ought) bør; burde; skulle.

ounce, *n.* unse (28,35 gr.).

our, ours, *pron. & adj.* vor; vort; vore; vores.

ourselves, *pron.* os selv; selv.

oust, *v.t.* fordrive; fortrænge.

out, *prep. & adj.* ud; ude; ~ of the way, afsides; ~ of mind, glemt; ~ of pity, af medlidenhed; tired ~, udkørt; -board, *adj.* udenbords; -break, *n.* udbrud; -cast, *n. & adj.* hjemløs; -come, *n.* resultat; -cry, *n.* skrig; ramaskrig; -dated, *adj.* forældet; -do, *v.t.* overgå; -door, *adj.* udendørs(-); -doors, *adv.* udendørs; -er, *adj.* ydre, yder-fit, *n.* udstyr; (team) gruppe; -grow, *v.t.* vokse fra; -house, *n.* udhus; -ing, *n.* udflugt; -landish, *adj.* fremmedartet; malabarisk; -law, *n.* fredløs; -lay, *n.* udgift; udlæg; -line, *n.* kontur, omrids; (summary) oversigt; resumé; ~, *v.t.* skitsere; -live, *v.t.* overleve; -look, *n.* udsigt; livsanskuelse; -number, *v.t.* være overlegen i antal; ~-of-date, *adj.* forældet; gammeldags; ~-patient, *n.* ambulant patient; -post, *n.* forpost; -put, *n.* produktion; -rage, *n.* vold; krænkelse;

-rageous, *adj.* skammelig;
skændig; -rigger, *n.* naut.
udligger; -right, *adj.* kom-
plet; fuldstændig; ~, *adv.*
fuldstændigt; uforbehol-
dent; -set, *n.* at the ~, i
begyndelsen; -side, *n.*
yderside; ~, *adj.* ydre;
udvendig; ~, *adv.* uden-
for; udenpå; -sider, *n.*
udenforstående; outsider;
-size, *n.* stor størrelse.

out|skirts, *pl. n.* udkant;
-spoken, *adj.* djærv; fri-
modig; -standing, *adj.*
(debt) udestående; (excel-
lent) fremtrædende; -strip,
v. t. løbe fra; distancere;
-ward, *adj.* udgående;
(outer) ydre, udvendig;
~(s), *adv.* ud; udad; -wit,
v. t. overliste.

oval, *adj.* oval.

ovary, *n.* anat. æggestok.

ovation, *n.* hyldest.

oven, *n.* bageovn; ovn.

over, *adj.* over-; alt for; ~,
adv. over; ovre; forbi;
tilovers; all ~ the world,
overalt i verden; it's all ~,
det hele er forbi; ~ and
~ again, gang på gang;
atter og atter; knock ~,
vælte; -alls, *pl. n.* over-
alls; -balance, *v. i.* få
overbalance; -bearing, *adj.*
anmassende; overlegen;
hovmodig; -board, *adv.*
over bord; -burden, *v. t.*
overbebyrde; -cast, *adj.*
overskyet; -charge, *v. t.*
tage overpris; -coat, *n.*
overfrakke; -come, *v. t.*
overvinde; besejre; -do,
v. t. overdrive; gå for
langt; overanstrenge sig;
-draft, *n.* overtræk; -draw,
v. t. overtrække; ~esti-
mate, *v. t.* overvurdere;
~-expose, *v.t.* overekspo-
nere; -flow, *n.* overflod; *n.*,
v. i. flyde over; -grown,
adj. opløben; -haul, *v. t.*
overhale; (check) efterse,
undersøge; -head, *n.* ud-

gift; ~ expenses, general-
omkostninger; ~, *adv.*
ovenpå; ovenover; -hear,
v. t. komme til at høre;
-joyed, *adj.* himmelhen-
rykt; -land, *adv.* til lands;
-lap, *v.t.* overlappe; -load,
v. t. overbelaste; -look,
v. t. overskue; (not see)
overse; (be in charge of)
føre opsyn med; -night,
adv. natten over; -power,
v. t. overvælde; -rate, *v.t.*
overvurdere; -rule, *v. t.*
forkaste; -seas, *adj.* over-
søisk; -seer, *n.* tilsyns-
førende; -sight, *n.* for-
glemmelse; -stay, *v. t.* ~
one's leave, blive for
længe; -strung, *adj.* over-
spændt; -take, *v. t.* over-
hale; nå; -throw, *v.t.* om-
styrte; kuldkaste; -time,
n. overarbejde; -ture, *n.*
ouverture; -turn, *v. t.*
vælte; ~, *v. i.* naut. kæntre;
-whelm, *v. t.* overvælde;
-wrought, *adj.* overspændt.

overt, *adj.* åben; åbenlys.

ovum, *n.* egg.

owe, *v. t. & i.* skylde.

owing, *adj.* skyldig; ~ to,
på grund af.

owl, *n.* ugle.

own, *pron.* egen (eget, egne);
~, *v. t.* eje; (admit) ind-
rømme; vedkende sig; ~
up, tilstå; -er, *n.* ejer.

ox, *n.* okse.

oxidation, oxidization, *n.*
iltning, oxydering.

oxy|acetylene, *adj.* autogen-;
-gen, *n.* ilt, oxygen.

oyster, *n.* østers.

oz., *see* ounce.

pace, *n.* skridt; gang; set the
~, bestemme farten; at a
terrific ~, i en skrækkelig
fart; ~, *v.i.* gå pasgang; gå
frem og tilbage.

paci|fic, *adj.* fredelig; the P~
Ocean, Stillehavet; -fy,
v. t. pacificere; berolige.

pack, *n.* pakke; a ~ of cards,

et spil kort; (band) bande;
~, *v. t.* pakke; stuve; em-
ballere; ~ up, pakke sam-
men; -age, *n.* pakke;
balle; -et, *n.* pakke; -et-
boat, *n.* postskib; ~-ice,
n. pakis; -ing, *n.* indpak-
ning; -ing-case, *n.* pak-
kasse.

pact, *n.* pagt.

pad, *n.* pude; *zool.* træde-
pude; *sport* benskinne;
underlag; ~, *v.t.* udstoppe;
-ding, *n.* stopning; fyld.

paddle, *v. t.* padle; ~, *v. i.*
soppe; ~-steamer, *n.* hjul-
damper.

paddock, *n.* indhegning;
sadelplads.

padlock, *n.* hængelås.

padre, *n.* præst; feltpræst.

paean, *n.* sejrssang.

pagan, *n.* hedning; ~, *adj.*
hedensk.

page, *n.* side; (servant) page;
~-boy, *n.* piccolo.

pageant, *n.* festspil; prunk.

paid, *see* pay.

pail, *n.* spand.

pain, *n.* smerte; pine; -ful,
adj. smertefuld; he was at
great -s to please, han
gjorde sig umage for at
behage; -staking, *adj.* om-
hyggelig.

paint, *n.* maling; farve;
grease ~, sminke; ~, *v. t.*
& *i.* male; (face) sminke;
~ the town red, male byen
rød; ~-box, *n.* farvelade;
malerkasse; ~-brush, *n.*
malerpensel; -er, *n.* ma-
ler; (artist) kunstmaler;
-ing, *n.* maleri.

pair, *n.* par; a ~ of gloves,
et par handsker; a ~ of
scissors, en saks; ~, *v.t.* & *i.*
parre; parres; parre sig.

pal, *n. sl.* kammerat.

palace, *n.* palads; slot.

palat|able, *adj.* velsmagende;
-e, *n. anat.* gane; (taste)
smag.

palatial, *adj.* paladsagtig.

palatinate, *n.* pfalzgrevskab.

palaver, *n.* palaver; snak.

pale, *n.* pæl; ~, *adj.* bleg;
~, *v. i.* blegne; blive bleg;
~-face, *n.* blegansigt.

palette, *n.* palet.

palfrey, *n.* ridehest.

palisade, *n.* palisade.

pall, *n.* ligklæde; ~, *v. i.*
blive trættende.

palliasse, *n.* halmmadras.

palliate, *v. t.* lindre; *fig.* be-
smykke.

pallid, *adj.* bleg.

pallor, *n.* bleghed.

palm, *n.* håndflade; *bot.*
palmetræ; -er, *n.* pilgrim;
-ist, *n.* kiromantiker.

pal|pable, *adj.* håndgribelig;
-pitate, *v. i.* banke; -sy,
n. med. lamhed.

paltry, *adj.* sølle; ussel.

pamper, *v.t.* forkæle.

pamphlet, *n.* brochure.

pan, *n.* pande; ~, *v. i.* film.
panorere; ~ out, *fig.* ud-
vikle sig; forme sig.

panacea, *n.* universalmiddel.

pancake, *n.* pandekage.

pandemonium, *n.* larm; for-
virring.

pander, *v. i.* ~ to, lefle for.

pane, *n.* (vindues)rude.

panel, *n.* panel; fylding; felt;
~ doctor, sygekasselæge.

pang, *n.* smerte; -s of con-
science, samvittighedskva-
ler.

panic, *n.* panik; ~, *v. i.* & *t.*
blive grebet af panik;
fremkalde panik (i en an-
den); -stricken, *adj.* pa-
nikslagen.

pansy, *n. bot.* stedmoder-
blomst.

pant, *v. i.* puste; hive efter
vejret.

panther, *n. zool.* panter.

panties, *pl. n.* trusser, *pl.*

pantry, *n.* spisekammer; an-
retterværelse.

pants, *pl. n. coll.* bukser, *pl.*

pap, *n. fig.* barnemad.

papal, *adj.* pavelig.

paper, *n.* papir; (newspaper)

avis, blad; ~, *v. t.* tapetsere; ~clip, *n.* clips; ~weight, *n.* brevpresser.

papier maché, *n.* papmaché.

papist, *n.* papist.

par, *n.* pari; be on a ~ with, være ligestillet med.

parable, *n.* parabel.

parachute, *n.* faldskærm.

parade, *n.* parade.

paradise, *n.* paradis.

paradox, *n.* paradoks.

paraffin, *n.* paraffin; petroleum.

paragon, *n.* mønster.

paragraph, *n.* paragraf; afsnit.

parakeet, *n.* zool. kilehale.

parallel, *n.* parallel; *geog.* breddegrad.

paralysis, *n. med.* lammelse; -lyse, *v. t.* lamme.

paramount, *adj.* højest; øverst.

parapet, *n.* brystværn.

paraphernalia, *n.* ting og sager; tilbehør.

paraphrase, *v. t. & i.* omskrive.

parasite, *n.* snylter.

paratrooper, *n. mil.* faldskærmssoldat.

parboil, *v. t.* koge delvis.

parcel, *n.* pakke; ~ out, *v.t.* udstykke.

parch, *v.t. & i.* riste; fortørre; afsvide; -ment, *n.* pergament.

pardon, *n.* benådning; I beg your ~!, om forladelse!; I beg your ~?, hvad behager?; ~, *v. t.* tilgive; benåde.

pare, *v. t.* klippe; skrælle.

parent, *n.* a ~, en af forældrene; -s, *pl.* forældre, *pl.*

parenthesis, *n.* parentes.

parish, *n.* sogn; ~ clerk, degn; -ioner, *n.* sognebarn.

park, *n.* park; parkanlæg; car ~, parkeringsplads; ~, *v. t.* parkere; -ing, *n.* parkering; ~ space, parkeringsplads.

parley, *n.* parlamenteren.

parliament, *n.* parlament; Denmark's ~, Folketinget.

parlour, *n.* dagligstue; ~maid, *n.* stuepige.

parole, *n.* æresord.

parquet, *n.* parket; ~ flooring, parketgulv.

parrot, *n. zool.* papegøje.

parry, *v. t.* parere.

parse, *v. t.* analysere.

parsimonious, *adj.* sparsommelig.

parsley, *n.* persille.

parsnip, *n.* pastinak.

parson, *n.* præst; -age, *n.* præstegård.

part, *n.* del; part; spare ~, reservedel; *theat.* rolle; take somebody's ~, tage éns parti; for my ~, for min part; ~ of speech, ordklasse: in these -s, *pl.* på disse kanter; ~, *v. t. & i.* dele; dele sig; skille; skille sig; skilles; we -ed company, vi skiltes fra hinanden.

partake (partook, partaken), *v. t. & i.* deltage i; indtage.

parterre, *n.* parterre.

parthenogenesis, *n.* jomfrufødsel.

partial, *adj.* delvis; I am ~ to, jeg holder af; -ity, *n.* svaghed (for); forkærlighed.

participate, *v. i.* deltage; -pator, *n.* deltager.

participle, *n. gram.* participium, tillægsmåde.

particle, *n.* partikel.

particular, *adj.* særlig; bestemt; she is very ~, hun er meget kræsen; ~, *n.* detalje; in ~, særligt, især; -s, *pl.* oplysninger, *pl.*; -ly, *adv.* især, særdeles; not ~, ikke synderlig.

parting, *n.* afsked; (in hair) skilning; (separation) adskillelse, deling; ~, *adj.* afskeds-; delende.

partisan, *n.* partisan.

partition, *n.* skillevæg; ~
v.t. ~ off, skilre af.

partly, *adv.* dels, til dels,
delvis.

partner, *n.* medspiller, mak-
ker; deltager; *commerc.*
kompagnon; medindeha-
ver.

partridge, *n. zool.* agerhøne.

part|-singing, *n.* flerstemmig
sang; ~-time, *adj.* deltids-.

parturition, *n.* fødsel.

party, *n.* selskab; (person)
person; third ~ insurance,
ansvarsforsikring; politi-
cal ~, politisk parti; be a
~ to, være delagtig i; ~
telephone, partstelefon.

parvenu, *n.* opkomling.

pass, *v.t. & i.* passere; (spend
time) tilbringe; (fail to
notice) forbigå; (hand)
række; (resolution, *etc.*)
vedtage; (walk, *etc.*, past)
gå forbi; (exceed) overgå;
(diminish) svinde, blive
mindre; (examination) be-
stå; (cards) passe; it came
to ~, det hændte; ~ (away)
the time, fordrive tiden;
~ oneself off as, udgive
sig som; ~ a remark,
komme med en bemærk-
ning; time -ed, tiden gik;
~, *n.* pas; bjergpas;
(identity card) passerseddel;
fribillet; things have
come to a pretty ~, situa-
tionen er temmelig kri-
tisk; -able, *adj.* farbar; (ac-
ceptable) antagelig; -age,
n. gang; korridor; gen-
nemgang; (in book) af-
snit; *naut.* rejse; overfart;
overgang; ~-book, *n.*
bankbog.

passenger, *n.* passager; ~-
train, *n.* persontog.

passer-by, *n.* (pl. passers-by)
forbipasserende.

passing, *adj.* forbigående;
flygtig.

passion, *n.* lidenskab; sinds-
bevægelse; (anger) vrede;

~-ate, *adj.* lidenskabelig;
passioneret.

passive, *adj.* passiv; uvirk-
som; the ~ (tense), *gram.*
passiv.

pass|port, *n.* pas; -word, *n.*
kodeord; feltråb.

past, *adj.* forgangen; svun-
den; he is a ~ master at
that sort of thing, han er
ekspert i den slags; ~, *adv.*
& *prep.* forbi; over; ten
minutes ~ six, ti minutter
over seks; half ~ six, halv
syv; ~, *n.* fortid; *gram.*
the ~ (tense), fortid.

paste, *n.* klister; (for pastry)
dej; ~ jewellery, kunstig
ædelsten; ~, *v.t.* klistre,
klæbe.

pastel, *adj.* pastel; ~, *n.* pa-
stelbillede.

pasteurize, *v.t.* pasteurisere.

pastille, *n.* pastil.

pastime, *n.* tidsfordriv.

pastor, *n.* præst, pastor; -al,
adj. hyrde-; pastoral.

pastry, *n.* bagværk; Danish
~, wienerbrød; (cake)
kage; ~-cook, *n.* konditor.

pasture, *n.* græsgang.

pasty, *adj.* blegfed; ~, *n.*
kødpostej.

pat, *n.* klap; ~, *adv.* færdig;
parat; know something
off ~, *coll.* kunne noget
udenad; ~, *v.t. & i.* klappe.

patch, *n.* lap; flik; (plot of
land) jordstykke; ~, *v.t.*
lappe; flikke; ~ up a
quarrel, blive gode ven-
ner igen; ~-work, *n.* styk-
værk; ~ quilt, klude-
tæppe; -y, *adj.* halvdårlig;
middelmådig; uensartet.

pate, *n.* bald ~, skaldet isse.

pâté, *n.* postej; ~ de foie
gras, gåseleverpostej.

patent, *n.* patent; ~, *adj.*
åben; åbenbar; ~ leather
shoes, laksko; ~, *v.t.* tage
patent på; patentere; -ee,
n. patentholder.

pater|nal, *adj.* faderlig; fa-
der-; -nity, *n.* faderskab.

path, *n.* sti; gangsti; *fig.* bane, vej.

pathetic, *adj.* patetisk; rørende.

pathfinder, *n.* stifinder.

pathology, *n.* sygdomslære; patologi.

pathos, *n.* følelse; patos.

patience, *n.* tålmodighed; (card game) kabale.

patient, *adj.* tålmodig; ~, *n.* patient.

patri|arch, *n.* patriark; -cian, *n.* patricier; -cide, *n.* fadermord; (person) fadermorder; -mony, *n.* arv; fædrenearv; -ot, *n.* patriot; -otism, *n.* fædrelandskærlighed; patriotisme.

patrol, *n.* patrulje; ~, *v. t. & i.* afpatruljere.

patron, *n.* (customer) kunde; (supporter, *etc.*) beskytter; protektor; ~ saint, skytshelgen; -age, *n.* støtte; protektion; beskyttelse; (condescending manner) nedladenhed; (custom) søgning.

patter, *n.* (feet) trippen; (rain, *etc.*) pisken; trommen; (talk) snakken.

pattern, *n.* mønster; model; prøve.

paucity, *n.* knaphed; ringe antal.

paunch, *n.* vom; bug.

pauper, *n.* fattiglem; -ize, *v. t.* forarme.

pause, *n.* ophold; standsning; pause; ~, *v. i.* pause; standse op; nøle.

pave, *v. t.* brolægge; ~ the way, *fig.* bane vejen; -ment, *n.* fortov.

pavilion, *n.* pavillon.

paving, *n.* brolægning; ~-stone, *n.* brosten; (flagstone) flise.

paw, *n.* pote; lab; *sl.* næve; ~, *v. t. & i.* skrabe; (lay hands on) befamle.

pawn, *n.* (chessman) bonde; in ~, pantsat; ~, *v. t.* pant-

sætte; -broker, *n.* pantelåner; -ticket, *n.* låneseddel.

pay (paid, paid), *v. t. & i.* betale; lønne; (be worth while) betale sig, lønne sig; ~ attention to, lægge mærke til; ~ for, betale for; ~ a visit, aflægge visit; ~ back, gøre gengæld; I'll ~ you back for that!, det skal De få betalt!; ~, *n.* betaling; (wages) løn, gage; hyre; -able, *adj.* betalbar; (due) forfalden; -ment, *n.* betaling; indfrielse; indløsning; part ~, afdrag; -roll, *n.* lønningsliste.

pea, *n.* ært; like as two -s, som to dråber vand.

peace, *n.* fred; make ~, slutte fred; -ful, *adj.* fredelig.

peach, *n.* fersken.

pea|cock, *n.* påfugle(hane); -hen, *n.* påfuglehøne.

peak, *n.* spids; tinde; (on hat) skygge; *fig.* kulminationspunkt.

peal, *n.* ringen, kimen; ~ of thunder, brag; skrald; ~ of laughter, lattersalve.

peanut, *n.* jordnød.

pear, *n. bot.* pære; ~-shaped, *adj.* pæreformet.

pearl, *n.* perle; ~-barley, *n.* perlegryn.

peasant, *n.* bonde.

pea-soup, *n.* gule ærter; ~ fog, tæt tåge.

peat, *n.* tørv; -bog, *n.* tørvemose.

pebble, *n.* småsten; -s, *pl.* ral; småsten.

pecary, *n. zool.* navlesvin.

peck, *n.* hak; pikken; ~, *v. t. & i.* hakke; pikke; -ish, *adj.* småsulten.

pectoral, *adj.* bryst-.

peculiar, *adj.* egen; ejendommelig; særegen; mærkelig; besynderlig; ~ to, særegen for.

pedagogical, *adj.* pædagogisk.

pedal, *n.* pedal; ~, *v.i.* bruge pedalen.

peddle, *v.t.&i.* gå rundt og falbyde.

pedestal, *n.* piedestal; fodstykke.

pedestrian, *n.* fodgænger; ~ crossing, fodgængerovergang.

pediatrician, *n.* børnelæge.

pedicure, *n.* fodpleje.

pedigree, *n.* stamtavle; stamtræ.

pedlar, *n.* bissekræmmer.

peek, *v.i.* kigge.

peel, *v.t.&i.* skrælle; afbarke; pille; skalle; ~, *v.i.* skalle af; ~, *n.* skræl; skal; skind.

peep, *v.i.* pippe; (appear) titte frem; (look) kigge; Peeping Tom, *n.* lurer; vindueskigger.

peer, *v.i.* stirre; spejde; ~, *n.* overhusmedlem; højadelig person; -age, *n.* adelstand; højadel; -ess, *n.* højadelig dame; -less, *adj.* uforlignelig.

peeved, *adj.* irriteret; være stødt.

peevish, *adj.* irritabel; gnaven.

peewit, *n. zool.* vibe.

peg, *n.* pind; knage; pløk; trænagle; ~, *v.t.&i.* pløkke; nagle; ~ away, *sl.* klemme på.

pelargonium, *n. bot.* pelargonie.

pellet, *n.* lille kugle; hagl.

pell-mell, *adj.* uordentlig; ~, *adv.* hulter til bulter.

pellucid, *adj.* gennemsigtig.

pelmet, *n.* gardinkappe.

pelt, *n.* pels; skind; full ~, fuld fart; ~, *v.t.* overdænge; bombardere; ~, *v.i.* øse ned; piske ned.

pelvic, *adj.* bækken-; -vis, *n.* bækken(parti).

pen, *n.* pen; (*for* sheep) fold; (play-~), kravlegård.

penal, *adj.* strafbar; ~ servitude, strafarbejde; -ize, *v.t.* straffe; -ty, *n.* straf; bøde.

penance, *n.* bod.

pence, *see* penny.

penchant, *n.* hang; tilbøjelighed.

pencil, *n.* blyant; slate ~, griffel; ~ sharpener, blyantspidser; ~-case, *n.* penalhus.

pendant, *n.* pendant; -ing, *adj.* verserende; svævende; -ulous, *adj.* nedhængende; -ulum, *n.* pendul.

penetrate, *v.t.&i.* gennembore; gennemtrænge; -trating, *adj.* gennemtrængende; skarpsindig.

penguin, *n. zool.* pingvin.

peninsula, *n.* halvø; -lar, *adj.* halvø-.

penitence, *n.* anger; -tent, *n.* skriftebarn; ~, *adj.* angerfuld; angrende; -tentiary, *n.* fængsel.

penknife, *n.* lommekniv; ~-name, *n.* pseudonym.

pennant, *n.* stander; vimpel.

penny (*pl.* pence *el.* pennies) *n.* pennystykke; a ~ for your thoughts!, hvad tænker du på?; he hasn't got a ~ to his name, han ejer ikke en rød øre; ~-wise, *adj.* be ~ and poundfoolish, spare på skillingen og lade daleren rulle; -worth, *n.* [det, man kan få for en penny].

pension, *n.* pension; ~, *v.t.* pensionere; be -ed off, komme på aftægt; -er, *n.* pensionist.

pensive, *adj.* tankefuld.

pent, *adj.* ~ up, indeklemt; indestængt.

Pentateuch, *n.* the ~, de fem Mosebøger.

pent-house, *n.* halvtag; tilbygning.

penultimate, *adj.* næstsidst.

penury, *n.* armod.

peony, *n. bot.* pæon.

people, *n.* folk; folkeslag; (persons) mennesker.

pepper, *n.* peber; -corn, *n.* peberkorn; -mint, *n.* pebermynte; ~-pot, *n.* peberbøsse.

per, *prep.* pr.; pro; om; ~ annum, om året, årlig; ~ cent, procent.

perambulator, *n.* barnevogn.

perceive, *v. t.* erkende; bemærke.

percentage, *n.* procent; procentdel.

percep|tible, *adj.* mærkbar; synlig; -tion, *n.* erkendelse; sanseevne; opfattelsesevne.

perch, *n. zool.* aborre; (*for* bird) siddepind; ~, *v.t. & i.* sidde; sætte sig.

perco|late, *v. i.* sive igennem; -lator, *n.* kaffekolbe; perkolator.

percussion, *n.* slag; stød; sammenstød; ~ instrument, slaginstrument; ~ cap, fænghætte.

perdition, *n.* fortabelse.

peremptory, *adj.* afgørende; bydende.

perennial, *n.* staude; ~, *adj.* flerårig.

perfect, *adj.* fuldendt; fuldkommen; ~, *n. gram.* the ~ (tense), perfektum, førnutid; ~, *v. t.* fuldende; perfektionere; -ion, *n.* fuldkommenhed.

perfidious, *adj.* perfid; troløs.

perforate, *v. t.* perforere; gennembore.

perform, *v. t. & i.* udføre; opfylde; optræde; medvirke; -ance, *n.* udførelse; optræden; præstation; forestilling.

perfume, *n.* parfume; vellugt.

perfunctory, *adj.* overfladisk; mekanisk.

perhaps, *adv.* måske.

peril, *n.* fare; risiko; -ous, *adj.* farlig.

perimeter, *n.* omkreds.

period, *n.* tidsrum; tid; (full stop) punktum; -ical, *n.* tidsskrift; (weekly) ugeblad; (monthly) månedsblad; ~, *adj.* periodisk.

periscope, *n.* periskop.

perish, *v. i.* omkomme; forgå; forulykke; gå til grunde; -able, *adj.* (food, *etc.*) fordærvelig; forgængelig.

periwinkle, *n.* strandsnegl.

perjury, *n.* mened.

perk, *v. t. & i.* ~ up, kvikke op; knejse; -y, *adj.* kry; munter.

permanent, *adj.* vedvarende; varig; permanent; ~ wave, permanentbølgning.

permeate, *v. t. & i.* gennemtrænge.

permis|sible, *adj.* tilladelig; -sion, *n.* tilladelse; lov.

permit, *v. t. & i.* tillade; muliggøre; ~, *n.* tilladelse.

permutation, *n.* ombytning; forvandling.

pernicious, *adj.* fordærvelig; skadelig.

pernickety, *adj.* pertentlig.

peroxide, *n.* overilte; hydrogen ~, brintoverilte.

perpendicular, *adj.* lodret.

perpe|trate, *v. t.* begå; forøve; -trator, *n.* gerningsmand.

perpetu|al, *adj.* bestandig; stedsevarende; -ate, *v. t.* forevige.

perplex, *v. t.* forvirre; sætte i forlegenhed; -ed, *adj.* forvirret; betuttet.

perquisite, *n.* sportel; bifortjeneste.

perse|cute, *v. t.* forfølge; plage; -cution, *n.* forfølgelse; ~ mania, forfølgelsesvanvid; -verse, *v. i.* vedblive; holde ud.

persist, *v. i.* vedblive; fastholde; -ent, *adj.* ihærdig; udholdende; vedblivende.

person, *n.* person; in ~, personlig; -able, *adj.* net; præsentabel; -age, *n.* per-

son; personlighed; -al,
adj. personlig; -ality, *n.*
personlighed; -ify, *v. t.*
legemliggøre; personifi-
cere; -nel, *n.* personale.

perspective, *n.* perspektiv;
rules of ~, perspektivlære.

perspicacity, *n.* skarpsindig-
hed.

perspiration, *n.* sved; trans-
piration.

per|suade, *v.t.* overtale; over-
bevise; overtyde; -suasion,
n. overtalelsesevne; (con-
viction) overbevisning;
religious ~, tro.

pert, *adj.* næsvis.

per|tain, *v. i.* angå; vedrøre;
(belong to) høre til;
-tinent, *adj.* sagen ved-
rørende; relevant.

perturb, *v. t.* forurolige.

peruse, *v. t.* gennemlæse.

pervade, *v. t.* gennemstrøm-
me; præge.

perverse, *adj.* (depraved)
pervers; fordærvet; (stub-
born) forstokket; (con-
trary) kontrær.

pessary, *n.* pessar.

pessimist, *n.* pessimist, sort-
seer.

pest, *n.* pest, plage; (person)
plageånd; (animals, in-
sects) skadedyr; -er, *v. t.*
plage; besvære; -ilence, *n.*
pest, farsot.

pestle, *n.* støder.

pet, *n.* kæledyr; (favourite)
yndling; ~, *adj.* kæle-;
yndlings-; ~, *v. t.* kæle for.

petal, *n.* kronblad.

petard, *n.* petarde.

peter, *v. i.* ~ out, dø hen;
løbe ud i sandet; slippe op.

petition, *n.* bøn; ansøgning;
andragende; ~, *v. t.* an-
søge; andrage; bede.

petrel, *n. zool.* stormsvale.

petrify, *v. t. & i.* forstene;
forstenes.

petrol, *n.* benzin; ~ station,
benzintank; ~ tank, ben-
zintank; -eum, *n.* (paraf-

fin oil) petroleum; (raw
material) råolie.

petticoat, *n.* underskørt.

pettifogging, *adj.* ubetyde-
lig; ligegyldig; smålig.

petting, *n.* kæleri.

pettish, *adj.* gnaven, pirrelig.

petty, *adj.* ubetydelig; lille;
underordnet; ~ cash, små-
beløb; ~ officer, under-
officer.

petulance, *n.* gnavenhed.

pew, *n.* kirkestol.

pewit (*el.* peewit), *n. zool.*
vibe.

pewter, *n.* tin; tintøj.

phantom, *n.* spøgelse; gen-
færd.

Pharaoh, *n.* farao.

Pharisee, *n.* farisæer.

pharmacy, *n.* apotek; (sci-
ence) apotekerkunst.

phase, *n.* fase; stadium.

pheasant, *n. zool.* fasan.

phenomenon, *n.* fænomen.

phial, *n.* flakon; medicin-
flaske.

phil|anderer, *n.* kurmager;
-anthropy, *n.* menne-
skekærlighed; filantropi;
-atelist, *n.* frimærkesam-
ler; -istine, *n.* filister;
spidsborger; -ology, *n.*
sprogvidenskab; -osophy,
n. filosofi; livsanskuelse.

philtre, *n.* elskovsdrik.

phlebitis, *n.* årebetændelse.

phleg|m, *n.* slim; flegma;
-matic, *adj.* flegmatisk.

phoenix, *n.* fugl Føniks.

phone, *v. t. & i.* telefonere;
ringe (til).

phonetic, *adj.* lyd-; fonetisk.

phos|phate, *n.* fosfat; -phor-
escence, *n.* morild; fos-
forescens; -phorus, *n.*
fosfor.

photo, *n.* fotografi; foto;
-genic, *adj.* be ~, se godt
ud på fotografier; foto-
gen; -graph, *n.* fotografi;
billede; ~, *v. t.* fotogra-
fere; -grapher, *n.* fotograf.

phrase, *n.* udtryk; frase;

talemåde; ~-book, *n.* par-
lør.
physi|cal, *adj.* fysisk; le-
gems-; legemlig; ~ train-
ing, gymnastik; -cian, *n.*
læge; -cist, *n.* fysiker.
physics, *n.* fysik; naturlære.
physique, *n.* legemsbygning;
konstitution.
piano, *n.* klaver; piano;
~-tuner, *n.* klaverstem-
mer.
piccolo, *n.* piccolofløjte.
pick, *v.t. & i.* (pluck) plukke;
(hack) hakke; (choose)
vælge; udvælge; ~ a lock,
dirke en lås op; ~ to
pieces, ~ holes in, *fig.* ned-
rakke; kritisere; ~ up,
samle, samle op; (regain
health, spirits) komme
sig; kvikke op; (learn)
tilegne sig; ~ a quarrel,
yppe kiv; ~, *n.* hakke;
valg; udvalg; the ~ of the
bunch, den allerbedste;
-axe, *n.* hakke; -ed, *adj.*
udsøgt; elite-; -et, *n.* pæl;
mil. feltvagt; -ings, *pl. n.*
rester, *pl.*
pickle, *v.t.* sylte; marinere;
lægge i lage; ~, *n.* lage; a
pretty ~, *coll.* en køn
suppedas; -d, *adj.* syltet;
sl. fuld.
pick|-me-up, *n. sl.* opstram-
mer; ~-pocket, *n.* lomme-
tyv; ~-up, *n.* (*for record-
player*) pick-up; (girl) *sl.*
tilfældigt bekendtskab.
picnic, *n.* skovtur.
pictorial, *adj.* billed-; ma-
lerisk.
picture, *n.* billede; ~-book,
n. billedbog; -sque, *adj.*
pittoresk; malerisk.
piddle, *v.i. coll.* tisse.
pidgin, *adj.* ~ English, kine-
serengelsk.
pie, *n.* pie; postej; -bald, *adj.*
sortbroget; broget.
piece, *n.* stykke; in -s, itu;
~ together, *v.t.* sammen-
stykke; -meal, *adj.* styk-

kevis; ~-work, *n.* akkord-
arbejde.
pier, *n.* anlægsbro; mole.
pierce, *v.t.* gennemtrænge;
gennembore; spidde.
piety, *n.* fromhed; pietet.
pig, *n.* svin; gris; buy a ~ in
a poke, købe katten i
sækken.
pigeon, *n.* due; homing ~,
brevdue; that'll be your ~,
det bliver din sag; ~-hole,
n. [rum i reol, osv.]; ~,
v.t. lægge til side; rubri-
cere; ordne i rum.
pig|-headed, *adj.* stivnakket;
~-iron, *n.* råjern; -ment,
n. farve, pigment; -skin,
n. svinelæder; -sty, *n.*
svinesti.
pike, *n.* spyd; *zool.* gedde.
pilchard, *n. zool.* sardin.
pile, *n.* dynge; bunke; sta-
bel; (foundation stake)
pæl, grundpæl; funeral ~,
ligbål; (*of* carpet) luv; ~,
v.t. & i. dynge (op), stable
(op), bunke (sammen);
-s, *pl. n.* hæmorroider, *pl.*;
~-driver, *n.* rambuk.
pilfer, *v.t.* rapse; -ing, *n.*
rapseri.
pilgrim, *n.* pilgrim; -age, *n.*
valfart, pilgrimsrejse.
pill, *n.* pille.
pillage, *n.* plyndring; ~, *v.t.*
plyndre; røve.
pillar, *n.* søjle; støtte; pille;
~-box, *n.* fritstående post-
kasse.
pillion, *n.* bagsæde.
pillory, *n.* gabestok.
pillow, *n.* (hoved)pude; ~-
case, ~-slip, *n.* pudevår,
pudebetræk.
pilot, *n. naut.* lods; *aero.*
pilot; ~, *v.t.* styre; flyve;
lodse.
pimento, *n.* jamaica-peber,
spansk peber; (allspice)
allehånde.
pimp, *n.* alfons.
pimpernel, *n. bot.* scarlet ~,
arve.
pimple, *n.* filipens.

pin, *n.* knappenål; nål; (stick) pind; ~, *v.t.* fastgøre; fæste; fastnagle; spidde; ~ down, *fig.* binde; -afore, *n.* forklæde; -cers, *pl. n.* knibtang; -cette, *n.* pincet.

pinch, *v.t.* knibe; nive; klemme; *sl.* (steal) rapse; ~ and scrape, spinke og spare; ~, *n.* kniben; klemme; at a ~, til nød; a ~ of salt, en knivspids salt; with a ~ of salt, *fig.* med forbehold.

pincushion, *n.* nålepude.

pine, *n.* fyr; fyrretræ; ~, *v.i.* ~ (away) hentæres; ~ for, smægte efter; -apple, *n.* ananas; ~-cone, *n.* fyrreskov; (timber) fyrretræ.

pinfold, *n.* kvægfold.

pinion, *n. mech.* drev; ~, *v.t.* bagbinde.

pink, *n. bot.* nellike; ~, *adj.* blegrød; rosa.

pinnace, *n.* slup.

pinnacle, *n.* tinde; spids.

pin-striped, *adj.* nålestribet.

pint, *n.* = 0,57 liter.

pioneer, *n.* pionér; banebryder.

pious, *adj.* gudfrygtig, from.

pip, *n.* frugtkerne; it gives me the ~, *coll.* det kan jeg blive sur over.

pipe, *n.* pibe; (tube) rør; *mus.* fløjte; ~, *v.i.* pippe; fløjte; pibe; ~-cleaner, *n.* piberenser; ~-dream, *n.* ønskedrøm; -line, *n.* rørledning.

piping, *n.* piben; (on uniform) snorebroderi; ~, *adj.* pibende; ~ hot, rygende varm.

pipkin, *n.* kande.

piquant, *adj.* pikant; skarp.

pique, *n.* fornærmelse; krænkelse; ~, *v.t.* såre; fornærme; pikere; -d, *adj.* stødt; pikeret; såret.

piqué, *n.* piké.

piquet, *n. mil.* piket; (game) piquet.

pir|acy, *n.* sørøveri; -ate, *n.* sørøver.

piscatorial, *adj.* fiske-; fiskeri-.

pistil, *n. bot.* støvvej; ~ flower, hunblomst.

pistol, *n.* pistol.

piston, *n.* stempel; ~ ring, stempelring; ~-rod, *n.* stempelstang.

pit, *n.* grube; skakt; hule; *theat.* gulv; parterre.

pitch, *n.* beg; højde; (slope) hældning; ~, *v.t.* smide; kaste; ~ a tent, opslå et telt; ~-dark, *adj.* bælgmørk; -er, *n.* kande; ~-fork, *n.* høtyv.

piteous, *adj.* ynkelig.

pitfall, *n.* faldgrube.

pith, *n.* marv.

pithead, *n.* minenedgang.

pithy, *adj.* fyndig; kraftig.

piti|ful, *adj.* jammerlig; sørgelig; -less, *adj.* ubarmhjertig; hård.

pittance, *n.* smule; ringe løn.

pity, *n.* medlidenhed; medynk; medfølelse; it is a ~, det er en skam; take ~ on, forbarme sig over; ~, *v.t.* ynke; ynkes over; have medlidenhed med.

pivot, *n.* midtpunkt; *mech.* tap; drejetap; ~, *v.i.* dreje om en tap.

pixie, *n.* alf; fe.

placable, *adj.* forsonlig.

placard, *n.* plakat.

placate, *v.t.* forsone.

place, *n.* plads; sted; (employment) stilling; at our ~, hos os; (at a table) kuvert; if I were in your ~, hvis jeg var i dit sted; put somebody in his ~, sætte én på plads; in ~ of, i stedet for; ~, *v.t.* placere; stille; anbringe; sætte; lægge; ~-name, *n.* stednavn.

placenta, *n. med.* moderkage placenta.

placid, *n.* rolig; blid.

plagiarism, *n.* plagiat.

plague, n. pest; ~, v. t. plage; pine; ~-stricken, adj. pest-befængt.

plaice, n. zool. rødspætte.

plaid, n. plaid; rejsetæppe.

plain, adj. (modest) jævn; (clear) tydelig; klar; åbenbar; (simple) enkel; ligefrem; ~ & purl, ret og vrang; (of colour) ensfarvet; ~, n. slette; ~-clothes, adj. civilklædt; ~-spoken, adj. åben.

plaintiff, n. sagsøger; klager.

plait, v. t. flette; folde; ~, n. (in hair) fletning; (in cloth, etc.) læg.

plan, n. plan; projekt; (drawing) tegning; udkast; (intention) hensigt; ~, planlægge; (intend) påtænke.

plane, n. (tool) høvl; (level) niveau; aero. plan; bæreplan; vinge; (surface) flade; ~, v. t. høvle.

planet, n. planet.

plane-tree, n. bot. platan.

plank, n. planke.

plant, n. bot. plante; (factory, etc.) anlæg; (equipment) materiel; ~, v. t. plante; ~ out, udplante; -ation, n. plantage; -er, n. plantageejer; farmer; ~-louse, n. bladlus.

plaque, n. platte.

plash, v. t. & i. plaske; stænke.

plaster, n. plaster; metalplade; ~ of Paris, gips; sticking ~, hæfteplaster; ~, v. t. pudse; kalke; fig. overdække; overklistre.

plas|tic, adj. plastik; som kan formes; ~, n. plastik; -ticine, n. modellervoks.

plate, n. plade; metalplade; panser; (for food) tallerken; silver ~, plet; (picture) planche; ~, v. t. pansre; (silver) plettere; ~-glass, n. spejlglas.

plateau, n. højslette.

platform, n. (at station) per-

ron; (raised stage, etc.) forhøjning; platform.

plati|num, n. platin; -tude, n. banalitet.

Platonic, adj. platonisk.

platoon, n. mil. deling.

platter, n. trætallerken; fad.

platypus, n. zool. næbdyr.

plausible, adj. sandsynlig; tilsyneladende rigtig.

play, n. (game) spil; leg; theat. skuespil; free ~, bevægelsesfrihed; mech. slør; ~, v. i. & i. spille; lege; mus. spille; theat. optræde; ~ a trick, spille et puds; -boy, n. libertiner; ~-er, n. spiller; deltager; theat. skuespiller; -ful, adj. kåd; spøgefuld; -ground, n. legeplads; -ing-card, n. spillekort; -mate, n. legekammerat; -pen, n. kravlegård; -thing, n. legetøj; -wright, n. dramatiker; skuespilforfatter.

plea, n. bøn; påstand; påberåbelse; on the ~ of, under påskud af.

plead, v. t. plædere; påberåbe sig; undskylde sig med; ~ guilty, bekende sig skyldig; ~ innocence, nægte sig skyldig.

pleasant, adj. behagelig; elskværdig; fornøjelig; rar; -ry, n. spøg; spøgefuldhed.

please, v. t. & i. behage; tiltale; ~ give me my hat!, vær venlig at række mig min hat!; yes, ~!, ja tak!; -d, adj. tilfreds.

pleasure, n. fornøjelse; behag; lyst; with ~, gerne; med fornøjelse; ~-loving, adj. forlystelsessyg.

pleat, n. læg; plissé; ~, v. t. lægge i læg; folde; plissere.

plebiscite, n. folkeafstemning.

plebs, n. pøbel.

pledge, n. pant; (promise) løfte; ~, v. t. pantsætte; (promise) forpligte; ~

somebody's health, ud-
bringe en skål for én.
pleni|potentiary, *n.* gesandt;
udsending; -tude, *n.* over-
flod; fuldstændighed.
plen|tiful, *adj.* rigelig; -ty,
adj. rigelig; ~, *n.* overflod.
pleurisy, *n. med.* lungehinde-
betændelse.
pli|able, -ant, *adj.* bøjelig;
smidig; -ers, *pl. n.* pair of
~, niptang.
plight, *n.* forfatning; til-
stand; (promise) løfte.
Plimsoll, *n.* ~ line, laste-
mærke.
plimsoll, *n.* gummisko.
plinth, *n.* sokkel.
plod, *v. i.* traske; (work
doggedly) slide og slæbe.
plonk, *v. t. coll.* klaske ned;
lade falde tungt.
plop, *v. i.* plumpe; plaske.
plot, *n.* (site) byggegrund;
parcel; (synopsis) hand-
ling; (conspiracy) sam-
mensværgelse; komplot;
lay -s, smede rænker; di-
vide into -s, udstykke; ~,
v. t. udtænke; smede ræn-
ker.
plough, *n.* plov; ~, *v. t.*
pløje; -share, *n.* plovjern.
plover, *n. zool.* brokfugl;
hjejle.
pluck, *v. t.* plukke; ribbe;
(pull at) rykke, trække;
~ up courage, fatte mod;
~, *n.* (courage) mod;
(pull) ryk; tag; -s, *pl. n.*
indmad; -y, *adj.* modig.
plug, *n.* prop; tap; *elect.*
stikker; (wood) pløk;
sparking ~, tændrør; ~
tobacco, skråtobak; ~, *v. t.*
stoppe; sætte en prop i;
~ away, *coll.* slide i det.
plum, *n. bot.* blomme.
plumage, *n.* fjerklædning.
plumb, *adj.* lodret; ~, *n.* bly-
lod; ~, *v. t.* plombere;
lodde; -er, *n.* gas- og
vandmester; blikkensla-
ger; ~-line, *n.* lodlinie.

plume, *n.* fjer; fjerbusk;
borrowed -s, lånte fjer.
plump, *adj.* trind; buttet;
~, *adv.* pladask; ~, *v. i.*
plumpe; falde tungt;
(vote) stemme på.
plunder, *v. t.* plyndre; røve;
~, *n.* bytte, rov.
plunge, *v. i.* styrte; kaste sig;
dukke; ~, *n.* dukkert;
spring.
plunk, *v. t. & i.* knipse; lade
dumpe.
pluperfect, *n. gram.* førdatid.
plural, *n. gram.* flertal; plural.
plus, *n.* plus; ~, *adv.* plus,
samt.
plush, *n.* plys.
ply, *n.* tråd; 2-~ thread, to-
trådsgarn; ~, *v. t.* beseje;
gå i fast rutefart; ~ with
questions, udspørge.
p. m. = post meridiem; 4 ~,
kl. 16.00, kl. 4 om efter-
middagen.
pneu|matic, *adj.* luft-; pneu-
matisk; -monia, *n. med.*
lungebetændelse.
poach, *v. t.* (eggs) pochere;
(game) drive krybskytteri;
-er, *n.* krybskytte.
pock, *n. med.* koppebyld.
pocket, *n.* lomme; air ~,
lufthul; ~, *v. t.* putte i
lommen; ~-book, *n.* teg-
nebog; ~-money, *n.* lom-
mepenge.
pock-marked, *adj.* koparret.
pod, *n.* bælg; ~, *v. t.* bælge.
poem, *n.* digt.
poet, *n.* digter; -ry, *n.* poesi.
pogrom, *n.* jødeforfølgelse.
poignant, *adj.* skarp; skæ-
rende; bidende.
poinsettia, *n. bot.* julestjerne.
point, *n.* punkt; (tip) spids;
(dot) prik; (full stop)
punktum; (mark, object
of a story, *etc.*) pointe; on
the ~ of, lige ved; (head-
land) odde; ~ of view,
synspunkt; ~ of honour,
æressag; when it comes
to the ~, når det kommer
til stykket; a case in ~, et

eksempel; let's come to the ~!, lad os komme til sagen!; nought ~ four (0,4), nul komma fire (0,4); ~, v. t. & i. (aim in direction of) pege; sigte; (sharpen) spidse; ~ out, udpege; fremhæve; pointere; ~-blank, adj. & adv. på nært hold; fig. rent ud; -ed, adj. spids; fig. tydelig; -less, adj. meningsløs; -s, pl. n. skiftespor.

poise, n. balance; holdning; ~, v.i. balancere; svæve; være i ligevægt.

poison, n. gift; ~, v. t. forgifte; -ing, n. forgiftning; -ous, adj. giftig; skadelig.

poke, v. t. & i. stikke; støde; puffe; ~, n. puf; stød; buy a pig in a poke, købe katten i sækken; -r, n. ildrager; (game) poker.

poky, adj. lille; tarvelig.

Poland, n. Polen.

polar, adj. polar; pol-; ~ bear, isbjørn; ~ circle, polarcirkel.

Pole, n. polak.

pole, n. pæl; stang; stage; the North P~, Nordpolen; ~-axe, n. slagterøkse; ~-star, n. nordstjerne.

police, n. politi; ~-court, n. politiret; -man, n. politibetjent.

policy, n. politik; fremgangsmåde; insurance ~, police.

polio, poliomyelitis, n. med. børnelammelse; polio.

Polish, adj. polsk; ~, n. (language) polsk.

polish, n. politur; glans; shoe ~, skokreme; ~, v.t. pudse; polere; slibe; bone; blanke.

polite, adj. høflig; dannet.

politic, adj. klog; velovervejet; -al, adj. stats-; politisk; -ian, n. politiker; -s, pl. n. politik.

poll, n. afstemning; stem-

metal; ~, v.t.&i. stemme; (cut) beskære; kappe.

pollard, n. stynet træ.

pollen, n. blomsterstøv.

pollinate, v.t. bestøve.

polling-booth, n. valglokale.

polloi, n. hoi ~, flertallet, pøblen.

pollute, v.t. forurene; besmitte.

poltergeist, n. bankeånd.

pomegranate, n. granatæble.

Pomeranian, n. spidshund.

pommel, n. sadelknap.

pomp, n. pragt; pomp.

pompous, adj. opblæst; opstyltet.

pond, n. dam; gadekær.

ponder, v.t. & i. overveje; grunde; ~ over, spekulere på; -ous, adj. svær; tung.

pontiff, n. pontifex; pave; -ifical, adj. pavelig.

pontoon, n. ponton.

pony, n. pony.

poodle, n. pudelhund.

pool, n. pyt, pøl; swimming ~, n. svømmebassin; commerc. ring; sammenslutning; football -s, tipstjenesten; ~, v.t. slå sammen.

poop, n. naut. hytte.

poor, adj. fattig; (of quality) dårlig; ringe; ussel.

pop, n. knald; ~, v. i. coll. knalde; smælde; ~ up, dukke op; ~ in, smutte ind; ~ off, stikke af; sl. krepere.

pope, n. pave; -ry, n. papisme.

pop-gun, n. coll. luftbøsse.

popinjay, n. laps.

poplar, n. bot. poppel.

poplin, n. poplin.

poppy, n. bot. valmue; ~ seed, birkes; -cock, n. coll. pjat, vrøvl.

popular, adj. populær; folkelig; -larity, n. popularitet; -late, v.t. befolke; -lation, n. befolkning.

porcelain, n. porcelæn.

porch, n. overdækket indgang.

porcupine, n. zool. hulepind-
svin.
pore, v.i. stirre; ~ over, for-
dybe sig i.
pork, n. flæsk; svinekød;
roast ~, flæskesteg; ~ chop,
svinekotelet.
pornography, n. pornografi.
porous, adj. porøs.
porpoise, n. zool. marsvin.
porridge, n. havregrød.
port, n. havn; (wine) port-
vin; (left side of ship) bag-
bord; -able, adj. transpor-
tabel; -al, n. portal; -cullis,
n. faldgitter.
por|tend, v.t. varsle, spå;
-tent, n. varsel; omen;
-tentous, adj. ildevars-
lende.
porter, n. drager; (janitor)
dørvogter; portier; port-
ner; (beer) porter.
portfolio, n. mappe; porte-
følje.
porthole, n. naut. koøje.
portico, n. søjlegang.
portion, n. andel; del; (por-
tion) ~, v.t. dele; uddele.
portly, adj. svær; statelig.
portmanteau, n. kuffert.
portrait, n. portræt.
Portu|gal, n. Portugal;
-guese, n. portugiser; (lan-
guage) portugisisk; ~, adj.
portugisisk.
pose, n. positur; it's just a ~
of his, det er bare en atti-
tude hos ham; ~, v.t. & i.
opstille; placere; posere.
posi|tion, n. stilling; plads;
position; my ~ is, mit
standpunkt er; he's not
in a ~ to answer, han er
ikke i stand til at svare;
~, v.t. anbringe; -tive, n.
positiv; ~, adj. positiv;
bestemt; I am ~, jeg er
overbevist.
posse, n. bevæbnet styrke.
pos|sess, v.t. besidde; eje;
-session, n. besiddelse;
ejendom; ejendel.
pos|sibility, n. mulighed;

-sible, adj. mulig; -sibly,
adv. muligvis; eventuelt.
post, n. stolpe; pæl; post;
(employment) stilling;
post; embede; (mail) post;
by return of ~, omgå-
ende; ~, v.t. & i. opslå;
anbringe; postere; (letters)
afsende; lægge i postkas-
sen; sende med posten;
keep me -ed!, hold mig
underrettet!; (accounting)
indføre; bogføre; ~ me-
ridiem, adv. (abbr. p.m.)
eftermiddag; -age, n.
porto; ~ stamp, frimærke.
post|card, n. postkort; -date,
v.t. postdatere; -er, n.
plakat.
poste restante, n. poste re-
stante.
posterior, n. bagdel; bag-
parti; ~, adj. senere; bag-
posterity, n. eftertiden.
post|-free, adj. portofri; ~-
haste, adj. sporenstrengs;
-humous, adj. posthum.
postil(l)ion, n. postillon.
post|man, n. postbud; -mark,
n. poststempel; -master, n.
postmester.
post|-mortem, n. obduktion;
~-natal, adj. efter fødslen.
post|-office, n. postkontor;
~-paid, adj. franco.
post|pone, v.t. & i. udsætte;
opsætte; -script, n. efter-
skrift.
post|ulate, v.t. & i. postulere;
forudsætte; -ure, n. stil-
ling; positur; attitude;
~-war, adj. efterkrigs-.
posy, n. buket.
pot, n. potte; gryde; ~, v.t.
plante i potte.
potable, adj. drikkelig.
pot|ash, n. kali; potaske;
-assium, n. kalium.
potato, n. kartoffel; ~-flour,
n. kartoffelmel.
pot|-bellied, adj. mavesvær;
~-boiler, n. sl. sælger;
~-boy, n. kældersvend.
po|tency, n. potens; kraft;
-tent, adj. stærk; kraftig;

-tentate, *n.* fyrste; -tential,
adj. mulig; potentiel; ~, *n.*
mulighed; potential; *elect.*
spænding.

potion, *n.* drik; mikstur.

pot|-luck, *n.* take ~, tage til
takke med; -sherd, *n.* pot-
teskår; -tage, *n.* a mess of
~, en ret linser; -ter, *n.*
pottemager; ~, *v.i.* pusle
rundt; -tery, *n.* lertøj;
pottemagerkunst.

potty, *adj. sl.* småtosset.

pouch, *n.* pose; pung;
lomme.

poul|tice, *n.* grødomslag;
-try, *n.* fjerkræ; ~ farm,
hønseri.

pounce, *v.t. & i.* slå ned;
~ upon, slå ned på, kaste
sig over.

pound, *n.* pund; (pen) ind-
hegning; fold; ~, *v.t. & i.*
banke; dunke; støde;
hamre.

pour, *v.t. & i.* hælde; skænke;
it's -ing, det styrter ned;
he -ed out his heart to me,
han lettede sit hjerte for
mig.

pout, *v.i.* surmule; lave
trutmund.

poverty, *n.* fattigdom; ar-
mod; ~-stricken, *adj.* for-
armet.

powder, *n.* pudder; (dust) pul-
ver; (gunpowder) krudt;
~, *v.t.* pudre; (sprinkle)
bestrø; ~-puff, *n.* pudder-
kvast.

power, *n.* magt; kraft;
styrke; (ability) evne;
math. potens; ~ of at-
torney, fuldmagt; -ful,
adj. kraftig; stærk; -less,
adj. magtesløs; afmægtig;
~-station, *n.* kraftstation.

pox, *n.* the ~, *coll.* syfilis.

prac|ticable, *adj.* gørlig; mu-
lig; gennemførlig; -tical,
adj. praktisk; ~ joke, grov
spøg; -tically, *adv.* så godt
som; næsten; -tice, *n.*
praksis; (training) øvelse;
a poor ~, en dårlig skik;

-tise, *v. t. & i.* (train) øve
sig; (do) praktisere; ud-
øve; drive; -titioner, *n.*
udøver; general ~, prak-
tiserende læge.

prairie, *n.* prærie.

praise, *n.* ros; lovord; ~, *v.t.*
rose; prise; -worthy, *adj.*
prisværdig.

pram, *n.* barnevogn; *naut.*
pram.

prance, *v.t. & i.* spankulere;
danse; stejle.

prank, *n.* sjov; be up to -s,
lave spilopper.

prattle, *v.i.* sludre; snakke;
pludre.

prawn, *n.* *zool.* reje.

pray, *v. t. & i.* bede; past
-ing for, ikke til at redde;
-er, *n.* bøn; the Lord's P~,
fadervor: -erbook, *n.* bøn-
nebog.

preach, *v. t. & i.* prædike;
~ a sermon, holde en
prædiken.

preamble, *n.* fortale.

pre|carious, *adj.* usikker; pre-
kær; -caution, *n.* forsigtig-
hed; forholdsregel; -cede,
v. t. & i. gå foran; gå for-
ud; stå højere i rang; -ce-
dence, *n.* forrang; order
of ~, rangfølge; -cedent,
n. præcedens; create a ~,
danne præcedens; -cept, *n.*
forskrift; regel; -cinct, *n.*
grænse; område; -s, *pl.*
enemærker; omgivelser.

pre|cious, *adj.* kostbar; dyre-
bar; *coll.* ~ little, meget
lidt; -cipice, *n.* afgrund;
-cipitant, *n.* fældnings-
middel; ~, *adj.* overilet;
-cipitate, *n.* bundfald; ~,
adj. forhastet; ~, *v. t.*
fremskynde.

précis, *n.* resumé.

pre|cise, *adj.* præcis; nøj-
agtig; korrekt; -cisely,
adv. netop; nøjagtigt;
-cision, *n.* præcision; nøj-
agtighed; -clude, *v.t.* ude-
lukke; -cocious, *adj.* frem-
melig; gammelklog; -con-

ceive, *v.t.* forud opfatte; -conception, *n.* forudfattet mening; -concerted, *adj.* forud aftalt.

pre|datory, *adj.* rovbegærlig; røverisk; -decessor, *n.* forgænger; -destination, *n.* forudbestemmelse; -determine, *v. t.* forudbestemme; -dicament, *n.* knibe; forlegenhed; -dicate, *n.* prædikat; -dict, *v. t.* forudsige; -dilection, *n.* forkærlighed; -disposition, *n.* tilbøjelighed; -dominate, *v.i.* dominere; være fremherskende.

pre|-eminence, *n.* overlegenhed; ~-emption, *n.* forkøb; forkøbsret.

pre|face, *n.* forord; -fect, *n.* præfekt; -fer, *v. t.* foretrække; I'd ~ to walk, jeg vil hellere gå; -ferably, *adv.* helst; fortrinsvis; -ference, *n.* forkærlighed; (right) forret; fortrinsret; -fix, *v. t.* sætte foran; ~, *n.* *gram.* forstavelse; præfix.

preg|nancy, *n.* graviditet; svangerskab; -nant, *adj.* gravid; svanger.

pre|hensile, *adj.* gribende; ~ organ, griberedskab; -historic, *adj.* forhistorisk.

pre|judice, *n.* fordom; ~, *v. t.* forudindtage; skade; -judicial, *adj.* skadelig.

pre|late, *n.* prælat; kirkefyrste; -liminary, *adj.* indledende; forberedende.

prelude, *n.* forspil; indledning.

premature, *adj.* for tidlig moden; forhastet.

premedi|tate, *v. t.* overlægge; -tation, *n.* overlæg; forsæt.

premier, *n.* statsminister; -ship, *n.* (period of office) statsministertid; (appointment) statsministerpost.

premise(*pl.*-s *or* premisses), *n.* præmis; on the-s, påstedet;

on false ~, under falske præmisser; ~, lokale.

pre|mium, *n.* præmie; (insurance) assurancepræmie; -monition, *n.* forudanelse; varsel; -occupation, *n.* optagethed; -occupied, *adj.* optaget; distræt.

prep., *adj.* ~ school, forberedelsesskole; ~ (*abbr. of* preparation) *n. coll.* lektielæsning.

pre|paration, *n.* forberedelse; (homework) lektielæsning; -pare, *v. t. & i.* forberede; (food, medicine, *etc.*) tilberede; præparere; be -d to, være indstillet på; -pay, *v. t.* forudbetale; -ponderance, *n.* overvægt; overvejende del; -position, *n. gram.* præposition; forholdsord; -possessing, *adj.* indtagende; -posterous, *adj.* urimelig; meningsløs.

pre|requisite, *n.* forudsætning; betingelse; -rogative, *n.* forrettighed; prærogativ.

pre|sage, *n.* varsel; tegn; ~, *v.t.* varsle om; -science, *n.* forudviden; -scribe, *v. t.* *med.* ordinere; skrive recept på; (decree) foreskrive; -scription, *n.* recept; ordination.

presence, *n.* nærværelse; tilstedeværelse; ~ of mind, åndsnærværelse.

pre|sent, *n.* foræring; gave; (time) nutid; the ~ (tense) *gram.* nutid; præsens; ~, *adj.* til stede; nærværende; tilstedeværende; in the ~ instance, i det foreliggende tilfælde; at the~(time), nu, for øjeblikket; ~, *v. t. & i.* overrække; forære; (introduce) forestille; præsentere; (offer) byde; frembyde; -sentable, *adj.* præsentabel; -sentation, *n.* overrækkelse; -sent-day, *adj.* nutidig; -sentiment,

7

n. forudanelse; -sently, adv. snart; om lidt.

pre|servation, n. bevarelse; (food) konservering; (natural scenery, etc.) fredning; -serve, v. t. bevare; konservere; henkoge; ~, n. syltetøj; (in pl. also) enemærker; -side, v. i. præsidere; -sident, n. præsident; formand; rektor.

press, v. t. & i. presse; trykke; be hard -ed, være hårdt trængt; ~, n. (newspapers) presse; (pressure) pres, tryk; printing ~, trykkeri; ~ cutting, avisudklip; ~ notice, anmeldelse; -ure, n. tryk; blood ~, blodtryk; be under ~, være under pres.

prestige, n. anseelse; prestige.

pre|sumably, adv. formodentlig; -sume, v. t. & i. formode, antage; forudsætte; -sumption, n. forudsætning; (impudence) formastelighed; dristighed; -sumptive, adj. sandsynlig; heir ~, præsumptiv arving; -suppose, v. t. forudsætte; -supposition, n. forudsætning.

pre|tence, n. påskud; under false -s, under falsk foregivende; -tend, v. t. & i. foregive; lade som om; -tentious, adj. prætentiøs; -text, n. påskud; foregivende.

pretty, adj. køn, pæn; nydelig; ~, adv. coll. temmelig; ~ cold, ret koldt.

pre|vail, v. i. få overhånd; sejre; ~ upon somebody to, overtale én til at; -vailing, adj. herskende; ~ wind, fremherskende vind; -valence, n. forekomst; -vent, v. t. forhindre; forebygge; -ventative, n. forebyggende middel; -view, n. forpremiere; -vious, adj. for-

udgående; tidligere; -viously, adv. forinden; før.

pre-war, adj. førkrigs-.

prey, n. rov, bytte; ~ upon, v. i. leve af; plyndre.

price, n. pris; (stocks, etc.) kurs; -less, adj. uvurderlig; (amusing) kostelig.

prick, v. t. stikke; prikke; ~, n. stik, prik; -s of conscience, samvittighedsnag.

prick|le, v. t. & i. prikke; ~, n. prikken; torn; pig; -ly, adj. tornet, pigget; ~ heat, hedetøj.

pride, n. stolthed; (arrogance) hovmod.

priest, n. præst.

prig, n. indbildsk person; -gish, adj. selvretfærdig.

prim, adj. pertentlig; sippet.

prim|arily, adv. først og fremmest; -ary, adj. primær; grundlæggende; ~ colour, grundfarve; ~ school, folkeskole; -ate, n. ærkebiskop.

prime, n. blomstring; in the ~ of life, i sin bedste alder; ~, adj. prima; ~ beef, fineste oksekød; a ~ number, et primtal; (main) hoved-; ~, v. t. lade; (canvas) grunde; (with drink, information) forsyne.

primer, n. grundbog; begynderbog.

primeval, adj. ur-.

priming, n. fængkrudt.

primitive, adj. ur-; primitiv; oprindelig.

primordial, adj. oprindelig; ur-.

primrose, n. bot. kodriver; primula.

primus, n. primusapparat.

prin|ce, n. fyrste; prins; -cess, n. fyrstinde; prinsesse; -cipal, adj. vigtigst; væsentligst; ~, n. bestyrer; hovedmand; (headmaster) rektor; skolebestyrer; forstander; -cipally, adv. hovedsagelig.

principle, *n.* grundsætning;
princip; on ~, af princip;
in ~, principielt.

print, *v. t.* trykke; aftrykke;
photo. kopiere; ~, *n.* tryk;
aftryk; *photo.* kopi, af-
tryk; (copperplate, steel,
etc.) kobberstik; stik; -er,
n. bogtrykker; -er's ink,
tryksværte; -ing error,
trykfejl; -ing office, tryk-
keri.

prior, *adj. & adv.* tidligere;
ældre; ~ to, før; ~, *n.*
prior; -ity, *n.* prioritet;
forret; -y, *n.* priorat.

prism, *n.* prisme.

prison, *n.* fængsel; -er, *n.*
fange; arrestant; ~ of war,
krigsfange.

prissy, *adj. coll.* sippet.

pri|vacy, *n.* privatliv; til-
bagetrukkenhed; -vate, *n.*
menig (soldat); ~, *adj.* pri-
vat; fortrolig; -vateer, *n.*
kaper; (ship) kaperskib;
-vation, *n.* afsavn; savn;
-vilege, *n.* privilegium;
-vileged, *adj.* privilige-
ret; -vy, *n.* nødtørftshus;
~, *adj.* privat; hemmelig;
~ council, gehejmeråd.

prize, *n.* gevinst; præmie;
pris; ~, *v. t.* sætte pris på;
(open) bryde, brække; ~-
fighter, *n.* bokser; ~-win-
ner, *n.* pristager.

pro, *prep.* pro; for; ~ tem-
pore, ~ tem., for tiden,
p.t.; ~, *n. sport.* profes-
sionel; -s and cons, fordele
og ulemper; ~, *adv.* for;
~ and con, for og imod;
~-, *adj.* pro-; -venlig.

proba|bility, *n.* sandsynlig-
hed; -ble, *adj.* sandsynlig.

prob|ate, *n.* ~ court, skifte-
ret; -bation, *n.* prøve;
released on ~, løsladt på
prøve.

probe, *v. t.* sondere; under-
søge.

probity, *n.* retskaffenhed.

problem, *n.* problem; op-

gave; spørgsmål; -atic,
adj. tvivlsom.

proboscis, *n.* snabel.

pro|cedure, *n.* fremgangs-
måde; -ceed, *v. i.* gå frem;
gå til værks; begive sig;
gå videre; ~ with, fort-
sætte med; -ceedings, *pl.n.*
legal ~, proces; sagsanlæg;
-cess, *n.* forløb; metode;
proces; ~, *v.t.* forarbejde;
behandle; -cession, *n.* pro-
cession; optog; -claim,
v.t. kundgøre; forkynde;
bebude; erklære; -cla-
mation, *n.* bekendtgø-
relse; proklamation; -cli-
vity, *n.* tilbøjelighed; -cra-
stinate, *v.i.* opsætte; -cre-
ate, *v.t.* avle; -cure, *v.t.
& i.* skaffe; opdrive; frem-
skaffe; -curer, *n.* ruffer;
-curess, *n.* rufferske.

prod, *v.t. & i.* stikke; pirre;
~, *n.* stik; stød.

prodi|gal, *adj.* ødsel; the ~
son, den fortabte søn;
-gious, *adj.* uhyre; vældig;
-gy, *n.* under; infant ~,
vidunderbarn.

pro|duce, *v. t.* producere;
fremstille; frembringe;
film. producere; *theat.*
iscenesætte; opføre; (cause)
fremkalde; ~, *n.* produk-
t(er); afgrøde; -r, *n.* pro-
ducent; *film.* producent;
-duct, *n.* fabrikat, produkt.

pro|fanation, *n.* vanhelli-
gelse; -fane, *v.t.* vanhel-
lige; misbruge; ~, *adj.* blas-
femisk; (worldly) verds-
lig; -fess, *v.t.&i.* erklære;
udtale; *rel.* bekende;
(claim) påstå; -fession,
n. profession; erhverv;
(group) stand.

proffer, *v.t.* tilbyde.

pro|ficiency, *n.* færdighed;
kyndighed; -ficient, *adj.*
dygtig; kyndig; -file, *n.*
profil; omrids; -fit, *n.* for-
del; vinding; fortjeneste;
udbytte; ~, *v.t.&i.* høste
fordel; gavne; tjene; ~ by,

7*

have gavn af, drage nytte af; -fitable, *adj.* gavnlig; (financial profit) indbringende; lønnende.
profligate, *adj.* ryggesløs.
pro|found, *adj.* dyb; dybsindig; -fundity, *n.* dybde; dybsindighed; -fuse, *adj.* rigelig; overstrømmende; -fusion, *n.* overflod.
pro|genitor, *n.* stamfader; -geny, *n.* afkom.
prog|nosis, *n.* prognose; -nosticate, *v. t.* forudsige.
pro|gramme, *n.* program; -gress, *n.* fremskridt; fremgang; (course) gang, forløb; the work is in ~, arbejdet er i gang; ~, *v.i.* gøre fremskridt; -gressive, *adj.* fremskridtsvenlig; tiltagende; voksende; fremadskridende.
pro|hibit, *v. t.* forbyde; -hibition, *n.* forbud; (alcohol) spiritusforbud; -hibitive, *adj.* prohibitiv; ~ prices, voldsomme priser.
pro|ject, *v.t.&i.* planlægge; projektere; udkaste; (protrude) stikke ud; rage frem; *film.* projicere; kaste; ~, *n.* plan, projekt; -jectile, *n.* projektil; -jection, *n.* planlæggelse; fremspring; (maps) projektion; ~-room, *n.* filmsforevisningslokale; -jector, *n.* projektør; forevisningsapparat.
pro|letarian, *n.* proletar; -lific, *adj.* frugtbar; produktiv; -lix, *adj.* vidtløftig; langtrukken; -logue, *n.* fortale; prolog; -long, *v. t.* forlænge; prolongere.
prom|enade, *n.* strandpromenade; (walk) spadseretur; -inent, *adj.* fremstående; fremragende; -iscuous, *adj.* blandet; tilfældig; (of person) som indlader sig på tilfældige erotiske oplevelser.
prom|ise, *n.* løfte; breach of

~, brudt ægteskabsløfte; ~, *v. t.* love; he -s well, man kan forvente sig noget af ham; the P-d Land, det forjættede land; -ising, *adj.* lovende; -issory, *adj.* ~ note, egenveksel.
promontory, *n.* kap, forbjerg.
promote, *v. t.* fremme; *mil.* forfremme.
prompt, *adj.* prompte; hurtig; omgående; ~, *v. t.* sufflere; (cause to act) tilskynde; -er, *n.* sufflør; -itude, *n.* raskhed.
prone, *adj.* tilbøjelig; (face down) liggende på maven; he lay ~, han lå udstrakt.
prong, *n.* gren.
pro|noun, *n. gram.* stedord, pronomen; -nounce, *v.t. &i.* udtale; udtale sig; ~ judgement, afsige dom; -nounced, *adj.* tydelig, udpræget; -nouncement, *n.* udtalelse.
pronto, *adj.* omgående.
pronunciation, *n.* udtale.
proof, *n.* bevis; put to the ~, sætte på prøve; (printed matter) korrektur; ~, *adj.* sikker; ~-reading, *n.* korrekturlæsning.
prop, *n.* støtte; *theat.* rekvisitter, *pl.*; ~, *v. t.* ~ up, afstive; støtte.
prop|aganda, *n.* propaganda; -agate, *v. t.* forplante sig; (ideas) udbrede.
pro|pel, *v.t.* drive frem; -ler, *n.* propel; skibsskrue; -pensity, *n.* trang, tilbøjelighed.
proper, *adj.* egnet; passende; rigtig; korrekt; (real) egentlig; Denmark ~, det egentlige Danmark; ~ name, egennavn; -ly, *adv.* egentlig; rigtigt; ordentligt; -ty, *n.* ejendom; ejendele; (quality) egenskab;

theat. rekvisitter, *pl.; lost* ~, hittegods.

proph|ecy, *n.* spådom; -esy, *v. t. & i.* forudsige; spå profetere; -et, *n.* profet; -ylactic, *n.* forebyggende middel.

pro|pinquity, *n.* nærhed; -pitiate, *v. t.* forsone; -pitious, *adj.* gunstig; -portion, *n.* forhold; proportion; in ~ to, i forhold til; -s, *pl.* omfang; -posal, *n.* forslag; ~ of marriage, ægteskabstilbud; -pose, *v. t. & i.* foreslå; I ~ to try, jeg har i sinde at prøve; -position, *n.* forslag; sag; (offer) tilbud; a poor ~, et slet foretagende; -pound, *v. t.* fremsætte; -prietor, *n.* indehaver; ejer; -priety, *n.* anstændighed; sømmelighed; -pulsion, *n.* fremdrivning.

pro|saic, *adj.* prosaisk; -scenium, *n.* scene; proscenium.

prose, *n.* prosa.

pros|ecute, *v. t.* sagsøge, sætte under tiltale; (pursue) forfølge; -ecutor, *n.* anklager; -pect, *n.* udsigt; good -s, gode chancer; -pective, *adj.* vordende; fremtidig; -pector, *n.* guldgraver; -pectus, *n.* prospect; -per, *v. i.* trives; blomstre; -perity, *n.* velstand; held; fremgang; -perous, *adj.* velhavende; -titute, *n.* skøge; prostitueret; ~, *v. t.* stituere; -titution, *n.* prostitution; -trate, *adj.* henstrakt; liggende; falden; ~, *v. t.* fælde; kuldkaste; ~ oneself, bøje sig dybt; -y, *adj.* kedelig.

pro|tagonist, *n.* hovedperson; -tect, *v. t.* beskytte; værne; -tection, *n.* beskyttelse; værn; (game, buildings, *etc.*) fredning; -tectorate, *n.* protektorat; -tégé, *n.* protegé; -tein, *n.* protein; -test, *n.* protest;

indsigelse; ~, *v. t. & i.* protestere; indvende.

Protestant, *n.* protestant.

pro|totype, *n.* prototype; forbillede; -tract, *v. t.* trække ud; forhale; -trude, *v. i.* stikke frem; skyde frem; -tuberance, *n.* udvækst.

proud, *adj.* stolt; hovmodig.

prove, *v. t. & i.* (test) prøve; (establish as true) bevise; (appear) vise sig.

pro|venance, *n.* oprindelse; -vender, *n.* foder; -verb, *n.* ordsprog.

pro|vide, *v. t. & i.* forsyne; skaffe; *jur.* bestemme; foreskrive; ~ for, sørge for; -vided, *conj.* på betingelse af; forudsat; -vidence, *n.* forsyn; forsynlighed; -vident, *adj.* forudseende; -vidential, *adj.* bestemt af forsynet; -viding, *conj.* forudsat; -vince, *n.* provins; landsdel; it's not his ~, det er ikke hans felt; -vincial, *adj.* provinsiel; -vision, *n.* anskaffelse; forsørgelse; make ~ for, sørge for; -s, *pl.* proviant, levnedsmidler, *pl.;* -visional, *adj.* provisorisk; -viso, *n.* forbehold; klausul; -vocation, *n.* udfordring; on the slightest ~, for et godt ord; -vocative, *adj.* udfordrende; -voke, *v. t.* udfordre; fremkalde; tirre; ægre; -voking, *adj.* provokerende; irriterende; -vost, *n.* borgmester; rektor; -vost-marshal, *n. mil.* profos.

prow, *n.* stævn.

prowess, *n.* dygtighed.

prowl, *v. i.* luske om; strejfe om.

prox|imity, *n.* nærhed; -imo, *adv.* i næste måned; proximo; -y, *n.* (person) stedfortræder; (authorization) fuldmagt.

prude, *n.* snerpe.

pru|dence, *n.* forsigtighed;
-dential, *adj.* klogskabs-;
-dery, *n.* snerpethed.
prune, *v.t.* beskære; ~, *n.*
sveske.
pruning-hook, *n.* havekniv.
Prussia, *n.* Preussen.
prussic, *adj.* ~ acid, blåsyre.
pry, *v.i.* ~ into, snuse efter,
spionere; ~, *v.i.* ~ open,
lirke op.
psalm, *n.* salme.
psalter, *n.* salmebog.
pseudo, *adj.* falsk; pseudo;
-nym, *n.* pseudonym.
psittacosis, *n. med.* papegøje-
syge.
psy|che, *n.* psyke; -chiatrist,
n. psykiater; -chic, *adj.*
psykisk; -cho-analyse, *v.t.*
psykoanalysere; -cholo-
gist, *n.* psykolog; -cho-
path, *n.* psykopat.
ptarmigan, *n. zool.* fjeld-
rype.
pub, *n. coll.* værtshus.
puberty, *n.* pubertet.
public, *adj.* offentlig; almen;
samfunds-; folke-; ~, *n.*
offentlighed; publikum;
almenhed; ~ school, kost-
skole; ~ utility, almen-
nytte; -an, *n.* værtshus-
holder; -ation, *n.* (making
public) offentliggørelse;
(~ of book) udgivelse;
(book, writing) publika-
tion; skrift; -ity, *n.* offent-
lig omtale; reklame; -ize,
v.t. opreklamere.
publish, *v.t.* offentliggøre;
(books, *etc.*) udgive; for-
lægge; -er, *n.* forlægger;
-er(s), *n.* forlag.
puce, *adj.* blommefarvet.
puck, *n.* nisse; *sport.* puck;
-er, *v.t.* rynke.
pudding, *n.* budding; rice ~,
risengrød.
puddle, *n.* pyt.
pudenda, *pl. n.* kønsdele.
pudgy, *adj.* buttet.
puerile, *adj.* barnagtig, pueril.
puff, *n.* pust; vindpust;
(powder-~), pudderkvast;

~ paste, butterdej; ~, *v. i.*
& t. puste; (smoke) bakke,
dampe; be -ed, være for-
pustet.
puffin, *n. zool.* lunde.
puff-puff, *n. coll.* futtog.
pug, *n.* moppe; *sl.* bokser.
pugilist, *n.* bokser.
pugnacious, *adj.* stridslysten.
puke, *v.i.* brække sig.
pulchritude, *n.* skønhed.
pull, *v.t. & i.* trække; (draw)
drage; ~ faces, skære an-
sigter; ~ through, komme
sig; ~ up, standse; ~ to
pieces, (*also fig.*) kritisere;
~, *n.* ryk; tag; træk.
pullet, *n.* hønnike.
pulley, *n.* trisse; remskive.
pull-over, *n.* pullover.
pulmonary, *adj.* lunge.
pulp, *n.* masse; (fruit-~),
frugtmos.
pulpit, *n.* prædikestol.
pulpwood, *n.* cellulose.
pulsate, *v.i.* pulsere.
pulse, *n.* puls.
pulverize, *v.t.* pulverisere.
puma, *n. zool.* puma.
pumice, ~-stone, *n.* pimp-
sten.
pummel, *v.t.* slå igen og igen.
pump, *n.* pumpe; vandpost;
dancing -s, *pl.* dansesko;
~, *v.t. & i.* pumpe; poste.
pumpkin, *n.* græskar.
pun, *n.* ordspil.
punch, *n. mech.* dorn; (drink)
punch; (blow) stød; ticket-
~, billettang; P~ and Judy
show, Mester Jakel-teater;
~, *v.t.* støde; slå; (hole)
stanse; ~-ball, *n.* bokse-
bold; ~-bowl, *n.* punch-
bolle; -eon, *n.* fad.
punc|tilious, *adj.* samvittig-
hedsfuld; korrekt; -tual,
adj. punktlig; præcis; -tu-
ate, *v.t.* sætte tegn; -tu-
ation, *n.* tegnsætning;
-ture, *n.* punktering; ~,
v.t. & i. punktere.
pundit, *n.* lærd.
pungent, *adj.* skarp; svi-
dende.

Punic, *adj.* punisk.
pun|ish, *v.t.* straffe; afstraffe; -ishment, *n.* straf; afstraffelse; capital ~, dødsstraf; -itive, *adj.* straffe-.
punk, *n.* tønder; (incense) røgelse; *sl.* (beginner) nybegynder; (nonsense) pladder; (rubbish) skidt.
punt, *n.* pram; punt; ~, *v.t.* stage (frem); *sport.* flugte.
puny, *adj.* lille, svag.
pup, *n.* hvalp.
pupil, *n.* elev; *anat.* pupil.
puppet, *n.* dukke; marionet.
puppy, *n.* hundehvalp.
purblind, *adj.* halvblind.
purchase, *v.t.* købe; anskaffe sig; erhverve; ~, *n.* køb; erhvervelse; indkøb; ~ tax, omsætningsafgift.
pure, *adj.* ren; ~ nonsense, absolut vrøvl; ~ silk, helsilke.
purée, *n.* puré.
purgatory, *n.* skærsild.
purge, *n.* udrensning; *med.* afføringsmiddel.
puri|fy, *v.t.* rense; lutre; -tan, *n.* puritaner; -ty, *n.* renhed.
purl, *n.* vrangmaske; plain and ~, ret og vrang; ~, *v.i.* strikke vrang; -in, *n.* hanebjælke; -oin, *v.t.* rapse.
purple, *n. & adj.* purpur.
pur|port, *n.* mening; betydning; ~, *v.i.* betyde; foregive; -pose, *n.* formål; hensigt; øjemed; on ~, med forsæt; to no ~, til ingen nytte; -poseful, *adj.* målbevidst.
purr, *v.i.* spinde.
purse, *n.* pung; ~, *v.t.* ~ one's lips, spidse munden; -r, *n. naut.* purser; regnskabsfører.
pur|sue, *v.t. & i.* forfølge; fortsætte; -suit, *n.* forfølgelse; jagt; while in ~ of his duty, under udøvelse af sin pligt; -vey, *v.t. & i.*
levere; -veyor, *n.* leverandør.
pus, *n.* materie; pus.
push, *v.t. & i.* støde; skubbe; puffe; trykke; ~, *n.* stød; skub; puf; tryk; *mil.* angreb.
pusillanimous, *adj.* fej.
puss, *n. coll.* mis, missekat; *sl.* fjæs; play ~ in the corner, lege kispus.
put (put, put), *v.t. & i.* anbringe; sætte; stille; putte; lægge; (submit) fremsætte; ~ on clothes, tage tøj på; ~ to death, dræbe; stay ~, blive, hvor man er; ~ on the light, tænde lyset; put out (*el.* off) the light, slukke lyset; ~ up with, finde sig i; ~-up, *adj. coll.* fingeret.
putrefaction, *n.* forrådnelse.
putrid, *adj.* rådden; elendig.
putty, *n.* kit.
puzzle, *n.* gåde; jigsaw ~, puslespil; ~, *v.t. & i.* forvirre; bringe i forlegenhed; be -d, være rådvild.
pygmy, *n.* pygmæ.
pyjamas, *pl.n.* pyjamas.
pylon, *n.* ledningsmast.
pyramid, *n.* pyramide.
pyre, *n.* funeral ~, ligbål.
pyrites, *n.* svovlkis.
pyrotechnics, *n.* fyrværkeri.
python, *n. zool.* python-(slange).
pyx, *n.* hostiegemme.

quack, *n.* charlatan; (noise made by duck) rap; ~, *v.i.* rappe; snadre.
quad|rangle, *n.* firkantet gård(splads); -rant, *n.* kvadrant; -ruped, *n.* firbenet dyr; -ruple, *adj.* firdobbelt; ~, *v.t. & i.* firdoble; -ruplet, *n.* firling; -ruplicate, *n.* in ~, i fire eksemplarer.
quaff, *v.t.* drikke (i lange drag).
quagmire, *n.* hængedynd.

quail, *n. zool.* vagtel; ~, *v.i.* synke sammen af lutter angst.

quaint, *adj.* gammeldags og morsom; særpræget.

quake, *v.i.* ryste; skælve; bæve; ~, *n.* jordskælv; -r, *n.* kvæker.

qual|ification, *n.* kvalifikation; (restriction) indskrænkning; (suitability) egnethed; -ify, *v. t. & i.* kvalificere; (restrict) indskrænke; begrænse; be -fied, være egnet, være kvalificeret; -ity, *n.* kvalitet; (property) egenskab.

qualm, *n.* kvalme; have -s, *fig.* nære skrupler.

quandary, *n.* dilemma; knibe; forlegenhed.

quantity, *n.* kvantitet; kvantum; mængde; an unknown ~, en ubekendt størrelse.

quarantine, *n.* karantæne.

quarrel, *n.* strid; skænderi; uenighed; kiv; ~, *v. i.* trættes; skændes, kives.

quarry, *n.* bytte; (stone) stenbrud; ~, *v. t.* bryde.

quart, *n. Brit.* = 1,136 liter; *U. S.* ~ = 0,946 liter.

quarter, *n.* fjerdedel, kvart; (time, district) kvarter; from that ~, fra den side; at close -s, på nært hold; -s, *pl.* logi; ~-deck, *n.* agterdæk; ~-master, *n.* kvartermester.

quartette, *n.* kvartet.

quarto, *n.* kvartformat.

quartz, *n.* kvarts.

quash, *v. t.* undertrykke; *jur.* omstøde.

quatrain, *n.* fireliniet strofe.

quaver, *v. i.* dirre; skælve; ~, *n.* dirren; *mus.* ottendedels node.

quay, *n.* kaj; bolværk.

queasy, *adj.* som let får kvalme; kvalmende.

queen, *n.* dronning; (card) dame; ~ mother, enkedronning.

queer, *adj.* underlig; sær; mærkelig; I'm feeling a bit ~, jeg har det halvskidt.

quell, *v. t.* kvæle; undertrykke; dæmpe; standse.

quench, *v. t.* (thirst, fire) slukke.

querulous, *adj.* klynkende; klagende.

query, *n.* spørgsmål; ~, *v. t. & i.* forespørge; sætte spørgsmålstegn ved.

quest, *n.* søgen.

question, *n.* spørgsmål; (matter) sag; out of the ~!, ikke tale om!; open to ~, tvivlsom; the book in ~, den pågældende bog; ~, *v. t. & i.* spørge; udspørge; forhøre; (cast doubt upon) drage i tvivl; -able, *adj.* tvivlsom; ~-mark, *n.* spørgsmålstegn; -naire, *n.* spørgeskema.

queue, *n.* kø; ~, *v.i.* stå i kø, danne kø.

quibble, *v. i.* kløve hår; komme med udflugter.

quick, *adj.* livlig; rørig; rask; hurtig; kvik; ~, *n.* levende kød; ømt punkt; the ~, de levende; -en, *v. t. & i.* sætte fart på; fremskynde; -lime, *n.* ulæsket kalk; -ly, *adv.* hurtigt; -sand, *n.* kviksand; -silver, *n.* kviksølv; ~-tempered, *adj.* hidsig; ~-witted, *adj.* snarrådig.

quid, *n.* (tobacco) skrå; *sl.* pund sterling.

quiddity, *n.* væsen; kerne.

quiescent, *adj.* passiv.

quiet, *adj.* stille, rolig; fredelig; (colour) dæmpet, rolig; ~, *n.* ro, stilhed; -en, *v. t. & i.* berolige; blive rolig.

quill, *n.* vingefjer; fjerpen; (of porcupine, *etc.*) pig.

quilt, *n.* stukket sengetæppe.

quince, *n. bot.* kvæde.

quinsy, *n.* halsbetændelse.

quintessence, *n.* indbegreb; kvintessens.

quintuplet, *n.* femling.
quip, *n.* spydighed.
quire, *n.* bogpapir = 24 ark.
quirk, *n.* vridning; spidsfindighed.
quisling, *n.* quisling; landsforræder.
quit, *v.t.* opgive; forlade; holde op med.
quite, *adv.* ganske; helt; aldeles; not ~-~, ikke helt fin.
quits, *adj.* kvit; now we're ~, det går lige op.
quiver, *n.* kogger; ~, *v. i.* dirre; skælve.
qui vive, be on the ~, være på vagt.
quod, *n. sl.* spjældet.
quoit, *n.* kastering.
quorum, *n.* beslutningsdygtig forsamling.
quota, *n.* kvota.
quotation, *n.* citat; *commerc.* prisnotering; ~-marks, *pl. n.* anførselstegn, gåseøjne.
quote, *v.t.* citere; anføre; *commerc.* notere; opgive pris.
quoth, *v.t. arch.* sagde.
quotidian, *adj.* daglig.
quotient, *n.* kvotient.

rabbi, *n.* rabbi, rabbiner.
rabbit, *n.* kanin; ~-warren, *n.* kaningård.
rabble, *n.* pøbel; pak.
rabid, *adj.* rasende, gal.
rabies, *n.* hundegalskab.
race, *n.* race; *sport.* væddeløb, kapløb; (group) slægt; (channel) møllerende; ~, *v.i.&t.* løbe stærkt; jage; race; løbe om kap; ~ a horse, *etc.*) lade deltage i væddeløb.
raceme, *n. bot.* klase.
rachitis, *n. med.* engelsk syge; rakitis.
rack, *n.* (instrument of torture) pinebænk; (clothes-~) stativ; knagerække; *mech.* tandstang; go to ~ and ruin, blive ruineret, blive ødelagt; ~, *v. t. & i.*

martre; pine; ~ one's brain, lægge hovedet i blød; -et, *n.* larm, støj; (tennis-~, *etc.*) ketsjer; it's a ~, *sl.* det er svindel; -eteer, *n.* svindler; pengeafpresser.
rac(c)oon, *n. zool.* vaskebjørn.
racquet, *n.* ketsjer.
radar, *n.* radar.
radiance, *n.* stråleglans; -iant, *adj.* strålende; -iate, *v.t.* udstråle; -iator, *n.* varmeapparat; radiator; *mech.* køler.
radical, *adj.* radikal; grundlæggende; fundamental; yderliggående.
radio, *n.* radio; (wireless set) radioapparat; ~, *v.t.* radiotelegrafere; ~ feature, hørebillede; ~ play, høre-spil; ~ transmitter, radiosender; -activity, *n.* radioaktivitet.
radish, *n.* radise; ræddike.
radium, *n.* radium; -ius, *n.* radius.
raffia, *n.* bast; rafia.
raffle, *v.t.* bortlodde; ~, *n.* lotteri.
raft, *n.* tømmerflåde; -er, *n.* tagspær.
rag, *n.* pjalt, las, klud; ~, *v.t. sl.* drille; -amuffin, *n.* lazaron; ~-and-bone man, kludesamler.
rage, *n.* raseri; the ~, højeste mode; ~, *v.i.* rase.
ragged, *adj.* laset, lurvet; forrevet; ujævn.
rag|-rug, *n.* kludetæppe; -wort, *n. bot.* brandbæger.
raid, *n.* strejftog; razzia; ~, *v.t.* foretage et angreb; plyndre.
rail, *n.* skinne; tremme; (railing) ræling; go off the -s, komme på afveje; ~, *v.t.* ~ off, indgærde; ~, *v.i.* brokke sig; skælde; -ing, *n.* rækværk; gelænder; ræling; -lery, *n.* skæmt;

spot; -road, *n.* jernbane;
-way, *n.* jernbane.
raiment, *n.* dragt; klædebon.
rain, *n.* regn; it looks like ~,
det bliver nok regnvejr;
the -s, regntiden; ~, *v. i.*
regne; -bow, *n.* regnbue;
-coat, *n.* regnfrakke;
-drop, *n.* regndråbe; -fall,
n. nedbør.
raise, *v.t.* rejse; hæve; løfte;
(elevate) ophøje; (muster)
stille på benene; ~ money,
skaffe penge; ~ a question,
opkaste et spørgsmål; ~
the alarm, slå alarm; (in-
crease) forhøje; (bring
higher) højne; hæve; ~ a
family, stifte familie; ~
plants, dyrke; ~ one's hat,
lette på hatten; ~, *n. U. S.*
lønforhøjelse.
raisin, *n.* rosin.
rake, *n.* rive; (roué) skørte-
jæger; ~, *v.t.* rive; ~
through, gennemsøge.
rally, *n.* stævne; rally; ~,
v. i. & i. samle (sig); ~
round, støtte; fylkes; (re-
cover) komme til kræfter.
ram, *n.* vædder; buk; ~, *v.t.*
ramme; støde.
ramble, *v.i.* strejfe om; *fig.*
komme bort fra emnet;
~, *n.* strejftur.
ramification, *n.* forgrening.
ramp, *n.* rampe; skråning;
~, *v.i.* rase; -age, *v. i.*
storme omkring; -ant,
adj. vild.
ram|pant, *adj.* tøjlesløs;
(heraldry) stående på bag-
benene; -part, *n.* vold;
-rod, *n.* ladestok; -shackle,
adj. brøstfældig; faldefær-
dig.
ran, *see* run.
ranch, *n.* kvægfarm; ranch.
ran|cid, *adj.* harsk; -cour, *n.*
nag; -dom, *adj.* tilfældig;
at ~, på lykke og fromme.
rang, *see* ring.
range, *v.t.* ordne; stille i
række; (wander) strejfe
om; ~, *v. i.* svinge; strække

sig; ~, *n.* række; kæde;
mil. skudvidde; (distance)
rækkevidde; (stove) komfur; (extent) omfang; om-
råde; (shooting ~) skyde-
bane; at short ~, på kort
afstand; ~-finder, *n.* af-
standsmåler.
ranger, *n.* forest ~, skov-
foged.
rangy, *adj.* ranglet.
rank, *adj.* frodig, yppig;
(earth, smells) sur; harsk;
ram; stram; ~, *n.* række;
linie; (class) rang; klasse;
mil. geled; ~, *v.t. & i.* ran-
gere, placere; stille op i en
række.
rankle, *v.i.* nage; gnave.
ran|sack, *v.t.* gennemsøge;
plyndre; -som, *v. t.* løs-
købe; frikøbe; ~, *n.* løse-
penge.
rant, *v.i.* skåle; skvaldre; ~
and rave, tale højtravende.
rap, *v.t.* banke; slå; tromme;
~, *n.* slag; rap; banken;
I don't care a ~, jeg er flin-
trende ligeglad; -acious,
adj. rovlysten; gridsk.
rape, *n.* voldtægt; ~, *v. t.*
voldtage.
rapid, *adj.* hurtig; rask; ri-
vende; -ity, *n.* hurtighed.
rap|ier, *n.* kårde; -ine, *n.*
rov, plyndring; -port, *n.*
rapport; -scallion, *n.* skurk.
rapt, *adj.* henført, betaget;
~ in thought, fordybet i
tanker; -ure, *n.* henryk-
kelse; ekstase.
rare, *adj.* sjælden; (thin)
tynd; (*of* meat) halvstegt;
-bit, *see* Welsh rabbit; -fy,
v.t. & i. fortynde.
rarity, *n.* sjældenhed.
rascal, *n.* kæltring; slyngel;
you little ~!, din lille
kanin!
rash, *adj.* ubesindig; over-
ilet; dumdristig; ~, *n.* ud-
slæt; -er, *n.* (bacon) skive.
rasp, *n.* rasp; ~, *v. t. & i.*
raspe, skurre; -berry, *n. bot.*
hindbær; *sl.* [lyd gennem

læberne for at udtrykke
mishag].

rat, *n.* rotte; (person) over-
løber; smell a ~, *fig.* lugte
lunten; ~, *v.i.* løbe over
til fjenden.

ratchet, *n.* skralde.

rate, *n.* grad; (value) takst;
kurs; pris; værdi; (speed)
fart; (tax) afgift; skat; at
any ~, i hvert fald; ~ of
exchange, kurs; veksel-
kurs; ~ of interest, rente-
fod; ~, *v.t. & i.* (value) tak-
sere; vurdere; (rank) til-
dele rang; stå i klasse med;
(admonish) irettesætte.

rather, *adv.* snarere; hellere;
~!, meget gerne!; ~, *adj.*
ret; temmelig.

ratify, *v.t.* bekræfte; ratifi-
cere.

rating, *n.* naut. [underofficer
el. menig matros]; (rank)
rang; klasse; klassifice-
ring; (rate) beskatning;
(admonishment) irettesæt-
telse; skældud.

ratio, *n.* forhold.

ration, *n.* ration; ~, *v.t.* ra-
tionere; -al, *adj.* fornuftig;
klog; rationel; -alization,
n. rationalisering; -ing, *n.*
rationering.

rattle, *v.t. & i.* rasle; klapre;
rumle; ralle; skramle;
bralre; ~, *n.* (toy) skralde;
(noise) raslen; rallen;
-snake, *n. zool.* klapper-
slange.

raucous, *adj.* hæs.

ravage, *v.t.* hærge; plyndre.

rave, *v.i.* rase; (talk wildly)
fable; he -s about Den-
mark, han er begejstret for
Danmark.

raven, *n.* ravn; -ous, *adj.*
skrupsulten.

ravine, *n.* kløft; bjergkløft.

ravish, *v.t.* (rape) voldtage;
(delight) henrive; henføre;
bedåre; *poet.* (carry off)
bortrive.

raw, *adj.* rå; (immature)

umoden; uerfaren; ~ ma-
terial, råstof.

ray, *n.* lysstråle; *zool.* rokke;
a ~ of sunshine, en sol-
stråle.

rayon, *n.* rayon, kunstsilke.

raze, *v.t.* ødelægge; rasere;
jævne med jorden.

razor, *n.* barberkniv; safety
~, barbermaskine; electric
~, elektrisk barberma-
skine; ~ blade, barber-
blad; ~-strop, *n.* stryge-
rem.

razzia, *n.* razzia; strejftog.

re, *prep.* vedr.; angående.

re-, *pref.* om-; gen-; tilbage.

reach, *v. t. & i.* række;
strække; nå; ~, *n.* række-
vidde; strækning; *fig.* ho-
risont; evner; (part of
river) stræk.

react, *v.i.* reagere; -ion, *n.*
reaktion; modvirkning;
-ionary, *adj.* reaktionær.

read (read, read), *v. t. & i.*
læse; oplæse; (interpret)
tyde; (study) studere; læse;
~ aloud, læse højt; -able,
adj. læselig; læseværdig;
-er, *n.* læser; (at universi-
ty) lektor; publisher's ~,
litterær konsulent; -ership,
n. lektorat.

ready, *adj.* færdig; parat;
rede; villig; ~ reckoner,
beregningstabel; ~-made,
adj. færdigsyet.

real, *adj.* virkelig; ægte; ~
estate, fast ejendom; -istic,
adj. realistisk; (matter-of-
fact) nøgtern; -ity, *n.* rea-
litet; in ~, i virkeligheden;
-ize, *v. t.* virkeliggøre;
realisere; (grasp) fatte; for-
stå; indse; (sell) sælge;
omsætte i penge; -ly, *adv.*
virkelig; egentlig; ~?, nå?;
~, Georgie!, men Georgie
dog!

realm, *n.* kongerige; rige.

realty, *n.* fast ejendom.

ream, *n.* ris; a ~ of paper,

480 ark; -s, i massevis, i bunkevis.

reap, *v. t.* meje; høste.

reappear, *v. i.* vende tilbage; komme til syne igen.

rear, *n. mil.* bagtrop; (end part) bagdel; bagside; baggrund; ~, *v. i.* stejle; ~, *v. t. & i.* løfte; hæve; (breed, cause to grow) opfostre; opdrætte; dyrke; avle; ~-admiral, *n.* kontreadmiral; -guard, *n.* bagtrop.

re|arm, *v. t. & i.* opruste; -armament, *n.* oprustning.

reason, *n.* (ability to think) fornuft; (sanity) forstand; (cause) grund; årsag; (right) rimelighed, ret; ~, *v.i. & t.* tænke; ræsonnere; ~ with, drøfte; overtale; -able, *adj.* rimelig; fornuftig.

reassessment, *n.* omvurdering.

reassume, *v.t.* genoptage.

reassurance, *n.* beroligelse.

rebate, *n.* rabat.

rebel, *n.* oprører; ~, *v.i.* gøre oprør.

rebind, *v.t.* ombinde.

rebirth, *n.* genfødsel.

rebound, *v.i.* prelle af; ~, *n.* afprellen; tilbageslag.

rebuff, *v.t.* afvise; slå tilbage; ~, *n.* afslag; afvisning.

rebuild, *v.t.* genopbygge.

rebuke, *v.t.* dadle; irettesætte; ~, *n.* irettesættelse.

rebut, *v. t.* drive tilbage; modsige; tilbagevise.

recalcitrant, *adj.* genstridig.

recall, *v. t.* tilbagekalde; (remember) mindes, erindre; (remind) minde om.

recant, *v.t. & i.* tilbagekalde (sine ord).

recapitulate, *v. t. & i.* resumere; rekapitulere.

recapture, *v.t.* generobre.

recede, *v.i.* vige tilbage; falde, dale.

re|ceipt, *n.* modtagelse; (ac-

knowledgement) kvittering; -s, *pl.* indtægter, *pl.*; -ceive, *v. t.* modtage; -ceiver, *n.* modtager; wireless ~, modtagerapparat; telephone ~, hørerør; ~ of stolen goods, hæler.

recent, *adj.* ny, frisk; nylig; -ly, *adv.* for nylig; i den senere tid.

recep|tacle, *n.* beholder; -tion, *n.* modtagelse; (hotel) ~ desk, reception; -tionist, *n.* (doctor's, *etc.*) klinikdame; (hotel) receptionschef; -tive, *adj.* modtagelig; (bright) lærenem.

recess, *n.* fordybning; niche; parliamentary ~, parlamentsferie; -ion, *n.* tilbagetræden.

recidivist, *n.* vaneforbryder.

re|cipe, *n.* opskrift; -cipient, *n.* modtager.

recip|rocal, *adj.* gensidig; indbyrdes; -rocate, *v.t. & i.* gøre gengæld; gengælde; skifte frem og tilbage; -rocity, *n.* gensidighed; vekselvirkning.

re|cital, *n.* (music) koncert; (recitation) recitation; deklamation; (account) beretning; -cite, *v. t.* foredrage; oplæse; gentage; fortælle; deklamere.

reckless, *adj.* hensynsløs; dumdristig.

reckon, *v.t. & i.* regne; beregne; (consider) anse for; (suppose) formode; ~ on, ~ with, regne med; -ing, *n.* regning; afregning; day of ~, dommens dag.

reclaim, *v.t.* (land) dræne; opdyrke; tørlægge; (demand) kræve tilbage.

recline, *v.i.* læne sig tilbage; hvile.

recluse, *n.* eneboer; ~, *adj.* afsondret; ensom.

recog|nition, *n.* (acknowledgement) anerkendelse; (identify) genkendelse; -nize, *v. t.* anerkende;

genkende; (admit) vedkende sig.

recoil, *v.i.* fare tilbage; rekylere.

recollect, *v.t.* erindre; mindes.

recommence, *v.t. & i.* begynde forfra; genoptage.

recommend, *v.t.* anbefale; foreslå; -ation, *n.* anbefaling.

recompense, *v.t.* erstatte; belønne.

recon|cile, *v.t.* forsone; forlige med; -dite, *adj.* forborgen; dunkel; -dition, *v.t.* istandsætte; -naissance, *n.* rekognoscering; -sider, *v.t.* genoptage overveje igen; -struct, *v.t.* rekonstruere; ombygge.

record, *v.t.* nedskrive; protokollere; nedtegne; *film.*, *radio. etc.* indspille; (singing) indsynge; (speaking) indtale; ~, *n.* optegnelse; dokument; *sport.* (achievement, *etc.*) rekord; gramophone ~, plade; -er, *n.* protokolfører; (musical instrument) blokfløjte; tape-~, *n.* båndoptager.

re-count, *v.t.* tælle om.

recount, *v.t.* berette.

recoup, *v.t.* holde skadesløs.

recourse, *n.* tilflugt.

recover, *v.t.* genvinde; få igen; inddrive; (get better) komme sig; ~ consciousness, komme til sig selv.

re|create, *v.t.* genskabe; ~, *v.i.* rekreere sig; adsprede sig; -creation, *n.* adspredelse; morskab.

recrimination, *n.* modbeskyldning.

recrudescence, *n.* opblussen.

recruit, *v.t.* hverve; rekruttere; ~, *n.* rekrut.

rectangle, *n.* rektangel.

recti|fication, *n.* rettelse; *elect.* ensretning; -fy, *v.t.* rette; berigtige; råde bod på; -tude, *n.* retskaffenhed.

rector, *n.* sognepræst; (principal of school) rektor; -y, *n.* præstegård.

rectum, *n. anat.* endetarm; rektum.

recumbent, *adj.* tilbagelænet; liggende.

recuperate, *v.i.* komme sig; (losses) genvinde.

recur, *v.i.* komme igen; (be repeated) gentage sig.

red, *n.* rødt; ~, *adj.* rød; ~ deer, kronhjort; a ~ herring, *fig.* et falsk spor; ~ lead, mønje; ~ tape, *fig.* kontorius.

red|-breast, *n.* robin ~, *zool.* rødhals; -cap, *n.* militærpolitibetjent; -den, *v.t. & i.* blive rød; rødme; (make red) gøre rød.

re|deem, *v.t.* tilbagekøbe; indløse; (save) forløse; frelse; (buy back) tilbagekøbe; -deeming, *adj.* a ~ feature, et forsonende træk; -demption, *n.* løskøbelse; indløsning; forløsning.

red|-handed, *adj.* catch ~, tage på fersk gerning; ~-headed, *adj.* rødhåret; ~-hot, *adj.* rødglødende.

redirect, *v.t.* omadressere.

red-letter, *adj.* ~ day, mærkedag.

redolent, *adj.* duftende; *fig.* mindende om.

redouble, *v.t.* fordoble; we must ~ our exertions, vi må sætte alle sejl til.

redoubt, *n.* skanse; -able, *adj.* frygtindgydende.

redress, *v.t.* rette; genoprette; ~, *n.* oprejsning; afhjælpning.

redskin, *n.* rødhud.

reduce, *v.t.* (lessen) formindske; (limit) indskrænke; (prices, *etc.*) nedsætte; ~ weight, afmagre.

redundant, *adj.* overflødig.

redwing, *n. zool.* vindrossel.

reed, *n. bot.* rør; (in windinstrument) tunge; ~-warbler, *n. zool.* rørsmutte.

reef, *n. naut.* reb; (line of rocks) rev; -er, *n.* pjækkert; ~-knot, *n.* råbåndsknob.

reek, *v.i.* dampe; stinke; ose; ~, *n.* stank; dunst.

reel, *v.t.* rulle; garnvinde; (dance) reel; ~, *v.t.* (wind) vinde; spole; ~, *v.i.* vakle; slingre.

re-election, *n.* genvalg.

refashion, *v.t.* omforme.

refectory, *n.* spisesal; refektorium.

refer, *v.t. & i.* henvise; henføre; -ee, *n.* opmand; (football) dommer; -ence, *n.* henvisning; henførelse; (allusion) hentydning; (report) anbefaling; with ~ to, med hensyn til; i henhold til; -endum, *n.* folkeafstemning.

refill, *v.t.* fylde igen; ~, *n.* patron; indsætning; påfyldning.

refine, *v.t.* rense, lutre; raffinere; forædle; -d, *adj.* forfinet; raffineret; kultiveret.

refit, *v.t.* reparere; udruste på ny.

reflect, *v.t. & i.* afspejle; genspejle; reflektere; (consider) reflektere; overveje; betænke; -ion, *n.* afspejling; genspejling; (thoughts) eftertanke; overvejelse; on further ~, ved nærmere eftertanke; -or, *n.* reflektor; (on bicycle) katteøje.

reflex, *n.* refleks; ~, *adj.* refleks-; -ive, *adj.* refleksiv; tilbagevirkende.

reform, *v.t.* omdanne; reformere; (mend one's ways) forbedre sig; -ation, *n.* reformation; omforming; (conversion) omvendelse; -atory, *n.* opdragelsesanstalt.

refract, *v.t.* bryde (lyset); -ion, *n.* lysbrydning; -ory, *adj.* genstridig; uregerlig.

refrain, *v.i.* ~ from, afholde sig fra; ~, *n.* refræn, omkvæd.

refresh, *v.t. & i.* forfriske; opfriske; -ment, *n.* forfriskning.

refrigeration, *n.* afkøling; nedkøling; ~ plant, køleanlæg; -erator, *n.* isskab; køleskab.

refuel, *v.t.* fylde brændstof på igen.

refuge, *n.* tilflugt; tilflugtssted; asyl; -fugee, *n.* flygtning.

refulgent, *adj.* skinnende.

refund, *v.t.* tilbagebetale; ~, *n.* tilbagebetaling; refundering.

refusal, *n.* afslag; nægtelse; first ~, have noget på hånden; -fuse, *v.t.* afslå; nægte; ~, *n.* affald; skrald; skarn.

refute, *v.t.* gendrive; omstøde.

regain, *v.t.* genvinde; nå tilbage til.

regal, *adj.* kongelig.

regale, *v.t.* traktere; fryde.

regard, *v.t. & i.* betragte; ænse; se på; agte; ~ as, anse for; ~, *n.* (look) blik; (esteem) agtelse; (consideration) hensyn; (attention) opmærksomhed; with ~ to, med hensyn til; med henblik på; -ing, *prep.* angående; -less, *adv.* ~ of, uanset.

regency, *n.* regentskab; -erate, *v.t.* genføde; frembringe på ny; -t, *n.* regent; rigsforstander.

regicide, *n.* (crime) kongemord; (perpetrator) kongemorder.

regime, *n.* regime; regering; -men, *n.* levemåde; (diet) diæt; -ment, *n.* regiment; -mentation, *n.* ensretning.

region, *n.* region; område; egn; strøg.

regis|ter, n. (list) fortegnelse; register; liste; (voice) stemmeleje; (in church) kirkebog; cash ~, kasse-apparat; ~, v.t. optegne; nedskrive; ~ luggage, indskrive rejsegods; ~ a letter, anbefale (or rekommandere) et brev; ~ land (property, etc.), tinglyse; -trar, n. giftefoged; -try, n. registreringskontor; ~ office (national) folkeregister.

regression, n. tilbagegang; tilbagevenden.

regret, n. beklagelse; (sorrow) sorg; (repentance) fortrydelse; ~, v.t. beklage; sørge over; fortryde; -table, adj. beklagelig.

regu|lar, adj. regelmæssig; (downright) regulær; -larity, n. regelmæssighed; -late, v.t. regulere; styre.

rehabilitate, v.t. give oprejsning; rehabilitere.

rehash, n. opkog.

rehearsal, n. prøve; indstudering.

reign, n. regering; ~, v.i. regere; herske.

reimburse, v.t. dække; tilbagebetale.

rein, n. tømme; tøjle.

reincarnation, n. reinkarnation.

reindeer, n. zool. rensdyr; ren.

rein|force, v.t. forstærke; -d concrete, armeret beton; -forcement, n. forstærkning; armering; -state, v.t. genindsætte.

reiterate, v.t. & i. gentage.

reject, v.t. forkaste; afvise; (decline) refusere; -ion, n. forkastelse; ´afvisning; afslag.

rejoice, v.i. glæde sig.

re|join, v.t. genforene; (answer) replicere; -der, n. replik.

rejuvenation, n. foryngelse.

rekindle, v.t. & i. tænde igen; få til at blusse op igen.

relapse, n. tilbagefald; ~, v.i. falde tilbage.

re|late, v.t. fortælle; berette; -lated, adj. beslægtet; -lation, n. forhold; relation; (relative) slægtning; -lative, n. pårørende; slægtning; ~, adj. relativ; -lativity, n. relativitet.

relax, v.t. & i. afslappe; slappe af; (become milder) mildnes; -ation, n. afslapning; afspænding; lempelse.

relay, n. skifte; nyt hold; ~, v.t. viderebringe.

release, v.t. løslade; løse; eftergive; frigøre; befri.

relegate, v.t. forvise; flytte.

relent, v.i. give efter; formildes; -less, adj. ubøjelig; ubarmhjertig.

relevant, adj. til sagen hørende; relevant.

reliable, adj. pålidelig.

relic, n. relikvie; levn; minde.

re|lief, n. lettelse; lindring; (assistance) understøttelse; (rescue) undsætning; befrielse; (change of sentry, etc.) skifte; afløsning; (raised work) relief; -lieve, v.t. lette; lindre; understøtte; befri; afløse.

reli|gion, n. religion; -gious, adj. religiøs; from; (conscientious) samvittighedsfuld.

relinquish, v.t. slippe; frafalde; opgive.

reliquary, n. relikvieskrin.

relish, n. velsmag; smag; krydderi; ~, v.t. & i. synes om; goutere.

relive, v.t. genopleve.

reluc|tance, n. modvillighed; -tant, adj. modstræbende.

rely, v.i. ~ on, stole på; fæste lid til.

remain, v.i. blive tilbage;

forblive; blive; -der, *n.* rest.

remand, *v.t.* sende tilbage til arresten.

remark, *n.* bemærkning; iagttagelse; ~, *v. t. & i.* bemærke; iagttag; lægge mærke til; -able, *adj.* bemærkelsesværdig; mærkelig; usædvanlig.

remedy, *n.* (medicament) hjælpemiddel; lægemiddel; (answer to problem) hjælp; råd; ~, *v.t.* afhjælpe; råde bod på.

remem|ber, *v. t.* erindre; mindes; huske; -brance, *n.* minde; erindring; souvenir.

remind, *v.t.* erindre; minde om; -er, *n.* påmindelse; (letter) rykkerbrev.

reminis|cence, *n.* mindelse; erindring; -cent, *adj.* mindende.

re|miss, *adj.* forsømmelig; -mission, *n.* eftergivelse; tilgivelse; -mit, *v.t.* tilsende; remittere; (diminish) formilde; -mittance, *n.* rimesse.

remnant, *n.* rest; levning.

remon|strance, *n.* protest; advarsel; -strate, *v.i.& t.* protestere; ~ with, bebrejde; foreholde én noget.

remorse, *n.* anger; sorg; *adj.* angerfuld; -less, *adj.* skånselsløs.

remote, *adj.* fjern; afsondret; ~ control, fjernstyring; a ~ chance, en svag chance.

re|movable, *adj.* som kan fjernes; flyttelig; -moval, *n.* flytning; -move, *v.t. & i.* flytte; forflytte; fjerne; (dismiss) afskedige.

remuneration, *n.* løn; belønning.

renaissance, *n.* renæssance.

rename, *v.t.* omdøbe.

renascence, *n.* genfødelse; renæssance.

rend (rent, rent), *v.t. & i.* sønderrive; rive; -er, *v.t.* yde; give; (make) gøre; (interpret) fortolke; (translate) oversætte.

rendezvous, *n.* rendezvous; (place) mødested.

renegade, *n.* overløber; ~, *adj.* frafalden.

renew, *v.t.* forny; (replenish) udskifte.

rennet, *n.* osteløbe.

renounce, *v.t.* frasige sig; renoncere; forsage.

renovate, *v.t.* forny; reparere.

renown, *n.* berømmelse; -ed, *adj.* navnkundig; berømt.

rent, *n.* leje; husleje; (tear) rift; flænge; ~, *v.t. & i.* leje; forpagte; leje ud; -al, *n.* lejeindtægt.

renunciation, *n.* afkald.

reorganize, *v.t.* nyordne; reorganisere; omordne.

repair, *v.t.* istandsætte; reparere; udbedre; ~, *v. i.* (go) begive sig; ~, *n.* istandsættelse; reparation; in good ~, i god stand.

repartee, *n.* rask svar.

repast, *n.* måltid.

repatriate, *v.t.* hjemsende.

repay, *v.t. & i.* tilbagebetale.

repeal, *v.t.* afskaffe; annullere; ~, *n.* afskaffelse; tilbagekaldelse; annullering.

repeat, *v.t. & i.* gentage; forsøge igen; ~, *n.* gentagelse; repetition; -ed, *adj.* idelig; -edly, *adv.* gentagne gange.

repel, *v.t.* afslå; tilbagevise; (be repulsive to) frastøde.

repent, *v. t. & i.* fortryde; angre; -ance, *n.* anger; -ant, *adj.* angerfuld.

reper|cussion, *n.* bagslag; følge; -toire, *n.* repertoire; -tory, *n.* repertoire; ~ theatre, [et teater med et regelmæssigt skift i dets opførelser].

repetition, *n.* gentagelse; kopi.

repine, *v. i.* græmme sig.

replace, *v. t.* lægge (sætte, stille) tilbage; (take place of) erstatte; afløse.

replenish, *v. t.* fylde igen; forsyne på ny.

replete, *adj.* fuld; fyldt; propfuld.

replica, *n.* kopi.

reply, *n.* svar; ~ paid, svar betalt; ~, *v. t. & i.* svare.

report, *v. t. & i.* berette; fortælle; meddele; referere; melde; it is -ed, det rygtes; ~, *n.* (noise) knald; (account) beretning; redegørelse; (rumour) rygte.

repose, *v. t. & i.* hvile; lægge til hvile.

repository, *n.* opbevaringssted.

repre|hend, *v. t.* dadle; -hensible, *adj.* forkastelig; dadelværdig; -sent, *v. t.* forestille; (mean) betyde; repræsentere; stå for; -sentative, *n.* repræsentant; ~, *adj.* repræsentativ; typisk.

repress, *v. t.* undertrykke; betvinge; hæmme.

reprieve, *n.* (delay) udsættelse; (pardon) benådning; ~, *v. t.* benåde.

reprimand, *n.* irettesættelse; ~, *v. t.* give en reprimande.

reprint, *n.* optryk; ~, *v. t.* optrykke.

reprisal, *n.* gengældelse; -s, repressalier.

reproach, *n.* bebrejdelse; beyond ~, hævet over al kritik; ~, *v. t.* bebrejde, dadle.

reprobate, *n.* skurk; ~, *adj.* ryggesløs.

repro|duce, *v. t.* reproducere; formere sig; forplante sig; -duction, *n.* reproduktion.

re|proof, *n.* irettesættelse; -proval, *n.* irettesættelse.

reptile, *n.* krybdyr.

republic, *n.* republik.

repudiate, *v. t.* fornægte; forkaste; tilbagevise.

repugnance, *n.* ulyst; afsky.

repul|se, *v. t.* drive tilbage; afvise; -sion, *n.* afsky; (driving back) tilbagestød; frastødning.

re|putable, *adj.* agtværdig; hæderlig; -putation, *n.* omdømme; rygte; -pute, *n.* omdømme; renommé; -putedly, *adv.* eftersigende.

request, *n.* anmodning; (demand) efterspørgsel; by special ~, på særlig opfordring; ~, *v. t.* bede om; anmode om.

requiem, *n.* sjælemesse.

re|quire, *v. t.* forlange; kræve; behøve; trænge til; -ment, *n.* behov; fordring; krav; -quisite, *adj.* fornøden; -quisition, *v. t.* rekvirere; -quite, *v. t.* gengælde; lønne.

rescind, *v. t.* ophæve; omstøde.

rescue, *v. t.* frelse; redde; bjerge; befri; -r, *n.* redningsmand.

research, *n.* forskning; ~-worker, *n.* forsker; videnskabsmand.

resem|blance, *n.* lighed; -ble, *v. t.* ligne.

resent, *v. t.* tage ilde op; harmes; -ment, *n.* fornærmelse.

re|servation, *n.* forbehold; (land) reservat; (booking) bestilling; reservation; make a ~, forudbestille; I have my -s, jeg tager mine forbehold; -serve, *v. t.* forudbestille; forbeholde; bevare; ~, *n.* forbehold; tilbageholdenhed.

reshuffle, *v. t.* blande igen; blande om; reorganisere.

re|side, *v. i.* bo; opholde sig; -sidence, *n.* bolig; bopæl; (stay) ophold.

resi|dual, *adj.* tiloversbleven; -due, *n.* rest.

resign, *v. t. & i.* opgive; nedlægge; (retire) trække sig tilbage; (accept) resignere;

-ation, *n.* opgivelse; tilbagetræden; resignation; hand in one's ~, indgive sin demission.

resilient, *adj.* spændstig; elastisk.

resin, *n.* harpiks.

resist, *v.t. & i.* gøre modstand; stritte imod; modstå; modvirke; -ance, *n.* modstand; modstandsevne; -less, *adj.* uimodståelig.

reso|lute, *adj.* bestemt; djærv; standhaftig; -lution, *n.* beslutning; resolution; (determination) bestemthed; beslutsomhed.

resolve, *v.t. & i.* beslutte; bestemme; (explain) løse.

resonance, *n.* genlyd; resonans.

resort, *v.i.* ~ to, ty til; skride til; ~, *n.* udvej; tilflugt; (place) opholdssted; kursted.

resound, *v.i.* genlyde, -ing, *adj.* rungende.

resource, *n.* hjælpekilde; udvej; -s, *pl.* midler; pengemidler; natural -s, naturrigdomme; -ful, *adj.* rådsnar.

respect, *n.* agtelse; (consideration) hensyn; in every ~, i enhver henseende; lack of ~, respektløshed; pay one's -s, aflægge høflighedsvisit; ~, *v. t.* agte; respektere; tage hensyn til; -able, *adj.* respektabel; agtværdig; a ~ sum of money, en ordentlig sum penge; -ful, *adj.* ærbødig; -ive, *adj.* respektiv; -ly, *adv.* henholdsvis.

respiration, *n.* åndedræt; artificial ~, kunstigt åndedræt.

respite, *n.* frist; henstand; pusterum; lindring.

resplendent, *adj.* strålende.

res|pond, *v.t.* svare; respond (på); -ponse, *n.* svar; reaktion; there was just no ~,

der var simpelt hen ingen genklang; -ponsibility, *n.* ansvar; -ponsible, *adj.* ansvarlig; be ~ for something, hæfte for noget; -ponsive, *adj.* modtagelig.

rest, *n.* hvile; ro; (remainder) rest; (support) støtte; *mus.* pause; set somebody's mind at ~, berolige én; ~, *v. t. & i.* støtte; læne; hvile; (remain) forblive; it -s on him, det påhviler ham; thoroughly -ed, udhvilet.

restaurant, *n.* restaurant.

restitution, *n.* genoprettelse; (compensation) erstatning.

rest|ive, *adj.* uregerlig; utålmodig; -less, *adj.* nervøs; rastløs.

res|toration, *n.* restaurering; genoprettelse; -tore, *v. t.* give tilbage; genindsætte; genoprette; restaurere; ~ to health, helbrede; restituere.

restrain, *v.t.* holde tilbage; styre; indskrænke; beherske; -t, *n.* tilbageholdenhed; (control) tvang; betvingelse; place under ~, tvangsindlægge.

restrict, *v. t.* indskrænke; begrænse.

result, *v. i.* følge; resultere; ~ from, hidrøre fra; ~ in, resultere i; ~, *n.* udfald; resultat; følge; virkning.

résumé, *n.* resumé.

re|sume, *v.t. & i.* genoptage; begynde igen; -sumption, *n.* genoptagelse; fortsættelse.

resurrection, *n.* opstandelse; genrejsning.

resuscitate, *v.t. & i.* genopvække; genoplive.

retail, *v.t. & i.* sælge en detail; (information, *etc.*) genfortælle; bringe videre; ~er, *n.* detailhandler.

retain, *v.t.* beholde; tilbageholde; (engage) engagere; -er, *n.* (fee) forskudshonorar; (servant, *etc.*) følge-svend.

retaliate, *v.t. & i.* gengælde.

retard, *v.t. & i.* forsinke; re-tardere.

retch, *v.i.* kaste op; forsøge at kaste op.

reticent, *adj.* fåmælt; tilbage-holden.

retina, *n. anat.* nethinde.

retinue, *n.* følge; ledsage.

re|tire, *v.t. & i.* trække sig tilbage; ~ to bed, gå i seng; (resign) tage sin af-sked; (pension off) pen-sionere; -tiring, *adj.* til-bageholdende.

retort, *v.t.* give svar på til-tale; replicere; ~, *n.* svar; *chem.* retort, destillerkolbe.

retrace, *v.t.* følge tilbage.

retract, *v.t. & i.* (draw back) trække tilbage; ~ one's words, tage sine ord i sig igen.

re–tread, *v.t.* pålægge ny slidbane; ~, *n.* slidbane-dæk.

retreat, *n.* tilbagetog; beat the ~, slå retræten; (re-fuge) tilflugtssted; ~, *v.t. & i.* trække sig tilbage; fjerne sig.

retrench, *v.i.* indskrænke sig; spare.

retribution, *n.* gengældelse; straf.

retrieve, *v.t. & i.* genvinde; redde; få tilbage; -r,. *n.* støver.

retroactive, *adj.* med tilbage-virkende kraft.

retrospect, *n.* tilbageblik.

return, *v.t. & i.* vende til-bage; komme igen; kom-me tilbage; (give back) returnere, sende tilbage; (repay) tilbagebetale; ~, *n.* tilbagekomst; hjemkomst; by ~ of post, (pr.) omgå-ende; (profit) udbytte.

reunion, *n.* genforening.

revaluation, *n.* omvurdering.

reveal, *v.t.* afsløre; åbenbare.

reveille, *n.* reveille.

revel, *v.i.* svire; holde gilde; ~ in, svælge i; ~, *n.* gilde; -ation, *n.* åbenbaring.

revenge, *v.t. & i.* hævne; ~, *n.* hævn; -ful, *adj.* hævn-gerrig.

revenue, *n.* indtægt; ind-komst.

rever|berate, *v. i.* give reso-nans; genlyde; -beration, *n.* genlyd.

revere, *v.t.* holde i ære.

rev|erence, *n.* ærbødighed; ærefrygt; -erend, *adj.* ær-værdig; the R~ J. Smith, pastor J. Smith; -erie, *n.* drømmeri; -ersal, *n.* om-slag; forandring; -erse, *v. t. & i.* slå bak; vende om; *mech.* bakke; om-støde; ~, *n.* modsætning; modsat side; bagside; *mech.* bakgear; ~, *adj.* om-vendt; -ert, *v. i.* vende tilbage.

review, *v. t.* gennemtænke; gennemgå; anmelde; in-spicere; ~, *n.* gennem-gang; tilbageblik; (*of* book, play, *etc.*) anmel-delse; *mil.* revy.

revile, *v.t.* håne; overfuse.

re|vise, *v.t.* revidere; (study) repetere; -vision, *n.* gen-nemsyn; revision.

re|vival, *n.* genoplivelse; *theat.* genoptagelse; re-ligious ~, vækkelse; -vive, *v.t. & i.* genoplive; forny; opfriske; genoptage.

revoke, *v.t. & i.* tilbagekalde; ophæve.

revolt, *n.* opstand; oprør; revolte; -ing, *adj.* afskye-lig.

revolution, *n.* omdrejning; omløb, omgang; (change) omvæltning; (uprising) revolution.

revolve, *v. t. & i.* rotere; dreje rundt; -r, *n.* revol-ver.

revue, *n.* revy.

revulsion, *n.* omsving; om-slag; afsky.

reward, *v. t.* belønne; lønne; ~, *n.* belønning; dusør.

Rhenish, *adj.* rhinsk.

rhetoric, *n.* retorik; veltalenhed; -al, *adj.* retorisk.

rheumatism, *n. med.* gigt; reumatisme.

rhinocerous, *n. zool.* næsehorn.

rhizome, *n. bot.* rodstok.

rhododendron, *n. bot.* rododendron; alperose.

rhombus, *n.* rombe.

rhubarb, *n. bot.* rabarber.

rhyme, *n.* rim; nursery ~, børnerim; ~, *v. t. & i.* rime.

rhythm, *n.* rytme; -ical, *adj.* rytmisk.

rib, *n.* ribben; *archit.* ribbe.

ribald, *adj.* uærbødig; sjofel.

riband, *n.* bånd.

ribbon, *n.* bånd; strimmel; typewriter ~, farvebånd; ~ development, randbebyggelse.

rice, *n.* ris; risengryn; ~ pudding, risengrød; ~ paper, *n.* rispapir.

rich, *adj.* rig; frugtbar; (food) fed; -es, *pl.* rigdom; -ly, *adv.* rigeligt.

rick, *v. t.* stakke; ~, *n.* stak; (*see also* wrick).

rick|ets, *n.* engelsk syge; rakitis; -ety, *adj.* vakkelvorn; skrøbelig; -shaw, *n.* rickshaw.

ricochet, *n.* rikochet.

rid (rid *el.* ridded, rid), *v. t.* frigøre; get ~ of, skaffe sig af med; blive af med; frigøre sig for; -dance, *n.* that's a good ~, gudskelov vi er af med ham (hende, det, *osv.*).

riddle, *n.* (sieve) sigte; (puzzle) gåde; ~, *v. t. & i.* sigte; (perforate) gennemhulle.

ride (rode, ridden), *v. t. & i.* ride; køre; ~, *n.* ridetur; køretur; -r, *n.* rytter; (clause) tillæg.

ridge, *n.* ryg; kam; ås; høj-

dedrag; rygås; ~-pole, *n.* tagås.

ridi|cule, *n.* spot; hold up to ~, latterliggøre; ~, *v. t.* latterliggøre; spotte; håne; -culous, *adj.* latterlig.

rife, *adj.* be ~, grassere.

riff-raff, *n.* pak; pøbel.

rifle, *v. t.* røve; plyndre; (cut grooves) rifle; ~, *n.* riffel, gevær; ~-range, *n.* skydebane.

rift, *n.* revne; kløft; *fig.* uenighed.

rig, *v. t. & i.* takle; rigge; rigge til; ~ up, improvisere; makke sammen; ~, *n. naut.* takkelage; rig.

right, *adj.* ret; rigtig; he is ~, han har ret; he is all ~, han har det godt; ~ angle, ret vinkel; in his ~ mind, ved sine fulde fem; all ~ (*el.* ~ oh), godt, all right; ~, *adv.* ret; lige; nøjagtig; ~ at the end, lige henne for enden; ~ away, straks; that'll serve you ~!, det har du rigtig godt af!; ~, *v. t. & i.* rette; ~, *n.* (justice) ret; (as opposed to left) højre; (claim) ret; (control) rettighed; you are in the ~, retten er på din side; I have a ~ to know, jeg har krav på at vide; ~-angled, *adj.* retvinklet; -eousness, *n.* retfærdighed; ~-hand, *adj.* højre; -ly, med rette; ~-minded, *adj.* rettænkende.

rigid, *adj.* stiv; streng.

rigmarole, *n.* remse.

rigor, *n.* ~ mortis, dødsstivhed; -ous, *adj.* streng; hård.

rigour, *n.* strenghed.

rile, *v. t.* irritere.

rim, *n.* kant; rand; (*of* wheel) fælg.

rime, *n.* rim; rimfrost.

rind, *n.* (*of* cheese) skorpe; (*of* bacon) svær; (*of* fruit) skal; skræl.

ring, *n.* ring; (circle) kreds;
(sound) ringen; klang;
I'll give you a ~ in the
morning, jeg ringer til dig
i morgen; *v. t. & i.* (rang, rung),
ringe; klinge;
(encircle) omringe; (tele-
phone) ringe op; (a door-
bell) ringe på; ~-leader, *n.*
anfører; -let, *n.* krølle.

rink, *n.* skøjtebane; roller-
skating ~, rulleskøjtebane.

rinse, *v.t.* skylle.

riot, *n.* optøjer, *pl.;* run ~,
løbe grassat; ~, *v. i.* lave
optøjer; (revel) larme,
svire; -ous, *adj.* tøjlesløs.

rip, *v. t. & i.* sprætte op;
rive; rive op; ~ along,
fare af sted; ~, *n.* rift; an
old ~, *coll.* en gammel
libertiner.

ripe, *adj.* moden; -n, *v. i.*
modne; modnes.

ripping, *adj. sl.* storartet.

ripple, *v.i.* kruse; risle; ~,
n. krusning.

rise (rose, risen), *v. t. & i.*
rejse sig; hæve sig; stå op;
(leave ground) lette; (as-
cend) stige (op); (revolt)
gøre opstand, gøre oprør;
~, *n.* stigning; stigen; til-
tagen; (*in* wages) lønfor-
højelse; give ~ to, give
anledning til.

risen, *see* rise.

risk, *n.* risiko; fare; take a ~,
løbe en risiko; ~, *v.t.* risi-
kere; -y, *adj.* risikabel;
vovet.

rissole, *n.* frikadelle.

rite, *n.* ceremoni; ritus.

ritual, *n.* ritual; ~, *adj.* rituel.

rival, *n.* rival(inde); ~, *adj.*
konkurrerende; -ry, *n.* ri-
valisering; kappestrid;

river, *n.* flod; ~-bed, *n.*
flodleje.

rivet, *n.* nitte; nagle; ~, *v.t.*
nitte; nagle.

rivulet, *n.* bæk; å.

roach, *n. zool.* skalle.

road, *n.* vej; (high-~) lande-
vej; main ~, hovedvej;

-s, *pl.,* -stead, *n. naut.* red;
-way, *n.* kørebane.

roam, *v. t. & i.* flakke om;
strejfe om; vandre om.

roan, *adj.* skimlet; ~, *n.*
skimmel.

roar, *v.t. & i.* brøle; buldre;
bruse; drøne; ~, *n.* brøl;
brus; drøn.

roast, *v.t. & i.* stege; riste;
(coffee) brænde; ~, *n.* steg;
~ beef, oksesteg.

rob, *v.t.* røve; plyndre;
stjæle fra; -ber, *n.* røver;
tyv; -bery, *n.* røveri;
tyveri.

robe, *n.* embedsdragt; -s, *pl.*
gevandter.

robin, *n. zool.* rødkælk; rød-
hals.

Robinson, *n.* before you
could say Jack ~, *coll.* i
løbet af nul komma fem.

robot, *n.* robot.

robust, *adj.* kraftig; robust.

roc, *n. zool.* rok.

rock, *n.* klippe; klippeblok;
(in sea) skær; ~, *v. t. & i.*
vugge; gynge; ~-bottom,
n. allerlavest.

rocket, *n.* raket; ~-propelled,
adj. raketdrevet.

rocking|-chair, *n.* gyngestol;
~-horse, *n.* gyngehest.

rococo, *n.* rokoko.

rod, *n.* stang; stav.

rode, *see* ride.

rodent, *n.* gnaver.

roe, *n. zool.* rådyr; cod's ~,
torskerogn; ~-buck, *n.*
zool. råbuk; ~-deer, *n.*
zool. rådyr.

rogue, *n.* kæltring; skælm;
slyngel.

roister, *v.i.* skvalre; -er, *n.*
svirebroder.

role, *rôle, n.* rolle.

roll, *v. t. & i.* rulle; trille;
tromle; all ~ed into one,
det hele samlet under ét;
-ed gold, gulddublé; ~,
n. rulle; breakfast ~,
rundstykke; Swiss ~, rou-
lade; (list) liste; ~-call, *n.*
navneopråb; -er, *n.* valse;

(garden-~) havetromle; (steam-~) damptromle; ~-skate, *n.* rulleskøjte.

rollick, *v.i.* more sig, have det sjovt; -ing, *adj.* lystig.

rolling, *adj.* rullende; (of hills, *etc.*) bølgeformet; ~-mill, *n.* valseværk; ~-pin, *n.* kagerulle; ~-stock, *n.* rail. rullende materiel.

Roman, *n.* romer; ~, *adj.* romersk.

romance, *n.* (love affair) kærlighedsaffære; ridderroman; romance; R~, *adj.* romansk.

Romany, *n.* zigeuner.

romp, *v.i.* boltre sig; lege.

roof, *n.* tag; ~ of the mouth; gane; ~, *v.t.* dække med tag; -ing-felt, *n.* tagpap.

rook, *n.* *zool.* råge; (chess) tårn; -ie, *n.* *sl.* rekrut.

room, *n.* værelse; stue; kammer; rum; (space) plads; -iness, *n.* rummelighed.

roost, *n.* siddepind; rule the ~, *fig.* dominere; -er, *n.* hane.

root, *n.* rod; square ~, kvadratrod; -stock, *n.* jordstængel.

rope, *n.* reb; tov; line; know the -s, *fig.* vide besked, kende reglerne.

rosary, *n.* rosenkrans; (rosegarden) rosenhave.

rose, see rise; ~, *n.* *bot.* rose; (colour) rosa; (on watering-can) bruser; -ate, *adj.* rosenfarvet; -mary, *n.* *bot.* rosmarin.

rosin, *see* resin.

roster, *n.* navneliste.

rostrum, *n.* talerstol.

rot, *v.i.* rådne; ~, *n.* forrådnelse; *sl.* vrøvl; vås.

rota, *n.* navneliste.

ro|tary, *adj.* roterende; rotations-; -tate, *v.i.* rotere; gå efter tur.

rotten, *adj.* rådden; fordærvet.

rotund, *adj.* rund.

rouble, *n.* rubel.

rouge, *n.* sminke.

rough, *adj.* ru; ujævn; rå; barsk; grov; ~ weather, hårdt vejr; (approximate) nogenlunde; tilnærmelsesvis; ~-and-tumble, *n.* håndgemæng; ~-cast, *n.* groft puds; -en, *v.t.* gøre ujævn; ~-neck, *n.* bølle; ~-shod, *adj.* ride ~ over, mase på uden at tage hensyn.

roulette, *n.* roulet.

Rumania, *n.* Rumænien; -n, *n.* (person) rumæner; (language) rumænsk; ~, *adj.* rumænsk.

round, *adj.* rund; ~, *adv.* & *prep.* rundt; rundt om; omkring; all ~ the clock, døgnet rundt; come ~ and see us some time!, stik over til os en gang!; ~ these parts, heromkring; ~, *n.* kreds; skive; *sport.* omgang; runde; ~ of ammunition, patron; skud; ~ of cheers, bifaldssalve; ~, *v.t.* & *i.* afrunde; gøre rund; ~ a corner, runde et hjørne; ~ up, (figures) runde op; (cattle) drive sammen; -about, *n.* karrusel; (street) rundkørsel; ~, *adj.* in a ~ way, indirekte; -ers, *n.* rundbold; -ly, *adv.* med rene ord; rent ud.

rouse, *v.t.* & *i.* vække; opildne.

rout, *v.t.* slå på flugt; jage op.

route, *n.* rute, vej; en ~, på vej.

routine, *n.* rutine.

rove, *v.t.* & *i.* strejfe om; vandre; flakke om.

row, *n.* *naut.* rotur; (line) række; rad; (fight) spektakel; skænderi; ~, *v.t.* ro.

rowan, *n.* *bot.* røn; -berry, *n.* *bot.* rønnebær.

rowdy, *n.* bølle.

rowel, *n.* sporehjul.

rowing-boat, *n.* robåd.

rowlock, *n.* åregaffel.

royal, *adj.* kongelig; konge-;
-ty, *n.* kongelige perso-
ner; (state) kongelighed;
(office) kongeværdighed;
(payment) afgift; honorar.
rub, *v.t. & i.* gnide; skure;
~ down, frottere; ~ out,
viske ud; ~ up, polere;
-ber, *n.* gummi; (eraser)
viskelæder; ~ stamp, gum-
mistempel.
rubbish, *n.* affald; ragelse;
skrammel; *fig.* sludder.
rubble, *n.* murbrokker, *pl.*
rubicund, *adj.* rødmosset;
rødlig.
ruby, *n.* rubin.
rucksack, *n.* rygsæk.
ruction, *n.* ballade; vrøvl.
rudder, *n.* ror.
ruddy, *adj.* rødmosset; *sl.*
forbandet.
rude, *adj.* uhøflig; plump;
grov; (crude) primitiv;
ubearbejdet.
rudiment, *n.* grundlag; be-
gyndelse; the -s of myco-
logy, svampelærens be-
gyndelsesgrunde;-ary, *adj.*
rudimentær; elementær.
rue, *v.t.* angre, fortryde.
ruff, *n.* pibekrave.
ruffian, *n.* skurk, bandit.
ruffle, *v.t. & i.* bringe i uor-
den; become -d, blive
oprørt; bringe ud af lige-
vægt; ~, *n.* flæse.
rug, *n.* [mindre, groft, uldent
tæppe]; travelling ~, rejse-
tæppe.
Rugby, *n.* rugby (fodbold).
rug|ged, *adj.* knudret; barsk;
forreven; -ger, *n. sl.* rugby
(fodbold).
ruin, *n.* ruin; undergang;
ødelæggelse; ~, *v. t. & i.*
ruinere; ødelægge.
rule, *n.* (government) rege-
ring; styrelse; (precept,
etc.) regel; forskrift; (tool)
lineal; as a ~, som regel;
~-of-three, *n.* reguladetri;
~-of-thumb, *n.* øjemål;
på slump; ~, *v.t. & i.* her-
ske; styre; regere; (decide)

afgøre; ~ out, udelukke;
(make lines) liniere; -r, *n.*
hersker; regent; (tool) li-
neal, tommestok.
ruling, *n.* retskendelse; ~,
adj. herskende.
rum, *n.* rom; ~, *adj. sl.* løjer-
lig; snurrig.
rumble, *v.i.* buldre; rumle;
dundre.
rumi|nant, *n.* drøvtygger;
-nate, *v.t. & i.* tygge drøv;
fig. gruble.
rummage, *v.t. & i.* gennem-
søge; rumstere; rode.
rummy, *n.* (card-game)
rommy; ~, *adj. see* rum.
rumour, *n.* rygte; ~, *v.-t.*
udsprede rygte; it is *-ed*
that, det siges at, rygtet
går.
rump, *n.* bagdel; (meat)
halestykke.
rumple, *v.t.* pjuske.
rumpus, *n.* ballade; slagsmål.
run (ran, run), *v.t. & i.* løbe;
rende; (flow) flyde; rinde;
(rule) regere; drive; styre;
(function) gå; fungere;
køre; (smuggle) smugle;
(colours) løbe ud; ~ away,
flygte; løbe bort; it *-s* in
the family, det ligger til
familien; ~ for election,
lade sig opstille til valg;
~ over, (knock over) køre
over; (check) gennemgå;
~ out, slippe op; ~ down,
rakke ned; (in traffic) køre
over; be ~ down, være
sløj, være udmattet; ~ off,
(print) trykke; ~, *n.* løb;
tilløb; rend; (trip) tur;
(distance) strækning; the
common ~ of people, folk
i almindelighed.
rune, *n.* rune.
rung, *see* ring; ~, *n.* trin;
sprosse.
runic, *adj.* rune-; ~ stone,
runesten.
run|ner, *n. bot.* udløber;
ranke; (on skate) skøjte-
jern; (person) løber; -ning,
adj. i træk; uafbrudt.

runway, *n.* startbane.

rupture, *n.* sprængning; brud; (hernia) brok; ~, *v.t.&i.* sprænge; briste.

rural, *adj.* landlig; land-.

ruse, *n.* list.

rush, *n. bot.* siv; (hurry) jag; a ~ on, en stærk efterspørgsel på; ~, *v.t. & i.* fare af sted;· styrte; jage; strømme; ~-hour, *n.* myldretiden.

rusk, *n.* tvebak.

russet, *adj.* rødbrun.

Russia, *n.* Rusland; -n, *n.* russer; (language) russisk; ~, *adj.* russisk.

rust, *n.* rust; ~, *v.i.* ruste.

rustic, *adj.* landlig; jævn; bondsk.

rustle, *v.t.&i.* rasle; pusle; ~-r, *n.* kvægtyv.

rut, *n.* hjulspor; *fig.* skure; (animal heat) brunst; -ting season, brunsttid.

ruthless, *adj.* skånselsløs.

rye, *n. bot.* rug; ~-bread, *n.* rugbrød.

sabbath, *n.* sabbat.

sable, *adj.* mørk; sort; ~, *n. zool.* zobel; (fur) zobelskind.

sabotage, *n.* sabotage; ~, *v.t.* sabotere.

sabre, *n.* ryttersabel.

sac, *n. med.* sæk.

saccharine, *n.* sakkarin.

sacerdotal, *adj.* præstelig.

sachet, *n.* lugtepose.

sack, *n.* sæk; put to the ~, plyndre; be given the ~, *sl.* blive fyret; ~, *v.t.* plyndre; *sl.* fyre; -cloth, *n.* sækkelærred.

sacrament, *n.* sakramente.

sacred, *adj.* hellig; ubrødelig.

sacri|fice, *n.* ofring; offer; opofrelse; -lege, *n.* vanhelligelse; helligbrøde; -legious, *adj.* profan;-stan, *n.* sakristan.

sacrosanct, *adj.* højhellig; sakrosankt; urørlig.

sad, *adj.* bedrøvet; trist; vemodig; tungsindig; sørgelig; bedrøvelig; -den, *v.t.* bedrøve.

saddle, *n.* sadel; ~, *v.t.* sadle; *fig.* bebyrde; ~-backed, *adj.* svajrygget; -r, *n.* sadelmager.

sadism, *n.* sadisme.

safe, *adj.* sikker; i sikkerhed; uskadt; tryg; (reliable) pålidelig; ~, *n.* pengeskab; meat ~, flueskab; -guard, *n.* beskyttelse; ~, *v.t.* beskytte; betrygge; ~-keeping, *n.* varetægt; -ly, *adv.* sikkert; trygt; uskadt.

safety, *n.* sikkerhed; ~-match, *n.* tændstik; ~-pin, *n.* sikkerhedsnål; ~-valve, *n.* sikkerhedsventil.

saffron, *n.* safran.

sag, *v.i.* synke ned; hænge slapt.

saga|cious, *adj.* klog; kløgtig; -city, *n.* klogskab; skarpsindighed.

sage, *n.* vismand; *bot.* salvie; ~, *adj.* klog.

sago, *n.* sago.

said, *adj.* omtalt; the ~ person, den omtalte person; *see also* say.

sail, *n.* sejl; (trip) sejltur; in full ~, for fulde sejl; ~, *v.t.&i.* sejle; (navigate) besejle; ~-cloth, *n.* sejldug; -ing, *n.* sejlads; -or, *n.* sømand, matros.

saint, *n.* helgen; S~ Peter, Sankt Peter.

sake, *n.* skyld; for his ~, for hans skyld; for heaven's ~, for himlens skyld.

salable, *adj.* sælgelig.

salacious, *adj.* lysten, slibrig.

salad, *n.* salat; ~-dressing, *n.* marinade.

sal|aried, *adj.* lønnet; -ary, *n.* løn; gage.

sale, *n.* salg; (auction) auktion; (at reduced prices) udsalg; -girl, *n.* ekspeditrice; -sman, *n.* handelsrejsende; sælger.

salient, *adj.* fremspringende.

saline, *adj.* saltholdig.

saliva, *n.* spyt.

sallow, *adj.* gusten.

sally, *n.* mil. udfald; *fig.* vittighed.

salmon, *n.* zool. laks.

saloon, *n.* salon; ~ bar, [»bedre« udskænkningslokale i engelsk pub]; ~ car, *n.* salonvogn.

salt, *n.* salt; *naut. sl.* søulk; a pinch of ~, en knivspids salt; take with a pinch of ~, *fig.* skal tages med et vist forbehold; smelling -s, lugtesalt; ~, *v. t.* salte; nedsalte; ~-cellar, *n.* saltkar; -petre, *n.* salpeter.

salubrious, *adj.* sund.

sal|utary, *adj.* gavnlig; -ute, *v.t.&i.* hilse; salutere; gøre honnør; ~, *n.* hilsen; *mil.* honnør; (guns, *etc.*) salut.

sal|vage, *n.* bjærgning; (property salvaged) bjærgegods; ~, *v. t.* bjærge; -vation, *n.* frelse; -ver, *n.* præsenterbakke.

sal volatile, *n.* lugtesalt.

same, *adj.* samme; the very ~, den selvsamme; it's all the ~, det er lige meget; -ness, *n.* ensformighed; ensartethed.

sample, *n.* prøve; ~, *v. t.* prøve; -r, *n.* navneklud.

sanatorium, *n.* sanatorium.

sanc|timonious, *adj.* skinhellig; -tion, *n.* godkendelse; sanktion; ·stadfæstelse; -tity, *n.* hellighed; -tuary, *n.* helligdom; asyl; reservat.

sand, *n.* sand.

sandal, *n.* sandal.

sand|bar, *n.* revle; ~-dune, *n.* klit; -paper, *n.* sandpapir; -pit, *n.* sandgrav; -wich, *n.* sandwich; openfaced ~, smørrebrød; -wich-man, *n.* plakatbærer.

sane, *adj.* normal, tilregnelig.

sang, *see* sing.

sanguinary, *adj.* blodig.

sani|tary, *adj.* sanitær; sanitets-; ~ towel, hygiejnebind; -ty, *n.* tilregnelighed.

sank, *see* sink.

sap, *n.* plantesaft; *fig.* vitalitet; *sl.* fjols; ~, *v. t. & i.* tappe for saft; underminere; -ling, *n.* ungt træ.

sapper, *n.* mil. ingeniør.

sapphire, *n.* safir.

sarcasm, *n.* sarkasme; spydighed.

sarcophagus, *n.* sarkofag.

sardine, *n.* zool. sardin.

sardonic, *adj.* spottende; sardonisk.

sash, *n.* bælte; skærf; ~-window, *n.* skydevindue.

sat, *see* sit.

satchel, *n.* skoletaske.

sate, *v.t.* mætte.

satellite, *n.* drabant; biplanet; satelit; ~ country, vasalstat; ~ town, planetby.

satiate, *v.t.* mætte.

satin, *n.* atlask; ~-stitch, *n.* fladsyning.

satire, *n.* satire.

satis|faction, *n.* tilfredshed; tilfredsstillelse; (recompense) satisfaktion; oprejsning; -factory, *adj.* tilfredsstillende; -fy, *v.t.&i.* tilfredsstille; overbevise.

saturate, *v.t.* gennembløde; mætte.

Saturday, *n.* lørdag.

sauce, *n.* sauce; sovs; *sl.* næsvished; -pan, *n.* kasserolle; -r, *n.* underkop.

saunter, *v.i.* slentre; spadsere.

saurian, *n.* zool. øgle.

sausage, *n.* pølse.

savage, *adj.* vild; utæmmet; barbarisk; ~, *n.* vild.

savant, *n.* lærd.

save, *v.t.* frelse; redde; (money, time, work) spare; (preserve) bevare; ~ up for, spare sammen til; ~, *prep. & conj.* undtagen.

savings-bank, *n.* sparekasse.

saviour, *n.* frelser.

savour, *n.* smag; ~, *v.i.* ~ of, *fig.* lugte af; -y, *adj.* velsmagende; ~, *n.* lille varm ret.

saw, *see* see; ~, *n.* sav; circular ~, rundsav; ~ (sawed, sawn), *v.t. & i.* save; -dust, *n.* savsmuld; -mill, *n.* savværk.

Saxon, *n.* angelsakser; ~, *adj.* saksisk; -y, *n.* Sachsen.

say (said, said), *v.t. & i.* sige; fremsige; ~, *n.* have one's ~, *coll.* sige sin mening; -ing, *n.* udtalelse; ordsprog.

scab, *n.* skorpe.

scabbard, *n.* skede.

scabies, *n.* fnat; skab.

scabrous, *adj.* ru; rå; knudret.

scaffold, *n.* (hangman's) skafot; (building ~) stillads; -ing, *n.* stillads.

scald, *v.t.* skolde.

scale, *n.* *zool.* skæl; (series) skala; (*for* weighing) vægt; vægtskål; a pair of -s, en vægt; ~, *v.t. & i.* bestige; (shed scales) skalle af.

scallop, *n.* *zool.* kammusling; ~ embroidery, tungebroderi.

scallywag, *n.* slyngel.

scalp, *n.* skalp; ~, *v.t.* skalpere.

scalpel, *n.* skalpel.

scaly, *adj.* skællet.

scamp, *n.* rad; -ed work, sjusk, hastværk; -er, *v.i.* ~ off, flygte, løbe bort.

scan, *v.t. & i.* skandere; (examine) se nøje på; forske; -dal, *n.* skandale; (gossip) sladder; -dalmonger, *n.* sladdertaske.

Scandinavia, *n.* Skandinavien; Norden; -n, *n.* skandinav; nordbo; ~, *adj.* skandinavisk; nordisk.

scant, *adj.* knap; ringe; -y, *adv.* kneben; utilstrækkelig.

scapegoat, *n.* syndebuk.

scar, *n.* ar; (scratch) skramme; (rock) klippe.

scarce, *adj.* knap; sjælden; sparsom; -ly, *adv.* næppe; næsten ikke.

scarcity, *n.* mangel.

scare, *v.t.* skræmme; forskrække; ~, *n.* opskræmthed; -crow, *n.* fugleskræmsel.

scarf, *n.* skærf; halstørklæde.

scarlet, *adj.* skarlagenrød; ~, *n.* skarlagen; ~ fever, skarlagensfeber; ~ runner, pralbønne.

scarp, *n.* eskarpe.

scary, *adj.* skræmmende; (afraid) bange.

scathe, *v.t.* skade.

scathing, *adj.* svidende; knusende.

scatter, *v.t. & i.* sprede; strø; (separate) adsplitte; ~-brained, *adj.* tankeløs; forvirret.

scavenger, *n.* gadefejer; *zool.* ådselæder.

scenario, *n.* drejebog.

scene, *n.* skueplads; (part of play) scene; (quarrel) opgør; (decoration) kulisse; dekoration; behind the -s, bag kulisserne; -ry, *n.* kulisser, *pl.* sceneri; (countryside) landskab; -shifter, *n.* maskinmand.

scent, *v.t.* lugte; spore; vejre; (perfume) parfumere; ~, *n.* duft; lugt; (hunting) fært; spor.

sceptic, *n.* skeptiker; -al, *adj.* skeptisk.

sceptre, *n.* scepter.

schedule, *n.* skema; plan; køreplan; tabel; according to ~, planmæssigt.

scheme, *n.* skema; plan; udkast; system; ordning; (plot) rænke; ~, *v.i.* lægge planer; smede rænker; -ing, *adj.* beregnende.

schism, *n.* skisma; splid.

scholar, *n.* elev; (learned man) lærd; (holder of

scholarship) stipendiat; -ship, n. stipendium; legat; (learning) lærddom.

school, n. skole; (trend, group) retning; fakultet; grammar ~, latinskole; realskole; gymnasium; preparatory ~, forberedelsesskole; public ~, kostskole; ~ fees, skolepenge; -master, n. skolelærer; lærer.

schooner, n. skonnert.

sciatica, n. med. iskias.

science, n. videnskab; natural ~, naturvidenskab; the exact -s, de eksakte videnskaber.

scimitar, n. krumsabel; scimitar.

scintillate, v.i. funkle; tindre; gnistre.

scion, n. bot. podekvist; (in family) ætling; efterkommer.

scissors, pl. n. saks; a pair of ~, en saks.

sclerosis, n. med. åreforkalkning.

scoff, v.i. spotte; håne.

scold, v.t. & i. skælde; skænde; -ing, n. skænd.

scone, n. tebolle.

scoop, n. øse; skovl; skuffe; journalistic ~, scoop, kup; fangst; ~, v.t. skovle; øse; ~ out, udhule.

scoot, v.i. sl. flygte, pile af; stryge af sted; -er, n. (toy) løbehjul; (small motorbike) scooter.

scope, n. spillerum; område; rækkevidde; omfang; fatteevne; frihed.

scorch, v.t. & i. svide; svides; afsvide; the -ed earth policy, den brændte jords politik; -er, n. sl. meget varm dag.

score, n. snes; (mark) hak; skure; (difference, debt) regning; mellemværende; sport. pointantal; points; regnskab; mus. partitur; on this ~, på dette punkt;

~, v.t. & i. ridse; mærke; (sports & games) score; holde regnskab; få points.

scorn, v.t. foragte; forsmå; håne; ~, n. foragt; ringeagt.

scorpion, n. zool. skorpion.

scot, n. arch. & jur. skat; afgift; get off ~-free, gå ustraffet, forblive uskadet.

Scot, n. skotte.

scotch, v.t. bremse; uskadeliggøre.

Scotch, n. skotsk whisky; the ~, coll. skotterne; ~, adj. coll. skotsk.

Scotland, n. Skotland.

Scots, n. (language) skotsk; the ~, skotterne; ~, adj. skotsk.

Scottish, n. the ~, skotterne; ~, adj. skotsk.

scoundrel, n. skunk; slyngel.

scour, v.t. & i. skure; rense; (search) gennemstrejfe.

scourge, n. svøbe; ~, v.t. piske; plage.

scout, n. spejder; boy ~, spejder(dreng); ~, v.i. udspejde; ~, v.i. nægte; håne.

scowl, v.i. & i., skule; se truende ud.

scraggy, adj. radmager.

scram, int. sl. skrub af!

scramble, v.i. & t. kravle; klatre; d eggs, røræg.

scrap, n. stump; bid, smule; ~ of paper, en lap papir; sl. (fight) slagsmål; (rubbish) affald; ~, v.t. kassere; smide væk; ~, v.i. slås; ~-book, n. scrapbog.

scrape, v.t. & i. skrabe; kradse; ~ together, skrabe sammen.

scrap-iron, n. gammelt jern.

scratch, v.t. & i. kradse; rive; klø; ridse; (cancel) slette; stryge; ~, n. skramme; ridse; mærke.

scrawl, v.t. & i. kradse ned; skrive utydeligt; ~, n. kragetæer, pl.

scrawny, adj. mager.

scream, v.t. & i. skrige; ~, n.

skrig; -ingly funny, *coll.* hylende komisk.

screech, *v.t.&i.* skrige; ~, *n.* skrig.

screed, *n.* langt brev; udgydelse.

screen, *n.* skærm; (shelter) skærmbræt; *film.* lærred; ~, *v.t.* skærme; skjule; afblænde.

screw, *n.* skrue; *naut.* skibsskrue; ~, *v.t. & i.* skrue; ~ up one's eyes, knibe øjnene sammen; ~-driver, *n.* skruetrækker.

scribble, *v.t. & i.* skrible; skrive dårligt; kradse ned.

scribe, *n.* skriver; skribent.

scrimmage, *n.* generelt slagsmål.

scrip, *n.* seddel.

script, *n.* manuskript; *film.* drejebog; -ure, *n.* bibelhistorie; the S~s, bibelen; -writer, *n.* manuskriptforfatter.

scrofula, *n. med.* kirtelsyge.

scroll, *n.* (pergament)rulle; (ornamentation) snirkel.

scrotum, *n. anat.* testikelpung.

scrounge, *v.t. & i. coll.* nasse.

scrub, *v.t.* skrubbe; skure; ~, *n.* skrubben; (bushes, etc.) krat; -bing-brush, *n.* skurebørste.

scruff, *n.* the ~ of the neck, nakken; -y, *adj. sl.* usoigneret.

scrumptious, *adj. coll.* lækker; prima.

scrunch, *v.i.* knase.

scru|ple, *n.* skrupel; betænkelighed; -pulous, *adj.* skrupuløs.

scrutinize, *v.t.* granske.

scud, *v.i.* fare, skyde.

scuffle, *v. i.* slås; slæbe på benene.

scull, *v.t.&i.* ro; vrikke; ~, *n.* vrikkeåre; -ery, *n.* bryggers; vaskerum; -ion, *n.* køkkendreng.

sculp|tor, *n.* billedhugger; -ture, *n.* skulptur; (the art) billedhuggerkunst.

scum, *n.* skum; (dregs) bærme.

scupper, *n. naut.* spygat; ~, *v.t. sl.* sænke; kuldkaste.

scurf, *n.* skurv; skæl.

scurrilous, *adj.* grovkornet; plat.

scurry, *v.i.* jage; haste.

scurvy, *n.* skørbug; ~, *adj.* simpel, lumpen.

scuttle, *v.t.* sænke; ~, *v.i.* flygte; pile afsted; ~, *n. naut.* luge; (coal-~) kulkasse.

scythe, *n.* le; ~, *v.t.* meje.

sea, *n.* hav; sø; ~-boot, *n.* søstøvle; -farer, *n.* søfarer; ~-going, *adj.* søgående; ~-gull, *n. zool.* måge.

seal, *n. zool.* sæl; (of wax lead) segl; ~, *v.t.* forsegle; besegle; (customs, etc.) plombere.

sea-level, *n.* havets overflade.

sealing-wax, *n.* lak.

sea-lion, *n. zóol.* søløve.

sealskin, *n.* sælskind.

seam, *n.* søm; (in mine) lag; åre; ~, *v.t.* sømme.

seaman, *n.* sømand; matros; -ship, *n.* sømandsskab.

seamstress, *n.* syerske.

séance, *n.* seance.

sea|plane, *n.* flyvebåd; -port, *n.* havn; havneby.

sear, *v.t.* svide; brænde.

search, *v.t.&i.* søge; granske; ransage; undersøge; gennemsøge; ~ for, lede efter; ~, *n.* søgen; visitation; ransagelse; -ing, *adj.* gennemtrængende; forskende; -light, *n.* lyskaster; projektør; ~-warrant, *n.* ransagningskendelse.

sea|-shell, *n.* konkylie; -shore, *n.* strand; -sick, *adj.* søsyg; -side, *n.* strand.

season, *n.* årstid; sæson; ~ ticket, *n.* (train) togkort; (theatres, clubs, etc.) abonnementskort; ~, *v.t.* (mature) modne; lagre; hærde; (spice) krydre.

seat, n. sæde; stol; bænk; *anat.* bagdel; bag; (parliament) mandat; take a ~!, sæt Dem ned!; country ~, landsted; ~, *v.t.* sætte; anbringe; the theatre -s 500, teatret har plads til 500.

sea|-urchin, n. *zool.* søpindsvin; -weed, n. *bot.* tang; -worthy, *adj.* sødygtig.

secede, *v.i.* udtræde; trække sig tilbage.

se|clude, *v.t.* afsondre; udelukke; -clusion, n. afsondrethed; ensomhed.

second, *adj.* anden; ~, n. sekund; ~, *v.t.* sekundere; bistå; ~-hand, *adj.* antikvarisk; brugt; (of news, *etc.*) andenhånds; ~-rate, *adj.* andenrangs; ~-to-none, *adj.* uovertruffen.

se|crecy, n. hemmelighed; hemmelighedsfuldhed; -cret, n. hemmelighed; ~, *adj.* hemmelig; skjult; -cretariat, n. sekretariat; -cretary, n. sekretær; -crete, *v.t.* (hide) skjule; (emit) udskille; afsondre.

sect, n. sekt; -ion, n. (group) afdeling; gruppe; *tech.* profil; (part) afsnit; del; cross ~, tværsnit; -or, n. afsnit; sektor.

secular, *adj.* verdslig.

se|cure, *adj.* sikker; tryg; ~, *v.t.* sikre; (fasten) fastgøre; (get hold of) få; sikre sig; -curity, n. sikkerhed; (bond) obligation; værdipapir; (guarantee) pant; kaution.

sedan-chair, n. bærestol.

se|date, *adj.* sindig; sat; -dative, n. beroligende middel; -dentary, *adj.* stillesiddende.

sedge, n. *bot.* stargræs.

sediment, n. bundfald; aflejring.

se|dition, n. oprørsk agitation; -ditious, *adj.* oprørsk.

se|duce, *v.t.* forføre; forlede; -ducer, n. forfører.

sedulous, *adj.* flittig.

see (saw, seen), *v. t. & i.* se; (understand) forstå, indse; ~ that it is done!, sørg for at det bliver gjort!; will you ~ him now?, vil De modtage ham nu?; we'll come and ~ you often!, vi kommer og besøger dig tit!; I can't quite ~ what you mean, jeg kan ikke helt forestille mig, hvad du mener; you must ~ it for yourself, du skal helst opleve det selv; (consult) søge; ~ to, sørge for; ~ home, følge hjem; ~ you later, på gensyn!; ~, n. bispesæde; the Holy S~, pavestolen.

seed, n. sæd; frø; go to ~, gå i frø; ~-corn, n. sædekorn; -ling, n. frøplante; -sman, n. frøhandler; ~-vessel, n. frøgemme; -y, *adj. sl.* sløj; (shabby) lurvet.

seek (sought, sought), *v.t. & i.* søge; (attempt) forsøge.

seem, *v.i.* synes; lade til; forekomme; -ing, *adj.* tilsyneladende; -ly, *adj.* sømmelig.

seen, *see* see.

seep, *v.i.* sive.

seer, n. profet; seer.

seesaw, n. vippe.

seethe, *v.i.* koge; syde.

segment, n. segment; snit.

segre|gate, *v.t. & i.* skille; udskille; afsondre; -gation, n. afsondring; racial ~, raceadskillelse.

seine, n. vod; ~, *v. t. & i.* fiske med vod.

seize, *v. t. & i.* gribe; bemægtige sig; (confiscate) beslaglægge; konfiskere; (arrest) anholde; *mech.* rive sammen.

seldom, *adv.* sjælden.

select, *v.t.* udvælge; udtage; vælge; ~, *adj.* udvalgt, udsøgt.

self, *pron.* (*pl.* selves) selv;

~-appointed, *adj.* selvbe-
staltet; ~-centred, *adj.* ego-
centrisk; ~-complacent,
adj. selvglad; ~-conscious,
adj. selvoptaget; (shy) ge-
nert; ~-control, *n.* selv-
beherskelse; ~-defence, *n.*
selvforsvar; ~-evident, *adj.*
indlysende; -ish, *adj.* egen-
kærlig; selvisk; -ishness, *n.*
egenkærlighed, egennytte;
-less, *adj.* uselvisk; ~-
made, *adj.* selvlært, self-
made; ~-possessed, *adj.*
fattet; behersket; ~-right-
eous, *adj.* selvretfærdig;
~-sacrifice, *n.* selvopof-
relse; ~-service, *n.* selv-
betjening; ~-taught, *adj.*
selvlært.

sell (sold, sold), *v. t. & i.*
sælge; sælges; (realize)
realisere; afhænde; ~ out,
sælge ud.

semaphore, *n.* semafor.

semblance, *n.* udseende;
skikkelse.

semen, *n.* sæd.

semi, *pref.* semi-; halv-; ~-
circle, *n.* halvkreds; ~-
colon, *n.* semikolon; ~-
conscious, *adj.* halv be-
vidstløs; ~-detached *adj.*
a ~ house, halvdelen af et
dobbelthus; ~-quaver, *n.*
sekstendedelsnode.

Semite, *n.* semit.

sempstress, *see* seamstress.

sen|ate, *n.* senat; -ator, *n.*
senator.

send (sent, sent), *v. t. & i.*
sende; ~ word, skikke
bud; ~ for, sende bud
efter; ~ back, returnere,
tilbagesende; ~ in, ind-
sende; -er, *n.* afsender;
radio. sendeapparat; ~-off,
n. start.

se|nile, *adj.* senil; -nility, *n.*
senilitet.

senior, *n.* senior; ~, *adj.* se-
nior; ældre; -ity, *n.* anci-
ennitet.

sensation, *n.* (feeling) for-
nemmelse; (unexpected

event, *etc.*) opsigt; røre;
sensation; -al, *adj.* opsigts-
vækkende.

sense, *n.* (understanding) op-
fattelse; forståelse; (mean-
ing) betydning; forstand;
(faculty) sans; ~ of hu-
mour, humoristisk sans;
it makes no ~, det er me-
ningsløst; ~, *v. t.* sanse;
-less, *adj.* (having no point)
meningsløs; (unconscious)
bevidstløs.

sensi|bility, *n.* følsomhed;
-ble, *adj.* fornuftig; for-
standig; -tive, *adj.* følsom;
-tivity, *n.* følsomhed;
overfølsomhed.

sensual, *adj.* vellystig; sanse-
lig.

sent, *see* send.

sen|tence, *n.* sætning; (judge-
ment) dom; ~, *v. t.* døm-
me; ~ to death, idømme
dødsstraf; -tentious, *adj.*
docerende; -timent, *n.*
sentimentalitet; (feeling)
følelse; those are my -s,
dette er min mening; -ti-
mental, *adj.* sentimental;
-timentality, *n.* sentimen-
talitet; følsomhed; -tinel,
n. skildvagt; -try, *n.* skild-
vagt; ~-box, *n.* skilder-
hus.

sepa|rate, *v. t. & i.* adskille;
skille ad; skille; fraskille;
(be -d) skilles; -rately, *adv.*
hver for sig; -ration, *n.*
adskillelse.

September, *n.* september.

septic, *adj.* septisk; betændt;
~ poisoning, blodforgift-
ning.

sepul|chral, *adj.* grav-; (som-
bre) dyster; -chre, *n.* grav;
gravminde.

se|quel, *n.* følge; resultat;
udslag; (continuation)
fortsættelse; -quence, *n.*
rækkefølge; (series) række;
film. scene; (cards) suite.

seraglio, *n.* serail; harem.

seraph (*pl.* -im *or* -s), *n.* seraf.

Serb, *n.* serber; -ian, *n.*

(language) serbisk; ~, adj.
serbisk.
ser|enade, n. serenade; -ene,
adj. klar; rolig; -enity, n.
klarhed; sindsro.
serf, n. livegen; -dom, n.
stavnsbånd.
serge, n. serge.
sergeant, n. sergent; ~-
major, n. stabssergent.
serial, adj. række-; ~ num-
ber, løbenummer; ~, n.
føljeton.
series (pl. series), n. række;
serie.
serious, adj. alvorlig; betæn-
kelig; seriøs.
sermon, n. prædiken; præ-
ken.
serpent, n. slange; -ine, n.
serpentin.
serrated, adj. savtakket.
serried, adj. mil. tæt, sluttet.
serum, n. serum.
servant, n. tjener; (girl) tje-
nestepige; husassistent.
serve, v. t. & i. tjene; (a
customer) betjene; (be
useful) være tjenlig; gøre
tjeneste; (food) servere;
sport. serve; (a sentence)
afsone; -s you right!, det
har du rigtig godt af;
~ time, mil. aftjene; (in
prison) afsone; ~, n. sport.
serve.
service, n. tjeneste; mil.
krigstjeneste; (church ~)
gudstjeneste; dinner ~,
service, spisestel; (waiting
on, attending to) opvart-
ning; betjening; service;
in ~, i brug; i anvendelse;
she is in ~, hun er ude at
tjene; -able, adj. brugbar.
serviette, n. serviet.
servile, adj. krybende.
servitude, n. slaveri; penal
~, strafarbejde.
sesame, n. sesam.
session, n. samling; møde;
jur. session.
set, v. t. & i. sætte; (de-
termine) bestemme; fast-
sætte; (mount) indfatte;

(adjust) indstille; (regu-
late) regulere; typ. op-
sætte; (stand, adjust) stille;
(harden) stivne; størkne;
sætte sig; (sun) gå ned;
~ off, begive sig på vej;
drage af sted; ~ down,
nedskrive; ~ on fire, sætte
ild på; ~, n. sæt; (of dishes,
etc.) stel; (people) om-
gangskreds; theat. sæt-
stykke; a wireless ~, et
radioapparat; ~, adj. fast;
stiv; (decided) bestemt;
now we're all ~, coll. nu
er vi klar; ~-back, n. hin-
dring; ~-square, n. tre-
kant.
set|tee, n. sofa; -ter, n. sætter,
setter; -ting, n. (sun,
etc.) nedgang; (becoming
solid) stivnen; hærdning;
(frame) ramme; (milieu)
omgivelser, milieu.
settle, v. t. & i. (decide) be-
stemme; ordne; afgøre;
(arrange) bringe i orden;
arrangere; (pay) afregne;
afslutte; (sink) bundfælde;
(take up domicile) bo-
sætte sig; (colonize) kolo-
nisere; -ment, n. boplads;
(payment) afregning; be-
taling; opgørelse; (de-
cision) afgørelse; ordning;
marriage ~, ægtepagt; -r,
n. nybygger; kolonist.
seven, adj. & n. syv; -teen,
adj. & n. sytten; -teenth,
adj. syttende; -th, adj. sy-
vende; -tieth, adj. halv-
fjerdsindstyvende; -ty, adj.
& n. halvfjerds.
sever, v. t. & i. afskære; (se-
cede) løsrive; (part) kløve;
splitte.
several, adj. adskillige; flere;
-ly, adv. hver for sig.
sev|ere, adj. streng; hård;
slem; alvorlig; -erity, n.
strenghed; voldsomhed.
sew (sewed, sewn), v.t.&i. sy.
sew|age, n. kloakvand; -er,
n. kloak; -ing, n. syning;

sytøj; -ing-machine, *n.* sy-
maskine; -n, *see* sew.

sex, *n.* køn; (eroticism) ero-
tik; -tant, *n.* sekstant
(-ton, *n.* graver; (sacristan)
klokker; -ual, *adj.* køns-
lig; seksuel; seksual-;
køns-.

shabby, *adj.* lurvet, luvslidt.

shack, *n.* hytte.

shackle, *n.* lænke; ~, *v. t.*
lænke; lægge bånd på.

shade, *n.* skygge; in the ~,
i skyggen; (hue) farve-
tone; (screen) skærm; ~,
v. t. & i. skygge; (on draw-
ing, *etc.*) skattere; nuan-
cere; (screen) beskytte.

shadow, *n.* skygge; ~, *v. t.*
skygge for; (follow)
skygge; -dy, *adj.* skygge-
fuld.

shaft, *n.* skaft; (on cart)
stang; *mech.* aksel.

shag, *n.* shagtobak, shag; -gy,
adj. strid, stridhåret, låd-
den.

shake (shook, shaken), *v. t.
& i.* ryste; ~ hands, give
hånden; (tremble) skælve;
~ off, ryste af sig.

shaky, *adj.* skrøbelig; ry-
stende.

shall (should), *v. aux.* skal;
vil; we ~ come tomorrow,
vi kommer i morgen; you
~ have one if you're good,
du skal få én, hvis du er
artig; three members ~ be
elected, tre medlemmer
skal vælges; I shan't be
able to come, jeg kan ikke
komme; it should be easy,
det burde være nemt.

shallot, *n.* skalotteløg.

shallow, *adj.* lavvandet; ikke
dyb; *fig.* overfladisk, tom.

shalt, *v. aux. arch.* (*see* shall);
thou ~, du skal.

sham, *v. t. & i.* simulere; ~,
n. spilfægteri; humbug;
forstillelse; humbugma-
ger; ~, *adj.* simuleret;
uægte.

shamble, *v. i.* sjokke; -s, *pl.*

coll. the place looked a ~,
stedet lignede en slagter-
bænk.

shame, *n.* skam; (sense)
skamfuldhed; (disgrace)
skændsel; beskæmmelse;
he put me to ~, han fik
mig til at skamme mig;
~, *v. t. & i.* beskæmme;
vanære; gøre til skamme;
skamme sig; -faced, *adj.*
skamfuld; -ful, *adj.* skam-
melig; -less, *adj.* skamløs.

shammy, *sl. see* chamois.

shampoo, *n.* hårvask; (soap)
shampoo.

shamrock, *n.* kløverblad.

shank, *n.* skank; ben; S~s's
mare (*el.* pony) apostlenes
heste.

shan't = shall not, *see* shall.

shanty, *n.* hytte; skur; (song)
sømandssang.

shape, *v. t. & i.* danne; forme;
~, *n.* form; skikkelse;
facon.

shard, *n. arch.* potteskår.

share, *n.* andel; part; *com-
merc.* aktie; (ploughshare)
plovskær; ~, *v. t. & i.* dele;
(participate in) deltage i;
-holder, *n.* aktionær.

shark, *n. zool.* haj; *sl.* svindler.

sharp, *adj.* (of blade) skarp;
(of point) spids; (in-
telligent) dygtig; kvik;
(of voice, sound) gen-
nemtrængende; (shrewd)
skarpsindig; ~, *adv.* præ-
cis; ~, *n. mus.* kryds; -en,
v. t. & i. (edge) skærpe;
(point) spidse; ~-shooter,
n. skarpskytte.

shatter, *v. t. & i.* splintre;
sprænge; sønderbryde; he
produced the -ing in-
formation that ..., han
kom med den rystende
oplysning, at ...

shave, *v. t. & i.* barbere; ~
oneself, barbere sig; ~, *n.*
barbering; a close ~, en
en glat barbering; *fig.* på
et hængende hår.

Shavian, *adj.* Shaw'sk; ~, *n.* Shaw-beundrer.

shaving, *n.* wood ~, høvlspån; spån; ~-brush, *n.* barberkost; ~-cream, *n.* barbercreme.

shawl, *n.* sjal.

she, *pron.* hun; ~, *n.* hun; ~-, *adj.* hun-.

sheaf, *n.* (corn) neg; knippe; (papers, *etc.*) bundt.

shear (sheared, shorn), *v. t. & i.* klippe; ~, *n.* pair of garden -s, en havesaks; (for sheep) fåresaks.

sheath, *n.* skede; -e, *v. t.* (of sword) stikke i skeden; (encase) forhude.

shed (shed, shed), *v. t.* (blood) udgyde; (tears) fælde; (skin, shell, leaves) kaste; tabe; miste; ~, *n.* skur.

sheen, *n.* glans.

sheep, *n.* får; might as well be hanged for a ~ as a lamb, lige så godt springe i det som krybe i det; ~-dog, *n.* fårehund; -ish, *adj.* fåret; genert; ~-skin, *n.* fåreskind.

sheer, *adj. & adv.* ren og skær; absolut; lutter; (steep) stejl, brat; (thin) tynd; ~, *v. i. naut.* afvige; ~ off, gå fra, stikke af fra.

sheet, *n.* lagen; (paper) ark; (metal, *etc.*) plade; *naut.* skøde; ~-lightning, *n.* fladelyn; ~-metal, *n.* blik.

sheik(h), *n.* sheik.

shekel, *n.* sekel; -s, *sl.* gysser.

shelf (*pl.* shelves), *n.* hylde; (in rock) afsats; (sandbank) revle.

shell, *n.* skal; (of -fish) muslingeskal; konkylie; (cartridge case) patronhylster; (artillery) granat; ~, *v. t. & i.* bælge; afskalle; *mil.* bombardere; ~-fish, *n.* skaldyr.

shelter, *n.* ly, læ; (for night) husly; (shed) skur; take ~, søge tilflugt, søge læ; airraid ~, beskyttelsesrum;

~, *v. t. & i.* beskytte, give ly, give læ; (seek ~) søge ly, søge læ.

shelve, *v. t.* skrinlægge; henlægge; ~, *v. i.* skråne.

shepherd, *v. t.* vogte; lede; ~, *n.* (fåre)hyrde; -ess, *n.* hyrdinde.

sherbet, *n.* sorbet.

sheriff, *n.* sherif; amtmand.

sherry, *n.* sherry.

shew, shewn, *see* show.

shield, *n.* skjold; ~, *v. t.* skærme, beskytte.

shift, *v. t. & i.* skifte; flytte; the wind -ed, vinden skiftede; ~ for oneself, *coll.* klare sig selv; ~, *n.* forandring; skiften; (gang) arbejdshold; (period of time) arbejdstid; -iness, *n.* svigagtig optræden; ~-key, *n.* skiftenøgle; -y, *adj.* svigagtig; upålidelig.

shillelagh, *n.* [irsk knortekæp af slåen eller eg].

shilly-shally, *v. i.* vakle, have svært ved at bestemme sig.

shim, *n. mech.* mellemlæg; kile.

shimmer, *v. i.* skinne svagt; flimre; ~, *n.* svagt skin; flimren.

shin, *n.* skinneben; ~ up a tree, *sl.* klatre op i et træ; ~-bone, *n.* skinneben.

shindy, *n.* kick up a ~, lave ballade.

shine, *v. t. & i.* skinne; lyse; glimre; brillere; ~ shoes, blanke sko; ~, *n.* glans; skin.

shingle, *n.* roofing ~, tagspån; -s, *pl. n.* rullesten, singels, småsten; *med.* helvedesild.

shiny, *adj.* skinnende.

ship, *n.* skib; ~, *v. t. & i.* afskibe; (send) sende; forsende; ~ water, tage vand ind; ~-broker, *n.* skibsmægler; ~-chandler, *n.* skibshandler; ~-mate, *n.* skibskammerat; -ment, *n.* (operation) indskibning;

(actual cargo) sending, parti; -owner, *n.* reder; -per, *n.* afskiber; -ping, *n.* søfart; ~ company, rederi; ~-shape, *adj.* i skønneste orden; -wreck, *n.* skibbrud; forlis; -yard, *n.* skibsværft.

shire, *n.* [amt, grevskab i England].

shirk, *v. t.* skulke; -er, *n.* skulker.

shirt, *n.* skjorte; lose one's ~, tabe alt hvad man ejer; they'll have the ~ off your back, *coll.* du bliver ribbet; -ing, *n.* skjortestof; in ~-sleeves, i skjorteærmer.

shit, *n. vulg.* skid; lort; ~, *v. i.* skide.

shiver, *n.* skælven; gys; (caused by cold) kuldegysning; ~, *v. i.* dirre; skælve; gyse; ~, *v. t. & i.* slå i stykker; splintre.

shoal, *n.* (fish) stime; (large number) sværm; (shallows) grund; grundet sted.

shock, *n.* chok; *elect.* stød; knæk; rystelse; a ~ of hair, uordentlig hårmasse; ~, *v. t. & i.* give anstød; forarge; chokere; støde; ~-absorber, *n.* støddæmper; -ing, *adj.* forargelig; chokerende; *sl.* frygtelig.

shod, *see* shoe.

shoddy, *adj.* dårlig; halvgjort; sjusket.

shoe, *n.* sko; ~ polish, skosværte; ~ (shod, shod), *v. t.* sko; beslå; -horn, *n.* skohorn; ~-lace, *n.* snørebånd; -maker, *n.* skomager.

shone, *see* shine.

shoo, *v. t.* kyse bort.

shook, *see* shake.

shoot (shot, shot), *v. t. & i.* skyde; afskyde; affyre; *film.* filme; fotografere, skyde; (come out, up, *etc.*) skyde frem; stikke frem; (move rapidly) stryge af sted, styrte; *bot.*

spire; skyde op; ~, *n. bot.* skud; (hunt) jagt.

shop, *n.* butik; forretning; (workshop) værksted; talk ~, [snakke om sit arbejde eller professionelle interesser]; ~, *v. t. & i.* gøre indkøb; købe ind; go -ping, gå på indkøb, gå i butikker; ~-assistant, *n.* kommis; ekspedient; (girl) ekspeditrice; -keeper, *n.* butiksindehaver; ~-soiled, *adj.* smudsig; ~-steward, *n.* tillidsmand; -walker, *n.* inspektør.

shore, *n.* kyst; strand; strandbred; ~, *v. t.* stive af; støtte.

shorn, *see* shear.

short, *adj.* kort; (duration of time) kortvarig; (speech) kortfattet; be ~ of money, mangle penge; (brusque) brysk; in ~, kort sagt; he made ~ work of him, han gjorde kort proces med ham; he cut him ~, han afbrød ham; ~ pastry, mørdej; a ~ story, en novelle; -bread, *n.* [slags småkage, der ligner finsk brød]; ~-circuit, *n.* kortslutning; -coming, *n.* brist; skavank; mangel; -en, *v. t. & i.* forkorte; -ening, *n.* fedtstof; -hand, *n.* stenografi; ~-handed, *adj.* be ~, have for lidt mandskab; ~-lived, *adj.* kortvarig; -ly, *adv.* om lidt; snart; -sighted, *adj.* kortsynet; nærsynet; ~-tempered, *adj.* hidsig; opfarende; ~-term, *adj.* kortfristet.

shot, *n.* skud; (cannon-ball) kanonkugle; (pistol-ball) kugle; (marksman) skytte; (small ~) hagl; it's worth a ~, det er et forsøg værd; like a ~, lynhurtig; ~, *vb. see* shoot; -gun, *n.* jagtgevær.

should, *see* shall.

shoulder, *n.* skulder; (meat of animal) bov; give somebody the cold ~, give én den kolde skulder; ~-blade, *n.* skulderblad.

shout, *v.t. & i.* råbe; ~ for joy, juble; ~, *n.* råb.

shove, *v.t. & i.* skubbe; skyde; puffe; ~, *n.* skub, puf.

shovel, *n.* skovl; ~, *v.t.* skovle.

show (showed, shown; *also, but rarely,* shew, shewed, shewn), *v.t. & i.* vise; udvise; bevise; anvise; opvise; (reveal) røbe; lægge for dagen; (be visible) være synlig; ~ off, vise sig; prale; ~ up, afsløre; (become clear) ses tydeligt; ~, *n.* skue; syn; forestilling; (exhibition) udstilling; (revue, *etc.*) show; ~-bill, *n.* reklameplakat; ~-case, *n.* montre; ~-down, *n. sl.* let's have a ~, lad os lægge kortene på bordet.

shower, *n.* byge; skylle; (bath) douche, styrtebad; ~, *v.t. & i.* skylle; sprøjte; he was ~ed with questions, spørgsmålene regnede ned over ham; ~-bath, *n.* douche, styrtebad.

shown, *see* show.

show-room, *n.* udstillingslokale.

shrank, *see* shrink.

shrapnel, *n.* granatkardæsk.

shred, *v.t.* skære i fine strimler; ~, *n.* strimmel; trævl.

shrew, *n. zool.* spidsmus; (scolding woman) havgasse; harpe.

shrewd, *adj.* kløgtig; skarpsindig; snu.

shriek, *v.t. & i.* skrige; hvine; ~, *n.* skrig; hvin.

shrift, *n. arch.* skriftemål; give short ~, gøre kort proces.

shrike, *n. zool.* tornskade.

shrill, *adj.* skinger; gennemtrængende; ~, *v.t.* skingre.

shrimp, *n. zool.* reje.

shrine, *n.* skrin.

shrink (shrank, shrunk), *v.i.* krympe; svinde; skrumpe ind; (retire) vige tilbage; -age, *n.* svind; (cloth) krympning.

shrive (shrove, shriven), *v.t. & i. arch.* skrifte.

shrivel, *v.t. & i.* skrumpe ind; (become wrinkled) blive rynket.

shriven, *see* shrive.

shroud, *n.* ligklæde; *naut.* vant; ~, *v.t.* tilhylle.

shrove, *see* shrive; S~ Tuesday, [dagen før askeonsdag]; -tide, *n.* fastelavn.

shrub, *n.* busk; krat.

shrug, *n.* skuldertræk; ~, *v.t.* ~ one's shoulders, trække på skuldrene.

shrunk(en), *see* shrink.

shudder, *v.i.* gyse; skælve.

shuffle, *v.t. & i.* sjokke; blande sammen; ~ cards, blande kort; ~ one's feet, slæbe på fødderne.

shun, *v.t.* sky; undgå.

shunt, *v.t. & i.* rangere; skifte spor; *elect.* shunte.

shut (shut, shut), *v.t. & i.* lukke; lukke i; ~ up! *sl.* hold kæft!; -ter, *n.* skodde; *phot.* blænder.

shuttle, *n.* skyttel; spole; ~-cock, *n.* fjerbold.

shy, *adj.* sky, genert; fight ~ of, prøve på at undgå; ~ (shied, shied), *v.t. & i.* (throw) kaste; (of horse) springe til siden, ~, *n.* kast.

Siberia, *n.* Sibirien.

sibilant, *adj.* hvislende; ~, *n.* hvislelyd.

Sicily, *n.* Sicilien.

sick, *adj.* syg; be ~, kaste op; feel ~, få kvalme, være dårlig; I'm ~ of it, jeg er led og ked af det; ~ benefits, sygehjælp; -en, *v.t. & i.* blive syg; (make sick) kvalme; (make fed up)

gøre led; -ening, adj. kval-
mende.
sickle, n. segl.
sickness, n. sygdom; a feel-
ing of ~, kvalme.
side, n. side; parti; gruppe;
put on ~, være vigtig; on
the ~, ekstra; ~ by ~, side
om side; ~, v.i. ~ with,
tage parti for; ~-arms, pl.
n. sidevåben; -board, n.
skænk; buffet; -burns, pl.
n. korte bakkenbarter, pl.;
~-car, n. sidevogn; -long,
adv. & adj. sidelæns; ~
saddle, n. damesaddel;
~-street, n. sidegade; ~-
stroke, n. sidesvømning;
-track, v.t. lede ind på
sidespor; ~ the issue,
komme væk fra sagen;
~-walk, n. U.S. fortov;
-ways, adv. sidelæns; ~
whiskers, pl. n. bakken-
barter, pl.
siding, n. sidespor.
sidle, v.i. gå sidelæns.
siege, n. belejring; lay ~ to,
belejre.
sieve, n. si, sigte; ~, v.t. si,
sigte.
sift, v.t. & i. si; skille; fig. ud-
skille.
sigh, v.i. sukke, stønne; ~,
n. suk.
sight, n. syn; within ~, inden
for synsvidde; out of ~,
ude af syne; (on gun)
(sigte)korn; (interesting
building, etc.) seværdig-
hed; at ~, commerc. à vista;
mus. fra bladet; love at
first ~, kærlighed ved før-
ste blik; shoot on ~!, skyd
på stedet!; ~, v.t. (land,
game, etc.) få i sigte; (gun)
indstille; (star) observere;
-less, adj. blind; -seeing, n.
sightseeing; ~ tour, rund-
fart.
sign, n. tegn; (board) skilt;
(symptom) symptom; ~,
v.t. & i. (one's name) un-
derskrive; signere; på-
tegne; (give signal) give

tegn; ~ up, skrive kon-
trakt; ~ on, naut. forhyre;
blive forhyret; lade sig
hverve.
sig|nal, n. tegn; signal; ~,
adj. enestående; ~, v.t. & i.
gøre tegn; signalere; ~-
box, n. signalhus; ~-natory,
n. underskriver; ~, adj.
signatur-.
signature, n. signatur; un-
derskrift; ~-tune, n. ken-
dingsmelodi.
signboard, n. skilt.
sig|net, n. signet; -nificant,
adj. betegnende; betyd-
ningsfuld; -nification, n.
betydning; -nify, v.t. & i.
betyde; betegne.
signpost, n. vejviser; skilt.
silence, n. stilhed; tavshed;
observe ~, tie; ~, v.t.
bringe til tavshed; -r, n.
lyddæmper.
silent, adj. stille; tavs; (tacit)
stiltiende; (quiet) stilfær-
dig.
silhouette, n. silhouet.
sili|ca, n. kiselsyrehydrid;
-con, adj. silicium.
silk, n. silke; (thread) silke-
tråd; ~-worm, n. silkeorm;
-y, adj. silkeagtig.
sill, n. vindueskarm.
sill|iness, n. dumhed; -ly,
adj. dum; enfoldig; fjollet.
silo, n. silo.
silt, n. mudder; bundfald;
slam.
silver, n. sølv; sølvtøj; ~ foil,
sølvfolie; ~, v.t. & i. for-
sølve; -ing, n. spejlbelæg-
ning; forsølvning; ~-
mine, n. sølvmine; -smith,
n. sølvsmed.
similar, adj. lignende; -ity,
n. lighed.
simi|le, n. lignelse; -litude, n.
lighed.
simmer, v.t. & i. småkoge;
snurre.
simper, v.t. & i. [smile på en
affekteret måde]; smiske.
sim|ple, adj. enkel; simpel;
usammensat; klar, tyde-

lig; (foolish) enfoldig; (unpretentious) jævn; fordringsløs; ukunstlet; -pleton, *n.* dumrian; enfoldig person; -plicity, *n.* enkelhed; jævnhed; simpelhed; -ply, *adv.* simpelt hen.

simulate, *v.t.* simulere; fingere.

simultaneous, *adj.* samtidig.

sin, *n.* synd; forsyndelse; original ~, arvesynd; ~, *v. t. & i.* synde; forsynde sig.

since, *adv.*, *prep. & conj.* siden; eftersom; ever ~, lige siden.

sin|cere, *adj.* ærlig; oprigtig; yours ~, Deres (din) hengivne; -cerity, *n.* hengivenhed.

sinecure, *n.* sinecure.

sine qua non, forudsætning.

sinew, *n.* sene.

sinful, *adj.* syndig; syndefuld.

sing (sang, sung), *v. t. & i.* synge.

singe, *v.t. & i.* svide; brænde.

sing|er, *n.* sanger(inde); -ing, *n.* sang; ~, *adj.* syngende.

single, *adj.* ene; eneste; alene; (unmarried) enlig; ugift; ~, *v.t.* ~ out, udvælge; ~-handed, *adj.* på egen hånd; ~-minded, *adj.* målbevidst.

sing|let,*n.*undertrøje;-ly,*adj.* enkeltvis; -song, *adj.* monoton; ensformig; -ular, *adj.* (strange) besynderlig; (unique) enestående; -ularity, *n.* særegenhed.

sinister, *adj.* skummel; truende; ond; (*in* heraldry) venstre.

sink (sank, sunk), *v. t. & i.* synke; (cause to ~) sænke; bore i sænk; ~ a well, bore en brønd; ~, *n.* vask; afløb; a ~ of iniquity, en lastens hule.

sinner, *n.* synder(inde).

sinuous, *adj.* bugtet.

sinus, *n. anat.* bihule; -itis, *n. med.* bihulebetændelse.

sip, *n.* nip; ~, *v.t.* nippe til.

siphon, *n.* sifon.

sir, *n.* (min) herre; S~, [engelsk riddertitel].

sire, *n.* (when addressing kings) Deres majestæt; (father, *also* animals) fader; ~, *v.t.* avle.

siren, *n.* sirene.

sirloin, *n.* ~ of beef, mørbradsteg.

sirocco, *n.* sirokko.

sisal, *n.* sisalhamp.

sissy, *n. sl.* tøsedreng.

sister, *n.* søster; (nun) nonne; ~-in-law, *n.* svigerinde.

sit (sat, sat), *v. t. & i.* sidde; (brood) ruge; ~ down, sidde ned, bænke sig, sætte sig; be -ting pretty, *coll.* ligge lunt i svinget.

site, *n.* beliggenhed; (plot) byggegrund.

sit|ter, *n.* (model) model; baby ~, babysitter; bed-~, *n.* [værelse med sovesofa]; -ting, *n.* seance; møde; -ting-room, *n.* opholdsstue; -uated, *adj.* beliggende; (personal circumstances) stillet, situeret; -uation, *n.* sted; beliggenhed; (employment) stilling, plads; (circumstances) situation.

six, *adj. & n.* seks; at -es and sevens, forvirret; ~-shooter, *n.* seksløber; -teen, *adj. & n.* seksten; -teenth, *n.* sekstende; -th, *adj.* sjette; -tieth, *adj.* tresindstyvende; -ty, *adj. & n.* tres.

sizable, *adj.* af betydelig størrelse; anselig.

size, *n.* størrelse; dimension; (format) format; (magnitude) størrelsesorden; (clothes) nummer; (kind of glue) limvand; ~, *v. t.* (paint with ~) lime; ~ up, tage mål af.

sizzle, *v.i.* syde; ~, *n.* syden.

skate, n. skøjte; zool. skade; ~, v.t. & i. løbe på skøjter.

skating-rink, n. skøjtebane.

Skaw, n. the S~, Skagen.

skedaddle, v.i. sl. fordufte; flygte.

skein, n. fed.

skeleton, n. skelet; (outline) skitse; ~ key, hovednøgle; a ~ in the cupboard, fig. en familiehemmelighed.

skerry, n. skær; klippe.

sketch, n. skitse; rids; udkast; theat. sketch; ~, v. t. & i. skitsere; opridse.

skew, adj. skæv; ~, n. on the ~, på skrå, skæv; -er, n. spilepind; ~-whiff, adj. coll. skæv(t).

ski, n. ski; ~, v.i. løbe (or stå) på ski.

skid, n. hemsko; (sliding) skriden; ~, v.t. & i. skride; glide.

skier, n. skiløber.

skiff, n. jolle.

skilful, adj. øvet; dygtig.

skill, n. færdighed; dygtighed; øvelse; -ed, adj. faglært.

skim, v. t. & i. skumme; glide hen over; ~, adj. skummet; ~ milk, skummetmælk.

skimp, v. t. & i. være nærig; spinke, spare; -y, adj. knap, kneben; nærig.

skin, n. hud; skind; (fur) pels; by the ~ of one's teeth, på et hængende hår; ~, v.t. flå; ~-deep, adj. overfladisk; -flint, n. fedthals; -ny, adj. radmager.

skip, v.t. & i. hoppe; springe; (with rope) sjippe; ~, n. hop; spring; -er, n. skipper; -ing-rope, n. sjippetov.

skirmish, n. skærmydsel; træfning; -er, n. blænker.

skirt, n. skørt, nederdel; ~, v.t. & i. gå langs kanten; -ing-board, n. fodpanel.

skit, n. parodi; satire; -tish, adj. kåd; knibsk; -tle, n.

kegle; -tle-alley, n. keglebane; -tles, pl. keglespil; life is not all beer and ~, livet er ikke lutter lagkage.

skulk, v.i. lure; skulke.

skull, n. anat. hjerneskal; kranium; ~-and-crossbones, n. dødningehoved med to korslagte ben; ~-cap, n. kalot.

skunk, n. zool. stinkdyr.

sky, n. himmel; under foreign skies, under fremmede himmelstrøg; -lark, n. zool. (sang)lærke; coll. (tomfoolery) narrestreg; -light, n. ovenlys; tagvindue; -line, n. horisont; synskreds; -scraper, n. coll. skyskraber; ~-writing, n. røgskrift.

slab, n. flise; stenplade.

slack, adj. slap; løs; (lazy) doven; ~ rope, slap line; ~, n. mech. slør; naut. slæk; ~, v. t. & i. slappe(s) slække; (laze) drive; -en, v.t. & i. slappe(s); slække; ~ speed, sagtne farten; -er, n. sl. drivert.

slag, n. slagge.

slain, see slay.

slake, v.t. læske; slukke.

slam, n. (cards) slem; (noise) smæld; (blow) slag; ~, v. t. & i. slå; smælde; smække.

slander, n. bagvaskelse; bagtalelse; ~, v.t. bagvaske; bagtale.

slang, n. slang; -ing-match, n. skænderi.

slant, v.t. & i. skråne; hælde; ~, n. skråning.

slap, n. klaps, dask; smæk; ~, v.t. daske; slå; smække; -dash, adj. sjusket, jasket; -stick, n. lavkomedie; adj. lavkomisk.

slash, v.t. & i. flænge; hugge; (with whip, etc.) piske; ~, n. flænge; (cut) hug; (slit) slids.

slat, n. tremme; liste.

slate, *n.* skifer; (schoolboy's) skifertavle; ~ pencil, griffel.

slattern, *n.* sjuskedorte.

slaughter, *v.t.* slagte; myrde; nedsable; ~, *n.* slagtning; wholesale ~, blodbad; ~house, *n.* slagteri.

Slav, *n.* slaver; ~, *adj.* slavisk.

slave, *n.* slave; træl; female ~, slavinde; white ~ trade, hvid slavehandel; ~, *v.i.* slave; trælle; ~driver, *n.* slavepisker; -r, *v.i.* savle; -ry, *n.* slaveri; -y, *n. sl.* tjenestepige.

slavish, *adj.* slavisk.

slay (slew, slain), *v.t.* dræbe; ihjelslå.

sled, *n.* slæde; kane; kælk; ~, *v.i.* kælke; -ge, *n.* slæde; kane; kælk; ~, *v.i. & t.* kælke; -ge-hammer, *n.* forhammer.

sleek, *adj.* glat; glinsende.

sleep (slept, slept), *v.t. & i.* sove; -er, *n.* (person) sovende; (sleeping-car) sovevogn; (wooden support) svelle; the S~ing Beauty, Tornerose; ~ing-bag, *n.* sovepose; -less, *adj.* søvnløs; ~walker, *n.* søvngænger.

sleet, *n.* slud; ~, *v.i.* [sne og regne samtidigt].

sleeve, *n.* ærme; roll up one's -s, smøge ærmerne op; ~link, *n.* manchetknap.

sleigh, *n.* slæde; kane; kælk.

sleight, *n.* list; kneb; ~ofhand, *n.* behændighedskunst; taskenspillerkunst.

slender, *adj.* slank, smækker; (slight) knap, ringe.

slept, *see* sleep.

sleuth, *n. sl.* detektiv; opdager; ~hound, *n.* sporhund.

slew, *see* slay; ~, *v.t. & i.* svinge rundt.

slice, *n.* skive; stykke; (implement) spatel; ~, *v.t.* skære i skiver.

slick, *adj.* glat; (dextrous) behændig; ~, *adv.* lige.

slid, *see* slide.

slide (slid, slid), *v.t. & i.* glide; skride; rutsche; (push) skubbe; ~, *n.* glidebane; rutschebane; (landslide) skred; *phot.* lysbillede; ~rule, *n.* regnestok; ~valve, *n. mech.* glider.

slight, *adj.* svag; (fleeting) flygtig; (light) let; (inconsiderable) ubetydelig; (build) spinkel; ~, *v.t.* ringeagte; forsmå; negligere; ~, *n.* ringeagt; (affront) fornærmelse; -ly, *adv.* let; I only know him ~, jeg kender ham kun lidt.

slim, *adj.* smækker; tynd; slank; his chances are ~, han har kun svage chancer.

slim|e, *n.* (mucus) slim; (mud) dynd; slam; -y, *adj.* slimet; *fig.* slibrig.

sling, *n.* slynge; (arm-~) armbind; (rifle-~) geværrem; ~ (slung, slung), *v.t. & i.* slynge; kaste; (hang up) hænge.

slink (slunk, slunk), *v.i.* luske; snige sig.

slip, *v.t. & i.* glide; skride; (lose footing) træde fejl; ~ away, slippe bort; (let go) slippe løs; lade glide; it -ped out of my hands, det gled ud af mine hænder; ~ away for a few minutes, smutte bort en par minutter; ~ up, *fig.* tage fejl, gøre et fejlgreb; ~, *n.* (mistake) fejltrin, fejlgreb; a ~ of paper, en lap papir; (pillow-~) pudevår; your ~ is showing!, din underkjole hænger nedenfor!; -s, *pl.* bedding, stabel; ~knot, *n.* løbeknude; -per, *n.* tøffel; morgensko; -pery, *adj.* glat; slibrig; a ~ customer, *coll.* en slibrig fyr; -shod, *adj.* skødesløs, sjusket; ~-up, *n.* fejltrin; -way, *n.* bedding; stabel.

slit (slit, slit), *v.t. & i.* flække; kløve; revne; splitte; ~, *n.* revne; spalte; (slash) slids.

slither, *v.i.* glide.

sliver, *n.* strimmel; splint.

slobber, *v.t. & i.* savle.

sloe, *n.* slåen; ~-gin, *n.* slåenlikør.

slog, *v.t. & i.* slå; (slave away) ase; pukle.

slogan, *n.* slogan; slagord; reklameslogan.

sloid, *n.* sløjd.

sloop, *n.* slup.

slop, *v.t. & i.* spilde; løbe over; ~-basin, *n.* lille skål [til rester af teblade og koldt te]; -s, *pl.* spildevand; opvaskevand; (liquid food) søbemad.

slope, *n.* skråning; hældning; skrænt; ~, *v.t. & i.* skråne, hælde.

sloppy, *adj.* (sentimental) rørstrømsk; (untidy) sjusket.

slosh, *see* slush; ~, *v.t. sl.* slå; banke; prygle; (water, etc.) sjaske.

slot, *n.* [en jævn smal åbning]; sprække; (groove) fure; rille.

sloth, *n.* dorskhed; ladhed; *zool.* dovendyr; -ful, *adj.* doven, dorsk.

slot-machine, *n.* automat.

slouch, *v. t. & i.* slentre; sjokke; (hang down) lude; ~, *n.* slentren; ~ hat, blød hat.

slough, *n.* (swamp) sump; (of snake) ham; cast ~, skyde ham; ~, *v. t. & i.* skyde ham; skalle af.

sloven|liness, *n.* sjuskethed; -ly, *adj.* sjusket.

slow, *adj.* langsom; sen; sendrægtig; (slow-witted) tung; tungnem; ~ train, bumletog; ~, *adv.* langsomt; sagte; -coach, *n.* drys; ~-motion, *n.* slow-

motion; ~-witted, *adj.* tung; tungnem; ~-worm, *n.* stålorm.

sloyd, *see* sloid.

sludge, *n.* søle; sjap; mudder.

slug, *n.* (ager)snegl; (bullet) *sl.* kugle; ~, *v.t. sl.* slå; -gard, *n.* dovendidrik; -gish, *adj.* træg; trægtflydende.

sluice, *n.* sluse; (rinsing) spuling; ~, *v. t. & i.* (provide with ~(s)) forsyne med sluse; (flood with water) sluse; (rinse) spule; ~-gate, *n.* sluseport.

slum, *n.* fattigkvarter; slumkvarter; ~, *v.i.* [gøre nyttigt arbejde i slumkvarterer]; *sl.* bo primitivt.

slumber, *v.t. & i.* slumre; ~, *n.* slummer.

slum-clearing, *n.* sanering.

slump, *n.* prisfald; lavkonjunktur; ~, *v. i.* falde tungt.

slung, *see* sling.

slunk, *see* slink.

slur, *v.t. & i.* afjaske; tale utydeligt; (pass lightly over) glide let hen over; ~, *n.* (stigma) skamplet; *mus.* sløjfebue.

slush, *n.* søle, pløre; (wet snow) snesjap.

slut, *n.* sjuske; tøjte.

sly, *adj.* snu; snedig; polisk; -ness, *n.* snedighed.

smack, *n.* smask; smæk; smæld; (slight taste) antydning; smag; (small boat) smakke; ~, *v. t. & i.* smække; ~ one's lips, smække med læberne; (taste) ~ of, smage af; -er, *n.* smækkys; *sl.* pundseddel.

small, *adj.* lille (*pl.* små); mindre; ~ change, småpenge; ~ fry, ubetydelig person (*or* folk); ~ holder, husmand; ~ holding, husmandssted; be made to feel ~, blive ydmyget; ~, *n.* (*of* back) lænden; ~ arms, *pl. n.* håndvåben; ~-minded, *adj.* smålig; -pox, *n. med.* kopper; -s, *pl. n. coll.* undertøj; ~-sword, *n.* kårde.

smart, *n.* svie; smerte; ~, *adj.* fiks, elegant; (brisk) kvik, rask; (bright) vaks; ~ alec(k), vigtigper; ~, *v.i.* svie; smerte; -en, *v.t.&i.* pynte; fikse op.

smash, *v. t. & i.* slå i stykker; smadre; knuse; (hit) slå; ~, *n.* sammenstød; (blow) slag; -er, *n. sl.* pragtek-semplar; -ing, *adj. sl.* brandgod.

smattering, *n.* [lidt kendskab til noget].

smear, *v. t. & i.* smøre; tilsmøre; ~, *n.* plet.

smell (smelt, smelt), *v.t.&i.* lugte; ~ of, lugte af; ~ out, opsnuse; ~, *n.* lugt; sense of ~, lugtesans; -ing-salts, *pl. n.* lugtesalt; -y, *adj.* ildelugtende.

smelt, *see* smell; ~, *v.t.* smelte.

smile, *v.t.&i.* smile; ~, *n.* smil.

smirch, *v.t.* tilsøle.

smirk, *v.i.* smiske.

smite (smote, smitten), *v.t. & i. arch.* slå; hjemsøge.

smith, *n.* smed.

smithereens, *pl. n. coll.* smash to ~, smadre i stumper og stykker.

smithy, *n.* smedje.

smitten, *see* smite.

smock, *n.* kittel; -ing, *n.* smocksyning.

smog, *n. coll.* (smoke + fog) [slem Londontåge].

smoke, *n.* røg; have a ~, tage sig en smøg; ~, *v.t. & i.* ryge; (cure) røge; ryge; -d ham, røget skinke; -r, *n.* (person) ryger; (train compartment) rygekupé; ~-screen, *n.* røgslør; -stack, *n.* (skibs)skorsten.

smooth, *adj.* glat; jævn; ~

waters, smult vande; ~, *v.t. & i.* glatte; jævne; ~ out, glatte ud.

smøte, *see* smite.

smother, *v.t. & i.* kvæle; (suppress) undertrykke; he was -ed with confusion, han blev fuldstændig forvirret.

smoulder, *v.i.* ulme.

smudge, *v. t. & i.* plette; smudse.

smug, *adj.* bornert; selvglad; selvtilfreds.

smuggle, *v.t.* smugle; -r, *n.* smugler.

smut, *n.* smudsplet; sodplet; (dirty talk) smudsighed, sjofelhed.

snack, *n.* mellemmåltid.

snaffle, *v.t. sl.* negle.

snag, *n.* hindring; the ~ is ..., hagen ved det er ...

snail, *n. zool.* snegl; move along at a ~'s pace, snegle sig frem.

snake, *n. zool.* slange; snog; ~-charmer, *n.* slangetæmmer.

snap, *v.t.&i.* snappe; (speak severely) vrisse; (break) knække; brække over; (take a photo) knipse; (sharp sound) smælde; klikke; (*of* dog) bide, snappe; ~ at, snappe efter; ~ up, opsnappe; ~ up a bargain, gøre et godt køb; ~, *n.* (catch) lås; (photo) amatørfoto; it broke with a ~, det gik itu med et knæk; -dragon, *n. bot.* løvemund; -py, *adj.* arrig; -shot, *n.* amatørfoto.

snare, *n.* snare.

snarl, *v.t.&i.* snerre; knurre; ~, *n.* snerren; knurren.

snatch, *v. t. & i.* snappe; gribe; ~, *n.* snap; ~ of a song, et brudstykke af en sang.

sneak, *v.t.&i.* snige sig; luske; *sl.* sladre; ~, *n. sl.* sladrehank; -ers, *pl. n.* gymnastiksko; -ing, *adj.*

a ~ suspicion, en lumsk
mistanke.
sneer, v. t. & i. spotte; håne;
rynke på næsen; ~, n.
spotsk smil.
sneeze, n. v. i. nyse; ~, n.
nys(en).
sniff, v. t. & i. snøfte; ~ at,
snuse til; not to be ~ed at,
ikke til at kimse af; -le, n.
snøvlen; ~, v. i. snøvle.
snigger, v. i. fnise; ~, n.
fnisen.
snip, v. t. & i. klippe; ~, n.
klip; stump.
snipe, n. zool. sneppe; bek-
kasin; -r, n. snigskytte.
snippet, n. stump; stykke af-
klippet stof; -s, pl. små-
stykker; brudstykker.
snivel, v. i. flæbe; klynke;
snøfte.
snob, n. snob; -bishness, n.
snobberi.
snook, n. cock a ~, række
næse; -er, n. [slags billard-
spil].
snoop, v. t. & i. snuse; -er,
n. luskepeter.
snooty, adj. sl. storsnudet.
snooze, n. lur; blund; ~, v. i.
blunde.
snore, v. t. & i. snorke; ~, n.
snork.
snort, v. t. & i. fnyse; pruste;
snøfte; ~, n. fnys; prust.
snot, n. vulg. snot; -ty, adj.
snottet.
snout, n. snude; tryne.
snow, n. sne; ~, v. t. & i. sne;
I'm ~ed under with work,
jeg er begravet i arbejde;
-ball, n. snebold; -berry,
n. bot. snebær; ~-drift, n.
snedrive; -drop, n. bot.
vintergæk; -flake, n. sne-
fnug; -man, n. snemand;
-plough, n. sneplov.
snub, v. t. bide af; afvise; ~,
n. næse; afvisning; ~, adj.
a ~ nose, en opstopper-
næse.
snuff, v. t. & i. pudse; snyde;
~ out, slukke; ~, n. snus-

(tobak); ~-box, n. snus-
dåse.
snuffle, v. i. & t. snøvle;
snøfte.
snug, adj. lun; bekvem;
hyggelig; lie ~, ligge
skjult.
snuggle, v. i. & t. ~ down,
krybe ned; ~ up, putte
sig ind til.
so, adv., conj., int. & pron.
så; sådan; således; (there-
fore) derfor; not ~ ... as,
ikke så ... som; I think ~,
det tror jeg; I hope ~, det
håber jeg; ~-~, så som så;
if ~, hvis det er tilfældet;
~ what?, hvad så?; ~ long,
farvel; ~ long as, bare;
når blot; ~ there you are!,
nå, der er du!; ~-and-~,
så og så; let's ask old
~-and-~, lad os spørge
hvad er det nu han hed-
der?
soak, v. t. & i. (lie in liquid)
ligge i blød; (place in
liquid) lægge i blød; -ed,
adj. gennemblødt; sl. fuld
som en pave.
soap, n. sæbe; a cake (el.
piece) of ~, et stykke
sæbe; soft ~, brun sæbe;
fig. smiger; ~-box, n.
sæbekasse; -stone, n. sæbe-
sten; -suds, pl. n. sæbelud;
~, v. t. indsæbe.
soar, v. i. stige (højt); flyve
højt.
sob, v. i. hulke; ~, n. hulken.
sober, adj. ædru; ædruelig;
nøgtern.
sobriety, n. nøgternhed;
ædruelighed.
sobriquet, n. påtaget navn.
sob-story, n. sentimental hi-
storie [som oftest fortalt
for at gøre indtryk].
soccer, n. soccer; fodbold.
so|ciable, adj. selskabelig;
omgængelig; -cial, n.
komsammen; ~, adj. sam-
funds-; social; (com-
panionable) selskabelig;
-cialism, n. socialisme;

-ciety, n. selskab; (people as a whole) samfund; (organized group) forening; societet.

sock, n. sok; sl. slag; ~, v.t. sl. slå; banke.

socket, n. elec. fatning; (eye) øjehule.

socle, n. sokkel; fodstykke.

sod, n. græstørv; tørv; vulg. sodomit.

soda, n. soda; bicarbonate of ~, tvekulsurt natron; ~-fountain, n. isbar; ~-water, n. sodavand.

sodden, adj. gennemblødt; blød; klæg.

sodium, n. natrium; ~ carbonate, kulsurt natron.

sodomite, n. sodomit; homofil; homoseksuel mand.

sofa, n. sofa.

soft, adj. blød; (of colours, etc.) dæmpet; (of sounds) sagte; (weak) sl. svag; a ~-boiled egg, et blødkogt æg; -en, v. t. & i. blødgøre; ~-spoken, adj. blid.

soggy, adj. opblødt.

soil, v. t. & i. tilsmøle, smudse; ~, n. jord; jordbund.

sojourn, n. ophold.

solace, n. trøst; ~, v.t. trøste.

solar, adj. sol-; ~ plexus, solar plexus.

sold, see sell.

solder, v.t. lodde; ~, n. loddemetal; -ing-iron, n. loddebolt.

soldier, n. soldat; ~ of fortune, lykkeridder.

sole, n. sål; zool. søtunge; ~, adj. eneste; ~, v.t. forsåle.

solecism, n. solecisme; sprogfejl.

solely, adv. alene.

solemn, adj. højtidelig.

solicit, v. t. & i. bede om; anmode om; ansøge om; -or, n. sagfører; -ous, adj. bekymret; omsorgsfuld; -ude, n. omsorg; bekymring.

solid, adj. solid; fast; massiv; (reliable) pålidelig; sikker; -arity, n. solidaritet; -ify, v.t. & i. størkne.

soliloquy, n. monolog.

solitary, adj. ensom; eneste; enlig; ~ confinement, ensom arrest; -tude, n. ensomhed.

solo, n. solo; ~, adj. solo; -ist, n. solist.

solstice, n. solhverv.

soluble, adj. opløselig; (that can be solved) som kan blive løst; -tion, n. (in which things are dissolved) opløsning; (to problem) løsning.

solve, v.t. løse.

solvent, adj. commerc. solvent; i stand til at betale; ~, n. chem. opløsningsmiddel.

sombre, adj. dyster; mørk.

some, adj., pron. & adv. nogen; noget; nogle; en eller anden; et eller andet; visse; i nogen grad; ~ 10 or 12 persons, en 10-12 personer; -body, pron. nogen; en eller anden; -how, adv. på en eller anden måde; -one (el. ~ one), pron. nogen; en eller anden.

somersault, n. saltomortale; kolbøtte.

something, n. noget; et eller andet; ~ like that, noget i den retning; -time, adv. engang; ~, adj. tidligere; -times, adv. undertiden; somme tider; -what, adv. noget; temmelig; -where, adv. et eller andet sted; ~ else, andetsteds.

somnambulist, n. søvngænger; -nolence, n. søvnighed.

son, n. søn.

sonata, n. sonate.

song, n. sang; vise; (buy, sell) for a ~ (købe, sælge) for en slik.

sonic, adj. lyd-.

son-in-law, *n.* svigersøn.

sonnet, *n.* sonet.

sonorous, *adj.* klangfuld.

soon, *adv.* snart; tidlig; as ~ as; så snart som; -er or later, før eller senere; I would -er, jeg vil hellere.

soot, *n.* sod; ~, *v.t.* sode.

sooth, *n. arch.* sandhed.

soothe, *v.t.* berolige; (relieve pain) dulme; lindre.

soothsayer, *n.* spåmand; sandsiger.

sooty, *adj.* sodet.

sop, *n.* [opblødt stykke brød] (milksop) [beroligende middel]; *sl.* holdningsløs person; ~, *v.t. & i.* dyppe.

sophism, *n.* sofisme; spidsfindighed.

sophisticate, *v.t. & i.* [berøve nogen – eller noget – dens enkle naturlighed]; gøre kunstlet; gøre raffineret; -d, *p.p.* verdensklog; raffineret.

sophomore, *n. U.S.* [andet års student].

soporific, *n.* sovemiddel; ~, *adj.* søvndyssende.

sop|ping, *adj.* ~ wet, dyngvåd; -py, *adj. coll.* sentimental.

soprano, *n.* sopran.

sorcer|er, *n.* troldmand; -ess, *n.* troldkvinde; -y, *n.* trolddom.

sordid, *adj.* smudsig, gemen; snavset.

sordine, *n. mus.* sordin.

sore, *n.* ømt sted; sår; ~, *adj.* øm; smertelig; ømtålelig; a ~ point, et sårbart punkt; a ~ throat, ondt i halsen; he was very ~ about it, han blev meget fornærmet over det.

sorority, *n. U.S.* [forening for kvindelige studenter].

sorrel, *n.* fuks; *bot.* skovsyre.

sorrow, *n.* sorg; kummer; ~, *v.i.* sørge; -ful, *adj.* bedrøvelig; sorgfuld.

sorry, *adj.* sørgmodig; be-

drøvet; (pitiable) elendig; stakkels; I am so ~, jeg er så ked af det; ~!, undskyld!, om forladelse!; I'm ~ to have to tell you, jeg beklager at måtte fortælle dig; a ~ sight, et elendigt syn.

sort, *n.* slags; sort; art; a ~ of (a) ..., en slags ...; ~ of, ligesom; a good ~, *coll.* en flink fyr; ~, *v.t. & i.* sortere.

sortie, *n. mil.* udfald.

SOS, *n.* nødsignal; SOS; (broadcast appeal) efterlysning.

so-so, *pred., adj. & adv.* ikke så godt, så som så.

sot, *n.* dranker; drukkenbolt.

sotto voce, *adv.* med dæmpet stemme.

sou, *n.* [fransk mønt af ringe værdi]; I haven't a ~, jeg har ikke en rød reje.

soufflé, *n.* soufflé; [slags fromage].

sough, *v.i.* sukke, suse.

sought, *see* seek.

soul, *n.* sjæl; enough to keep body and ~ together, nok til at opretholde livet.

sound, *adj.* sund; ubeskadiget; fejlfri; god; solid; he was ~ asleep, han sov fast; he arrived safe and ~, han ankom i god behold; ~, *n.* lyd; klang; tone; (strait) sund; the S~, Øresund; ~ barrier, lydmur; ~, *v.t. & i.* lyde; klinge; lade lyde; ~ an alarm, alarmere; ~, *v.t. & i.* (rest) prøve; (depth, *etc.*) lodde; pejle; you'd better ~ him out on the subject, du må hellere føle ham på tænderne; -ing-board, *n. mus.* sangbund; resonansbund; -ing-line, *n.* lodline; ~-proof, *adj.* lydisoleret; ~-track, *n.* lydbånd.

soup, *n.* suppe; be in the ~, *sl.* være i vanskeligheder;

-çon, *n.* anelse; lille smule;
~-plate, *n.* dyb tallerken.
sour, *adj.* sur; syrlig; gna-
ven; ~, *v. t. & i.* syrne;
(make, become ~) gøre sur,
blive sur.
source, *n.* kilde; udspring.
souse, *v. t. & i.* lægge i lage;
lægge i blød; (immerse)
dukke.
souteneur, *n.* alfons.
south, *n.* syd; ~, *adj.* sydlig;
syd-; -east, *n.* sydøst; ~,
adj. sydøstlig; -ern, *adj.*
sydlig; -ernmost, *adj.* syd-
ligst; -ward(s), *adv.* mod
syd; sydpå; -west, *n.* syd-
vest; ~, *adj.* sydvestlig.
souvenir, *n.* souvenir.
sou'wester, *n.* (wind) syd-
vestlig vind; (hat) sydvest.
sovereign, *adj.* suveræn;
øverst; ~, *n.* hersker; re-
gent; [tidligere engelsk
guldmønt = £1].
Soviet, *n.* Sovjet; the ~
Union, Sovjetunionen.
sow (-ed, -n *or* -ed), *v. t.* så;
tilså; ~ the seeds of dis-
content, skabe misfornøj-
else; ~ discord, sætte splid;
~, *n. zool.* so; you can't
make a silk purse out of a
~'s ear, dårlige materialer
giver dårlige resultater;
-er, *n.* sædemand; -n, *see*
sow.
soya-bean, *n. bot.* sojabønne.
spa, *n.* kursted; kilde.
space, *n.* rum; (room) plads;
(interval) mellemrum; ~
ship, rumskib.
spacing, *n. typ.* linieafstand.
spade, *n.* spade; (card) spar;
five -s!, fem spar!; call a
~ a ~, kalde en ting ved
sit rette navn; ~-work,
n. [hårdt forberedende ar-
bejde].
Spain, *n.* Spanien.
spake, *see* speak.
spam, *n. coll.* dåsekød; minut-
kød.
span, *n.* spand; *archit.* spænd-
vidde; ~ of a bridge, bro-

fag; ~, *v. t. & i.* spænde
over; spænde om.
spangle, *n.* paillet; the Star-
S~d Banner, stjernebanne-
ret.
Spaniard, *n.* spanier.
spaniel, *n.* spaniel.
Spanish, *n.*   (language)
spansk; ~, *adj.* spansk.
spank, *v. t. & i.* smække;
-ing, *n.* endefuld; ~, *adj.
coll.* flot; hurtig.
spanner, *n.* skruenøgle; ad-
justable ~, skiftenøgle;
svensk nøgle.
spar, *n. naut.* rundholdt;
mineral ~, spat; (boxing
training) øvelse; ~, *v. i.*
øve sig; bokse.
spare, *v. t. & i.* spare; ~ no
expense!, spar ingen ud-
gift!; can you ~ a couple
of chairs, kan De undvære
et par stole?; could you
~ me a moment?, må jeg
tale med Dem et øjeblik?;
~ him this shock!, skån
ham for choket!; have
you a bottle of sherry to
~?, kan De afse en flaske
sherry til mig?; ~, *adj.*
spinkel, mager; ~ parts,
reservedele; a ~ room, et
gæsteværelse; in my ~
time, i min fritid; ~-rib, *n.*
ribbenssteg.
sparing, *adj.* sparsom·
spark, *n.* gnist; he's a bright
~, han er en kvik fyr; ~,
v. i. gnistre; -ing-plug, *n.
mech.* tændrør; -le, *v. i.*
funkle, gnistre; -ler, *n.*
stjernekaster; -ling, *adj.*
funklende; (*of* wine) mous-
serende.
sparring-partner, *n. sport.*
træningspartner.
sparrow, *n. zool.* spurv;
~-hawk, *n. zool.* spurve-
høg.
sparse, *adj.* spredt; tynd.
spasm, *n.* krampetrækning;
spasme; -odic, *adj.* (con-
vulsive) krampagtig; (pe-

riodic) rykvis; periodisk.

spastic, *adj.* spastisk.

spat, *n.* gamache; *zool.* østersyngel; *see also* spit.

spate, *n.* oversvømmelse; *fig.* flom.

spatial, *adj.* rumlig.

spatter, *v. t. & i.* overstænke; sprøjte.

spatula, *n.* spatel.

spavin, *n.* spat.

spawn, *n.* yngel; *bot.* mycelium; ~, *v. t. & i.* yngle; gyde; **-ing-time,** *n.* yngletid, legetid.

speak (spoke (*arch:* spake), spoken), *v. t. & i.* tale; strictly **-ing,** strengt taget; so to ~, så at sige; **-er,** *n.* taler; S~, [formanden i det engelske Underhus]; **-ing-tube,** *n.* talerør.

spear, *n.* spyd; lanse; ~, *v. t. & i.* spidde; gennembore.

special, *adj.* speciel; særlig; særegen; ekstra-; **-ity,** *n.* speciale; specialitet.

specie, *n.* mønt.

species, *n. biol.* art; (kind) slags.

speci|fic, *adj.* bestemt; speciel; særegen; ~ **gravity,** vægtfylde; **-men,** *n.* prøve; eksemplar.

specious, *adj.* bestikkende.

speck, *n.* plet; (dust) gran; **-le,** *n.* plet; prik; ~, *v. t.* plette; **-led,** *adj.* broget, plettet.

specs, *pl. n. coll.* briller.

spec|tacle, *n.* syn; skue; **-tacles,** *pl. n.* briller; **-tacular,** *adj.* imponerende; iøjnefaldende; **-tator,** *n.* tilskuer; **-tral,** *adj.* spektral; spøgelsesagtig; **-tre,** *n.* genfærd; spøgelse; **-ulate,** *v. i.* spekulere.

sped, *see* speed.

speech, *n.* tale; make a ~, holde en tale; (language) sprog; part of ~, *gram.* ordklasse; a figure of ~, billedligt udtryk; **-less,** *adj.* stum; målløs.

speed, *n.* fart; hastighed; ~ **limit,** hastighedsbegrænsning; more haste, less ~, hastværk er lastværk; ~ (sped, sped), *v.t. & i.* fremskynde; sætte fart i; (go fast) ile; jage afsted; **-well,** *n. bot.* ærenpris.

spell, *n.* (pause) hvil; pause; (turn to do work) tur, tørn; (magic) trylleformel; (fascination) fortryllelse; (short period) stykke tid; ~ (spelt *el.* **-ed**), *v.t.* stave(s); bogstavere; that **-s** trouble!, det betyder vanskeligheder!; ~**-bound** *adj.* troldbunden, fortryllet; **-ing,** *n.* stavning; bogstavering; **-ing-bee,** *n.* stavekonkurrence.

spelt, *see* spell.

spend (spent, spent), *v.t. & i.* (money) give ud; bruge; anvende, spendere; (time) tilbringe; (exhaust) udmatte; bruge op; **-thrift,** *n.* ødeland.

sperm, *n.* sæd; sperma; ~**-whale,** *n. zool.* kaskelot.

spew, *v.t. & i.* udspy; brække sig.

sphagnum, *n. bot.* tørvemos.

sphere, *n.* kugle; klode; (of interest, action, *etc.*) område; felt; sfære.

spherical, *adj.* kugleformet.

sphinx, *n.* sfinks.

spice, *n.* krydderi; ~, *v.t.* krydre.

spick, *adj.* ~ **and span,** pæn og ordentlig, ren og pæn.

spicy, *adj.* krydret; *fig.* vovet.

spider, *n. zool.* edderkop.

spigot, *n.* tap.

spike, *n.* spids; (*in shoes*) pig; (nail) spiger; *bot.* aks.

spill (spilt *el.* **-ed,** spilt *el.* **-ed**), *v. t. & i.* spilde; (blood) udgyde; (disclose) røbe; ~ **the beans,** *sl.* røbe en hemmelighed; ~, *n.* fidibus; (crash) fald.

spilt, *see* spill.

spin (span (*el.* spun) spun),

v.t. & i. spinde; (go round)
dreje rundt, snurre; ~ out,
udtvære, trække ud; ~, n.
snurren; hvirvlen; aero.
spin.

spinach, n. spinat.

spinal, adj. rygrads-; ~
column, rygrad.

spindle, n. spindel; tén.

spine, n. anat. rygrad; bot.
torn; -less, adj. slap, hold-
ningsløs.

spinet, n. spinet.

spinner, n. spinder; (ma-
chine) spindemaskine.

spinney, n. lille skov; krat.

spinning-wheel, n. spinde-
rok.

spinster, n. ugift kvinde;
pebermø; gammel jom-
fru.

spiny, adj. tornet.

spiral, adj. spiral-; spiralfor-
met; ~ staircase, vindel-
trappe; ~, n. spiral.

spire, n. spir; spids.

spirit, n. ånd; sind; sjæl;
(courage) mod; (mental
attitude, etc.) sindelag;
åndskraft; (ghost) gen-
færd; ånd; in good -s, i
højt humør; -s, pl. sprit;
alkohol; spirituous; ~, v.t.
~ away (el. off), bort-
eskamotere; trylle væk;
a -ed horse, en livlig hest;
~-level, n. vaterpas; -ual,
adj. åndelig; sjælelig; -ual-
ism, n. spiritisme.

spit, n. (roasting-~) stege-
spid; (headland) land-
tunge; (saliva) spyt; ~
image, udtrykte billede;
~, v. t. (skewer) spidde;
~ (spat, spat), v. t. & i.
spytte; (splutter) sprutte.

spite, n. nag; ondsindethed;
ondskab; trods; in ~ of,
til trods for; he did it out
of sheer ~, han gjorde det
af lutter ondskabsfuldhed;
~, v.t. ærgre; chikanere;
he did it to ~ me, han
gjorde det for at ærgre
mig; -ful, adj. ondsindet.

spittle, n. spyt.

spittoon, n. spyttebakke.

spiv, n. sl. sortbørsspekulant.

splash, n. plask; stænk;
sprøjt; (sensation) sensa-
tion; ~, v.t. & i. plaske;
(bespatter) overstænke;
sprøjte.

splatter, v. t. & i. stænke;
plaske.

splay, adj. skrånende; spredt;
bred og flad; ~, v. t. & i.
[lave med skrå sider, f. eks.
vindue]; (dislocate) vride
af led; ~, n. (aperture in
wall) åbning.

spleen, n. milt; (anger) ondt
lune; (low spirits) tung-
sind; -wort, n. bot. radeløv.

splen|did, adj. glimrende;
fortræffelig; -dour, n.
glans; herlighed.

splice, v.t. splejse; ~, n.
splejsning.

splint, n. med. skinne; ~, v.t.
lægge i skinner; -er, n.
splint; ~, v. t. & i. splin-
tre(s).

split (split, split), v. t. & i.
spalte; kløve; splitte;
(crack) revne; springe; ~
hairs, fig. kløve ord; in a
~ second, i en brøkdel
af et sekund.

splutter, v. t. & i. sprutte.

spoil (-t el. -ed), v. t. & i.
ødelægge; (child) for-
kæle; (food, morals) for-
dærve; spolere; ~, n.
bytte, rov; the ~s of war,
krigsbytte; ~-sport, n.
lyseslukker; -t, see spoil.

spoke, see speak; ~, n. ege;
(on ship's steering-wheel)
ratknag; ~ somebody's
wheel, sætte en kæp i hju-
let for én; -n, see speak;
-sman, n. talsmand; ord-
fører.

spoliation, n. plyndring;
jur. ødelæggelse; tilintet-
gørelse.

spondulics, pl. n. sl. gysser.

sponge, n. svamp; throw in
the ~, fig. opgive; give for-

tabt; ~, *v. t. & i.* afvaske
med svamp; *sl.* nasse; ~-
cake, *n.* sukkerbrødskage;
-r, *n. sl.* nassekarl; snylter.

sponsor, *n. film., radio. etc.*
[person *el.* firma der finan-
sierer et projekt]; bag-
mand; (godparent) gud-
fader; gudmoder; (re-
sponsible person) kautio-
nist.

spontaneous, *adj.* uvilkårlig;
spontan.

spoof, *n.* humbug; snyderi;
~, *v.t.* snyde; drille.

spook, *n.* spøgelse.

spool, *n.* spole; rulle; ~, *v.t.*
spole; rulle.

spoon, *n.* ske; ~, *v. t. & i.*
øse med ske; he had to be
~-fed, han skulle mades
med en ske; -ful, *n.* ske-
fuld.

sporadic, *adj.* spredt; spora-
disk.

spore, *n. bot.* spore.

sporran, *n.* [skotsk bælte-
taske].

sport, *n.* sport; idræt; make
~ of, drille; drive spøg
med; ~, *v. t. & i.* more
sig; (wear) gå med; pro-
menere; -ing, *adj.* fair;
reel; sports-; -sman, *n.*
idrætsmand; sportsmand
[en der tager uheldelig-
heder med sportsånd];
-smanship, *n.* sportsånd.

spot, *n.* plet; prik; a tender
~, et ømt punkt; a nice ~,
et kønt sted; ~, *v. t. & i.*
plette; (perceive) opdage;
udpege; få øje på; ~ cash,
prompte betaling, kon-
tant betaling; -less, *adj.*
pletfri; -light, *n.* søgelys;
projektørlys; -ted, *adj.*
plettet.

spouse, *n.* ægtefælle.

spout, *n.* (pipe) nedløbsrør;
(*on pot, etc.*) tud; (water)
sprøjt; ~, *v.t.& i.* sprøjte;
sl. deklamere.

sprain, *v.t.* forstrække; for-
stuve; forvride.

sprang, *see* spring.

sprat, *n.* brisling.

sprawl, *v. t. & i.* sprede sig;
ligge henslængt.

spray, *n.* dusk; blomstergren;
kvist; (squirt) sprøjt; (in-
strument) sprøjte.

spread (spread, spread), *v. t.
& i.* sprede; (distribute)
udbrede; udsprede; ~
over 10 years, strakt over
10 år; ~ oneself, tale om-
stændeligt; ~, *n.* udspred-
ning; udstrækning; *coll.*
festmåltid, veldækket
bord.

spree, *n.* sold; go on the ~,
gå ud og solde, slå sig løs.

sprig, *n.* kvist; lille buket;
(nail) dykker.

sprightly, *adj.* kvik; livlig.

spring (sprang, sprung), *v. t.
& i.* springe; (make ~)
sprænge; ~ a leak, springe
læk; ~, *n.* (season) forår;
(jump) spring; (well,
stream) kilde; (bent metal,
etc.) fjeder; ~-board, *n.*
springbræt; ~-cleaning, *n.*
hovedrengøring; -iness, *n.*
spændstighed; ~-tide, *n.*
springflod; -y, *adj.* ela-
stisk; fjedrende; spænd-
stig.

sprinkle, *v. t. & i.* stænke;
strø; drysse; ~ stopper,
stænkeprop.

sprint, *v.t. & i.* sprinte.

sprit, *n. naut.* spryd.

sprite, *n.* ånd; fé.

sprocket, *n. mech.* tand;
(wheel) kædehjul.

sprout, *n.* spire; skud; Brus-
sels -s, rosenkål; ~, *v. t.
& i.* spire, gro; skyde.

spruce, *adj.* net; soigneret;
~, *n. bot.* gran; ~, *v.t.* ~
up, nette sig; fikse op.

sprung, *see* spring.

spry, *adj.* kry; munter; rask.

spud, *n. sl.* kartoffel.

spume, *n.* skum.

spun, *see* spin.

spunk, *n.* mod; he's got no
~ left in him, der er ingen

fut i ham mere; *bot.* fyr-
svamp.

spur, *n.* spore; *fig.* anspo-
relse; *bot.* sidegren; ud-
løber; ~, *v. t. & i.* spore;
-ious, *adj.* uægte, falsk.

spurn, *v. t. & i.* forsmå;
vrage; afvise hånligt.

spurt, *v. t. & i.* spurte;
(squirt) sprøjte; ~, *n.*
kraftanstrengelse; spurt.

sputter, *v. t. & i.* sprutte;
snuble over ordene.

spy, *n.* spion; ~, *v. t. & i.*
spionere; ~ out, udspejde;
-glass, *n.* lille kikkert.

squab, *adj.* kort og tyk.

squabble, *v. t. & i.* kævles;
skændes; ~, *n.* mundhug-
geri; kævl.

squad, *n.* hold; *mil.* gruppe;
-ron, *n.* *mil.* eskadron;
naut. eskadre.

squalid, *adj.* ussel; beskidt;
snavset.

squall, *n.* vræl; (gust) vind-
stød; (rain-~) byge; ~,
v.t. & i. vræle.

squalor, *n.* snavs; elendig-
hed.

squama (*pl.* -mae), *n.* skæl.

squander, *v.t.* ødsle; sætte
over styr.

square, *adj.* firkantet; ret-
vinklet; (settled) op-
gjort; kvit; a ~ deal,
en reel aftale; a ~ meal,
et ordentligt måltid; ~
root, kvadratrod; ~, *n.*
firkant; kvadrat; (town ~)
plads; set ~, vinkelmål; ~,
v. t. & i. *math.* kvadrere;
opløfte til anden potens;
(settle) gøre op; (bribe)
bestikke; (straighten) rette
op.

squash, *v. t. & i.* kvase;
mase; trykke flad; ~, *n.*
(drink) squash; (crowd)
trængsel, tætpakket masse;
(game) squash.

squat, *v. t. & i.* sidde på hug;
[tage ophold uden tilla-
delse]; ~, *adj.* lav; under-
sætsig; -ter, *n.* australsk

nybygger; [én der tager
ophold uden tilladelse].

squawk, *v.i.* skræppe; hyle.

squeak, *v.t. & i.* pibe; hvine;
(wood, *etc.*) knirke; *sl.*
sladre; ~, *n.* piben; hvin.

squeal, *v.t. & i.* hvine; skrige;
sl. angive; »stikke«; ~, *n.*
hvin; skrig.

squeamish, *adj.* sart; som let
får kvalme.

squeegee, *n.* gummiredskab.

squeeze, *v. t. & i.* trykke;
klemme; presse; ~, *n.*
tryk; klem; pres.

squelch, *v. t. & i.* svuppe;
skvulpe; (crush) slå ned,
knuse.

squib, *n.* (firework) svær-
mer; (lampoon) satire.

squid, *n.* *zool.* blæksprutte.

squiggle, *n.* krusedulle.

squint, *v. t. & i.* skele;
(glance) skæve; skotte.

squire, *n. hist.* væbner; (land-
owner) herremand; gods-
ejer.

squirm, *v.i.* vride sig.

squirrel, *n.* *zool.* egern.

squirt, *v.t. & i.* sprøjte; ~, *n.*
sprøjt; stråle; *sl.* vigtig-
prås.

stab, *v. t. & i.* gennembore;
dolke; ~, *n.* stik; stød; a
-bing pain, en stikkende
smerte.

stability, *n.* stabilitet; (per-
son's) standhaftighed.

stable, *n.* stald; -s, *pl.* stald;
~, *adj.* stadig; stabil; stand-
haftig.

stack, *n.* stak; stabel; chim-
ney ~, skorsten; ~, *v. t.
& i.* stable; sætte i stak.

stadium, *n.* stadion.

staff, *n.* (stick) stav, stok;
(personnel) stab; perso-
nale; medarbejdere, *pl.*;
mus. nodelinje, nodesy-
stem; ~ officer, stabs-
officer.

stag, *n.* *zool.* kronhjort; ~
party, herreselskab; gilde
for mænd; ~-beetle, *n.*
zool. eghjort.

stage, n. (scaffolding) stillads; (platform) platform; *theat.* scene; (point, phase, *etc.*) stadium; ~, *v. t. & i.* opføre; opsætte; ~-coach, n. diligence; ~-fright, n. lampefeber.

stagger, *v.t. & i.* vakle; rave; he -ed me by his knowledge, han forbløffede mig med sin viden; (holidays, work shifts, *etc.*) forskyde.

stag|nant, *adj.* stillestående; **-nate,** *v.i.* stagnere.

staid, *adj.* sat; adstadig.

stain, *v.t. & i.* plette; (glass) farve; (wood) bejdse; **-less,** *adj.* pletfri; ~ steel, rustfrit stål.

stair, n. trappetrin; **-s,** *pl.* trappe; **-case,** n. trappe; opgang; moving ~, rullende trappe.

stake, n. (stick) stage; pæl; (gambling) indsats; much is at ~, meget står på spil; ~, *v.t.* (gamble) sætte på spil; ~ a claim, gøre krav på; ~ out, udstikke.

stale, *adj.* gammel; flov; hengemt; træt; forslidt; **-mate,** n. (chess) pat; *fig.* hårdknude.

stalk, n. stilk; stængel; ~, *v.i. & t.* spankulere; skride; forfølge; jage fra skjul.

stall, n. (in market) stade; bås; bod; *theat.* orkesterplads; (choir-~) korstol; ~, *v.t. & i.* opstalde; (of engine) standse; *aero.* stalle; ~ off, *coll.* holde hen med snak; **-ion,** n. hingst.

stalwart, *adj.* håndfast; kraftig; ~, n. kraftkarl.

stamen, n. *bot.* støvdrager.

stamina, n. modstandskraft.

stammer, *v.t. & i.* stamme; hakke i det; ~, n. stammen.

stamp, *v. t. & i.* (with feet) stampe; trampe; ~ a letter, sætte frimærke på; (print)

påtrykke; stemple; præge; ~ out, udrydde; ~, *n.* stempel; aftryk; præg; (on letter) frimærke; bear a ~ of, bære præg af; ~ collector, n. frimærkesamler; ~-duty, n. stempelafgift.

stampede, n. panik; vild flugt; ~, *v.i.* styrte i vild flugt.

stance, n. stilling.

stanch (*el.* **staunch**), *v. t.* standse (blood); *see also* staunch.

stanchion, n. stiver; opstander.

stand (stood, stood), *v.t. & i.* stå; blive stående; (tolerate) tåle; (hold good) holde sig; I can't ~ him, jeg kan ikke udstå ham; ~ a drink, give en drink; ~ on ceremony, holde på formerne; I ~ by what I said, jeg holder fast ved det, jeg sagde; ~ in stade: (holder) stativ; holder; (of trees) bestand; (opinion) standpunkt; make a ~, *mil.* holde stand.

standard, n. standard; norm; (flag) farve; (yardstick) målestok; keep up a certain ~ of living, opretholde en vis levefod; ~, *adj.* standard; normal; **-ize,** *v. t.* standardisere.

stand|-by, n. støtte; hjælpemiddel; **~-in,** n. stand-in; **-ing,** n. (reputation) anseelse; position; (rank) rang; ~, *adj.* stående; fast; a ~ agreement, en fast aftale; **~-offish,** *adj.* kølig; afvisende; **-point,** n. standpunkt; **-still,** n. stilstand; come to a ~, standse.

stank, *see* stink.

stanza, n. strofe.

staple, n. krampe; hæfteklamme; ~, *adj.* hoved-; ~ goods, stabelvarer; **-r,** n. hæftemaskine.

star, *n.* stjerne; ~, *v.i.* film., *theat.* spille hovedrollen; -board, *n. naut.* styrbord.

starch, *n.* stivelse.

stare, *v.t. & i.* stirre; glo; ~, *n.* stirren.

starfish, *n. zool.* søstjerne.

stark, *adj.* stiv; fuldstændig; ~, *adv.* komplet; ~ staring mad, skruptosset; ~ naked, splitternøgen.

starling, *n. zool.* stær.

starry, *adj.* stjerne-; stjernebesat; stjerneklar.

star-spangled, *adj.* stjernebesat; the S~-S~ Banner, stjernebanneret.

start, *v.t. & i.* (begin) starte; begynde; (be startled) studse; fare sammen; (set in motion) igangsætte; ~, *n.* start; begyndelse; (departure) afrejse; (jerk) sæt; ryk; for a ~, til at begynde med; get off to a good ~, få et godt forspring; -er, *n.* starter; (race) løbsdeltager.

starting-point, *n.* udgangspunkt.

startle, *v. t.* forskrække; skræmme.

star-turn, *n.* glansnummer.

starvation, *n.* sult.

starve, *v.t. & i.* sulte; lide nød; (withhold food from) udhungre; sulte.

state, *n.* (condition) tilstand; (stage) stadium; (political) stat; (pomp) pragt; (marital) stand; ~, *v. t.* udtale; anføre; erklære; opgive; fremstille; -less, *adj.* statsløs; -ly, *adj.* statelig; værdig; anselig; -ment, *n.* udtalelse; beretning; fremstilling; erklæring; ~ of account, konto-udskrift; (regnskabs)opgørelse; -room, *n. naut.* kahyt; kammer; -sman, *n.* statsmand.

static, *adj.* statisk; stillestående; -s, *n.* ligevægtslære; statik.

station, *n.* (position) stilling; stand; (railway) station; banegård; (post) post; ~, *v.t.* stationere; anbringe; postere; -ary, *adj.* stationær; stillestående; -er, *n.* papirhandler; -ery, *n.* papirvarer; ~-master, *n.* stationsforstander.

statis|tician, *n.* statistiker; -tics, *n.* statistik.

sta|tuary, *n.* statuer; ~, *adj.* billedhugger-; -tue, *n.* statue; -ture, *n.* højde; vækst; -tus, *n.* stilling; position; -tute, *n.* lov; statut; ~ book, *n.* lovbog; -tutory, *adj.* lovbefalet.

staunch, *v.t. see* stanch; ~, *adj.* trofast; standhaftig.

stave, *n.* stav; *mus. see* staff; (verse) strofe; ~, (stove, stoved) *v.t.* ~ in, slå hul i; ~ off, afværge.

stay, *n.* (permanency) ophold; (support) støtte; stiver; *naut.* stag; (wire) bardun; a pair of -s, snøreliv; ~, *v.t. & i.* blive; forblive; (spend time) opholde sig; bo; (stop) standse; -ing power, udholdenhed; -sail, *n. naut.* stagsejl.

stead, *n.* stand somebody in good ~, være én til nytte; komme til at være en god hjælp; in his ~, i hans sted; -fast, *adj.* stœt; standhaftig; -y, *adj.* stœt; fast; stabil; stadig; sindig; ~, *v.t. & i.* rolige; stabilisere.

steak, *n.* bøf; stykke kød til stegning.

steal, (stole, stolen), *v. t. & i.* stjæle; (creep up) liste; ~ a march on, komme i forkøbet; -th *n.* hemmelighed; by ~, ubemærket; i smug; -thy, *adj.* hemmelig; snigende.

steam, *n.* damp; under my (his, *etc.*) own ~, *coll.* for egen kraft; get ~ up, få dampen op; ~, *v.t. & i.* dampe; (cook) damp-

koge; ~ up, dugge; blive
tildugget; ~-engine; _n._
dampmaskine; ~-roller, _n._
damptromle.

steed, _n._ ganger.

steel, _n._ stål; ~, _v.t._ hærde;
stålhærde; _fig._ stålsætte.

steep, _adj._ brat; stejl; _fig._
overdreven, skrap; ~, _v.t._
lægge i blød.

steeple, _n._ tårn med spir;
~-chase, _n._ steeplechase;
forhindringsløb; -jack, _n._
[reparatør af høje skor-
stene og tårne].

steer, _n._ ung tyr; ung stud;
~, _v.t. & i._ styre; ~-age, _n._
tredje klasse; (on ship)
dæksplads; -ing-wheel, _n._
rat.

stellar, _adj._ stjerne-.

stem, _n._ (root) stamme;
(stalk) stængel; stilk; _naut._
forstavn; ~, _v.t. & i._ (stop
flow) opdæmme; stoppe;
stemme; ~ from, stamme
fra.

stench, _n._ stank.

stencil, _n._ skabelon; stencil;
~, _v.t._ stencilere.

stenographer, _n._ stenograf.

stentorian, _adj._ stentor-.

step, _n._ trin; skridt; (of stair)
trappetrin; (footprint) fod-
spor; watch your ~!, træd
varsomt!; -s, _pl._ trappe;
take ~, træffe foranstalt-
ninger; gøre noget (at
noget); -brother, _n._ sted-
broder; ~-dance, _n._ step;
-father, _n._ stedfader; ~-
ladder, · _n._ trappestige;
-mother, _n._ stedmoder.

steppe, _n._ steppe.

stepping-stone, _n._ vadesten.

sterile, _adj._ steril.

sterling, _adj._ sterling-; _fig._
ægte; lødig.

stern, _adj._ streng; bister;
hård; ~, _n. naut._ agter-
stavn; agterspejl.

stet, _int. typ._ stet; lad stå!

stethoscope, _n._ stetoskop.

stevedore, _n._ stevedore.

stew, _v.t. & i._ småkoge; ~,

_n._ ragout; be in a ~, _sl._ være
ophidset, nervøs; -ed fruit,
kompot; ~-ing steak, ban-
kekød.

steward, _n._ forvalter; _naut._
steward, hovmester; -ess,
_n._ stewardess; kahytsjom-
fru.

stick, _n._ stok; kæp; pind;
(pole) stage; stang; stav;
~ (stuck, stuck), _v.t. & i._
(adhere) hænge fast; sidde
fast; (become lodged)
sætte sig fast; (cling)
klæbe; I can't ~ him!,
jeg kan ikke døje ham!;
~ to one's guns, holde
fast ved sin mening; ~ to
the point, holde sig til sa-
gen; ~ up for, forsvare; he
stuck it like a man, han
holdt det ud som et mand-
folk; -ing-plaster, _n._ hæf-
teplaster; ~-in-the-mud,
n. coll. dødbider; stiv-
nakke; -leback, _n. zool._
hundestejle; -ler, _n._ pe-
dant; be a ~ for punctual-
ity, være en der kræver
streng punktlighed.

stick-up, _n. sl._ røveri; hold-
up.

sticky, _adj._ klæbrig.

stiff, _adj._ stiv; (taut) stram;
(about price) skrap; pebret;
bore somebody ~, _coll._
kede én ihjel; -en, _v.t. & i._
stivne; gøre stiv.

stifle, _v.t. & i._ kvæle; (sup-
press) undertrykke.

stigma, _n._ mærke; brænde-
mærke; stigma; _bot._ støv-
fang; -tize, _v.t._ brænde-
mærke.

stile, _n._ stente; help a lame
dog over a ~, hjælpe én
der trænger til det i en
vanskelig situation.

stiletto, _n._ stilet; ~ heel, sti-
lethæl.

still, _v.t. & i._ berolige; lindre;
~, _adj._ stille; tavs; rolig;
~ life, stilleben; ~, _adv._
endnu; alligevel; dog;
(continuous) stadig, stadig-

væk; ~, *n.* brænderi; (silence) stilhed; *film., photo.*. filmsbillede; fotografi; ~-born, *adj.* dødfødt.

stilt, *n.* stylte; -ed, *adj.* opstyltet.

stimul|ant, *n.* stimulans; -ate, *v.t.* stimulere; kvikke op; opildne; -us, *n.* stimulus; tilskyndelse.

sting (stung, stung), *v.t. & i.* stikke; I was stung for a quid, *coll.* jeg måtte af med 20 kroner; be stung by a nettle, brænde sig på en brændenælde; ~, *n.* prik; svie; *fig.* brod.

stinginess, *n.* gerrighed.

stinging-nettle, *n. bot.* brændenælde.

stingy, *adj.* gerrig; fedtet.

stink (stank, stunk), *v.t. & i.* stinke; *fig.* være berygtet; ~, *n.* stank; cause a ~, *sl.* lave ballade; -bomb, *n.* stinkbombe.

stint, *v.t.* være påholden(de) over for; være karrig med; don't ~ yourself!; ~, *n.* (meanness) karrighed; (task) opgave; stykke arbejde.

stipend, *n.* gage.

stipple, *v.t. & i.* stiple; punktere.

stipulate, *v.t. & i.* stille som betingelse; (decree) fastsætte.

stir, *v.t. & i.* røre; røre sig; (mixtures) røre rundt, røre om; (rouse) vække; ophidse; ~ up, opildne; ~, *n.* røre; bevægelse; (sensation) sensation.

stirps, *n. jur.* stamfader.

stirrup, *n.* stigbøjle; ~-leather, *n.* stigrem.

stitch, *v.t. & i.* sy; (seams) stikke; ~ up, sammenhæfte; (tack) hæfte; ~, *n.* sting; (knitting) maske.

stoat, *n. zool.* hermelin, lækat.

stock, *n.* stamme; stok (butt, handle) skæfte; skaft; (supply) forråd; varelager; (bond) obligation; (family) stamme, æt; (animals) besætning; (raw ~) råmateriale; take ~, gøre lager op; *fig.* opsummere; the ~ exchange, børsen; -s, *pl. naut.* bedding; (for miscreants) gabestok; ~, *v.t. & i.* (supply) forsyne; (keep in ~) føre på lager; -ade, *n.* pæleværk; ~-breeder, *n.* kvægavler; -broker, *n.* vekselmægler; -fish, *n. zool.* stokfisk; -ing, *n.* strømpe; ~-still, *adj.* bomstille; -y, *adj.* firskåren.

stodgy, *adj.* (of cake, *etc.*) tung; (boring) kedelig.

stoke, *v.t. & i.* fyre; fyre op; ~-hold, *n.* fyrrum; -hole, *n.* fyrhul; -r, *n.* fyrbøder.

stole, *see* steal; ~, *n.* stola.

stolid, *adj.* upåvirket; flegmatisk.

stomach, *n.* mave; (appetite) lyst, appetit; ~, *v.t.* tolerere; tåle; ~-ache, *n.* mavepine; ~-pump, *n.* mavepumpe.

stone, *n.* sten; (weight unit) [14 eng. pund]; not a ~'s throw from here, ikke et stenkast herfra; ~, *v.t.* stene; (fruit, *etc.*) tage stenene ud af; ~-deaf, *adj.* stokdøv; -mason, *n.* stenhugger; -ware, *n.* stentøj.

stony, *adj.* stenet; a ~ silence, en isnende tavshed; ~ broke, *sl.* flad; på spanden.

stood, *see* stand.

stooge, *n.* (stand-in) stedfortræder; (help-mate) håndlanger; *theat.* medspiller.

stook, *n.* hob.

stool, *n.* taburet; skammel; *med.* afføring; he fell between two -s, han satte sig mellem to stole; ~-pigeon, *n.* lokkedue.

stoop, *v.t. & i.* bøje sig;

bukke sig; *fig.* nedlade sig;
~, *n.* foroverbøjet stilling;
luden; have a ~, have en
ludende gang.

stop, *v.t.&i.* (block) til-
stoppe; (fill a tooth) plom-
bere; (halt) standse; stop-
pe; (cease) ophøre; holde
op; ~ it!, lad være!; (de-
tain) holde; tilbageholde;
(sojourn) opholde sig; ~,
n. stop; standsning; (bus-
~, *etc.*) stoppested; (*on*
organ) register; (cessation)
ophør; (end) ophør; ~-
gap, *n.* midlertidig erstat-
ning; midlertidig foran-
staltning; (person) sted-
fortræder; ~-page, *n.* stands-
ning; afbrydelse; ~-per, *n.*
prop; stopper; ~-ping, *n.*
(in tooth) plombering;
(halt) standsning; ~-press
news, sidste nyt; ~-watch,
n. stopur.

storage, *n.* oplagring; opbe-
varing; (charge) opbevaa-
ringsafgift.

store, *n.* forråd; lager; op-
lag; (storehouse) magasin;
depot; in ~, på lager; she
sets great ~ by her son,
hun sætter stor pris på sin
søn; ~, *v.t.* lagre; oplagre;
opbevare; ~-house, *n.* la-
ger; ~-keeper, *n.* lagerfor-
valter; (shopkeeper) de-
tailhandler.

storey, *n.* etage; the house
has 5 -s, bygningen har 5
etager.

stork, *n.* stork; a ~'s nest, en
storkerede.

storm, *n.* storm; (bad
weather) uvejr; *mil.* storm-
angreb; ~, *v.t.&i.* rase;
storme; *mil.* storme; tage
med storm; ~-y, *adj.* storm-
fuld.

story, *n.* historie; eventyr;
fortælling; a tall ~, røver-
historie, usandsynlig hi-
storie; a short ~, en no-
velle; (fib) lille løgn; the

~ goes, det berettes; ryg-
tet går.

stout, *adj.* kraftig; svær; kor-
pulent; (reliable) stand-
haftig, stovt; ~, *n.* porter.

stove, *n.* kakkelovn; (in
kitchen) komfur; *see also*
stave; ~-pipe hat, høj hat.

stow, *v.t.* stuve (sammen);
pakke (ned); ~-age, *n.* stuv-
ning; pakning; anbrin-
gelse; ~-away, *n.* blind
passager.

straddle, *v.t.&i.* skræve;
sidde overskrævs på.

strafe, *n.* beskydning; ~, *v.t.*
beskyde.

strag|gle, *v.i.* strejfe om;
være spredt; (spread) bre-
de sig; ~-gler, *n.* efternøler;
~-gling, *adj.* spredt; uregel-
mæssig; ~-gly, *adj.* pjusket.

straight, *adj.* lige; ret;
(honest) retskaffen; ærlig;
keep a ~ face, holde ma-
sken; ~, *adv.* lige; direkte;
~ away, lige straks; med
det samme; ~ ahead!, lige
ud!; ~, *n.* lige linje; -en,
v.t.&i. rette (ud, op); ~
out matters, bringe sa-
gerne i orden; ~-forward,
adj. ligefrem; hæderlig;
oprigtig.

strain, *v.t.&i.* anstrenge;
spænde; (endeavour) an-
strenge sig; stræbe; (over-
load) belaste; (over-
strenge) (muscle) forstuve;
forstrække; (through sieve,
etc.) filtrere; sigte; ~,
n. mus. melodi; (effort)
anstrengelse; (muscle) for-
stuvning; forstrækning;
(over-exertion) overan-
strengelse; (overload) be-
lastning; (tinge) anstrøg;
(breed) race; -er, *n.* (colan-
der) dørslag; (filter) filter.

strait, *n. geog.* stræde; -s, *pl.*
in dire ~, i store vanske-
ligheder; ~-jacket, *n.*
spændetrøje; ~-laced, *adj.*
snæversynet.

strand, *n.* (sting) streng;

naut. kordel; dugt; (beach) strand; ~, *v.t. & i.* strande; be -ed, stå på bar bund.

strange, *adj.* fremmed; mærkelig; underlig; sælsom; sær; -r, *adj.* fremmed.

strangle, *v.t.* kvæle; kværke; strangulere.

strangulate, *v. t.* kvæle; kværke; strangulere.

strap, *n.* strop; rem; ~, *v. t.* slå med rem; (fasten) spænde fast; -less, *adj.* stropløs; -ping, *adj.* velvoksen; stovt.

strata, *see* stratum; -gem, *n.* krigslist; kneb.

strategy, *n.* krigskunst; strategi.

stratosphere, *n.* stratosfære.

stratum (*pl.* strata), *n.* lag.

straw, *n.* halm; strå; halmstrå; (*for* drinking) sugerør; the last ~, det der får bægeret til at flyde over; -berry, *n. bot.* jordbær.

stray, *v.i.* fare vild; strejfe om; ~, *adj.* vildfaren; herreløs; omstrejfende.

streak, *n.* streg; stribe; (touch) antydning; like a ~ of lightning, lynhurtig; -y, *adj.* stribet.

stream, *n.* strøm; (small river) å; bæk; ~ of consciousness, bevidsthedsstrøm; ~, *v.t. & i.* strømme; (*in* wind) flagre; -er, *n.* vimpel; (paper) serpentine; -lined, *adj.* strømlinjet.

street, *n.* gade; right up my ~, lige noget for mig; -car, *n. U. S.* sporvogn; -walker, *n.* gadepige.

strength, *n.* styrke; kraft; kræfter, *pl.;* -en, *v.t. & i.* forstærke; styrke; bestyrke.

strenuous, *adj.* anstrengende; ihærdig.

stress, *n.* pres; tryk; *gram.* betoning; eftertryk; *mech.*

spænding; ~, *v. t.* lægge eftertryk på; fremhæve.

stretch, *v.t. & i.* strække; spænde; (reach) række; ~ a point, gøre en indrømmelse; ~, *n.* strækning; (period of time) stræk; at a ~, ud i én køre; -er, *n.* båre; -er-bearer, *n.* portør.

strew (strewed, strewn *el.* strewed), *v.t.* strø; udstrø.

stricken, *see* strike.

strict, *adj.* streng; striks; (exact) nøje; nøjagtig; -ly speaking, strengt taget.

stricture, *n.* kritik.

stridden, *see* stride.

stride (strode, stridden), *v.t. & i.* skride; skridte; ~, *n.* skridt; make -s, gøre fremskridt.

strident, *adj.* skingrende.

strife, *n.* strid.

strike (struck, struck; *p.p. in certain cases* stricken), *v.t. & i.* slå; ramme; træffe; (stop work) strejke; (flag, sails) stryge; (match) stryge; afstryge; it -s me that, det slår mig, at; ~, *n.* strejke; (coup) kup; (find) fund.

striking, *adj.* slående; rammende.

string, *n.* sejlgarn; *mus.* streng; (row) række; rad; have more than one ~ to one's bow, have mere end ét kort på hånden; pull -s, *fig.* trække i trådene; ~ (strung, strung), *v.t. & i.* trække på snor; ~ along, *sl.* slutte sig til; følge med; (fit with strings) sætte strenge på; highly strung, overnervøs; anspændt.

stringent, *adj.* streng; stram.

strip, *v.t. & i.* rive af; trække af; (undress) klæde (sig) af; ~, *n.* strimmel; comic ~, tegneserie.

stripe, *n.* stribe.

stripling, *n.* yngling.

stripper, *n.* nøgendanserinde.

strip-tease, *n.* afklædnings-nummer.

strive (strove, striven), *v. t.* stræbe.

strode, *see* stride.

stroke, *n.* slag; stød; (*of oar*) tag; (*of brush, etc.*) strøg; streg; (*swimming*) svømmetag; *med.* slagtilfælde; ~ of luck, lykketræf; ~ of genius, genistreg; ~, *v. t.* stryge; glatte; klappe.

stroll, *v.i.* slentre; spadsere; ~, *n.* spadseretur.

strong, *adj.* stærk, kraftig; hård; ivrig; ~-hold, *n.* fæstning; borg; ~-willed, *adj.* (obstinate) stædig; (determined) viljestærk.

strop, *n.* strygerem; ~, *v. t.* stryge.

strove, *see* strive.

struck, *see* strike.

structure, *n.* struktur; (building) bygning.

struggle, *v.i.* kæmpe; stræbe; stritte imod; ~, *n.* kamp; (endeavour) anstrengelse; slid.

strum, *v.t. & i.* klimpre.

strumpet, *n.* skøge.

strung, *see* string.

strut, *v.i.* spankulere; knejse; ~, *n. archit.* stræben; stiver.

strychnine, *n.* stryknin.

stub, *n.* stub; stump; (counterfoil) talon; ~, *v.t.* ~ one's toe, støde sin tå; (grub up) rydde, trække stubbe op.

stubble, *n.* stubbe.

stubborn, *adj.* hårdnakket; stædig.

stubby, *adj.* kort og tyk.

stucco, *n.* kalkpuds, stuk.

stuck, *see* stick; ~-up, *adj. sl.* højrumpet; vigtig.

stud, *n.* (stables) stutteri; (horse) avlshingst; racing ~, væddeløbsstald; (collar-~) kraveknap; (nail, *etc.*) søm; dup; ~, *v.t.* beslå med søm; (cover with) bestrø; -ding-sail, *n. naut.* læsejl.

student, *n.* student; studerende; forsker.

stud-horse, *n.* avlshingst.

studied, *adj.* velberegnet; gennemtænkt; udsøgt; *see also* study.

studio, *n.* atelier; *film., radio.* studie.

studious, *adj.* læselysten; flittig.

study, *n.* studerekammer; arbejdsværelse; (work) studium; in a brown ~, hensunken i dybe tanker; ~, *v.t. & i.* studere; læse.

stuff, *n.* stof; tøj; (material) materiale; (odds and ends) ragelse; do your ~!, *sl.* vis hvad du kan!; ~ and nonsense, vås, sludder og vrøvl; ~, *v.t. & i.* stoppe; fylde; proppe; (gorge oneself) *sl.* guffe i sig; (upholster) polstre; stoppe; (animals, *etc.*) udstoppe; -ing, *n.* fyld; fars; (in chairs, *etc.*) polstring; -y, *adj.* indelukket; kvalm.

stultify, *v.t.* latterliggøre; ødelægge virkningen af.

stum|ble, *v.t. & i.* snuble; ~ upon, tilfældigt opdage; -bling-block, *n.* vanskelighed, anstødssten.

stump, *n.* stub; stump; stød; ~, *v.t. & i.* gå stift; humpe; (perplex) forvirre; that ~ed him, det kunne han ikke klare; ~ up, *sl.* punge ud.

stun, *v.t.* slå bevidstløs, gøre fortumlet.

stung, *see* sting.

stunk, *see* stink.

stunning, *n.* bedøvelse; ~, *adj.* lammende; *coll.* knippelgod; mageløs.

stunt, *n.* kunststykke; nummer; ~, *v.t.* forkrøble; standse i væksten; ~, *v. i.* gøre kunster; *aero.* lave kunstflyvning.

stupefy, *v.t.* bedøve; be stupefied, være lamslået.

stupendous, *adj.* formidabel.

stupid, adj. dum; ~, n. dumrian; -ity, n. dumhed; stupiditet.

stupor, n. sløvhed; bedøvet tilstand.

sturdy, adj. robust; kraftig; stovt; stærk.

sturgeon, n. zool. stør.

stutter, v. t. & i. stamme; hakke.

St. Vitus's dance, n. sanktveitsdans.

sty, n. svinesti; ~(e), n. med. bygkorn (på øjet).

style, n. stil; (manner) måde; (appellation) benævnelse; (kind) slags; (fashion) mode; do things in ~, gøre noget i den store stil; ~, v.t. benævne; kalde; titulere; (design) formgive.

sty|let, n. griffel; stilet; -lish, adj. smart; -list, n. stilist; (fashion) modetegner; -lize, v. t. stilisere.

stymie, n. golf. stymie; fig. hindring; ~, v.t. forpurre; skabe forhindringer.

suable, adj. jur. som kan sagsøges.

suasion, n. overtalelse.

suave, adj. verdensmandsagtig; blid; (mild) mild.

sub-, pref. under-; sub|-altern, n. løjtnant; sekondløjtnant; -conscious, adj. underbevidst; the ~, n. underbevidstheden; -divide, v. t. underinddele; -due, v. t. betvinge; kue; undertrykke; -dued, adj. stilfærdig; (browbeaten) kuet; ~ lighting, dæmpet belysning.

sub-editor, n. redaktionssekretær.

sub|ject, n. (citizen) undersåt; borger; (theme) emne; gram. subjekt; grundled; ~, adj. ~ to, underkastet; (on condition that) på betingelse af; prices are ~ to confirmation, commerc.

priser uden forbindende; ~, v.t. kue, underkaste; -jectivity, n. subjektivitet; -jugate, v.t. undertvinge; betvinge; -junctive, n. gram. konjunktiv.

sub|let, v.t. fremleje; ~-lieutenant, n. naut. sekondløjtnant; -limate, v.t. sublimere; -lime, adj. ophøjet, sublim.

sub|-machine-gun, n. maskinpistol; -marine, n. undervandsbåd; ~, adj. undervands-; undersøisk; -merge, v.t.&i. dykke; (place under water) sætte under vand; -mission, n. lydighed; underkastelse; -mit, v.t.&i. (place before) forelægge; I ~ to you that, jeg henstiller til Dem at; ~ to, indordne sig; underkaste sig; finde sig i.

sub|ordinate, v. t. underordne; ~, n. underordnet person; ~, adj. underordnet; -orn, v.t. jur. [bestikke el. på anden måde forlede til mened el. anden ulovlighed]; -poena, n.jur. stævning; ~, v.t. stævne.

sub|scribe, v.t.&i. underskrive; tegne sig; undertegne; (to a charity) bidrage; (to a magazine) abonnere; -scriber, n. underskriver; bidragyder; abonnent; -scription, n. tegning; bidrag; abonnement; (membership fee) kontingent; -sequent, adj. følgende; -sequently, adv. senere; siden hen; -servience, n. underdanighed; -side, v.i. sænke sig; sætte sig; -sidiary, adj. hjælpe-; støtte-; hjælpende; -sidize, v.t. understøtte; -sidy, n. statstilskud; -sist, v.t.&i. ernære sig; bestå; eksistere; -sistence, n. udkomme; levebrød; (existence) tilværelse; ~ allowance, for-

plejningspenge; -soil, *n.*
undergrund; ~-species, *n.*
underart; -stance, *n.* stof;
hovedindhold; substans;
-stantial, *adj.* solid; større;
klækkelig; (real) virkelig;
-stantiate, *v.t.* dokumen-
tere; underbygge; gøre
virkelig; -stantive, *n. gram.*
navneord; substantiv; -sti-
tute, *v.t.* sætte i stedet;
~, *n.* (person) stedfortræ-
der; (thing) erstatning.

sub|terfuge, *n.* udflugt; kneb;
-terranean, *adj.* underjor-
disk; -title, *n.* undertitel;
film. præget tekst; -titl-
ing, *n. film.* tekstning;
-tle, *adj.* fin, let; a ~ hint,
et fint vink; (adroit) skarp-
sindig; a ~ difference, en
hårfin forskel; (cunning)
listig; -tract, *v.t.* trække
fra.

sub|urb, *n.* forstad; -urban,
adj. forstads-; småborger-
lig, provinsiel; -vention,
n. tilskud; -version, *n.*
omstyrtning; -way, *n.*
(tunnel) fodgænger tun-
nel; (underground rail-
way) undergrundsbane.

suc|ceed, *v.t.&i.* have hel-
det med sig; være heldig;
have success; lykkes; did
he ~?, lykkedes det ham?;
(follow on) efterfølge; af-
løse; -cess, *n.* succes; held;
lykke; -cessful, *adj.* vel-
lykket; (*of* person) som
har medgang; -cession *n.*
række(følge); ~ to the
throne, tronfølge; -cessor,
n. efterfølger; -cint, *adj.*
kortfattet; koncis; -cour,
n. undsætning; hjælp; ~,
v.t. undsætte; komme til
hjælp; -culent, *adj.* saftig;
-cumb, *v.i.* ~ to, bukke
under for.

such, *adj.* sådan; slig; ~ and
~, den og den; he had ~
a lot to tell us, han havde
så meget at fortælle os;
-like, *adj.* slig; den slags.

suck, *v.t.&i.* suge; (absorb)
opsuge; (suckle) die, patte;
~ at, sutte på; ~, *n.* sug-
ning; die; give ~, die;
-er, *n.* sugeskive; *sl.* én der
hopper på limpinden;
-ing-pig, *n.* pattegris; -le,
v.t. give die; die; amme;
give bryst.

suction, *n.* sugning; ~, *adj.*
suge-; ~ cleaner, støv-
suger.

sudden, *adj.* pludselig; brat;
all of a ~, lige pludselig;
-ly, *adv.* pludselig.

suds, *pl. n.* soap ~, sæbevand;
sæbeskum.

sue, *v.t.&i.* sagsøge; søge;
anlægge sag.

suède, *n.* ruskind.

suet, *n.* nyrefedt; ~ pudding,
[engelsk budding lavet
bl. a. af ~].

suffer, *v.t.&i.* lide; lide
skade; ~ punishment, lide
straf; I will not ~ it!, jeg
vil ikke finde mig i det!;
they -ed a great deal, de
gennemgik mange lidel-
ser; (permit) tillade; -ing,
n. lidelse.

suf|fice, *v.t.&i.* slå til; være
tilstrækkelig; -ficient, *adj.*
tilstrækkelig; nok; -fix, *n.*
gram. endelse; -focate,
v.t.&i. kvæle(s); -frage,
n. stemmeret; -fragette,
n. stemmeretskvinde; -fu-
se, *v. t.* overgyde.

sugar, *n.* sukker; granulated
~, (stødt) melis; lump
~, hugget sukket; icing
~, flormelis; ~, *v. t. & i.*
sukre; ~-beet, *n.* sukker-
roe; ~-cane, *n.* sukkerrør;
~-tongs, *pl. n.* sukkertang;
-y, *adj.* sød; *fig.* sukkersød.

suggest, *v.t.* foreslå; (call to
mind) lade ane; (imply)
antyde; -ion, *n.* forslag;
foranledning; henstilling;
(hint) antydning; -ive, *adj.*
suggestiv.

suicide, *n.* selvmord; com-
mit ~, begå selvmord.

suit, n. (of clothes) sæt tøj; (for women) dragt; jur. (rets)sag; (cards) farve; (petition) ansøgning; birthday ~, adamskostume; ~, v.t.&i. passe; that dress -s you!, denne kjole klæder dig!, -able, adj. passende; ~-case, n. håndkuffert; -ed, adj. well ~ to, velegnet til.

suite, n. (rooms) suite; (persons) følge; (furniture) møblement.

suitor, n. frier; bejler.

sulk, n. in the -s, i dårligt humør; sur; ~, v.i. surmule; -y, adj. gnaven, sur.

sullen, adj. truende; mørk; (sulky) gnaven, sur.

sul|phur, n. svovl; -phuric acid, svovlsyre.

sultan, n. sultan; -a, n. (sultan's wife) sultaninde; (dried fruit) sultana.

sultry, adj. lummer; trykkende.

sum, n. sum; (arithmetic) regnestykke; (money) (penge)sum; ~ and substance, hovedindhold; ~, v.t&i. sammentælle; lægge sammen; ~ up, resumere; rekapitulere; jur. give retsbelæring; -marily, adj. uden videre; summarisk; -marize, v.t. resumere; sammenfatte; -mary, n. resumé; oversigt; ~, adj. summarisk; -mer, n. sommer; -merhouse, n. (for summer holidays, etc.) sommerhus; (in garden) lysthus; -ming-up, n. resumé; jur. retsbelæring; -mit, n. bjergtop; fig. højdepunkt; -mon, v.t. stævne; (call to one) tilkalde; ~ up, opbyde; -mons, n. jur. stævning; ~, v.t. stævne.

sump, n. sump; -tuous adj. overdådig.

sun, n. sol; ~, v.t.&i. sole; -bathe, v.i. tage solbad;

-beam, n. solstråle; ~-burned, adj. solbrændt; -dae, n. iscreme med pynt.

Sunday, n. søndag; ~ best, søndagstøj; søndagsstads.

sun|der, v.t.&i. arch. poet. skille(s); -dial, n. solur; -down, n. solnedgang; -downer, n. Aust. vagabond; (drink) [drink ved solnedgang]; -dries, pl. n. commerc. diverse; -dry, adj. diverse; adskillige; -fast, adj. solægte; -flower, n. bot. solsikke.

sung, see sing.

sun|god, n. solgud; ~-helmet, n. tropehjelm.

sunk, see sink; -en, adj. sunken, sænket.

sun|light, n. sollys; -ny, adj. solklar; solbeskinnet; -rise, n. solopgang; -shade, n. parasol; solskærm; -shine, n. solskin; -stroke, n. solstik; ~-worship, n. soldyrkelse.

sup, v.t.&i. spise aftensmad.

super, adj. superfin; over-; super-; -annuation, n. pension.

superb, adj. herlig; ypperlig.

super|charger, n. mech. kompressor; -cilious, adj. overlegen; storsnudet; -ficial, adj. overfladisk; -fluous, adj. overflødig; -human, adj. overmenneskelig; -impose, v.t. lægge ovenpå; -intend, v.t.&i. føre tilsyn med; -intendent, n. (policeman) politiassistent; (person i charge) tilsynshavende.

superior, adj. (conceited) overlegen; (higher rank, etc.) højere; øverst; (very good) fortrinlig; udmærket; be ~ to, overgå; ~, n. overordnet; mother ~, priorinde; -ity, n. overlegenhed.

super|lative, n. gram. superlativ; ~, adj. superlativisk; -man, n. overmenneske;

-natural, *adj.* overnaturlig;
-numerary, *n. theat.* statist; -sede, *v.t.* fortrænge;
afløse; -sensitive, *adj.* overfølsom; -sonic, *adj.* supersonisk; ~ sound, ultralyd;
-stition, *n.* overtro; -stitious, *adj.* overtroisk;
-structure, *n.* overbygning; -tax, *n.* ekstraskat;
-vise, *v.t.* have opsyn
med; -visor, *n.* tilsynsførende.

supine, *adj.* ligegyldig; (recumbent) liggende på
ryggen.

supper, *n.* aftensmad; (formal) souper; *rel.* nadver.

supplant, *v.t.* fortrænge.

supple, *adj.* myg; smidig;
-ment, *n.* supplement; tillæg; ~, *v.t.* supplere;
-mentary, *adj.* tillægs-;
supplerende.

suppli|cate, *v. t & i.* bønfalde; -cation, *n.* bøn.

supply, *v.t.* skaffe; forsyne;
levere.

sup|port, *v.t.* understøtte;
bære; (provide for) underholde; forsørge; ~, *n.*
støtte; understøttelse; -er,
n. tilhænger.

sup|pose, *v.t.* antage; formode; -posedly, *adv.* formodentlig; -position, *n.*
formodning; antagelse;
-pository, *n. med.* suppositorium, stikpille; -press,
v.t. undertrykke; tilbageholde; -purate, *v.i.* afsondre materie.

supra-, *pref.* over-.

su|premacy, *n.* overherredømme; -preme, *adj.*
øverst; ~ court, højesteret.

surcharge, *v.t.* overstemple;
(overload) overlæsse; overlade; ~, *n.* tillæg, ekstragebyr; (post) tillægsporto.

sure, *adj. & adv.* sikker; vis;
feel ~ of, være sikker på;
make ~ it's locked!, sørg
for at den er låset!; I'm ~
he will!, det gør han sag-

tens!; -ly, *adv.* uden tvivl,
ganske vist; -ty, *n.* kaution; sikkerhed.

surf, *n.* brænding.

surface, *n.* overflade.

surf-board, *n.* bræt til surf-
riding.

surfeit, *n.* overmål; overmæthed.

surge, *v.i.* bølge; strømme;
~, *n.* bølge.

surgeon, *n.* kirurg.

surly, *adj.* gnaven; sur.

sur|mise, *v.t. & i.* formode;
gisne; -mount, *v.t.* overvinde; -name, *n.* efternavn; familienavn; -pass,
v.t. overgå; -plice, *n.*messesærk; -plus, *n.* overskud;
-prise, *n.* overraskelse; it
took me quite by ~, det
kom helt bag på mig; ~,
v.t. overraske; forbavse.

sur|realism, *n.* surrealisme;
-render, *v.t. & i.* overgive
sig; overgive; afstå; -reptitious, *adj.* stjålen; hemmelig; -round, *v.t.* omgive; omringe; indeslutte.

sur|tax, *n.* merindkomstskat;
-veillance, *n.* opsyn; -vey,
v.t. overskue; (inspect)
bese, besigtige; eftersе
(land, *etc.*) opmåle, kortlægge; ~, *n.* overblik;
oversigt; (land) opmåling;
(inspection) besigtigelse;
-veyor, *n.* landinspektør,
landmåler; (buildings, *etc.*)
bygningsinspektør; synsmand; -vival, *n.* overleven; (relic) levn; ~ of the
fittest, de bedst egnedes
fortsatte beståen; -vive,
v.t. & i. overleve; -vivor,
n. overlevende; *jur.* længstlevende.

sus|ceptible, *adj.* følsom;
modtagelig; -pect, *v. t.*
mistænke, nære mistanke
til; I ~ you're right, jeg
formoder, at du har ret;
~, *n.* mistænkt person; ~,
adj. suspekt, mistænkelig;
-pend, *v.t.* (hang) op-

hænge; (stop) afbryde;
standse; (postpone) ud-
sætte; suspendere; -pender,
n. (for sock) sokkeholder;
(lady's) strømpeholder; ~
belt, hofteholder; -pend-
ers, pl. U.S. seler; -pense,
n. spænding; -pension, n.
ophængning; mech. affjed-
ring; ~ bridge, hængebro;
~ of payments, betalings-
indstilling; -picion, n.
mistanke; -picious, adj.
(distrustful) mistænksom;
(arousing suspicion) mis-
tænkelig.

sus|tain, v.t. opretholde;
bære; støtte; holde oppe;
(suffer) lide; -ed, adj. va-
rig; stadig; -tenance, n.
næring; (maintenance) un-
derhold.

suture, n. med. sutur; bot.,
anat. søm.

svelte, adj. slank.

swab, n. svaber; ~, v.t. ~
down, svabre.

swaddle, v.t. svøbe; swad-
dling-clothes, pl. svøb.

swag, n. bytte; tyvekoster;
-ger, v.i. brovte; blære
sig; ~ stick, officers stok;
-gering, adj. storsnudet,
brovtende.

swain, n. knøs; ungersvend;
(lover) tilbeder.

swallow, n. zool. svale;
(motion) synken; synkebe-
vægelse; (of drink) slurk;
~, v.t. & i. synke; gøre
en synkebevægelse; (eat
fast) sluge; (believe) coll.
do you think he'll ~ that
one?, tror du, han hopper
på den?; ~ dive, svane-
hop; -tail, n. zool. svale-
hale; ~ coat, herrekjole;
-tailed flag, splitflag.

swam, see swim.

swamp, n. mose, sump; ~,
v.t. overskylle; over-
svømme; -y, adj. sumpet.

swan, n. svane; ~ song,
svanesang.

swank, v.i. sl. vigte sig;

prale; ~, n. pralhals; vig-
tigper.

swap, see swop.

swarm, n. sværm; ~, v.t. & i.
sværme; vrimle; myldre;
~ up, klatre op.

swarthy, adj. mørk; sort-
smudset; mørkladen.

swash, v.t. & i. slå; plaske;
skylle; -buckler, n. stor-
praler; storskryder.

swastika, n. hagekors.

swat, v.t. smække.

swathe, v.t. svøbe; ~, n.
svøb.

sway, v.t. & i. svaje; svinge;
(influence) påvirke; ~, n.
svajen; hold ~ over, styre,
beherske; ~-backed, adj.
svajrygget.

swear (swore, sworn), v.t. & i.
sværge; (curse) bande; jur.
aflægge ed; ~ by, sværge
ved; ~ off, forsværge; ~-
word, n. bandeord, ed,
kraftudtryk.

sweat, n. sved; sl. slid; by
the ~ of one's brow, i sit
ansigts sved; ~, v.t. & i.
svede; -er, n. (garment)
sweater; -y, adj. svedt.

swede, n. kålroe.

Swede, n. svensker.

Sweden, n. Sverige; -ish, n.
(language) svensk; ~, adj.
svensk.

sweep (swept, swept), v.t.
& i. (with broom) feje;
~ along, stryge hen over;
(carry along) rive med;
~, n. fejen; fejning; (chim-
ney-~) skorstensfejer; (ex-
tent) strækning; make a
clean ~, coll. blive af med
det hele, tage det hele med;
(movement) fejende be-
vægelse; -er, n. (person)
gadefejer; (carpet-~) tæp-
pefejemaskine; -ing, adj.
(comprehensive) radikal,
omfattende; (of move-
ment) fejende; -ings, pl.
n. fejeskarn; -stake, n.
sweepstake.

sweet, adj. sød; have a ~

tooth, være slikken; ~, *n.*
bolsje; (term of endear-
ment) skat; (course) des-
sert; -s, *pl. n.* konfekt;
slik; -bread, *n.* (*of throat,
neck*) kalvebrissel; -briar,
n. bot. vinrose; -en, *v.t.&i.*
gøre sød; forsøde; -heart,
n. skat, elskede; -meat, *n.*
stykke konfekt; godte;
~-pea, *n. bot.* ærteblomst;
-shop, *n.* chokoladeforret-
ning; *sl.* slikbutik; ~
william, *n. bot.* studenter-
nellike.

swell (swelled, swollen *el.*
swelled), *v.t.&i.* svulme;
bugne; hæve sig; (become
conceited) blæse sig op;
have a swollen head, være
indbildsk; ~, *n.* svulmen;
mus. crescendo; *naut.* døn-
ning; *sl.* (toff) stormand;
flot fyr; laps; ~, *adj. sl.*
flot; -ing, *n.* hævelse; ~,
adj. svulmende.

swelter, *v.i.* gispe af varme;
-ing, *adj.* ~ heat, smel-
tende varme.

swept, *see* sweep.

swerve, *v.t.&i.* dreje (*or*
vige) til siden.

swift, *n. zool.* mursejler; ~,
adj. hurtig; rask; rap.

swig, *n. sl.* slurk; ~, *v.t.&i.*
drikke i store slurke.

swill, *v.t.&i.* (rinse) skylle;
(gulp) ~ down, tylle i sig;
~, *n.* afskylning; (food for
pigs) svineæde.

swim (swam, swum), *v.t.*
&i. svømme; (float) flyde;
everything swam before
my eyes, det hele svimlede
for mig; ~, *n.* svømmen;
svømmetur; -mer, *n.*
svømmer.

swimming, *n.* svømning;
~-baths, *pl. n.* svømme-
hal; ~-pool, *n.* swimming-
pool, svømmebassin.

swindle, *v.t.&i.* bedrage;
snyde; ~, *n.* bedrageri,
svindel; -r, *n.* bedrager,
svindler.

swine, *n.* svin; -herd, *n.*
svinehyrde.

swing (swung, swung), *v.t.*
& i. svinge; dingle;
(hang) hænge; *coll.* blive
hængt; (boast) prale; *mus.*
svinge; ~ the lead, *sl.*
skulke; ~, *n.* sving; sving-
ning; (*for children*) gynge;
in full ~, i fuld gang.

swinish, *adj.* svinsk.

swipe, *v.t.* slå hårdt; lange
ud efter; *sl.* (steal) rapse;
~, *n.* slag.

swirl, *v.t.&i.* hvirvle; ~, *n.*
hvirvlen.

swish, *v.t.&i.* suse; hvisle;
(noise of stick) svippe;
~, *n.* susen; hvislen; svip.

Swiss, *n.* schweizer; svejtser;
the ~, schweizerne; svejt-
serne; ~, *adj.* schweizisk,
svejtsisk; ~ roll, roulade.

switch, *n.* (stick) pisk; kvist;
kæp; *elect.* kontakt; af-
bryder; (change) omstil-
ling; *radio.* omskifter; rail-
way ~, sporskifte; ~, *v.t.*
& i. skifte; *elect.* ~ on
(off), tænde (slukke) ly-
set; (strike) slå med en
kæp; (change) slå over til,
gå over til; -back, *n.*
rutschebane; -board, *n.*
omstillingsbord, central-
bord; -box, *n. elect.* af-
bryderdåse.

Switzerland, *n.* Schweiz,
Svejts.

swivel, *n.* omdrejningstap;
naut. hvirvelbøjle; ~, *v.t.*
& i. dreje; ~-chair, *n.*
drejestol.

swizzle, *n. sl.* svindel; ~
stick, cocktailpind.

swollen, *see* swell.

swoon, *v.i.* besvime; dåne;
~, *n.* besvimelse; dånen.

swoop, *v.i.* pludseligt angreb;
nedslag; at one ~, med ét
slag; ~, *v.t.&i.* slå ned
(på); komme fejende.

swop (*el.* swap), *v.t.&i.* byt-
te; udveksle; ~, *n.* (stamp)

dublet; (exchange) bytten; bytning.

sword, *n.* sværd; sabel; ~ arm, højre arm; -fish, *n.* *zool.* sværdfisk; -sman, *n.* fægter.

swore, *see* swear.

sworn, *adj.* svoren; ~ enemies, svorne fjender; *see also* swear.

swot, *n. sl.* slider; ~, *v.i.* slide (med lektier); terpe.

swum, *see* swim.

swung, *see* swing.

sycamore, *n. bot.* valbirk; morbærfigentræ.

sycophant, *n.* spytslikker.

syllable, *n.* stavelse.

syllabus, *n.* pensum; undervisningsplan.

syllogism, *n.* syllogisme.

sylph, *n.* sylfe.

sym|bol, *n.* symbol; -bolic(al), *adj.* symbolsk; -bolize, *v.t.* symbolisere; -metrical, *adj.* symmetrisk; -pathetic, *adj.* medfølende; sympatisk; velvilligt indstillet; -pathize, *v.i.* sympatisere; -pathy, *n.* medfølelse; sympati; velvillig indstilling; -phony, *n.* symfoni; -ptom, *n.* symptom; tegn; -ptomatic, *adj.* symptomatisk; karakteristisk.

syn|agogue, *n.* synagoge; -dicate, *n.* syndikat; konsortium; -onym, *n.* synonym; -onymous, *adj.* synonym; -opsis, *n.* synopsis; oversigt; -tax, *n.* sætningslære; -thesis, *n.* syntese; -thetic, *adj.* syntetisk.

syphilis, *n.* syfilis.

Syria, *n.* Syrien; -n, *n.* syrier; ~, *adj.* syrisk.

syringe, *n.* sprøjte.

syrup, *n.* sirup.

sys|tem, *n.* system; metode; (human) organisme; -tematic, *adj.* systematisk; -tematics, *n.* systematik.

tab, *n.* strop; mærke; keep -s on, *coll.* holde kontrol med.

tabby, *adj.* stribet, spættet; ~, *n.* stribet kat; hunkat.

tabernacle, *n.* tabernakel.

table, *n.* bord; (slab, *etc.*) tavle; (*for* calculations) tabel; turn the -s, give sagen en anden vending; at ~, ved bordet; ~ cloth, dug; -land, *n.* højslette; ~-spoon, *n.* spiseske; -t, *n.* tablet; tavle; ~-tennis, *n.* bordtennis; ~-top, *n.* bordplade.

tabloid, *n.* sensationsblad; *med.* tablet.

taboo, *n. & adj.* tabu.

tabulate, *v.t.* [ordne i let overskuelig form]; tabulere.

tacit, *adj.* stiltiende; tavs; -urn, *adj.* fåmælt; ordknap.

tack, *n.* stift; (stitch) ri-sting, næst; (course) kurs; (food) mad; *naut.* bov; get down to brass -s, komme til sagens kerne; be on the wrong ~, gribe sagen forkert an; ~, *v.t. & i.* fæstne, hæfte med stifter, sømme; ri; *naut.* stagvende; krydse.

tackle, *n. naut.* talje; takkel; (equipment) grejer; (*in* football, *etc.*) tackling; ~, *v.t. & i. naut.* takle, tiltakle; *sport.* takle; (start on) gå løs på; give sig i kast med.

tack|ling, *n. naut.* tovværk; *sport.* takling; -y, *adj.* klæbrig.

tact, *n.* takt; taktfølelse; -ful, *adj.* taktfuld.

tactic(s) (*mostly in pl.*) *n.* taktik.

tactless, *adj.* taktløs.

tadpole, *n. zool.* haletudse.

taffeta, *n.* taft.

taffrail, *n. naut.* hakkebræt.

tag, *n.* mærkeseddel; (*on* shoelace) dup; (loose end) løs ende; stump; (game) tagfat; ~, *v.t. & i.* mærke (med mærkeseddel, osv.);

~ along with, følge; rende i hælene på; ~ on (to) hæfte ved.

tail, *n.* hale; ende; (rear part) bagende; turn ~, luske af; I can't make head or ~ of it, der er hverken hoved eller hale på det; ~ coat, kjole; ~ end, bageste ende; ~ feather, halefjer; ~ gunner, *aero.* agterskytte; (coat-~), frakkeskød; white tie and ~s, kjole og hvidt; heads or-s?, plat eller krone?; ~,*v.t. & i.* (follow) skygge; følge efter; top and ~ gooseberries, nippe stikkelsbær; ~ off (diminish) dø hen, svinde; ~-board, *n.* bagsmæk.

tailor, *n.* skrædder; ~, *v. i. & t.* sy efter mål; *fig.* tilskære; lave efter ønske; ~-made, *adj.* skræddersyet.

taint, *n.* plet, skamplet; (infection) smitte; (pollution) besmittelse; ~, *v. t. & i.* plette; smitte; besmitte; fordærve.

take (took, taken), *v. t. & i.* tage; (capture) fange; (overcome, eat) indtage; (deliver) bringe; (grasp) gribe; (accept) modtage; I ~ it you can't come?, jeg forstår, du ikke kan komme?; (attract) tiltage; ~ off, tage af; *aero.* lette; (mimic) gøre nar af; ~ place, finde sted; ~ on, påtage sig; ~ in, narre; ~ to, blive forfalden til; ~ it out on, lade det gå ud over; ~, *n.* (fish) fangst; *film.* optagelse; (cash collected) indtægt, kasse.

talc, talcum, *n.* ~ powder, talkum.

tale, *n.* fortælling; historie; eventyr; tell -s, sladre.

talent, *n.* talent; begavelse; -ed, *adj.* begavet.

talisman, *n.* talisman.

talk, *v.t.& i.* snakke; tale; sludre; ~ back, svare igen; ~ the hind leg off a donkey, snakke fanden et øre af; ~ something over, diskutere noget, tale om noget; ~ somebody over (*el.* round) overtale en; ~, *n.* samtale; snak; *radio, etc.* causeri; foredrag; (negotiation) forhandling; drøftelse; the ~ of the town, det, hele byen snakker om; ~ative, *adj.* snakkesalig; -ie, *n.* talefilm; -ing-to, *n.* a good ~, en irettesættelse; *sl.* en omgang.

tall, *adj.* høj; lang; stor; a ~ story, en usandsynlig historie.

tallow, *n.* tælle, talg.

tally, *n.* regnskab; keep ~ of, holde tal på; ~, *v. t. & i.* (agree) this report doesn't ~ with what you tell me, denne redegørelse stemmer ikke med det, De fortæller mig; (count) tælle; føre regnskab med.

talon, *n.* -s, *pl.* rovfuglekløer; *fig.* kløer.

tambourine, *n.* tamburin.

tame, *adj.* tam; (dull) mat; (submissive) spag; ~, *v.t.* tæmme.

tam-o'-shanter, *n.* skottehue.

tamp, *v.t.* fylde; tilstoppe.

tam|per, *v.i.* ~ with, pille ved, rode med; -pon, *n. med.* tampon.

tan, *n.* garvebark; (colour) gyldenbrunt; (solution) garvemiddel; ~, *v.t. & i.* garve; barke; blive (*or* gøre) solbrændt; (give thrashing) *sl.* prygle.

tandem, *n.* tandem.

tang, *n.* tang; bismag.

tan|gent, *n.* tangent; go off at a ~, slå over i en anden retning, komme pludselig væk fra emnet; -gerine, *n.* mandarin; -gible, *adj.* håndgribelig.

Tangier, *n.* Tanger.

tangle, *v.t. & i.* sammenfiltre, indvikle; ~, *n.* sammenfiltret masse; get into a ~, komme i urede, *fig.* komme i vanskeligheder.

tango, *n.* tango.

tank, *n. mil.* kampvogn, panservogn; (container) beholder, tank; (cistern) cisterne; -ard, *n.* stort krus, ølkrus; -er, *n.* tankskib, tankbåd.

tan|nery, *n.* garveri; -nic, *adj.* garve-; -ning, *n.* garvning.

tantalize, *v.t.* lade lide tantaluskvaler; pine; plage.

tantamount, *adj.* ~ to, ensbetydende med.

tantrum, *n.* raserianfald; she went into one of her -s, hun fik et af sine anfald.

tap, *n.* (*for* water) (vand)hane; (light blow) let slag, dask; (*in* barrel) (tønde)tap; (liquor) aftapning; *mech.* snittap; *radio.* afgrening; on ~, (*of* beer, *etc.*) have på fad; *fig.* til rådighed; ~, *v.t. & i.* (rap) slå let, daske let; (barrel) tappe; forsyne med tap; *sl.* ~ somebody for a loan, slå én for et lån; (telephone line) aflytte; ~-dancer, *n.* stepdanser.

tape, *n.* bændel; bånd; strimmel; ~, *v.t.* måle; forsyne med bånd; he's got the story well -d, han kender hele historien; ~-measure, *n.* målebånd.

taper, *n.* kerte; (decrease) gradvis aftagen; ~, *v.t. & i.* ~ off, gradvis aftage; ~ off to a point, tilspidses, løbe ud i en spids.

tape|-recorder, *n.* båndoptager; ~-recording, *n.* båndoptagelse.

tapering, *adj.* spids; konisk.

tapestry, *n.* gobelin; vægtæppe.

tapeworm, *n.* bændelorm.

tapioca, *n.* tapioka.

tapir, *n. zool.* tapir.

tappet, *n. mech.* stødstang; medbringerknast.

tapping, *n.* aftapning; ~ machine, *mech.* gevindskæremaskine.

tap|-room, *n.* skænkestue; -ster, *n.* (beer) øltapper; (wine) vintapper.

tar, *n.* tjære; (sailor) *sl.* matros; ~, *v.t.* tjære.

tarantella, *n. zool.* tarantel.

tar|board, *n.* tjærepap; -brush, *n.* tjærekost; a touch of the ~, have negerblod i årene.

tar|diness, *n.* sendrægtighed; -dy, *adj.* sendrægtig; langsom.

tare, *n. bot.* vikke, *commerc.* tara; *bibl.* -s among the wheat, klinte iblandt hveden; ~, *v.t. commerc.* tarere.

target, *n.* skydeskive; (objective) mål.

tariff, *n.* tarif; toldtarif; (price list) prisliste; taksttabel.

tarn, *n.* lille fjeldsø.

tarnish, *v.t. & i.* løbe an; falme; *fig.* plette.

tarpaulin, *n.* presenning; (rainproof hat) sydvest; -s, *pl.* olietøj.

tarragon, *n.* estragon.

tarry, *v.t. & i. lit.* dvæle; bie; ~, *adj.* tjæret.

tarsal, *adj. anat.* ~ bone, fodrodsben.

tarsier, *n. zool.* spøgelsesabe.

tart, *n.* tærte; (girl) *sl.* tøjte; tøs; ~, *adj.* sur; bidende; -an, *n.* skotskternet mønster; ~, *adj.* skotskternet.

tartar, *n.* cream of ~, vinsten; (calcium on teeth) tandsten; T~, *n.* tatar; *fig.* hustyran.

tartlet, *n.* lille tærte.

task, *n.* opgave; (duty) pligt; arbejde; (lesson) lektie; ~, *v.t.* (try) overanstrenge; sætte på prøve; bebyrde; ~-master, *n.* krævende lærer; streng arbejdsgiver.

tassel, *n.* kvast; dusk; klunke.

taste, *n.* smag; in good ~, smagfuld; to my ~, i min smag; it leaves a bad ~ in your mouth, man får en dårlig smag i munden af det; ~, *v.t. & i.* smage; prøve; -ful, *adj.* smagfuld; -less, *adj.* (poor taste) smagløs; (without taste) uden smag.

tasty, *adj.* velsmagende; smagfuld.

tat, *see* tit.

tatter, *n.* las, pjalt; his clothes were in -s, hans tøj hang i laser; -ed, *adj.* laset; forreven.

tattle, *n. coll.* sludder; snak; ~, *v.t. & i.* sludre; snakke; -r, *n.* sludrechatol.

tattoo, *n.* tappenstreg; (show) tattoo, militæropvisning; ~, *v.i.* slå tappenstreg; tromme; (mark skin) tatovere.

tatty, *adj. sl.* uordentlig; tarvelig.

taught, *see* teach.

taunt, *n.* hån; spot; ~, *v.t.* håne; spotte.

taut, *adj.* stram; (an)spændt; *naut.* tot; -en *v.t. & i.* stramme; *naut.* hale tot; -ology, *n.* tautologi; dobbelt konfekt.

tavern, *n.* værtshus; kro.

tawdry, *adj.* forloren; tarvelig.

tawny, *adj.* gulbrun; solbrun; ~ owl, natugle.

tax, *n.* skat; (burden) belastning; byrde; ~, *v. t.* beskatte; pålægge skat; (burden) belaste; bebyrde; -able, *adj.* skattepligtig; -ation, *n.* beskatning; ~collector, *n.* skatteopkræver; ~free, *adj.* skattefri.

taxi, *n.* taxa; hyrevogn; ~ rank, bilholdeplads; -dermy, *n.* udstopning af dyr.

taxpayer, *n.* skatteyder.

tea, *n.* te; he is not my cup of ~, han er ikke mit nummer; not for all the ~ in China, ikke for alt i verden; (meal) te komplet; ~-caddy, *n.* tedåse.

teach (taught, taught), *v. t. & i.* lære; undervise; -er, *n.* lærer(inde); -s' training college, seminarium; -ing, *n.* undervisning.

tea-cosy, *n.* tevarmer; ~cup, *n.* tekop.

teak, *n.* teak; teaktræ.

teal, *n. zool.* krikand.

tea-leaf, *n.* teblad.

team, *n. sport.* hold; (work) arbejdshold; team; (animals) spand; forspand; ~, *v.t.* spænde sammen; ~ up, danne et hold, samarbejde; ~-spirit, *n.* [vilje til samarbejde]; ~-work, *n.* samarbejde.

tea-party, *n.* teselskab; ~pot, *n.* tepotte.

tear (tore, torn), *v.t. & i.* rive; sønderrive; (dash) jage, fare; ~ off, rive af; ~ one's hair, rive sig i håret; ~, *n.* rift; flænge; ~, *n.* tåre; ~ gas, tåregas; in -s, opløst i gråd; burst into -s, briste i gråd; -ful, *adj.* grædende; tårefyldt; -ing, *adj. coll.* be in a ~ hurry, have rivende travlt.

tease, *v.t.* drille; plage; -r, *n.* (person) drillepind; (problem) vanskeligt problem.

teaspoon, *n.* teske.

teat, *n.* patte(vorte); (comforter) sut; flaskesut.

tea-things, *pl. n.* teservice; ~towel, *n.* viskestykke.

tech|nical, *adj.* teknisk; faglig; ~ hitch, teknisk uheld; ~ term, fagudtryk; -nicality, *n.* teknisk detalje; -nician, *n.* tekniker; -nique, *n.* teknik; fremgangsmåde.

teddy, *n.* ~ bear, bamse, teddybjørn; ~ boy, *coll.* teddy boy.

te|dious, *adj.* kedsommelig; langtrukken; kedelig; -di-um, *n.* lede; kedsomelighed.

tee, *n.* to a ~, nøjagtig, på en prik; (golf) tee.

teem, *v. t. & i.* vrimle; myldre; ~ with, vrimle med.

teen|-age, *n.* (årene fra 13 til 19]; -ager, *n.* teenager; [dreng *el.* pige mellem 13 og 19]; -s, *pl.* in one's ~, mellem 13 og 19 år gammel.

teeny-weeny, *adj. coll.* lillebitte.

teeth, *see* tooth; -e, *v. i.* få tænder; be -ing, være ved at få tænder; ~ troubles, *fig.* begyndervanskeligheder.

teetotal, *adj.* totalafholdende; -ler, *n.* totalafholdsmand.

te-hee, *v. i. coll.* fnise.

tele|cast, *n.* fjernsynsudsendelse; -gram, *n.* telegram; -graph, *n.* telegraf; -pathy, *n.* telepati; -phone, *n.* telefon; ~ call, opringning; ~ booth, telefonkiosk; ~ directory, telefonbog; ~ receiver, telefon; put down the receiver, lægge røret på; -printer, *n.* fjernskriver; -scope, *n.* kikkert; teleskop; -viewer, *n.* fjernsynskigger; -vise, *v. t. & i.* udsende i fjernsyn; -vision, *n.* fjernsyn; ~ set, fjernsynsmodtager; fjernsynsapparat.

tell (told, told), *v. t. & i.* fortælle; berette; you can ~ ~ it by the colour, man kan se det på farven; I told you not to!, jeg sagde du skulle lade være!; it's hard to ~ them apart, det er svært at skelne mellem dem; there's no -ing at this time of year, man kan ikke være sikker ved denne årstid; ~ tales, sladre; this sort of work is -ing on my health, den slags arbejde tager hårdt på mit helbred; -er, *n.* fortæller; (vote-counter) stemmeoptæller; -ing, *adj.* træffende, virkningsfuld; -ing-off, *n. sl.* balle; irettesættelse.

tell-tale, *n.* sladderhank; (indication) tegn, bevis; ~, *adj.* afslørende.

temerity, *n.* dumdristighed.

temper, *n.* (mood) humør; sind; stemning; lose one's ~, blive hidsig; miste selvbeherskelsen; in a good (bad) ~, i godt (dårligt) humør; ~, *v. t. & i.* temperere; mildne; dæmpe; (harden) hærde; -ament, *n.* gemyt; temperament; -amental, *adj.* temperamentsfuld; -ance, *n.* afholdenhed; mådehold; -ate, *adj.* mådeholden; ~ climate, tempereret klima; -ature, *n.* temperatur; I've got a slight ~, jeg har lidt feber.

tempest, *n.* storm; -uous, *adj.* stormfuld.

tem|plar, *n.* juridisk student; -plate, *n.* skabelon.

temple, *n.* tempel; *anat.* tinding.

tem|poral, *adj.* verdslig; (*of time*) tids-; -porary, *adj.* midlertidig; foreløbig; -porize, *v. i.* nøle.

tempt, *v. t.* lokke; friste; forlede; -ation, *n.* fristelse.

ten, *n. & adj.* ti; it's ~ to one he'll come, jeg tør vædde på, at han kommer.

ten|able, *adj.* holdbar; -acious, *adj.* fast; (stubborn) ihærdig; hårdnakket; -acity, *n.* hårdnakkethed; ~ of purpose, målbevidsthed; -ant, *n.* lejer; beboer; ~ farmer, forpagter.

tend, *v. t. & i.* passe; pleje; opvarte; betjene; ~, *v. i.* tendere; gå i retning af; ~ to, have tilbøjelighed til; være tilbøjelig til; bidrage til; -ency, *n.* tendens; retning; tilbøjelighed.

tender, *n.* (offer) tilbud; (railway) tender; legal ~, lovligt betalingsmiddel; invite -s, udbyde i licitation; ~, *adj.* øm; følsom; (delicate) fin; spæd; ømskindet; ~, *v. t. & i.* tilbyde; fremføre; (hand over) indgive; -foot, *n.* grønskolling; -loin, *n.* mørbrad; filet.

ten|don, *n.* sene; -dril, *n.* slyngtråd.

tene|brous, *adj.* skummel; -ment, *n.* beboelseshus; ~ house, lejekaserne.

tenet, *n.* grundsætning.

tenner, *n. coll.* tipundsseddel.

tenon, *n.* tap.

tenor, *n.* (singer, voice) tenor; (meaning) indhold, ånd; (tendency) bane; forløb; ~ violin, bratsch.

tense, *adj.* spændt; stram; ~, *v. t. & i.* spænde; ~, *n.* gram. tid.

ten|sile, *adj.* som kan strækkes (el. spændes); -sion, *n.* spænding; spændthed; *fig.* anspændelse.

tent, *n.* telt.

ten|tacle, *n.* fangarm; -tative, *adj.* foreløbig; prøve-; a ~ proposal, en 'prøveballon'.

tenterhook, *n.* be on -s, sidde som på nåle; keep on -s, holde i spænding.

tenth, *adj.* tiende; ~, *n.* tiendedel.

tent-peg, *n.* teltpløk.

ten|uous, *adj.* tynd; lille; fin; -ure, *n.* besiddelse; ~ of office, tjenestetid.

tepid, *adj.* lunken.

term, *n.* termin; periode; (school) semester; (phrase) in -s of, udtrykt i; we are not on speaking -s, vi taler ikke med hinanden; be on good (bad) -s with somebody, være gode

venner (uvenner) med én; -s, *pl. n.* betingelser; ~, *v. t.* benævne; kalde; -inal, *n.* endepunkt; (bus, *etc.*) endestation; *elect.* pol; polskrue; -inology, *n.* terminologi; -inus, *n.* endepunkt; (bus, *etc.*) endestation; -ite, *n.* termit.

tern, *n. zool.* terne.

terrace, *n.* terrasse; (row of houses) husrække; ~ house, rækkehus.

terra-cotta, *n.* terrakotta.

terrain, *n.* terræn.

terrestrial, *adj.* jord-; jordisk.

ter|rible, *adj.* frygtelig; forfærdelig; rædsom; -rier, *n.* terrier; -rific, *adj.* frygtelig; skrækindjagende; *sl.* (very great) enorm; vældig; mægtig; -rify, *v. t.* forskrække; forfærde; -ritorial, *n.* [soldat i territorialhæren]; landeværnsmand; ~, *adj.* lande-; territorial-; -ritory, *n.* territorium; landområde; -ror, *n.* rædsel; skræk; forfærdelse; -ror-stricken, -ror-struck, *adj.* rædselsslagen.

terry, *n.* løkke; ~ cloth, frotté; ~ towel, frottéhåndklæde.

terse, *adj.* fyndig og koncis.

tertiary, *adj.* tertiær; the T~, *n.* tertiærtiden.

test, *n.* (examination) prøve; undersøgelse; put to the ~, stille på prøve; ~, *v. t.* prøve; undersøge; kontrollere; will you ~ me on my tables?, vil De høre mig i mine tabeller?; -ament, *n.* testamente; -ator, *n.* testator, arvelader.

tes|ticle, *n. anat.* testikel; -tify, *v. t. & i.* aflægge vidnesbyrd; vidne; ~ to, bekræfte; bevidne; -timonial, *n.* attest; (recommendation) anbefaling; -timony, *n.* vidneudsagn; vidnesbyrd.

test-tube, *n.* reagensglas.

testy, *adj.* gnaven; irritabel.

tetanus, *n. med.* stivkrampe.

tête-à-tête, *n. adj. & adv.* tête-à-tête; have a ~, tale sammen på tomandshånd.

tether, *v.t.* tøjre; binde; ~, *n.* tøjr; be at the end of one's ~, *fig.* være ude af stand til at tåle mere pres.

Teutonic, *adj.* teutonsk, germansk.

text, *n.* tekst; version; ~ book, *n.* lærebog.

tex|tile, *n.* tekstil; **-tual,** *adj.* tekst-; **-ture,** *n.* væv; struktur.

Thames, *n.* the ~, Themsen.

than, *conj.* end; (hardly) no sooner said ~ done, næppe var det sagt, før det blev gjort.

thane, *n. hist.* stormand; thegn.

thank, *v.t.* takke; ~ heaven(s), gudskelov; ~ God!, Gud være lovet!; ~, *n.* (only used in pl.) -s, tak; ~ very much!, many ~!, mange tak!; ~ to, takket være; **-ful,** *adj.* taknemmelig; **-less,** *adj.* utaknemmelig; a ~ task, en utaknemmelig opgave; **-sgiving,** *n.* taksigelse.

that, *adj. & pron.* (*pl.* those) den, det (*pl.* de); denne, dette (*pl.* disse); ~'s ~!, det var det!; r. *pron.* som, der; *conj.* at; for at; in ~, idet; *adv.* så.

thatch, *n.* stråtag; ~, *v.t.* tække; **-ed roof,** stråtag; **-er,** *n.* tækkemand; **tag-tækker.**

thaw, *n.* tø; tøvejr; ~, *v.t. & i.* tø; tø op.

the, *adj. & adv.* den, det; de; ~ more ~ merrier, jo flere des bedre; ~ dog, hunden; ~ table, bordet; ~ tables, bordene.

theatre, *n.* teater; (dramatic art) drama; teaterkunst;

~ of war, krigsskueplads; ~-goer, *n.* teatergænger.

theatrical, *adj.* teatralsk; teater-.

thee, *pron. arch.* dig; *see* thou.

theft, *n.* tyveri.

their, *adj. & poss. pron.* deres; it is ~ house, det er deres hus; -s, deres; the house is -s, huset er deres.

them, *pron.* dem; sig; "where are the boy's boats?" – "they took ~ with ~", »de tog dem med sig«.

thematic, *adj.* tematisk.

theme, *n.* emne; tema.

themselves, *pron.* selv; sig; sig selv.

then, *adv.* da; dengang; ~ and there, på stedet; *conj.* i så fald; derfor; *adj.* daværende; the ~ king, den daværende konge; ~, *n.* dengang; den tid; every now and ~, nu og da.

thence, *adv.* derfra; **-forth, -forward,** *adv. & n.* fra den tid af.

theo|logian, *n.* teolog; **-logy,** *n.* teologi.

theorem, *n.* læresætning.

theo|retical, *adj.* teoretisk; **-ry,** *n.* teori; lære.

thera|peutist, *n.* terapeut; occupational ~, beskæftigelsesterapeut; **-py,** *n.* terapi.

there, *n.* der; derhen; deri; dertil; in ~, derinde; from ~, derfra; down ~, dernede; over ~, derhenne; *int.* ~!, så!; ~ we are!, det var det!, så, nu kan vi godt!; ~'s no knowing, det er ikke til at vide; **-abouts,** *adv.* der omkring; omtrent; **-after,** *adv.* derefter; **-fore,** *adv.* derfor; af den grund; **-of,** *adv.* deraf; **-upon,** *adv.* derpå; **-with,** *adv.* .dermed.

therm, *n.* varmeenhed; **-al,** *adj.* varme-; varm.

thermo|electric, *adj.* termoelektrisk; **-meter**, *n.* termometer.

thermos, *n.* termoflaske.

thermo|stat, *n.* termostat; **-therapy**, *n.* varmebehandling.

these, *see* this.

theses, *see* thesis.

thesis (*pl.* theses), *n.* afhandling; disputats; (theory) tese.

thews, *pl. n.* muskler; sener.

they, *pron.* de; ~ say, man siger, folk siger.

thick, *adj.* tyk; (*of* liquid) tykt(flydende);(dense)tæt; *sl.* they are very ~, de er meget gode venner; he is very ~, *sl.* han er meget dum; ~, *n.* through ~ and thin, gennem tykt og tyndt; in the ~ of things, i midten, hvor det hele foregår, **-en**, *v.t. & i.* gøre tyk; (sauce) jævne; **-et**, *n.* krat; tykning; **~-headed**, *adj.* tykhovedet; **-ness**, *n.* tykkelse; **-set**, *adj.* firskåren; **~-skinned**, *adj.* tykhudet; **~-witted**, *adj.* tykhovedet.

thief, *n.* tyv.

thieve, *v.t. & i.* stjæle.

thigh, *n.* lår; **~-bone**, *n.* lårben.

thimble, *n.* fingerbøl.

thin, *adj.* tynd; smal; mager; spinkel; ~, *v.t. & i.* gøre tyndere; slanke sig; fortynde; ~ out, tynde ud.

thine, *poss. pron. arch.* din, dit, dine.

thing, *n.* ting; tingest; (matter) sag; just the ~, det helt rigtige; a near ~, lige ved at ske; first ~, straks; **-s**, *pl. n.* grejer; (clothes) kluns; how are ~?, hvordan går det?; take first ~ first, start med det væsentligste; it's just one of those ~, sådan er der så meget; **-amy**, **-amybob**, **-amyjig**, *n.* tingest; dims; duppedit.

think, *n.* have another ~!, tænk dig nu om!; then you've got another ~ coming!, så må du hellere tro om igen!; ~ (thought thought), *v.t. & i.* tænke; (believe) tro; mene; I am -ing of going to London, jeg tænker på at tage til London; do you ~ you'll stay for good?, agter du at blive der permanent?; (consider) synes; do you ~ it reasonable?, anser du det for at være rimeligt?; what do you ~ of it?, hvad synes du om det?; ~ over, overveje.

third, *adj.* tredje; ~, *n.* tredjedel; ~ party liability insurance, ansvarsforsikring.

thirst, *n.* tørst; ~, *v.i.* tørste; ~ for, tørste efter; **-y**, *adj.* tørstig.

thir|teen, *adj. & n.* tretten; **-teenth**, *n.* trettendedel; ~, *adj.* trettende; **-tieth**, *n.* tredivtedel; ~, *adj.* tredivte; **-ty**, *adj. & n.* tredive.

this (*pl.* these), *adj. & pron.* denne, dette (*pl.* disse); ~ one, denne her; I didn't think it would be ~ bad, jeg troede ikke, at det ville være så slemt; ~ day, i dag; dags dato; to ~ must be added, hertil skal tilføjes; one of these days, snart.

thistle, *n. bot.* tidsel; **~-down**, *n.* tidseldun.

thither, *adv.* derhen; did.

tho', *see* though.

thole-pin, *n. naut.* åretold.

thong, *n.* rem.

thorax, *n. anat.* thorax; bryst; brystkasse.

thorn, *n.* torn; *bot.* tjørn; a ~ in one's flesh, *bibl.* en pæl i kødet; a ~ in one's side, *fig.* en torn i øjet.

thorough, *adj.* grundig; fuldstændig; omhyggelig; indgående; a ~ talking-to,

sl. en ordentlig balle;
-bred, *n.* fuldblods(hest);
racehest; ~, *adj.* raceren;
fuldblods-; -fare, *n.* ho-
vedvej; færdselssåre; No
T~, gennemkørsel for-
budt; -going, *adj.* om-
fattende; grundig; -ly,
adv. helt igennem; -ness,
n. grundighed.

those, *see* that.

thou, *pron. arch. & bibl.* du.

though, *conj.* selv om; skønt;
endskønt; even ~, selv
om; she was quite bright
~, hun var nu alligevel
ganske kvik.

thought, *see* think; ~,
n. tænkning; tankegang;
tanke; please have some
~ for your health!, tænk
lidt på Deres helbred!; the
very ~ that, bare tanken
at; on second -s, ved
nærmere eftertanke; -ful,
adj. betænksom; tanke-
fuld; (serious) alvorlig;
-less, *adj.* tankeløs; ~-
reading, *n.* tankelæsning.

thousand, *adj. & n.* tusind;
hundreds and -s, krym-
mel; -th, *n.* tusindedel;
~, *adj.* tusinde.

thraldom, *n.* trældom.

thrall, *n.* træl; slave.

thrash (*el.* thresh), *v. t. & i.*
(corn) tærske; (beat)
prygle; ~ out, gennem-
drøfte, diskutere til bunds;
-er, *n.* tærsker; -ing, *n.*
dragt prygl; -ing-ma-
chine, *n.* tærskemaskine.

thread, *n.* tråd; garn; *mech.*
gevind; lose the ~, *fig.*
tabe tråden; ~, *v.t.* ~ a
needle, tråde (*or* træde) en
nål; ~ one's way, sno sig
igennem; -bare, *adj.* luv-
slidt; ~-paper, *n.* vindsel.

threat, *n.* trusel; -en, *v.t.&i.*
true (med); -ening, *adj.*
truende.

three, *adj. & n.* tre; (figure)
tretal; ~ score, tres; ~-
cornered, *adj.* trekantet;

-penny bit, trepenny-
stykke; ~-ply, *adj.* (thread,
etc.) treløbet; ~ wood,
krydsfinér med tre lag;
~-quarters, *pl. n.* trekvart.

thresh, *see* thrash; -old, *n.*
tærskel.

threw, *see* throw.

thrice, *arch.* tre gange.

thrift, *n.* sparsommelighed;
-y, *adj.* sparsommelig.

thrill, *n.* gys; gysen; (ex-
citement) spænding; ~,
v.t.&i. gyse; begejstre;
betage; -er, *n.* thriller;
gyser; -ing, *adj.* spæn-
dende; gribende.

thrive (throve, thriven), *v.i.*
trives; have heldet med
sig.

thriv|en, *see* thrive; -ing,
adj. blomstrende.

thro', **thro**, *see* through.

throat, *n.* hals; strube; a sore
~, ondt i halsen; cut some-
body's ~, skære halsen
over på én; his words
stuck in his ~, ordene blev
siddende i halsen på ham.

throb, *v.i.* slå; banke; pul-
sere; ~, *n.* slag; pulseren;
dunken; ~-bing, *adj.* pul-
serende.

throe, *n.* (*usually pl.*) skarp
smerte; in the -s of, *fig.*
midt i.

throne, *n.* trone; ~-room, *n.*
tronsal.

throng, *v. t & i.* myldre;
stimle sammen; trænges;
~, *n.* vrimmel; trængsel;
menneskemylder.

throstle, *n. zool.* sangdrossel.

throttle, *n.* strube; kværk;
mech. gasspjæld; ventil;
~, *v.t.* (strangle) kvæle;
kværke; *mech.* drosle; ~
down, tage gassen fra.

through (*sometimes abbr.* thro',
thro; *U. S.* thru), *prep.* gen-
nem; igennem; (because
of) på grund af; all ~ you,
takket være dig; ~, *adv.*
~ and ~, fuldstændig; om
og om igen; he's a sports-

man ~ and ~, han er sportsmand helt igennem; wet ~, gennemblødt; are you ~?, er De færdig?; ~, *adj.* a ~ train, gennemgående forbindelse; -out, *prep. & adv.* helt igennem.

throve, *see* thrive.

throw (threw, thrown), *v. t. & i.* kaste; smide; slynge; ~ away, kaste bort; ~ into relief, stille i relief; ~ light on, kaste lys over; ~ open, åbne; ~ out, smide ud; I was -n back on (*el.* upon) my own resources, jeg blev henvist til mine egne ressourcer; ~ a fit, få en prop, få et tilfælde; ~ a party, holde et gilde; ~ up the sponge, opgive kampen; ~, *n.* kast; a stone's ~, et stenkast; -away, *n.* reklametryksag; reklameartikel; -back, *n.* tilbageslag; modgang; *biol.* atavistisk individ; (reversion) reversion; -n, *see* throw.

thru, *see* through.

thrum, *v. t. & i.* klimpre; ~ on the table, tromme på bordet.

thrush, *n. zool.* drossel; *med.* trøske.

thrust (thrust, thrust), *v. t. & i.* støde; jage; stikke; ~ something on to somebody, skyde noget over på en; he's always -ing himself on to people, han påtvinger altid andre folk sit selskab; ~, *n.* skub; stød; stik; *mech.* (driv)tryk; a nasty ~, en sarkastisk bemærkning.

thud, *n.* dump lyd; dump; ~, *v. i.* falde med en dump lyd.

thug, *n. coll.* bandit; gangster; morder.

thumb, *n.* tommelfinger; by rule of ~, efter skøn; efter øjemål; be all -s, være en kludremikkel; ~, *v. t.* befingre; vende med tom-

melfingeren; ~ through a book, bladre en bog igennem; ~ a lift, *sl.* blaffe, rejse på tommelfingeren; ~ index, registerudskæring; ~-nail, *n.* tommelfingernegl; ~ sketch, lille portræt, skitse; ~-screw; *n.* tommeskrue; ~-stall, *n.* fingertut.

thump, *n.* dunk; tungt slag; ~, *v. t. & i.* dunke; hamre; -ing, *adj. sl.* (very great) mægtig; kolossal.

thunder, *n.* torden; a ~ of guns, kanontorden; *fig.* bragen, buldren; a ~ of applause, tordnende bifald; he stole my ~, *coll.* han kom mig i forkøbet; ~, *v. t. & i.* tordne; dundre; buldre; drøne; -bolt, *n.* tordenkile; *fig.* tordenslag; -storm, *n.* tordenvejr.

Thursday, *n.* torsdag.

thus, *adv.* således; (therefore) af den grund; ~ far and no more, hertil og ikke mere.

thwack, *n.* slag; ~, *v. t.* slå; banke.

thwart, *n. naut.* tofte; ~, *adv. naut.* på skrå; ~, *v. t.* forpurre; forhindre.

thy, *poss. pron. & adj. arch. & bibl.* din, dit, dine.

thyme, *n. bot.* timian.

thyroid, *adj. anat.* skjoldbrusk-; ~ gland, skjoldbruskkirtel.

thyself, *pron. arch.* dig selv.

tiara, *n.* tiara; pavekrone.

tibia, *n. anat.* skinneben.

tic, *n.* tic; nervøs trækning.

tick, *n.* (mark) mærke; (sound) tik; tikken; *sl.* (credit) klods; buy on ~, købe på klods; just a ~!, lige et sekund!; *zool.* blodmide; ~, *v. t. & i.* tikke; dikke; (mark) mærke; ~ off, sætte mærke ved; *sl.* (scold) skælde ud; *sl.* fungere; what makes him

~?, hvad er det, der driver ham frem?; *sl.* klage: he's always -ing about something, han er altid utilfreds med noget; -er, *n.* børs-telegraf; *sl.* lommeur; *sl.* hjerte; ~ tape, telegrafstrimmel.

ticket, *n.* billet; lottery ~, lotteriseddel; pawn ~, låneseddel; *coll.* that's the ~!, akkurat!, sådan skal det være!; ~-collector, *n.* billetkontrollør.

tick|ing, *n.* drejl; ~-off, *n. sl.* balle; overhaling.

tick|le, *n.* kildren; ~, *v. t. & i.* kilde; kildre; pirre; (amuse) more; fornøje; -lish, *adj.* kilden; (difficult) vanskelig; (delicate) ømtålelig; delikat; pinlig.

tidal, *adj.* tidevands-; ~ wave, flodbølge.

tiddly-winks, *pl. n.* loppespil.

tide, *n.* tidevand; *fig.* tendens; strømning; high ~, flod; low ~, ebbe; ~, *v. t. & i. naut.* drive med tidevandet; ~ over a difficulty, klare sig igennem; that cold ham will ~ us over till Monday, vi kan klare os igennem til på mandag med denne kolde skinke.

tidiness, *n.* orden; ordentlighed.

tidings, *pl. n.* tidende; nyheder, *pl.*; efterretninger, *pl.*

tidy, *adj.* ordentlig; ryddelig; pæn; a ~ sum, et pænt beløb; keep ~, holde i orden; ~, *v. t.* rydde op; ordne; gøre i stand; ~ up, rydde op.

tie (tying), *v. t. & i.* knytte; binde; *sport.* spille uafgjort; be tied down, *fig.* være forpligtet; ~, *n.* (necktie) slips; (bow-~) butterfly; *mus.* bindebue; *sport.* uafgjort kamp; lige

antal points (*el.* stemmer); ~-beam, *n.* hanebjælke.

tier, *n.* række; lag.

tierce, *n.* (cards) sekvens på tre kort.

tiff, *n.* (mindre) skænderi; uoverensstemmelse; be in a ~, være sur; ~, *v. i.* skændes.

tiffin, *n. Anglo-Ind.* frokost.

tig, *n.* tagfat.

tiger, *n.* tiger; ~-moth, *n. zool.* bjørnespinder.

tight, *adj.* (not loose) fast; (not leaky) tæt; (difficult to move) stram; a ~ fit (*about* clothes) snæver, stram; *sl.* (stingy) nærig; (drunk) fuld; -en, *v. t. & i.* stramme; spænde; we must ~ our belts, *fig.* vi må spænde livremmen ind; ~ a nut, trække en møtrik an; ~ up controls, skærpe kontrollen; ~-fisted, *adj.* nærig; gnieragtig; -rope, *n.* line; ~-dancer, linedanser; -s, *pl. n.* trikot.

tigress, *n.* huntiger.

tile, *n.* (roof) tegl; teglsten; (wall) flise; kakkel; (floor) flise; out on the -s, *coll.* ude på sjov om natten.

till, *n.* pengeskuffe; ~, *prep.*, *conj.* til; indtil; not ... till, først; ikke ... før(end); ~, *v. t.* dyrke; ~ the soil, berede (*or* opdyrke) jorden; -age, *n.* opdyrkning; -er, *n. naut.* styrepind; rorpind.

tilt, *n.* hældning; hæld; at full ~, for fuld fart; kraftigt; ~, *v. i. & t.* vippe; tippe; (horseback fighting) turnere; ~-yard, *n.* turneringsplads.

timbal, *n.* pauke.

timber, *n.* tømmer; *naut.* spant; shiver my -s!, splitte mine bramsejl!; -ed, *adj.* tømret; half-timbered house, bindings-

værkshus; ~-merchant, *n.*
tømmerhandler.
timbre, *n.* klangfarve.
timbrel, *n.* tamburin.
time, *n.* tid; the first ~ I
heard it, første gang jeg
hørte det; ~ will show,
det vil tiden vise; in my
grandfather's ~, da min
bedstefar levede; ~ and
~ again, gang på gang;
do ~, afsone fængselsstraf;
have a good ~, more sig;
it's about ~ he was here,
det er snart tide han kom;
keep ~, *mus.* holde takten;
my watch keeps good
(bad) ~, mit ur går rigtigt
(forkert); at -s, somme-
tider; undertiden; ~, *v. t.*
& *i.* vælge tidspunktet for;
afpasse; ansætte (til); (note
~ taken) tage tid (på);
~ bomb, tidsindstillet
bombe; ~-honoured, *adj.*
hævdvunden; ~-limit, *n.*
tidsbegrænsning; -liness,
n. betimelighed; -ly, *adj.*
betimelig; ~-table, *n.*
(school) timeplan; skema;
(transport) køreplan.
timid, *adj.* forknyt; genert;
frygtsom.
timorous, *adj.* frygtsom;
bange.
tin, *n.* (metal) blik; (con-
tainer) dåse; blikdåse;
konservesdåse; ~ can,
blikdåse; a little ~ god,
en lille vorherre; ~ foil,
stanniol; ~, *v.t.* fortinne.
tincture, *n.* ekstrakt; tinktur;
(shade) skygge; antyd-
ning; anstrøg; ~, *v.t.* tone;
give et anstrøg; give skær.
tinder, *n.* tønder; fyrsvamp;
~-box, *n.* fyrtøj.
tine, *n.* gren; tand; spids.
ting-a-ling, *n.* klingeling.
tinge, *n.* skær; anstrøg; tone;
~, *v.t.* give skær; farve.
tingle, *v.i.* & *i.* krible; prikke.
tinker, *n.* kedelflikker; ~,
v.t. & *i.* ~ with; (meddle
with) rode med; (repair)

reparere på; not worth a
~'s cuss, ikke fem flade
øre værd.
tinkle, *n.* klingren; klirren;
~, *v.i.* klingre; ringle.
tin|ny, *adj.* billig; tinagtig;
~-opener, *n.* dåseåbner;
-sel, *n.* glimmer; flitter;
lahn; *fig.* flitterstads.
tint, *n.* farveskær; nuance;
~, *v.t.* give farveskær;
farve.
tiny, *adj.* lillebitte; ~ tots,
småbørn.
tip, *n.* spids; it was on the
~ of my tongue, jeg var
lige ved at sige det; I have
it on the ~ of my tongue,
jeg har det lige på tungen;
(money) drikkepenge;
gave; (information) fidus;
cork ~ (on cigarette) kork-
mundstykke; ~, *v.t.* & *i.*
vælte; tippe over; (put
~ on) sætte mund-
stykke på; (give ~,
i. e. money) give drikkepenge;
give en pengegave; ~ the
scales, få vægtskålen til at
synke; *fig.* være udslag-
givende; (give advice *or*
information) give råd;
give besked.
tippet, *n.* (skulder)slag.
tipple, *v.i.* pimpe; drikke;
-r, *n.* svirebroder.
tip|ster, *n.* en der sælger
væddeløbstips; -sy, *adj.*
let beruset; be ~, have en
lille fjer på; -toe, *n.* tå-
spids; on ~, på tåspidsen
(*or* tåspidserne); ~, *v.i.*
liste; gå på tåspidserne;
-top, *adj.* førsteklasses.
tirade, *n.* tirade; ordflom.
tire, *n. U. S. see* tyre; ~, *v.t.*
& *i.* trætte; gøre træt; blive
træt; udmatte; -d, *adj.*
træt; udmattet; -less, *adj.*
utrættelig; -some, *adj.* be-
sværlig; trættende.
tiring, *adj.* trættende.
tiro, *n.* begynder.
'tis, = it is.
tissue, *n.* væv; *med.* binde-

væv; ~-paper, *n.* silke-
papir.

tit, *n. zool.* mejse; (nipple)
brystvorte; ~ for tat, lige
for lige; give him ~ for
tat, give ham svar på til-
tale.

titbit, *n.* lækkerbisken; læk-
kerbid; -s of information,
små interessante nyheder.

tithe, *n.* tiende.

titillate, *v.t.* kildre; pirre.

title, *n.* titel; betegnelse;
navn; *film.* tekst; (claim)
ret; krav; ~, *v.t. &i.* titu-
lere; give titel; betitle;
~ deed, skøde; adkomst-
dokument; ~ page, titel-
blad; ~ rôle, *theat.* titel-
rolle.

titmouse (*pl.* titmice), *n. zool.*
mejse.

titter, *n.* fnis; ~, *v.i.* fnise.

tittle, *n. fig.* tøddel; not one
jot or ~, ikke den mindste
smule; ~-tattle, *n.* plidder-
pladder; snak.

titular, *adj.* titulær; nominel.

to, *prep. & conj.* til; dertil;
~ and fro, frem og tilbage;
go ~ a restaurant, gå på
restaurant; (with *infini-
tive*) at; for at; push the
door ~!, skub døren i!;
wait till he comes ~, vent
til han kommer til be-
vidsthed; (compared with)
mod; i sammenligning
med.

toad, *n. zool.* tudse; skrub-
tudse; -stool, *n.bot.* padde-
hat; -y, *n.* spytslikker.

toast, *n.* ristet brød; propose
the ~ of, udbringe en skål
for; drink a ~ to, drikke
en skål for; ~, *v.t. &i.*
(bread) riste; (person) ud-
bringe en skål for; skåle;
-er, *n.* brødrister; -ing-
fork, *n.* ristegaffel; ~-
master, *n.* ceremonime-
ster; ~-rack, *n.* stativ til
ristet brød.

tobacco, *n.* tobak; -nist, *n.*
tobakshandler; cigarhand-

ler; ~-pouch, *n.* tobaks-
pung.

toboggan, *n.* kælk; slæde.

tocsin, *n.* stormklokke.

today, *n.* i dag.

toddler, *n.* rolling.

toddy, *n.* toddy.

to-do, *n.* ståhej; postyr.

toe, *n.* tå; tread on some-
body's -s, træde én over
tæerne; ~, *v.t.* røre med
tæerne; ~ the line, *fig.* ly-
stre; holde sig på måtten.

toff, *n. sl.* fin fyr; -ee, *n.*
flødekaramel.

tog, *v.t. coll.* ~ oneself up,
rigge sig ud; see -s.

together, *adv.* sammen; til-
sammen; i forening; all ~,
alle sammen.

toggle, *n. naut.* ters, knebel.

togs, *pl. n. coll.* tøj; kluns.

toil, *n.* slid; hårdt arbejde;
slid og slæb; ~, *v.i.* slide;
arbejde hårdt; -et, *n.*
toilet; w. c.; (dressing,
getting ready, *etc.*) toi-
lette; -et-paper, *n.* toilet-
papir; -some, *adj.* møj-
sommelig.

token, *n.* tegn; mærke;
(memento) minde; by the
same ~, af samme grund;
på samme måde; as a ~ of
my affection, som tegn på
min hengivenhed.

told, *see* tell.

toler|able, *adj.* tålelig; nogen-
lunde; (endurable) udhol-
delig; -ance, *n.* tolerance;
overbærenhed; -ant, *adj.*
tolerant; overbærende;
-ate, *v.t.* tolerere; finde
sig i.

toll, *n.* bompenge; afgift;
told; take a heavy ~ of
the enemy, få fjenden til
at lide store tab; ~ call,
udenbys (telefon)samtale;
~ of the road, trafikkens
dødsofre; ~-house, *n.*
bomhus.

tom, *n.* han; ~, *adj.* han-;
T~, *n.* every ~, Dick and

Harry, hvem som helst; alle og enhver.

tomahawk, *n.* tomahawk.

tomato, *n.* tomat.

tomb, *n.* grav; gravmæle; gravkammer.

tombola, *n.* lotteri; tombola.

tomboy, *n.* viltert pigebarn.

tombstone, *n.* gravsten.

tomcat, *n.* hankat.

tome, *n.* stor, tyk bog; digert bind.

tomfoolery, *n.* pjank; narrestreger, *pl.*

tommy|-gun, *n.* maskinpistol; ~-rot, *n. sl.* sludder.

tomorrow, *n.* i morgen; ~ week, i morgen otte dage; ~ morning, i morgen tidlig; the day after ~, i overmorgen.

tomtit, *n. zool.* mejse.

tom-tom, *n.* tamtam.

ton, *n.* ton; *sl.* 100 miles i timen; *fig.* -s of, masser af.

tonality, *n.* tonalitet.

tone, *n.* tone; klang; ~ of voice, tonefald; set the ~, angive tonen; ~, *v. t. & i.* tone; (colour) give farvetone; ~ down, dæmpe, neddæmpe; -less, *adj.* klangløs.

tongs, *pl. n.* tang; a pair of ~, en tang; go at something hammer and ~, gå kraftigt til værks, kile på.

tongue, *n.* tunge; (language) tungemål; *geog.* landtunge; he said it with his ~ in his cheek, han mente det ironisk; a slip of the ~, en fortalelse; stick one's ~ out, række tunge ad; tip of my ~, *see* tip; ~-tied, *adj.* stum; he was ~, han tabte mælet; ~-twister, *n.* [sætning *el.* frase som er til at brække tungen på].

tonic, *n.* stimulans; opstrammer; ~, *adj.* styrkende.

tonight, *adv.* i aften; i nat.

tonnage, *n.* tonnage; (tax) tonnageafgift.

ton|sil, *n. anat.* mandel; -sillitis, *n. med.* betændelse i mandlerne; -sure, *v. t.* kronrage.

too, *adv.* også; tillige; (excessive) alt for; for; he's not ~ happy about it, han er ikke særlig glad for det; I wanted to go ~, jeg ville også med.

took, *see* take.

tool, *n.* værktøj; redskab; ~-shed, *n.* redskabsskur.

toot, *n.* trut; trutten; stød; -er, *n.* horn.

tooth (*pl.* teeth) *n.* tand; have a sweet ~, have smag for søde sager; ~ and nail, med næb og kløer; in the teeth of, på trods af; false teeth, gebis; by the skin of his teeth, med nød og næppe; -ache, *n.* tandpine; -brush, *n.* tandbørste; -paste, *n.* tandpasta.

top, *n.* top; øverste stykke; overdel; (toy) snurretop; from ~ to toe, fra top til tå; ~ of the class, duks; he's not quite ~ drawer, han er ikke just en af de fine; at the ~ of his voice, af sine lungers fulde kraft; ~, *v. t.* sætte top på; (cut ~ off) afkappe; aftoppe; ~ up, fylde helt op.

topaz, *n.* topas.

top-coat, *n.* overfrakke.

topee, *n.* solhjelm.

toper, *n.* svirebroder.

top|-gallant, *n. naut.* ~ sail, bramsejl; ~-hat, *n.* høj hat; ~-heavy, *adj.* be ~, have overbalance.

topic, *n.* emne; ~ of conversation, samtaleemne; -al, *adj.* aktuel; a matter of ~ interest, en aktualitet.

topography, *n.* topografi; egnsbeskrivelse.

top|per, *n. sl.* høj hat; -ping, *adj. sl.* brandgod; knippelgod.

topple, *v.t. & i.* vakle og falde; få til at vakle og falde.

topsy-turvy, *adj.* på hovedet; endevendt.

tor, *n.* klippe; klippetop.

torch, *n.* fakkel; electric ~, lommelygte; ~-light, *n.* fakkelskær.

tore, *see* tear.

tor|ment, *v.t.* pine; plage; ~, *n.* pine; plage; pinsel; kval; -mentor, *n.* plageånd.

torn, *see* tear.

tor|nado, *n.* tornado; orkan; -pedo, *n.* torpedo; ~, *v.t.* torpedere; -pid, *adj.* sløv; træg; lie ~, ligge i dvale; -por, *n.* dvale; sløvhedstilstand.

torque, *n.* (force) vridningsmoment.

tor|refaction, *n.* tørring; -rent, *n.* flom; strøm; -rential, *adj.* strømmende; rivende; -rid, *adj.* udtørret; brændende hed; the ~ zone, den tropiske zone; -sion, *n.* vridning; snoning; -so, *n.* torso.

tor|toise, *n. zool.* skildpadde; -tuous, *adj.* bugtet; snoet; -ture, *n.* tortur; pinsel; pine, ~, *v.t.* martre; pine; tortere; -turer, *n.* bøddel.

Tory, *n. & adj.* konservativ.

tosh, *n. sl.* vrøvl.

toss, *v.t. & i.* kaste; slænge; kaste hid og did; be -ed by a bull, blive stanget af en tyr; *(of* ship) gynge; ~ up for, slå plat eller krone om; ~ off, ryste ud af ærmet; he -ed off a glass of whisky, han stak et glas whisky ud; ~ a pancake, vende en pandekage; ~, *n.* kast; *(of a* coin) lodtrækning ved møntkast; he took a ~, han blev kastet af hesten; a ~ of the head, et kast med hovedet; ~-up, *n.* lodkastning; *fig.* lotterispil.

tot, *n.* (child) rolling; (small amount) anelse; (drink) slurk; glas; ~, *v.t. & i.* ~ up, lægge sammen; beløbe sig til; bliver.

total, *adj.* total; fuldstændig; the ~ amount, det samlede beløb; ~, *n.* facit; sum; total; ~, *v.t. & i.* beløbe sig til; udgøre; -itarian, *adj.* totalitær; -izator, *n.* totalisator; -ly, *adv.* helt; totalt; fuldkommen.

tote, *n. sl.* totalisator; ~, *v.t.* bære.

totem, *n.* totem.

t'other = the other; can't tell ~ from which = can't tell one from the other, man kan ikke se forskel på dem.

toto, *n.* in ~, i alt.

totter, *v.i.* vakle; stavre; stolpre.

toucan, *n. zool.* peberfugl; tukan.

touch, *v.t. & i.* røre (ved); berøre; føle (på); tage (på); ~ on, omtale; strejfe; (reach) nå; (affect) bevæge; ~ up, retouchere; ~ for money, slå; ~, *n.* berøring; keep in ~ with, bevare kontakten med; a ~ of fever, et let anfald af feber; (small amount) anelse; strøg; anstrøg; antydning; ~-and-go, *adj.* farlig; usikker; løs; -ed, *adj.* (emotionally) rørt; *sl.* (a little crazy) åndssvag; -ing, *adj.* rørende; -stone, *n.* probersten; *fig.* prøvesten; ~-typing, *n.* blindskrift; -y, *adj.* ømskindet; sart; (irritable) prikken; (delicate) ømtålelig.

tough, *adj.* sej; (difficult) vanskelig; (hardy) hård; hårdfør; a ~ customer, en skrap fyr; a ~ nut to crack, en hård nød at knække; talk ~, være stor i munden; -en, *v.t. & i.*

gøre sej; blive sej; -ness, n. sejhed.

toupée, n. toupet.

tour, n. (rund)rejse; theat. turné; lecture ~, foredragsturné; ~, v. i. & t. rejse; ture rundt; -ist, n. turist; -nament, n. turnering; -niquet, n. tourniquet; årepresse.

tousle, v.t. rode op i; -d hair, sammenfiltret hår; -d, adj. forpjusket.

tout, n. billethaj; racing ~, bookmaker's medhjælper; ~, v.t.&i. falbyde; ~ for customers, kapre kunder.

tow, n. blår; in ~, på slæb; give a ~, tage på slæb; bugsere; ~, v.t. bugsere, tage på slæb.

toward(s), prep. imod; henimod; mod; (facing) med retning mod; some money ~, nogle penge som hjælp til.

towel, n. håndklæde; ~ horse, ~ rack, håndklædestativ.

tower, n. tårn; ~ block, archit. højhus; ~, v.i. hæve sig; knejse; rage op; -ing, adj. tårnhøj.

towing, n. bugsering; ~ cable, n. bugsertrosse.

towline, n. trosse.

town, n. by; (market ~) købstad; ~ council, byråd; man about ~, levemand; the talk of the ~, det, hele byen snakker om; ~-councillor, n. byrådsmedlem; -sfolk, -s-people, n. bybefolkning, byboere.

tow(-)path, n. træksti; ~ rope, n. bugsertrosse.

toxic, adj. giftig.

toy, n. legetøj; ~, v.i. ~ with, lege med; pusle med; -shop, n. legetøjsbutik.

trace, n. spor; mærke; (harness strap) skagle; he has disappeared without leaving a ~, han er sporløst

fodspor; (of car, etc.) hjulspor; sport. bane; film. eftersporre; følge; opspore; (make copy of) kalkere; (draw) tegne; -ry, n. fletværk.

tracing, n. kalkering; ~ paper, n. kalkerpapir.

track, n. spor; (footprints) fodspor; (of car etc.) hjulspor; sport. bane; film. (sound ~) tonespor; lydstrimmel; (race ~) væddeløbsbane; (railway ~), jernbanelinje; keep ~ of, have føling med; have hånd i hanke med; holde sig à jour med; lose ~ of, miste føling med; tabe kontakt med; ~, v. t. & i. spore; opspore; ~ down, opspore.

tract, n. (pamphlet) pjece; skrift; (area) egn; strækning; strøg; the respiratory ~, åndedrætssystemet; -able, adj. medgørlig; -ion, n. trækning; -ive, adj. trækkende; -or, n. traktor.

trade, n. håndværk; levevej; fag; profession; næring; erhverv; (commerce) handel; samhandel; ~ union, fagforening; the ~ winds, passatvindene; ~, adj. faglig; erhvervsmæssig; handels-; ~, v.i.&t. handle; ~ in, give som delvis betaling; ~-mark, n. varemærke; firmamærke; ~-name, n. varenavn; -r, n. handelsmand; (ship) handelsskib; -sman, n. næringsdrivende; -sman's entrance, køkkenindgang; -smen, pl. n. de handlende.

trading, n. handel; ~, adj. handels-; ~-station, n. handelsplads.

tradition, n. tradition; overlevering; -al, adj. traditionel.

traffic, n. trafik; færdsel; (trade) handel; illegal ~

in, ulovlig handel med;
~ lights, *pl. n.* lyskurv;
færdselssignal; no through
~, gennemkørsel forbudt;
-ator, *n.* retningsviser.

trage|dian, *n.* tragedieforfatter; (actor) tragedieskuespiller; -dy, *n.* tragedie.

tra|gic, *adj.* tragisk; sørgelig;
-gi-comic, *adj.* tragikomisk.

trail, *n.* spor; (tail) hale;
(path) sti; be on the ~ of,
være på sporet af; ~,
v.t. & i. slæbe efter sig;
trække; (track) efterspore;
-er, *n.* påhængsvogn;
(film) trailer; forreklame;
(plant) udløber.

train, *n.* tog; (part of dress)
slæb; (procession) optog;
(retinue) følge; you're interrupting my ~ of
thought, du forstyrrer
mig i min tankegang; ~,
v.t. & i. uddanne; oplære;
(practise) træne; (animals)
dressere; -ee, *n.* elev; -ing,
n. uddannelse; træning;
~-college, *n.* seminarium.

traipse, *v. i.* traske; ture
rundt.

trait, *n.* træk; karakteregenskab, karaktertræk; -or, *n.*
forræder; -ress, *n.* forræderske.

trajectory, *n.* (projektil)-
bane.

tram, *n.* sporvogn; ~-car, *n.*
sporvogn; ~-conductor, *n.*
sporvognskonduktør; ~-
line, *n.* sporvognslinie.

trammels, *pl. n.* hindring.

tramp, *n.* (walk) fodtur;
(person) landstryger; vagabond; (sound) trampen;
~, *v.i. & t.* trampe; (walk)
vandre til fods; -le, *v.t. & i.*
stampe; trampe; ned-
trampe.

trance, *n.* trance.

tranquil, *adj.* rolig; stille;
-lity, *n.* ro; stilhed; -ize,
v.t. berolige.

trans|act, *v.t. & i.* udføre;

gøre; -action, *n.* forretning; transaktion; -atlantic, *adj.* atlanterhavs-.

tran|scend, *v.t. & i.* overgå;
overskride; -scribe, *v. t.*
afskrive; kopiere; -scription, *n.* afskrift; kopi;
-sept, *n.* tværskib; korsarm.

trans|fer, *n.* overførsel; overdragelse; (picture, *etc.*)
overføring; overførings-
billede; (money ~) over-
førsel; (posting) forflyt-
telse; ~ ticket, omstig-
ningsbillet; ~, *v.t.* over-
føre; overdrage; forflytte;
(money) overføre; girere;
-figuration, *n.* forklarelse;
-figure, *v.t.* forklare; -fix,
v.t. (pierce) spidde; (root
to spot) få til at stivne;
-form, *v.t.* omdanne; for-
vandle; -formation, *n.*
forvandling; omskabelse;
-former, *n. elect.* transfor-
mator; -fusion, *n.* (*of* blood)
transfusion.

trans|gress, *v.t.* overtræde;
forse sig mod; -ion, *n.*
overtrædelse; overskri-
delse.

tran|sient, *adj.* flygtig; -sit,
n. gennemrejse; in ~, på
gennemrejse; lost in ~,
tabt undervejs; -sition, *n.*
overgang; -sitive, *adj.*
transitiv; -sitory, *adj.* for-
gængelig; forbigående.

trans|late, *v.t.* oversætte;
(change) omsætte; -lation,
n. oversættelse; -lator, *n.*
oversætter; translatør; -lu-
cent, *adj.* gennemskinne-
lig.

trans|migration, *n.* ~ of
souls, sjælevandring; -mis-
sion, *n.* forsendelse; over-
føring; *mech.* transmis-
sion; -mit, *v.t.* overføre;
radio. udsende; transmit-
tere; (pass on) videreføre;
-mitter, *radio.* (radio)sen-
der.

transmute, *v.t.* forvandle.

transom, *n.* tværstykke; dørbjælke.

transparent, *adj.* gennemsigtig; transparent.

tran|spiration, *n.* transpiration; sved; -spire, *v.t.&i.* svede, transpirere; (become apparent) vise sig.

trans|plant, *v.t.* omplante; overflytte; -port, *v.t.* transportere; forsende; -ported with joy, himmelhenrykt; ~, *n.* transport; -pose, *v.t.* transponere; ~-ship, *v.t.* omlade; ~-shipment, *n.* omskibning; omladning; -verse, *adj.* tvær-; tværgående.

trap, *n.* fælde; (pitfall) faldgrube; ~, *v.t.&i.* fange; *fig.* få i saksen; (set traps) stille fælder; (water) sætte vandlås på; ~-door, *n.* lem; faldlem.

trap|eze, *n.* trapez; -ezium, *n.* trapez.

trap|per, *n.* pelsjæger; -pings, *pl. n.* pynt; stads; -s, *pl. n.* sager; bagage; pakkenelliker.

trash, *n.* bras; skidt; møg; (nonsense) sludder, (of literature) kulørt litteratur; -y, *adj.* værdiløs.

trauma, *n.* trauma; læsion.

travail, *n.* slid og slæb; (birth pains) fødselsveer; ~, *v.i.* *arch.* slide og slæbe.

travel, *n.* (travelling) det at rejse; -s, *pl.* rejser; ~, *v.t.&i.* rejse; (of light, sound, *etc.*) bevæge sig; forplante sig; ~ agency, rejsebureau; -ler, *n.* rejsende; commercial ~, handelsrejsende; ~'s cheque, rejsecheck; -ling, *adj.* rejsende; rejse; -ogue, *n.* rejsefilm.

traverse, *v.t.&i.* gennemrejse; berejse.

travesty, *n.* parodi; travesti.

trawl, *n.* trawl; (seabevod) slæbegarn; ~, *v. t. & i.* trawle; -er, *n.* trawler.

tray, *n.* bakke; ~-cloth, *n.* bakkeserviet.

treacher|ous, *adj.* forræderisk; lumsk; -y, *n.* forræderi; lumskhed.

treacle, *n.* melasse; sirup.

tread, *n.* (of tyre) slidbane; (walk) gang; ~ (trod, trodden), *v.i.&t.* træde; betræde; (trample) trampe (på); -le, *n.* tråd; trædebræt; ~, *v.i.* træde på fodbræt; -mill, *n.* trædemølle.

treason, *n.* forræderi; high ~, højforræderi; landsforræderi; -able, *adj.* forræderisk.

trea|sure, *n.* skat; *fig.* klenodie; perle; rigdomme, *pl.*; ~, *v.t.* samle på; bevare; sætte stor pris på; ~ hunt, skattejagt; ~ trove, funden skat; -surer, *n.* kasserer; -sury, *n.* skatkammer; kasse; the T~, statskassen.

treat, *n.* nydelse; fornøjelse; (food) lækkert traktement; ~, *v.t.&i.* (behave towards) behandle; (consider) betragte; *med.* behandle; (discuss, negotiate) forhandle; (stand a ~, pay for, *etc.*) traktere; give; he -ed himself to a holiday, han flottede sig med en ferie.

treatise, *n.* afhandling; skrift.

treatment, *n.* behandling; *med.* kur; *film.* treatment.

treaty, *n.* traktat.

treble, *n.* diskant; ~, *v.t.&i.* tredoble; ~, *adj.* tredobbelt.

tree, *n.* træ; (shoe-~) skolæst; blok; family ~, stamtræ; ~-sparrow, *n.* *zool.* skovspurv.

trefoil, *n.* *bot.* kløver.

trek, *n.* rejse; vandring; ~, *v.i.* rejse (langsomt); vandre.

trellis, *n.* gitter; tremmer *pl.*; espalier.

tremble, *n.* skælven, bæven,

rysten, dirren; ~, *v.i.*
skælve, bæve, ryste, dirre.
tremendous, *adj.* enorm;
voldsom; mægtig.
trem|or, *n.* skælven; gys;
-ulous, *adj.* skælvende;
(afraid) frygtsom.
trench, *n.* grøft; rende; *mil.*
skyttegrav; ~ mortar, *n.*
mil. granatkaster; ~, *v.t.*
&i. skære (ind i); ~ on,
(encroach upon) gøre ind-
greb i; -ant, *adj.* *arch.* &
fig. skarp; (clear) tydelig,
klar; -er, *n.* smørebræt;
spækkebræt.
trend, *n.* tendens; retning.
trepan, *v.t.* trepanere.
trepidation, *n.* skælven;
angst.
trespass, *n.* overtrædelse; for-
give us our -es as we for-
give them that ~ against
us, *bibl.*, forlad os vor
skyld som også vi forlader
vore skyldnere; ~, *v.i.*
synde; forse sig; [uberet-
tiget færdsel på anden
ejendom]; "-ers will be
prosecuted", »al uvedkom-
mende færdsel forbudt«.
tress, *n.* (hår)lok.
trestle, *n.* buk; ~ table,
bukkebord.
triad, *n.* trehed; *mus.* tre-
klang.
trial, *n.* prøve; (hardship)
prøvelse; by the method
of ~ and error, ad erfarin-
gens vej, ved forsøg-fejl-
metoden; *jur.* retslig be-
handling; domsforhand-
ling; give a car a ~ run,
prøvekøre en bil.
trian|gle, *n.* trekant; -gular,
adj. trekantet.
tribe, *n.* stamme; folkefærd.
tribulation, *n.* modgang;
trængsel.
tri|bunal, *n.* domstol; dom-
mersæde; -bune, *n.* tri-
bun; (platform) talerstol;
-butary, *n.* (river) biflod;
(obliged to pay tax) skat-
skyldig nation (*or* person);

~, *adj.* skatskyldig; (*of*
river, *etc.*) bi-; -bute, *n.*
skat; pay ~ to, hylde.
trice, *n.* in a ~, i en hånde-
vending.
trick, *n.* kneb; puds; list;
streg; nummer; (feat)
trick, kunstgreb; ~, *v.t.*
&i. narre; spille et puds;
bedrage; -le, *n.* pib-
len; ~, *v.i.* pible (roll
down) trille; -ster, *n.* fi-
dusmager; -y, *adj.* listig;
drilsk; drilagtig; (diffi-
cult) vanskelig.
tri|colo(u)r, *n.* trikolore; ~,
adj. trefarvet; -cycle, *n.*
trehjulet cykel; -dent, *n.*
trefork.
tried, *see* try.
triennial, *adj.* triennal; tre-
årig; ~, *n.* triennale; tre-
årsdag.
trifle, *n.* bagatel; ubetyde-
lighed; smule; ~, *v.i.&t.*
~ with, lege med; være
letsindig med; fjase; lege;
not to be -d with, ikke
til at spøge med.
tri|fling, *adj.* ubetydelig;
-foliate, *adj.* trebladet;
-folium, *n.* kløver.
trig|ger, *n.* aftrækker; ~
guard, aftrækkerbøjle; -o-
nometry, *n.* trigonometri.
trilateral, *adj.* tresidet.
trilby, *n.* trilbyhat, blød filt-
hat.
trill, *n.* trille; ~, *v. i. & t.*
trille; slå triller.
trillion, *n.* trillion; *U.S.* bil-
lion.
trilogy, *n.* trilogi.
trim, *n.* in good (poor) ~,
i god (dårlig) stand; in
fighting ~, kampberedt,
kampdygtig; *naut.* am-
ning; trim; (hair-cutting)
trimning; ~, *v. t. & i.*
bringe i orden;" (cut)
trimme; studse; klippe;
naut. bringe på ret køl;
~ oneself up, soignere sig;
~, *adj.* net; ordentlig; vel-
bygget; -ming, *n.* bræm-

me; (cutting) studsning; klipning; trimning; the -s, *pl.* pynten.

Trinity, *n.* treenighed; ~ Sunday, søndag efter pinse.

trinket, *n.* smykke; nipsgenstand.

trio, *n. mus.* trio; *fig.* trekløver.

trip, *n.* udflugt; (quick visit) svip; afstikker; lille tur; (false step) snublen; (mistake) fejl; ~, *v. t. & i.* snuble; begå en fejl; (make a person fall) spænde ben for; ~ somebody up; gribe en i en fejl (løgn, *etc.*).

tripartite, *adj.* tredelt; tresidig; trekantet.

tripe, *n.* kallun; *sl.* (rubbish) møg; bras; (nonsense) sludder.

triple, *adj.* tredobbelt; ~, *v. t.* tredoble.

trip|let, *n.* (child) trilling; (verse) treliniet strofe; -licate, *n.* in ~, i tre eksemplarer; ~, *v. t.* tredoble.

tripod, *n.* trefod; stativ.

trip|per, *n.* turist; -ping, *n.* trippen; -tych, *n.* triptykon; fløjalter.

trite, *adj.* fortærsket; banal; -ness, *n.* banalitet.

triumph, *n.* triumf; sejr; ~, *v. i.* triumfere; sejre; (exult) hovere; -ant, *adj.* triumferende; (exulting) hoverende.

triumvirate, *n.* triumvirat.

trivial, *adj.* uvigtig; ubetydelig; a ~ offence, en mindre forseelse; -ity, *n.* ubetydelighed; -ities, *pl.* bagateller, ligegyldigheder.

trod, trodden, *see* tread.

troglodyte, *n.* hulebeboer.

troika, *n.* [russisk vogn med] trespand.

Trojan, *n.* trojaner; ~, *adj.* trojansk.

troll, *n.* trold; -ey, *n.* (table on wheels) rullebord;

(electric bus) trolleyvogn; ~-wheel, *n.* trolley; ~-wire, *n.* køretråd.

trollop, *n.* sjuske; (tart) tøjte.

trombone, *n.* trombone; basun; slide ~, trækbasun.

troop, *n.* trop; *mil.* eskadron; -s, *pl.* tropper, *pl.*; -er, *n.* kavalerist; (policeman) bereden politibetjent; he lies like a ~, han lyver så stærkt som en hest kan rende.

trophy, *n.* trofæ; præmie.

tropic, *n.* vendekreds; the ~ of Cancer, krebsens vendekreds; the ~ of Capricorn, stenbukkens vendekreds; the -s, *pl.* troperne; -al, *adj.* tropisk.

trot, *n.* trav; keep him on the trot, holde ham i gang; ~, *v. i. & t.* trave; lunte; ~ out, frembringe; fremføre.

troth, *n. arch.* sandhed; plight one's ~, skænke sin tro.

trotter, *n.* traver; pig's -s, grisetæer.

troubadour, *n.* troubadour.

trouble, *n.* (difficulty) vanskelighed; (worry) bekymring; sorg; hovedbrud; (bother) kvaler, *pl.*; mas; (ill-health) sygdom; -s, *pl.* genvordigheder, *pl.*; trængsler, *pl.*; besværligheder, *pl.*; ~, *v. t. & i.* besvære; ulejlige; (worry) bekymre; (disturb) forstyrre; (be of inconvenience) volde ulejlighed; -some, *adj.* besværlig; vanskelig; brydsom.

trough, *n.* trug; (channel) rende.

trounce, *v. t.* banke; *fig.* revse.

troupe, *n.* trup; skuespillerselskab; -r, *n.* medlem af skuespillertrup.

trousers, *pl.* benklæder; *pl.* bukser, *pl.*

trousseau, *n.* brudeudstyr.

trout, *n. zool.* ørred; forel.

trove, *n.* fund; treasure ~,
funden skat.

trowel, *n.* murske; cement-
ske; garden ~, planteske;
lay it on with a ~, smøre
tykt på.

troy, *n.* ~ weight, prober-
vægt.

truant, *n.* pjækker; play ~,
pjække (den); skulke.

truce, *n.* våbenstilstand;
hvile.

truck, *n.* (lorry) lastvogn;
lastbil; *commerc.* tuskhan-
del; open railway ~,
åben godsvogn; have no
~ with him!, hav ikke
noget med ham at gøre!

truculence, *n.* stridbarhed;
brøsighed.

trudge, *v. i. & t.* traske; trave.

true, *adj.* sand; sandfærdig;
(correct) rigtig; (loyal)
trofast, tro; (genuine)
ægte; it is ~, det passer,
det holder stik.

truffle, *n.* trøffel.

trug, *n.* havekurv.

truism, *n.* banalitet.

truly, *adv.* sandt; virkelig;
oprigtig; yours ~, med
venlig hilsen; Deres ær-
bødige.

trump, *n.* (cards) trumf; (fine
chap) knag; turn up -s,
falde heldigt ud; no -s,
sans; ~, *v. t. & i.* stikke
med trumf; a ~ed-up
charge, en opdigtet be-
skyldning; -et, *n.* trom-
pet; blow one's own ~,
rose sig selv, slå på
tromme for sig selv; ear
~, hørerør.

truncate, *v. t.* afkorte; af-
skære.

truncheon, *n.* knippel; po-
litistav.

trundle, *v. t. & i.* trille; rulle.

trunk, *n.* træstamme; (box)
kuffert; (elephant's) sna-
bel; (torso) krop; ~ call,
udenbys (*or* mellembys)
samtale; ~ road, hoved-
vej; -s, *pl. n.* badebukser, *pl.*

trunnion, *n.* lejetap.

truss, *n. med.* brokbind;
(bundle) knippe, bundt;
archit. konsol; ~, *v. t.* af-
stive; ~ up, binde; op-
sætte.

trust, *n.* tillid; fortrøstning;
commerc. trust, sammen-
slutning; (money) betroet
formue; ~ funds, bånd-
lagte midler; have in ~,
holde i varetægt; put your
~ in God!, stol på Gud!;
~, *v. t. & i.* stole på; have
tillid til; ~ somebody with
something, betro noget
til nogen; -ee, *n.* formyn-
der; (*of* committee) besty-
relsesmedlem; -ees, *pl.* be-
styrelse; -worthy, *adj.* på-
lidelig; vederhæftig; -y,
adj. trofast, tro.

truth, *n.* sandhed; sandfær-
dighed; tell the ~, sige
sandheden; to tell the ~,
sandt at sige; -ful, *adj.* (*of*
person) sanddru; (*of* ac-
count, *etc.*) sand(færdig).

try, *n.* forsøg; banalitet; ~,
et forsøg; ~ (tried, tried),
v. t. & i. forsøge; prøve;
(tax, strain) sætte på prøve;
jur. behandle; ~ out, gen-
nemprøve; -ing, *adj.* træt-
tende; irriterende; ~-sail,
n. naut. gaffelsejl.

tryst, *n. arch.* stævnemøde.

tsar, *n.* zar.

tsetse (fly), *n.* tsetseflue.

T-square, *n.* hovedlineal.

tub, *n.* balje; bøtte; (bath-~)
karbad; -by, *adj.* tyk,
buttet.

tube, *n.* tube; rør; (under-
ground railway) under-
grundsbane; (*of* tyre)
slange.

tuber, *n. bot.* rodknold; -cle,
n. med. tuberkel; *bot.*
knude; -culosis, *n. med.*
tuberkulose.

tubing, *n.* rubber ~, gummi-
slange(r).

tub-thumper, *n.* helvedes-
prædikant; agitator.

tubular, *adj.* rørformet.

tuck, *n.* (fold) læg; (food, *sl.*) godter, *pl.* slik, guf; ~box, [trækasse til opbevaring af 'tuck' på en kostskole]; ~, *v. t. & i.* stoppe; putte; (sewing) lægge i læg; ~ into, *sl.* guffe i sig; ~er, *n.* in his best bib and ~, *coll.* i sit stiveste puds.

Tuesday, *n.* tirsdag.

tuff, *n.* tufsten.

tuft, *n. bot.* dusk; kvast; -ed, *adj.* med duske.

tug, *n.* ryk; ~-boat, *n.* bugserbåd; ~-of-war, tovtrækning; ~, *v. t. & i.* rykke; trække; hale; *naut.* bugsere.

tuition, *n.* undervisning.

tulip, *n. bot.* tulipan.

tulle, *n.* tyl.

tumble, *n.* fald; kolbøtte; ~, *v. i. & t.* tumle; falde; (knock over) vælte; he -d to it slowly, langsomt fattede han det; ~-down, *adj.* forfalden; -r, *n.* vandglas; (acrobat) akrobat.

tumbril, *n.* kane.

tumescence, *n.* hævelse.

tummy, *n.* mave; mavse.

tumo(u)r, *n.* svulst; knude.

tumult, *n.* oprør; -uous, *adj.* larmende; stormende.

tumulus, *n.* gravhøj.

tun, *n.* kar; fad; tønde.

tuna, *n. zool.* tunfisk.

tundra, *n.* tundra.

tune, *n.* melodi; be in ~, stemme; be out of ~, forstemt; play out of ~, spille falsk; to the ~ of, til et beløb af; ~, *v. t. & i.* stemme; afstemme; *mech.* tune; *radio.* indstille; -ful, *adj.* melodiøs; -less, *adj.* umelodisk; -r, *n.* klaverstemmer; *radio.* afstemningsapparat.

tungsten, *n.* wolfram.

tunic, *n.* kjortel; tunika; gym ~, gymnastikdragt.

tuning, *n. radio.* afstemning;

mus. stemning; ~-fork, *n.* stemmegaffel.

tunnel, *n.* tunnel.

tunny, *n. zool.* tunfisk.

tup, *n.* vædder; ~, *v. t.* parre.

tur|ban, *n.* turban; -bid, *n.* uklar; plumret; -bine, *n.* turbine; -bot, *n. zool.* pighvarre; -bulent, *adj.* urolig; stormende.

turd, *n. vulg.* lort.

tureen, *n.* terrin.

turf, *n.* græstørv; grønsvær; the T~, væddeløbsbanen.

turgid, *adj.* opsvulmet; *fig.* svulstig; bombastisk.

Turk, *n.* tyrk; -ey, *n.* Tyrkiet.

turkey, *n. zool.* kalkun.

Turkish, *n.* (language) tyrkisk; ~, *adj.* tyrkisk; ~ bath, tyrkisk bad; ~ delight, [slags konfekt].

turmoil, *n.* oprør; tummel.

turn, *n.* drejning; vending; (change) omslag; vending; (opportunity) tur; you gave me quite a ~!, du gav mig et helt chok; in ~, by -s, efter tur; ~ and ~ about, skiftevis; a good ~, en tjeneste; let's take -s, lad os skiftes til at gøre det; ~, *v. t. & i.* dreje; vende; (change into, become) forvandle; forandre; blive (til); lave om til; (*about* milk) blive sur; without -ing a hair, uanfægtet; *carp.* dreje; ~ one's back on, vende ryggen til; ~ over (a page), blade om; (a new leaf, *fig.*) forbedre sine vaner; (in one's mind) gruble over; ~ down, forkaste; ~ on, lukke op for; åbne; *elec.* tænde; (turn on a person) vende sig mod; ~ off (water), lukke for; (gas, light) slukke for; ~ out the light, slukke lyset; ~ somebody out, vise bort, jage bort; ~ up, dukke op; ~ the tables on somebody, vende spillet; -coat, *n.* vendekåbe; -er, *n.* drejer; -ing, *n.* sidegade; and then the first ~ on your right, og så den første vej på højre hånd; -ing-point, *n.* vendepunkt.

turnip, *n.* majroe; swede ~, kålrabi.

turn|key, *n.* slutter; -out, *n.* udrykning; (appearance, clothes) udstyr; (production) produktion; -over, *n.* omsætning; -pike, *n.* vejbom; -stile, *n.* tælleapparat; -table, *n.* drejeskive; -tail, *n.* desertør; ~-up, *n.* (on trousers) opslag.

turpentine, *n.* terpentin.

turps, *n. coll.* terpentin.

turquoise, *n.* turkis.

turret, *n.* lille tårn; *mil.* kanontårn.

turtle, *n.* havskildpadde; turn ~, kæntre; ~-dove, *n.* turteldue; ~-neck, *n.* ~ sweater, sweater med rullekrave.

tusk, *n.* stødtand; -er, *n.* fuldvoksen elefant.

tussle, *n.* dyst; ~, *v.i.* brydes med.

tussock, *n.* græstot.

tut|elage, *n.* belæring; (guardianship) formynderskab; -or, *n.* (university) manuduktør; (private) huslærer; ~, *v.t.&i.* oplære; manuducere.

tuxedo, *n.* U.S. smoking.

twaddle, *n. sl.* ævl, bavl.

twain, *n. arch & poet.* tvende; in ~, itu.

twang, *n.* klang; a nasal ~, en nasallyd; ~, *v.t. & i.* klinge; synge; (on stringed instrument) klimpre.

'twas, *arch.* = it was.

tweak, *n.* kniben; ~, *v.t.* knibe; trække i.

tweed, *n.* tweed.

tweezers, *pl. n.* (a pair of) ~, pincet.

twelfth, *n.* tolvtedel; ~, *adj.*

tolvte; T~ Night, helligtrekongersaften.

twelve, *adj. & n.* tolv.

twent|ieth, *n.* tyvendedel; ~, *adj.* tyvende; -y, *adj. & n.* tyve.

'twere, *arch.* = it were.

twerp, *n. sl.* skvat.

twice, *adv.* to gange; once or ~, et par gange; ~ as good, dobbelt så godt.

twiddle, *v.t.&i.* lege med; dreje; ~ one's thumbs, trille tommelfingre.

twig, *n.* kvist; ~, *v.t. sl.* forstå.

twilight, *n.* tusmørke; skumring.

twill, *n.* kiper(vævning).

'twill, *arch.* = it will.

twin, *n.* tvilling; identical -s, enæggede tvillinger; ~ set, cardigansæt.

twine, *n.* sejlgarn; takkelgarn; ~, *v.t.&i.* sno.

twinge, *n.* stik; stikkende smerte; ~ of conscience, anfald af samvittighedsnag.

twin|kle, *n.* blink; glimt; he had a ~ in his eye, han havde et blink i øjet; ~, *v.i.&t.* blinke; glimte; -kling, *n.* in a ~ of an eye, i et nu.

twirl, *v.t.&i.* snurre; sno; snurre rundt; hvirvle rundt.

twist, *n.* vridning; snoning; forvridning; (thread) tvist; knaphulssilke; ~, *v.t.&i.* sno; dreje; ~ and turn, vende og dreje (sig); (wrench) vride; forvride; vride sig.

twit, *v.t.* bebrejde; drille.

twitch, *n.* trækning; ryk; ~, *v.t.&i.* rykke; (face, etc.) fortrække sig.

twitter, *n.* kvidren; ~, *v.i. & t.* kvidre.

'twixt = betwixt.

two, *adj. & n.* to; (figure) total; put ~ and ~ together, lægge to og to sammen; cut in ~, knække over, skære i to stykker; ~-edged, *adj.* tveægget; ~-faced, *adj. fig.* falsk; -pence, to pence; I don't care ~, det rager mig en fjer; ~-ply, *adj.* totrådet; toslået; ~-seater, *n.* topersoners bil; ~-stroke, *adj.* totakts-.

tycoon, *n.* matador; finansfyrste.

tying, *pres. part. of* tie.

tyke, *n.* køter.

type, *n. typ.* type; skrifttype; skrift; (kind) type; slags; ~, *v.t.* skrive på maskine; ~ specimen book, skriftprøvebog; -script, *n.* maskinskreven manuskript; -setter, *n.* typograf; (machine) sættemaskine; -writer, *n.* skrivemaskine.

typhoid, *n.* ~ fever, tyfus; tyfoid feber.

typhoon, *n.* tyfon.

typhus, *n. med.* plettyfus.

typ|ical, *adj.* typisk; -ify, *v.t.* være et typisk eksempel på; -ing, *n.* maskinskrivning; -ist, *n.* maskinskriver(ske); -ographer, *n.* typograf; -ography, *n.* typografi.

tyran|nical, *adj.* tyrannisk; -nize, *v. t.* tyrannisere; -ny, *n.* tyranni; -t, *n.* tyran.

tyre, *n.* (*U. S.* tire) dæk, (bil-, cykel-); ~ lever, dækjern.

tyro, *n.* begynder.

tsar, *n. see* czar.

ubiqui|tous, *adj.* allestedsnærværende; -ty, *n.* allestedsnærværelse.

udder, *n.* yver.

ugly, *adj.* grim; (unpleasant) slem, styg.

ulcer, *n. med.* rådsår; gastric ~, mavesår.

ulster, *n.* ulster.

ul|terior, *adj.* (concealed) skjult; ~ motive; bag-

tanke; (distant) fjernere; (further) videre; -timate, *adj.* endelig; sidst; -timatum, *n.* ultimatum; -timo, *n.* forrige måned; -tra, *adj.* radikal; ultra-; ~-conservative, *adj.* stokkonservativ; ~-modern, *adj.* højmoderne; ~-red, *adj.* ultrarød.

umbilical, *adj.* navle-; ~ cord, navlestreng.

um|brage, *n.* krænkelse; anstød; give ~, krænke; take ~, blive stødt, tage anstød af; -brella, *n.* paraply; -brella-stand, *n.* paraplystativ; -laut, *n.* omlyd; -pire, *n.* dommer; (in civil dispute) forligsmand.

umpteen, *n. sl.* 'hundrede og sytten'.

un|abashed, *adj.* uforknyt; -abated, *adj.* uformindsket; -able, *adj.* ude af stand til; -abridged, *adj.* uforkortet; -accountable, *adj.* uforklarlig; -adulterated, *adj.* uforfalsket; -affected, *adj.* naturlig; ukunstlet; -afraid, *adj.* ikke bange; frygtløs; -aided, *adj.* uden hjælp; -ambiguous, *adj.* utvetydig; -animous, *adj.* enstemmig; enig; -appetizing, *adj.* uappetitlig; -armed, *adj.* ubevæbnet; -ashamed, *adj.* uden at skamme sig; uden skam; -asked, *adj.* uopfordret; -assuming, *adj.* beskeden; fordringsløs; -obtainable, *adj.* uopnåelig; -avoidable, *adj.* uundgåelig; -aware, *adj.* uvidende; -awares, *adv.* uforvarende; he took me ~, han overrumplede mig.

un|balanced, *adj.* uligevægtig; -bearable, *adj.* ikke til at holde ud; uudholdelig; -becoming, *adj.* uklædelig; -bend, *v.t. & i.* rette ud; rette op; slappe af; -bending, *adj.* streng; -biassed, *adj.* fordomsfri; -bidden, *adj.* uopfordret; uindbuden; -blushing, *adj.* uden at rødme; -born, *adj.* ufødt; -broken, *adj.* hel; uafbrudt; ubrudt; -burden, *v.t.* ~ one's heart, lette sit hjerte; -button, *v.t.* knappe op.

un|called-for, *adj.* malplaceret; upåkrævet; -canny, *adj.* overnaturlig; uhyggelig; -cared-for; *adj.* uplejet; forsømt; -ceasing, *adj.* uophørlig; -ceremonious, *adj.* uformel; -charitable, *adj.* fordømmende.

uncle, *n.* onkel.

un|clean, *adj.* uren; -clothe, *adj.* afklæde; -comfortable, *adj.* ubekvem; utilpas; -common, *adj.* ualmindelig; -communicative, *adj.* umeddelsom; -complaining, *adj.* uden at klage; -concerned, *adj.* ligeglad; (disinterested) uinteresseret; -conditional, *adj.* ubetinget; betingelsesløs; -conscious, *adj.* (unaware) ubevidst; (senseless) bevidstløs; the ~, *n.* underbevidstheden; -controlled, *adj.* ubehersket; -convincing, *adj.* usandsynlig; -cork, *v.t.* ~ a bottle, trække en flaske op; -couth, *adj.* upoleret; primitiv; -cover, *v.t. & i.* afdække; blotte; -crossed, *adj.* (*about* cheque) ukrydset.

unct|ion, *n.* salve; (unctiousness) salvelse; -uous, *adj.* salvelsesfuld.

un|cultivated, *adj.* uopdyrket; -cultured, *adj.* ukultiveret.

un|daunted, *adj.* uforknyt; ufortrøden; -decided, *adj.* (vague) ubeslutsom; (no final decision made) uafgjort; ubestemt; -deniable, *adj.* uimodsigelig; -deniably, *adv.* unægtelig.

under, *adv.* under; ned; nede; nedenunder; ~, *prep.* under; ~ age, umyndig; ~-, *prefix.* under-.

under|arm, *n.* underarm; -armed, *adj.* underbevæbnet.

under|bid, *v.t.* underbyde; -bred, *adj.* uopdragen; vulgær.

under|carriage, *n.* understel; -charge, *v.t.* tage for lidt (penge); -clothes, *pl. n.* -clothing, *n.* undertøj; -current, *n.* understrøm; -cut, *n.* ~ of sirloin, oksemørbradsteg; ~, *v.t.* underbyde.

under|developed, *adj.* underudviklet; -dog, *n.* den svagere part; -done, *adj.* rødstegt; (unintentionally ~) for lidt stegt; for lidt kogt.

under|estimate, *v.t.* undervurdere; -expose, *v.t.* undereksponere.

underfoot, *adj. & adv.* under fode; under fødderne.

under|go, *v.t.* gennemgå; lide; -graduate, *n.* student; -ground, *n.* the ~, (railway) undergrundsbanen; (resistance movement) undergrundsbevægelsen; ~, *adj.* underjordisk; -world, *n.* underverden; -growth, *n.* underskov.

under|hand, -handed, *adj. & adv.* hemmelig; ad bagveje; lumsk.

under|lay, *v.t. & i.* ~ with, med et underlag af; lægge neden under; ~, *n.* (*for* carpet) underlag; -lie, *v.t. & i.* ligge under; ligge til grund for; -ling, *n.* underordnet; -lying, *adj.* grundlæggende; tilgrundliggende.

under|manned, *adj.* underbemandet; -mentioned, *adj.* nedennævnt; -mine, *v.t.* underminere.

under|neath, *adv. & prep.*

under; underneden; ne-
de(n) under; -nourish, *v.t.*
underernære.
under|paid, *adj.* underbetalt;
the -privileged, *pl. n.* [de
som er dårligere stillet end
de fleste mennesker].
under|sell, *v.t. & i.* [sælge bil-
ligere end en konkurrent];
-signed, *n.* the ~, under-
tegnede; -sized, *adj.* i un-
derstørrelse; undermåls-.
under|stand (understood,
understood), *v.t. & i.* for-
stå; opfatte; indse; I was
given to ~ that, man lod
mig forstå at; -standing,
n. forståelse; (intelligence)
forstand; on the ~ that, på
den betingelse, at; -state-
ment, *n.* [for beskeden op-
lysning *el.* udtalelse]; for
lav opgivelse; -study, *n.*
dublеant.
under|take (-took, -taken),
v.t. & i. påtage sig; -taker,
n. bedemand; -taking, *n.*
foretagende; (promise) til-
sagn, løfte; (business) be-
gravelsesbesørgelse; -tone,
n. undertone; -tow, *n.*
understrøm.
under|wear, *n.* undertøj;
-weight, *adj.* undervæg-
tig; -world, *n.* the ~, un-
derverdenen; -write, *v.t.
& i.* (insurance) tegne;
commerc. tegne sig for;
-writer, *n.* assurandør.
un|deserved, *adj.* ufortjent;
uforskyldt; -designed, *adj.*
utilsigtet; -desirable, *adj.*
uønsket; -disguised, *adj.*
utilsløret; -distinguished,
adj. jævn; som ikke adskil-
ler sig fra andre; -do (-did,
-done), *v.t. & i.* åbne;
knappe op; løse; *arch.*
ødelægge; -doubted, *adj.*
utvivlsom; -dreamt-of,
adj. ~ possibilities, uanede
muligheder; -dress, *v.t.
& i.* klæde (sig) af; -due,
adj. utilbørlig; -dulate, *v.i.*
bølge; -duly, *adv.* urime-

lig; overdreven; -dying,
adj. evig; udødelig.
un|earned, *adj.* (undeserved)
ufortjent; (not earned)
ikke tjent; -earth, *v.t.*
grave op; *fig.* blotlægge;
-earthly, *adj.* uhyggelig;
ukristen; unaturlig; -easy,
adj. usikker; urolig; be-
tænkelig; -educated, *adj.*
udannet; -employed,
adj. arbejdsløs; -employ-
ment, *n.* arbejdsløshed; ~
relief, arbejdsløshedsun-
derstøttelse; -ending, *adj.*
endeløs; evig; uendelig;
-equal, *adj.* ulige; ujævn;
-equalled, *adj.* uforligne-
lig; uovertruffen; -erring,
adj. usvigelig; sikker;
-ethical, *adj.* umoralsk;
uetisk; -even, *adj.* ujævn;
-eventful, *adj.* begiven-
hedsløs; it was an ~ day,
der skete ikke noget sær-
ligt den dag.
un|failing, *adj.* ufejlbarlig;
som aldrig svigter; -fair,
adj. unfair; uretfærdig;
-faithful, *adj.* troløs; utro;
-familiar, *adj.* fremmed;
-fasten, *v.t.* lukke op;
åbne; løse op; -favourable,
adj. ugunstig; -feeling, *adj.*
følelsesløs; -feigned, *adj.*
uskrømtet; -finished, *adj.*
ufuldendt; uafsluttet; -fit,
adj. uegnet; uanvendelig;
-flagging, *adj.* usvækket;
-flinching, *adj.* uforfærdet;
-fold, *v.t. & i.* udfolde;
folde ud; oprulle(s); -for-
getable, *adj.* uforglemme-
lig; -fortunate, *adj.* uhel-
dig; beklagelig; -founded,
adj. ubegrundet; uberetti-
get; -furnished, *adj.* umøb-
leret.
un|gainly, *adj.* klodset; -get-
at-able, *adj.* ikke til at
komme i nærheden af;
uopnåelig; -godly, *adj.*
ugudelig; *coll.* ukristelig;
-grammatical, *adj.* ugram-
matisk; -grateful, *adj.*

utaknemlig; -guarded, *adj.*
ubevogtet; -guent, *n.*
salve.
un|hampered, *adj.* uhindret;
uhæmmet; -handy, *adj.*
uhåndterlig; -happy, *adj.*
ulykkelig; -harmed, *adj.*
uskadt; -healthy, *adj.* u-
sund; -heard-of, *adj.* uhørt;
enestående; -heeded, *adj.*
upåagtet; -hesitatingly,
adv. uden at tøve; -hinged,
adj. mentally ~, sindsfor-
virret; -hitch, *v.t.* spænde
fra; -holy, *adj.* ugudelig;
coll. rædselsfuld; -hook,
v. t. tage af krogen;
-hoped-for, *adj.* uventet;
-hurried, *adj.* uden hast-
værk; -hurt, *adj.* uskadt.
uni|cameral, *adj.* etkammer-;
-corn, *n.* enhjørning.
un|idiomatic, *adj.* ikke
mundret.
uni|fication, *n.* samling; for-
ening; -form, *n.* uniform;
~, *adj.* ensartet; jævn; -fy,
v. t. samle; forene; -lat-
eral, *adj.* ensidig.
un|imaginative, *adj.* fantasi-
løs; -impeachable, *adj.*
uangribelig; -important,
adj. uvigtig; ikke vigtig;
uvæsentlig; -impressed,
adj. uimponeret; -inhab-
ited, *adj.* ubeboet; -in-
hibited, *adj.* hæmningsløs;
-initiated, *adj.* uindviet;
-inspired, *adj.* uinspireret;
-intelligent, *adj.* uintelli-
gent; -inviting, *adj.* lidet
indbydende.
union, *n.* sammenslutning;
forening; forbund; U~
Jack [det britiske natio-
nalflag].
unique, *adj.* enestående.
unison, *n. mus.* enklang; *fig.*
harmoni, samklang.
unit, *n.* enhed; (group)
gruppe; afdeling.
unite, *v. t. & i.* forene(s);
samle(s).
uni|ty, *n.* enhed; helhed; ~
is strength, enighed gør

stærk; -versal, *adj.* univer-
sel; universal-; alminde-
lig; almen; almengyldig;
-verse, *n.* univers; -ver-
sity, *n.* universitet; a ~
man, akademiker; -vocal,
adj. entydig.
un|just, *adj.* uretfærdig;
-justifiable, *adj.* uberetti-
get.
un|kempt, *adj.* usoigne-
ret; -kind, *adj.* uvenlig;
-known, *adj.* ukendt; ~,
n. math. ubekendt.
un|lawful, *adj.* ulovlig; -less,
conj. medmindre; hvis
ikke; ~, *prep.* undtagen;
-like, *adj.* forskellig; uens;
~, *prep.* i modsætning til;
-likelihood, *n.* usandsyn-
lighed; -likely, *adj.* usand-
synlig; -limited, *adj.* græn-
seløs; ubegrænset; -load,
v. t. læsse af; aflæsse; *naut.*
losse; udskibe; *mil.* aflade;
-lock, *v. t.* låse op; slippe
løs; -lucky, *adj.* uheldig.
un|manageable, *adj.* uhånd-
terlig; uregerlig; -mar-
ried, *adj.* ugift; -mention-
able, *adj.* unævnelig; -mis-
takable, *adj.* ikke til at
tage fejl af; umiskendelig;
-moved, *adj.* upåvirket;
uanfægtet.
un|natural, *adj.* unaturlig;
-necessary, *adj.* unødven-
dig; -noticeable, *adj.* u-
mærkelig; -nerve, *v. t.*
tage modet fra.
un|obtainable, *adj.* uopnåe-
lig; -obtrusive, *adj.* stilfær-
dig; tilbageholden; -occu-
pied, *adj.* ledig; ubeskæf-
tiget; -official, *adj.* uoffi-
ciel; -organized, *adj.* uor-
ganiseret; -orthodox, *adj.*
-ostentatious, *adj.* ikke
pralende; fordringsløs.
un|pack, *v. t.* (parcel) pakke
op; (suitcase, *etc.*) pakke
ud; -paid, *adj.* ubetalt;
-palatable, *adj.* ubehage-
lig; -paralleled, *adj.* uden
sidestykke, uden lige;

-patriotic, *adj.* upatriotisk;
unational; -perturbed, *adj.*
uforstyrret; -pin, *v.t.* løse;
tage nåle ud; -pleasant,
adj. utiltalende; ubehage-
lig; -popular, *adj.* upopu-
lær; -precedented, *adj.*
uden fortilfælde; -predict-
able, *adj.* uberegnelig;
-pretentious, *adj.* uhøjtide-
lig; jævn; -procurable,
adj. ikke til at skaffe;
-propitious, *adj.* ugunstig;
-published, *adj.* ikke ud-
givet; ikke offentliggjort.
un|qualified, *adj.* ukvalifice-
ret; -questionable, *adj.*
ubestridelig.

un|ravel, *v.t.* trevle op; ud-
rede; -recognizable, *adj.*
ikke til at kende igen;
-relenting, *adj.* uforsonlig;
ubøjelig; -reliable, *adj.*
ikke til at stole på; upå-
lidelig; -remitting, *adj.*
usvækket; -requited, *adj.*
ikke gengældt; -reserved,
adj. uforbeholden; -rest, *n.*
uro; røre; -ripe, *adj.* umo-
den; -rivalled, *adj.* uden
lige; uovertruffen; -roll,
v. t. & i. rulle (sig) ud;
-ruffled, *adj.* uanfægtet;
-ruly, *adj.* uregerlig.

un|safe, *adj.* usikker; farlig;
-satisfactory, *adj.* utilfreds-
stillende; -scathed, *adj.*
uskadt; -screw, *v.t.* skrue
af; tage skruer ud af;
-scrupulous, *adj.* hensyns-
løs; -seemly, *adj.* upas-
sende; -seen, *n.* ulæst
tekst; ekstemporal; ~, *adj.*
uset; ulæst; (unnoticed)
ikke bemærket; sight ~,
ubeset; -selfish, *adj.* uegen-
nyttig; uselvisk; -service-
able, *adj.* uduelig ubru-
gelig; -settle, *v. t.* gøre
usikker; gøre nervøs;
-settled, *adj.* (weather)
ustabil; usikker; (not paid)
ikke betalt; -sheltered,
adj. ubeskyttet; -sightly,
adj. styg; grim; -signed,

adj. ikke underskrevet;
-sociable, *adj.* uselskabelig;
-solicited, *adj.* uopfordret;
-sophisticated, *adj.* natur-
lig; ukunstlet; -sound,
adj. uholdbar; (poor) dår-
lig; of ~ mind, sindsfor-
virret; -spoiled, -spoilt,
adj. ufordærvet; -spoken,
adj. that had better be left
~, det må hellere forblive
usagt; -stable, *adj.* ustabil;
-steady, *adj.* usikker; vak-
lende; (changeable) usta-
dig; -successful, *adj.* uhel-
dig; forfejlet; uden succes;
-suitable, *adj.* uegnet;
upassende; -surpassed, *adj.*
uovertruffen; -suspected,
adj. ikke mistænkt; -sus-
pecting, *adj.* intetanende;
troskyldig.

un|tangle, *v. t.* rede ud; -ten-
able, *adj.* uholdbar; -think-
able, *adj.* utænkelig; -tidy,
adj. uordentlig; sjusket;
-tie, *v. t.* løse; løsgøre;
-til, *prep.* til; indtil; *conj.*
til; indtil; førend; -timely,
adj. ubetimelig; for tidlig;
-tiring, *adj.* utrættelig;
-to, *prep.* arch. til; -told,
adj. utallig umådelig; (not
recounted) ikke fortalt;
-true, *adj.* urigtig; usand;
-trustworthy, *adj.* uveder-
hæftig; -truthful, *adj.* u-
sandfærdig; (of person)
løgnagtig; -turned, *adj.*
leave no stone ~, under-
søge enhver mulighed.

un|usual, *adj.* ualmindelig;
usædvanlig; -usually, *adv.*
ualmindelig.

un|veil, *v. t.* afsløre; afdække;
-versed, *adj.* ~ in, ukyn-
dig i.

un|wanted, *adj.* uønsket;
-warranted, *adj.* uberetti-
get; -wary, *adj.* ubesin-
dig; -wavering, *adj.* urok-
kelig; -welcome, *adj.* uvel-
kommen; -well, *adj.* util-
pas; -wholesome, *adj.*

usund; -wieldy, *adj.* u-håndterlig; -willing, *adj.* modstræbende; -wind, *v.t.* vikle(s) af; -wise, *adj.* uklog; -witting, *adj.* uden at vide det; -wonted, *adj.* uvant; -worldly, *adj.* ikke verdslig; ikke af denne verden, -worthy, *adj.* uværdig; -wrap, *v.t.* pakke(s) ud; -written, *adj.* uskrevet; -yielding, *adj.* ubøjelig.

up, *n.* on the ~ and ~, på vej opad; -s and downs, medgang og modgang; ~, *adj.* on the ~ grade, på vej opad; ~, *adv. & prep.* op; oppe; (terminated) forbi; I think he's ~ to something, jeg tror han er ude på noget; -braid, *v.t.* skænde på; -bringing, *n.* opdragelse; -heaval, *n.* omvæltning; -hill, *adj.* opadskrånende; *fig.* vanskelig; ~, *adv.* op ad bakke; -hold, *v.t.* holde oppe; støtte; opretholde; -holster, *v.t.* polstre; betrække; -holsterer, *n.* sadelmager; møbelpolstrer; -keep, *n.* vedligeholdelse.

up|on, *prep.* på; -per, *n.* overlæder; ~, *adj.* øverst; over-; højere; -pish, *adj.* storsnudet; -right, *n.* (piano) klaver; ~, *adj.* oprejst; *fig.* retlinet; retskaffen; ~, *adv.* lodret; oprejst; -rising, *n.* opstand; -roarious, *adj.* larmende; højrøstet; -root, *v.t.* rykke op med rode; -set, *n.* forstyrrelse; uorden; ~, *v.t. & i.* vælte; ødelægge; bringe ud af ligevægt; -shot, *n.* the ~ of it all was, resultatet af det hele var; -side-down, *adj. & adv.* med bunden i vejret; -start, *n.* opkomling; -stream, *adj.* opadgående; ~, *adv.* op ad floden.

up-to-date, *adj.* à jour; up-to-date.

up|ward, *adj.* opadgående; ~, *adv.* opad; opadtil; -wind, *adv.* mod vinden.

uranium, *n.* uran.

ur|ban, *adj.* by-; bymæssig; -bane, *adj.* urban, kultiveret.

urchin, *n.* gadedreng; knægt.

urge, *n.* trang; drift; ~, *v.t.* henstille indtrængende; opfordre ivrigt; (~ not to do something) fraråde energisk.

ur|gency, *n.* a matter of ~, en presserende sag; -gent, *adj.* haste-; presserende; uopsættelig; -inate, *v. i.* lade vandet; urinere; -ine, *n.* urin.

urn, *n.* urne.

us, (*obj. af* we) os; let ~ (*el.* let's) go, lad os gå.

us|able, *adj.* brugbar; -age, *n.* sædvane; kutyme; brug; (*of* language) sprogbrug.

use, *n.* brug; (usefulness) nytte; (application) anvendelse; anvendelighed; (practice) praksis; for the ~ of, til brug for; make ~ of, bruge; gøre brug af; put to good ~, gør god brug af; ~, *v.t. & i.* bruge; anvende; benytte; he used to come every day, han plejede at komme hver dag; he used to be good at tennis, han var en dygtig tennisspiller i sin tid; I am used to cats, jeg er vant til at omgås katte.

use|ful, *adj.* nyttig; gavnlig; -less, *adj.* unyttig; ubrugelig; nytteløs.

usher, *n.* (church) kirkebetjent; (cinema) kontrollør; ~, *v.t.* føre på plads; ~ in, indlede.

usual, *adj.* sædvanlig; vanlig; almindelig; as ~, som sædvanlig; -ly, *adv.* sædvanligvis; almindeligvis; som regel; i reglen.

usurer, *n.* ågerkarl.

usurper, *n.* tronraner; usurpator.

usury, *n.* åger.

utensil, *v.t.* redskab; kitchen -s, køkkengrejer, (-redskaber).

uterus, *n. anat.* livmoder; uterus.

util|ity, *n.* nytte; anvendelighed; public -ities, aktier i offentlig(e) selskab(er); ~, *adj.* brugs-; nytte; funktionel; -ization, *n.* udnyttelse; -ize, *v.t.* gøre brug af; udnytte.

utmost, *adj.* højeste; yderste; ~, *n.* he did his ~, han gjorde alt, hvad han kunne.

utter, *v.t.* ytre; udtrykke; udtale; fremkomme med; ~, *adj.* komplet; fuldstændig; fuldkommen; ærke-; -ance, *n.* udtalelse; ytring; -ly, *adv.* fuldkommen; fuldstændig; komplet; -most, *adj. see* utmost.

va|cancy, *n.* tomhed; (position) ledig stilling (*el.* embede); -cant, *adj.* tom; (unoccupied) ledig; ubesat; -cate, *v.t.* fraflytte; -cation, *n.* ferie; (act of vacating) fraflytning.

vaccinate, *v.t.* vaccinere.

vacillate, *v.i.* vakle; svinge.

vacuity, *n.* tomrum; tomhed.

vacuum, *n.* vakuum; *fig.* tomrum; ~-cleaner, *n.* støvsuger.

vagabond, *n.* landstryger; vagabond; døgenigt.

vagina, *n. anat.* moderskede; vagina.

vagrant, *n.* landstryger; omstrejfende person.

vague, *adj.* ubestemt; uklar; svævende; vag.

vain, *adj.* forfængelig; tom; (pointless) forgæves; in ~, forgæves; -glorious, *adj.* forfængelig; pralende.

vale, *n. poet.* dal; -diction, *n.* afskedshilsen.

valet, *n.* kammertjener.

valid, *adj.* gyldig; retsgyldig; lovlig; velbegrundet.

valise, *n.* rejsetaske.

valley, *n.* dal.

val|orous, *adj.* tapper; modig; -our, *n.* tapperhed; mod.

val|uable, *adj.* værdifuld; ~, *n.* (*usually in pl.* -s), værdigenstande; -ue, *n.* værdi; good ~ for the money, prisen værd; ~, *v.t.* vurdere; taksere; (esteem) skatte; værdsætte; sætte pris på.

valve, *n.* ventil; *anat., bot.* klap.

vamp, *n.* (woman) vamp; (of shoe) overlæder; *mus.* improviseret akkompagnement; -ire, *n.* vampyr; *fig.* blodsuger.

van, *n.* varevogn; lastvogn; (railway) godsvogn; *mil.* fortrop.

vane, *n.* styrehale; styreflig; (windmill) vinge(blad); (weather-~) hane; *mech.* skovlblad.

vanguard, *n.* fortrop.

vanilla, *n.* vanille.

vanish, *v.i.* forsvinde.

vanity, *n.* forfængelighed; ~ case, toiletetui.

vanquish, *v.t.* besejre.

vantage, *n.* ~ point, point of ~, fordelagtig stilling; (in tennis) fordel.

vapid, *adj.* fad; flov; intetsigende.

vapour, *n.* damp; em; dunst; uddunstning.

vari|able, *adj.* vekslende; skiftende; *math.* variabel; ~-pitch propeller, skrue med stilbare blade.

vari|ance, *n.* forandring; at ~ with, i strid med, i uoverensstemmelse med; -ant, *n.* variant; -ation, *n.* forandring; svingning; *biol.* varietet, *mus.* variation

-cose, *adj. med.* varikøs; ~ veins, åreknuder; -egate, *v. t.* gøre afvekslende; -egated, *adj.* broget; afvekslende; -ety, *n.* afveksling; variation; (kind) slags; art; sort; form; *biol.* afart; varietet; (show) varieté, varietéforestilling; -ous, *adj.* forskellige; (varied) forskelligartede.

varnish, *n.* fernis; *fig.* glans; fernis; ~, *v.t.* fernisere; *fig.* pynte på; -ing, *n.* fernisering.

vary, *v.t. & i.* forandre sig; veksle; it varies, det er forskelligt.

vase, *n.* vase.

vast, *adj.* vældig; umådelig; the ~ majority, det overvejende flertal.

vat, *n.* vinfad; bryggerkar.

vault, *n.* hvælving; (bank ~) boks; (jump) spring; overspring; ~, *v.t. & i.* hvælve sig; bygge hvælving over; (jump over) springe (over).

vaunt, *v.i. & t.* prale med.

veal, *n.* kalvekød.

vector, *n.* vektor.

veer, *v.i. & t.* vende (sig); dreje; *fig.* svinge; skifte mening.

vege|table, *n.* køkkenurt; ~ marrow, mandelgræskar; ~ stock, urtevand; -s, *pl.* grøntsager; -tarian, *n.* vegetar(ianer); -tation, *n.* plantevækst; vegetation.

vehe|mence, *n.* heftighed; voldsomhed; -ment, *adj.* heftig; voldsom.

vehicle, *n.* køretøj; vogn; befordringsmiddel.

veil, *n.* slør; take the ~, blive nonne; ~, *v.t.* tilsløre; tilhylle.

vein, *n.* åre; vene; he spoke in the same ~, han talte i den samme ~, i den samme retning.

vellum, *n.* vellum; fint pergament; ~ binding, pergamentbind.

velo|cipede, *n.* velocipede; -city, *n.* hastighed.

velvet, *n.* fløjl; be on ~, *coll.* have det som blommen i et æg.

venal, *adj.* bestikkelig; -ity, *n.* bestikkelighed.

vendetta, *n.* blodhævn.

veneer, *n.* finér; *fig.* fernis.

vener|able, *adj.* ærværdig; -ation, *n.* ærbødighed; veneration; -eal, *adj.* kønslig; venerisk; ~ disease, kønssygdom.

Venetian, *n.* venetianer; ~, *adj.* venetiansk; ~ blind, persienne; jalousi.

vengeance, *n.* hævn; take ~ on, hævne sig på; with a ~, *coll.* så det forslår.

Venice, *n.* Venedig.

venison, *n.* dyrekød.

venom, *n.* gift; -ous, *adj.* giftig; ondskabsfuld.

vent, *n.* trækhul; lufthul; (outlet) afløb; give ~ to one's feelings, give sine følelser luft; ~, *v.t. & i.* lufte; give luft; give frit løb; -ilate, *v.t.* ventilere; udlufte; -ilation, *n.* lufttilførsel; ventilation.

ven|tral, *adj.* bug-; -tricle, *n.* ventrikel; (of heart) hjertekammer; -triloquist, *n.* bugtaler; -ture, *n.* foretagende; a bold ~, et dristigt foretagende; ~, *v.t. & i.* vove; vove sig; ~ to, driste sig til at; nothing ~, nothing win, hvo intet vover intet vinder; -turesome, *adj.* dumdristig; dristig; vovelig.

vera|cious, *adj.* sanddru; sandfærdig; -city, *n.* sanddruhed; sandfærdighed.

verb, *n. gram.* verbum; udsagnsord; -al, *adj.* verbal-; ord-; sproglig; -alist, *n.* ordkunstner; -atim, *adj.* ordret; -iage, *n.* ordflom; -ose, *adj.* vidtløftig.

ver|dant, *adj.* grøn; -dict, *n.* kendelse; afgørelse; -digris, *n.* ir; spanskgrønt; -dure, *n.* grønning; (vegetation) grønt løv.

verge, *n.* rand; kant; grænse; on the ~ of tears, grædefærdig; (grass border) rabat; vejkant; ~, *v. i.* grænse til; it -s on the ridiculous, det grænser til det latterlige; -r, *n.* kirkebetjent.

veri|fy, *v.t.* bekræfte; verificere; efterprøve; -ly, *adv. arch.* sandelig; -table, *adj.* sand; virkelig.

ver|milion, *n.* vermilion, cinnober; ~, *adj.* cinnoberrød(t) -min, *n.* skadedyr; utøj; -mouth, *n.* vermut.

vernacular, *n.* modersmål; egnens eget sprog; ~, *adj.* folkelig; folke-.

versatile, *adj.* alsidig; mangesidig.

verse, *n.* vers; be well -d in, være kyndig i.

version, *n.* fremstilling; version; (translation) oversættelse.

versus, *prep.* mod; kontra.

verte|bra (*pl.* -s or -e) *n. anat.* ryghvirvel; -brate, *n.* hvirveldyr.

vertical, *adj.* lodret; vertikal.

verve, *n.* kraft, livfuldhed.

very, *adj.* veritabel; lutter; the ~ day, selve dagen; the ~ man, netop manden; from the ~ start, lige fra starten; ~, *adv.* meget; not ~ good, ikke synderlig god.

vessel, *n.* beholder; kar; (ship) skib; fartøj.

vest, *n.* undertrøje; ~, *v.t. & i.* ~ in, overdrage til; -al, *adj.* ~ virgin, vestalinde; -ed, *adj.* iført; *jur.* sikker; -ibule, *n.* forhal; -ige, *n.* spor; levn; not the slightest ~, ikke den mindste smule; -igial, *adj.* rudimentær; -ry, *n.* sakristi.

vet, *n. coll.* dyrlæge; ~, *v.t.*

lægeundersøge; *fig.* undersøge; gennemgå kritisk.

vetch, *n. bot.* vikke.

veteran, *n.* veteran; ~, *adj.* erfaren; prøvet.

veterinary, *n.* dyrlæge; ~, *adj.* dyrlæge-; ~ surgeon, dyrlæge.

veto, *n.* veto.

vex, *v.t.* ærgre; irritere; -ation, *n.* ærgrelse; irritation.

via, *prep.* via; -bility, *n.* levedygtighed; -duct, *n.* viadukt.

vial, *n.* lille medicinflaske.

viands, *pl. n.* levnedsmidler, *pl.*

vi|brate, *v. i. & t.* vibrere; dirre; ryste; -bration, *n.* vibration; rystelse.

vicar, *n.* sognepræst; -age, *n.* præstegård.

vice, *n.* last; fejl; (*carp., etc.*) skruestik; ~, *prefix.* vice-; ~-chancellor, *n.* universitetsrektor; -roy, *n.* vicekonge.

vicinity, *n.* nærhed.

vicious, *adj.* arrig; ondskabsfuld; ~ circle, ond cirkel.

vicissitude, *n.* omskiftelse.

vic|tim, *n.* offer; -tor, *n.* sejrherre; -torious, *adj.* sejrende; -tory, *n.* sejr; -tuals, *pl. n.* levnedsmidler, *pl.*

vie, *v. i.* kappes.

Vien|na, *n.* Wien; -nese, *n.* wiener; ~, *adj.* wiener-.

view, *n.* udsigt; udsyn; finder, søger; out of ~, ude af synsvidde; I disagree with his -s, jeg er uenig i hans synspunkter; with purchase in ~, med køb for øje; on ~, udstillet; ~, *v.t.* bese; *fig.* betragte.

vigil, *n.* nattevagt; keep ~ over, våge over; -ance, *n.* årvågenhed.

vigour, *n.* kraft; energi; styrke.

viking (*el.* V~), *n.* viking.

vile, *adj.* nederdrægtig; gemen; ækel; sjofel; skammelig.

vilification, *n.* bagvaskelse.

village, *n.* landsby; ~, *adj.* landsby-.

vil|lain, *n.* skurk; -lein, *n.* livegen; hovbonde.

vim, *n.* energi.

vin|dicate, *v.t.* hævde; (defend) forsvare; (justify) retfærdiggøre; -dictive, *adj.* hævngerrig.

vine, *n. bot.* vin; vinranke; -gar, *n.* eddike; -yard, *n.* vinmark; vinbjerg.

vint|age, *n.* årgang; ~ car, veteranbil; -ner, *n.* vinhandler.

viola, *n.* bratsch.

vio|late, *v.t.* (offend) krænke; (transgress) overtræde; (not keep) bryde; (rape) voldtage; -lation, *n.* brud; krænkelse; (rape) voldtægt; -lence, *n.* vold; voldsomhed; -lent, *adj.* voldsom; kraftig; -let, *n. bot.* viol; ~, *n. & adj.* (colour) violet; blåviolet; -lin, *n.* violin.

viper, *n. zool.* hugorm.

virago, *n. arch.* rappenskralde.

virgin, *n.* jomfru; ~, *adj.* jomfruelig; uberørt.

virile, *adj.* mandlig; maskulin; viril.

virtual, *adj.* virkelig; faktisk; -ly, *adv.* i realiteten; faktisk.

vir|tue, *n.* dyd; fortrin; by ~ of, i kraft af; -tuosity, *n.* virtuositet; -tuoso, *n.* virtuos; -tuous, *adj.* dydig; retskaffen; -ulence, *n.* giftighed; ondskabsfuldhed; -us, *n.* gift; virus.

visage, *n.* åsyn.

viscosity, *n.* viskositet.

viscount, *n.* viscount.

viscous, *adj.* tyktflydende.

visi|bility, *n.* synlighed; *meteor.* sigtbarhed; -ble, *adj.* synlig.

Visigoth, *n.* vestgoter.

vision, *n.* syn; synsevne; (insight) klarsyn; -ary, *n.* visionær; fantast; drømmer.

visit, *n.* besøg; visit; on a flying ~, på fransk visit; ~, *v.t. & i.* besøge; aflægge besøg hos; -or, *n.* besøgende; gæst.

visor, *n.* visir; hjelmgitter.

vista, *n.* udsigt; udsyn.

visual, *adj.* visuel; syns-.

vital, *n.* -s, *pl.* ædlere dele; ~, *adj.* livs-; livsvigtig; -ity, *n.* livskraft; vitalitet.

vitamin, *n.* vitamin; ~ A, (B, *etc.*), A- (B-, *etc.*) vitamin.

vitiate, *v.t.* fordærve; besmitte; ødelægge.

vitreous, *adj.* glas-; glasagtig.

vitu|perate, *v.t.* skælde ud; -perative, *adj.* smældende; skældende.

viva|cious, *adj.* livlig; livfuld; -city, *n.* livlighed; livfuldhed.

viverrine, *n. zool.* desmerdyr.

vivid, *adj.* levende; livlig.

viviparous, *adj.* som føder levende unger.

vixen, *n.* hunræv; (*of* woman) rappenskralde.

vizi(e)r, *n.* visir.

vocabulary, *n.* ordforråd; gloseforråd; (glossary) glossar; ordliste.

vocal, *adj.* stemme; vokal; -ist, *n.* sanger(inde).

vocation, *n.* kald; levevej; -al, *adj.* erhvervs-.

vociferous, *adj.* højrøstet; råbende; skrålende.

vogue, *n.* mode; in ~, på mode.

voice, *n.* stemme; have a ~ in, være medbestemmende; in a loud ~, med en høj røst; (opinion) mening; *gram.* genus; ~, *v.t.* udtrykke; give udtryk for.

void, *n.* tomt rum; *fig.* tomrum; savn; ~, *adj.* tom; (unoccupied) ledig; *jur.* ugyldig.

volatile, *adj.* flygtig.

vol|cano, *n.* vulkan; -ition, *n.* vilje; villen; -ley, *n.* salve; strøm; *sport.* flugter; ~, *v.t. & i.* affyre en salve; *sport.* flugte.

volt, *n. elect.* volt; -age, *n.* spænding.

vol|uble, *adj.* tungerap; meget talende; -ume, *n.* (book) bind; (magazine) årgang; (cubic content) volumen; rumfang; (amount) mængde; (size) omfang; *radio.* lydstyrke; -uminous, *adj.* voluminøs.

volun|tary, *n. mus.* orgelsolo; ~, *adj.* frivillig; -teer, *n.* frivillig; ~, *v.t. & i.* melde sig frivilligt; (put forward) fremsætte; komme med.

voluptuous, *adj.* vellystig; yppig.

volute, *n.* sneglegang; *archit.* volut; ~, *adj.* spiralsnoet.

vomit, *v.t. & i.* kaste op; brække sig; ~, *n.* opkastning.

voodoo, *n.* [form for negertrolddom]; heksedoktor.

vora|cious, *adj.* grådig; -city, *n.* grådighed.

vortex (*pl.* vortices), *n.* hvirvelstrøm.

votary, *n.* tilhænger; tilbeder.

vote, *n.* stemme; votum; (voting) afstemning; (suffrage) stemmeret; ~ of confidence, tillidsvotum; ~ of no confidence, mistillidsvotum; ~, *v.i. & t.* stemme; (decide) vedtage; (regard as) erklære for.

vouch, *v.t. & i.* bekræfte; bevidne; ~ for, indestå for; garantere for; -er, *n.* regnskabsbilag; bon; kvittering; -safe, *v.t.* værdige; forunde; ~ an answer, nedlade sig til at svare.

vow, *n.* løfte; ~, *v.t.* love; aflægge løfte om.

vowel, *n.* vokal.

voyage, *n.* sørejse; ~, *v.i. & t.* rejse; gennemrejse.

vul|canize, *v.t.* vulkanisere; -gar *adj.* vulgær; simpel; ~ fraction, almindelig brøk; -nerable, *adj.* sårbar; angribelig; -ture, *n.* grib; -va, *n. anat.* vulva.

vying, *pres. part. of* vie.

wad, *n.* klump; stykke; tot; a ~ of money (*or* notes) seddelbundt; -ding, *n.* vat; vattering; *mil.* forladning; -dle, *v.i.* vralte; stolpre.

wade, *v. i. & t.* vade; *fig.* ~ through, 'pløje sig igennem; ~ into, *coll.* angribe voldsomt.

wafer, *n. rel.* oblat; (biscuit) vaffel.

waffle, *n.* vaffel; ~, *adj.* vaflet; ~, *v.i.* vrøvle; ~-iron, *n.* vaffeljern.

waft, *v.t.* føre gennem luften; ~ away, vejre bort.

wag, *n.* (of tail) logren; (wit) spasmager; ~, *v. t. & i.* virre med; vippe med; (tail) logre (med).

wage, *n.* arbejdsløn; -s, *pl.* (*also*) lønningerne; ~, *v.t.* ~ war, føre krig; ~-earnei, *n.* lønmodtager.

wager, *n.* væddemål; ~, *v.t.* vædde.

waggle, *v.i. & t.* vrikke; bevæge (sig) frem og tilbage.

wagon, *n.* vogn; godsvogn; transportvogn; covered ~, prærievogn.

wagtail, *n. zool.* vipstjert.

waif, *n.* hjemløst barn; -s and strays, hjemløse børn.

wail, *n.* klageskrig; ~, *v. i. & t.* klage; jamre sig.

wains|cot, -coting, *n.* panel; vægbeklædning.

waist, *n.* liv; talje; midje; -coat, *n.* vest; -line, *n.* talje; taljelinie.

wait, *n.* venten; ventetid; ~, *v.i. & t.* vente; vente på; ~ at table, ~ on, varte

op; opvarte; servere; -er,
n. tjener; -ing, n. venten;
ventetid; -ress, n. servi-
trice.
waive, v.t. give afkald på;
frafalde; (postpone) op-
sætte.
wake, n. kølvand; ~ (woke,
woken), v.t. & i. vågne
(op); (cause to ~) vække;
-ful, adj. vågen; -n, v.t.
& i. vågne; (cause to ~)
vække.
walk, n. spadseretur; tur;
(manner of walking) gang;
(path) promenade; ~ of
life, livsstilling; social po-
sition; ~, v.i. & t. gå; spad-
sere; ~ off with, coll. stjæle;
-away, n. let sejr.
wall, n. (external) mur; (in-
ternal) væg; ~, v.t. ~ up,
indemure.
wallaby, n. zool. kratkæn-
guru.
wallah, n. (Anglo-Ind., in
compounds) -mand.
wall-bar, n. gymn. ribbe.
wallet, n. tegnebog.
wall|-eye, n. skelende øje;
vet. glasøje; -flower, n. bot.
gyldenlak; (of girl) bænke-
varmer.
Walloon, n. vallon; ~, adj.
vallonsk.
wallop, n. hårdt slag; he
landed with a ~, han faldt
pladask; ~, v.t. tæve; tæ-
ske; -ing, adj. sl. vældig;
~, n. klø; tæv.
wallow, v.i. rulle sig; vælte
sig; fig. vade i; svælge i.
wallpaper, n. tapet.
walnut, n. valnød.
waltz, n. vals; ~, v.t. & i.
danse vals; valse.
wan, adj. bleg; gusten.
wand, n. tryllestav.
wander, v.i. tur; ~, v.i. & t.
vandre; strejfe om; flakke
om; ~ from the point,
komme bort fra emnet;
-lust, n. rejselyst.
wane, n. aftagen; the moon
is on the ~, månen er i af-

tagende; ~, v.i. aftage;
dale; svinde hen.
wangle, n. kneb; fif; ~,
v.t. & i. bruge fif; bruge
kneb; luske sig til.
wanhope, n. arch. vanhåb
[fortvivlelse].
want, n. mangel; savn; for-
nødenhed; are you in ~
of anything?, mangler du
noget?; ~, v.i. & t. ville
gerne have; ville have;
ønske; (lack) mangle; (re-
quire) have brug for; be-
høve.
wanton, adj. uansvarlig; for-
målsløs; ~ mischief, kåde
streger; a ~ woman, en
letfærdig kvinde.
war, n. krig; fig. kamp; ~,
v.i. & t. føre krig; kæmpe;
~ paint, krigsmaling.
warble, v.i. & t. slå triller;
synge; ~ fly, zool. bremse.
ward, n. myndling; tilsyns-
barn; (custody) bevogt-
ning; forvaring; in ~, un-
der formynderskab; (dept.
in hospital, etc.) afdeling;
stue; ~, v.t. ~ off, afparere;
afværge; -en, n. opsyns-
mand; bestyrer; -robe, n.
klædeskab; (clothes) gar-
derobe; -room, n. naut.
officersmesse; -ship, n.
formynderskab.
ware, n. (in compounds such as
tableware, kuvertartikler;
earthenware, keramik el.
lertøj); -s, pl. varer, pl.;
-house, n. varehus; pak-
hus; lager; ~ keeper, la-
gerforvalter.
war|fare, n. krig; krigsfø-
relse; -horse, n. krigshest.
wariness, n. forsigtighed.
warlike, adj. krigerisk.
warm, v.t. & i. varme; blive
varm; ~ up, opvarme; ~,
adj. varm; (game) you are
getting ~!, tampen bræn-
der!
warmonger, n. krigsmager.
warmth, n. varme; he re-
plied with some ~, han

10

svarede temmelig indig-
neret.

warn, *v. t.* advare; under-
rette; I must ~ you that,
jeg må gøre Dem op-
mærksom på, at; -ing, *n.*
advarsel; varsel; varsko.

warp, *n.* kædetråde; kæde-
garn; *naut.* trosse; varp;
(*in* wood) kastning; skæv-
hed; ~, *v.t. & i.* trende;
naut. varpe; blive varpet;
(wood) slå sig; kaste sig;
blive skæv; -age, *n. naut.*
varpning.

warpath, *n. fig.* be on the ~,
være på krigsstien.

warrant, *n.* fuldmagt; hjem-
mel; (security) garanti; ~
officer, (rang mellem offi-
cer og underofficer) ~,
v. t. hjemle; berettige;
(guarantee) garantere.

warren, *n.* kaningård; *fig.*
tætbefolket kvarter.

warrior, *n.* kriger; the Un-
known W~, den ukendte
soldat.

warship, *n.* krigsskib.

wart, *n.* vorte.

wartime, *n.* krigstid.

wary, *adj.* varsom; forsigtig.

was, *see* be.

wash, *n.* vask; vasketøj; it'll
all come out in the ~, *fig.*
det kommer alt sammen
for en dag før eller senere;
have a ~, vaske sig; ~
leather, vaskeskind; ~,
v.t. & i. vaske sig; that story
won't ~, *coll.* den historie
hopper jeg ikke på; ~
down, spule; skylle ned;
~ up, vaske op; I ~ my
hands of it, *fig.* jeg fralæg-
ger mig ethvert ansvar;
~-basin, *n.* vaskekumme;
vaskefad; -er, *n.* vaske-
maskine; *mech.* (under nut)
spændeskive; -erwoman,
n. vaskekone; -ing-ma-
chine, *n.* vaskemaskine;
-ing-soda, *n.* krystalsoda;
-ing-up, *n.* opvask; -y,
adj. bleg; vandet.

wasp, *n.* hveps.

wassail, *n. arch.* drikkegilde;
~, *v. i.* drikke; holde
drikkegilde.

wast, *arch. & bibl.* var; *see* be.

wastage, *n.* spild; svind.

waste, *n.* spild; svind; (de-
solate stretch) øde; øde-
mark; (rubbish) affald;
cotton ~, tvist; ~, *v.t. & i.*
spilde; bortødsle; gå til
spilde; (ravage) hærge;
ødelægge.

wastrel, *n.* døgenigt.

watch, *n.* (timepiece) ur;
(guard) vagt; keep a good
~, holde udkig; ~, *v.t. & i.*
(observe) se på; (be on
guard) passe på; (keep
look-out) afvente; spejde
efter; (keep charge of)
vogte; passe; våge over;
-dog, *n.* vagthund; plads-
hund; -man, *n.* vægter;
~-tower, *n.* vagttårn;
-word, *n.* kendeord; pa-
role; (slogan) slagord.

water, *n.* vand; -(s), *naut.*
farvand; ~, *v.t. & i.* vande;
(water down) fortynde;
(eyes, mouth) løbe i vand;
~ buffalo, vandbøffel;
~ colour, vandfarve; ~-
diviner, vandviser; ~-
closet, *n.* vandkloset;
w.c.; -course, *n.* vandløb;
-cress, *n.* havebrøndkarse;
-fall, *n.* vandfald; -glass,
n. vandglas; -ing, *n.* van-
ding; -ing-can, *n.* vand-
kande; -ing-place, *n.* van-
dingssted.

water|-level, *n.* vandstand; ~-
lily, *n. bot.*åkande; -mark,
n. vandmærke; -mill, *n.*
vandmølle; -proof, *adj.*
vandtæt; ~, *n.* regnfrakke;
-shed, *n.* vandskel; -spout,
n. skypumpe; -tight, *adj.*
vandtæt; -works, *n.* vand-
værk; -y, *adj.* våd; fugtig;
vandet; udvandet.

watt, *n.* elect. watt; -age, *n.*
wattforbrug.

wattle, *n.* kvist; *zool.* kød-

lap; ~-and-da(u)b hut, ler-
klinet hytte.
wave, *n.* (water) sø; bølge;
(*in* hair) bølge; fald; (*of*
hand) vinken; ~, *v. t.*
vinke; (hair) ondulere;
(move to and fro) vifte;
vaje; -length, *n.* bølge-
længde.
waver, *v.i.* (be undecided)
vakle;(voice)dirre;skælve.
wavy, *adj.* bølgende; bølget.
wax, *n.* voks; sealing ~,
segllak; ~ cloth, voksdug;
~, *v. t.* (treat with ~) vokse;
~, *v.i.* (increase) tiltage;
vokse; (become) blive.
way, *n.* vej; (manner) facon;
manér; (direction) ret-
ning; (distance) afstand,
vej; if I had my ~, hvis
det gik efter mit hoved;
be in the ~, stå i vejen; by
the ~, for resten; in this ~,
således be in the family
~, *coll.* være gravid;
lead the ~, vise vej; the
Milky W~, mælkevejen;
~-bill, *n.* (passengers) pas-
sagerliste; (goods) fragt-
brev; -farer, *n.* vejfarende;
-lay, *v.t.* overfalde; passe
op; ligge på lur efter;
-side, *n.* vejkant; -ward,
adj. egensindig.
we, *pron.* vi.
weak, *adj.* svag; veg; skrø-
belig; (tea, *etc.*) tynd;
-en, *v. t. & i.* afkræfte;
svække; -ling, *n.* svæk-
ling; -ly, *adj.* svagelig;
-ness, *n.* svaghed; ~
sighted, *adj.* svagsynet.
weal, *n.* (on skin) strime;
(welfare) vel, velfærd; the
common ~, samfundets
vel.
weald, *n.* [åben strækning].
wealth, *n.* rigdom; (large
amount) væld; -y, *adj.*
rig; velhavende.
wean, *v.t.* vænne et barn fra.
weapon, *n.* våben.
wear, *n.* (use) brug; (damage)
slid; ~ and tear, slitage;

(clothing, *esp. in com-
pounds such as* footwear,
etc.) -tøj; beklædning; ~
(wore, worn), *v.t. & i.* gå
med; gå i; klæde sig i;
have på; (damage by use)
slide; (last) holde (sig).
wear|isome, *adj.* trættende;
-y, *adj.* (tired) træt; (tiring)
kedelig; trættende; ~, *v. t.
& i.* trætte; kede, blive
træt.
weasel, *n.* zool. væsel; (trac-
tor) snetraktor.
weather, *n.* vejr; under the
~, sløj; utilpas; keep one's
~ eye open, have øjnene
med sig; make heavy ~
of, tage for tungt på; ~
forecast, vejrmelding; ~,
v.t. & i. klare sig igennem;
overstå; (wear) forvitre; ~,
adj. naut. luv-; ~-beaten,
adj. vejrbidt; -ing, *n.* for-
vitring; ~-vane, *n.* vejr-
hane.
weave, *n.* vævning; ~ (wove,
woven), *v. t. & i.* væve;
(plait) flette; -r, *n.* væver.
web, *n.* væv; (membrane)
svømmehud; spider's ~,
edderkoppespind; -bed
foot, svømmefod; ~-foot-
ed, *adj.* årefodet.
wed, *v.t. & i.* ægte; vie; gifte
sig; -ding, *n.* bryllup; ~,
adj. bryllups-.
wedge, *n.* kile.
wedlock, *n.* ægtestand; born
in (out of) ~, født i (uden
for) ægteskab.
Wednesday, *n.* onsdag.
wee, *adj.* lille; W~ Willie
Winkie, Ole Lukøje.
weed, *n.* ukrudtsplante; -s,
ukrudt; (clothes, *arch.*)
klædedragt; widow's -s,
enkedragt; ~, *v. t. & i.*
luge; rense; udrense.
week, *n.* uge; tomorrow ~,
i morgen 8 dage; a 48-
hour ~, en 48 timers ar-
bejdsuge; -day, *n.* søgne-
dag; hverdag; ~-end, *n.*
week-end; -ly, *n.* uge-

blad; ~, *adj.* ugentlig; ~ season ticket, ugekort.

weeny, *adj.* teeny-~, lillebitte.

weep (wept, wept), *v.t. & i.* græde; -ing, *n.* gråd; ~ willow, *bot.* grædepil, hængepil.

weevil, *n.* snudebille.

wee-wee, *n.* tis; ~, *v.i.* tisse.

weft, *n.* skudgarn; islæt.

weigh, *v.t. & i.* veje; *fig.* bedømme; overveje; ~ down, tynge ned; ~ out, veje af; -t, *n.* vægt; (heaviness) tyngde; *fig.* byrde; that is a ~ off my mind, der faldt en sten fra mit hjerte; pull one's ~, lægge sig i selen; tage sin tørn; ~, *v.t.* gøre tung; ~-lifting, *n.* vægtløftning; -ty, *adj.* tung; tungtvejende.

weir, *n.* stemmeværk; (for fish) fiskegård.

weird, *adj.* uhyggelig; spøgelsesagtig; overnaturlig.

welcome, *n.* velkomst; modtagelse; ~, *v.t.* byde velkommen; tage imod; ~, *adj.* velkommen; kærkommen.

weld, *v.t. & i.* svejse; lade sig svejse; *fig.* smede sammen.

welfare, *n.* velfærd; social ~, social forsorg; ~ state, velfærdsstat.

welkin, *n. poet.* himmel; make the ~ ring, synge af fuldt bryst.

well, *n.* kilde; brønd; ~, *v.i.* vælde; strømme; ~ (better, best), *adj.* (in good health) rask; (satisfactory) godt; vel; very ~!, godt!; it would be as ~ to, det ville være lige så godt at; do ~ for oneself, klare sig godt; it's all very ~ for you, du kan sagtens; I wish you ~, jeg ønsker dig alt godt; ~ (better, best), *adv.* godt; vel; or-

dentlig; it's all very ~ and good, but, det kan være meget godt, men; if you want to, all ~ and good, hvis du vil, så værsgo!; ~ off, velhavende; as ~ as I can, så godt som jeg kan; I couldn't very ~ say anything else, jeg kunne dårligt sige andet; ~, *inter.* nå; ~, what about it?, nå, og hvad så?

well|-behaved, *adj.* velopdragen; ~-being, *n.* velvære; vel; ~-done, *adj.* gennemstegt; ~-earned, *adj.* velfortjent; ~-established, *adj.* solid; anerkendt; godt underbygget; ~-founded, *adj.* velfunderet; ~-meaning, *adj.* velment; velmenende; ~-nigh, *adv.* næsten; ~-preserved, *adj.* velbevaret; ~-read, *adj.* belæst; ~-spent, *adj.* givet godt ud; ~-spoken, *adj.* som taler et kultiveret sprog; ~-thought-out, *adj.* velgennemtænkt; ~-timed, *adj.* betimelig; ~-to-do, *adj.* velhavende; ~-worn, *adj.* slidt.

welsh, *v.t. & i.* stikke af [med penge, uden at betale, fra ansvar, *osv.*]; ~ on, snyde.

Welsh, *n.* (language) wallisisk; the ~, walliserne; ~, *adj.* wallisisk; ~ rabbit (*el.* rarebit) [smeltet ost på ristet brød]; -man, *n.* walliser.

welt, *n.* skorand; (mark on skin) strime; ~, *v.t.* (shoes) randsy; (thrash) gennemprygle; -er, *n.* tummel, forvirring; (mass) væld; virvar.

wench, *n. arch.* pige; tøs; go -ing, *coll.* gå på pigesjov.

wend, *v.t. & i. poet.* gå; drage; ~ one's way homewards, rette sine fjed hjemad; W~, *n. hist.* vender.

went, *see* go.
wept, *see* weep.
wert, *arch. & bibl.* var; *see* be.
werewolf, *n.* varulv.
wert, *arch. & bibl.* var.
west, *n.* vest; to the ~ of,
vest for; the W~, vesten;
~, *adj.* vest-; vesten; vest-
lig; ~, *adv.* vestpå; -bound,
adj. på vej vestpå; -wards,
adv. vestpå.
wet, *adj.* våd; *sl.* lyseslukker;
~, *v.t.* væde; gøre våd;
~-nurse, *n.* amme.
whack, *n.* slag; *sl.* andel;
-ing, *adj. sl.* mægtig; stor;
~, *n.* dragt prygl.
whale, *n. zool.* hval; -bone,
n. hvalbarde.
wharf (*pl.* wharves), *n.* kaj;
bolværk; -age, *n.* kajbe-
nyttelse; kajafgift.
what, *pron.* hvad; hvilken
(hvilket, hvilke); sikke;
what a day!, sikke en
dag!; ~ nonsense!, sikke
noget vrøvl!; ~?, hvad?,
hvad for noget?; I know
~!, nu ved jeg!; he told
~ he knew, han fortalte
det, han vidste; ~ little
hope was left, den smule
håb, der var tilbage; -ever,
pron. hvad ... end; ~ did
you do?, hvad i al verden
gjorde du da?; ~-not, *n.*
coll. tingest.
wheat, *n.* hvede.
wheedle, *v.t.* ~ something
out of somebody, lokke
noget ud af én.
wheel, *n.* hjul; steering-~,
n. rat; *naut.* ror; at the
~, bag rattet; potter's
~, pottemagerskive; spin-
ning-~, *n.* spinderok; ~,
v.t. & i. køre med; svinge;
dreje; -wright, *n.* hjul-
mand.
wheeze, *v.i. & t.* hive efter
vejret; pibe; ~, *n.* (joke)
sl. spøg.
whelk, *n.* trompetsnegl.
whelp, *n.* hvalp; unge.
when, *adv., conj.* hvornår;

når; da; -ce, *adv.* hvorfra;
hvoraf; -ever, *adv.* når
som helst; ~ will he come?,
hvornår i al verden kom-
mer han?
where, *adv., conj.* hvor;
hvorhen; hvortil; -abouts,
n. opholdssted; ~, *adv.*
interrog. hvor omtrent; -as,
conj. hvorimod; mens; *jur.*
eftersom; -by, *adv.* hvor-
ved; -in, *adv.* hvori; -of,
adv. hvoraf; hvorom;
-upon, *adv., conj.* hvorpå.
wherever, *adv., conj.* hvor
... end; hvor som helst;
hvorhen ... end; hvor i al
verden.
wherewithal, *n.* middel;
where will you find the
~?, hvor vil du skaffe de
nødvendige midler fra?
whet, *v.t.* hvæsse; slibe; *fig.*
skærpe.
whether, *conj.* om; hvor-
vidt; ~ ... or, hvad enten
... eller.
whetstone, *n.* slibesten.
whey, *n.* valle.
which, *pron. interrog.* hvad;
hvem; hvilken (hvilket,
hvilke); (relative) som;
der; hvad der; hvilken
(hvilket, hvilke); of ~,
hvis; -ever, *pron.* (no
matter which) hvilken ...
end; (any) hvilken som
helst.
whiff, *n.* pust; drag; lugt.
while, *n.* tid; for some ~, i
nogen tid; a ~, et stykke
tid; well worth ~, uma-
gen værd; it's not worth
my ~, det kan ikke betale
sig for mig; the ~, så-
længe; imens; ~, *v.t. & i.*
~ away, fordrive; ~, *conj.*
medens; mens; (although)
selv om.
whilst, *conj.* medens; mens;
så længe; selv om.
whim, *n.* lune; indfald;
grille; påfund; -per, *n*
klynken; ~, *v.t. & i.*

klynke; klage sig; -sical,
adj. lunefuld.

whine, *n.* klynken; klynke;
~, *v.t.&i.* klynke; pibe;
jamre (sig).

whinny, *n.* vrinsk(en); ~, *v.i.*
vrinske.

whip, *n.* pisk; have the ~
hand, have overmagten;
~, *v. t. & i.* (eggs) piske;
(support) oppiske; (per-
son) prygle; (take away
quickly) rive; trække;
(move rapidly) fare; ~ a
rope, lægge en takling på
en ende; ~ off, *coll.* stikke
af, fare af sted; -cord, *n.*
piskesnor; -ped cream,
flødeskum; -persnapper,
n. spirrevip.

whir(r), *n.* svirren; snurren;
~, *v.i.* svirre; snurre.

whirl, *n.* hvirvel; I was in a
~, det hele løb rundt for
mig; ~, *v. t. & i.* hvirvle;
-pool, *n.* strømhvirvel;
malstrøm; -wind, *n.* hvir-
velvind.

whisk, *v. t. & i.* (remove)
vifte; viske; børste; feje;
(eggs) piske; ~ off, trække
af med; -ers, *pl. n.* bakken-
barter, *pl.*; (of animal) var-
børster, *pl.*; -ey, *n.* [irsk
whisky]; -y, *n.* (skotsk)
whisky; ~-and-soda, *n.*
(whisky)sjus.

whisper, *n.* hvisken; ~, *v. t.
& i.* hviske.

whist, *n.* whist; ~ drive,
whistturnering.

whistle, *n.* (instrument)
fløjte; (sound) fløjten;
pift; ~, *v. i. & t.* fløjte;
pifte.

whit, *n.* not a ~, ikke spor;
every ~ as good, absolut
lige så god; W~, *adj.*
pinse-; ~ Monday, anden
pinsedag; ~ Sunday, (før-
ste) pinsedag.

white, *n.* hvidt; ~ (of egg),
hvide; (man) hvid; ~, *adj.*
hvid; ~ hot, hvidglø-
dende; ~-collar, *adj.* kon-

tor-; ~ workers, funk-
tionærer; -n, *v.t.* gøre
hvid; hvidte; -wash, *v.t.*
hvidte, kalke.

whither, *adv. interrog. poet.*
hvorhen.

whiting, *n.* (fish) hvilling;
(chalk) hvidtekalk; slem-
mekalk.

Whitsun, *n.* pinse; ~, *adj.*
pinse-; (see also Whit).

whittle, *v.t.* snitte; skære ud;
~ down, nedskære.

who, *pron. interrog.* som; der;
~, *pron. relative.* som; der;
den (de) der.

whodunit, *n. sl.* detektiv-
roman.

whoever, *pron.* hvem der
end; enhver som; hvem i
alverden.

whole, *n.* hel; helhed; on
the ~, stort set; ~, *adj.* hel;
(in good health) velbe-
holden; ~-hearted, *adj.*
uforbeholden; ~-hearted-
ly, *adv.* af hjertens lyst;
-sale, *adj.* en gros; -some,
adj. sund.

wholly, *adv.* helt; ganske.

whom, (*objective of* who)
pron. interrog. hvem; ~,
pron. relative. som.

whoop, *n.* hujen; råb; ~, *v.i.*
huje; råbe; -ing-cough, *n.*
kighoste.

whop, *v.t.* tæve; banke;
-ping, *adj. coll.* vældig;
kæmpestor.

whore, *n.* luder; hore; *bibl.*
skøge.

whorl, *n.* spiral; snoning.

whose, *pron. possessive* (of
who or which) hvis.

why, *adv.* hvorfor; that is ~,
det er derfor; the ~s and
the wherefores, motive-
ringerne; the reason ~,
grunden til; ~, *inter.* ~ i t's
you!, nå, er det dig!

wick, *n.* væge; -ed, *adj.* ond;
slet; slem; -er-work, *n.*
kurvearbejde.

wicket, *n.* låge; luge;
(cricket) gærde.

wide, *adj.* vid; bred; (~ open) vidt åben; far and ~, vidt og bredt; ~-awake, *adj.* lysvågen; -spread, *adj.* udbredt; omfattende; vidtstrakt.

widgeon, *n. zool.* pibeand.

widow, *n.* enke; ~'s weeds, enkedragt; -er, *n.* enkemand; -hood, *n.* enkestand.

width, *n.* bredde.

wield, *v.t.* håndtere; bruge; (influence, power, *etc.*) øve; indøve.

wife (*pl.* wives), *n.* kone; hustru.

wig, *n.* paryk; -ging, *n. sl.* overhaling; -gle, *v.t. & i.* vrikke; sprælle.

wight, *n. arch.* skabning.

wigwam, *n.* wigwam.

wild, *n.* the call of the ~, naturens kalden; the -s, ødemarken; ~, *adj.* vild; -cat, *n. zool.* vildkat; -ebeest, *n. zool.* gnu; -erness, *n.* ørken; ødemark; (confusion) vildnis.

wilful, *adj.* (intentional) forsætlig; (obstinate) egenrådig.

will, *n.* vilje; (testament) testamente; (wish) ønske; at ~, efter behag; efter ønske; ~ (would), *v. t. & aux.* vil (would, ville); (habit) pleje; (wish) ønske; ~, *v.t.* ville; God has so -ed it that, det er Guds vilje at; (bequeath) testamentere; -ies, *pl. n. sl.* it gives me the ~, det går mig på nerverne; -ing, *adj.* villig.

willow, *n. bot.* pil; piletræ; -y, *adj.* myg.

willy-nilly, *adj. & adv.* enten man vil eller ej.

wilt, *v.t. & i.* visne; begynde at hænge; ~, *arch.* thou ~, du vil.

wily, *adj.* snu; snedig.

win, *n.* sejr; (prize) gevinst; ~ (won, won), *v t. & i.*

vinde; ~ over, (persuade) få over på éns side; (defeat) sejre over.

wince, *v.i.* krympe sig; give sig.

winch, *n.* spil; lossespil.

wind, *n.* vind; blæst; (scent) fært; in the teeth of the ~, lige op mod vinden; get the ~ up, *sl.* blive bange; ~, *v.t.* (horn) blæse; (detect presence of) få færten af; (exhaust wind of) tage pusten fra; tabe vejret; ~ (wound, wound), *v.i. & t.* vikle; (timepiece) trække op; (spool, *etc.*) spole; vinde; (river, *etc.*) sno sig; bugte sig; slynge sig; ~ up, (clock, *etc.*) trække op; (terminate) afslutte; slutte af; (firm) likvidere; -break, *n.* læbælte; læhegn; -ed, *adj.* forpustet; -fall, *n.* nedblæst frugt; (money) uventet held; ~-instrument, *n.* blæseinstrument; -jammer, *n.* sejlskib; -lass, *n.* vinde; spil; -less, *adj.* stille; -mill, *n.* vejrmølle.

window, *n.* vindue; French ~, glasdør; ~ sill, vindueskarm; ~ pane, rude; go ~ shopping, [se på butiksvinduer uden at købe noget].

wind|pipe, *n.* luftrør; -screen, *n.* vindskærm; -screenwiper, *n.* vindusevisker; -ward, *n.* luvart; vindside.

wine, *n.* vin; ~-cellar, *n.* vinkælder; -glass, *n.* vinglas; ~-merchant, *n.* vinhandler; -press, *n.* vinperse.

wing, *n.* vinge; (building) fløj; on the ~, i flugten; -s, *pl. theat.* kulisser.

wink, *n.* blink; have 40 -s, tage sig en blund.

winkle, *n.* strandsnegl.

win|ner, *n.* vinder; -ning, *adj.* vindende; -ning-post, *n.* mål; -now, *v.t.* rense;

-some, *adj.* vindende; ind-
tagende; -ter, *n.* vinter;
-try, *adj.* vinteragtig.
wipe, *v.t. & i.* tørre; aftørre;
viske; ~ out, slette; viske
ud; (destroy) tilintetgøre.
wire, *n.* tråd; barbed ~, pig-
tråd; (telegram) telegram;
~, *v.t. & i.* trække lednin-
ger i; installere; (tele-
graph) telegrafere.
wiry, *adj.* strittende, stiv;
(strong) sej.
wisdom, *n.* visdom; klog-
skab; (learning) lærdom;
~ tooth, visdomstand.
wise, *adj.* klog; forstandig;
~, *n. arch.* in this ~, på
denne måde; -crack, *n. sl.*
kvik bemærkning.
wish, *n.* ønske; ~, *v.t. & i.*
ønske; ville gerne; as you
~, som du vil; ~ for,
ønske, ønske sig; -bone, *n.*
gaffelben; -ful, *adj.* læng-
selsfuld; ~ thinking, øn-
sketænkning.
wishy-washy, *adj.* tynd;
vandet.
wisp, *n.* (hair, hay) tjavs;
tot; (straw) visk.
wistaria, (*el.* wisteria) *n. bot.*
blåregn.
wistful, *adj.* længselsfuld;
tankefuld; vemodig.
wit, *n.* vid; åndfuldhed; for-
stand; (person) vittigt ho-
ved; live by one's -s, leve
på fiduser; scared out of
one's -s, skræmt fra vid
og sans.
witch, *n.* heks; -craft, *n.* hek-
seri; ~-doctor, *n.* hekse-
doktor.
with, *prep.* med; sammen
med; ~ that, dermed;
faint ~ hunger, svimmel
af sult; we'll stay ~ John,
vi bliver hos John; wine ~
dinner, vin til middagen;
~ all his charm, til trods
for hans charme; ~
pleasure, gerne; ~draw
(-drew, -drawn), *v.t. & i.*
trække sig tilbage; fjerne;

tilbagekalde; ~ from,
træde ud af.
wither, *v.i.* visne; sygne
hen; -ing, *adj.* knusende;
-s, *pl. n.* rygkam.
withhold (-held, -held),
v.t. tilbageholde; (refuse)
nægte.
with|in, *adv.* indvendig;
from ~, indefra; ~, *prep.*
inden for; inden i; ~
reach, inden for række-
vidde; ~ limits, inden for
visse grænser; ~ an hour,
inden der er gået en time;
-out, *adv.* udvendig; from
~, udefra; *prep.* uden for;
uden; we'll have to do ~,
vi må klare os uden; ~
looking, uden at se sig for;
-stand (-stood, -stood),
v.t. & i. modstå; gøre
modstand.
withy, *n.* pil; (willow twig)
vidje.
wit|less, *adj.* tåbelig.
witness, *n.* (person) vidne;
(evidence) vidneudsagn;
vidnesbyrd; bear ~, af-
lægge vidnesbyrd; be-
vidne; ~, *v.t. & i. jur.*
vidne; (be present at) være
vidne til; overvære; (~
signature) bevidne; un-
derskrive som vitterlig-
hedsvidne; ~ box, vidne-
skranke.
wit|ticism, *n.* vits; vittighed;
-ty, *adj.* vittig; åndrig.
wizard, *n.* troldmand; a fi-
nancial ~, et finansgeni.
wizened, *adj.* indskrumpet;
indtørret.
woad, *n.* vajd.
wob|ble, *v.t. & i.* vakle;
rokke; slingre; -bly, *adj.*
vaklevorn; vaklende.
woe, *n.* sorg; ve; ulykke;
the old tale of ~, den
gamle klagesang; ~, *inter.*
ve!; ~ is me!, ve mig!!;
-begone, *adj.* sørgmodig;
-ful, *adj.* sorgfuld; sørge-
lig; (pitiable) ynkelig.
woke, *see* wake.

wold, *n.* åben slette.

wolf (*pl.* wolves), *n.* ulv; ~ pack, ulvekobbel; cry ~, slå falsk alarm; a ~ in sheep's clothing, en ulv i fåreklæder; ~, *v.t.* sluge grådigt; guffe i sig; -hound, *n.* ulvehund.

wolfram, *n.* wolfram.

wolverine, *n.* zool. jærv.

woman (*pl.* women), *n.* kvinde; kone; -kind, *n.* kvinderne; kvindekønnet.

womb, *n.* livmoder; *fig.* skød; ~-to-tomb, *adj.* coll. fra vuggen til graven.

won, *see* win.

wonder, *n.* (emotion) forundring; (strange thing) under; vidunder; no ~, intet under; work -s, gøre underværker; ~, *v. t. & i.* undres; undre sig; I ~, jeg gad vide; I ~ if, mon; I don't ~, det forbavser mig ikke; -ful, *adj.* vidunderlig; forunderlig; -land, *n.* eventyrland.

wondrous, *adj.* poet. vidunderlig; forunderlig.

wonky, *adj.* sl. vaklevorn; usikker.

wont, *n.* (sæd)vane; as is my ~, som jeg har for vane; ~, *adj.* vant; she was ~ to, hun var vant til.

won't = will not.

wonted, *adj.* sædvanlig.

woo, *v.t.& i.* bejle til; fri til.

wood, *n.* skov; (material) træ; ~ pulp, træpapirmasse; (firewood) brænde; out of the ~, *fig.* ude over det værste; touch ~, banke under bordet; -cut, *n.* træsnit; -ed, *adj.* skovbevokset; -en, *adj.* træ-; *fig.* stiv; -land, *n.* skovland; -pecker, *n.* zool. spætte; -pile, *n.* brændestabel; -sman, *n.* skovarbejder; skovløber; -work, *n.* tømrerarbejde; (in schools) træsløjd.

wooer, *n.* bejler; frier.

woof, *n.* islæt.

wool, *n.* uld; pull the ~ over somebody's eyes, stikke én blår i øjnene; lose one's ~, sl. blive gal i hovedet; ~-gathering, *n.* *fig.* åndsfraværelse; -len, *adj.* ulden; uld-; -ly, *adj.* ulden; ~, *n.* sweater.

word, *n.* ord; keep one's ~, holde sit løfte; (news) besked; by ~ of mouth, mundtligt; eat one's -s, tage sine ord i sig igen; ~, *v.t.* udtrykke; formulere; ~-blind, *adj.* ordblind; -ing, *n.* affattelse; ~-perfect, *adj.* [om skuespiller, osv.] der kan sin rolle udenad]; ~-play, *n.* ordspil; -y, *adj.* ordrig; vidtløftig.

wore, *see* wear.

work, *n.* arbejde; (deed) gerning; (occupation) virke; (artistic composition) værk; you'll have your ~ cut out, du vil få hænderne fulde; go to ~, gå på arbejde; out of ~, arbejdsløs; it's all in a day's work, det må man tage med; ~, *v.t. & i.* arbejde; (of machine, etc.) fungere; (operate) drive; (be effective) virke; (move slowly) arbejde sig frem; (make others ~), lade arbejde; ~ against; modvirke; modarbejde; ~ on, arbejde med; ~ out, udarbejde; finde frem til; ordne sig; ~ together, samarbejde; -ability, *n.* gennemførlighed; -aday, *adj.* hverdags-; triviel; -bench, *n.* arbejdsbænk; -er, *n.* arbejder; -man, *n.* arbejder; -manlike, *adj.* godt udført; -manship, *n.* håndværksmæssig udførelse; -s, *n.* fabrik; -shop, *n.* værksted; ~-shy, *adj.* arbejdssky.

world, *n.* the ~, verden; jorden; the animal ~, dyreriget; what in the ~, hvad i alverden; -s apart, himmelvidt forskellige; -ly, *adj.* verdslig; -ly-wise, *adj.* verdensklog; ~-wide, *adj.* verdensomfattende.

worm, *n.* orm; *mech.* snekke, snegl; ~, *v. t. & i.* 1irke; ~ out of, liste ud af; ~-eaten, *adj.* ormædt; antikveret; ~-wood, *n.* malurt.

worn, *see* wear; (tired) træt; ~-out, *adj.* opslidt; udslidt.

wor|ried, *adj.* bekymret; -ry, *n.* besvær; bekymring; ærgrelse; ~, *v. t. & i.* plage; pine; forurolige; volde bekymring; volde ængstelse; don't ~, det skal du ikke være ked af.

worse, *see* bad; værre; dårligere; the ~ for wear; slidt; medtaget; be the ~ for, have taget skade af; from bad to ~, værre og værre; -n, *v. i.* blive værre.

worship, *n.* tilbedelse; dyrkelse; ~, *v. t. & i.* tilbede; dyrke.

worst, *n.* værst; be prepared for the ~, være forberedt på det værste; ~, *adj.* værst; dårligst; slettest; ringest; get the ~ of it, lide nederlag; *see also* bad; ~, *v. t.* besejre; -ed, *n.* kamgarn; ~, *adj.* kamgarns-.

wort, *n.* urt.

worth, *n.* værd; værdi; ~, *adj.* værd; it's not ~ it, det kan ikke betale sig; ~ doing, værd at gøre; for all he's ~, alt hvad han kan; alt hvad han orker; let him show us what he's ~, lad ham vise os hvad han duer til; ~ the trouble,

umagen værd; it's not ~ while, det kan ikke betale sig; -less, *adj.* værdiløs; ~-while, *adj.* som er umagen værd; -y, *n.* fremtrædende person; brav mand; ~, *adj.* hæderværdig; agtværdig.

would, *see* will; ~-be, *adj.* tilstræbt; som vil gerne være.

wound, *n.* sår; ~, *v.t.* såre, krænke; *see also* wind.

wove, woven, *see* weave.

wrack, *n.* vrag; vraggods; *bot.* tang; ~, *v.t.* ødelægge.

wraith, *n.* genfærd; ånd.

wrangle, *n.* mundhuggeri; ~, *v.i.* skændes; mundhugges.

wrap, *n.* sjal; rejsetæppe; ~, *v.t. & i.* pakke; ~ round, pakke om, svøbe om; pakke ind; indhylle; -per, *n.* indpakning; dække; (book) smudsomslag.

wrath, *n.* vrede; -ful, *adj.* vred.

wreak, *v.t.* ~ vengeance on, hævne sig på.

wreath, *n.* krans; -e, *v.t. & i.* bekranse; sno sig; binde, flette.

wreck, *n.* (of ship) skibbrud; forlis; *fig.* ødelæggelse; undergang; (actual thing) vrag; a nervous ~, et nervevrag; ~, *v. t. & i.* bringe til at forlise; ødelægge; gøre til vrag; -age, *n.* vraggods; strandingsgods; ødelæggelse.

wren, *n.* zool. gærdesmutte.

wrench, *n.* voldsom forvridning; ryk; his death was a bad ~, hans død var et smerteligt tab; ~, *v. t.* vride; vriste; rykke; (sprain) forvride.

wrest, *n.* vrid; ~, *v.t.* vride; vriste; ~ from (or out of), fravriste; -le, *v. t. & i.* brydes; slå; ~ with, brydes med; -ler, *n.* bryder;

-ling-match, *n.* brydekamp.

wretch, *n.* (pitiable ~) stakkel; (contemptuous ~) usling; -ed, *adj.* ulykkelig; stakkels; elendig.

wrick, *v.t.* forvride; forstrække.

wriggle, *v.i. & t.* vrikke; vride; sno sig.

wring (wrung, wrung), *v.t.* vride; (distort) fordreje; ~ out, vride op; -ing wet, drivvåd.

wrinkle, *n.* rynke; fold; ~, *v.t. & i.* rynke; krølle; blive rynket; blive krøllet.

wrist, *n.* håndled; ~ watch, armbåndsur.

writ, *n. jur.* ordre; stævning; Holy W~, den hellige skrift.

write (wrote, written), *v.i. & t.* skrive; ~ down, skrive ned, skrive op; ~ for the papers, skrive i bladene; ~ for a brochure, skrive efter en brochure; ~ off, afskrive; ~ up, skrive udførligt, føre à jour; -r, *n.* skribent; forfatter; ~-up, *n.* beskrivelse; anmeldelse.

writhe, *v.i. & t.* vride sig; krympe sig; sno sig.

writing, *n.* skrift; in ~, skriftligt; (act of ~) skriveri; skrivning; ~-desk, *n.* skrivebord; ~-paper, *n.* skrivepapir.

written, *see* write.

wrong, *n.* uret; ~, *v.t.* forurette; krænke; ~, *adj.* forkert; be ~, have uret; do ~, bære sig forkert ad; ~, *adv.* forkert; galt; ~ with, galt med; go ~, slå fejl; gå galt; get something ~, få galt fat på noget; ~-doing, *n.* forsyndelse.

wrote, *see* write.

wrought, *adj.* formet; forarbejdet; ~ iron, smedejern; highly ~, over-

spændt; ~-up, *adj.* ophidset; eksalteret.

wrung, *see* wring.

wry, *adj.* with a ~ smile, med et skævt smil; a ~ remark, en tør bemærkning; he made a ~ face, han skar grimasser.

Xmas, *see* Christmas.

X-ray, *n.* røntgenstråle; (picture) røntgenbillede; ~, *v.t.* røntgenfotografere; gennemlyse.

xylophone, *n.* xylofon.

yacht, *n.* kapsejler; yacht.

yank, *v.t.* rykke; trække voldsomt; ~, *n.* ryk; Y~, Y~ee, *n. sl.* amerikaner; ~, *adj.* amerikansk.

yap, *v.i.* gø; bjæffe.

yard, *n.* yard (0.9144 m.); (space) gård; gårdsplads; the Y~, *see* Scotland Yard; ~-arm, *n. naut.* rånok; -stick, *n. fig.* sammenligningsgrundlag.

yarn, *n.* garn; (tale) historie; ~, *v.i. sl.* passiare.

yarrow, *n. bot.* rollike.

yaw, *n. naut.* gir, giring; ~, *v.i.* gire; dreje.

yawl, *n.* jolle.

yawn, *v.i. & t.* gabe; ~, *n.* gaben.

ye, *pron. arch. & bibl.* I; eder; ~ gods and little fishes!, ih, du forbarmende!; ~, *adj. & adv. arch.* = the.

yea, *n.* ja; jastemme.

year, *n.* år; (vintage) årgang; last year, i fjor; for -s, i årevis; ~-ling, *n.* (of animals) åring; -ly, *adj. & adv.* årlig; års-.

yearn, *v.i.* ~ for, længes efter; -ing, *n.* længsel.

yeast, *n.* gær.

yell, *n.* hyl; ~, *v.i. & t.* hyle.

yellow, *n.* gult; ~, *adj.* gul; (cowardly) fej; ~ fever, gul feber; -hammer, *n. zool.* gulspurv.

yelp, *n.* hyl; ~, *v.i.* hyle.

yeoman, *n.* fribonde; *mil.*
bereden frivillig; -ry, *n.*
selvejerstand.
yes, *n.*, *inter.* ja; jo; ~-man,
n. jasiger.
yesterday, *n.* i går; ~ eve-
ning, i går aftes.
yet, *adv.* endnu; alligevel;
dog.
yew, *n. bot.* taks.
yield, *n.* udbytte; ~, *v.t. & i.*
yde; afkaste; (surrender)
overgive; (concede) ind-
rømme; -ing, *adj.* efter-
givende; veg.
yodel, *v.i.* jodle.
yoke, *n.* åg.
yokel, *n.* bondeknold.
yolk, *n.* æggeblomme.
yon, yonder, *adj. poet.* hin.
yore, *n.* in days of ~, i for-
dums dage.
you, *pron.* De; Dem; du;
dig; (general) man; what
can ~ do?, hvad kan man
gøre?
young, *adj.* ung; my ~
brother, min lillebror;
with ~, drægtig, med
unger; -ish, *adj.* temmelig
ung; -ster, *n.* ung fyr;
knægt.
your, *pron.* Deres; din; dit;
jeres; this is ~ book, det
er din bog; -s, Deres; din;
dit; jeres; this books is
~, det er din bog; ~ truly,
ærbødigst; ~ faithfully,
med (venlig) hilsen; -self

(pl. -selves), Dem selv;
dig selv.
youth, *n.* (state) ungdom;
(young man) ung mand;
(young people in general)
unge mennesker; -ful, *adj.*
ungdommelig.
yowl, *v.i.* hyle klagende.
yule, *n.* jul; -tide, *n.* juletid.

zeal, *n.* iver; tjenstivrighed.
Zealand, *n.* Sjælland.
zeal|ot, *n.* fanatiker; -ous,
adj. ivrig; nidkær.
zebra, *n. zool.* zebra; ~ cross-
ing, fodgængerovergang.
zenith, *n.* højdepunkt; zenit;
toppunkt.
zephyr, *n.* mild vind.
zero, *n.* nul; nulpunkt.
zest, *n.* krydderi; (keenness)
iver; add ~ to, sætte kryd-
deri på.
zigzag, *n.* siksak(linie).
zinc, *n.* zink.
zip|-fastener, -per, *n.* lyn-
lås.
zither, *n.* citar.
zodiac, *n.* zodiak; sign of
the ~, himmeltegn.
zone, *n.* zone; bælte; -d, *adj.*
inddelt i zoner.
zoo, *n.* zoologisk have;
-logist, *n.* zoolog.
zoom, *v.i.* stige hurtigt;
stige stejlt; ~, *n. film.* hur-
tig, stejl kamerabevægelse.
zymosis, *n. med.* infektions-
sygdom.

DANSK-ENGELSK
ORDBOG

DANISH-ENGLISH DICTIONARY

A, a, *n. n. & mus.* A, a; ~ conto, on account; à, *prep.* (*om pris*) at.

abbed, *n.* abbot; -i, *n. n.* abbey.

abe, *n.* monkey, ape; -blomst, *n.* mimulus, monkey flower; -kat, *n.* (person) jackanapes, fool.

abnorm, *adj.* abnormal.

abonnement, *n. n.* subscription; -sbillet, *n.* season-ticket.

abonne|nt, *n.* subscriber; -re, *v. i.* subscribe to.

aborre, *n.* perch.

abort, *n.* abortion, miscarriage.

abrikos, *n.* apricot.

absint, *n.* absinthe; *bot.* wormwood.

absolut, *adj.* absolute; ~, *adv.* absolutely, certainly, definitely.

absolvere, *v. t.* absolve; (eksamen) pass.

accent, *n.* accent; -uere, *v. t.* accent, accentuate; emphasize.

acceptere, *v. t.* accept.

accise, *n.* excise.

ad, *prep.* along, by, at, to, towards; ~ den vej, by that road; hen ~ vejen, along the road; hen ~ aften, towards evening; to ~ gangen, two at a time, by twos.

add|ere, *v. t. & i.* add up; -ition, *n.* addition, sum.

adel, *n.* nobility; -ig, *adj.* noble, titled; -sskjold, *n. n.* coat of arms, escutcheon.

adfærd, *n.* conduct, behaviour; demeanour.

adgang, *n.* admittance; access, approach; admission;

facility; -seksamen, *n.* (*til universitet*) matriculation.

adjunkt, *n.* master; teacher.

adkomst, *n.* title, right, claim.

adle, *v. t.* ennoble; raise to the peerage.

adlyde, *v. t. & i.* obey; ikke ~, disobey.

administr|ation, *n.* administration; -ere, *v. t.* manage; -erende direktør, *n.* managing director.

adoptere, *v. t.* adopt.

adress|at, *n.* addressee; (*om vareforsendelse*) consignee; -e, *n.* address; direction; -e hr. O., c/o Mr. O., -ere, *v. t.* address, direct, consign.

adræt, *adj.* nimble, agile.

adskille, *v. t.* separate, divide; distinguish, discriminate; -lse, *n.* separation; *fig.* distinction.

adskillige, *adj.* several, sundry.

adskilt, *adj.* separate, distinct, apart.

adsplitte, *v. t.* scatter.

adspred|e, *v. t.* divert, amuse; distract; -lse, *n.* diversion, distraction; amusements; -t, *adj.* absent-minded.

adstadig, *adj.* sedate; steady; staid.

a-dur, *mus.* A major.

advar|e, *v. t.* warn; -sel, *n.* warning, caution.

advis, *n.* advice; -ere, *v. t.* advise.

advokat, *n.* barrister: counsel; advocate.

af, *prep.* by, for, from, in, of, off, on, out of, to, with; Deres brev ~ 3de, your letter of the 3rd; en ven

~ min broder, a friend of my brother's.

afart, n. variety.

afbankning, n. thrashing, drubbing.

afbenyttelse, n. use.

afbestille, v. t. countermand; (værelse) cancel.

afbetale, v. t. & i. pay off.

afbetaling, n. part-payment, instalment; på ~, on the hire purchase (el. "never-never", el. "H.P.") system.

afbigt, n. apology.

afbilde, v. t. picture, portray, depict.

afblade, v. t. strip the leaves off, defoliate.

afbleget, adj. discoloured, faded.

afblæse, v. t. & i. call off (fx. a strike).

afbrudt, adv. intermittently; ~, adj. abrupt, interrupted.

afbryde, v. t. & i. interrupt, break off; electr. switch off; tlf. cut off, disconnect; -else, n. interruption, break; -r, electr. switch, contact breaker.

afbræk, n. n. harm, injury, gøre ~ i, injure; til ~ for, to the detriment of.

afbrænde, v. t. burn; ~ fyrværkeri, let off fireworks.

afbud, n. n. sende ~, cancel; send an excuse.

afbælge, v. t. (peas) shell; husk.

afbøje|e, v. t. deflect; diffract; -ning, n. deflection.

afdampe|e, v. t. ~ linned, air the linen; ~ (en opløsning) evaporate; -ning, n. evaporation.

afdeling, n. division, section, department; (rum) compartment; mil. detachment, unit; mus. movement; (hospital) ward.

afdrag, n. n. part-payment; -e, v. t. pay by instalments.

afdrift, n. deviation; naut. leeway.

afdrivning, n. (af skov), deforestation, felling.

afdække, v. t. uncover, expose.

afdæmpe, v. t. tone down, subdue, soften.

afdød, adj. deceased, defunct; afdøde hr. B, the late Mr. B.

affald, n. n. refuse, waste, rubbish, offal; residue; -sdynge, n. refuse heap, scrap pile; -sprodukt, n. n. residual produce; by-product.

affarve, v. t. discolour; bleach.

affatte, v. t. draw up; compose; word; couch.

affejende, adj. slighting, snubbing, off-hand.

affekt, n. excitement; passion; komme i ~, become excited, fly into a passion; -eret, adj. affected; -ionsværdi, n. sentimental value.

affinde, v. refl. ~ sig med, come to terms; with resign oneself to.

affjedring, n. (spring) suspension.

affolke, v. t. depopulate.

affyre, v. t. fire, discharge, let off.

affældig, adj. decrepit, infirm; worn out.

affærdige, v. t. put off; dismiss; -nde, adj. off-hand, slighting.

affære, n. affair; tage ~, step in; take action; intervene.

afføde, v. t. give rise to.

afføre, v. t. divest; ~ sig, v. refl. take off one's clothes, undress; -nde middel, laxative, aperient.

afgang, n. departure; decrease; retirement; demise; -seksamen, n. leaving examination; -sperron, n. departure platform.

afgift, n. tax, duty.

afgive, v. t. surrender, give up; submit; hand over.

afgjort, *adj.* decidedly, unquestionably, definitely.

afglans, *n.* reflection.

afgnide, *v. t.* rub off; rub (down).

afgrund, *n.* abyss, gulf, precipice.

afgrænse, *v. t.* bound, demarcate, define.

afgrøde, *n.* crop, yield.

afgud, *n.* idol.

afgøre, *v. t.* decide, determine; settle; -nde, *adj.* final, conclusive, decisive; den -nde stemme, the casting vote.

afgå, *v. i.* depart, go, set off, start, leave; sail; retire; ~ ved døden, die.

afhandling, *n.* treatise, essay, dissertation, paper.

afhente, *v. t.* call for, fetch; collect.

afhjælpe, *v. t.* remedy; relieve; redress; meet; gratify.

afholde, *v. t.* (fra noget), prevent, restrain, withhold from; (om møde) hold; (udgifter) defray; ~ sig fra, refrain from.

afhold|ende, *adj.* abstemious; -sforening, *n.* temperance society.

afholdt, *adj.* liked, popular.

afhænde, *v. t.* dispose of, sell.

afhængig, *adj.* dependent.

afhøre, *v. t.* examine; hear.

afkald, *n. n.* renunciation; give ~ på, relinquish; waive; renounce; abandon.

afkappe, *v. t.* cut off, lop off.

afkaste, *v. t.* yield, produce; ~ åget, throw off the yoke.

afklare, *v. t.* clarify (*f. eks.* wine, a situation).

afklippe, *v. t.* clip, cut off, shear; kort -t hår, close-cut (*el.* cropped) hair.

afklæde, *v. t.* undress; strip; *fig.* expose.

afknappe, *v. t.* curtail; stint; retrench from; dock.

afkoble, *v. t.* disconnect, uncouple.

afkog, *n. n.* extract, decoction.

afkom, *n. n.* offspring, issue, progeny.

afkorte, *v. t.* shorten, abridge, abbreviate, curtail.

afkrog, *n.* out-of-the-way place, remote corner.

afkrydse, *v. t.* check (off).

afkræftet, *adj.* weakened, exhausted; *fig.* invalidated.

afkræve, *v. t.* demand, charge (*f. eks.* a fee).

afkøle, *v. t.* cool, refrigerate.

aflad, *n.* indulgence; -e, *v. t.* cease, leave off; (gun, battery) unload; (afskibe) ship.

aflagt, *adj.* (klæder) discarded, cast off.

aflang, *adj.* oblong.

afled|e, *v. t.* draw off; carry off; divert; conduct; derive; -er, *n. phys.* conductor; -ningskanal, *n.* drain.

aflejre, *v. t.* deposit.

aflevere, *v. t.* deliver, give up, hand over.

aflive, *v. t.* put to death, slay; kill; put away (*el.* put to sleep).

aflokke, *v. t.* elicit; coax out of, wheedle out of.

aflukke, *n. n.* closet; enclosure; ~, *v. t.* lock, bar; close off.

aflure, *v. t.* detect by watching.

afluse, *v. t.* delouse.

aflyse, *v. t.* cancel, put off.

aflytte, *v. t.* listen in to (*f. eks.* a wireless programme, a conversation).

aflægge, *v. t.* discard; (klæder) cast off; (ed) take; (løfte, tilståelse, forklaring) make; (vane) leave off; (besøg) pay; -r, *n. bot.* cutting, layer; (efterkommer) offshoot.

aflægs, *adj.* decrepit, worn out.

aflæsse, *v. t.* unload, discharge.

afløb, *n. n.* outlet; *fig.* vent; **-ning,** *n.* launch; **-sgrøft,** *n.* drain.

afløse, *v. t.* relieve; succeed, replace, supersede.

aflåse, *v. t.* lock.

afmagret, *adj.* thin, emaciated.

afmagt, *n.* feebleness, impotence; (besvimelse) swoon, faint.

afmale, *v. t.* depict, portray.

afmarchere, *v. i.* march off, depart.

afmægtig, *adj.* powerless, impotent; feeble, weak; **blive ~,** *v. i.* faint.

afmærke, *v. t.* mark off, set out; *naut.* buoy.

afmønstre, *v. t.* discharge, pay off.

afmålt, *adj.* measured, precise; formal.

afnøde, *v. t.* extort from.

afparere, *v. t.* parry, ward off.

afpasse, *v. t.* adapt; fit; adjust.

afpille, *v. t.* pick off, pluck off, peel off.

afplukke, *v. t.* pick; pluck.

afpresse, *v. t.* press out, squeeze out; *fig.* extort.

afprutte, *v. t.* beat down.

afprøve, *v.t.* test; go over; check.

afpudse, *v.t.* clean, polish; finish; dress; rub off.

afrage, *v. t.* shave off.

afrakket, *adj.* worn out, shabby.

afreagere, *v. t. fig.* work off steam, (el. one's feelings).

afregne, *v. t.* settle accounts; account for.

afrejse, *n.* departure; **~,** *v. i.* depart, set out.

afrette, *v. t.* train; (heste) break in; level; adjust.

afrids, *n. n.* sketch, outline, diagram.

afrigge, *v. t.* dismantle, strip.

afrive, *v. t.* tear off, pull off; (tændstik) strike; (farver grind; rake off.

afrulle, *v. t.* unroll.

afrunde, *v. t.* round off.

afrustning, *n.* disarmament.

afryste, *v. t.* shake off.

afsats, *n.* (trappe) landing; terrace; (klippe) ledge.

afse, *v. t.* spare, afford; **~ tid,** find time.

afsejle, *v. i.* sail.

afsend|e, *v. t.* send, despatch, remit; forward; post; mail; ship; delegate; **-ing,** *n.* agent, envoy.

afsides, *adj.* remote, out of the way; (en ~ replik) an aside; **~,** *adv.* aside, apart.

afsige, *v. t.* countermand; discontinue; pronounce, pass (f. eks. sentence); give (f. eks. judgement).

afsindig, *adj.* insane, mad, crazy, frantic; **~,** *n.* madman, maniac, lunatic.

afskaffe, *v. t.* abolish, do away with, discontinue; repeal; abrogate.

afskalle, *v. t.* husk, peel, shell.

afsked, *n.* leave, dismissal, discharge; retirement, resignation; **tage ~ med,** take leave of; **få sin ~,** *sl.* get the sack.

afskibe, *v. t.* ship; (tropper) embark.

afskilre, *v. t.* partition off.

afskove, *v. t.* deforest; fell.

afskrift, *n.* copy, transcript.

afskrive, *v. t.* copy, transcribe; *commerc.* write off.

afskrue, *v. t.* unscrew.

afskrække, *v.t.* deter, frighten; discourage; scare; **-nde,** *adj.* discouraging, forbidding.

afskrælle, *v. t.* peel off, pare off.

afskrå, *v. t.* chamfer, bevel.

afskum, *n. n.* scum; brute.

afskumme, *v. t.* skim off.

afsky, *n.* dislike, disgust, abhorrence, aversion; ~, v. t. abhor, detest, loathe.

afskyde, v. t. discharge, fire, shoot.

afskyelig, adj. abominable, odious, hateful, detestable.

afskygning, n. shade, nuance.

afskylle, v. t. rinse, wash.

afskære, v. t. cut off, intercept; cut short.

afskærme, v. t. screen.

afslag, n. n. refusal, denial; (i pris) discount, reduction, rebate.

afslappe, v. t. relax, slacken.

afslibe, v. t. polish; smooth; grind off.

afslutning, n. conclusion, close, termination.

afslutte, v. t. close, terminate, finish; (contract) conclude; (books) balance; ~ en handel, strike a bargain.

afsløre, v. t. unveil.

afslå, v. t. refuse, deny; reject, decline; repel.

afsmag, n. tang; (disagreeable) after-taste; (lede) distaste; dislike.

afsnit, n. section; period; segment.

afsnubbe, v. t. swallow the endings; clip; cut short, snub.

afsondre, v. t. isolate, separate; med. secrete (f. eks. a fluid), -t, adj. isolated, sequestered, retired.

afsone, v. t. expiate; work out; atone for; serve (f. eks. a sentence el. time).

afspejle, v. t. reflect.

afspise, v. t. ~ én med, put somebody off with.

afspore, v. t. derail.

afspænding, n. relaxation, relief.

afspærre, v. t. close, block up; barricade, blockade.

afstamning, n. descent, extraction.

afstand, n. distance; tage ~ fra, stand aloof from; take exception to; -småler, n. telemeter, rangefinder.

afsted, adv. away, off; forward, on; ~ med dig! get off! get away! komme galt ~, get into mischief; tage ~, leave.

afstemning, n. voting; vote; division; ballot; radio. tuning in; -ssal, n. division lobby.

afstemple, v. t. stamp; stamp off, cancel.

afstikke, v. t. stake off; line out; trace; lay out; -r, n. trip; detour; digression.

afstive, v. t. stay up, shore up, stiffen, prop up.

afstraffe, v. t. punish, chastise.

afstrege, v. t. rule; mark with a line.

afstryge, v. t. wipe off; (slibe) strop; (tændstik) strike.

afstudse, v. t. curtail, crop; (træ) poll; (hale) dock.

afstumpet, adj. stumpy, truncated; (sløv) blunt.

afstøbning, n. cast, casting.

afstøve, v. t. dust.

afstå, v. t. resign, relinquish, make over, renounce; transfer; cede; ~ fra, desist from; -elsessum, n. consideration, compensation.

afsvale, v. t. cool down, cool off.

afsvide, v. t. parch, scorch; blast.

afsætte, v. t. (afskedige) dismiss, discharge; depose, dethrone; (sælge) dispose of, sell; med. amputate.

afsøge, v. t. search; mil. reconnoitre.

aftage, v. t. take off, remove; (kort) cut; (købe) buy; ~, v. i. fall off, decline, abate, decrease; wane.

aftale, n. agreement; appointment; arrangement; v. t. arrange, agree upon; (tid) fix; det er en ~, that is a bargain, let's agree on that.

aftappe, *v. t.* draw (off); bottle.

aften, *n.* evening; night; god ~, good evening.

aftjene, *v.t.* (sin værnepligt) serve time as a soldier, do military service.

aftryk, *n. n.* impression; print, copy.

aftrækker, *n.* trigger.

aftvinge, *v. t.* extort from; force.

aftvættelse, *n.* ablution.

aftægt, *n.* [annuity (board and lodging) paid to re-tired farmer by successor to his estate].

aftælle, *v. t.* count off.

aftørre, *v. t.* wipe off, wipe up, dry.

afvaske, *v. t.* wash off.

afvant, *adj.* ~ med, out of the habit of.

afvej, *n.* komme på -e, to go astray; føre på -e, mislead.

afvekslle, *v. t.* change, alter-nate, vary; -lende, *adj.* changing, alternate; ~ af-veksle, alternately, by turns; -ling, *n.* change, variation, va-riety; relief.

afvende, *v. t.* avert, prevent.

afvente, *v. t.* await, wait for, stay for.

afvigle, *v. i.* deviate; swerve; diverge; (opinion) differ; -else, *n.* deviation, differ-ence; -ende, *adj.* diverging, di- vergent.

afvikle, *v. t.* unroll, unwind; wind up, liquidate, settle.

afvisle, *v. t.* reject, dis-miss; turn off, refuse ad-mittance; repudiate; re-pel; overrule; -ende, *adj.* unsympathetic, discourag-ing; -er, *n.* direction in-dicator, trafficator; -ning, *n.* dismissal; rejection; re-buff, repudiation.

afvæbnne, *v.t.* disarm (*ogs. fig.*); -ning, *n.* disarma-ment.

afvænne, *v. t.* wean; break, (*el.* cure of) (a habit).

afværgle, *v. t.* ward off; avert, prevent; -ende, *adj. fig.* deprecatory.

afæske, *v. t.* exact, demand.

age, *v. i. arch.* drive, ride.

agent, *n.* agent, representa-tive; -ur, -urforretning, *n.* agency, commission business.

ager, *n.* field; -brug, *n. n.* agriculture; -dyrkende, *adj.* agricultural.

agerlhøne, *n.* partridge; -land, *n. n.* arable land.

agern, *n. n.* acorn.

agerlkål, *n.* navew; -sennep, *n.* charlock; -snegl, *n.* common slug.

agitere, *v. i.* agitate; make propaganda, canvas; make a stir.

agn, *n.* bait; sætte ~ på, bait.

agraf, *n.* clasp, brooch.

agronom, *n.* agronomist.

agt, *n.* intention, purpose, design; attention, care; giv ~!, attention!; tag dig i ~!, beware!, look out!; -bar, *adj.* respectable; -e, *v. t.* mind, heed, attend to; esteem; respect, rever-ence; consider; -else, *n.* respect, esteem, regard; med -else, yours respect-fully.

agtenfor, *prep. naut.* abaft.

agter, *adj. & adv. naut.* aft, after, abaft, astern; -skib, -spejl, *n. n.* stern; -stævn, *n.* sternpost; -ud, *adv.* astern.

agtpågivende, *adj.* mindful, attentive; heedful, care-ful; -værdig, *adj.* respect-able, worthy of respect.

agurk, *n.* cucumber; (lille, syltet) gherkin.

ah! *int.* ah!, oh!, aha!

ahorn, *n.* maple; almindelig ~, sycamore.

ais, *n. n. mus.* A sharp.

ajle, *v. t.* fertilize with liquid manure.

ajourføring, *n.* bringing up to date.

akademisk, *adj.* academic(al); ~ **borger**, *n.* university man.

akavet, *adj.* awkward, clumsy.

akkompagnere, *v. t. mus.* accompany.

akkord, *n.* bargain, compromise; agreement; contract; *mus.* chord; **gøre ~ med sine kreditorer**, compound with one's creditors; **-arbejde**, *n.n.* piecework.

akkreditere, *v.t.* accredit; ~ **én hos**, *commerc.* open a credit for one with; **-tiv**, *n. n.* letter of credit; (gesandt) credentials.

akkurat, *adj.* exact, accurate, precise; ~, *adv.* exactly, precisely, just so.

aks, *n. n. bot.* spike; ear.

akse, *n.* axis; **-omdrejning**, *n.* rotation.

aksel, *n.* shaft; axle; **-tap**, *n.* gudgeon.

aksle, *v. t.* shoulder.

akt, *n.* (handling) ceremony, act; (nøgen model) nude; (papir) document.

aktie, *n.* share; stock; **-brev**, *n. n.* share certificate; **-selskab**, *n. n.* limited liability company, joint stock company; **-udbytte**, *n. n.* dividend.

aktionær, *n.* shareholder, stock-holder.

aktiv, *n. n.* asset.

aktor, *n. jur.* counsel for the prosecution.

aktuel, *adj.* topical.

akvarel, *n.* water-colour (painting).

akvavit, *n.* aqua vitae [Danish distilled spirits of gin type].

al, *n., adj. & adv.* all; **han har ~ mulig årsag**, he has every reason; **i ~ stilhed**, very quietly; **fremfor -t**, above all; ~, *n. geol.* hardpan.

alarm, *n.* alarm; noise, uproar, din; **blind ~**, false alarm; **gøre ~**, give the alarm.

albue, *n.* elbow.

aldeles, *adv.* quite, entirely, totally, absolutely, altogether; utterly; ~ **ikke**, not at all; ~ **intet**, nothing at all.

alder, *n.* age; **-dom**, *n.* old age; **-sgrænse**, *n.* age limit; **-srente**, *n.* old age pension; **-stegen**, *adj.* aged.

aldrende, *adj.* elderly.

aldrig, *adv.* never; ~ **mere**, never again; ~ **så snart** ... **før**, no sooner ... than.

alen, *n.* = approx. two feet (24.72 ins.).

alene, *adj.* alone; ~, *adv.* only, solely.

alf, *n.* fairy; **-eagtig**, *adj.* fairy-like, elfish.

alimentation, *n.* maintenance (of illegitimate children).

alk, *n. zool.* auk.

allé, *n.* avenue.

alle, *adj.* all; **-hånde**, *adj.* all manner of, all kinds of; ~, *n.* allspice, pimento.

allerbedst, *adj.* the very best; **-flest**, *adj.* by far the greatest number of; **de -færreste**, very few; **-først**, *adj. & adv.* first of all.

allerede, *adv.* already; by now; **~ dengang**, even at that time; **det er ~ meget**, that is something.

allesammen, *n.* all, altogether; **-stedsnærværende**, *adj.* omnipresent, ubiquitous; **-vegne**, *adv.* everywhere.

alligevel, *adv.* still, nevertheless, all the same.

allike, *n.* jackdaw; **fuld som en ~**, (as) drunk as a lord.

almagt, *n.* omnipotence.

almanak, *n.* almanac.

almen, *adj.* general, common, public, universal; **-nytte**, *n.* public utility.

almindelig, *adj.* common

ordinary; plain; general; universal; prevalent; -vis, *adv.* generally, in general.

almisse, *n.* alms, charity.

almue, *n.* the common people; villagers, *pl.*; the lower classes, *pl.*; -skole, *n.* board school.

almægtig, *adj.* almighty, all-powerful.

alsidig, *adj.* versatile; all-round; -hed, *n.* versatility.

alskens, *adj.* every kind of.

alt, *n.* (*se* al) all; ~, *n. mus.* contralto.

altan, *n.* balcony.

alter, *n. n.* altar; -gang, *n.* (holy) communion; -bil-lede, *n. n.* -tavle, *n.* altar-piece.

altereret, *adj.* upset, agitated.

altfor, *adv.* too, far too.

altid, *adv.* always; ever; in every case.

alting, *pron.* everything.

alt|sammen, *n.* all (of it); al-together; everything; -så, *conj.* consequently, accordingly, therefore, so, then; -ædende, *adj.* omnivorous.

alvidende, *adj.* omniscient.

alvor, *n. el. n. n.* earnest;–lig, *adj.* grave, earnest, serious, sober; demure; -lig talt, joking apart; seriously (speaking).

amatør, *n.* amateur.

ambassa|de, *n.* embassy; -dør, *n.* ambassador.

ambolt, *n.* anvil.

amme, *v. t.* nurse, suckle.

ammunition, *n.* ammu-nition; munitions, *pl.*

a-mol, *mus.* A minor.

amortisationsfond, *n. n.* sink-ing fund.

ampel, *n.* hanging lamp.

amputere, *v. t.* amputate.

amt, *n. n.* administrative district; county; -mand, *n.* chief admin. officer of an "amt".

analog, *adj.* analogous.

analyse, *n.* analysis.

ananas, *n.* pineapple.

anarki, *n. n.* anarchy.

anatomi, *n.* anatomy.

anbefale, *v. t.* recommend, commend; ~ sig, take leave, retire; -t brev, registered letter.

anbore, *v. t.* drill and tap mains (*f. eks.* water, gas).

anbragt, (*perf. part. af* an-bringe) *adj.* mounted; vel ~, well applied, well di-rected; slet ~, misplaced, out of place.

anbringe, *v. t.* put, place; dispose; fix; apply; insert; introduce; invest, sell; fit; seat.

anciennitet, *n.* seniority.

and, *n.* duck; (avis) hoax.

andagt, *n.* devotion; rapt attention.

andejagt, *n.* duck-shooting.

andel, *n.* share, portion, part; quota; -smejeri, *n. n.* co-operative dairy.

andemad, *n.* duck-weed.

an|den, -det, -dre, *adj.* other; second; others; en -den, et -det, another, some other; hver -den, every other; et eller -det, something or other; alt -det end, any-thing but; ikke -det?, is that all?; noget -et, some-thing else.

anden|hånds, *adj.* second-hand; -klasses, *adj.* second-class; -rangs, *adj.* second-rate.

andenæb, *n. n.* duck's bill; *mech.* thumb gauge.

anderledes, *adv.* otherwise, differently.

andetsteds, *adv.* somewhere else; elsewhere.

andragende, *n. n.* petition.

andrik, *n.* drake.

andrive, *v. t.* force (plants, *etc.*).

andægtig, *adj.* devout.

ane, *n.* ancestor; ~, *v. t.* sus-pect; anticipate; guess; have a foreboding of; -lse, *n.* suspicion, foreboding, presentiment, misgiving.

anerkende, *v.t.* acknowledge, recognize; admit, own; appreciate.

anfald, *n. n.* attack; charge; fit, paroxysm.

anfordring, *n.* demand.

anfægtelse, *n.* temptation; scruples; anxiety, troubles.

anfør|e, *v. t.* command, lead; guide, conduct, direct; state; allege, plead; quote; -er, *n.* commander, leader; guide, conductor; ringleader; -selstegn, *n. n.* inverted commas, quotation marks.

angel, *n.* hook; (på kniv) tang.

anger, *n.* repentance, remorse, contrition, regret, compunction; -fuld, *adj.* repentant, penitent, contrite.

angina, *n.* sore throat, inflammation of the throat.

angive, *v.t.&i.* state, mention, report; indicate; specify; declare; denounce; inform against.

angre, *v. t. & i.* repent of, regret, be sorry for, rue.

angreb, *n. n.* attack, assault; charge, onset; -skrig, *n.* war of aggression; -styrke, *n.* attacking force.

angribe, *v. t.* attack, assail, charge; engage; affect, injure; encroach upon; (ætse) corrode; -r, *n.* assailant, aggressor, attacker.

angst, *adj.* anxious, apprehensive, afraid; ~, *n.* fear, apprehension, terror, dread.

angå, *v. t.* concern, relate to, refer to; hvad -r det mig?, what is that to me?; -ende, *prep.* regarding, concerning, relative to, as to, with respect to.

anhang, *n. n.* supplement, appendix.

anholde, *v. t.* apprehend, arrest; (skib) seize; -lsesordre, *n.* warrant.

animere, *v. t.* animate.

animositet, *n.* animosity; grudge.

anke, *n.* complaint, grievance, objection.

anker, *n. n.* anchor; -gangsur, *n. n.* lever watch; kaste ~, cast anchor; lette ~, weigh anchor; -plads, *n,* anchorage; -spil, *n.* windlass; -tov, *n. n.* cable.

anklage, *v. t.* accuse, charge, prosecute; impeach; ~, *n.* accusation, charge, indictment; -r, *n.* accuser, prosecutor.

anklang, *n.* approval; sympathy.

ankomst, *n.* arrival.

ankre, *v. i.* anchor.

anlagt, *adj.* inclined, fitted for; pessimistisk ~, of a pessimistic turn (el. disposition).

anledning, *n.* occasion, cause, reason.

anliggende, *n. n.* affair, business; matter.

anlæg, *n. n.* (anlæggelse) foundation, construction; lay-out, laying-out; (kapital-) investment, outlay; (industri-) plant; (begavelse) talent, bent, disposition, aptitude; -sbro, *n.* pier.

anlægge, *v. t.* found, establish; construct, lay out; apply (a bandage); put on (an expression); ~ en filial open a branch; ~ skæg, grow a beard.

anløb|e, *v. t.* call at; ~, *v. i.* tarnish; -splads, *n.* place (el. port) of call.

anmarch, *n.* være i ~, approaching.

anmassende, *adj.* arrogant, overbearing, presumptuous, bumptious.

anmelde, *v. t.* announce, notify, declare; report; review; inform against, denounce; -r, *n.* critic, reviewer.

anmode, v. t. ~ om noget, request, ask for something.

anmærkning, n. remark; comment; note.

annektere, v. t. annex.

annonce|bureau, n. n. advertising office; -re, v. i. advertise.

annullere, v. t. annul, cancel; render null and void.

anonym, adj. anonymous.

anordne, v. t. arrange; order, decree; med. prescribe.

anordning, n. arrangement; ordinance, edict; tech. device.

anrette, v. t. serve; cause; make, do; instigate; wreak (havoc).

anråbe, v. t. challenge; implore, invoke; hail (a taxi).

ansamling, n. disposition; have ~ til fedme, be inclined to stoutness.

anse, v. t. consider, regard, deem; esteem, judge, reckon; -else, n. reputation, prestige, standing; -lig, adj. considerable; goodly, impressive.

ansigt, n. n. face; countenance, visage; skære -er, make faces; -behandling, n. facial (treatment); -farve, n. complexion; -stræk n. n. feature.

anskaffe, v. t. procure, get; provide.

anskreven, adj.; vel ~, in great favour.

anskrig, n. n. outcry; gøre ~, give the alarm.

anskuel|ig, adj. lucid, intelligible; -se, n. opinion, view; -sundervisning, n. object lessons.

anskyde, v. t. wound.

anslag, n. n. scheme, design, plot; mus. touch; mech. stop, fence.

anslå, v. t. estimate, rate, value; mus. strike.

anspore, v. t. urge, incite; instigate; spur on.

anspænde, v. t. strain, stretch,

concentrate; ~ sig, v. refl. exert oneself.

anstalt, n. institution, home, establishment; -er, pl. preparations, arrangements, pl.

anstand, n. deportment, grace, decorum; jur. adjournment.

anstifte, v. t. cause, contrive; stir up, set in motion; plot, excite, instigate.

anstille, v. t. institute; set afoot; (forsøg) make.

anstrenge, v. t. refl. exert oneself; ~, v. t. strain (f. eks. one's eyes); rack (one's brains); -lse, n. effort, exertion; -nde, adj. fatiguing.

anstrøg, n. n. touch, tinge, dash, suspicion.

anstændig, adj. decent, proper.

anstød, n. n. offence.

anstå, sig ~ v. refl, be proper, be suitable; become (f. eks. som det -r sig en dame, as be comes a lady).

ansvar, n. n. responsibility; liability; -lig, -sfuld, adj. responsible.

ansætte, v. t. appoint; (skat) assess; (til værdi) estimate, value; -lse, n. appointment, engagement; assessment; estimate.

ansøg|e, v. t. & i. apply for; solicit; -ning, n. application; petition.

antage, v. t. accept; engage; adopt; suppose, assume; -lig, adj. likely; acceptable; considerable.

antal, n. n. number.

antaste, v. t. accost; assail; infringe.

antenne, n. radio. aerial, antenna.

antik, adj. antique; ~, n. antique; -ken, antiquity; -var, n. second-hand bookseller; -vitetshandel, n. antique shop.

antræk, n. n. get-up, attire.

antyde, v. t. hint, intimate;

imply, insinuate, indicate, suggest; foreshadow.

antænde, *v. t.* light; fire, ignite; kindle.

anvend|e, *v. t.* employ, use; spend; utilize; apply; -elig, *adj.* practicable, applicable; -else, *n.* employment, use, application.

anvis|e, *v. t.* assign; draw upon; pass for payment; show; direct; -ning, *commerc.* order, cheque; -ningskontor, *n. n.* labour exchange.

aparte, *adj.* odd, peculiar.

apotek, *n. n.* chemist's shop, dispensary; *U. S.* drugstore; -er, *n.* chemist; druggist.

apparat, *n. n.* apparatus.

appel, *n. mil.* roll-call; *jur.* appeal.

appelsin, *n.* orange.

appetit, *n.* appetite; -lig, -vækkende, *adj.* appetizing.

apportere, *v. t. & i.* retrieve.

appretur, *n.* dressing, finish.

approbere, *v. t.* approve (of), sanction.

aprilsnar, *n.* April fool.

apropos, *adv.* by the way; apropos.

ar, *n. n.* scar; cicatrice; *bot.* stigma.

arbejd|e, *n. n.* work, labour; employment; task; job; workmanship; ~, *v. i.* work; labour, toil; -er, *n.* workman, hand; -sanstalt, *n.* workhouse; -sbesparende, *adj.* laboursaving; -sgiver, *n.* employer; -skommando, *n. n.* fatigue party; -sløn, *n.* wages; -sløs, *adj.* un employed; -smand, *n.* labourer; -som, *adj.* industrious, hard-working; -spenge, *pl. n.* labour charges;-stegning,*n.*working drawing;-stid,*n.*working hours;-stilladelse, *n.* working permit.

areal, *n. n.* area; acreage; floorage.

arg, *adj.* arrant, wicked.

arild, *n.* fra -s tid, from time immemorial.

ark, *n. n.* sheet (of paper); ~, *n.* ark.

arkiv, *n. n.* archives, records; *commerc.* files.

arm, *n.* arm; -brøst, *n.* crossbow; -bånd, *n. n.* bracelet.

armere, *v. t.* arm; -t beton, reinforced concrete.

armhule, *n.* armpit.

armod, *n.* poverty, penury.

arne, *n.* hearth; -sted, *n. n.* hearth; *fig.* hot-bed.

arrest, *n.* arrest, seizure; embargo; custody; confinement; -ordre, *n.* warrant.

arrig, *adj.* bad-tempered, ill-natured; en ~ kvinde, a shrew.

art, *n.* sort, kind; *bot.* species; nature.

arte, *v. refl.* ~ sig, shape, turn out, grow.

artig, *adj.* well-behaved, good; civil; vær så ~, please, kindly; -hed, *n.* civility; sige -heder, pay compliments.

artikel, *n.* article, commodity; item; clause, section, paragraph.

artillerist, *n.* gunner, artilleryman.

artist, *n.* artiste, music-hall performer; (kunstner) artist.

artium, *n.* matriculation examination.

artsnavn, *n. n.* specific name.

arv, *n.* inheritance; legacy; heritage.

arve, *n. bot.* pimpernel.

arv|e, *v. t.* inherit, succeed to, come into; -eafgift, *n.* death duty; -efæste, *n. n.* copyhold; -efølge, *n.* succession; -egods, *n. n.* inheritance; heritage; heirloom; -elader, *n.* testator; -edel, -elod, -epart, *n.* portion, share; -eløs, *adj.*

disinherited; -ing, *n.* heir; heiress.

as, *mus.* A flat.

asbest, *n.* asbestos.

ase, *v. i.* toil, struggle.

asen, *n. n.* ass.

asie, *n.* [peeled and pickled cucumber].

asjet, *n.* small plate, dish.

ask, *n. bot.* ash.

aske, *n.* ashes; ash; -bæger, *n. n.* ashtray; -farvet, -grå, *adj.* ashy, ashen, ash-coloured; -onsdag, *n.* Ash Wednesday; -pot, *n.* Cinderella; -skuffe, *n.* ash-pan.

asketisk, *adj.* ascetic.

asocial, *adj.* anti-social.

asparges, *n.* asparagus.

aspirant, *n.* candidate.

Assistenshuset, *n. n.* [state-run Danish pawnbroking institution].

assurance, *n.* insurance, assurance; underwriting.

asyl, *n. n.* asylum, place of refuge;(dag-) day-nursery.

at, *conj.* that; for ~ ikke, lest; efter ~, when, after; for ~, in order that; jeg tvivler ikke om ~, I do not doubt that; ~, *prep.* (f. eks. foran infinitiv) to.

atelier, *n. n.* studio.

Atlanterhavet, *n. n.* the Atlantic (Ocean).

atlask, *v. n.* satin.

atlet, *n.* athlete.

atmosfære, *n.* atmosphere.

atom, *n.n.* atom; -alderen, *n.* the atomic age; -bombe, *n.* atomic bomb.

atten, *adj. & n.* eighteen; -de, *adj. & n.* eighteenth.

attentat, *n. n.* attempt; attempted assault; attempted murder.

atter, *adv.* again, once more; ~ og ~, over and over again; again and again.

attest, *n.* certificate; testimonial; -ere, *v. t.* certify, attest.

attrapere, *v. t.* seize, catch.

attrå, *v. t.* desire, covet; aspire to; ~, *n.* desire, craving, yearning; lust; -værdig, *adj.* desirable, covetable.

auditorium, *n. n.* lecture room; audience.

auktion, *n.* auction, sale; -sholder, *n.* auctioneer.

automat, *n.* slot machine; automaton.

autoriseret, *adj.* authorized; licensed; chartered.

av! *int.* oh!, oh dear!

avance, *n.* profit; -ment, *n. n.* promotion.

ave, *n.;* holde i ~, keep in check, (el. under restraint).

avers, *n.* obverse.

avertere, *v. t. & i.* advertise.

avind, *n. arch.* envy; grudge; malice.

avis, *n.* newspaper; holde en ~, take a paper; -and, *n.* hoax; -handler, *n.* newsagent; -overskrift, *n.* headline; -spalte, *n.* column; -udklip, *n.* newspaper cutting; *U. S.* clipping.

avl, *n.* crop, produce; culture; farming; breeding; -e, *v. t.* breed; raise, grow; -sgård, *n.* home farm.

avne, *n.* chaff, husk.

azurblå, *adj.* azure.

B, b, *n. n.* B, b; ~, *mus.* flat; (tonen) B flat.

bad, *n.n.* bath; tage et ~, have a bath; -e, *v.t. & i.* bathe; *med.* foment; -ekåbe, *n.* bath-robe, bathing wrap; -emiddel, *n.* lotion; -ested, *n.n.* watering-place, seaside resort; *med.* spa.

bag, *n.* back; behind, backside, posterior; ~, *prep.* behind, at the back of, in the rear of; ~, *adv.* behind.

bagage, *n.* luggage; *am.* baggage.

bagatel, *n.* trifle.

bag|ben, *n. n.* hind leg; -binde, *v. t.* pinion.

bagbord, n. naut. port.

bagdel, n. backside, seat.

bage, v.t. bake; -r, n. baker; give -rbørn hvedebrød, carry coals to Newcastle; -ri, n. n. bake-house, bakery; -rovn, n. oven.

bag|efter, adv. behind, behindhand, after, afterwards; too late; -fjerding, n. hind quarter; -flikke, v. t. heel; -grund, n. background, distance; træde i -grunden for, be eclipsed by; -hold, n. n. ambush, ambuscade -hoved, en. back of the head; -hånd, n. back of the hand; (i boldspil) back-hand;(kort) fourth hand, last player -klog, adj. wise after the event; -lås, døren er gået i ~, the lock has jammed; -læns, -over, adv. backwards; -slag, n. n. reaction, repercussion; recoil; -stavn, n. stern; -tale, -vaske, v. t. slander, backbite, defame; -tanke, n. ulterior motive; -værk, n.n. pastry.

bajads, n. buffoon, clown.

bajonet, n. bayonet.

bak, n. naut. forecastle; ~, adv. astern.

bakke, n. hill; rise; (til servering) tray; -drag, n. n. range of hills; ~, v.t. & i. reverse; back; (cigar) puff.

bakkenbarter, n. sidewhiskers.

bal, n. n. dance, ball; n. ball.

balance, n. balance; commerc. balance sheet; -re, v. i. balance, poise.

baldakin, n. canopy, baldachine.

baldame, n. [lady partner at ball].

balde, n. (fod, hånd) ball; (sædet) buttock.

baldrian, n. bot. valerian.

balje, n. tub.

balklædt, adj. [dressed for a ball (el. a dance)].

balkon, n. balcony; (i teater) dress circle.

ballade, n. ballad; sl. lave ~, kick up a row.

ballast, n. ballast.

balle, n. bale; få en ~, sl. get a ticking-off, be hauled over the coals.

ballet, n. ballet; -danserinde, n. ballet-dancer.

ballon, n. balloon; (syre) carboy; (vin) demijohn.

ballotere, v. i. vote by ballot.

balsam, n. balsam, balm; -ere, v. t. embalm; -isk, adj. balmy, fragrant.

balsko, pl. n. dancing-shoes; (til mænd) pumps.

balstyrig, adj. unruly, refractory, ungovernable.

bambus, n. bamboo; cane.

bamse, n. bear; teddy-bear.

banal, adj. hackneyed, commonplace, trite, banal.

banan, n. banana.

band, n. n. ban, excommunication, interdict.

banda|ge, n. bandage; -gist, n. bandage-maker, trussmaker.

bande, n. band, gang; ~, v. i. swear, curse.

bandit, n. brigand, ruffian.

bandlyse, v. t. excommunicate; outlaw.

bandsat, adj. confounded, cursed, infernal; ~, adv. infernally, damnably.

bane, n. course, path, way, career; track, railway; rink; (hammer) face; (planet) orbit; (død) death, destruction; ~, v. t. level, smooth; ~ vej for, pave the way for; -bryder, n. pioneer; -gård, n. railway-station, terminus; -legeme, n. n. permanent way; -t, adj. level, smooth, beaten, trodden; -vogter, n. signal-man, level-crossing keeper.

bange, adj. afraid, apprehensive, fearful, anxious; timid; gøre ~, frighten, alarm.

bank, *n.* bank; -anvisning, *n.* cheque, draft; ~, *pl. n.* thrashing, beating; -assistent, *n.* bank clerk; -e, *n. naut.* bank; bar; -e, *v. t.* beat, thrash; knock, rap, tap; throb, palpitate; -ekød, *n. n.* stewing steak; -erot, *n. n.* bankruptcy; -et, *n.* banquet; -ier, *n.* banker; -konto, *n.* banking account.

banner, *n. n.* banner; -fører, *n.* standard-bearer.

bar, *adj.* bare, naked; -benet, *adj.* bare-legged.

barbar, *n.* barbarian; -isk, *adj.* barbarous, cruel.

barber, *n.* hairdresser, barber; -blad, *n. n.* razorblade; -e, *v. t.* shave; -kniv, *n.* razor; -kost, *n.* shaving brush; -maskine, *n.* safety razor; shaver.

barde, *n.* whalebone.

bardun, *n.* stay; *naut.* backstay.

bare, *adv.* only, mere, but; af ~ misundelse, from sheer envy; vent ~, just wait.

bare, *v. refl.* ~ sig, help, refrain from; jeg kunne ikke ~ mig, I could not help it.

bark, *n.* bark; -e, *v. t.* tan; bark, strip; -et, *adj.* (næve) horny.

barm, *n.* bosom; bust; -hjertighed, *n.* compassion; mercy; pity; charity.

barn, *n. n.* (*pl.* børn) child, infant, baby; -agtig, *adj.* childish, puerile; -dom, *n.* childhood; gå i -dom, to be in dotage, second childhood; -ebarn, *n. n.* grandchild; -ebarnsbarn, *n. n.* great-grandchild; -ekammer, *n. n.* nursery; -emad, *n.* baby-food; *sl.* pap; -epige, *n.* nurse, nursemaid; -erim (*el.* børnerim), *n.* nursery rhyme; -eseng, *n.* cot; -lig, *adj.* childlike; childish.

barok, *adj.* odd, grotesque, baroque.

barre, *n.* bar; ingot; *gymn.* parallel bars.

barrikadere, *v. t.* barricade.

barsel, *n. n.* confinement; -gilde, *n. n.* christening feast; -seng, *n.* childbed.

barsk, *adj.* gruff, rough; harsh; stern, severe; inclement.

bas, *n. mus.* bass.

basere, *v. t.* base; found; rest on.

basis, *n.* basis, foundation, base.

baske, *v. i.* flap.

bassin, *n. n.* reservoir, basin.

bast, *n.* bast.

basta, *int. og* dermed ~, and that is that.

bastant, *adj.* substantial; (person) stout.

bastard, *n.* hybrid, crossbreed; bastard.

baste, *v. t.* bind, tie; *fig.* fetter.

basun, *n.* trombone.

bataille, *n.* battle, action.

bataillon, *n.* battalion.

batte, *v. i.* help; make all the difference; go with a swing.

batteri, *n. n.* battery.

bavian, *n.* baboon.

b-dur, *mus.* B flat major.

bearbejde, *v. t.* work up; revise; adapt; belabour; *mus.* rescore; prepare; *agric.* till; -lse, *n.* revision; adaption; manipulation.

bebo, *v. t.* inhabit, occupy; -elig, *adj.* habitable; -else, *n.* habitation, dwelling, living quarters; -er, *n.* inhabitant, inmate, resident, lodger.

bebrejde, *v. t.* reproach; -nde, *adj.* reproachful.

bebude, *v. t.* announce, herald, proclaim; notify; foreshadow, forebode; -r, *n.* herald, harbinger.

bebyrde, *v. t.* burden, load; *fig.* trouble; encumber.

bed, *n. n. hort.* bed.

bedaget, *adj.* aged.

bedding, *n. naut.* slip.

bede *n.* beet, mangold; ~, *v.t.* ask, beg; desire, solicit, beseech; pray; ~ en til middag, invite somebody to dinner; -kød, *n. n.* mutton; -mand, *n.* undertaker.

bedrag, *n.n.* delusion, deceit; swindle; -e, *v. t.* deceive, cheat, defraud, take in; -eri, *n. n.* deception, deceit, imposture; fraud, swindle.

bedre, *adj.* better; blive ~, get better; mend; improve.

bedrift, *n.* exploit, achievement; business, works, farm.

bedring, *n.* improvement; convalescence, recovery.

bedrøve, *v. t.* grieve, afflict, distress; -t, *adj.* sorry, grieved; -lig, *adj.* sad, deplorable, dismal; sorry.

bedst, *adj.* best, prime, first-rate; i ~ e fald, at best; du gør ~ i, you had better; -e, *n. n.* good, benefit; -e, *n.* granny; -efader, *n.* grandfather; -moder, *n.* grandmother.

bedække, *v. t.* cover; -ning, *n.* covering, cover; -ningshingst, *n.* stallion.

bedømme, *v. t.* judge; estimate.

bedøve, *v. t.* stun, stupefy; narcotize; *med.* give an anaesthetic, anaesthetize.

bedåre, *v. t.* charm, beguile, delude; -nde, *adj.* charming, bewitching, delightful.

beedige, *v. t.* confirm by oath, swear to.

befale, *v.t.* command, order; direct; commit, commend.

befaling, *n.* command, order; injunction, charge.

befaren, *adj. naut.* able-bodied.

befatte, *v. refl.* ~ sig med,

have to do with; engage in; meddle with.

befinde, *v. refl.* ~ sig, feel; hvorledes ~ -r De Dem?, how are you?, how do you feel?

befip|pelse, *n.* perplexity, nervousness; -pet, *adj.* flurried, disconcerted, perplexed.

beflitte, *v. refl.* ~ sig på, apply oneself to; try to; strive to.

beflyve, *v. t.* fly over.

befolkning, *n.* population.

befor|dre, *v.t.* forward, carry, convey; *fig.* encourage, further; prefer; promote; -dring, *n.* conveyance, transport; -dringsmiddel, *n. n.* means of transport.

befragte, *v.t.* freight, charter.

befri, *v. t.* free, deliver, rescue; release; liberate; rid; -else, *n.* liberation, deliverance.

befrugte, *v. t.* fertilize.

befuldmægtige, *v. t.* empower, authorize.

befængt, *adj.* infested (with).

befærdet, *adj.* crowded, busy; frequented.

befæste, *v. t.* secure, strengthen; *mil.* fortify.

beføjet, *adj.* justified; competent; entitled.

beg, *n. n.* pitch; -fakkel, *n.* torch.

begavet, *adj.* gifted, talented, intelligent.

begejstret, *adj.* enthusiastic, delighted; ardent.

begge, *adj.* both, either; i ~ tilfælde, in both cases; in either case.

begive, *v. refl.* ~ sig, go, repair, proceed; come to pass.

begrave, *v. t.* bury, inter; -lse, *n.* funeral, burial; -lsesplads, *n.* graveyard, cemetery.

begreb, *n. n.* notion, idea; conception; apprehension.

begribe, *v. t.* understand; comprehend; conceive.

begrunde, *v. t.* give a reason for, motivate; base on.

begræde, *v. t.* deplore, lament, mourn.

begræns|et, *adj.* limited; -ning, *n.* limitation, restriction; limits.

begunstigelse, *n.* favour; preference.

begynde, *v. t.* begin, commence; enter upon; -lse, *n.* beginning, commencement, outset; i -lsen, at first, in the beginning; -lsesbogstav, *n. n.* initial; -lsesgrunde, *pl. n.* elements, principles, rudiments; -r, *n.* beginner, novice.

begær, *n. n.* desire; craving; lust; demand.

begærlig, *adj.* covetous, greedy, desirous; ~, *adv.* greedily, eagerly.

begå, *v. t.* commit; perpetrate; ~ sig, *v. refl.* get on.

behage, *v. t. & i.* please, appeal to; -lig, *adj.* pleasant, agreeable, acceptable; comfortable.

behand|le, *v. t.* handle, manage, deal with, treat, use; discuss; *med.* treat, attend; -ling, *n.* treatment, usage, management; cure.

beherske, *v. t.* command, control; master.

behjertet, *adj.* resolute, dauntless, intrepid; plucky.

behjælpelig, *adj.* være én ~, help somebody.

behold, *n.* i god ~, safe and sound; -e, *v. t.* keep, retain; -er, *n.* container; (gas) gasometer; (vand) reservoir; -ning, *n.* stock, supply; holding.

behov, *n. n.* requirement(s); need.

behæfte, *v. t.* encumber, mortgage; afflict; beset.

behændig, *adj.* dexterous; handy, deft, nimble.

behørig, *adj.* due, proper.

behøve, *v. t.* need, want,

require; det -s ikke, there is no need to.

bejdse, *v. t.* (træ) stain.

bejle (til), *v. i.* court, woo; -r, *n.* suitor.

bekend|e, *v. t.* confess, make a clean breast of it; (kort) follow suit; -else, *n.* confession, creed.

bekendt, *adj.* well-known, familiar; ~, *n.* acquaintance; -gørelse, *n.* proclamation, notice.

bekkasin, *n. zool.* snipe.

beklag|e, *v. t.* deplore; regret; pity; be sorry for; -elig, *adj.* regrettable, unfortunate; -else, *n.* complaint; pity; regret.

beklemt, *adj.* anxious, uneasy, oppressed.

beklippe, *v. t.* clip, trim, curtail.

beklæd|e, *v. t.* clothe; line; cover; (embede) hold, occupy; -ning, *n.* clothing, covering; lining; casing; facing.

bekneb, *n. n.* være i ~, be in a pinch, in a jam.

bekomme, *v. i.* ~ vel, agree with; det vil ~ Dem vel, it will do you good.

bekomst, *n.* få sin ~, be done for, be finished.

bekostning, *n.* cost, expense.

bekrige, *v. t.* make war upon.

bekræfte, *v. t.* confirm, corroborate, affirm, bear out; certify; legalize; -else, *n.* confirmation; verification; -nde, *adj.* affirmative; *adv.* in the affirmative.

bekvem, *adj.* convenient; comfortable; suitable; easy; -melighed, *n.* comfort, convenience.

bekym|ret, *adj.* concerned (about); anxious; -ring, *n.* worry, anxiety.

bekæmpe, *v. t.* combat, fight, contend with.

belagt, *adj.* heaped; (tunge) coated, furred.

belaste, *v. t.* load, weight; -t, *adj.* (arveligt), tainted.

belave, *v. refl.* ~ sig på, prepare for.

belejlig, *adj.* convenient, opportune.

belejre, *v. t.* besiege.

belemre, *v. t.* encumber, hamper, burden.

beleven, *adj.* affable, courteous.

beliggenhed, *n.* situation, site; position; aspect.

bellis, *n. bot.* daisy.

belure, *v. t.* watch, spy upon.

belys|e, *v. t.* light up; illuminate; *fig.* elucidate, illustrate; *phot.* expose; -ning, *n.* light, illumination; exposure.

belægge, *v. t.* cover; coat; case; overlay; line; pave; carpet; ~ med arrest, put under arrest.

belære, *v. t.* instruct, teach.

belæsse, *v. t.* load.

belæst, *adj.* well-read.

beløb, *n. n.* amount.

beløn|ne, *v. t.* reward, recompense; remunerate; -ing, *n.* reward, recompense, prize.

bemandle, *v. t.* man; -ing, *n.* crew, complement.

bemeldte, *adj.* aforesaid.

bemidlet, *adj.* of means, well off, well-to-do.

bemyndige, *v. t.* authorize, empower; commission; -lse, *n.* authority; power of attorney; warrant.

bemægtige, *v. refl.* ~ sig, seize upon, take possession of.

bemærk|e, *v. t.* perceive, notice; note; remark, observe; -ning, *n.* remark, observation.

ben, *n. n.* (knogle) bone; (lem) leg; (bierhverv) sideline; stille en hær på -ene, raise an army; byen var på -ene, the town was

astir; tage -ene på nakken, take to one's heels.

benbrud, *n. n.* fracture.

benefice, *n.* benefit.

benhus, *n. n. arch.* charnel house.

benklæder, *pl. n.* trousers, *pl.*

benovet, *adj.* confused.

benrad, *n.* skeleton.

benved, *n. bot.* spindle tree.

benytte, *v. t.* make use of, employ, use; consult; ~ en lejlighed, seize an opportunity.

benzin, *n.* petrol; *U. S.* gas, gasoline.

benægte, *v. t.* deny; -nde, *adv.* in the negative.

benævne, *v. t.* name, call, designate.

benåde, *v. t.* pardon.

beordre, *v. t.* order, direct.

beramme, *v. t.* fix, appoint.

berappe, *v. t.* rough-cast.

bered|e, *v. t.* prepare; cause, give; -skab, *n. n.* preparedness; -villig, *adj.* ready, willing; -villighed, *n.* readiness; willingness; promptitude.

beregn|e, *v. t.* calculate, compute; -ing, *n.* computation, calculation.

berejst, *adj.* travelled.

beretning, *n.* report, account, statement.

berettig|e, *v. t.* entitle; -else, *n.* right, title; -et, *adj.* legitimate, lawful; warranted, justified.

berider, *n.* riding-master; circus-rider.

berige, *v. t.* enrich.

berigtige, *v. t.* correct, rectify; adjust; settle.

bero, *v. i.* be, rest, remain, be in abeyance; ~ på, depend on, rest with.

berolige, *v. t.* calm, quiet, compose, soothe, reassure, appease, comfort; -nde middel, *n. n.* sedative.

bersærkergang, *n.* få ~, run amok (*el.* amuck), go berserk.

beruset, *adj.* drunk, tipsy, intoxicated, inebriated; *sl.* blotto, bottled.

berygtet, *adj.* notorious, of ill repute.

berøm|me, *v. t.* extol, praise, laud; -t, *adj.* celebrated, famous, renowned.

berør|e, *v. t.* touch; affect; hint at; -ing, *n.* touch, contact.

berøve, *v. t.* deprive of.

beråbe, *v. refl.* ~ sig på, plead, urge; appeal to, refer to, quote.

besat, *adj.* possessed, obsessed; (optaget) occupied; filled.

bese, *v. t.* view, inspect, survey, look over.

besegle, *v. t.* seal.

besejle, *v. t.* navigate; call regularly (at a port).

besejre, *v. t.* defeat, beat, conquer, vanquish; surmount; overcome.

besidde, *v. t.* possess; hold; occupy; -lse, *n.* possession; occupation; -lser, *pl. n.* dominions, dependencies, *pl.* tage i ~, take possession of; -r, *n.* possessor.

besigtige, *v.t.* inspect, survey.

besinde, *v. refl.* ~ sig, change one's mind; collect one's thoughts; regain one's composure; think better of something.

besindig, *adj.* cool, steady, sober-minded.

besjæle, *v. t.* animate, inspire.

besk, *adj.* bitter, acrid.

beskadige, *v. t.* damage, injure; hurt.

beskaffenhed, *n.* nature, quality; condition; description.

beskatte, *v. t.* tax, rate, assess.

besked, *n.* answer; information; directions, orders *pl.*; message; sende ~, send word, let somebody know.

beskeden, *adj.* modest, unassuming, unobtrusive, humble.

beskidt, *adj.* dirty, filthy.

beskikkelse, *n.* appointment.

beskrivelse. *n.* description, account.

beskub, *n.* på bedste ~, haphazardly, at random.

beskue, *v. t.* view, contemplate.

beskyde, *v. t.* fire upon; shoot at; shell.

beskylde, *v. t.* accuse of, charge with, tax with.

beskytte, *v. t.* guard, protect, defend; patronize; -lsestold, *n.* protective duty; -r, *n.* protector; patron.

beskæftige, *v. t.* employ; occupy, engage; -lse, *n.* occupation, employment.

beskæmmende, *adj.* shameful, disgraceful.

beskænket, *adj.* tipsy.

beskære, *v. t.* pare; trim; clip; cut; prune, lop; crop; reduce; *fig.* curtail.

beskærme, *v.t.* shield, screen. protect, shelter.

beslaglægge, *v.t.* seize, confiscate; sequester; *mil.* commandeer, requisition; -lse, *n.* arrest, sequestration; attachment; seizure, embargo.

beslagsmed, *n.* farrier.

beslutsom, *adj.* resolute, determined.

beslutte, *v. t.* resolve, decide, determine, make up one's mind.

beslægtet, *adj.* related, akin to, allied to, kindred.

beslå, *v.t.* mount, bind, case, line, tip; stud; shoe; *naut.* furl.

besmitte, *v. t.* infect, contaminate, taint, defile, pollute.

besmykke, *v. t.* gloss over, excuse; palliate, extenuate.

besnakke, *v. t.* talk round; coax.

besnære, *v. t.* ensnare, infatuate, captivate; -nde,

adj. alluring, ensnaring; fascinating.

besparelse, *n.* economy; saving.

besparende, *adj.* economical.

bespise, *v. t.* feed.

bespotte, *v. t.* mock at, scoff at, deride.

bespottelse, *n.* blasphemy.

bestalling, *n.* commission; licence; patent.

bestand, *n.* stock; -del, *n.* ingredient, component, element, constituent; -ig, *adj.* lasting; perpetual, constant.

bestemme, *v. t. & i.* determine; define; destine; appoint, settle, fix; decide; intend; *jur.* provide; -lse, *n.* determination; destination; destiny; purpose; decision; *jur.* provision, stipulation; regulation.

bestemt, *adj.* fixed, appointed; certain; definite, precise; particular; decided; positive; firm, decisive; destined.

bestialsk, *adj.* beastly, bestial.

bestige, *v.t.* mount; ascend; (mur) scale.

bestik, *n. n. naut.* reckoning; set (of instruments); (spise-) knife, fork and spoon.

bestikke, *v. t.* bribe, corrupt; *sl.* grease; -nde, *adj.* plausible.

bestiklukaf, *n.n.* charthouse.

bestille, *v. t.* do; order; book; -ling, *n.* business, occupation, employment; order, commission.

bestjæle, *v. t.* rob.

bestorme, *v.t.* pester, assail.

bestride, *v. t.* contest, dispute, deny; do, perform, manage; defray.

bestryge, *v.t.* rub, stroke.

bestræbe, *v.refl.* ~ sig, strive, endeavour; -lse, *n.* endeavour, effort, exertion.

bestrø, *v.t.* strew, sprinkle.

bestyre, *v. t.* manage, conduct; administer; -lse, *n.*

committee; *commerc.*board of directors; -lsesmedlem, *n. n. commerc.* director; -r, *n.* manager, director, principal; *jur.* trustee.

bestyrke, *v. t.* confirm, bear out; corroborate.

bestyrte|t, *adj.* startled, astounded; -lse, *n.* consternation.

bestøve, *v. t.* pollinate.

bestå, *v. t. & i.* exist, subsist; continue, endure; pass (an examination); ~ af, consist of, be composed of.

besudle, *v. t.* sully, defile.

besvare, *v. t.* answer, reply to; return.

besvige, *v. t.* defraud.

besvime, *v. i.* faint, swoon.

besvær, *n. n.* trouble, inconvenience; -ge, *v. t.* adjure, beseech, conjure; -ing, *n.* grievance, complaint; -lig, *adj.* troublesome, burdensome, laborious; (vanskelig) difficult; hard.

besynderlig, *adj.* strange, odd, queer; curious, singular, peculiar.

besæt|ning, *n.* garrison; crew; stock; trimming; -te, *v. t.* occupy; fill; trim; possess.

besøg, *n. n.* visit, call; (søgning) attendance.

besørge, *v. t.* look after, arrange, see to; (sende) forward.

betage|lse, *n.* thrill, fascination; -t, *adj.* overwhelmed, deeply moved.

betal|e, *v. t. & i.* pay; settle; -bar, *adj.* payable; -ing, *n.* pay- ment, pay, fee; -ingsmiddel, *n. n.* (lovligt) legal tender.

betegnende, *adj.* significant, characteristic.

betids, *adv.* in time, in good time.

betimelig, *adj.* timely, seasonable, opportune.

betinge, *v. t.* contract for, bargain for, stipulate; -lse,

11

n. condition, stipulation; proviso, qualification; requirement; -t, *adj.* qualified, conditional.

betitlet, *adj.* titled.

betjen|e, *v. t.* serve; work; tend; ~ sig af, make use of; -ing, *n.* attendance; service; -t, *n.* attendant; officer, functionary; policeman.

betler, *n.* beggar, mendicant.

beton, *n.* concrete; armeret ~, reinforced concrete.

beto|ne, *v. t.* accentuate, emphasize, lay stress on; -ning, *n.* emphasis.

betragte, *v. t.* look at, scan, eye, survey, view, regard, contemplate.

betragtning, *n.* consideration, comment.

betro, *v. t.* entrust, confide to; trust with, give in charge to.

betrygge, *v. t.* secure, safeguard.

betræk, *n. n.* cover; upholstery; -ke, *v. t.* cover.

betrængt, *adj.* hard pressed, distressed, in straits.

betuttet, *adj.* perplexed, confused, puzzled.

betvinge, *v. t.* subdue; conquer; curb; control.

betvivle, *v. t.* doubt, question.

betyd|e, *v. t.* signify, mean, indicate, denote, import; -elig, *adj.* considerable, appreciable; -ning, *n.* meaning, sense; significance; importance; consequence.

betynge, *v. t.* burden, weigh down.

betændelse, *n.* inflammation.

betænk|e, *v. t.* consider, reflect; -e én med noget, bestow something upon; -e sig, *v. refl.* hesitate, consider, change one's mind; -elig, *adj.* critical, precarious, serious; problematical; -ning, *n.* report;

jur. opinion; -som, *adj.* thoughtful, considerate.

beund|re, *v. t.* admire; -ring, *n.* admiration.

bevandret, *adj.* well versed in, familiar with.

bevare, *v. t.* keep, preserve.

bevaringsmiddel, *n. n.* preservative.

bevendt, *adj.* ikke meget ~, not up to much, not worth much.

bevidne, *v. t.* testify, affirm, certify, witness.

bevidstløs, *adj.* unconscious, senseless, insensible.

bevil|ge, *v. t.* grant, concede; license; -ling, *n.* licence, concession, grant.

bevirke, *v. t.* effect, bring about; cause.

bevis, *n. n.* proof, evidence; receipt; certificate; -byrde, *n.* onus of proof; -førelse, *n.* demonstration; -grund, *n.* argument; -ligheder, *pl. n.* proofs, *pl.*; vouchers, *pl.*

bevogte, *v. t.* guard.

bevokset, *adj.* overgrown.

bevæbnet, *adj.* armed.

bevæg|e, *v. t.* move, stir; induce; prompt; ~ sig, move; take exercise; -elig, *adj.* movable, mobile; -elseslære, *n.* dynamics; -et, *adj.* moved, affected; -grund, *n.* motive.

bevært|e, *v. t. & i.* entertain, treat; -ning, *n.* public-house, tavern.

bevågenhed, *n.* favour, good graces.

bexre, *v. t.* honour, favour.

beåndet, *adj.* inspired, animated.

bi, *adv.*; stå ~, assist; stand by.

bi, *n.* bee; -avl, *n.* beekeeping, apiculture.

bibehold|e, *v. t.* retain; -else, *n.* retention.

bibel, *n.* Bible; -sk, *adj.* biblical, scriptural.

bibliotek, *n. n.* library; -ar, *n.* librarian.

bibringe, *v. t.* (begreb) convey, give, impart to; (slag) deal; (sår) inflict.

bid, *n. n.* bite; edge; ~, *n.* bit, morsel; -e, *v. t. & i.* bite, cut; ~ efter, snap at; – én af, snub; ~ i sig, swallow; put up with; ~ på krogen, rise to the bait; ~ tænderne sammen, clench one's teeth; -ende, *adj.* biting, cutting, caustic; ~ kulde, bitter cold.

bidrag, *n. n.* contribution, subscription; -e, *v. i.* contribute.

bidronning, *n.* queen bee.

bid|sel, *n. n.* bit, bridle; -sk, *adj.* snappish.

bie, *v. i.* stay, wait, tarry.

bifald, *n. n.* applause, approval, consent, assent.

biflod, *n.* tributary.

bi|kage, *n.* honeycomb.

biks, *n.* small shop; ~ *n. n.* rubbish.

bikse, *v. i.* mess around with something.

biksemad, *n.* [stew of leftovers].

bikube, *n.* beehive.

bil, *n.* car, motorcar.

bilag, *n. n.* voucher; appendix; enclosure.

bilde, *v. t.* ~ ind, make believe; ~ sig ind, imagine, fancy, convince oneself.

bile, *v. i.* move, go by car.

billard, *n. n.* billiards; billiard table; -kugle, *n.* billiard ball; -kø, *n.* cue.

bille, *n.* beetle.

billed|e, *n. n.* picture; image; metaphor; figure; -hugger, *n.* sculptor; -skærer, *n.* wood-carver.

billet, *n.* ticket; note; -kontor, *n. n.* box-office, booking-office.

billig, *adj.* cheap, inexpensive; fair, just, reasonable; -e, *v. t.* approve of, assent to.

bilægge, *v. t.* settle; adjust;

-lse, *n.* adjustment, settlement.

bims, *adj.* crazy.

bind, *n. n.* bandage; (bog) binding; (del af værk) volume; (til syg arm) sling; -e, *v. t. &. i.* bind; tie; -e for øjnene, blindfold; -egarn, *n. n.* twine; -emiddel, *n. n.* cement; -ende, *adj.* binding, obligatory; -estreg, *n.* hyphen; -ing, *n.* binding, joint; -ingsværk, *n. n.* half-timbering.

biograf, *n.* (-teater) cinema.

biord, *n. n.* adverb.

birk, *n. n.* birch; ~, *n. n. jur.* district.

bisidder, *n.* assessor.

biskop, *n.* bishop.

bismag, *n.* after-taste; tinge, tang.

bismer, *n.* steelyard.

bispe|dømme, *n. n.* diocese, bishopric; -hue, *n.* mitre.

bisse, *n.* rough, hooligan.

bissekræmmer, *n.* pedlar.

bistand, *n.* assistance, aid, support.

bister, *adj.* fierce, grim, gruff.

bisætte, *v. t.* inter, conduct funeral service over, bury.

biting, *n.* detail, trifle.

bitte, *adj.* tiny, diminutive.

bitter, *adj.* bitter, acrid.

bivej, *n.* by-road, by-way.

bivåne, *v. t.* attend, be present at.

bjerg, *n. n.* mountain; hill; -beboer, -bestiger, *n.* mountaineer; -klint, *n.* cliff; -krystal, *n. n.* rock crystal; -kæde, *n.* mountain range; -ryg, *n.* mountain ridge; -skrænt, *n.* slope; -snævring, *n.* defile; -værk, *n. n.* mine.

bjæffe, *v. i.* yelp, bark, yap.

bjælde, *n.* little bell.

bjælke, *n.* beam, log, balk, girder; -hus, *n. n.* loghouse.

bjærg, *se* bjerg.

bjærge, *v. t.* save, salvage;

gather in; *naut.* take in (*f. eks.* nets).

bjærgning, *n.* salvage.

bjørn, *n.* bear.

blad, *n. n.* leaf; blade; newspaper; paper, leaflet; slip; når bøgen har -e, when the beech is in leaf; spille fra -et, play at sight; -e, *v. t. & i.* turn over the pages; -guld, *n. n.* gold leaf; -jord, *n.* leaf-mould; -lus, *n.* green-fly; -neger, *n.* penny-a-liner; -salat, *n.* coss lettuce; -stilk, *n.* petiole.

blaf, *n. n. naut.* cat's paw; -re, *v. i.* flicker, flap.

blakket, *adj.* dun; faded; half-hearted; cloudy.

blamere, *v. t.* disgrace; ~ sig, *v. refl.* make oneself ridiculous.

bland|e, *v. t.* mix, mingle, blend; (kort) shuffle; -et, *adj.* mixed, blended; doubtful; -ing, *n.* mixture, compound; blend; medley; (metal) alloy.

blandt, *prep.* among, amongst.

blank, *adj.* shining, bright; -e, *v. t.* polish, brighten; (sko) clean.

blanket, *n.* form; blank.

blanksværte, *n.* blacking.

blase, *n.* blister.

blaseret, *adj.* blasé.

ble, *n.* napkin, nappy, diaper.

bleg, *adj.* pale, pallid, wan; -e, *v. t.* bleach; -fed, *adj.* flabby.

blegn, *n.* blister.

bleg|ne, *v. i.* turn pale; fade; -rød, *adj.* pink.

blid, *adj.* mild, gentle; bland, placid.

blik, *n. n.* look, glance, eye; (metal) tin, tin-plate; sheet-metal; -dåse, *n.* tin, can; -stille, *adj.* dead calm.

blind, *adj.* blind; græde sig ~, cry one's eyes out; ~ makker, dummy; ~ passager, stowaway; i

-e, in the dark; blindly, heedlessly; -ebuk, *n.* blind man's buff; -gade, *n.* blind alley; -tarm, *n.* appendix; -tarmsbetændelse, *n.* appendicitis.

blink, *n. n.* flash, glimpse; twinkle, gleam.

blive, *v. i.* become; be; remain, stay, stop; turn, grow, get; bliv her, stay here; ~ stående, remain standing; ~ syg, fall ill; ~ fra, keep away from; ~ ved, persist (in); stick to; det -r sent, it is getting late; når -r det?, when is it to be?; -nde, *adj.* lasting, permanent.

blod, *n. n.* blood; -bad, *n. n.* carnage, massacre; -fattig, *adj.* anaemic; -gang, *n.* dysentery; -hund, *n.* blood-hound; -hævn, *n.* blood-feud; -ig, *adj.* bloody; gory; sanguinary; -kar, *n. n.* blood vessel; -legeme, *n. n.* blood corpuscle; -omløb, *n.* circulation; -rød, *adj.* blood-red; -åre, *n.* vein.

blok, *n.* block; (tømmer) log; (sko-) boot-tree.

blokadebryder, *n.* blockade-runner.

blok|hus, *n. n.* log-house; -vogn, *n.* truck.

blomkål, *n.* cauliflower.

blomme, *n.* plum; (æg) yolk.

blomst, *n.* flower, blossom, bloom; -erbed, *n. n.* flowerbed; -erdyrkning, *n.* floriculture; -ergartner, *n.* florist; -erhandler, *n.* florist; -erstilk, *n.* peduncle, flower stalk; -erstøv, *n. n.* pollen; -re, *v. i.* flower, bloom; flourish; -rende, *adj.* flourishing; florid; blooming.

blond, *adj.* fair-haired; blond(e).

blonde, *n.* lace.

blot, *adj.* bare, naked; mere,

pure, sheer; ~, *adv.* only, merely, but, barely.

blotte, *v. t.* bare, lay bare, denude; uncover; -t for, devoid of, without; (for penge) *sl.* broke.

blu|es, *v. i.* blush, be ashamed; -færdig, *adj.* bashful, modest, chaste.

blund, *n. n.* (*el. n.*) nap, wink; -e, *v. i.* nap, doze, snooze.

blus, *n. n.* blaze, flame; flash; torch.

bluse, *n.* blouse; (kittel) smock-frock.

blusse, *v. i.* blaze, flare up, glow, flush; -nde, *adj.* blushing; flushing; blazing.

bly, *n. n.* lead; ~, *adj.* bashful, retiring; -ant, *n.* lead pencil; -hvidt, *n. n.* white lead; -lod, *n. n.* lead weight; plummet; -tækker, *n.* plumber.

blæk, *n. n.* ink; -hus, *n. n.* ink-stand, ink-well, ink-pot; -sprutte, *n.* cuttle-fish, squid, cephalopod; -suger, *n.* blotter.

blænd|e, *v. t.* daze, dazzle; -lygte, *n.* dark lantern; -ramme, *n.* stretcher; -værk, *n. n.* delusion.

blære, *n.* bubble; blister; bladder; (person) wind-bag; swank; -tang, *n.* wrack.

blæse, *v. t. & i.* blow, play, sound; jeg -r ham et stykke, I don't care a hang about him; -bælg, *n.* (pair of) bellows.

blæst, *n.* wind; blast; fuss.

blød, *adj.* soft; smooth; (stemme) sweet, mellow; lægge i ~, soak, steep; (hoved) rack one's brains; -agtig, *adj.* effeminate; -dyr, *n. n.* mollusc; -e, *v. i.* bleed; -gøre, *v. t.* soften; mollify; -søden, *adj.* soft, sloppy.

blå, *adj.* blue; ud i det ~, at random; -t øje, black

eye; -bær, *n. n. bot.* whortleberry, bilberry; -klokke, *n. bot.* harebell, bluebell; -lig, *adj.* bluish; -ne, *v. i.* blue.

blår, *n.* tow; stikke ~ i øjnene, hoodwink.

blå|regn, *n. bot.* wistaria; -syre, *n.* prussic acid.

b-mol, *mus.* B-flat minor.

bo, *v. i.* live, dwell, reside; ~, *n. n. jur.* estate; home.

boble, *n.* bubble; ~, *v. i.* bubble.

bod, *n.* booth, stall; (afbigt) penance; (bøde) fine, penalty; råde ~ på, *v. t.* remedy; make good; -færdig, *adj.* penitent, repentant.

bog, *n.* book; (papir) quire; *bot.* beechmast; -binder, *n.* book-binder; -finke, *n. zool.* chaffinch; -handler, *n.* bookseller; -holder, *n.* book-keeper; -hvede, *n.* buckwheat; -hylde, *n.* bookshelf; -orm, *n.* bookworm; -reol, *n.* bookcase.

bogstav, *n. n.* letter; character; -elig, *adj.* literal; ~, *adv.* literally; -ere, *v. t. & i.* spell.

bogtrykker, *n.* printer.

bohave, *n. n.* furniture.

boks, *n.* safe-deposit box; (telefon) call box.

bokse, *v. t. & i.* box; -kamp, *n.* boxing match, prize-fight; -r, *n.* boxer, pugilist.

bold, *n.* ball; -træ, *n. n.* bat.

bolig, *n.* residence, dwelling, abode; (lejlighed) flat.

bolle, *n.* bun; (mel-) dumpling; (skål) bowl.

bolsje, *n. n.* sweet.

bolt, *n.* bolt.

boltre, *v. refl.* ~ sig, gambol, roll, romp.

bolværk, *n. n.* quay, wharf; bulwark.

bom, *n.* bar; turnpike; gate; boom; barrier.

bombe, *n.* bomb, bomb-shell.

bommert, *n.* blunder.

bompenge, *pl. n.* toll.

bomstille, *adj.* stock-still.

bomstærk, *adj.* Herculean.

bomuld, *n.* cotton; -spinderi, *n. n.* cotton mill; -støj, *n. n.* cotton material.

bon, *n.* ticket, voucher, bill.

bonde, *n.* farmer, peasant; yokel; -knold, *n.* boor, bumpkin; -rose, *n. bot.* peony; -tøs, *n.* country wench.

bone, *v. t.* polish.

bonne, *n.* nursery governess, nanny.

boplads, *n.* village, settlement.

bopæl, *n.* residence.

bor, *n. n.* bore, drill; auger; bit; (vrid-) gimlet.

bord, *n. n.* table; *naut.* board; dække -et, lay the table; gøre rent ~, make a clean breast of it; banke under -et, touch wood; -bøn, *n.* grace; -dug, *n.* table-cloth.

bordel, *n. n.* brothel; 'house of ill repute'.

bore, *v. t. & i.* bore, drill, pierce.

borg, *n.* castle; stronghold; på ~, on credit; on trust; *sl.* on tick; -e, *v. i.* ~ for, vouch for; -en, *n.* guarantee, surety.

borger, *n.* citizen, subject; -lig, *adj.* civil, civic; municipal; middle-class, bourgeois; homely; plain; -repræsentant, *n.* town councillor; -ret, *n.* nationality; citizenship; -skab, *n. n.* licence to trade; (bourgeoisi) the middle classes; citizenry.

borgmester, *n.* mayor; burgomaster.

bornert, *adj.* narrow-minded, strait-laced.

bornholmer, *n.* native of Bornholm; (ur) [kind of grandfather clock, a speciality of this island]; (sild) [small kipper, a speciality of this island].

bor|skralde, *n.* ratchet-brace; -sving, *n. n.* brace.

bort, *adv.* away, off; ~ med fingrene!, hands off! -e, *adj.* away, absent; død og ~, dead and gone; langt ~, far away; -eliminere, *v. .t.* eliminate; *math.* cancel; -eskamotere, *v. t.* spirit away; -forklare, *v. t.* explain away; -føre, *v. t.* carry off, elope with, abduct; -gang, *n.* departure; decease, demise; -lede, *v.t.* drain off; divert; ward off; -lodning, *n.* lottery; raffle; -set fra, apart from; -vise, *v. t.* dismiss; turn away; reject, expel; -ødsle, *v. t.* squander.

bosætte, *v. refl.* ~ sig, settle.

bourgogne, *n.* (vin) burgundy.

bout, *n. naut.* tack, board.

bov, *n.* (på dyr) shoulder; *naut.* bow.

bovspryd, *n. n. naut.* bowsprit.

bradspil, *n. n. naut.* windlass.

brag, *n. n.* crash; crack.

brak|mark, *n.* fallow field; -næse, *n.* snubnose; -vand, *n. n.* brackish water.

bram, *n.* show, ostentation; -fri, *adj.* unostentatious; -sejl, *n.n. naut.* topgallant sail.

branche, *n.* line of business, branch of trade.

brand, *n.* fire, conflagration; (plantesygdom) blight; sætte (*el.* stikke) i ~, set fire to; stå i ~, be on fire; -alarm, *n.* fire-alarm; -byld, *n.* carbuncle; -bæger, *n. n. bot.* groundsel; -er, *n.* pun; fire-ship; -farlig, *adj.* inflammable; -korps, *n. n.* fire-brigade; -mur, *n.* fireproof wall; -rør, *n. n.* fuse; -sikker, *adj.* fireproof; -slange, *n.* firehose; -sprøjte, *n.* fire-engine; -stiftelse, *n.* arson; -stifter, *n.* incendiary; -stige, *n.* fire escape; -sår, *n. n.* burn;

branke, v. t. singe, burn, scorch.

bras, n. n. rubbish.

brase, v. t. fry, frizzle; naut. brace; ~, v. i. crash.

brat, adj. abrupt; steep, precipitous; ~, adv. suddenly.

brav, adj. brave, honest, worthy, good.

breche, n. mil. breach; skyde ~ i, make a breach in.

bred, n. bank; shore; ~, adj. broad, wide; long-winded; vidt og -t, far and wide; -de, n. breadth, latitude;-e,v. t. spread; -fyldt, adj. brimming; -såning, n. broadcast sowing.

bregne, n. bot. fern, bracken; -krat, n. n. brake.

bremse, n. zool. warble fly, horsefly; ~, n. brake; ~, v. t. & i. brake; -stang, n. brake lever.

brev, n. n. letter, note; -due, n. carrier pigeon; -kasse, n. letter box; pillar box; -kort, n. n. postcard, letter-card; -mappe, n. letter-case; -papir, n. n. notepaper; -veksling, n. correspondence.

brik, n. (i spil) man, piece.

brillant, adj. brilliant.

briller, pl. n. spectacles, glasses, pl.

brillere, v. i. shine.

bringe, n. chest; -e, v. t. bring; take, fetch, carry, convey; ~ et offer, make a sacrifice; ~ det vidt, go far; ~ for dagen, bring to light; ~ til tavshed, silence; ~ ud, deliver; ~ ud af verden, dispose of, remove.

brink, n. brink, edge, bluff.

brint, n. hydrogen; -bombe, n. hydrogen-bomb, H-bomb.

brise, n. breeze.

brisling, n. sprat.

brissel, n. sweetbread.

brist, n. flaw; defect; -e, v. i. burst, crack; break; fail.

Britannien, n. Britain.

brite, n. Briton.

britisk, adj. British.

bro, n. bridge; (kaj) pier, jetty; -bue, n. arch of a bridge.

broche, n. brooch.

brochure, n. booklet, leaflet, brochure.

brod, n. sting; fig. stimulus, incentive; ~, n. n. surf; -det, adj. roughshod.

broder, n. brother; (munk) monk, friar; -datter, n. niece; -lig, adj. brotherly, fraternal; -part, n. lion's share; -skab, n. n. brotherhood, fraternity; -søn, n. nephew.

brodere, v. t. & i. embroider.

broderi, n. n. embroidery.

broget, adj. motley, variegated, parti-coloured; (hest) brindled, piebald.

brok, n. rupture, hernia; zool. badger; ~, n. n. (kludder) bungling; mess.

brokkasse, n. scrap-heap.

brokke, v. refl. ~ sig, grouse, grumble.

bro|klap, n. bascule, leaf of a bridge; -lægge, v. t. pave.

brombær, n. n. bot. blackberry; -ranke, n. bramble.

bro|pæl, n. pile; -sten, n. paving stone.

brovte, v. i. brag, boast.

brud, n. n. break, rupture, fracture; breakage; fig. breach; (sten) quarry.

brud, n. bride; zool. weasel; -gom, n. bridegroom.

brudstykke, n. n. fragment.

brug, n. use, employment; practice, custom, usage; -bar, adj. serviceable, fit for use, in working order; -barhed, n. usefulness; -e, v. t. use; employ; consume; spend; be in the habit of; -sanvisning, n. directions for use.

brumme, v. t. & i. growl, grumble; hum, buzz.

brun, adj. brown; -e, v. t. & i.

brown, bronze, tan; fry.

brunelle, *n. bot.* self-heal; *zool.* hedge-sparrow.

brunkul, *n. n.* lignite.

brunst, *n.* rut; heat.

bruse, *v. i.* gush; roar, rush; effervesce, froth; -bad, *n. n.* shower-bath; -ende, roaring, turbulent, effervescent.

brusk, *n.* gristle; cartilage.

brutal, *adj.* brutal, bullying.

brutto, *adj.* gross.

bryde, *v. t. & i.* break; (lys) refract; (hovedet) worry, speculate; (sten) quarry; bryd dig ikke om mig, don't mind me; -r, *n.* wrestler; -ri, *n. n.* trouble; -s, *v. i.* wrestle; be broken; be refracted.

brygge, *n.* wharf, quay, jetty, pier; ~, *v. t. & i.* brew; -rs, *n. n.* scullery; -rvogn, *n.* brewer's dray.

bryllup, *n. n.* wedding.

bryn, *n. n.* brow; eyebrow.

brynde, *n.* desire, lust.

brynje, *n.* coat of mail, cuirass.

brysk, *adj.* blunt, brusque.

Bryssel, *n.* Brussels.

bryst, *n. n.* breast, chest; thorax; *mech.* shoulder; -hindebetændelse, *n.* pleurisy; -kasse, *n.* chest: -syg, *adj.* consumptive; -vorte, *n.* nipple; -værn, *n. n.* breastwork, parapet.

bræ, *n.* glacier.

bræddegulv, *n. n.* wooden floor.

brædder (*pl. af* bræt), boards; de skrå ~, the stage.

bræk, *n.n.* burglary; (vrøvl) tripe, bilge; -jern, *n.n.* crowbar; -ke, *v. t. & i.* break; ~, *v. refl.* ~ sig, vomit; ~ over, *v.i.* snap; -middel, *n.n.* emetic.

bræmme, *n.* edge, border, fringe.

brændbar, *adj.* combustible; inflammable.

brænde, *v. t. & i.* burn; be on

fire; (svide) scorch; (lig) cremate; (nælde) sting; (spiritus) distil; (kaffe) roast; ~, *n. n.* firewood; fuel; -mærke, *v. t. & n. n.* brand; -nælde, *n. bot.* nettle; -vin, *n.* spirits, gin; -vinsbrænderi, *n. n.* distillery.

brænd|glas, *n. n.* burningglass; -ing, *n.* surf; -punkt, *n. n.* focus; -sel, *n. n.* fuel.

bræt, *n. n.* board.

brød, *n. n.* bread; et ~, a loaf; ristet ~, toast; -nid, *n. n.* professional jealousy.

brøde, *n.* guilt; -fuld, *adj.* guilty, culpable.

brøk, *n.* fraction.

brøl, *n.n.* roar, bellow; -e, *v. t. & i.* roar, trumpet, bellow, howl, bawl.

brønd, *n.* well; -graver, *n.* well-sinker; -karse, *n.* water-cress.

brøsig, *adj.* blustering, gruff.

brøst, *n.* defect, flaw; -fældig, *adj.* decayed, ruinous, dilapidated, out of order; -holden, *adj.* aggrieved.

brådsø, *n.* breaker.

bud, *n. n.* command, commandment, order; message; messenger; offer; bid.

budding, *n.* pudding.

budskab, *n. n.* tidings, *pl.*; announcement.

bue, *n.* arch, arc, curve, bow; *mus.* tie, slur; -formet, *adj.* curved, arched; -gang, *n.* arcade, cloister; -lampe, *n.* arc lamp.

buffet, *n.* (møbel) sideboard; (restaurant) refreshment-room, buffet.

bug, *n.* belly, paunch; abdomen; (midten af sejl) bunt.

bugne, *v. i.* bulge, swell; abound in (*el.* with).

bugser|båd, *n.* tug, tugboat; -e, *v. t.* tow, tug; -ing, *n.* towing.

bugt, *n.* bend, turn, curve; sweep; winding; (hav-)

gulf, bay; få ~ med, manage, master, get the better of; -e, *v. refl.* ~ sig, bend, turn, wind; -et, *adj.* winding, sinuous, tortuous.

bugtaler, *n.* ventriloquist.

buk, *n.n.* bow; ~, *n.* ram; buck; (tømmer-) trestle, box; springe ~, play leap-frog.

buket, *n.* bouquet, nosegay.

bukkar, *n. bot.* woodruff.

bukke, *v. t.* bend; ~ hovedet, bend one's head; *v. i.* bow; ~, *v. refl.* ~ sig, stoop, bend; ~ under, succumb; -spring, *n. n.* caper.

buksbom, *n. bot.* box.

bukser, *pl. n.* trousers, pants; breeches (*allesammen pl.*).

bukseseler, *pl. n.* braces, *pl.*

bul, *n.* bole, trunk.

bulbider, *n.* fierce dog.

bulder, *n. n.* noise, uproar, turmoil, rumbling.

buldre, *v. i.* roar, bluster.

bule, *n.* (på skjold, *osv.*) boss; bump, lump; dent; -t, *adj.* bossed, dented; ~ ud, *v. i.* bulge.

bullen, *adj.* swollen.

bulne, *v. i.* swell, fester; bulge.

bumle, *v. i.* go on the spree.

bums! *int.* bang! wallop!

bund, *n.* bottom; ground, groundwork; i ~ og grund, radically; -e, *v. i.* reach the bottom; -fald, *n. n.* sediment, dregs, deposit; -fælde, *v. t.* precipitate; -løs, *adj.* bottomless; -skraber, *n.* dredger; -stykke, *n. n. mil.* breech.

bundt, *n. n.* bunch; bundle.

bunke, *n.* heap, pile; samle til ~, hoard.

buntmager, *n.* furrier.

bur, *n. n.* cage.

bureau, *n. n.* office; -krati, *n. n.* bureaucracy.

burre, *n. bot.* burdock; bur.

buse, *v. i.* ~ind i, burst into (a room);~ud med, blurt out.

busk, *n.* bush, shrub; -ads, *n. n.* thicket, scrub; -et, *adj.* bushy.

bussemand, *n.* bogey (man); bugbear.

busseronne, *n.* workman's blouse, overall.

buste, *n.* bust.

but, *adj. bot.* short and thick, obtuse.

butik, *n.* shop; *U. S.* store; -sinspektør,*n.*shopwalker; -smontør, *n.* shopfitter; -styv, *n.* shoplifter.

butterdej, *n.* puff paste.

buttet, *adj.* chubby, plump.

by, *n.* town, city; bo i ~en, live in town; han er i -en (gået et ærinde), he is out.

byde, *v. t.* command, order, bid; charge, enjoin; (ind-) ask, invite; (til-) offer, tender; -nde, *adj.* commanding, imperious.

bydreng, *n.* errand-boy, messenger-boy.

byg, *n.* barley.

bygd, *n.* village, settlement.

byge, *n.* shower; squall.

bygge, *v. t.* build, construct; -grund, *n.* plot, site; -spekulant, *n.* jerry-builder.

byggryn, *n. n.* barley groats, *pl.*; pearl barley.

bygherre, *n.* house-owner; builder.

bygkorn, *n. n.* barley-corn; (på øjenlåget) sty.

bygmester,n.*master-builder.

bygning, *n.* building, structure, construction, edifice; pile; (legems-) build, frame; -sentreprenør, *n.* building contractor; -skommission, *n.* housing committee; -småde, *n.* method of building; -ssnedker, *n.* joiner.

byld, *n.* boil, abscess.

bylt, *n.* bundle.

bynke, *n.* wormwood, mugwort.

byrd, *n.* descent, lineage.

byrde, *n.* burden, load,

charge; -fuld, adj. burdensome, onerous.

byråd, n. n. town council.

by|snak -sladder, n. towntalk, gossip.

bytte, n. n. exchange; (rov) booty, spoil, prey; ~, v.t. & i. change, exchange, barter.

bæger, n. n. cup, goblet, chalice; bot. calyx; -blad, n. n. bot. sepal.

bæk, n. brook, rill, beck; skotsk. burn.

bækken, n. n. (metal) basin; mus. cymbal; anat. pelvis.

bækørred, n. zool. trout.

bælg, n. pod, shell; -e, v. t. shell; -frugt, n. legume, pulse; -mørk, adj. pitch dark; -vante, n. mitten.

bælt, n. n. strait; (Storebælt) Great Belt; (Lillebælt) Little Belt.

bælte, n. n. belt, girdle, band, sash; zone; -dyr, n. n. zool. armadillo.

bændel, n. n. tape.

bænk, n. bench, seat, form, -e, v. t. seat; -evarmer, n. (om pige) wallflower.

bær, n. n. berry.

bære, v. t. & i. bear, carry, support; (tåle) endure, suffer; (have på) wear; -kraft, n.naut. buoyancy; -penge, pl. n. porterage; -stol, n. sedan-chair; ~ sig, v. refl. pay; ~ sig ad, behave; ~ sig ad med, go about something, manage, contrive.

bærme, n. sediment, dregs, scum.

bæst, n. n. beast, brute.

bæve, v. i. tremble, shake, quake, quiver.

bæver, n. zool. beaver.

bævre, v. i. quiver.

bøddel, n. hangman, executioner; fig. tormentor.

bøde, n. fine, penalty; ~, v. t. mend, remedy; pay for, suffer for, make up for.

bødker, n. cooper.

bøf, n. beef-steak.

bøffel, n. buffalo.

bøg, n. beech; -olden, n. beechmast.

bøje, n. naut. buoy; ~, v. t. bend, bow; gram. inflect, conjugate; -lig, adj. flexible, pliable, pliant, supple.

bøjning, n. bending; inflection; bow.

bølge, n. wave; billow; naut. sea; -bryder, n. breakwater; -dal, n. trough of a wave; -gang, n. swell, rough sea; -kam, n. wavecrest; -længde, n. wavelength; -t, adj. undulating, wavy.

bølle, n. rough, hooligan.

bøn, n. prayer, appeal, request; -falde, v. t. entreat, beseech, implore; -høre, v. t. grant, hear.

bønne, n. bean; -bog, n. prayerbook; -stage, n. beanpole; -stængel, n. beanstalk.

bønskrift, n. n. petition.

bør, (præs. af burde) ought; du ~ gøre det, you ought to do it; som det sig hør og ~, as is meet and proper.

børn, (pl. af barn) children; -easyl, n. n. infant asylum, crèche; -ehave, n. kindergarten; -ebørn, pl. n. grandchildren; -ekopper, pl. n. smallpox.

børs, n. exchange, change; -mægler, n. stockbroker; -notering, n. (stock) exchange quotation.

børste, n. bristle; brush; roughneck; ~, v. t. brush; -nbinder, n. brushmaker.

bøsning, n. mech. bush, sleeve.

bøsse, n. gun; (penge-) money-box; -løb, n. n. gun-barrel.

bøtte, n. tub, cask; sl. hold din ~!, shut your trap!

båd, n. boat.

både, adj. both; either; ~, v. t. arch. benefit.

båd|eskur, *n. n.* boat-house; boat-shed; **-shage**, *n.* boat-hook; **-smand**, *n. n.* boatswain; **-stage**, *n.* puntpole; **-styrer**, *n.* coxswain.

båke, *n. naut.* beacon.

bål, *n. n.* fire, bonfire; conflagration; pyre, pile.

bånd, *n. n.* band, tie; ribbon, (tønde) hoop; *anat.* ligament; *fig.* bond, tie; restraint; **-jern**, *n. n.* hoop-iron; **-lagte midler**, trust funds; **-lægge**, *v. t.* tie up; entail; **-mål**, *n. n.* tape measure; **-sav**, *n. n.* band saw.

båre, *n.* stretcher; bier.

bås, *n.* pen; stall; berth.

C, c, *n. n. mus.* C; **tage det høje C**, take top C.

cand. (*abbr. of* candidatus), *n.* ~ *jur.* (approx.) LL.B. Bachelor of Laws; ~ *mag.* B.A., M.A. (*fork. for* Bachelor of Arts, Master of Arts).

causer|e, *v. i.* chat, discourse; **-i**, *n. n.* causerie.

c-dur, *mus.* C-major.

celle, *n.* cell; **-formet**, *adj.* cellular; **-køler**, *n.* honey-comb radiator; **-slim**, *n.* protoplasm.

censur, *n.* censorship; **-ere**, *v. t.* censor.

centner, *n. n.* (*svarer til ca.*) hundredweight, (*fork. til* cwt.).

central, *n.* (telephone) exchange.

centralvarme, *n.* central heating.

ceremoni, *n.* ceremony, rite.

certeparti, *n. n. commerc.* charter-party.

cervelatpølse, *n.* saveloy.

chaiselongue, *n.* couch.

chalup, *n.* barge.

champignon, *n.* mushroom.

charcuteriforretning, *n.* delicatessen shop.

charpi, *n.* lint.

check, *n.* cheque.

chef, *n.* chief, head, principal, employer; *sl.* boss.

chiffer, *n. n.* cipher; **-nøgle**, *n.* cipher-key.

chikanere, *v. t.* spite, annoy.

chilesalpeter, *n. n.* chilean nitrate.

chok, *n. n.* shock; *mil.* (cavalry) charge.

ciffer, *n. n.* figure, number.

cigar, *n.* cigar; **-et**, *n.* cigarette.

cirka, *adv.* about, approximately; circa.

cirkel, *n.* circle; **-rund**, *adj.* circular; **-afsnit**, *n. n.* segment; **-udsnit**, *n. n.* sector.

cis, *n. n. mus.* C sharp.

cis-dur, *mus.* C sharp major.

ciselere, *v. t.* chase, chisel.

cis-mol, *mus.* C sharp minor.

cisterne, *n.* cistern, tank.

citat, *n. n.* quotation.

citere, *v. t.* cite, quote.

citron, *n.* lemon; **citron-presser**, *n.* lemon squeezer; **-skal**, *n.* lemon peel.

civil, *adj.* civil; **in plain clothes**; *mil.* in mufti.

cognac, *n.* brandy, cognac.

conto, *n. commerc.* **a** ~, on account.

creme, *n.* (vanille-) custard; (ansigts-) cream; **-farvet**, *adj.* cream-coloured.

cybernetik, *n.* cybernetics [læren om »elektronhjernen«].

cyk|el, *n* bicycle, bike; **-le**, *v. i.* cycle, bicvcle.

D, d, *n. n. & mus.* D, d.

da, *adv.* then, when, as; **nu** ~ ..., now that .; **det var** ~ **mærkeligt**; how strange!; **nu og** ~, now and then; **netop** ~, just as; **jeg tror** ~, I do believe.

da capo! *int.* encore!

daddel, *n. bot.* date.

dadel, *n.* blame, censure; blemish; **-fri**, *adj.* blameless, irreproachable, faultless.

dadle, *v. t.* blame, censure, reprove; -syg, *adj.* captious, fault-finding.

dag, *n.* day; den hele ~, all day; højt op på -en, late in the day; komme for -en, be brought to light, become known, be out; lægge for -en, display, manifest; -blad, *n.n.* daily paper; -bog, *n.* diary, journal; -driver, *n.* idler; -es, *v. i.* dawn; -gert, *n.* dagger; -gry, *n. n.* daybreak; -lig, *adj.* daily, ordinary, common; til ~, ordinarily; -ligdags, *adj.* commonplace; -lige klæder, everyday clothes; -ligstue, *n.* sitting-room; -sbefaling,(-orden)*n.*order of the day; -slys, *n. n.* daylight; -sværmer, *n.* butterfly; -vogn, *n.* stagecoach.

dal, *n.* valley, dale, vale.

dale, *v. i.* sink, go down; descend; wane, decline.

daler, *n.* [old Danish coin worth about two kroner].

dalkarl, *n.* Dalecarlian.

dalstrøg, *n. n.* long valley.

dam, *n.* pond, (spil) draughts; -bræt, *n. n.* draughtboard; U. S. chequer-board.

dame, *n.* lady; (kort) queen; min ~ (i dans *osv.*), my partner; mine -r!, ladies!; -hest, *n.* lady's horse; -skrædderinde, *n.* dressmaker.

damp, *n.* steam; vapour; fume; for fuld ~, full speed; slippe -en, blow off steam; -er, *n.* steamboat, steamer, steamship; -kedel, *n.* boiler; -kraft, *n.* steam-power; -maskine,*n.* steam engine; -skorsten, *n.* funnel.

Danmark, *n.n.* Denmark.

danne, *v. t.* form, shape, mould, fashion; educate; cultivate; -lse, *n.* education; breeding; culture, formation; establishment;

-lsesvæv, *n. n.* meristem.

dans, *n.* dance; gå bag af -en, go downhill, go to the wall; -e, *v. t. & i.* dance.

dansk, *adj.* Danish; -er, *n.* Dane.

dase, *v. i.* loaf about, laze.

dask, *n. n.* slap; -e, *v. t.* slap; ~, *v. i.* dangle, flap, bob.

dat, *se* dit og dat.

datere, *v. t.* date.

datid, *n. gram.* past (*el.* preterite) tense.

dato *n.* date.

datter, *n.* daughter; -datter, granddaughter; -søn, *n.* grandson.

datum, *n.* date.

david, *n. naut.* davit.

d-dur, *mus.* D major.

de, *pron.* they; de selv, they themselves.

De, *pers. pron.* you; ~ selv, you yourself; ~ der!, you there!

debat, *n.* debate; discussion.

debet, *n.* debit.

debit|ere, *v. t.* debit; -tor, *n.* debtor.

decharge, *n. commerc.* adoption of report, etc.; *naut.* discharge.

decideret, *adj.* decided, pronounced, marked.

decimere, *v. t.* decimate.

decidere, *v. t.* dedicate.

defensor, *n.* counsel for the defence.

defilere, *v. i.* march past.

definere, *v. t.* define.

definitiv, *adj.* final, definite.

degn, *n.* parish clerk.

dej, *n.* dough; -rulle, *n.* rolling-pin; -trug, *n. n.* kneading-trough.

dejlig, *adj.* beautiful, charming, nice, fine, lovely.

dejse, *v. i.* tumble, topple.

dekorativ, *adj.* ornamental, decorative.

dekorere, *v. t.* decorate.

dekort, *n. commerc.* discount, deduction, rebate.

dekret, *n. n.* decree.

del, *n.* part, portion; (bog)

part; (an-) share; en ~,
a number, a few; en ~
deraf, part of it; en af -ene,
one or the other; tage ~ i,
take part in; jeg for min
~, I personally, I for one;
for største -en, mostly; til
-s, partly.

delagtig, *adj.* involved, con-
cerned in; a party to;
-agtighed, *n.* participation,
complicity; -gøre, *v.t.* give
a share in, cause another
person to take part in, or
share.

delegere, *v. t.* delegate.

delelig, *adj.* divisible.

delikat, *adj.* delicious, dainty,
choice, delicate; -esse, *n.*
delicacy, dainty.

deling, *n.* division, partition;
mil. platoon.

delinkvent, *n.* culprit.

dels, *adv.* in part, partly.

del|tage, *v.i.* take part, parti-
cipate; partake of; -ta-
gelse, *n.* sympathy; parti-
cipation.

dem, *pron.* them, those.

Dem, *pers. pron.* you.

dement|ere, *v. t.* disclaim,
disavow; -i, *n. n.* denial.

demission, *n.* resignation.

den, det, de, *best. art.* the; ~,
~, ~, *pers. pron.* it, it, they;
den som, he or she who;
det som, that which; den
og den, so and so; ~, ~, ~,
pron. dem. that, that, those.

denaturel, *adj.* ~ sprit,
methylated spirits.

dengang, *adv.* then; at the
time; ~, *conj.* when.

denne, dette (*pl.* disse), *pron.*
this (one), that (one); (*om
dato*) dennes, ds., instant,
inst.

depeche, *n.* dispatch, tele-
gram.

deponere, *v.t.* deposit, lodge;
(*vidne*) depose.

deportation, *n.* deportation,
transportation.

deputeret, *n.* deputy, dele-
gate.

der, *adv.* there; hvem ~?,
who goes there?; ~ siges,
it is said; ~, *rel. pron.* who,
which, that; -af, *adv.* of
this, of that; thereof; -efter,
adv. after that, afterwards;
thereafter, subsequently;
accordingly.

deres, *poss. pron.* their; theirs.

Deres, *poss. pron.* your;
yours.

der|for, *adv.* therefore, on
that account; -fra, *adv.*
thence, from there; -hen,
adv. there, over there;
-henad, *adv.* in that direc-
tion; -henne, *adv.* over
there; -iblandt, *adv.* in-
cluding; -imod, *adv.* on
the other hand; jeg har
intet ~, I have no ob-
jection; -med, *adv.* with
it; ~ var det forbi, that
was the end of it; -næst,
-på, *adv.* then, next; -som,
conj. if, in case; -steds,
adv. there; -udover, *adv.*
in addition to that; -ved,
adv. thus, thereby, by this;
in this way; ~ er intet at
gøre, it cannot be helped;
lad det blive ~, leave it
at that; -værende, *adj.* local.

des, *mus.* D flat.

des, *adv.* the; ~ mere, the
more; jo mere ~ bedre,
the more the better.

desangående, *adv.* respecting
this, in regard to that.

desavouere, *v. t.* disvow, re-
pudiate.

des-dur, *n. mus.* D flat major.

desertere, *v. i.* desert.

deslige, *adj.* such, similar,
the like.

desmer|kat, *n. zool.* civet cat;
-rotte, *n. zool.* musk rat.

dessert, *n.* sweet, dessert.

destiller|e, *v.t. &i.* distil; -kar,
n. n. still.

desto, *adv.* the; ~ bedre, so
much the better; ikke ~
mindre, *adv.* nevertheless.

destruere, *v. t.* destroy.

des|uagtet, *adv.* notwithstanding; -uden, *adv.* besides, in addition; -være, *adv.* unfortunately.

det, *pers. pron.* (se den); ~ regner, it is raining; hvorfor ~?, why (is that so)? hvordan ~?, how come?

detail, *n. commerc.* retail; -list, -handler, *n.* retailer.

detalje, *n.* detail; particular.

dette, *pron.* this; this one; that.

did, *adv.* thither, there; hid og ~, hither and thither.

die, *v. t. & i.* suck; (om moderen) nurse, suckle; -vorte, *n.* teat, nipple.

dig, *pron.* you; *bibl.* thee.

dige, *n. n.* dike, dam.

digel, *n.* crucible.

digt, *n. n.* poem; (opspind) fiction; -e, *v. t. & i.* compose; write; -er, *n.* poet.

dikke, *v. i.* (ur) tick; (kilde) tickle.

dikkedarer, *pl. n.* fuss, frills.

diktatur, *n. n.* dictatorship.

diktere, *v. t.* dictate.

dilettant, *n.* amateur.

diligence, *n.* stage-coach.

dimension, *n.* dimension; proportion.

din, dit (*pl.* dine), *pron.* your, yours; *bibl.* thy, thine.

dingle, *v. i.* dangle, swing; bob; totter.

diplom, *n. n.* diploma.

direkte, *adj.* direct; *adv.* directly.

direktør, *n.* general manager, managing director.

diri|gent, *n.* chairman; *mus.* conductor; bandmaster; -gere, *p. t.* conduct.

dirke, *v. t.* (lås *osv.*) pick.

dirre, *v. i.* quiver, vibrate; -n, *n.* quivering, vibration.

dis, *n. n. mus.* D sharp; ~, *n.* haze; -et, *adj.* hazy.

disk, *n.* counter.

diskant, *n. mus.* treble; -nøgle, *n.* treble clef.

diske, *v. i.* ~ op, dish up, serve up; treat to, do proud.

diskon|tere, *v. t.* discount; -to, *n.* discount; -tør, *n.*

discounter, money-lender.

diskret, *adj.* discreet; -ion, *n.* discretion; reticence.

diskutere, *v. t. & i.* discuss; argue.

dis-mol, *n. mus.* D sharp minor.

dispo|nere, *v. t. & i.* make arrangements, organize, manage one's affairs, dispose (of); slet -neret, off form, in a bad humour.

disposition, *n.* disposition; disposal; til Deres ~, at your disposal.

disput, *n.* dispute, argument; -ats, *n.* thesis; -ere, *v. i.* dispute, reason, argue.

disse, *pron.* these (se denne, dette).

dissonans, *n.* discord, dissonance.

distinktion, *n. mil.* badge of rank; chevron, stripe.

distra|here, *v. t.* distract, disturb; -ktion, *n.* absentmindedness.

dit og dit; ~ og dat, this and that, one thing and another.

diverse, *adj.* sundry, various.

diæt, *n.* diet.

djærv, *adj.* bluff, outspoken; -hed, *n.* outspokenness, frankness.

djævel, *n.* devil, fiend; -sk, *adj.* devilish, diabolical; -skab, *n. n.* devilry.

d-mol, *n. mus.* D minor.

dobbelt, *adj.* double; twofold; dual; ~ så mange, twice as many, -billet, *n.* return ticket; ~ bogholderi, *n. n.* double entry book-keeping; -møntfod, *n.* bimetallism; -sidig, *adj.* two-sided, bilateral; -spil, *n. n.* double-dealing; -tydig, *adj.* equivocal, ambiguous.

doble, *v. t.* double; ~ *v. i.* gamble.

docent, *n.* lecturer; (university) reader.

dog, *adv.* however, yet, still, though; hvad mener du

dog?, what on earth do you mean?

dok, *n. naut.* dock.

doktor, *n.* doctor; -afhandling, -disputats, *n.* thesis (for a doctorate).

dokument, *n. n.* document, deed; instrument; indent.

dolk, *n.* dagger; sheath-knife.

dom, *n.* (kriminel) sentence; (civil) judg(e)ment; decision, opinion; award; doom; fælde (*el.* afsige) ~, pronounce (*el.* pass) judg(e)ment; -fælde, *v.t. & i.* condemn; -hus, *n. n.* courthouse.

dominere, *v. t.* domineer; dominate; bully; ~, *v. i.* prevail.

dom|kirke, *n.* cathedral; -medag, *n.* doomsday; -mer, *n.* judge; justice; (fodbold) referee; (cricket) umpire.

dompap, *n. zool.* bullfinch.

dom|provst, *n.* dean; -stol, *n.* tribunal, court of justice, law-court.

domæne, *n. n.* domain; crownland.

done, *n.* snare, gin.

donkraft, *n.* jack.

dont, *n.* task; business; work.

dorsk, *adj.* indolent, sluggish, slothful, dull, torpid; -hed, *n.* indolence, dullness, sloth.

dosis, *n.* dose.

dosmer, *n.* dunce, blockhead.

dotere, *v. t.* endow.

doven, *adj.* lazy, idle; (øl) flat; stale.

doven|dyr, *n.n.* sloth; -skab, *n.* laziness.

drab, *n. n.* manslaughter, homicide.

drabant, *n.* halberdier; henchman; *astr.* satellite.

drabelig, *adj.* doughty; tremendous.

drag, *n.n.* pull, tug; draught,

haul; (tobak) whiff, puff; stroke; sweep.

drage, *n. t.* draw, pull, drag; ~, *v. i.* go, march, move, pass; ~ fordel af, derive advantage from; ~ i tvivl, question; ~, *n.* dragon; (legetøj) kite; -nde, *adj.* attractive, irresistible; -r, *n.* porter.

dragkiste, *n.* chest of drawers.

dragon, *n. mil.* dragoon.

dragt, *n.* dress, garb, costume, suit of clothes; (byrde) load; en ~ prygl, a thrashing, a beating.

dranker, *n.* drunkard.

drap, *adj.* beige.

drapere, *v. t.* drape, hang.

dratte, *v. i.* flop down; ~ ind, drop in, turn up.

dreje, *v. t.* turn; (telefon) dial; ~ af, turn aside; ~ bi, *naut.* heave to; ~ om, round, double; turn round; ~ sig om, concern, involve; ~ sine ord, twist and turn one's words; -aksel, *n.* spindle; -bænk, *n.* turning lathe; -lig, *adj.* revolving; -r, *n.* turner; -skive, *n.* turntable; potter's wheel.

drejning, *n.* turn, turning; rotation.

dreng, *n.* boy, lad.

dressere, *v. t.* train, drill.

drev, *n.n. mech.* pinion; oakum.

dreven, *adj.* expert, versed.

drift, *n.* instinct, impulse, bent, inclination; working, management; push; (kvæg) drove; *naut.* drift; af egen ~, of one's own accord; -ig, *adj.* active, enterprising, pushing; -sherre, *n.* entrepreneur; -skapital, *n.* working capital; -sleder, *n.* manager; -smateriel, *n. n.* rolling stock; -somkostninger, *pl. n.* working expenses;

-ssikker, *adj.* reliable, dependable.

drik, *n.* drink; draught; beverage; -fældig, *adj.* addicted to drink; -fældighed, *n.* intemperance; -ke, *v.t.* drink; -kelig, *adj.* drinkable, potable.

dril|agtig, *adj.* teasing; given to teasing; -bor, *n.n.* drill.

drille, *v.t.* tease; irritate.

drist|e, *v. refl.* ~ sig til, presume, dare, venture, make bold (*allesammen* to); -ig, *adj.* bold, audacious, daring.

driv|e, *v.t.* drive, work; (tvinge) force, impel; *fig.* urge, prompt; (metal) chase;~frem,propel;~,*v.i.* lounge, idle, loaf, saunter, hang about; *naut.* drift; ~ på flugt, put to flight; -bed, *n.n.* hotbed; -bænk, *n.* (hot) frame; -ert, *n.* idler, loafer; -fjeder, *n.* spring; *fig.* incentive, incitement; -hus, *n.n.* hothouse; -rem, *n.* belt; -våd, *adj.* dripping wet.

drog, *n. coll.* poor fish.

dronning, *n.* queen.

droske, *n.* cab, taxicab.

drossel, *n.* thrush; -klap, *n. mech.* throttle valve; -spole, *n.* choke coil.

drue, *n.* grape; -klase, *n.* bunch of grapes; -sukker, *n. n.* glucose.

drukken, *adj.* drunk, tipsy; intoxicated; -bolt, *n.* drunkard.

drukne, *v.t.* drown; ~, *v. i.* be drowned.

dryp, *n. n.* drop, drip; -pe, *v. t. & i.* drip; (steg) baste; -sten, *n.* stalactite.

drysse, *v. t. & i.* ~ sprinkle; fall slowly.

dræbe, *v.t.* kill; -nde, *adj.* mortal, fatal; (kedelig) deathly boring.

drægtig, *adj.* with young; *naut.* 100 tons ~, of 100 tons burden.

dræn|e, *v. t.* drain; -rør, *n. n.* drainpipe.

dræt, *n. n.* haul; take.

drøfte, *v. t.* discuss.

drøj, *adj.* substantial, heavy; tough, stiff; able to go a long way; -t arbejde, a tough job.

drøm, *n.* dream; -me, *v. t. & i.* dream; -meri, *n. n.* reverie.

drøn, *n. n.* boom; -e, *v. i.* boom, crash.

drønnert, *n.* oaf.

drøv, *n. n.* cud; tygge ~, chew the cud; ruminate.

dråbe, *n.* drop; -flaske, *n.* dropping-bottle.

du, *pron.* you; *bibl.* thou; ~, *v.i.* be good, be fit; -elig, *adj.* fit, able, capable; apt.

due, *n.* pigeon, dove; -høg, *n.* goshawk; -slag, *n. n.* pigeon house, dovecot; -urt, *n. bot.* willow-herb.

duft, *n.* fragrance, odour, perfume; -e, *v. i.* emit odour; -ende, *adj.* fragrant, odorous.

dug, *n.* (table-)cloth; dew; -get, *adj.* dewy.

dukke, *v. t. & i.* duck; plunge; dive; ~ frem, emerge, pop out; ~ sig, duck; -rt, *n.* plunge, dive; give en ~, duck.

dukke, *n.* doll; dummy, puppet; (garn) skein.

duks, *n.* top boy, head of the class.

dulgt, *adj.* concealed, hidden.

dulme, *v.t.* soothe; assuage, allay; -nde, *adj.* soothing.

dum, *adj.* stupid, dense; silly, foolish; ~ snak!, stuff and nonsense!; -dristig, *adj.* foolhardy, rash.

dumme, *v. refl.* ~ sig, make a fool of oneself.

dump, *n. n.* thud; ~, *adj.* dull; hollow.

dumrian, *n.* fool, blockhead, nitwit.

dun, *n. n.* down.

dundre, *v. i.* thunder, roar;

en -nde hovedpine, a splitting headache.

dun|et, adj. downy; -hammer, n. reed-mace.

dunk, n. stone bottle; (blik-) can.

dunke, v. t. & i. thump, knock; (puls) throb.

dunkel, adj. dark, dim, obscure; faint, vague.

dunst, n. exhalation, vapour; (stank) reek; -e, v. i. stink; evaporate.

dup, n. knob, button, cap.

dupere, v. t. impose on, bluff, dupe; (imponere) impress.

duplik, n. rejoinder.

duppedit, n. thingummybob, thingummyjig.

dupsko, n. ferrule.

dur, n. mus. major.

durk, adv. ~ igennem, straight through; -dreven, adj. crafty, cunning.

dusin, n. n. dozen; -menneske, run-of-the-mill person; -vis, adv. i ~, by the dozen.

dusk, n. tuft; tassel.

dusør, n. reward.

duve, v. i. naut. pitch.

dvale, n. lethargy, torpor; trance; ligge i ~, hibernate.

dvask, adj. indolent, sluggish.

dvæle, v. i. tarry, linger; ~ på (el. ved), dwell on.

dværg, n. dwarf; -gren, n. dwarf shoot; -høns, pl. n. bantam fowl.

dy, v. refl. ~ sig, restrain oneself; jeg kunne ikke ~ mig for at le, I couldn't help laughing.

dyb, adj. deep, profound; mus. low; i dyb søvn, fast asleep; -de, n. depth; -gående, n. n. naut. draught; ~, adj. profound; (rødder) striking deep; -sindig, adj. profound; -t, adv. deeply, deep; -tryk, n. n. copperplate printing.

dyd, n. virtue; -ig, adj. virtuous; -smønster, n. n. paragon of virtue.

dygtig, adj. clever, able, capable, efficient.

dykke, v. i. dive, plunge; -r, n. diver.

dynd, n. n. mire, mud.

dyne, n. featherbed, eiderdown; (sand) dune; fra -n i halmen, out of the frying pan into the fire.

dynge, n. heap, mass, pile.

dyngvåd, adj. drenched.

dyppe, v. t. dip; plunge; immerse.

dyr, adj. dear, expensive; ~, n. n. animal, beast; (hjort) deer; -ebar, adj. dear, precious; -ehave, n. deer park; -ekreds, n. zodiac; -ekød, n. n. venison; -passer, n. keeper at a zoo.

dyrke, v. t. till, grow, cultivate; worship; study.

dyr|læge, n. veterinary surgeon; -skue, n. n. cattleshow; -t, adv. dear; sværge højt og -t, take a solemn oath; -tid, n. dearth, scarcity.

dysse, v. t. lull, hush; ~, n. barrow, cairn.

dyst, n. combat, fight; arch. hist. bout, joust, tilt.

dyster, adj. sombre, gloomy.

dyvel, n. dowel.

dæk, n. n. naut. deck; (hjul) tire (el. tyre), cover; -sel, n. n. cover, lid.

dække, v. t. cover; (delvis) overlap; (beskytte) protect; (udgifter) meet; ~ bord, lay the table; ~ op for, regale, do proud; ~ sig, secure oneself; protect oneself; ~ sig mod tab, cover oneself against losses; reimburse oneself; ~, n. n. cover, covering; layer, coat; -tøj, n. n. table linen.

dæknavn, n. n. false name.

dæm|me, v. t. dam; -ning, n. dam, embankment.

dæmpe, v. t. quench, smother, quell, deaden, muffle; subdue.

dæmring, n. dawn.

dænge, v. t. heap, pile.

dø, v.i. die, expire; pass away; sl. pass out.

døbe, v. t. christen, baptize; -font, n. baptismal font.

død, n. death, decease, end; -bleg, adj. deadly (el. deathly) pale, ghastly; -bringende, adj. fatal, lethal; -drukken, adj. blind drunk; -elig, adj. deadly; mortal; -elighed, n. mortality; -født, adj. stillborn; -sattest, n. death certificate; -sbo, n. n. estate of deceased person; -sdømt, adj. sentenced to death; condemned; fig. doomed; -skamp, n. agony, death struggle; -sstraf, n. capital punishment; -træt, adj. dog-tired; sl. dead-beat.

døgenigt, n. good for nothing.

døgn, n. n. day and night; 24 hours; -flue, n. May fly.

døje, v. t. put up with; endure, stand.

døjt, n. jot, farthing, rap.

dølge, v. t. conceal.

dømme, v. t. & i. judge, pass sentence; condemn; -kraft, n. judg(e)ment, discernment.

dønning, n. swell, heave.

dør, n. door; -fløj, n. leaf of folding door; -fylding, n. panel; -greb, n. n. doorhandle; -hammer, n. knocker; -slag, n. n. sieve, colander; -tærskel, n. threshold; -åbning, n. doorway.

døs, n. drowsiness, doze; -e, v. i. doze; -ig, adj. drowsy.

døtre, pl. af datter.

døv, adj. deaf; -hed, n. deafness; -nælde, n. deadnettle.

dåb, n. baptism, christening.

dåd, n. deed, achievement, exploit, act.

dådyr, n. n. fallow deer;

-hind, n. doe; -hjort, n. buck; -kalv, n. fawn.

dåne, v. i. faint, swoon.

dår|e, n. fool; -ekiste, n. madhouse; sl. loony bin; -skab, n. folly, foolishness.

dårlig, adj. poor, worthless, useless, indifferent; unsound; ill, poorly, bad; en ~ undskyldning, a lame (el. flimsy) excuse; -dom, n. misery, wickedness.

dåse, n. box, tin, canister.

E, e, n. n. & mus. E, e.

ebbe, n. ebb, ebb tide, low water; ~, v. i. ebb.

ed, n. oath; falsk ~, perjury; aflægge ~, swear.

edder, n. venom; -fugl, n. eider-duck; -kop, n. spider; -spændt, adj. spiteful; furious.

eddike, n. vinegar.

edelig, adj. on oath; ~ forklaring, deposition, affidavit.

eder, pron. you; refl. yourself, yourselves.

een, se en.

effekt, n. effect, result; -er, pl. belongings, pl.; goods and chattels, pl.; commerc. stocks and shares; -jageri, n. n. straining after effect, sensationalism.

effektuere, v.t. execute(f.eks. an order).

efter, prep. after; behind; next to; according to; den ene ~ den anden, in succession; 8 dage ~ hinanden, 8 days running; lidt ~ lidt, by degrees; ~ tur, by turns; ~ vægt, by weight; -abe, v. t. ape, mimic; -behandling, n. finishing treatment; -betaling, n. additional payment, payment of arrears; -byrd, n. afterbirth; -datere, v.t. postdate; -forske, v. t. investigate, explore, inquire into; search; -føl-

ger, *n.* successor; -give,
v. t. remit, pardon; -gi-
vende, *adj.* indulgent;
yielding; pliable, com-
pliant; -gøre, *v. t.* imitate;
counterfeit, forge; -gå, *v. t.*
examine, control; -hån-
den, *adv.* by degrees,
gradually; -komme, *v. t.*
comply with, observe;
-kommer, *n.* descendant;
-krav, *n. n.* cash on de-
livery; -lade, *v. t.* leave;
-ladende, *adj.* negligent;
-levende, *adj.* surviving;
-ligne, *v. t.* imitate, copy;
-middag, *n.* afternoon;
-navn, *n. n.* surname,
family name; -nøler, *n.*
laggard, late-comer; -ret-
ning, *n.* intelligence; ad-
vice; information; news;
til Deres ~, for your guid-
ance (*el.* information); -ret-
telig, *adj.* holde sig en befa-
ling ~, comply with an or-
der; -se, *v.t.* inspect, exam-
ine; -sende, *v. t.* forward;
-skrift, *n.* postscript; -skri-
ve, *v. t.* forge, counterfeit;
-slægt, *n.* posterity; -slæt,
n. aftermath; -smag, *n.*
tang, after taste; -som,
conj. as, since, inasmuch
as; seeing that; alt ~,
according as; -sommer, *n.*
Indian summer; -spil,
n. n. fig. sequel; -spore,
v. t. track, trace; -spurgt,
adj. in demand, in re-
quest, in favour; -spørg-
sel, *n.* inquiry, demand;
-stræbe, *v. t.* aim at,
pursue, aspire to; perse-
cute; -syn, *n. n.* in-
spection; examination; til
~, on view; for in-
spection; -søge, *v.t.* search
for; -søgt, *adj.* wanted;
-tanke, *n.* reflection;
-tragte, *v. t.* desire, covet;
-tryk, *n. n.* emphasis;
stress; ~ forbudt, all
rights reserved, copyright;
-trykkelig, *adj.* emphatic;

forcible; -tænksom, *adj.*
pensive; thoughtful; -år,
n. n. autumn; *U. S.* fall.

eg, *n. bot.* oak.

egen, (eget, egne) *adj.* own;
proper; (ejendommelig)
characteristic; odd; pecul-
iar; (særlig) particular;
-art, *n.* peculiarity, special
nature; -hændig, *adj.* per-
sonal; in one's own hand-
writing; -hændigt, *adv.*
in person, personally;
-kærlig, *adj.* selfish; -mæg-
tig, *adj.* arbitrary; -rådig,
-sindig, *adj.* wilful, self-
willed; -skab, *n.* quality,
property, capacity.

egentlig, *adv.* properly, real-
ly, actually, after all; ~
talt, strictly speaking.

egern, *n. n. zool.* squirrel.

egn, *n.* neighbourhood; part;
country; district; region.

egne *v. refl.* ~ sig til, be fit
for; lend itself to, be suit-
able.

ej, *adv.* not; ~ heller, nor; ~,
int. oh!, why!

eje, *v. t.* own, possess; -god,
adj. tender-hearted; -ndele,
pl. n. belongings; -ndom,
n. possession, property;
estate; -ndommelig, *adj.*
peculiar; characteristic; in-
dividual; -ndomsmægler,
n. estate agent; -r, *n.* owner,
proprietor.

ekko, *n. n.* echo.

eksamen, *n.* examination,
exam.

eksekution, *n.* execution.

eksempel, *n. n.* example, in-
stance.

eksemplar, *n. n.* (bog) copy;
bot. specimen.

eksercer|e, *v. t. & i.* drill;
-plads, *n.* parade-ground.

eksistens, *n.* existence; -mid-
del, *n. n.* means of sub-
sistence.

ekskludere, *v. t.* expel.

ekspe|dere, *v. t.* dispatch,
transact; -dient, *n.* shop-

assistant; -dit, *adj.* expeditious, prompt; -ditrice, *n.* shopgirl, saleswoman.

eksplodere, *v. i.* explode.

eksportforretning, *n.* export firm.

ekstra, *adv. & adj.* extra; -arbejde, *n. n.* overtime work; -fin, *adj.* superfine; superior.

ekstrakt, *n.* extract; abstract.

ekstra|tog, *n.n.* special train; -udgave, *n.* special edition.

ekvipage, *n.* carriage.

el, *n. bot.* alder.

elas|tik, *n.* elastic; -tisk, *adj.* elastic.

elektri|citet, *n.* electricity; -ker, *n.* electrician.

element|arbog, *n.* primer; -ær, *adj.* elementary, primary.

elendig, *adj.* wretched, miserable; piteous; -hed, *n.* wretchedness; misery.

elev, *n.* pupil; learner; scholar.

elevator, *n.* lift; *U. S.* elevator; (vare) hoist.

elfenben, *n.* ivory.

elg, *n. zool.* elk, moose.

elle|folk, *n. n.* the elfin folk; elves, *pl.*; -pige, *n.* elfmaid.

eller, *conj.* or; enten ... or, either ... or; hverken ... ~, neither ... nor.

ellers, *adv.* or else; otherwise; if not; generally; hvem ~ kommer?, who else is coming?; ~ tak, thank you all the same; ~ intet, nothing else; ~ noget at bemærke?, anything else you want to say?

ellev|e, *adj. & n.* eleven; -te, *adj. & n.* eleventh.

ellevild, *adj.* wild.

elsdyr, *se* elg.

elsk|e, *v. t. & i.* love; -elig, *adj.* amiable, lovable; -r, *n.* lover; -erinde, *n.* mistress; -ov, *n.* love, passion; -ovsfuld, *adj.* amorous; -værdig, *adj.*

amiable, lovable, attractive; sweet; kind.

elv, *n.* river, torrent.

em, *n.* vapour.

emaille, *n.* enamel.

emballage, *n.* packing, wrapping.

embede, *n. n.* office, post; beklæde et ~, fill (*el.* hold) an office; på embeds vegne, in an official capacity.

embeds|bolig, *n.* official residence; -gerning, *n.* function; -mand, *n.* official, functionary, civil servant; -misbrug, *n. n.* abuse of power.

emigrant, *n.* emigrant.

emission, *n. commerc.* issue; *phys.* emission.

emne, *n.n.* subject; theme; topic; matter; material.

en (et,) *ubest. art.* a, an; ~, ~ (én, ét; een, eet), *adj. & n.* one; ~, ~, *ubest. pron.* one, you.

end, *conj. & adv.* than; still; even; ikke andet ~, nothing but; ~ ikke, not even; hvor meget ~, however; hvad ~, whatever; hvem der ~, whoever; ~ ikke, not even; -da, *adv.* yet; ikke så slemt ~, not so bad after all.

ende, *n.* end, termination; extremity; backside; posterior; bottom; ~, *v. t.* end, finish, terminate, conclude; -knop, *n.* terminal bud; -lig, *adj.* final, ultimate, definitive; -lig, *adv.* at length; finally; De må ~ ikke tro, please don't think; -løs, *adj.* endless, interminable; -station, *n.* terminus; -vende, *v. t.* turn upside down.

end|nu, *adv.* yet, still, as yet, even now; -og, -også, *adv.* even.

endossere, *v. t.* endorse.

en|drægtig, *adj.* harmonious; -drægtighed, *n.* harmony, concord.

end|sige, let alone, much less; **-skønt,** *conj.* though, although.

ene, *adj. & adv.* alone, by oneself; solitary; only; ~ og alene, solely; **-boer,** *n.* hermit; recluse, anchorite; **-bær,** *n. n.* juniper; **-forhandler,** *n.* sole agent; **-hersker,** *n.* autocrat; **-mærker,** *pl. n.* precincts, *pl.*; domain; **-pige,** *n.* general (servant); **-r,** *n.* one; han er en ~, he goes his own way; **-ret,** *n.* monopoly; exclusive right.

ener|gi, *n.* energy; **-gisk,** *adj.* energetic.

enerådende, *adj.* autocratic; universal.

enes, *v.i.* (blive enige) agree.

ene|stående, *adj.* unique, exceptional; **-ste,** *adj.* only, sole, single; ikke en ~, not one; den ~, the only one; hver ~, every one; **-tale,** *n.* monologue; soliloquy; **-voldsmagt,** *n.* absolute monarchy; **-vælde,** *n.n.* absolutism, despotism.

enfoldig, *adj.* simple; fatuous; **-hed,** *n.* simplicity; simple-mindedness.

eng, *n.* meadow.

engage|ment, *n. n.* commitment; engagement; **-re,** *v. t.* engage; **-ringsbureau,** *n. n.* employment office.

engang, *adv.* once; one day; at one time; some time; ikke ~, not even.

engblomme, *n. bot.* globeflower.

engel, *n.* angel.

engelsk, *adj.* English; ~ salt, *n, n.* Epsom salts; ~ syge, *n.* rachitis; rickets; **~-fransk,** *adj.* Anglo-French; **-sindet,** *adj.* Anglophil(e), pro-English; **-talende,** *adj.* English-speaking.

eng|karse, *n. bot.* cuckoo flower, bitter cress.

England, *n. n.* England.

engle|agtig, *adj.* angelic; **-skare,** *n.* heavenly host.

englænder, *n.* Englishman; **-inde,** *n.* Englishwoman.

en gros, *adv.* wholesale.

engrosforretning, *n.* wholesale business.

enhed, *n.* unity, unit; **-spris,** *n.* standard price.

enhjørning, *n.* unicorn.

enhver (ethvert,) *pron.* every; each; everyone; everybody; anyone, anybody; alle og ~, everybody.

enhåndet, *adj.* one-handed.

enig, *adj.* unanimous; være ~ (om), agree; blive ~ med sig selv, make up one's mind; **-hed,** *n.* agreement; concord; unity; harmony; unison; **-t,** *adv.* unanimously, in harmony.

enke, *n.* widow; **-dronning,** *n.* queen dowager; queen mother; **-mand,** *n.* widower.

enkel, *adj.* single, simple, informal; **-hed,** *n.* plainness, simplicity; **-t,** *adv.* plainly, simply.

enkelt, *adj.* single, simple, individual; odd; **-e,** some, a few; **-hed,** *n.* detail, particular; **-vis,** *adv.* singly.

enlig, *adj.* solitary; (ugift) single.

enorm, *adj.* enormous, gigantic, huge.

enrum, *n. n.*; i ~, in private, privately.

ens, *adj. & adv.* alike, identical, the same, uniform; **-artet,** *adj.* homogeneous, uniform; **-betydende,** *adj.* synonymous; ~ med, tantamount to; **-farvet,** *adj.* plain, self-coloured, of one colour; **-formig,** *adj.* monotonous.

ensidig, *adj.* one-sided; prejudiced, narrow-minded; unilateral; **-hed,** *n.* one-sidedness; prejudice; partiality.

ensom, *adj.* lone; lonely; lonesome; **-hed,** *n.* solitude; loneliness.

ensporet, *adj.* single-track.

enspændervogn, *n.* one-horse carriage.

ensretning, *n. elect.* rectification; (trafik) one-way traffic; regimentation.

ensrette, *v. t.* rectify; unify; standardize.

ensrettethed, *n.* unification; standardization.

enstemmig, *adj.* unanimous; **-hed,** *n.* unanimity; **-t,** *adv.* unanimously, by common consent.

enten, *adv.* either; ~ ... eller, either ... or; ~, *conj.* hvad ~, whether.

entre, *v. t.* board; get into; *v. i.* go aloft, climb up.

entré, *n.* hall; (adgang) admission.

entreprenør, *n.* contractor.

epidemi, *n.* epidemic.

epoke, *n.* epoch; **-gørende,** *adj.* epoch-making.

eremit, *n.* hermit; **-krebs,** *n.* hermit crab.

erfare, *v. t.* experience; learn; ascertain; understand; **-en,** *adj.* experienced; **-ing,** *n.* experience, practice; **-ingsmæssig,** *adj.* empirical.

erholde, *v. t.* obtain, get, receive.

erhverv, *n. n.* trade, livelihood; occupation; industry; **-e,** *v. refl.* ~sig, acquire; earn, gain; **-else,** *n.* acquisition, acquirement; **-sgren,** *n.* branch (*el.* line) of industry.

erindre, *v. t.* remember, recollect, call to mind; bear in mind; ~ en om noget, remind somebody of something; **-ring,** *n.* remembrance, recollection; keepsake; til ~ om, in memory of.

erke-, *se* **ærke-.**

erkende, *v. t.* acknowledge; own; admit; apprehend, realize; recognize; **-tligehed,** *n.* appreciation, gratitude.

erklære, *v. t.* declare; state; **-ing,** *n.* declaration; statement; opinion; certificate.

erkyndige, *v. refl.* ~ sig (om), inquire about.

erlægge, *v. t.* pay disburse.

ernære, *v. t.* feed; maintain; support; nourish; **-ing,** *n.* nutrition, nourishment; support; **-ingsforhold,** *n.n.* nutrition.

erobre, *v. t.* conquer; **-r,** *n.* conqueror; **-ing,** *n.* conquest.

erotik, *n.* eroticism, sex.

erstatning, *n.* compensation; indemnification; damages, *pl.*; replacement; substitute; **-te,** *v. t.* replace; compensate, make up (for).

erts, *n.* ore.

es, *n. n.* ace; *mus.* E flat; i sit ~, in one's element.

eskadre, *n.* squadron.

eskorte, *n.* escort; **-ere,** *v. t.* escort.

espalier, *n.* trellis, espalier; danne ~, line the street.

esse, *n.* forge, furnace.

etablere, *v. t.* establish.

etage, *n.* storey, floor.

etape, *n.* stage; i -r, by stages.

etat, *n.* service; department.

etik, *n.* ethics.

etikette, *n.* (seddel) label; (ceremoniel) etiquette.

Europa, *n. n.* Europe; **-rådet,** the Council of Europe.

evakuere, *v. t.* evacuate.

evangelium, *n. n.* gospel.

eventuel, *adj.* any, if any; prospective; such as may arise; possible; **-t,** *adv.* if necessary, if possible, possibly, perhaps, if convenient, if at all.

eventyr, *n. n.* adventure; fairy-tale, story; **-er,** *n.* adventurer; **-lig,** *adj.* marvellous, romantic; fantastic, incredible.

evig, *adj.* eternal, perpetual, everlasting, endless, never-ending; hver -e nat, every mortal night; -hed, *n.* eternity; en hel ~, an age, aldrig i ~, never.

evindelig, *adj.* eternal, everlasting.

evne, *n.* ability; power; faculty; means; efter bedste ~, to the best of one's ability.

F, f, *n.n. & mus.* F, f.

fabel, *n.* fable, story, tale; -agtig, *adj.* fabulous.

fable, *v. i.* rave, talk wildly.

fabrik, *n.* factory; mill; works; -ere, *v. t.* make, manufacture; fabricate; -sarbejder, *n.* factory hand, factory worker.

facade, *n.* front, façade; -sten, *n.* facing stone (*el.* brick).

facetsleben, *adj.* bevelled.

facit, *n. n.* answer, total result; -liste, *n.* key, answer book.

fad, *n. n.* dish; (tønde) cask, barrel, vat; øl fra ~, draught beer; ~, *adj.* insipid, vapid, flat.

fadder, *n.* godfather; godmother; sponsor; -sladder, *n.* gossip.

fadebur, *n. n.* pantry.

fader, *n.* father; (hest) sire; *pl.* (fædre) fathers, ancestors, *pl.*; -lig, *adj.* fatherly, paternal; -mord, *n. n.* parricide; patricide; -vor, *n. n.* the Lord's Prayer.

fadæse, *n.* blunder.

fag, *n.n.* trade; department; line; profession; (skole-) subject; af ~, by profession.

fager, *adj.* fair, beautiful.

fag|forening, *n.* trade union; -kyndig, *adj.* expert; -lært, *adj.* skilled; -mand, *n.* expert, professional; -ud-dannelse, *n.* professional training.

fajance, *n.* faience, earthenware.

fakkel, *n.* torch.

faktisk, *adj.* actual, real, factual; ~, *adv.* as a matter of fact, actually.

fak|tor, *n.* factor; *typ.* foreman; -tum, *n. n.* fact.

faktur|a, *n.* invoice; -ere, *v. t.* invoice; price.

falbyde, *v. t.* offer for sale.

fald, *n. n.* fall, downfall, waterfall, gradient, declivity; *naut.* halyard; i ~, in case; i al ~, at all events, at any rate; -dør, *n.* trapdoor; -e, *v. i.* fall, drop, tumble; *mil.* be killed; fall; ~ af, fall off, come off; ~ bort, cease, drop; ~ fra, die; desert; ~ igennem, fail; det ~er mig ind, it occurs to me; det ~er mig let, I find it easy; ~ sammen, break down; ~ sammen med, coincide with, clash with; ~ ud, turn out; -efærdig, *adj.* ramshackle; -ereb, *n. n. naut.* gangway; -gitter, *n.* portcullis; -grube, *n.* pitfall; -lem, *n.* trapdoor; -rør, *n. n.* waste-pipe; -skærm, *n.* parachute.

falk, *n. zool.* falcon.

fallit, *n.* bankruptcy, failure; *adj.* bankrupt.

fallos, *n.* phallus.

falme, *v. i.* fade.

fals, *n.* (kant) flange, ridge, edge; (papir) fold; (på dør, vindue, *etc.*), rebate, groove; mortise; (bog), joint.

falsk, *adj.* false, spurious, bogus; counterfeit, forged; -neri, *n. n.* forgery.

famili|e, *n.* family; relations, relatives, *pl.*; i ~ med, related to; -ær, *adj.* familiar.

famle, *v. i.* grope; falter; ~ ved, fumble at.

famøs, *adj.* (bekendt), famous; (berygtet), notorious.

fandeme, *int.* jeg skal ~ lære dig!, I'll damn well teach you!

fanden, *n.* the devil; ~ er løs, there is the devil to pay; der er ~ til forskel, there's a hell of a difference; jeg løb som bare ~, I ran like the devil; gå ~ i vold, go to hell.

fandenivoldsk, *adj.* reckless, devil-may-care.

fandens, *adj. & adv.* damned, blasted; ~ til fyr, a hell of a fellow.

fane, *n.* colours, banner, standard, ensign; (på fjer) web, vane; -møtrik, *n.* wing nut; -vagt, *n.* colour guard.

fanfare, *n.* flourish, fanfare.

fang|e, *v. t.* catch; *mil.* capture; (i fælde) trap; ~, *n.* prisoner, captive; (straffe-) convict; -ehul, *n. n.* dungeon; -enskab, *n. n.* captivity; -evogter, *n.* warder, gaoler; -st, *n.* (arrest) capture; catch, haul, take.

fantas|ere, *v. i.* rave, be delirious; *mus.* improvise; -i, *n.* imagination; fantasy, figment (of the imagination); -t, *n.* visionary, dreamer, fantast.

farbar, *adj.* passable, practicable; navigable.

fare, *v. i.* rush, dash, dart; bolt, bounce; ~ op, jump up; ~ sammen, start; ~ vild, go astray, lose one's way; lade ~, desist from, abandon, drop; ~, *n.* danger, peril, jeopardy; risk, hazard; ilde -n, in a bad way (el. position), at a disadvantage.

farfader, *n.* (paternal) grandfather.

farlig, *adj.* dangerous, perilous, hazardous.

fars, *n.* forcemeat; -ere, *v. t.* stuff.

fart, *n. naut.* headway, way; (hastighed) speed, rate; sætte ~ på, hurry up; -e, *v. i.* ~om(kring), gad about, charge around, knock about; -plan, *n.* time-table.

fartøj, *n. n.* vessel, craft.

farvand, *n. n.* water(s); fairway, channel.

farve, *n.* colour, hue; dye, paint; (kort) suit; ~, *v. t.* dye, colour, stain; -billede, *n. n.* spectrum; -blind, *adj.* colour-blind; -handler, *n.* paint dealer, colourman; -kedel, *n.* dye boiler.

farvel, *n. n.* good-bye; *sl.* so long; *poet.* farewell; (i butik) good-day.

farve|lade, *n.* paint-box; -rig, *adj.* colourful, richly coloured; -skær, *n. n.* tinge; -t, *adj.* coloured.

fasan, *n.* pheasant.

fase, *n.* phase, stage.

fast, *adj. & adv.* firm; solid; compact; fast, fixed; permanent, regular; gøre ~, fasten.

faste, *v. i.* fast; -lavn, *n.* Shrovetide; på -nde hjerte, on an empty stomach.

fast|holde, *v. t.* maintain, insist on; stick to; fix; -land, *n. n.* continent; mainland; -slå, *v. t.* establish; -sætte, *v. t.* fix, settle; appoint; establish.

fat, *adv.* tage ~, catch hold of; get down to work; ~, *adj.* hvordan er det ~ med ham?, how are things with him?

fatal, *adj.* unfortunate, unlucky.

fatning, *n.* composure, self-possession; *electr.* socket.

fatte, *v. t.* comprehend, understand; catch, grasp; apprehend; conceive.

fattes, *v. t.* lack, want; *v. i.* be missing.

fattet, *adj.* composed, collected.

fattig, *adj.* poor, needy; **-dom,** *n.* poverty, penury, indigence; **-gård,** *n.* poorhouse; **-hjælp,** *n.* poorrelief; **-hus,** *n. n.* almshouse; **-lem,** *n. n.* pauper.

favn, *n.* fathom; (-tag) embrace; en ~ brænde, a cord of wood; **-e,** *v. t.* hug, clasp, embrace.

f-dur, *n. n. mus.* F major.

fe, *n.* fairy.

feber, *n.* fever.

februar, *n.* February.

fed, *adj.* fat; tyk og ~, stout; ~ kost, rich diet; ~, *n. n.* (garn) skein; **-e,** *v. t.* fatten; **-evarer,** *pl. n.* delicatessen; **-me,** *n.* fatness; obesity.

fedt, *n. n.* fat, grease; **-e,** *v. t. & i.* grease; (sleske) curry favour, toady up to someone; **-et,** *adj.* greasy; (nærig) stingy; **-syge,** *n.* obesity; **-væv,** *n. n.* fatty tissue.

fejde, *n.* quarrel; feud, controversy.

feje, *v. t.* sweep; **-kost,** *n.* broom; **-nde,** *adj.* sweeping, dashing; **-skarn,** *n. n.* sweepings, *pl.*; **-spån,** *n.* dustpan.

fejg, *adj.* cowardly; dastardly.

fejl, *n.* fault, error, mistake; defect; ~, *adj.* wrong, erroneous, incorrect; ~, *adv.* amiss, wrong, faulty; **-e,** *v. i.* err; (ikke ramme et mål) miss; **-greb,** *n. n.* error, slip; **-læsning,** *n.* misreading; **-tagelse,** *n.* mistake; **-trin,** *n. n.* false step.

fejre, *v. t.* celebrate; fête, commemorate.

felt, *n. n.* field; (område) department, sphere, province, field; (skakbræt) square; **-flaske,** *n.* waterbottle; **-kanon,** *n.* field-

piece; **-lazaret,** *n. n.* fieldhospital; **-råb,** *n. n.* password; **-stol,** *n.* campstool; **-tog,** *n. n.* campaign; **-vagt,** *n.* picket.

fem, *adj. & n.* five; han er ikke ved sine fulde ~, he's not all there; **-kant,** *n.* pentagon; **-te,** *adj. & n.* fifth; **-tedel,** *n.* fifth, fifth part; **-ten,** *adj. & n.* fifteen; **-tende,** *adj. & n.* fifteenth; **-ti,** *adj. & n.* fifty.

ferie, *n.* holidays, vacation.

ferle, *n.* ferrule.

ferm, *adj.* smart, clever.

fernis, *n.* varnish; **-ere,** *v. t.* varnish; **-sage,** *n.* private view, varnishing-day.

fersk, *adj.* fresh; på ~ gerning, in the act, redhanded.

fersken, *n.* peach.

fest, *n.* feast; festivity; party, celebration; festival; **-lig,** *adj.* festive; **-måltid,** *n. n.* banquet.

fetere, *v. t.* fête, make a fuss of, lionize.

fiasko, *n.* failure, fiasco.

fideikommis, *n. n.* entailed estate.

fidibus, *n.* spill, pipe-lighter.

fidus, *n.* (vink) tip; (tiltro) confidence; (kneb) trick; **-mager,** *n.* person who lives by his wits.

fif, *n. n.* trick, dodge.

fiffig, *adj.* cunning, crafty, sly, shrewd.

figen, *n.* fig; **-blad,** *n. n.* figleaf.

figur, *n.* figure, shape; (illustration) diagram; **-ere,** *v. i.* figure, appear; **-lig,** *adj.* figurative;

fik, *imp. af* få.

fiks, *adj.* smart, chic, handy, dexterous; **-fakserier,** *pl. n.* hanky-panky.

fikse, *v. t.* sell short, speculate for a fall; ~ op, smarten, make spruce.

fiksere, *v. t.* fix; stare hard at.

fiktiv, *adj.* fictitious.

fil, *n.* file; -e, *v. t.* file.

filet, *n.* fillet.

filial, *n.* branch (office).

filipens, *n.* pimple.

film, *n.* film; moving picture; movie; *sl.* flick; (flirt) flirt, flirtation; -atisere, *v.t.* film, make a screen version of; -e, *v.t. & i.* (optræde) act in a film: act in films; (optage) make a film; film; (flirte) flirt; -sforevisningsapparat, *n. n.* projector; -sinstruktør, *n.* (film) director; -sproducent, *n.* (film) producer; -sstjerne, *n.* filmstar; -sudlejningsselskab, *n. n.* film distributing company.

filolog, *n.* philologist; -i, *n.* philology.

filosof, *n.* philosopher; -i, *n.* philosophy.

filt, *n. n.* felt.

fil|ter, *n. n.* filter, strainer; -trere, *v. t.* filter.

filur, *n.* sly fellow, sly dog.

fimre, *v. i.* vibrate, quiver.

fims, *n.* stink; -e, *v. i.* break wind.

fin, *adj.* fine, delicate, subtle; fashionable; distinguished, refined; ~ iagttager, shrewd observer; det -e ved det, the point.

finans|år, *n. n.* financial year; -hovedkasse, *n.* exchequer, treasury; -lov, *n.* budget; finance act.

finde, *v. t.* finde; ~ lejlighed, find an opportunity; ~ for godt, think proper; ~ sig i, put up with, take lying down; ~ sted, take place; ~ ud af, make out, understand, grasp.

findele, *v. t.* pulverize, break down into very fine particles.

findeløn, *n.* reward.

finér, *n.* veneer; plywood.

finger, *n.* finger; se igennem fingre med, turn a blind eye to, wink at, connive

at; -bøl, *n. n.* thimble; *bot.* foxglove; -e, *v. t.* feign, pretend; -ere, *v.t.* finger; -færdig, *adj.* dexterous; -peg, *n. n.* hint.

finhed, *n.* fineness, smartness, delicacy; subtlety.

finke, *n.* *zool.* finch.

finkornet, *adj.* fine-grained, fine.

finkæmning, *n.* comb-out (*f.eks.* a district).

finmasket, *adj.* fine-meshed.

finne, *n.* (finsk statsborger) Finn; (på fisk) fin.

finte, *n.* feint; trick; jibe, taunt.

firben, *n. n.* *zool.* lizard.

fire, *v.t. & i.* ease off, veer; lower; *fig.* yield, give way; ~, *adj. & n.* four.

firkantet, *adj.* square, quadrangular.

firkløver, *n. el. n. n.* four-leaf clover; quartet(te).

firma, *n. n.* firm; -mærke, *n. n.* trade-mark.

firs, *adj. & n.* eighty; -indstyvende, *adj. & n.* eightieth.

firskåren, *adj.* square; stocky, thick-set.

firstemmig, *adj.* *mus.* four-part.

firtaktsmotor, *n.* four-stroke engine.

fis, *n.* wind; *vulg.* fart; ~, *n.n.* *mus.* F sharp.

fisk, *n.* fish; -e, *v. t. & i.* fish; angle; -ehandler, *n.* fishmonger; -ekrog, *n.* fishhook; -er, *n.* fisherman; angler; -eredskab, *n. n.* fishing-tackle; -eri, *n. n.* fishing; -erkone, *n.* fisherman's wife; fishwife; -estang, *n.* fishing rod; -eyngel, *n.* fry.

fjantet, *adj.* silly, foolish.

fjas, *n. n.* frivolousness, giddiness.

fjed, *n. n.* step.

fjeder, *n.* spring.

fjedrende, *adj.* elastic, springy.

fjeld, *n. n.* mountain, hill;

rock; -kløft, *n.* ravine; -ryg, *n.* mountain ridge; -skred, *n. n.* landslide; -væg, *n.* bluff, rock wall.

fjend|e, *n.* enemy, foe; -skab, *n. n.* enmity; -tlig, *adj.* hostile; inimical; -tlig-hed, *n.* hostility.

fjer, *n.* feather, plume; -bold, *n.* shuttlecock; -dragt, *n.* plumage; -kræ, *n.n.* poultry; -pen, *n.* quill pen; -top, *n.* crest.

fjerd|e, *adj. & n.* fourth; -edel, *n.* fourth; -ing, *n.* quarter; firkin.

fjermer, *adj.* off (f. eks. the off horse).

fjern, *adj.* far, far off; distant, remote, -e, *v. t. & refl.* remove; retire, withdraw; -skriver, *n.* teleprinter; -syn, *n. n.* television; -trafik, *n.* long distance traffic; -varme, *n.* district heating.

fjoget, *adj.* silly, doltish.

fjols, *n.n.* fool; *sl.* mug.

fjollet, *adj.* silly, imbecile.

fjor, *u. n.* i ~, last year.

fjord *n.* firth, fiord (el. fjord) inlet.

fjorten, *adj. & n.* fourteen; ~ dage, a fortnight.

flabet, *adj.* cheeky, impertinent.

flad, *adj.* flat; level; insipid, commonplace.

flade, *n.* expanse; sheet; flat piece.

flag, *n. n.* flag, colours, ensign; -dug, *n.* bunting.

flage, *n.* flake, crust; (is) floe; ~, *v. i.* fly a flag, display colours.

flagermus, *n.* bat.

flagre, *v. i.* flutter, flap; flicker; flit.

flagspætte, *n. zool.* woodpecker; -stang, *n.* flagstaff.

flakke, *v. i.* (om flamme) flicker; ~ om, roam, rove, ramble.

flamme, *n.* flame, blaze; (gas) jet; en -nde ild, a roaring fire.

flanke, *n.* flank; -re, *v. t.* flank.

flaske, *n.* bottle, flask.

flattere, *v. t.* display to good advantage; flatter.

fler, *se* flere.

fler|e, *adj.* more; several; various; hvem ~?, who else?; -stemmig, *adj.* polyphonic; (sang) part singing; -tal, *n. n.* majority; *gram.* the plural (number); -tydig, *adj.* ambiguous; -årig, *adj. bot.* perennial.

flest, *adj.* most; de -e, most (people, osv.).

fletning, *n.* plaiting, braiding; plait, braid; pigtail.

flet|te, *v. t.* plait, braid.

fletværk, *n. n.* wickerwork, basketwork.

flid, *n.* diligence; industry.

flig, *n.* flap, corner; lobe; (anker-) fluke.

flikke, *v. t.* patch; mend, cobble.

flimre, *v. i.* gleam, flicker, glimmer.

flink, *adj.* (rar) nice, kind; (dygtig) active, clever, able.

flint, *n.* flint; flyve i ~, go up in the air, fly off the handle.

flip, *n.* collar.

flirt, *n.* flirtation.

flis, *n.* splinter, chip.

flise, *n.* flag(-stone); (væg) tile.

flitsbue, *n.* bow.

flitter(stads), *n.* tinsel.

flittig, *adj.* diligent, sedulous, industrious, assiduous.

flod, *n.* river; flood; -bølge, *n.* tidal wave; -hest, *n.* hippopotamus; -krebs, *n.* crayfish, crawfish; -munding, *n.* estuary; mouth of a river.

flok, *n.* flock, herd; swarm; crowd; throng; troop, gang, party; (fugle) flight; (vagtler, lærker) bevy; (agerhøns) covey.

flom, n. flood; torrent (of words).

flonel, n. n. flannel.

flor, n. n. crape, gauze; bloom, blossom.

florere, v. i. flourish, boom.

floret, n. foil.

floskel, n. empty phrase.

flot, adj. stylish, dashing, jaunty, smart; naut. afloat; (om påstand) sweeping; (om brug af penge) extravagant.

flov, adj. flat, insipid; dull, bashful, embarrassed; ~ vind, light wind.

flue, n. fly; slå to -r med et smæk, kill two birds with one stone;-skab, n.n. meat-safe; -svamp, n. toadstool; amanita.

flugt, n. escape, flight; i ~ med, flush with.

fluks, adv. straightaway.

flunkende, adv. ~ ny, brand-new.

fly, v. i. flee, escape; v. t. hand, pass.

flyde, v. i. flow, run; float; swim; -evne, n. buoyancy; -kork, n. cork-float; -nde, adj. fluid, liquid; fluent; -vægt, n. hydrometer.

flygel, n. n. grand piano.

flygte, v. i. flee; fly; run away; -ig, adj. volatile, fleeting; giddy; hasty, cursory; casual, passing; -ning, n. fugitive; pol. refugee.

flynder, n. flounder.

flytte, v.t.& i. move, remove; shift; leave; -omnibus, n. pantechnicon (van), furniture van, removal van.

flyve, v. i. fly; flit, dart; -bur, n. n. aviary; -færdig, adj. fledged; -grille, whim, caprice; -maskine, n. aeroplane; U.S. airplane; -nde sommer, n. gossamer;-post,n. air mail; -sand, n. n. drift-sand; -skrift, n. n. pamphlet.

flyvning, n. aviation; (tur) flight;

flæbe, v. i. blubber, snivel.

flække, v. t. split, cleave; ~, n. small town; -sild, n. (røget) kipper.

flæng, n. i ~, indiscriminately.

flænge, n. slash, gash, tear.

flæsk, n. n. pork; bacon.

fløde, n. cream; -skum, n. n. whipped cream.

fløj, n.vane; (bygning) wing; (dør) leaf; -dør, n. folding door; -mand, n. pivot, cornerman; -møtrik, n. butterfly-nut, wing-nut.

fløjl, n. n. velvet.

fløjte, n. mus. whistle; flute; ~, v. t. & i. whistle, pipe; sing, warble.

flå, v. t. flay, skin; fig. fleece.

flåd, n. n. float.

flåde, n. fleet, squadron; navy; (tømmer-) float, raft.

fnat, n. the itch, scabies.

fnise, v. i. titter, giggle.

fnug, n. n. fluff, down.

fnyse, v. i. snort, fume.

fod, n.foot; (fundament)base; på stående ~, offhand; stå på en god ~, be on good terms; ~ for ~, step by step; til -s, on foot; -bremse, n. foot-brake.

foder, n. n. fodder, provender, forage.

foderal, n. n. case.

fod|folk, n. n. infantry, foot-soldiers, pl.; -gænger, n. pedestrian; -gængertunnel, n. subway; -liste, n. -panel, n.n. skirting board; -lænker, pl. n. fetters, pl.; -pleje, n. pedicure.

fodre, v. t. feed.

fod|skammel, n. n. footstool; -spor, n. n. footprint; -tøj, n. n. boots and shoes, footwear.

foged, n. bailiff.

fok, n. naut. foresail.

fold, n. fold, crease; pleat; (til får) pen; -e, v. t. fold, pleat.

folie, *n.* foil.

folio, *n.* foolscap, folio; penge på ~, money on a current account.

folk, *n.n.* people, folk; staff; crew; hands.

folke-, *adj.* national; popular; -afstemning, *n.* popular vote, plebiscite; F~forbundet, *n.n.* the League of Nations; -front, *n.* Popular Front; -gunst, *n.* popularity; -lig, *adj.* popular; democratic; -mængde, *n.* population; -minder, *pl.n.* folklore; -ret, *n.* international law; -stamme, *n.* tribe; -tælling, *n.* census; -vandring, *n.* migration.

fond, *n.n.* fund; -s, *pl. n.* stocks, *pl.*; -sbørs, *n.* stockexchange.

for, *n.n.* lining.

for, *prep.* for, before, to; ~, *adv.* before; *naut.* (modsat agter) forward; fore; ~, *adv. & adj.* too; ~ meget, too much; ~, *conj.* because; ~ alvor, in earnest; lige over ~, right opposite, facing; én gang ~ alle, once and for all; blive fri ~, get rid of; dag ~ dag, day by day; noget ~ noget, give and take; ~ længe siden, long ago; ~ at, in order that, to; ~ at ikke, in order not to, lest.

foragt, *n.* contempt, disdain; -e, *v. t.* despise, disdain, scorn; -elig, *adj.* contemptible, despicable.

foran, before, *prep.* in front of; ahead of, in advance of; -derlig, *adj.* changeable, variable; -dring, *n.* alteration, change; variety; -ledning, *n.* occasion, cause; -liggende, *adj.* in front of; -nævnt, *adj.* above-mentioned, as mentioned above; -stalte, *v. t.* arrange; effect; cause.

forarbejd|e, *n.n.* preparatory work, preliminary work; sketch; study; -ning, *n.* manufacture, making; preparation; working(up).

forargelse, *n.* scandal; indignation; vække ~, cause offence; cause scandal.

forarmet, *adj.* impoverished.

foraset, *adj.* worked to the bone, worn to a shadow.

forbande, *v. t.* curse; -t, *adj.* accursed, confounded, damned.

forbarme, *v. refl.* ~ sig over, take pity on.

forbavsende, *adj.* amazing, astonishing, astounding.

forbavset, *adj.* astonished, surprised, astounded.

forbehold, *n.n.* reservation, clause, proviso.

forbed|re, *v. t.* improve, amend; -ring, *n.* improvement, betterment.

forbenet, *adj.* ossified; hidebound, pigheaded.

forberede, *v. t.* prepare, arrange; make preparations for.

forbi, *prep. & adv.* past; by; over; skyde ~, miss.

forbi|gangen, *adj.* past, bygone; -gå, *v. t.* pass over, overlook, neglect; -gående, *adj.* passing, temporary; transitory; momentary.

forbillede, *n.n.* prototype, model, pattern.

forbind|e, *v.t.* connect, combine, associate; dress, bandage; -else, *n.* connexion; service; association; link; communication; *chem.* compound; -ing, *n.* dressing, bandage; -tlig, *adj.* obliging.

forbipasserende, *n.* passer-by.

forbistret, *adj.* confounded.

forbitre, *v. t.* embitter.

forbjerg, *n. n.* headland, foreland, promontory.

forblive, *v. i.* remain, stay.

forblommet, *adj.* covert, ambiguous; enigmatical.

forbløffe, *v.t.* startle, stagger, take aback, disconcert.

forbogstav, *n. n.* initial.

forbrug, *n.* consumption; -e, *v. t.* consume.

forbryde, *v.t. & refl.* forfeit; ~ sig, offend; -lse, *n.* crime; -r, *n.* criminal; -rkoloni, *n.* convict settlement.

forbrændingsmotor, *n.* internal combustion engine.

forbud, *n. n.* prohibition; ban; embargo.

forbund, *n. n.* alliance, league, coalition, confederation; -en, *adj.* ~ med, connected with; *med.* bandaged; jeg er Dem meget ~, I am much obliged to you.

forbyde, *v.t.* forbid, prohibit, interdict.

forbøn, *n.* intercession; gå i ~ for, intercede for.

force, *n.* strong point, forte.

forcere, *v. t.* force, strain, push; speed up; intensify.

fordampe, *v.t.&i.* evaporate.

fordel, *n.* advantage, profit; til ~ for, for the benefit of; høste ~ af, profit by; -agtig, *adj.* advantageous, profitable; -e, *v. t.* distribute, apportion, share out.

fordi, *conj.* because.

fordoble, *v. t.* double.

fordom, *n.* prejudice.

fordrage, *v. t.* stand, bear, endure.

fordre, *v. t.* claim, demand, insist on; require.

fordreje, *v.t.* distort, twist; misrepresent.

fordring, *n.* claim, demand; requirement.

fordrive, *v.t.* drive away, dispel, oust; dislodge.

fordrukken, *adj.* addicted to drink.

fordufte, *v. i.* vanish, evaporate, disappear into thin air.

fordum, *adv.* formerly; -s, *adj.* former, one-time.

fordunkle, *v. t.* eclipse; obscure.

fordyb|et, *adj.* absorbed; -ning, *n.* groove, dent; recess; depression.

fordægtig, *adj.* suspicious, dubious.

fordækt, *adj.* covert, disguised, veiled.

fordærve,*v.t.*spoil;-s,become tainted; corrupt; -t, *adj.* spoilt,depraved,corrupted.

fordøje, *v. t.* digest; -lig, *adj.* digestible.

fordølge, *v. t.* conceal.

fordømme, *v. t.* condemn; doom; damn; denounce; -t, *adj.* confounded, condemned, damned.

fore, *v. t.* line; wad; fur; -bringe, *v. t.* advance, state; -bygge, *v. t.* prevent; -drag, *n.n.* talk; discourse, lecture; delivery; *mus.* execution; -falde, *v.i.* happen; -give, *v. t.* pretend, simulate; sham; -givende, *n.n.* assertion, pretence, pretext; -gribe, *v.t.* anticipate; -gå, *v. i.* take place; den -gående dag, the day before; the previous day; -havende, *n. n.* project, intention; -komme, *v. i.* occur; seem, appear; -kommende, *adj.* obliging, courteous.

forel, *n.* trout.

forelsket, *adj.* in love.

fore|læggelse, *n.* introduction, presentation; -læsning,*n.* lecture; -løbig,*adj.* preliminary, provisional; ~, *adv.* temporarily, for the present.

foren|e, *v. t.* unite, join, combine; amalgamate; De F~ede Stater, the United States of America, the U.S.A.; -elig, *adj.* reconcilable, consistent (with); -ing, *n.* union; combination; association; society; club.

forenkle, *v. t.* simplify.

fore|sat, *n.* superior; -skrive, *v. t.* dictate, prescribe;

-slå, *v. t.* propose, move;
-spørgsel, *n.* inquiry; -stil-
le, *v. t. & refl.* introduce;
present; represent; ~ sig,
imagine; -stilling, *n.* per-
formance, play; concep-
tion, idea; presentation,
introduction; remon-
strance; -stående, *adj.*
approaching, imminent;
-tagende, *n. n.* undertak-
ing, enterprise; venture;
-trække, *v.t.* prefer; -vige,
v.t. perpetuate; -vise, *v. t.*
show, exhibit.

forfader (*pl.* forfædre) *n.*
ancestor, forefather.

forfald|en, *adj.* decayed, di-
lapidated; *commerc.* due,
overdue; (drikfældig) ad-
dicted to drink; -stid, *n.* ma-
turity; time of payment.

forfalske, *v.t.* falsify; (under-
skrift) forge; (vare) adul-
terate.

forfatning, *n.* state, con-
dition, plight; (stats) con-
stitution.

forfatter, *n.* author, writer.

forfejle, *v. t.* miss; fail; mis-
carry; -t, *adj.* erroneous;
unsuccessful; være ~, be a
failure.

forfjamskelse, *n.* confusion.

forfladige, *v. t.* make com-
monplace, vulgarize.

forflytte, *v. t.* move, transfer.

forfløjen, *adj.* giddy, flighty.

forfordele, *v. t.* treat un-
fair'y; føle sig forfordelt,
nurse a grievance.

forfra, *adv.* over again, from
the beginning.

forfremme, *v. t.* advance,
promote; prefer.

forfriske, *v. t.* refresh.

forfrossen, *adj.* frozen; cold;
chilly; frost-bitten.

forfuske, *v.t.* bungle.

forfædre, *se* forfader.

forfægte, *v. t.* maintain;
champion.

forfængelig, *adj.* vain, con-
ceited.

forfærdelig, *adj.* dreadful,
appalling, frightful; ter-
rific, tremendous, mon-
strous.

forfærdige, *v.t.* make, turn
out.

forføje, *v. refl.* ~ sig, repair,
betake onself to; ~ over,
have at one's disposal.

forfølge, *v. t.* pursue; pro-
secute; persecute.

forføre, *v. t.* seduce; lead
astray; -risk, *adj.* seduc-
tive; fascinating.

forgabet, *adj.* taken in, in-
fatuated, crazy about.

forgifte, *v. t.* poison.

forglem|me, *v. t.* forget;
ikke at ~, last but not least;
not forgetting; -migej, *n.*
bot. forget-me-not.

forgodtbefindende, *n. n.* efter
~, at pleasure, at dis-
cretion.

forgrenet, *adj.* ramified.

forgribe, *v. refl.* ~ sig på,
make free with; lay hands
on, outrage; assault.

forgudelse, *n.* idolization.

forgyld|e, *v. t.* gild; -t, *adj.*
gilt.

forgældet, *adj.* in debt.

forgæng|elig, *adj.* perishable,
passing; transitory, tran-
sient; -er, *n.* predecessor.

forgæves, *adj.* vain; ~, *adv.*
vainly, in vain.

forgå, *v. i.* perish, pass away.

forgårs, *u.n.* i ~, the day
before yesterday.

forhadt, *adj.* hated, detested;
odious.

forhal, *n.* entrance-hall,
vestibule.

forhale, *v. t.* delay, retard.

forhammer, *n.* sledge-
hammer.

forhand|le, *v. i.* negotiate;
sell; dispose of; discuss,
transact; -ler, *n.* dealer,
agent, representative, dis-
tributor; -ling, *n.* trans-
action; negotiation; sale;
discussion; -linger, *pl. n.*

proceedings, pl.; -lings-protokol, n. minutes, pl.

forhastet, adj. hasty; premature; precipitate.

forhekse, v. t. bewitch, enchant.

forhen, adv. formerly, before; -værende, adj. former, late; ex-.

forherlige, v. t. glorify.

forhindre, v. t. prevent, impede, hinder.

forhippet, adj. ~ på, keen on, bent upon.

forhistorisk, adj. prehistoric.

forhjul, n. front wheel.

forhold, n. n. proportion; ratio; relation; connexion; circumstances, pl.; affairs; conduct; relationship; -e, v. refl. ~ sig, behave; sagen -er sig således, the matter stands thus; -smæssig, adj. proportionate; comparative; -sregel, n. measure; -stalsvalg, n. n. election by proportional representation; -svis, adv. proportionately; comparatively.

for|hud, n. anat. foreskin; -hude, v. t. sheathe.

forhungret, adj. starved; starving.

forhyre, v. t. hire; engage.

forhæng, n. n. curtain.

forhærdet, adj. obdurate, case-hardened, callous.

forhøje, v. t. raise; heighten; (pris) raise; enhance; (løn) increase.

forhør, n. n. examination; interrogation, inquiry; -e, v. t. examine; inquire; ask; -sakt, n. inquiry.

forhåbentlig, adv. it is to be hoped.

forhånd, n. (kort) lead; på ~, beforehand, in advance; -en, adv. at hand; present.

forhåne, v. t. insult; scoff at.

forinden, adv. before, first; previously, beforehand; ~, conj. before.

foring, n. lining.

forjage, v. t. drive away; dispel; -t, adj. harassed.

forjættelse, n. promise; det forjættede land, the Promised Land.

fork, n. pitchfork.

forkalket adj. calcified, sclerotic.

forkaste, v. t. reject; -lig, adj. objectionable; unjustifiable; reprehensible.

forkert, adj. wrong.

forklar|e, v. t. explain; expound; jur. depose, give evidence; -ing, n. explanation, evidence; -lig, adj. explicable.

forklejne, v. t. disparage, belittle.

forkludre, v. t. bungle, mismanage.

forklæde, n. n. apron; (barne-) pinafore; ~, v. t. disguise.

forknyt, adj. faint-hearted, timorous.

forkommen, adj. exhausted, famished.

forkorte, v. t. shorten, abridge, abbreviate; -lse, n. abridgement, abbreviation.

forkrænkelig, adj. corruptible; perishable.

forkrøblet, adj. stunted.

forkuet, adj. cowed.

forkullet, adj. charred.

forkvakle, v. t. mismanage, bungle.

forkynde, v. t. announce, proclaim; jur. serve.

forkælet, adj. spoilt.

forkæmper, n. champion; advocate.

forkærlighed, n. predilection, partiality.

forkøb, n. n. komme i -et, forestall; steal a march on; -sret, n. pre-emption; option.

forkøle, v. refl. ~ sig, catch cold; -lse, n. cold, chill; -t, adj. blive ~, catch a cold; være ~, have a cold.

forkørselsret, n. right of way.

forlad|e, v. t. leave, quit; retire; forgive; -else, n. pardon, forgiveness; -t, adj. deserted; abandoned.

forlags|boghandler; = publisher; -ret, n. copyright.

forlang|e, v. t. ask, demand; call for, require; -ende, n. request, claim.

forlede, v. t. mislead, lead astray; entice, seduce.

forleden, adj. the other day.

forlegen, adj. embarrassed, shy, awkward; -hed, n. embarrassment, trouble; dilemma; være i ∼, be at a loss; be pressed for money.

forlig, n. n. compromise, agreement, amicable arrangement; reconciliation; -e, v. t. reconcile; -es, v.i. agree; -skommission, n. conciliation board; -smægling, n. conciliation procedure.

forlis, n. n. shipwreck.

forlods, n. entailed estate; ∼, adj. advanced; ∼, adv. beforehand.

forlokke, v. t. entice, seduce, lure, trick; inveigle.

forloren, adj. false, mock, sham, bogus.

forlov, n. n. leave, permission; -ede, n. fiancé(e), sweetheart; -else, n. engagement; -er, n. sponsor; best man; -et, adj. engaged.

forlydende, n. n. report, rumour.

forlygte, n. headlight, headlamp.

forlystelse, n. amusement, entertainment.

forlægge, v. t. mislay, misplace; (flytte) transfer; (udgive) publish.

forlægger, n. publisher.

forlænge, v. t. lengthen; prolong; elongate; extend; -lse, n. extension, prolongation.

forlængst, adv. long ago.

forløb, n. n. course, progress; expiration; -e, v. refl. ∼ sig, lose one's temper; be carried away; -else, n. blunder, faux pas.

forløftelse, n. strain; fig. failure.

forløjet, adj. untruthful, mendacious, lying; hypocritical; sham.

forløs|e, v. t. release; -ning, n. redemption; (fødsel) delivery.

form, n. form; variety; kind; version; shape.

formand, n. president, chairman; (håndværk, arbejdere, osv.) foreman; (forgænger) predecessor; (parlament) speaker.

formane, v. t. admonish, warn, exhort.

formaste, v. refl. ∼ sig, presume; -lse, n. presumption, audacity, effrontery; -lig, adj. impudent.

format, n. n. size, scale.

forme, v. t. form, fashion, shape; mould, cast.

formedelst, prep. through, by the means of; owing to.

formel, n. formula; ∼, adj. formal.

formelig, adv. positively, actually, downright.

formene, v. t. forbid; prevent.

formening, n. opinion.

formentlig, adj. supposed, presumed, reputed.

formere, v. t. & refl. increase; ∼ sig, multiply; propagate; breed; mil. form; reform.

formeringsdygtig, adj. procreative.

formfuldendt, adj. elegant, correct, impeccable.

formiddag, n. morning, forenoon.

formidle, v. t. procure; effect; mediate.

formilde, v. t. soothe, soften, appease, alleviate, mitigate, assuage; -nde omstændigheder, extenuating circumstances.

formindske, *v. t.* diminish, lessen, reduce.

formode, *v. t.* suppose, presume; -ntlig, *adv.* probably, presumably.

formsag, *n.* matter of form (*el.* principle).

formue, *n.* fortune, property; -nde, *adj.* wealthy, affluent.

formular, *n.* form, formula.

formynder, *n.* guardian; trustee.

formørke, *v. t.* darken, obscure; *astr.* eclipse.

formå, *v. t.* be able to; (til) prevail upon, induce, persuade; -ende, *adj.* influential.

formål, *n. n.* object, aim; -løs, *adj.* aimless, to no purpose; -stjenlig, *adj.* expedient, suitable.

fornagle, *v.t.* nail; *mil.* spike.

fornavn, *n. n.* Christian name, first name.

forneden, *adv.* below, at the bottom.

fornedre, *v. t.* debase, degrade; -nde, *adj.* degrading.

fornem, *adj.* distinguished.

fornemme, *v.t.* feel; perceive; notice.

fornemmelig, *adv.* chiefly, mainly.

fornikle, *v. t.* nickel-plate.

fornuft, *n.* reason; -ig, *adj.* reasonable, sensible; judicious; rational.

forny, *v. t.* renew, renovate; replace; (veksel) extend.

fornægte, *v. t.* deny; disown; disclaim, disavow; renounce.

fornærme, *v.t.* insult, offend; -lse, *n.* insult, affront.

fornøden, *adj.* requisite; needful, necessary.

fornøje, *v. t.* please; amuse, delight; gratify; -lig, *adj.*

delightful, pleasant; -lse, *n.* pleasure; amusement.

forord, *n. n.* (længere) preface; (kortere) foreword.

forordne, *v. t.* prescribe; ordain.

foroven, *adv.* above, at the top.

forpagte, *v. t.* farm, take lease of; -r, *n.* tenant farmer, leaseholder.

forpeste, *v. t.* infect, poison; -t, *adj.* foul; noxious.

forpint, *adj.* tortured, racked.

forpjusket, *adj.* rumpled, tousled.

forplant|e, *v. refl.* ~ sig, breed, propagate; *fig.* spread; -ning, *n.* propagation, procreation; production; (lyd) transmission.

forplejning, *n.* board, keep, food.

forpligte, *v. t.* bind, engage, oblige; pledge; -lse, *n.* obligation, engagement, liability; covenant; -t, *adj.* bound.

forplumre, *v. t.* muddle, make a mess of.

forpost, *n.* outpost.

forpuppe, *v. refl.* ~ sig, pupate.

forpurre, *v. t.* frustrate, foil.

forpustet, *adj.* breathless.

forpå, *adv.* in front.

forrang, *n.* precedence, preeminence.

forregne, *v. refl.* ~ sig, miscalculate.

forrente, *v. t. & refl.* pay interest on; ~ sig, pay; yield (*el.* bear) interest.

forrest, *adj.* foremost, in front.

forresten, *se* rest.

forret, *n.* first course.

forretning, *n.* business; trade; affair; deal, transaction; (butik) shop; -sgang, *n.* routine; -smand, *n.* businessman; -smæssig, *adj.* business-like.

forrette, *v. t.* perform; do; discharge.

forrettighed, *n.* prerogative, privilege.

forrige, *adj.* previous, former; ~ uge, last week.

forring, *n.* front tyre.

forringe, *v. t.* reduce, detract from; debase; depreciate.

forrygende, *adj.* furious.

forrykke, *v.t.* displace; upset; disturb.

forrykt, *adj.* crazy.

forræder, *n.* traitor; -i, *n. n.* treason; treachery.

forråd, *n. n.* supply, store, provisions, *pl.*; stock.

forråde, *v. t.* betray; give away.

forrådnelse, *n.* putrefaction.

forsagle, *v. t.* forsake, abandon; renounce; -t, *adj.* despondent, disheartened.

forsalg, *n. n.* advance sale.

forsamle, *v.t.* assemble, congregate, foregather.

forsatsblad, *n.* flyleaf; endpaper.

forse, *v. refl.* ~ sig, offend, do wrong; ~ sig på (blive forelsket i), fall for, fall in love with; be irritated by; bear a grudge against; -else, *n.* offence, mistake; fault, error; ingen ~!, no offence!

forsegle, *v. t.* seal.

forsende, *v. t.* forward, dispatch, send off; -lse, *n.* item of mail; forwarding; despatch.

forside, *n.* front, face; obverse; (avis) front page.

forsigtig, *adj.* cautious, circumspect; prudent, wary; -hedsregel, *n.* precaution.

forsik|re, *v. t.* assure; insure; -ringspolice, *n.* insurance policy; -ringsselskab, *n. n.* insurance company.

forsin|kelse, *n.* delay; -ket, *adj.* late, behind time; overdue, retarded.

forsiring, *n.* ornament.

forskaffe, *v.t. & refl.* provide, find; ~ sig, procure, obtain.

forskalling, *n. archit.* boarding; -sbrædt, *n. n.* lath.

forskanse, *v.t.* entrench, barricade, ensconce.

forske, *v. i. & i.* investigate, scrutinize; explore.

forskel, *n.* difference; -lig, *adj.* different, distinct; various, miscellaneous.

forskertse, *v.t.* forfeit.

forskole, *n.* infant school, preparatory school.

forskrift, *n.* precept; -er, *pl.* directions, instructions, *pl.*

forskrive, *v. t.* order, write for.

forskruet, *adj.* eccentric; affected.

forskrække, *v. t.* frighten.

forskræmt, *adj.* scared.

forskud, *n. n.* advance.

forskyde, *v.t. & refl.* displace; ~ sig, (skibs last) shift.

forskyldt, *adj.* well deserved; løn som ~!, serves him right!

forskærerkniv, *n.* carving-knife.

forskønne, *v. t.* embellish, beautify; -lsesmiddel, *n. n.* cosmetic.

forskåne, *v.t.* spare.

forslag, *n. n.* proposal; proposition; (møde) motion, (lov-) bill; *mus.* gracenote.

forslagen, *adj.* crafty, cunning, subtle.

forslidt, *adj.* worn out; *fig.* commonplace, hackneyed, trite.

forsluge, *v.refl.* ~ sig, gorge oneself; -n, *adj.* greedy, voracious.

forslå, *v. i.* suffice, avail; go a long way; be enough.

forslået, *adj.* bruised, hurt.

forsmag, *n.* foretaste.

forsmædelig, *adj.* ignominious, disgraceful.

forsmå, *v.t.* disdain; slight; refuse.

forsnakke, *v. refl.* ~ sig, say too much; make a slip of the tongue; give oneself away, let the cat out of the bag.

forsommer, *n.* early part of the summer.

forson|e, *v. t.* reconcile, conciliate; -lig, *adj.* placable, conciliatory.

forsoren, *adj.* jaunty.

forsorg, *n.* care, provision; social ~, public assistance.

forsovet, *adj.* drowsy.

forspand, *n. n.* team (of horses).

forspil, *n. n.* prelude.

forspilde, *v. t.* forfeit; spoil; mar; waste.

forspring, *n. n.* start, lead; handicap.

forstad, *n.* suburb.

forstand, *n.* intellect; sense; meaning; -ig, *adj.* sensible, intelligent.

forstander, *n.* director; superintendent; head.

forstavelse, *n.* prefix.

forstavn, *n. naut.* prow, bow.

forstemt, *adj.* out of tune; in low spirits.

forstene, *v. t.* petrify; fossilize.

forstille, *v. refl.* ~ sig, dissemble, feign, sham.

forstkandidat, *n.* graduate in forestry.

forstokket, *adj.* obdurate; hide-bound.

forstoppe, *v. t.* choke up; obstruct; -lse, *n.* constipation.

forstrand, *n.* foreshore.

forstue, *n.* hall.

forstuve, *v. t.* sprain.

forstvæsen, *n. n.* forestry authorities.

forstyrre, *v. t.* disturb; interfere with; distract; ruffle; interrupt; intrude; -t, *adj.* confused; deranged; lightheaded.

forstærke, *v. t.* strengthen; reinforce; fortify.

forstævn, *n. naut.* stem.

forstøde, *v. t.* cast off, repudiate; (injure) bruise.

forstørrelsesglas, *n. n.* magnifying-glass.

forstøve, *v. t.* atomize.

forstå, *v. t. & i.* understand; det -r sig af sig selv, that's a matter of course; -elig, *adj.* intelligible; -else, *n.* understanding, agreement; entente; (mening) sense, reading; i god -else, on good terms.

forsulten, *adj.* starved, famished, ravenous.

forsvar, *n. n.* defence; -e, *v. t.* defend; -er, *n.* defender; *jur.* counsel for the defence.

forsvinde, *v. i.* disappear, vanish.

forsviret, *adj.* dissipated.

forsyn, *n. n.* providence.

forsynde, *v.refl.* ~ sig, offend.

forsyne, *v. t. & refl.* supply, furnish, provide; ~ sig, help oneself.

forsæde, *n. n.* chairmanship, presidency.

forsænk|e, *v. t.* sink; -ning, *n.* depression.

forsæt, *n. n.* purpose; med ~, on purpose, wilfully.

forsætte, *v. t.* remove, transfer.

forsøg, *n. n.* attempt; trial; experiment; mislykket ~, failure.

forsømme, *v. t.* neglect, omit; miss; let slip.

forsørge, *v.t.* support; keep; maintain; provide for; -lse, *n.* maintenance, support; (offentlig) relief; -r, *n.* bread-winner.

forsåle, *v. t.* sole.

forsåvidt, *conj.* in so far as; provided.

fort, *n. n.* fortress, fort.

fortabt, *adj.* lost; dejected.

fortage, *v. refl.* ~ sig, pass away, wear off.

fortale, *n.* preface; ~ sig, say too much; give oneself away; stumble over a word, make a mistake (when speaking or reading aloud).

fortegn, n. n. mus. key-signature.

fortegnelse, n. list, inventory.

fortid, n. past; (person's) past, past life; gram. past tense.

fortie, v. t. keep secret; suppress; be silent about.

fortil, adv. in front.

fortilfælde, n. n. precedent.

fortjene, v. t. earn; deserve, merit; -ste, -ste, n. earnings, profit, gain; merit, deserts.

fortløbende, adj. consecutive.

fortolde, v. t. pay duty on; clear through customs; declare.

fortolke, v. t. interpret; expound; construe.

fortone, v. refl. ~ sig, loom (into sight); fade out of sight.

fortov, n. n. pavement, footpath; U. S. sidewalk.

fortrin, n. n. advantage; merit; preference; -lig, adj. superior, excellent; -svis, adv. chiefly, especially; adj. preferential.

fortrolig, adj. confidential; intimate; familiar; -hed, n. confidence; familiarity; intimacy.

fortrop, n. vanguard.

fortrukken, adj. distorted; drawn, puckered.

fortryde, v. t. regret; repent; rue; -lig, adj. offended; vexed; hurt.

fortrykt, adj. depressed; oppressed; kept down.

fortryllende, adj. charming, fascinating; enchanting.

fortræd, n. harm, mischief; annoyance, trouble; -elig, adj. cross; vexatious, annoying.

fortræffelig, adj. excellent.

fortrække, v. i. withdraw; retire; ~, v. t. (fordreje) distort, twist.

fortrænge, v. t. dislodge, supplant, supersede; fig. repress.

fortrøste, v. refl. ~ sig på, trust in.

fortrøstning, n. confidence.

fortsætte, v. t. & i. continue; -lse, n. continuation.

fortudet, adj. [eyes red and sore with weeping].

fortumlet, adj. confused, bewildered, perplexed; stunned, dazed.

Fortuna, n. fru ~, Dame Fortune.

fortvivlet, adj. desperate; disconsolate, in despair.

fortynde, v. t. dilute; make thin, thin out.

fortæl|le, v. t. tell, relate, narrate; -ling, n. story, tale, narrative.

fortænding, n. mech. advanced ignition, pre-ignition.

fortænke v. t. ~ én i, blame somebody for.

fortænkt, adj. brooding, lost in thought.

fortære, v. t. consume; (sluge) devour.

fortærsket, adj. hackneyed, commonplace, trite.

fortætning, n. concentration; density; liquefaction; condensation.

fortættet, adj. condensed, liquefied, concentrated.

fortøje, v. t. moor.

fortørnet, adj. exasperated, irate, furious.

forud, adv. in advance, beforehand, ahead; naut. forward; -anelse, n. (følelse) presentiment; -bestemme, v. t. predestine, preordain; -bestille, v. t. bespeak, order; -betalt, adj. prepaid; -en, prep. besides, in addition to; apart from; -fattet, adj. preconceived; -sat (at), adv. provided (that), assuming (that); -se, v. t. foresee, anticipate; -sige, v. t. predict; -sætning, n. qualification;

presupposition; condition, requirement.

forulempe, v. t. molest, annoy.

forulykke, v. i. perish; *naut.* be wrecked.

forunderlig, adj. strange, surprising; singular, odd; marvellous, wonderful.

forundre, v. refl. ~ sig, wonder, be surprised.

forurene, v. t. foul, pollute, contaminate.

forurette, v. t. wrong, injure, aggrieve; do an injustice.

foruroligende, adj. disquieting, troubling, alarming.

forvalter, n. manager, agent, steward; farm bailiff.

forvandle, v. t. transform, convert; change; turn.

forvanske, v. t. pervert; corrupt; distort.

forvaring, n. keeping, custody.

forvarsel, n. n. omen, presage; foreboding.

forvej, n. i -en, beforehand, previously; gå i -en, lead the way, go ahead.

forveksle, v. t. confound, mistake (for); confuse (with).

forventning, n. expectation; anticipation.

forvikling, n. complication; entanglement; intricacy.

forvilde, v. refl. ~ sig, become lost, go astray, lose one's way.

forvinde, v. t. recover; get over.

forvirring, n. confusion; bewilderment, derangement.

forvise, v. t. banish, exile.

forvisse, v. refl. ~ sig (om), make sure (of), ascertain.

forvitre, v. i. weather away, disintegrate, decompose.

forvokset, adj. deformed.

forvolde, v. t. cause, bring about.

forvorpen, adj. impudent; depraved, reprobate.

forvoven, adj. daring; rash; audacious, adventurous.

forvride, v. t. twist, sprain; distort.

forvrænge, v. t. distort; misrepresent.

forrøvlet, adj. confused, muddled.

forvænt, adj. spoiled.

forværre, v. t. aggravate, make worse.

forværelse, n. n. ante-room.

forynge, v. t. rejuvenate.

forædle, v. t. refine, ennoble; improve; elevate.

forædt, adj. over-fed; obese; gorged.

forældet, adj. antiquated, obsolete, out of date, old-fashioned.

forældre, pl. n. parents; -løs, adj. orphan; -myndighed, n. custody.

forære, v. t. present with; make a present of.

foræring, n. gift, present.

forøde, v. t. squander, waste; dissipate.

forøge, v. t. increase, augment; enhance.

forøve, v. t. perpetrate; commit.

forøvrigt, adv. incidentally; moreover, otherwise.

forår, n. n. spring.

forårsage, v. t. cause, give rise to, occasion.

fos, n. waterfall; cataract; -se, v. i. gush, pour.

fosfat, n. n. phosphate.

fosfor, n. n. phosphorus.

foster, n. n. embryo; fetus; -drab, n. n. criminal abortion.

fotocelle, n. photo-electric cell.

fotograf, n. photographer.

fotografi, n. n. photograph, photo; -apparat, n. n. camera.

fra, prep. from; ~ tid til anden, from time to time; ~ nu af, henceforth.

fra|drag, n. n. deduction; abatement; -falden, adj. apostate; ~, n. deserter, apostate; -flytte, v.t. leave, remove from, quit; -gå, v.t. (nægte) deny, go back on.

fragt, n. freight, carriage; cargo; -e, v. t. freight, charter; -mand, n. carrier; -vogn, n. carrier's van.

frakke, n. coat.

fra|koble, v. t. disconnect, uncouple; -landsvind, n. land-breeze; off-shore wind; -liste, v. t. trick out of; -lokke, v. t. wheedle out of; cajole; -lægge, v. refl. ~ sig, disclaim; disavow.

frank, adj. independent, free and unrestrained.

frank|ere, v. t. stamp, prepay; -o, adv. prepaid; postage paid.

Frankrig, n. France.

fransk, adj. & n. French; ~ visit, flying visit; -brød, n. n. white bread; -mand, n. Frenchman.

fraregnet, adj. excluding, apart from.

fra|rive, v. t. tear off; tear away from; -røve, v. t. rob (somebody of something); -råde, v. t. dissuade; advise against.

frase, n. phrase; empty phrase.

fra|sige, v. refl. ~ sig, renounce, resign; -skilt, adj. divorced; separated; -skrive, v. t. & refl. deny; write off; ~ sig, renounce; sign away; -stødende, adj. repulsive, repellent; -tage, v. t. deprive of; -træde, v. t. retire from; withdraw from; -vige, v. t. depart from, deviate from; -værelse, n. absence; -værende, adj. absent.

fred, n. peace.

fredag, n. Friday.

frede, v. t. preserve; protect.

fred|elig, adj. peaceful; peaceable, pacific; -løs, adj. outlawed; ~, n. outlaw; bot. loosestrife; -sdommer, n. justice of the peace; -sflag, n. n. flag of truce; -smægler, n. mediator; -sommelig, adj. peaceable.

fregat, n. frigate.

fregne, n. freckle.

frejdig, adj. cheerful.

frekvens, n. frequency.

frelse, n. rescue; salvation; safety; ~, v. t. save; free, rescue; deliver; Frelseren, our Saviour.

frem, adv. forward, on; forth; -ad, adv. forward, onward; -adskridende, adj. progressive, advancing; -bringe, v. t. produce, yield, generate; -brud, n. n. outbreak; dagens ~, daybreak; mørkets ~, nightfall; -byde, v. t. present, offer; -deles, adv. still; moreover, furthermore, again; og så ~, and so on; -drage, v. t. point out, call attention to; -drift, n. propulsion; fig. energy, enterprise; -elske, v. t. rear; promote; -for, prep. before, above; rather than, in preference to; -fusende, adj. precipitate, impetuous; -færd, n. conduct, proceedings; -føre, v. t. advance, state; -gang, n. progress, advance, headway; -gangsmåde, n. method, procedure; line of action; -herskende, adj. predominant, prevailing; -hæve, v. t. emphasize, stress; set off; -kalde, v. t. occasion, produce, call forth; foto. develop; -komme, v. i. arise, result; ~ med, advance, bring forward; -leje, v.t. sublet; -lægge, v.t. produce; -me, *v. t.* further, forward, promote; ~, *adv.* in front, forward.

fremmed, *adj.* strange; foreign; alien; ~, *n.* stranger; visitor.

frem|melig, *adj.* advanced, forward; **først og -mest,** *adv.* first and foremost, primarily; **-ragende,** *adj.* prominent, eminent, outstanding; **-rykning,** *n. mil.* advance; **-sende,** *v. t.* forward; **-sige,** *v.t.* recite; deliver; **-skaffe,** *v.t.* procure; **-skreden,** *adj.* advanced, forward; **-skridt,** *n. n.* progress; **-skynde,** *v. t.* hasten, accelerate; speed up; **-spring,** *n. n.* projection; **-stilling,** *n.* representation; production; account; statement; **-stød,** *n. n.* advance; drive; **-syn,** *n. n.* foresight; **-sætte,** *v.t.* propound, advance, state, put forward; **-tid,** *n.* future; **-trylle,** *v. t.* conjure up; **-trædende,** *adj.* prominent, pronounced, conspicuous; marked, distinctive; **-ture,** *v. i.* ~ **i,** persist in; **-vise,** *v. t.* exhibit, show.

fri, *v. i.* propose; **-er,** *n.* suitor, wooer; **-eri,** *n. n.* proposal; suit; courtship; wooing.

fri, *adj.* free, clear; fast, bold; (ledig) disengaged; ~ **luft,** open air; **-aften,** *n.* evening off, free evening, off-night; **-dag,** *n.* day off, holiday; **-give,** *v. t.* free, release, deliver; emancipate; **-gørelse,** *n.* liberation, emancipation; **-havn,** *n.* free port; **-hed,** *n.* freedom, liberty, independence; latitude, licence; **-herre,** *n.* baron; **-hjul,** *n. n.* free wheel; **-kadelle,** *n.* rissole; (fejl) blunder; (person) ham actor; **-kende,** *v. t.* acquit, dis-

charge; **-kirke,** *n.* Free Church; **-kvarter,** *n. n.* break, recess, playtime; **-købe,** *v. t.* ransom; **-lager,** *n. n.* bond, bonded warehouse.

frille, *n.* mistress, concubine.

fri|lufts, *adj.* outdoor; openair; **-modig,** *adj.* frank, open, fearless, cheerful; **-murer,** *n.* freemason; **-mærke,** *n.* (postage) stamp; **-postig,** *adj.* bold; **-sag,** *n.* **at klare** ~, avoid an action (prosecution); **-sere,** *v. t.* dress (el. do) somebody's hair; **-sindet,** *adj.* liberal.

frisk, *adj.* fresh, fit; (vare) sound, sweet.

frist, *n.* respite; delay.

friste, *v.t.* tempt; try (one's luck); experience; endure; sustain; support; **-lse,** *n.* temptation.

fristed, *n. n.* asylum, refuge.

frisør, *n.* hairdresser.

fri|tage, *v.t.* exempt, excuse; **-tid,** *n.* leisure, spare time, leisure hours; **-tliggende,** *adj.* detached; isolated.

fritte, *n.* ferret; ~, *v. t.* pump, interrogate; ferret (out).

frivillig, *n.* volunteer.

frivol, *adj.* improper.

frodig, *adj.* vigorous; luxuriant, rank.

frokost, *n.* lunch, luncheon.

from, *adj.* pious; gentle, meek.

fromme, *u. n.* **på lykke og** ~, at random, haphazardly.

front, *n.* front, front-line; *meteor.* front; **-al,** *adj.* frontal; **-on,** *n.* fronton.

frost, *n.* frost; frostbite; chilblain; **-knude,** *n.* chilblain; **-skade,** *n.* frost damage; frost injury.

frottere, *v. t.* rub (down).

fru, *n.* Mrs.; **-e,** *n.* married woman; housewife; mistress; **-entimmer,** *n. n.* woman, female.

frugt, *n.* fruit; product, profits; -bar, *adj.* fertile, fruitful; -barhed, *n.* fertility; -bringende, *adj.* profitable; -esløs, *adj.* fruitless, unavailing; -gren, *n.* fruiting shoot; -handler, *n.* fruiterer; -have, *n.* orchard; -knude, *n. bot.* ovary; -kød, *n. n.* fruit pulp; -sommelig, *adj.* pregnant.

fryd, *n.* joy, delight; -efuld, *adj.* joyful, joyous.

frygt, *n.* fear, dread, fright, alarm; -e, *v. t.* fear, dread, apprehend; -elig, *adj.* fearful, frightful, dreadful, formidable; -som, *adj.* timid.

frynse, *n.* fringe.

fryse, *v. i.* freeze; be cold; ~, *v. t.* refrigerate; -anlæg, *n. n.* cold storage plant.

fræk, *adj.* cheeky; audacious; impudent, barefaced; bold.

frænde, *n.* kinsman.

fræse, *v. t. mech.* mill, cut.

frø, *n.* frog; ~, *n. n.* seed.

frøken, *n.* Miss.

fråde, *n.* froth, foam.

frådse, *v. i.* gorge; *fig.* revel in; -r, *n.* glutton; -ri, *n. n.* gluttony.

fuge, *n.* joint; notch.

fugl, *n.* bird, fowl; -eflugtslinie, *n.* direct line, beeline; i ~, as the crow flies; -efløjt, *n. n.* call (*el.* warbling) of birds; -ehagl, *n. n.* bird-shot; -ekender, *n.* ornithologist; -ekonge, *n.* golden crested wren; -elim, *n.* birdlime; -næb, *n.n.* bill; -eskræmsel, *n.n.* scarecrow; -etræk, *n.n.* migration.

fugt|e, *v. t.* moisten, make wet, damp; -ig, *adj.* moist, damp, humid, dank; -ighed, *n.* dampness, humidity, moisture.

fuks, *n.* sorrel (*el.* bay) horse; dunce.

fuld, *adj.* full, complete; drunk; -befaren, *adj. naut.* able; -blods, *adj.* thoroughbred; -byrde, *v. t.* accomplish; -endt, *adj.* accomplished, consummate; -kommenhed, *n.* perfection; -magt, *n.* power of attorney; authority; proxy; -myndig, *adj.* of age; -mægtig, *n.* chief clerk; -stændig, *adj.* complete, full, entire; -tallig, *adj.* complete in number; -tonende, *adj.* sonorous; -tro, *adj. arch.* trusty.

fumle, *v. i.* fumble.

fummelfingret, *adj.* butterfingered.

fund, *n. n.* discovery, find.

fundament, *n. n.* foundation.

fungere, *v. i.* act, function.

funkle, *v. i.* sparkle, glitter.

fure, *n.* furrow; wrinkle; ~, *v. t.* furrow.

fusentast, *n.* hothead, madcap.

fuske, *v. i.* ~ med noget, dabble in; -ri, *n. n.* bungling, scamping; cheating.

fustage, *n.* cask.

futte, *v. i.* puff; scurry, dash; (kineser) let off.

fy!, *int.* ugh! shame!

fyge, *v. i.* drift.

fyld, *n.n.* rubbish; stuffing; rubble; padding; filling; -e, *n.* plenty, abundance; fullness, wealth (*of detail etc.*); -e, *v. t.* fill, stuff; blow up; replenish; complete; han -er år, it is his birthday; -epen, *n.* fountain pen; -est, *n.* satisfaction; -dig, *adj.* plump; (vin) fullbodied, rich; *fig.* copious.

fylding, *n.* panel.

fylke, *v. refl.* ~ sig, rally round, flock.

Fyn, *n.* Funen.

fyndig, *adj.* pithy, emphatic.

fyr, *n.* fir; pine, deal; (person) fellow, chap; ~, *n. n.* (fyrtårn) light; lighthouse; (ild)fire; -e, *v. t. & i.* fire, heat; (afskedige) sack, give the sack; -ig, *adj.* fiery, ardent; fervent.

fyrre(tyve), *adj. & n.* forty; -tyvende, *adj. & n.* fortieth.

fyr|rum, *n. n.* stokehold; -skib, *n. n.* lightship.

fyrst|e, *n.* prince; -inde, *n.* princess.

fyr|sted, *n. n.* furnace; fireplace; -svamp, *n.* tinder fungus; -tøj *n. n.* tinderbox; (moderne) cigarette-lighter; -tarn, *n. n.* lighthouse; -værkeri *n. n.* fireworks; -væsen, *n. n.* lighthouse authority.

fysik, *n.* physics; physique; constitution.

fysiolog, *n.* physiologist.

fæ, *n. n.* blockhead, ass, fool, nincompoop, idiot.

fædre|land, *n. n.* native country; fatherland; -landskærlighed**, *n.* patriotism; -nearv, *n.* patrimony.

fægt|e, *v. t.* fence; fight; -er, *n.* fencer; fighter; -ning, *n.* fight, engagement, combat; fencing.

fæl, *adj.* grim, hideous, forbidding.

fælde, *n.* trap; pitfall; ~, *v. t.* fell, strike down; (tårer) shed; (dom) pass; (fjer) moult; -nde, *adj.* damning.

fælg, *n.* rim, felloe.

fælle, *n.* fellow, companion.

fælled, *n.* common.

fælles, *adj.* common, joint; mutual; co-operative.

fænge, *v. i.* catch fire, ignite, kindle.

fæng|sel, *n. n.* prison, gaol; *U. S.* penitentiary, jail; -sle, *v. t.* imprison; *fig.* engross, absorb; -slende, *adj.* enthralling, absorbing.

færd, *n.* conduct; expedition; i ~ med, about to;

hvad er der på -e?, what's the matter?

færdig, *adj.* ready, finished, completed, done; done for; done with.

færdsel, *n.* traffic; -sbetjent, *n.* point-duty policeman; -skultur, *n.* road-sense.

færge, *n.* ferry.

færing, *n.* Faroe islander; Faroese.

færre *adj.* fewer; -st, *adj.* fewest.

fært, *n.* scent; få -en af, get the wind of.

fæste, *v. t.* fasten, secure; (folk) engage; -gård, *n.* copyhold, farm; -r, *n.* copyholder.

fæstning, *n.* fortress, fort; -svold, *n.* rampart.

fætter, *n.* cousin.

føde, *n.* food; ~, *v. t.* feed; bring forth, give birth to; -varer, *pl. n.* provisions, victuals, *pl.*

fødsel, *n.* birth; -sdag, *n.* birthday; -sveer, *pl. n.* birth pains, *pl.*

født, *adj.* born; (pigenavn) née.

føj, *int.* ugh! shame!

føje, *n.* reason, cause; om ~ tid, shortly; ~, *v. t.* humour, indulge; ~ sammen, put together; join; -lig, *adj.* indulgent, accommodating.

føl, *n. n.* foal.

føle, *v. t. & i.* feel; ~ sig, think much of oneself; -lig, *adj.* perceptible; serious; -lse, *n.* feeling; touch, sensation; emotion, pathos; -tråd, *n.* feeler, tentacle.

følfod, *n. bot.* coltsfoot.

følge, *v. t. & i.* follow; succeed, ensue; attend; accompany; ~, *n.* succession; series; consequence, result; ~, *n.* retinue, suite, train; -lig, *adv.* consequently.

følhoppe, *n.* brood-mare.

følsom, *adj.* sensitive.
før, *adj.* stout; ~, *prep.* before, prior to; ~, *adv.* before, previously, formerly; rather; jo ~ jo hellere, the sooner the better; ~, *conj.* before.
føre, *v. t.* guide, conduct, lead; ~, *n. n.* state of the roads; -r, *n.* leader, guide; driver; -rbevis, *n. n.* driving licence; -rhus, *n. n.* driver's cab.
førend, *conj.* before; *arch.* ere.
førlighed, *n.* vigour, health.
først, *adv.* first; at first; in the first instance; only; -e, *adj. &* first; -kommende, *adj.* next.
få (færre, færrest), *adj.* few, (fewer, fewest); a few; nogle ~ udvalgte, a chosen few; ~, *v. t.* get; have, receive; obtain, gain; acquire; (sygdom) catch; på må og ~, at random, anyhow; ~ fat (på), get hold of; (godt køb) pick up; (en idé) grasp.
få|mælt, *adj.* taciturn, silent.
får, *n.n.* sheep, ewe; -ehoved, *n. n.* blockhead; -ekylling, *n.* cricket; -ekød, *n. n.* mutton; -epels, *n.* sheepskin coat; -eskind, *n. n.* sheepskin; -esyge, *n.* mumps.
fåtal, *n.n.* minority; -lig, *adj.* few in number.

gab, *n. n.* mouth; throat; gap, chasm; -e, *v. i.* gape; yawn; -estok, *n.* pillory.
gade, *n.* street.
gaffel, *n.* fork; *naut.* gaff; crutch.
gage, *n.* salary, pay.
gal, *n.* madman; ~, *adj.* mad, rabid; frantic; wrong.
gala, *n.* gala; -dragt, *n.* full dress.
galant, *adj.* polite; gallant; -erivarer, *pl. n.* fancy goods.
galde, *n.* gall, bile; -sten,

n. gallstone; -syg, *adj.* bilious.
gale, *v. i.* crow; -anstalt, *n.* madhouse; *sl.* looney bin.
galge, *n.* gallows; gibbet.
galionsfigur, *n.* figure-head.
galop, *n.* canter; gallop; -ere, *v. i.* gallop.
galskab, *n.* madness, lunacy; rage, fury; folly.
galt, *n.* hog; boar.
gamasher, *pl. n.* gaiters; (korte) spats.
gammel, *adj.* old; ancient; second-hand; aged; antique; stale; ved det gamle, as usual; -dags, *adj.* old-fashioned.
gane, *n.* palate; *v. t.* (rense) gut, gill.
gang, *n.* walk, gait; course; rate, progress; alley, walk; corridor, passage, aisle; een ~ for alle, once and for all; -bar, *adj.* current, marketable; to -e, twice; mange -e, many times; ~, *v.t.* multiply; -er, *n.* steed; -klæder, *pl. n.* wearing apparel; -spil, *n. n. naut.* capstan.
ganske, *adj.* whole; entire; ~, *adv.* quite, entirely; rather, pretty, fairly.
garan|ti, *v. t.* guarantee; -tiseddel, *n.* luggage-ticket.
garderobe, *n.* wardrobe; cloak-room.
gardin, *n. n.* curtain.
gardist, *n.* guardsman.
garn, *n. n.* yarn, thread, cotton; *naut.* net.
garnere, *v. t.* trim; garnish.
garnison, *n.* garrison.
gartner, *n.* gardener; horticulturist; nurseryman.
garve, *v. t.* tan; -r, *n.* tanner.
gas, *n.* gas; -beholder, *n.* gasometer; -blus, *n. n.* gas jet; -maske, *n.* gas mask.
gase, *n.* gander.
gave, *n.* gift, present; donation, endowment; *fig.* talent, genius.

gavl, n. gable.

gavmild, adj. liberal, open-handed; munificent.

gavn, n. n. el. n. benefit, good; advantage; -lig, adj. useful; beneficial; profitable.

gavstrik, n. rogue.

gavtyv, n. knave.

gaze, n. gauze; -bind, n. n. gauze bandage.

gear, n. n. gear; -kasse, n. gear-box.

gebrokken, adj. (sprog) broken.

gebyr, n. n. fee.

ged, n. zool. (she-) goat, nannygoat.

gedde, n. zool. pike.

gede|blad, n. n. bot. honeysuckle, woodbine; -buk, n. billy-goat: -hams n. zool. hornet.

gedigen, adj. genuine, pure, sterling.

gehør, n. n. ear; spille efter ~, play by ear.

gejstlig, adj. clerical; -hed, n. clergy.

gelé, n. jelly; aspic.

geled, n. n. rank, file.

gelænder, n. n. railing; banisters.

gemak, n. n. apartment.

gemen, adj. low, mean.

gemme, v. t. keep, hide, treasure, save; -sted, n. n. depository, receptacle; hiding-place.

gemyse, pl. n. vegetables, pl.

gemyt, n. n. temper, temperament, disposition; mind; -lig, adj. jovial; pleasant, comfortable; hearty, genial.

gen|bo, n. opposite neighbour; -digte, v. t. retell, create anew; -drive, v. t. refute.

gene, n. inconvenience; nuisance; -re, v. t. cramp, hamper; annoy; embarrass; inconvenience; incommode.

genever, n. gin.

genfinde, v. t. find again;

-forene, v. t. reunite; -fortælle, v. t. retell, tell again.

gen|færd, n. n. ghost, spectre, apparition; -give, v. t. reproduce; render; represent; translate; restore; -gæld, n. reprisal, retribution, return; gøre ~, retaliate.

genial, adj. ingenious, brilliant.

gen|indsætte, v. t. reinstate; -kalde, v. t. revoke, retract; recall, call to mind; -kende, v. t. recognize; -klang, n. echo, resonance; -lyde, v. i. resound; -mæle, n. n. reply; retort.

gennem, prep. through; -blødt, adj. wet through; -bore, v. t. pierce, perforate; -brud, n. n. komme til ~, break out, prevail; -føre, v. t. carry through; accomplish; -førlig, adj. practicable, feasible; -gang, n. passage; going through (el. over); -gribende, adj. thorough, sweeping, radical; -gå, v. t. look over; suffer, undergo; go through; -gående, adv. generally; on an average; ~ billet, through ticket; -hulle, v. t. perforate, riddle; -krydse, v. t. traverse; -kørsel, n. passage for vehicles; ~, forbudt, no thoroughfare; -lyse, v. t. transilluminate; -læse, v. t. read; look through; peruse; -rejse, n. transit; -rode, v. t. rummage; -se, v. t. look over, inspect; revise; -sigtig, adj. transparent; -slynge, v. t. interlace; -snit, n. n. section; average; -strejfe, v. t. roam through; range; -støve, v. t. ransack; -træk, n. n. draught; -trænge, v. t. penetrate, pierce; permeate, saturate, soak; -tænke, v. t. consider thoroughly.

gen|opbygge, v. t. rebuild;

-oplive, *v. t.* revive; -op-
rette, *v. t.* re-establish, re-
store; redress; -optage,
v. t. resume; revive; re-
admit; -optrykke, *v. t.*
reprint; -part, *n.* copy,
transcript, duplicate.

genre, *n.* genre, kind.

genrejsning, *n.* regeneration;
reconstruction.

gen|se, *v. t.* meet again, see
again; -sidig, *adj.* mutual,
reciprocal; -skin, *n.* re-
flection; -spejle, *v.t.* reflect;
-stand, *n.* object; subject;
(forfriskning) drink; -stri-
dig, *adj.* refractory, obsti-
nate, stubborn; restive;
-svar, *n. n.* rejoinder; -syn,
n. n. meeting; -tage, *v. t.
& refl.* repeat; reiterate;
~ sig, recur; -tagne gange,
repeatedly; -valg, *n.n.* re-
election; -vej, *n.* short
cut; -vinde, *v. t.* regain,
recover, retrieve; -vor-
dighed, *n.* trouble; mis-
fortune, adversity.

gerne, *adv.* willingly, readi-
ly; gladly; jeg vil gerne...
I would like to...

gerning, *n.* deed, act, action;
doing; work; -smand, *n.*
culprit, perpetrator.

gerrig, *adj.* avaricious;
stingy; -hed, *n.* avarice;
stinginess.

ges, *n. n. mus.* G flat.

gesandt, *n.* minister; envoy;
ambassador; -skab, *n. n.*
legation; embassy.

ges-dur, *n. mus.* G-flat major.

gesims, *n.* cornice.

gestus, *n.* gesture.

gevaltig, *adj.* tremendous,
enormous.

gevandt, *n. n.* drapery.

gevind, *n. n. mech.* thread.

gevinst, *n.* profit, gains;
prize.

gevir, *n. n.* antlers, *pl.*

gevær, *n. n.* gun; rifle.

gid, *adv.* I wish that ...,
would that ...!; if only.

gide, *v. t. & i.* feel inclined
to; jeg gad vide, I wonder.

gidsel, *n. n.* hostage.

gift, *n.* poison, venom; -c,
v. refl. ~ sig, marry; -er-
mål, *n. n.* marriage; -etan-
ker, *pl. n.* gå i ~, day-
dream; -tand, *n.* fang.

gigt, *n.* rheumatism; gout,
arthritis; -svag, *adj.* rheu-
matic.

gilde, *n. n.* feast, banquet.

gips, *n. n.* plaster; gypsum;
plaster of Paris.

giro, *n.* transfer; post office
cheque system.

gisning, *n.* guess, conjecture,
surmise; *naut.* dead reck-
oning.

gispe, *v. i.* gasp.

gitter, *n. n.* railing; grate;
trellis; lattice; grid; -afled-
ning, *n. radio.* grid-leakage;
-forspænding, *n. radio.*
grid-bias.

give, *v.t. & refl.* give; yield;
produce; pay; (kort) deal;
~ hånden, shake hands;
~ sig, give way; wear off;
(af smerte) groan, wince.

givetvis, *adv.* obviously,
clearly.

givtig, *adj.* fertile.

gjalde, *v. i.* resound, re-
verberate.

gjord, *n.* girth.

glacéhandske, *n.* kid glove.

glad, *adj.* glad, joyful,
joyous; -elig, *adv.* cheer-
fully.

glamme, *v. i.* bay, bark.

glans, *n.* splendour; lustre;
gloss; polish; glaze.

glarmester, *n.* glazier.

glas, *n. n.* glass; (øl-) tumbler.

glasur, *n.* glaze; (sugar) icing.

glat, *adv.* smooth; slippery;
plain; glib, sleek, oily;
bot. glabrous; -raget, *adj.*
clean-shaven; -te, *v. t.*
smooth.

glem|me, *v. t.* forget; -me-
bog, *n.* gå i -mebogen, be
forgotten; -sel, *n.* oblivion;
-som, *adj.* forgetful, obliv-

ious; -somhed, *n.* forget-fulness.

gletscher, *n.* glacier.

glide, *v. i.* slip; slide; glide; -bane, *n.* slide.

glimmer, *n. n.* mica.

glimre, *v. i.* glisten, glitter; shine; -nde, *adj.* glittering; *fig.* brilliant, splendid, glorious.

glimt, *n. n.* gleam, glimpse, flash.

glip, *u. n.* gå ~ af, miss; -pe, *v. i.* (slå fejl) fail; slip; (med øjnene) blink.

glo, *v. i.* stare, gaze, gape.

globus, *n.* globe.

gloende, *adj.* glowing; red-hot.

glorie, *n.* glory; halo; nim-bus; aureole.

glorværdig, *adj.* glorious.

glose, *n.* word; -forråd, *n. n.* vocabulary.

glubsk, *adj.* ferocious; rav-enous, voracious.

glæde, *n.* joy, delight, pleasure; cheer; -lig, *adj.* joyful, pleasant; -sblus, *n. n.* bonfire; -sstrålende, *adj.* radiant, beaming.

gløb, *n.* live coals, embers, *pl.*; *fig.* glow; -enet, *n. n.* incandescent mantle; -etråd, *n.* filament.

gnaske, *v. t.* munch.

gnav|e, *v. t. & i.* gnaw; chafe; grumble; -en, *adj.* cross, fretful, peevish; sulky; -potte, *n.* grumbler.

gnid|e, *v. t.* rub; chafe; -ning, *n.* friction; rubbing; -ret, *adj.* close, cramped.

gnier, *n.* miser; -agtig, *adj.* stingy, niggardly.

gnist, *n.* spark; vestige.

gnubbe, *v. t.* rub.

gny, *n. n.* din, clamour.

g-nøgle, *n. mus.* treble clef.

gobelin, *n. n.* piece of tapestry.

god, *adj.* good, kind; ~ dag! how do you do!; good morning!; good after-noon!; good evening!;

vær så ~ at, please; -e, *n. n.* good, benefit, bles-sing; have til ~, have something owing to one; ~ (straf) have something coming to one; holde til ~, make allowance for; -gørenhed, *n.* charity; -kende, *v. t.* sanction; ap-prove of; -modig, *adj.* good-natured.

gods, *n. n.* goods; stores; metal, stuff; estate, manor; -banegård, *n.* goods station; *U. S.* freight depot; -ejer, *n.* landed proprietor; squire; landowner; -vogn, *n.* truck.

godskrive, *v. t.* credit.

godt, *adv.* well; ~! good!; kort og ~, in short; -gøre, *v. t.* make good; in-demnify; prove, sub-stantiate, establish; -gø-relse, *n.* compensation, allowance; -købs, *adj.* cheap.

god|troende, *adj.* simple; unsuspecting; -villig, *adj.* voluntary, willing.

gold, *adj.* barren; sterile.

gotte, *v. refl.* ~ sig over, be amused at; gloat over.

goutere, *v. t.* relish; enjoy, appreciate.

grad, *n.* degree; rank, grade; i høj ~, highly; -indde-ling, *n.* graduation; -vis, *adj.* gradual; ~, *adv.* gradu-ally, by degrees.

grafik, *n.* art of reproduc-tion; etching, engraving.

grafit, *n.* black-lead, graphite.

grammatik, *n.* grammar.

gramse, *v. t. & i.* grab.

gran, *n. n.* grain, atom.

granat, *n.* garnet; *mil.* shell; -æble, *n. n.* pomegranate.

grand danois, *n.* Great Dane.

gran|kogle, *n.* spruce cone; -nål, *n.* spruce needle.

granske, *v. t.* scrutinize; in-quire into; search.

gran|træ, *n. n.* spruce; -tøm-mer, *n. n.* white deal fir.

gratiale, *n. n.* gratuity.

gratis, *adj.* free (of charge), for nothing.

gratulere, *v. t.* congratulate.

grav, *n.* grave, tomb; pit, ditch; moat; trench; -e, *v.t. & i.* dig; -emaskine, *n.* excavator, bulldozer; -er, *n.* sexton, grave-digger.

gravere, *v. t.* engrave.

grav-høj, *n.* barrow; -skrift, *n.* epitaph.

graverende, *adj.* aggravating; grave.

gravid, *adj.* pregnant.

greb, *n.n.* grasp, grip; hilt; handle; ~, *n.* fork, prong.

grejer, *pl. n.* gear, things, tackle.

grel, *adj.* glaring, crude.

gren, *n.* branch, bough; prong.

grev|e, *n.* count; -inde, *n.* countess; -skab, *n. n.* county, manor, estate.

grib, *n. zool.* vulture.

gribe, *v. t. & i.* catch, seize, grip, grasp; (gøre indtryk på) move, affect; ~ en lejlighed, seize an opportunity; ~ efter, catch at; ~ ind i, interfere with; take action; ~ om sig, spread; ~ over i, overlap; ~ til, resort to; -nde, *adj.* affecting; thrilling; pathetic.

griberedskab, *n. n.* prehensile organ.

gridsk, *adj.* greedy, avaricious.

griffel, *n.* slate pencil; *bot.* style.

grifle, *v. t. & i.* scribble.

grille, *n.* fad; whim, caprice.

grim, *adj.* ugly, hideous; plain, homely; -e, *n.* halter; -rian, *n.* fright, (*f.eks.* he was looking a fright).

grine, *v. i.* grin; (le) laugh.

gris, *n.* pig; -eri, *n. n.* mess; -et, *adj.* dirty.

gro, *v. i.* grow; -ning, *n.* growth.

gros, *n. n.* gross; en ~, wholesale; -havari, *n. n. jur.* general average; -serer, *n.* wholesaler; merchant.

grov, *adj.* coarse; gross; rude; large, big; -smed, *n.* blacksmith; -æder, *n.* glutton.

grube, *n.* pit; mine; -arbejder, *n.* miner; -træ, *n. n.* pitprop.

gruble, *v. i.* ponder, brood, muse, ruminate.

gru, *n.* horror; -elig, *adj.* horrid, horrible, shocking.

grum, *adj.* cruel, fell, grim.

grums, *n. n.* dregs, sediment, grounds; -et, *adj.* muddy, thick, turbid.

grund, *n.* ground; soil; plot, site, lot; foundation; reason; bank, shoal; -e, *v. t.* ground, found, establish; (maling) prime; -ejer, *n.* landlord; -flade, *n.* basis, base; -ig, *adj.* profound, solid, thorough; -igt, *adv.* thoroughly; -kapital, *n.* capital stock; -lag, *n. n.* foundation, basis; -lov, *n.* constitution; -lægge, *v. t.* found; -skyld, *n.* land tax; -stamme, *n.* stock; -stof, *n. n.* element; -stø-de, *v. t. naut.* ground; -tone, *n.* keynote; -træk, *n. n.* outline, sketch; characteristic.

gruppe, *n.* group; -re, *v. t.* group.

grus, *n. n.* gravel.

grusom, *adj.* cruel; -hed, *n.* cruelty.

gry, *v. i.* dawn, break.

gryde, *n.* pot; -ske, *n.* ladle.

gryn, *n. n.* groat, grit.

grynte, *v. i.* grunt.

græde, *v. i.* cry, weep.

Grækenland, *n. n.* Greece.

græker, *n.* Greek; -inde, *n.* Greek woman.

græmme, *v.refl.* ~ sig, grieve; -else, *n.* grief.

grænse, *n.* frontier: limit,

boundary; border; -løs, *adj.* boundless, unlimited.

græs, *n. n.* grass; -gang, *n.* pasture; -hoppe, *n.* locust, grasshopper.

græsk, *adj.* Greek, Grecian; ~, *n.* (sprog) Greek.

græs|kar, *n. n.* pumpkin, gourd, marrow; -plæne, *n.* lawn; -tue, *n.* tuft of grass; -tørv, *n.* turf.

grævling, *n. zool.* badger.

grød, *n.* porridge.

grøde, *n.* growth; crop, yield.

grøft, *n.* ditch, trench.

grøn, *adj.* green, verdant; ~ sæbe, soft soap; -kål, *n. n.* kale; G-land, *n. n.* Greenland; -lig, *adj.* greenish; -lænder, *n.* Greenlander; -skolling, *n.* greenhorn; -thandler, *n.* greengrocer; -tsager, *pl. n.* vegetables, *pl.*

grå, *adj.* grey; drab; -broder, *n.* Grey Friar; Franciscan; -bynke, *n. bot.* mugwort.

gråd, *n.* crying, weeping.

grådig, *adj.* greedy, voracious.

grå|håret, *adj.* grey-haired; *poet.* hoary; -ne, *v. i.* turn grey; -spurv, *n.* sparrow; -vejr, *n. n.* gloomy weather.

Gud, *n.* God.

gud|fader, *n.* godfather; -frygtig, *adj.* godly, pious; -inde, *n.* goddess; -stjeneste, *n.* divine service.

gul, *adj.* yellow; -sot, *n.* jaundice.

guld, *n. n.* gold; -barre, *n.* gold-bar; -graver, *n.* prospector; -randet, *adj.* gilt-edged; -smed, *n.* goldsmith; *zool.* dragonfly.

gulerod, *n.* carrot.

gulv, *n. n.* floor; -brædder, *pl. n.* floorboards, *pl.*; -klud, *n.* floor-cloth; -tæppe, *n. n.* carpet.

gumle, *v. i.* munch, mumble.

gummi, *n. n.* gum; rubber; -frakke, *n.* mackintosh;

-klap, *n.* rubber valve; -støvle, *n.* rubber boot, gumboot; -varer, *pl. n.* rubber articles; (præventive midler) rubber goods.

gungre, *v. i.* resound; boom.

gunst, *n.* favour; -ig, *adj.* favourable, propitious.

gurgle, *v. t.* gargle.

gusten, *adj.* sallow, wan.

gut, *n.* boy, lad; ~, *n. n.* gut.

gyde, *n.* lane, blind alley; ~, *v. t. & i.* pour; spawn.

gylden, *adj.* golden; gold; det gyldne skind, the golden fleece; -lak, *n. bot.* wallflower; -ris, *n. bot.* golden rod.

gyldig, *adj.* valid; -hed, *n.* validity.

gylpe, *v. t. & i.* vomit; disgorge.

gymnasium, *n. n.* senior (high) school; grammar school.

gymnastik|sal, *n.* gymnasium; -sko, *n.* gym shoe.

gynge, *v. t. & i.* swing, rock; ~, *n.* swing; -nde grund, unsafe ground, quagmire; -hest, *n.* rocking-horse.

gynækolog, *n.* gynaecologist.

gyse, *v. i.* shudder; -lig, *adj.* horrible, revolting, dreadful; -r, *n.* thriller.

gyvel, *n. bot.* broom.

gæk, *n.* fool; *bot.* snowdrop; drive ~ med, hoodwink.

gæld, *n.* debt; komme i ~, run into debt; -sbevis, *n. n.* bond; I.O.U.

gælde, *v. i.* apply; refer to, concern; hold good; ~ for, pass for, be looked upon as; -nde, *adj.* valid, in force; gøre ~, assert; vindicate.

gælle, *n.* gill.

gænge, *n.* rocker; course; thread, groove; runner.

gængs, *adj.* current, prevalent, prevailing.

gær, *n.* yeast; -ing, *n.* fermentation.

gærde, n. n. fence, hedge; wicket; -smutte, n. zool. wren.

gæsling, n. gosling.

gæst, n. guest; visitor; -eværeise, n. n. spare bedroom; -fri, adj. hospitable; ~ giver, n. innkeeper; landlord; host.

gætte, v. t. & i. guess, divine; ~ en gåde, solve a riddle.

gæv, adj. gallant, valiant, brave.

gø, v. i. bark; bay; -en, n. barking, bark.

gødning, n. manure, dung, fertilizer.

gøg, n. zool. cuckoo.

gøgle, v. i. juggle; play the buffoon, play the giddy goat.

gøre, v. t. do; make; ~ plads, make room; ~ i penge, turn into money; ~ et skridt, take a step; ~ opmærksom på, call attention to; ~ ondt, hurt; ~ sig, be a success; ~ sit, do one's best; ~ af med, get rid of, dispose of; ~ efter, imitate; ~ imod, cross, go against somebody's wishes; ~ om, repeat; ~ omkring, do a right-about-turn; ~ op med, settle (accounts) with; ~ ud for, serve as; det gør ingenting, it does not matter.

gørlig, adj. practicable, feasible.

gå, v. i. go; walk; pass; run; mech. move, work; døren gik, the door was opened; tiden -r, time flies; ~ af, go off, come off; retire; ~ efter lyden, follow the sound; ~ i, wear; ~ ind, enter; ~ ind på, agree to; ~ ned (solen), set; ~ på (angribe), charge; ~ tilbage, mil. retreat; ~ uden om, evade; ~ under, go down.

gåde, n. riddle, enigma;

puzzle; -fuld, adj. mysterious, puzzling.

gård, n. farm; yard; courtyard; -ejer, -mand, n. freeholder, farmer; -splads, n. yard; courtyard.

gås, n. goose; -egang, n. single file; -ehud, n. goose flesh; -epotentil, n. bot. silverweed; -eurt, n. bot. camomile; -eøjne, pl. n. inverted commas, pl., quotation marks, pl.

H, h, n. n. & mus. B.

ha! int. ha! aha!

habil, adj. able, efficient.

habit, n. suit of clothes.

had, n. n. hatred, spite; -e, v. t. hate; -efuld, adj. spiteful.

hage, n. chin; hook; barb; fig. drawback; -kors, n. n. swastika.

hagl, n. n. hail; small shot; -byge, n. hailstorm; -bøsse, n. shotgun; -e, v. i. hail.

haj, n. zool. shark.

hak, n. n. hack; notch, incision; ikke bryde sig et ~ om, not care a straw, not give a damn.

hakke, n. pickaxe; ~, v. t. & i. hack, hoe; peck; chop, mince; -lse, n. chaff.

hale, v. t. & i. haul, pull; ~, n. tail; (ræv) brush; -tudse, n. zool. tadpole.

halløj, n. n. uproar, row, hub-bub; ~, int. hello!

halm, n. straw; -tag, n. n. thatched roof; -visk, n. wisp of straw.

hals, n. neck; throat; stem; give ~, give tongue; strække ~, crane one's neck; -brækkende, adj. neck-breaking; break-neck; -bånd, n. n. collar; necklace; -hugge, v. t. behead; -løs gerning, capital offence; -starrig, adj. stubborn, obstinate; -tørklæde, *n.n.* muffler; scarf; neckerchief.

halt, *adj.* lame, halting; -e, *v. i.* limp.

halv, *adj. & n.* half; ~ otte, half past seven; ~ tolv, half past eleven (*osv.*); -fems, *adj. & n.* ninety; -fjerds, *adj. & n.* seventy; -treds, *adj. & n.* fifty; -måne, *n.* crescent.

ham, *pron.* him; ~, *n.* slough.

hamle, *v. i.*, ~ op med, cope with; be a match for.

hammer, *n.* hammer; (træ) mallet.

hamp, *n.* hemp.

hamstre, *v. t.* hoard.

han, *pron.* he; ~, *n.* he, male; cock; -bi, *n.* drone; -blomst, *n.* male flower.

handel, *n.* commerce, trade, business; bargain; -sgartner, *n.* market gardener, nurseryman; -sskib, *n. n.* merchantman; merchant ship (*el.* vessel).

handle, *v. i.* act; trade, deal, do business.

handling, *n.* action, act; plot; function; ceremony.

handske, *n.* glove.

hane, *n.* cock; tap; *U. S.* faucet; -kylling, *n.* cockerel.

hang, *n.n.* bent, inclination; propensity.

hank, *n.* handle, ear.

han|kat, *n.* tom-cat; -køn, *n. n.* male sex; (the) masculine (gender); -lig, *adj.* male; -s, *pron.* his.

hap, *u. n.* hip som ~, six of one and half a dozen of the other; much of a muchness.

hapse, *v. t.* grasp, snatch.

hare, *n.* hare; -hjerte, *n. n.* chickenheart; -killing, *n.* leveret; -skår, *n. n.* harelip.

harmdirrende, *adj.* trembling with indignation.

harme, *n.* wrath, resentment; ~, *v. t.* make in-

dignant, vex; -lig, *adj.* exasperating, annoying.

harmonere, *v. i.* harmonize.

harmonika, *n.* concertina, accordion; mund-, *n.* mouth organ.

harnisk, *n. n.* armour.

harpe, *v. t.* (rense) screen, riddle; ~, *n.* harp.

harpiks, *n.* resin, rosin.

harsk, *adj.* rancid.

hartkorn, *n. n.* B [Danish unit of land evaluation]; landed interests; *fig.* slå noget i ~ med, lump together with something.

harve, *n.* harrow.

hase, *n.* (nød) husk; (dyr) hock; smøre -r, take to one's heels.

haspe, *v. t.* reel, reel off; fasten with a hasp.

hasselnød, *n. bot.* hazel-nut, filbert.

hast|e, *v. i.* hasten, hurry; -er!, immediate!, urgent!; -ig, *adj.* hasty; -ighed, *n.* speed, velocity; -værk, *n. n.* haste; hurry; -hastværksarbejde, *n.n.* skimped work.

hat, *n.* hat; bonnet; cap.

hav, *n. n.* sea; ocean.

havari, *n.* damage; average; breakdown; shipwreck, wreck.

have, *v. t. & aux.* have; possess; -syg, *adj.* covetous, grasping, greedy.

have, *n.* garden; -dyrkning, *n.* horticulture, gardening.

hav|frue, *n.* mermaid; -gasse, *n. zool.* red-throated diver; shrew.

havn, *n.* harbour, port; haven; -eanlæg, *n. n.* harbour, harbour-works; -edæmning, *n.* mole, jetty; -efyr, *n. n.* harbour-light.

havre, *n.* oats; -grød, *n.* (oatmeal) porridge.

havskildpadde, *n.zool.* turtle.

h-dur, *mus.* B major.

hed, *adj.* hot; torrid; -vin, *n.* dessert wine.

hedde, v. i. be called, be named; hvad -r det på dansk?, what is the Danish for ....?

hede, n. heat; (lyng-) heath, moor; -slag, n.n. sunstroke; -tøj, n.n. rash; prickly heat.

hedning, n. heathen, pagan.

hefte, n. n. pamphlet; part, number; booklet, folder, copy-book, note-book; v. t. fix, fasten; paste; stick; stitch, sew; pin; -lse, n. lien, mortgage; liability; -plaster, n. n. sticking plaster; -vis, adv. in parts, by instalments.

heftig, adj. vehement, violent, impetuous; (smerte) acute, intense, severe.

hegle, v. t. hackle.

hegn, n. n. fence; hedge.

hejre, n. zool. heron.

hejse, v. t. hoist; run up; -værk, n. n. hoist, elevator.

heks, n. witch, sorceress; hag; -emester, n. wizard, magician; -eri, n.n. witchcraft, sorcery; -ering, n. fairy ring; -eskud, n. n. lumbago.

hel, adj. whole, entire; ~ og holden, safe and sound; adv. entirely; wholly; -befaren, adj. naut. able (-bodied).

helbred, n. n. health; -e, v. t. heal; cure.

held, n. n. good luck, success.

heldags-, adj. whole-time, all-day; -arbejde, n. n. a full-time job.

heldig, adj. successful, fortunate, lucky; happy, beneficial.

hele, n. n. whole, entity.

helgen, n. saint.

helhed, n. whole; totality; entity; entirety.

helle, n. n. refuge; island.

helleflynder, n. zool. halibut.

heller, conj. & adv. ~ ikke, nor, neither, not ... either.

hellere, adv. rather, sooner; better.

helleristning, n. rock engraving.

hellig, adj. holy, sacred; -brøde, n. sacrilege; -dag, n. holiday; -dom, n. sanctuary; -e, v. t. consecrate; devote; dedicate; -holde, v. t. observe, celebrate; -ånden, n. the Holy Ghost.

helme, v. i. cease, leave off.

hel|sen, n. health: -skindet, adj. unhurt, safe and sound; -st, adv. preferably, for choice; -støbt, adj. cast in one piece; ~ karakter, of great integrity; -t, adv. quite, entirely, wholly, fully, altogether; -t, n. hero; -temodig, adj. heroic; -tinde, n. heroine.

heluld, n. pure wool.

helvede, n. n. hell; -s, adj. infernal.

hemme, v.t. hamper; check; repress; restrain.

hemmelig, adj. secret; clandestine; private; -hedsfuld, adj. mysterious, secretive.

hemsko, n. fig. drag, hamper.

hen, adv. away, up, off; on; længere ~, farther on; ~ ad, across, towards, along; ~ imod, to; towards; gå ~ over, cross; -blik, n. n. regard; consideration.

hende, pron. her; -s, pron. her, hers.

hen|dø, v. i. die away; -falde til, v. i. lapse into, become addicted to; -faren, adj. bygone; departed; -føre, v. t. refer (to); class; -given, adj. attached, devoted; affectionate; addicted to; -gå, v. i. elapse, pass away; i -hold til, with reference to; -holdsvis, adv. respectively; -imod, prep. towards; ~, adv. (omtrent) about; nearly; almost; -kaste, *v. t.* let fall; (bemærkning) observe casually; -koge, *v. t.* preserve; tin, can; -lede, *v. t.* direct; -ligge, *v. i.* remain, be left; -lægge, *v. t.* deposit; put aside, shelve; *jur.* drop; -rette, *v. t.* execute; -rivende, *adj.* fascinating, charming; -rykt, *adj.* delighted, charmed; -seende, *n.* respect, regard; -sigt, *n.* intention, purpose; design; -sigtsmæssig, *adj.* suitable, appropriate; expedient; -slæbe, *v. t. & i.* drag on; -smuldre, *v. i.* crumble away; -stand, *n.* more time; respite; -stille, *v. i. & t.* submit, suggest; place; -strakt, *adj.* prostrate; -stå, *v. i.* remain; -sygne, *v. i.* droop, languish; -synsfuld, *adj.* considerate; -synsløs, *adj.* heedless; inconsiderate; reckless.

hente, *v. t.* fetch, go for.

hen|tydning, *n.* allusion; hint; -tæres, *v. i.* consume, waste away; -vendelse, *n.* address, appeal; application; communication; -visning, *n.* reference.

her, *adv.* here; -af, *adv.* from this; hence.

herberg, *n. n.* inn; hostel; lodging(s), shelter.

her|efter, *adv.* after this; in future; hereafter, henceforward; -fra, *adv.* from here; -hen, *adv.* this way, here; -hjemme, *adv.* in this house, at home; -imod, *adv.* to the contrary; against this; -komst, *n.* descent, parentage; origin; extraction; -lig, *adj.* excellent; glorious; grand; magnificent; -med, *adv.* herewith, with this; -ned, *adv.* down here; -om, *adv.* about this; concerning this.

herre, *n.* gentleman, lord;

master; H-n, the Lord; min ~, sir; mine -r!, gentlemen!

herred, *n. n.* district.

herre|dømme, *n. n.* command; dominion, rule; control; -gud, *int.* dear me!; after all; -gård, *n.* manor house; -mand, *n.* lord; squire; -værelse, *n. n.* study; library.

herse, *v. i.* ~ med, bully.

herskab, *n. n.* master and mistress; -elighed, *n.* luxury, sumptuousness; elegance.

herske, *v. i.* rule, sway; reign; prevail; -nde, *adj.* reigning, prevalent; -syg, *adj.* imperious; domineering.

hersteds, *adv.* here, locally.

hertug, *n.* duke; -inde, *n.* duchess.

herved, *adv.* by this (*el.* these); in this way; hereby.

hest, *n.* horse; (lille) nag, pony; til ~, on horseback; stige til ~, mount; -kraft, *n.* horse-power; en motor på 40 hestekræfter, a 40 horse-power engine; -folk, *n. n.* horse, cavalry.

hi, *n. n.* lair.

hib, *n. n.* dig, innuendo.

hid, *adv.* hither, this way; ~ og did, to and fro; -røre, *v. i.* ~ fra, arise from, be due to; -til, *adv.* as yet, up to the present, hitherto.

hidse, *v. t.* excite, work up, stimulate.

hidsig, *adj.* hot-headed, quick-tempered; passionate; fiery, ardent; vehement.

hige, *v. i.* ~ efter, covet, hanker after, aspire to.

hikke, *n.* hiccough.

hildet, *adj.* prejudiced.

hilse, *v. t.* salute, greet; -n, *n.* salute; greeting; compliments, kind regards; hils din mor!, my love to your mother!; hils onkel John!, remember me to Uncle John!; med venlig hilsen, yours truly; yours sincerely; with kind regards.

himmel, *n.* heaven; sky; canopy; -blå, *adj.* sky-blue; -falden, *adj.* amazed; -råbende, *adj.* atrocious; glaring; -sk, *adj.* heavenly; celestial; -stræbende, *adj.* towering; soaring.

hin, *pron.* that; the former; -anden, *pron.* each other, one another.

hindbær, *n. bot.* raspberry.

hindre, *v.t.* hinder, prevent; impede, obstruct.

hingst, *n.* stallion; -føl, *n. n.* -plag, *n.* colt.

hinke, *v.i.* limp, hobble; hop.

hinsides, *prep.* beyond, on the other side of, across.

hip, *se* hap.

hirse, *n. bot.* millet.

his, *n. n. mus.* B sharp.

hist, *adv.* yonder, over there.

historie, *n.* history; story.

hitte, *v.t.* find; hit on; -barn, *n. n.* foundling; -gods, *n. n.* lost property.

hive, *v.i.* (stønne) pant, gasp; ~, *v. t.* heave.

hjejle, *n. zool.* golden plover.

hjelm, *n.* helmet; (bil) bonnet; (stål-) tin hat; -busk, *n.* crest.

hjem, *n. n.* home, domicile; -egn, *n.* home district; -fald, *n. n. jur.* reversion; -føre, *v. t.* bring (*el.* take) home; -lig, *adj.* domestic, cosy, snug, comfortable; -me, *adv.* at home; -mearbejde, *n. n.* homework; -mebane, *n.* home ground.

hjemmel, *n.* title; authority; -smand, *n.* informant.

hjemmelavet, *adj.* homemade.

hjemstavn, *n.* home; native country.

hjemsøge, *v. t.* visit; descend upon; strike.

hjemve, *n.* homesickness; lide af ~, be homesick.

hjerne, *n.* brain; brains; -skal, *n.* skull; -spind, *n. n.* chimera.

hjerte, *n. n.* heart; -knuser, *n.* lady-killer; -kval, *n.* agony; -lig, *adj.* hearty, jovial, sincere; -r, *n.* (kort) hearts, *pl.*

hjord, *n.* herd; (får) flock.

hjort, *n. zool.* deer, hart, stag.

hjortetak, *n.* antler of a stag; -ssalt, *n. n.* salt of hartshorn.

hjul, *n. n.* wheel; -benet, *adj.* bandy-legged, bow-legged; -bør, *n.* wheelbarrow; -damper, *n.* paddle steamer; -ege, *n.* spoke; -mager, *n.* wheelwright; -nav, *n. n.* nave, hub; -skæremaskine, *n.* gear-cutting machine; -skærm, *n.* mudguard; -spor, *n. n.* rut, track; -tand, *n.* cog.

hjælp, *n.* help, aid, assistance; relief.

hjælpe, *v. t. & i.* help; assist, aid, support, relieve; avail; -middel, *n. n.* remedy.

hjælpsom, *adj.* helpful, friendly, obliging.

hjørne, *n. n.* corner; *fig.* humour, mood; -tand, *n.* canine tooth, eye tooth.

h-mol, *n. mus.* B minor.

hob, *n.* multitude, crowd; (dynge) shoal, heap; -e, *v. refl.* ~ sig op, accumulate, pile up, accrue.

hof, *n. n.* court; -leverandør, *n.* purveyor to the court, by appointment to the court.

hofte, *n.* hip.

hold, *n. n.* (tag) hold, grasp; (arb.) party, gang; draft; (afstd.) quarter; range, distance; (smerte) pain, stitch; (sport) team; -barhed, *n.* durability; -e, *v. t.* hold; keep; retain; take in; ~ af, be fond of, love;

~ à jour, keep somebody informed (el. posted) about something; ~ hen, put off; ~ igen, hold back, exercise restraint; ~ inde, leave off, stop; ~ med, side with; ~ på med, be busy (el. engaged) doing something; ~ til, stick to; keep shut; stay; stand; ~ ud, hold out, stand, bear; ude, keep out, exclude; ~ ved, stick to; ~ sig, keep, last, wear; keep looking fit (el. young).

holden, adj. prosperous; helt og -t, entirely, wholly, completely.

holdeplads, n. taxi-rank; stop; halt; -punkt, n. n. basis, thing to go on, clue.

holdning, n. bearing, carriage, behaviour, attitude.

Holger Danske, n. Ogier the Dane.

Holland, n. n. Holland, the Netherlands.

hollænder, n. Dutchman.

holm, n. islet.

honnet, adj. fair(-dealing), upright, honourable.

honning, n. honey; -givende, adj. melliferous; -kage, n. honeybread.

honorar, n. n. fee.

hoppe, v. i. hop, skip, jump; ~, n. mare; -føl, n. n. -plag, n. filly.

hor, n. n. adultery; -e, n. whore; -eunge, n. bastard.

horn, n.n. horn; -blæser, n. mil. bugler; -fisk, n. zool. garpike; -orkester, n. n. brass band.

hos, prep. by, with; about; among; at.

hosebåndsordenen, n. the Order of the Garter.

hoste, n. cough; -middel, n. n. cough mixture.

hov, n. hoof.

hoved, n. n. head; ~, adj. chief, main, principal; -banegård, n. central railway station; -bog, n.

ledger; -brud, n. n. trouble; -bund, n. scalp; -masse, n. bulk; -nøgle, n. master-key; -pine, n. headache; -pude, n. pillow; -punkt, n. n. cardinal point, main point; -sagelig, adv. mainly, chiefly; -salat, n. lettuce; -stad, n. capital; -station, n. principal station; -stol, n. principal.

hoven, adj. swelled, swollen; puffed up; fig. arrogant.

hovere, v. i. exult, gloat over.

hovmester, n. butler; naut. steward.

hovmodig, adj. haughty, arrogant.

hovne, v. i. swell.

hovslag, n. n. hoof-beat.

hu, n. mind, mood; med velberåd ~, deliberately, on purpose.

hud, n. skin; (dyr) hide; med ~ og hår, entirely; -afskrabning, n. graze; -abrasion, -farve, n. colour (of the skin); complexion; -flette, v.t. lash, scourge, flog; -læge, n. dermatologist, skin specialist.

hue, n. cap, bonnet; ~, v. t. please.

hug, n. n. cut, stroke, blow, slash; sidde på ~, squat; -ge, v. t. & i. cut, hew; chop; naut. pitch; -geblok, n. chopping-block; -gepibe, n. hollow punch; -gert, n. cutlass; broadsword; rapier; -orm, n. zool. viper; adder; -st, n. felling; -tand, n.tusk; fang.

huj; i ~ og hast, adv. hurriedly; post-haste, hurry-scurry; -e, -e, v.i. hoot, whoop.

hukommelse, n. memory.

hul, n. n. hole; aperture, orifice; gap; chasm; blank; leak; puncture; ~, adj. hollow; concave.

huld, n. n. ved godt ~, stout, plump; in good condition; ~, *adj.* faithful, loyal.

hule, *n.* cave, cavern; den; ~, *v. t.* hollow; -pindsvin, *n. n. zool.* porcupine.

hul|jern, *n. n.* -mejsel, *n.* gouge.

hulk, *n. n.* sob; -e, *v. i.* sob.

hulning, *n.* hollow, depression; hollowing; -rum, *n. n.* cavity; -søm, *n.* hemstitch; -vej, *n.* sunken road.

hulter, *u. n.* ~ til bulter, *adv.* (*om flygtende, osv.*), pell-mell; helter-skelter; (i uorden) higgledy-piggledy; in a mess.

humle, *n.* hop, hops; -bi, *n.* bumble-bee.

hummer, *n. zool.* lobster; (rum) hole.

humpe, *v. i.* limp, hobble.

humpel, *n.* chunk, hunk.

humør, *n. n.* spirits; temper; mood; i dårligt ~, depressed, grumpy; -syge, *n.* hypochondria.

hun, *pron.* she; ~, *n.* she, female; hen.

hund, *n.* dog; røde -e, German measles; -eangst, *adj.* in a blue funk; -galskab, *n.* rabies, hydrophobia; -ehus, *n. n.* kennel; -ehvalp, *n.* pup, puppy; -eklipper, *n.* dog-trimmer; -ekold, *adj.* beastly cold; -ekunster, *pl.n.* monkey-tricks, *pl.*; hanky-panky; -esteile, *n.* stickle-back; -evagt, *n. naut.* middle (*el.* dog) watch.

hundredår, *n. n.* a century; -sdag, *n.* centenary.

hundrede, *adj. & n.* hundred.

hundse, *v. i.,* ~ med, bully.

hunger, *n.* hunger; starvation; -snød, *n.* famine.

hunkøn, *n. n.* female sex; (the) feminine (gender).

hurlumhej, *n.* hubbub, shindy, noise, fuss.

hurra, *n. n.* cheer; ~, *int.* hurrah!; råbe ~ for ham, cheer him.

hurtig, *adj.* quick, fast; prompt; speedy, rapid; -løber, *n.* sprinter.

hus, *n. n.* house; cottage; -assistent, *n.* maid, domestic servant; -bestyrerinde, *n.* housekeeper; -blas, *n.* gelatine; -bond, *n.* master of a house, husband; -dyr, *n. n.* domestic animal; -e, *v. t.* harbour, give shelter to.

husere, *v. t.* ravage; infest; ~ med, order about, bully.

hus|frit, *adj.* rent-free; -holderske, *n.* housekeeper; -holdning, *n.* housekeeping.

huske, *v. t.* remember, recollect, call to mind; ~ på, bear in mind.

hus|leje, *n.* rent; -lig, *adj.* domestic; -lærer, *n.* private tutor; -mand, *n.* smallholder, cottager; -moder, *n.* housewife.

hustru, *n.* wife.

hus|vale, *v. t.* soothe, solace; -vant, *adj.* familiar with the house; -ven, *n.* friend of the family; -vild, *adj.* houseless, homeless; -vært, *n.* landlord.

hutle, *v. t.* ~ sig igennem, keep body and soul together; scrape through.

hvad, *conj. & pron.* what; ~! *int.* what!, how!, eh?; ~ du end gør, whatever you do; ved du ~, I'll tell you what; ~ behager?, I beg your pardon?; ~ enten, whether; ~ som helst, whatever, whichever.

hval, *n. zool.* whale; -barde, *n.* whalebone; -fanger, *n.* whaler.

hvalp, *n.* puppy; whelp.

hval|ros, *n. zool.* walrus; -spæk, *n. n.* blubber; -tran, *n.* whale oil.

hvas, *adj.* sharp, keen, acute, *fig.* caustic.

hvede, *n.* wheat; -brødsdage, *pl. n.* honeymoon.

hvem, *pron.* who, whom; ~ af dem?, which of them?; ~ der?, who goes there?; ~ der end, whoever; ~ som helst, anybody.

hveps, *n.* wasp; -erede, *n.* wasp's nest; *fig.* hornet's nest.

hver, *pron.* every, each; everybody; -andre, *pron.* each other, one another.

hverdag, *n.* weekday; -s, *adj.* everyday; humdrum.

hverken, *conj.* neither; ~ ... eller, neither ... nor.

hverv, *n. n.* task, commission.

hverve, *v. t.* enlist; recruit; ~ stemmer, canvass.

hvid, *adj.* white; ~, *n.* farthing; -e, *n.* (æg) white; -evarehandler, *n.* linen-draper; -glødende, *adj.* white hot, incandescent; -kalket, *adj.* white-washed; -kål, *n.* cabbage; -løg, *n.n.* garlic; -te, *v.t.* white-wash; -tjørn, *n. bot.* hawthorn, may.

hvil, *n. n.* rest, spell; -e, *v. t. & i.* rest, repose; ~!, *int. mil.* stand easy!

hvilken (-et, -e), *inter. & rel. pron* which, what.

hvin, *n. n.* shriek, squeal; (vind) whistle.

hvirvel, *n.* whirlpool, eddy, vortex; *mech.* swivel; (ryg) vertebra; -vle, *v. t. & i.* whirl, swirl.

hvis, *inter. & rel. pron.* whose; of which; ~, *conj.* if, in case; ~ ikke, unless.

hviske, *v. t. & i.* whisper.

hvisle, *v. i.* hiss, whistle; -lyd, *n.* whistling (*el.* sibilant) sound.

hvor, *inter. & rel. adv.* where; how; -dan, *adv.* how; -for, *adv.* why, wherefore; -imod, *adv.* against which; ~, *conj.* whereas; -ledes, *adv.* how; -når, *adv.* when; -på, *adv.* on what; where-

upon; after which; -vidt, *conj.* whether.

hvælving, *n. arch.* vault.

hvæse, *v. i.* hiss, spit.

hvæsse, *v. t.* whet, sharpen.

hybel, *n.* den; digs; humble shack.

hyben, *n.n. bot.* hip; -rose, *n. bot.* dog-rose, dog-briar.

hygge, *n.* cosiness, pleasant atmosphere, comfort, domestic warmth.

hyggelig, *adj.* snug; cosy; comfortable; homelike; (*om* person) likeable, pleasant.

hygiejne, *n.* hygiene; -bind, *n.n.* sanitary towel (*el.*pad).

hykle, *v.t.* feign, sham, simulate, dissemble; -r, *n.* hypocrite.

hyld, *n. bot.* elder.

hylde, *n.* shelf; lægge noget på -n, shelve; ikke på rette ~, a round peg in a square hole; ~, *v. t.* pay homage to, applaud; (princip) advocate; -st, *n.* homage, ovation, applause; cheering.

hyle, *v. i.* yell, howl, cry, whine.

hylle, *v. t.* ~ ind i, wrap up in, cover, shroud.

hylster, *n. n.* case; cover; holster.

hynde, *n.* cushion.

hyp! *int.* gee-up!

hypotek, *n.n.* (second, third) mortgage; -haver,*n.*mort-gagee.

hyppe, *v. t.* hoe, earth up; -jern, *n. n.* hoe.

hyppig, *adj.* frequent.

hyrde, *n.* herdsman; shepherd; -hund, *n.* sheepdog.

hyre, *n.* hire; wages; (plads) berth; job; ~, *v. t.* hire, engage.

hys! *int.* hush!; order!

hyssing, *n.* twine.

hytte, *n.* hut, cottage; cabin; *naut.* poop; -fad, *n.n.* well-box, tank; ~, *v. refl.*

~ sig, look after oneself;
fanden -r sine, the devil
helps his own.

hæder, n. honour, glory;
-lig, adj. honourable;
worthy; honest; (ret god)
decent; creditable.

hæfte, se hefte.

hæge, v. t. ~ om, nurse,
cherish.

hægte, n. hook, clasp; -r og
maller, hooks and eyes;
~, v. t. hook, fasten.

hæk, n. hedge; naut.
stern, stern sheets; (sport)
hurdle; ~, n. (bur) breed-
ing-cage; -ke, v. i. breed,
mate.

hækle, v. t. & i. crochet; -nål,
n. crochet-hook.

hæl, n. heel.

hælde, v. i. slant, slope, in-
cline, lean; (mast) rake;
-ning, n. slope, declivity;
rake; bias, inclination,
leaning.

hæler, n. receiver of stolen
goods, fence.

hænde, v. i. happen, occur;
befall, come to pass;
~, u. n. komme i ~,
come to hand; -lig, adj.
chance, accidental, fortui-
tous; -lse, n. event, inci-
dent; occurence; accident.

hænge, v. t. & i. hang,
droop; ~ fast, stick,
adhere; ~ sammen, hold
together; ~ over bøgerne,
pore over books; ~ sig i
formerne, stand on cere-
mony; ~ sig i ord, quibble
over words; -køje, n.
hammock; -lås, n. pad-
lock; -pil, n. bot. weeping
willow.

hængsel, n. n. hinge.

hær, n. army; poet. host.

hærde, v. t. harden; (stål)
temper.

hærge, v. t. ravage, devas-
tate, lay waste.

hæs, n. n. stack, rick.

hæs, adj. hoarse, husky; -blæ-
sende, adj. out of breath.

hæslig, adj. ugly, hideous.

hætte, n. hood, cowl; cap.

hævd, n. prescription;
custom, usage; -e, v. t.
maintain, assert, claim;
-else, n. assertion, claim;
vindication; -vunden, adj.
prescriptive; established,
time-honoured.

hæve, v. t. raise, lift, elevate;
remove; cancel, annul;
break off; dissolve, ad-
journ; (penge, check),
draw; cash; -lse, n. swell-
ing, tumescence.

hævert, n. siphon.

hævn, n. revenge, venge-
ance; -gerrig, adj. re-
vengeful, vindictive.

hø, n. n. hay; -feber, n. hay-
fever.

høflig, adj. polite, courteous,
civil.

høg, n. zool. hawk.

høhøst, n. hay-making.

høj, adj. high, lofty; (person,
træ) tall; (lyd) loud; ~,
n. hill, knoll; (lille) hil-
lock; mound; -agte, v. t.
honour, revere; -agtelse,
n. esteem, reverence; med
~, yours respectfully;
yours faithfully; -ak-
tuel, adj. of great topical
interest; -borg, n. strong-
hold; -de, n. height; ele-
vation; stature; tallness;
altitude; eminence; level;
mus. pitch; -dedrag, n. n.
range of hills; -demå-
ler, n. altimeter; -deryg,
n. ridge; -esteret, n. Su-
preme Court; -forræderi,
n. n. high treason; -hed
n. (titel) Highness; på
-kant, n. on edge, edge-
wise; ved -lys dag, in
broad daylight; -lærd, adj.
erudite; -modig, adj. mag-
naminous; -ne, v. t. raise,
elevate; -ovn, n. blast
furnace.

højre, adj. right; ~ om!,
(right) about turn!

højlrøstet, adj. loud, vociferous; -sindet, *adj.* magnanimous; -st, *adv.* most, highly, extremely; -sæde, *n. n.* throne; -tid, *n.* festival; -tidelig, *adj.* solemn, ceremonious; -tidelig-holde, *v. t.* celebrate; -travende, *adj.* highflown, bombastic; high-falutin: -stående, *adj.* high(-ranking); superior; -ttaler, *n.* loudspeaker; -velbåren, *adj.* honourable; -ærværdig, *adj.* Right Reverend.

høker, *n.* provision-dealer; *fig.* huckster.

høne, *n.* hen; fowl; pullet; **høns**, *pl. n.* barnyard fowls, *pl.*, chickens, *pl.*, poultry, *pl.*, -ehund, *n.* pointer; -hus, *n. n.* hencoop, hen-house, poultry house.

hønseri, *n. n.* poultry farm. **hønsestige**, *n.* hen-house ladder; chicken runway.

hør, *n.* flax.

hør, *n. n.* (hørråb) hear, hear!

høre, *v. t. & i.* hear; listen, consult; learn; hørengang; I say!; ~ ad, inquire; ~ efter, listen; ~ ind, drop in on, call on; ~ op, stop, cease; ~ sammen, belong together, go together; ~ til, belong to; ~ under, come within (*el.* under), be a matter for; -apparat, *n. n.* hearing aid; -lse, *n.* hearing; -spil, *n. n.* radio play; -tragt, *n.* ear-trumpet; ear-piece; -vidde, *n.* ear-shot; hearing.

hørfrø, *n. n.* linseed. **hørlig**, *adj.* audible.

høst, *n.* harvest; crop; (årstid) autumn; *U. S.* fall; -e, *v. t.* harvest, reap.

høvding, *n.* chief, chieftain. **høved**, *n. n.* head of cattle; *fig.* blockhead.

høvisk, *adj.* modest; courteous.

høvl, *n.* plane; -ebænk, *n.* carpenter's bench; -spån,

n. shaving; -strøg, *n. n.* stroke (of a plane).

håb, *n. n.* hope; -e, *v. t. i.* hope, trust; det -er jeg ikke, I hope not; -efuld, *adj.* hopeful, promising.

hån, *n.* scorn, disdain.

hånd, *n.* hand; -arbejde, *n. n.* (syning) needlework; -bog, *n.* handbook, manual; -elag, *n. n.*-knack, skill; -evending, *n.* i en ~, in a jiffy; -fast, *adj.* firm, hefty; robust; -flade, *n.* palm; -fuld, *n.* handful; -fået pant, pledge; -gemæng, *n. n.* rough-and-tumble; -gribelig, *adj.* palpable; tangible; -hæve, *v. t.* maintain, assert; enforce; -jern, *pl. n.* handcuffs, *pl.*; -klæde, *n. n.* towel; -køb, *u. n.* fås i ~, can be bought without a prescription; -led, *n. n.* wrist; -penge, *pl. n.* deposit; -skrift, *n.* handwriting; hand; manuscript; MS (*pl.* MSS). -slag, *n. n.* handshake; -srækning, *n.* (good) turn; (helping) hand; -tag, *n. n.* handle; -tere, *v. t.* handle, manage; *n. n.* trade, handicraft; -værker, *n.* artisan; workman.

håne, *v. t.* scoff, scorn, mock at.

hånlig, *adj.* contemptuous, scornful.

hånt, *adv.* lade ~ om, disregard; *coll.* pooh-pooh.

hår, *n. n.* hair; på et hængende ~, within an ace; -ene rejste sig på hans hoved, his hair stood on end. -bund, *n.* scalp.

hård, *adj.* hard; rough, harsh, severe; heavy; -før, *adj.* hardy, robust; -hjertet, *adj.* unfeeling, hardhearted, callous; -hudet, *adj.* thick-skinned; -knude, *n.* tangle; -nakket, *adj.* persistent, obstinate. hår|fletning, *n.* braid; -klø-ver, *n.* hairsplitter; -nål, *n.* hairpin; -trukken, *adj.* far-fetched.

i, *prep.* in, within; at; into; ~ aften, to(-)night, this evening; ~ aftes, last night, yesterday evening; ~ dag, to(-)day; ~ dag otte dage, to(-)day week; ~ det mindste, at least; ~ fald, if; in case; ~ flere minutter, for several minutes; ~ fjor, last year; ~ forgårs, the day before yesterday; ~ går, yesterday; ~ lige måde, not at all; the same to you; ~ live, alive; ~ morges, this morning; ~ morgen, to(-)morrow; ~ stedet for, instead of; ~ stykker, broken; ~ øvrigt, besides; moreover; incidentally; ~ år, this year.

I, *pron.* you.

iagttage, *v.t.* observe; notice; watch.

ibenholt, *n.* ebony.

iberegne, *v. t.* include.

iblandt, *prep.* among, amongst.

iboende, *adj.* resident, inhabitant; *fig.* inherent, immanent.

idé, *n.* idea; notion, brain-wave.

ideel, *adj.* ideal, perfect.

idel, *adj.* sheer, mere.

idelig, *adv.* continually, perpetually.

iderig, *adj.* full of ideas.

idet, *conj.* as; since, because.

idræt, *n.* athletics, sport(s).

idømme, *v. t.* sentence (to); (bøde) impose.

ifald, *se* i fald.

ifølge, *prep.* according to, pursuant to.

iføre, *v.refl.* ~ sig, put on; attire oneself in.

igangsættelse, *n.* starting; actuation.

igen, *adv.* again; slå ~, return a blow; give ~, (penge) give change.

igennem, *prep. & adv.* through; throughout; helt ~, through and through, out and out.

igle, *n.* leech.

igår, *se* i går.

ih! *int.* why!; oh!

ihjel, *adv.* to death; slå én ihjel, kill someone.

ihukommelse, *n.* memory; remembrance.

ihændehaver, *n.* holder, bearer.

ihærdig, *adj.* persevering, persistent.

ikke, *adv.* not; non-; ~ mere, no more; ~ mindre, no less; ~ videre, no further.

ikrafttræden, *n.* coming into force (*el.* effect).

ilbud, *n. n.* express message; express messenger.

ild, *n.* fire; (tobak) light; *fig.* ardour, fire.

ilde, *adj.* bad; ~, *adv.* ill, badly; ~ faren, in a bad way; -befindende, *n. n.* indisposition; -brand, *n.* fire, conflagration: -brændsel, *n. n.* fuel; -lugtende, *adj.* smelly, evil-smelling, malodorous; -set, *adj.* disliked, unpopular; -sindet, *adj.* evil-minded, ill-natured, malevolent; -varslende, *adj.* sinister, ominous, ill-omened.

ild|fast, *adj.* fire-proof; ~ sten, fire-brick; -hu, *n.* fervour; -kanal, *n.* flue; -kugle, *n.* fire-ball; -løs, *n.* fire; -prøve, *n.* ordeal (by fire); -rager, *n.* poker; -slukker, *n.* fire extinguisher; -skærm, *n.* fire-screen; -spåsættelse, *n.* arson, incendiarism; -sted, *n. n.* fireplace; furnace.

ile, *v. i.* hasten, hurry.

ilgods, *n. n.* express goods (el. freight).

illudere, *v. i.* create an illusion, make a convincing representation.

illustrere, *v. t.* illustrate.

ilt, *n.* oxygen.

ilter, *adj.* hot-headed, hasty.

iltog, *n. n.* fast train, express train.

imedens, *adv. & conj.* in the meantime (el. meanwhile); whereas.

imellem, *prep. & adv.* between; among; ~ hinanden, higgledy-piggledy; engang ~, now and then now and again.

imidlertid, *adv.* meanwhile, in the meantime; however; still; at the same time.

imod, *prep. & adv.* against; towards; compared to; as compared with; versus; det er mig ~, I object to it.

imorgen, imorges, *se i morgen, i morges, osv.*

imponere, *v. t. & i.* impress; det -de mig ikke, it failed to impress me; *sl.* it left me cold; -nde, *adj.* impressive, imposing.

imøde|gå, *v. t.* counter, oppose, answer, refute, disprove; -kommende, *adj.* obliging, accommodating; -se, *v. t.* anticipate; (med glæde) look forward to; expect.

ind, *adv.* in; ~ ad, in by; ~ i, into.

ind|ad, *adv.* in, inward(s); -anke, *v. t.* appeal; -arbejde, (varer) work in, create a market for; -befatte, *v. t.* include, comprise; comprehend; embrace; -begreb, *n. n.* sum (total); quintessence; -beretning, *n.* report, return; -bilde, *v. t.* make believe; -bildningskraft, *n.* imagination; -bildsk, *adj.* con-

ceited; -binde, *v. t.* bind; -blanding, *n.* interference; intervention; -blik, *n. n.* insight; glimpse; -bo, *n. n.* furniture; household goods; contents of a house; -bringende, *adj.* lucrative, profitable, remunerative; -brudstyv, *n.* burglar; -byde, *v. t.* invite; -bydelse, *n.* invitation; -bygger, *n.* inhabitant; -byrdes, *adj.* mutual; -dele, *v. t.* divide; classify; -drage, *v. t.* suspend, discontinue; abolish; confiscate; (mønt) withdraw from circulation; -drive, *v. t.* collect, recover; -dæmme, *v. t.* embank, dam.

inde, *adv.* in, within; -haver, *n.* holder, occupant; owner, proprietor; -holde, *v. t.* contain, hold; -klemt, *adj.* squeezed (el. jammed) in; -lukke, *n. n.* enclosure; ~, *v. t.* lock up, shut in, enclose; -lukkethed, *n.* closeness, stuffiness.

inden, *adv.* before; among; inside; within; ~, *conj. & prep.* before, by the time; before, previous to; by; -ad, *adv.* at kunne læse ~, to be able to read; -bys, *adj.* town, local; ~, *adv.* within the town; -dørs, *adj.* indoor; ~, *adv.* indoors; -for, *adv.* inside; ~, *prep.* within.

inden|landsk, *adj.* home, domestic; internal; national; -rigsminister, *n.* Minister for Home Affairs; Minister of the Interior; (i Eng.) Home Secretary; (i USA) Secretary of the Interior.

inderlig, *adj.* fervent; sincere; intense; heartfelt; ~, *adv.* heartily, utterly, completely; det må du så ~ gerne, you are most welcome to do so.

inderst, *adj.* innermost, in-
most; -e, *n. n.* heart;
centre; core.
inde|slutte, *v. t.* enclose, lock
up, confine; -spærre, *v. t.*
shut up (in), confine, im-
prison; -stå for, *v. i.* vouch
for, guarantee, answer for,
be responsible for; -væ-
rende, *adj.* current, pre-
sent.
ind|fald, *n.n.* fancy; thought,
whim; *mil.* invasion, raid,
incursion; -falden, *adj.*
sunken, hollow, emaci-
ated; -fatte, *v. t.* frame,
mount; set; edge, border;
-filtre, *v. t.* entangle;
-finde, *v. t.* ~ sig, appear;
attend; -flydelse, *n.* in-
fluence; -fri, *v. t.* redeem;
pay; meet; -fødsret, *n.*
citizenship; naturalization
papers, *pl.*; -født, *adj. & n.*
native; -føje, *v. t.* insert.
indfør|e, *v. t.* import; intro-
duce; enter; -sel, *n.* impor-
tation; imports, *pl.*; -sels-
tilladelse, *n.* import licence.
ind|gang, *n.* entrance, entry;
-greb, *n. n.* operation;
surgical intervention; in-
terference; encroachment,
trespass; -gribende, *adj.*
radical; -groet, *adj.* deeply
rooted, inveterate, in-
grained; -gyde, *v. t.* in-
spire with; -gå, *v.t. & i.*
enter into; incur; form,
become party to; -gående,
adj. inward bound; de-
tailed, thorough, ex-
haustive; -hegne, *v. t.* en-
close, fence in; -hente,
v. t. overtake, come up
with, catch up with; make
up for; -hold, *n. n.* con-
tents, *pl.*; content; master;
-holdsfortegnelse, *n.* (table
of) contents; -hug, *n. n.*
inroad; *mil.* charge; -hylle,
v. t. envelop; shroud.
individ, *n. n.* individual.
ind|jage, *v. t.* ~ skræk, strike
terror into; -kalde, *v. t.*

convene, summon; call
up, draft; (tilbud) invite
tenders; call in; -kapsle,
v. t. enclose, encapsulate;
-kassere, *v. t.* cash, collect;
recover; -koge, *v. t.* boil
down, evaporate; -komst,
n. income; skattepligtig
~, assessable income;
-kredse, *v. t.* encircle;
-kvartere, *v. t.* quarter,
billet; -køb, *n.n.* purchase;
gøre -køb, go shopping;
-købspris, *n.* cost price;
-kørsel, *n.* driveway, en-
trance; driving in; ~ for-
budt!, no admittance; -ladende,
adj. familiar, communi-
cative; -ledning, *n.* in-
troduction; preface; pre-
amble; -lemme, *v. t.* in-
corporate, annex; -levere,
v. t. deliver; -lysende, *adj.*
evident, obvious, mani-
fest; -læg, *n. n.* (i brev)
enclosure; (sko) arch sup-
port; (brev) letter; (tale)
speech; (i diskussion) con-
tribution; -lægge, *v. t.* en-
close; inlay; (hospital) send
to, have admitted to; -løb,
n. n. entrance; approach,
mouth; inlet; -løse, *v. t.*
redeem; -lån, *n. n.* deposit;
-mad, *n.* insides, *pl.*; stuff-
ing; plucks, *pl.*; chitter-
lings, *pl.*; giblets, *pl.*; -mel-
de, *v. t.* report; enter, re-
gister; ~ sig, enter, join;
-ordne, *v. t.* class, arrange,
classify; rank; -pakning,
n. packing, wrapping;
-pas, *n. n.* access; ad-
mittance; entrance; -pi-
sker, *n. parl.* whip; -po-
de, *v. t.* graft; indoctri-
nate; inoculate; -prente,
v.t. impress upon; memo-
rize; -ramme, *v. t.* frame.
indre, *adj.* inner, interior;
inside; inward.
indret|te, *v. t.* arrange, put
in order; adapt; adjust;
-ning, *n.* arrangement,
contrivance; institution,

organization; accommo-
dation; adaptation; (ny)
constitution, establish-
ment; -ninger, *pl. n.* ap-
pliances, *pl.*; gadgets, *pl.*;
contrivances, *pl.*

ind|rullere, *v. t.* enrol;
-rykke, *v. t.* (kobling) let
in (*el.* throw in) the clutch;
(tandhjul) put into gear;
(annonce) insert, put in;
-rømme, *v. t.* allow, ad-
mit, concede; (yde) grant;
-samling, *n.* collection;
-sats, *n.* stake(s); effort,
contribution; -se, *v. t.*
see, realize; -sejling,
n. entrance, approach;
-sender, *n.* sender, remit-
ter; contributor; corre-
spondent; -sigelse, *n.* ob-
jection; protest; remon-
strance; *jur.* demurrer;
-skibe, *v. t.* ship; ~
sig, embark; -skriden, *n.*
intervention; -skrift, *n.*
inscription; -skrive, *v. t.*
book, enter; inscribe; (ba-
gage) register; -skrumpet,
adj. shrunken; -skrænke,
v. t. restrict; limit, con-
fine; -skrænket, *adj.*
(dum) stupid, slow-
witted; -skud, *n. n.* con-
tribution; (bank) deposit;
-skydelse, *n.* impulse; sug-
gestion; -skærpe, *v. t.* en-
force, enjoin; bring home
(to); -smigrende, *adj.* in-
gratiating; -snige, *v. refl.* ~
sig, creep in; -snit, *n. n.* in-
cision, cut; notch; (skræd-
deri) dart; -snævre, *v. t.*
narrow down, limit, con-
fine; -spille, *v. t.* bring in;
rehearse; (film) produce;
(lyd) record; -sprøjte,
v. t. inject; -stifte, *v. t.*
institute, establish; -stille,
v. t. set, adjust; *phot.*
focus; *radio.* tune in;
(foreslå) submit, propose,
nominate; ~ sine betalin-
ger, suspend payments;
-studere, *v. t.* prepare; re-

hearse; -stændig, *adj.* ur-
gent, earnest; -stævne, *v. t.*
summon, cite; -stævnte,
n. defendant; -suge, *v. t.*
absorb; -sugningsslag, *n. n.*
mech. induction stroke;
-svøbe, *v. t.* wrap up,
muffle up; -sæbe, *v. t.*
lather; -sætte, *v. t.* put in,
insert; (i fængsel) imprison;
install; (bank) deposit; -sø,
n. lake; -tage, *v. t.* occupy;
partake of; captivate,
charm; take in; ship; *mil.*
take, carry; -tegne, *v. t.*
book, enter.
indtil, *prep. & conj.* to; up to;
until.
ind|tog, *n. n.* entry; -tryk, *n.*
n. impression; -træde, *v. i.*
(i firma, *osv.*) join; (hænde)
happen, occur; -træffe,
v. i. arrive; happen, occur;
-trængende, *adj.* earnest,
urgent; penetrating; -tægt,
n. income; revenue; re-
ceipts, *pl.* takings, *pl.*; -van-
dre, *v. i.* immigrate; -vars-
le, *v. t.* summon, convene,
call; -våner, *n.* inhabitant.
indvend|e, *v. t.* object (to);
-ig, *adj.* internal; inside;
interior; -ing, *n.* ob-
jection.
ind|vie, *v. t.* initiate; inau-
gurate; dedicate; conse-
crate, ordain; -viklet, *adj.*
intricate, complex; en-
tangled; involved, im-
plicated; -villige, *v. i.* com-
ply; consent, agree (to);
-vinde, *v. t.* (tab) gain, re-
trieve; (land) reclaim;
make up for; -virke, *v. i.*
~ på, act upon, influence,
affect; -volde, *pl. n.* intest-
ines, *pl.*, entrails, *pl.*; -vor-
tes, *adj.* inward; internal,
inner; -ynde, *v. refl.* ~ sig,
ingratiate oneself (with);
-ædt, *adj.* suppressed,
savage; inveterate; -øve,
v. t. practise, train; exer-
cise; *mil.* drill.
inficere, *v. t.* infect.

ingefær, n. ginger.

ingen, pron. no; not any, none; no one, nobody; ~ anden, nobody else, no one else.

ingeniør, n. engineer.

ingenlunde, adv. by no means, not at all; -sinde, adv. never; -ting, nothing.

injurie, n. libel; defamation; slander.

inkassation, n. collection (of debts); recovery.

inkonsekvent, adj. inconsistent.

insekt, n. n. insect; -pulver, n. n. insecticide.

insinuere, v. t. hint at, insinuate.

inspektør, n. inspector.

instinktmæssig, adj. instinctive, intuitive.

intelligens, n. intelligence.

interessant, adj. interesting; -se, n. interest; -sent, n. interested party, partner; -sere, v.t. interest; ~ sig for, be interested in; -seret, adj. interested, concerned.

interimistisk, adj. provisional, temporary; -sbevis, n. n. scrip.

intet, pron. no; none; nothing; slet ~, nothing at all; så godt som ~, next to nothing; -anende, adj. unsuspecting; -køn, n.n. (the) neuter (gender); -sigende, adj. meaningless, pointless; commonplace; insignificant; -steds, adv. nowhere.

intrigant, adj. intriguing, scheming; -e, n. intrigue, plot; machination.

invalid, n. disabled person; cripple.

inventar, n. n. furniture; equipment; fast ~, fixtures.

invitere, v. t. invite.

ir, n. verdigris.

irer, n. Irishman.

irettesætte, v. t. reprimand, reproof, rebuke.

irgang, n. maze.

irgrøn, adj. verdigris green.

irisk, n. zool. linnet.

Irland, n. n. Ireland; (republikken I.) Eire.

irlænder, n. Irishman.

ironisk, adj. ironical.

irritere, v. t. irritate.

irsk, adj. Irish.

is, n. ice; ice-cream; -bjerg, n. n. iceberg; -bjørn, n. zool. polar bear; -blomst, n. bot. ice fern; -bryder, n. ice-breaker.

isenkram, n. n. hardware, ironmongery.

isflage, n. floe; -fugl, n. kingfisher; -hav, n. n. det nordlige (resp. sydlige) ~, Arctic (resp. Antarctic) Ocean; -kold, adj. icy; -lagt, adj. ice-bound.

Island, n. n. Iceland.

islænder, n. Icelander; zool. Iceland pony.

islæt, n. weft, woof; fig. touch; sprinkling; strain.

isne, v. i. shiver; -nde, adj. icy, freezing.

isolere, v. t. insulate; isolate; segregate.

isse, n. crown (of the head); fig. top, summit.

isskab, n. n. ice-box.

istandsætte, v. t. repair, mend; restore.

istap, n. icicle.

istemme, v. t. strike up; chime in.

istid, n. Ice Age; -vinter, n. hard winter; great frost.

især, adv. particularly, especially.

Italien, n. n. Italy.

italiener, n. Italian; (høns) Leghorn; -sk, adj. & n. Italian.

itu, adv. broken, in pieces.

iver, n. zeal; ardour; eagerness.

ivrig, adj. eager; zealous, ardent; animated.

iværksætte, v. t. carry into effect, start up, set in motion; institute.

iøjnefaldende, *adj.* conspicuous, obvious; glaring.

iørefaldende, *adj.* catchy.

iøvrigt, *se* i øvrigt.

ja, *int. & adv.* yes; *parl.* aye; well; indeed; even; besvare med ~, answer in the affirmative.

jag, *n. n.* hurry, haste; rush; (smerte) twinge; stabbing pain; -e, *v. t.* chase; rush; hunt; ~ bort drive away, drive off; -er, *n. mil.* (fly), fighter; *naut.* (sejl) flying jib; (torpedojager) destroyer; -eri, *n. n.* hurry, rush.

jagt, *n. naut.* sloop; chase, sport, hunting, shooting; hunt, shooting party; -betjent, *n.* gamekeeper; -bøsse, *n.* sporting gun; -hund, *n.* sporting dog, hunting dog, field dog; -taske, *n.* game-bag; -udbytte, *n. n.* bag.

Jakel,*n.* mester ~, Mr. Punch; Punch and Judy show

jaket, *n.* morning-coat; *U. S.* cut-away.

jakke, *n.* coat, jacket.

jalousi, *n.* jealousy; (vindues-) Venetian blind.

jaloux, *adj.* jealous.

jammer,*n.* misery, wretchedness; woe.

jammerlig, *adj.* miserable, wretched.

jamre, *v. i .& refl.* wail; lament; moan, whine.

januar, *n.* January.

Japan, *n. n.* Japan.

japan|er, *n.* Japanese; *sl.* Jap; -sk, *n. & adj.* Japanese.

jarl, *n.* earl.

jaske, *v. t.* scamp; -ri, *n. n.* slovenly work, botched work.

jeg, *n. n.* self, ego; -et, the ego; ens andet ~, one's alter ego; ~, *pron.* I; ~ selv, I myself.

jer, *pron.* you; *refl.* yourselves; -es, your; yours.

jern, *n. n.* iron; *fig.* hard worker; -bane, *n.* railway; -beslået, *adj.* iron-bound, iron-mounted; iron-studded; -beton, *n.* ferroconcrete; reinforced concrete; (jern-) *n. n.* sheet iron; -blik, *n. n.* sheet iron; -erts, *n.* iron ore; -helbred, *n. n.* iron constitution; -hård, *adj.* as hard as iron; -legering, *n.* iron alloy; -sav, *n.* hacksaw; -seng, *n.* iron bedstead; -skinne, *n.* iron rail; -støbegods, *pl. n.* iron castings, *pl.*; -støberi, *n. n.* iron-foundry; -tråd, *n.* wire; -tæppe, *n. n.* safety curtain; -tæppet, the Iron Curtain.

jet|drevet, *adj.* jet-propelled; -flyvemaskine, *n.* jet plane.

jeton, *n.* counter.

jo, *int. & adv.* yes; du har ~ været der?, you have been there, haven't you?; der er han jo!, why, there he is!; ~, *conj.* ~ mere ~ bedre, the more the better.

jobspost, *n.* bad news; evil tidings.

jod, *n. n.* iodine.

jolle, *n.* dinghy.

jomfru, *n.* virgin; maid; (butiks-), shop-assistant; -bur, *n. n.* girl's room; -hummer, *n. zool.* Norway lobster; -tale, *n.* maiden speech.

jonglere, *v. i.* juggle.

jord, *n.* earth; ground, land; soil; -arbejder, *n.* labourer, navvy; -brug, *n.n.* agriculture; -bruger, *n.* farmer; -bund, *n.* soil; -bær, *n.* strawberry; -eferd, *n.* funeral; -egods, *n. n.* landed property; -emoder, *n.* midwife; -forbindelse, *n. radio.* earth connexion; earthing; grounding; -fæste, *v. t.* inter; -hytte, *n.* mud hut; -klode, *n.* globe; -klump, *n.* clod of earth; -nød, *n.* peanut, groundnut; -rystelse, *n.* -skælv

n. n. earthquake; -skred,
n. n. landslide; -slået, adj.
mildewed; -smon, n. n.
soil, ground.

journal, n. journal, case-
book; naut. log-book;
-istik, n. journalism.

jub|el, n. exultation, jubila-
tion; rejoicing; joy; en-
thusiasm; -ilar, n. person
celebrating his jubilee.

jubilæum, n.n. (50 år) jubilee;
(25 år) silver jubilee; (60
år) diamond jubilee.

juks, n. n. trash, rubbish.

jul, n. Christmas; -eaften,
n. Christmas Eve; -eman-
den, n. Santa Claus, Father
Christmas.

juli, n. July.

juni, n. June.

jura, n. law.

juridisk, adj. legal, law.

justere, v. t. adjust; gauge.

justits, n. justice; (disciplin)
order, discipline; holde ~,
keep order; dispense jus-
tice: -minister, n. minister
of justice.

juvel, n. jewel.

jyde, n. Jutlander.

jydsk, adj. Jutland, Jut-
landish, Jutlandic.

Jylland, n. n. Jutland.

jæger, n. hunter, sportsman,
trapper; game-keeper.

jærn, se jern.

jærv, n. zool. wolverine.

jætte, n. giant; -stue, n.
megalithic tomb.

jævn, adj. even, level,
smooth; uniform, steady,
constant; plain, simple,
natural; -aldrende, adj.
of the same age; -byrdig,
adj. equal; -døgn, n. n.
equinox; -e, v. t. level,
smooth; adjust, set right;
-føre, v. t. compare; -ing,
n. (i sovs) thickening; -lig,
adv. frequently; -strøm, n.
direct current.

jød|e, n. Jew; -inde, n. Jew-
ess; -isk, adj. Jewish.

jøkel, n. glacier.

kabale, n. cabal, intrigue;
(kort) patience, solitaire.

kabbeleje, n. bot. marsh mari-
gold.

kabel, n. n. cable.

kabine, n. stateroom, cabin.

kabinet, n. n. cabinet.

kable, v. t. & i. cable.

kabliau, n. codfish.

kabys, n. naut. galley.

kadaver, n.n. carcass; corpse.

kadet, n. midshipman, cadet.

kadrejer, n. bumboat-man.

kafé, n. café, restaurant;
coffee-house.

kaffe, n. coffee; -kande, n.
coffee-pot; -søster, n.
coffee-fiend.

kage, n. cake; pastry; mele
sin egen ~, feather one's
nest; -bager, n. pastry-
cook; -rulle, n. rolling-pin.

kagle, v. i. cackle.

kahyt, n. cabin; state-room;
-strappe, n. companion
way.

kaj, n. quay, wharf; em-
bankment.

kaje, n. sl. jaw.

kakao, n. cocoa.

kakerlak, n. cockroach.

kakkelovn, n. stove;
-sskærm, n. fire-screen.

kald, n. n. calling, vocation;
living; -e, v. t. & i. call;
summon.

kaleche, n. hood.

kalfatre, v. t. naut. caulk.

kali, n. potash.

kaliber, n. calibre, bore; fig.
stamp, kind.

kalk, n. lime; mortar;
whitewash; (bæger) chal-
ice; cup; -brænderi, n. n.
lime-kiln; -e, v. t. white-
wash.

kalk|ere, v. t. trace; -erpapir,
n. n. tracing paper, carbon
paper; -holdig, adj. cal-
careous, chalky.

kalkun, n. turkey.

kalkule, n. estimate, cal-
culation; calculus.

kallun, n. n. tripe.

kalot, n. skull-cap; calotte;

13

segment; *sl.* gal i kalotten, angry.

kalv, *n.* calf; (då-) fawn; -ebrissel, *n.* sweatbread; (kød) veal; -eknæet, *adj.* knock-kneed; -ekød, *n. n.* veal; -skind, *n. n.* calf-skin; vellum.

kam, *n.* comb; (nøgle) bit; (bjerg, hane) crest; (hjul) cam; skære over en ~ judge alike; lump together; -garn, *n. n.* worsted (cloth); worsted (yarn).

kamfer, *n. n.* camphor.

kamik, *n.* [Greenlandic seal-skin top-boot].

kamin, *n.* fire-place; -gesims, *n.* mantelpiece; -gitter, *n. n.* fireguard, fender.

kammer, *n.n.n.*(*af* skydevåben) chamber; (small) room.

kammerat, *n.* companion, comrade, chum.

kammer|dug, *n.* cambric, lawn; -herre, *n.* chamberlain; -jomfru, *n.* lady's maid; -tjener, *n.* valet.

kamp, *n.* fight, struggle; combat; contest; strife; engagement; campaign; -dommer, *n.* referee, umpire; -flyvemaskine, *n.* fighter.

kan, *se* kunne.

kanal, *n.* (gravet) canal; (naturlig) channel; (kloak) drain, sewer; (røg-) flue.

kanarie|frø, *n.n.*(*af*) canary-seed; -fugl, *n.* canary.

kancelli, *n. n.* chancellery; -stil, *n.* departmental style; officialese.

kande, *n.* jug; pitcher.

kandidat, *n.* candidate, nominee; (bestået) graduate.

kandis, *n.* rock candy.

kane, *n.* sledge, sleigh.

kanel, *n. el. n. n.* cinnamon.

kanin, *n.* rabbit.

kanneleret, *adj.* fluted.

kannik, *n.* canon.

kano, *n.* canoe.

kanon, *n. jur. rel. mus.* canon; *typ.* three-line pica; (våben) cannon, gun; *sl.* en tsor ~, a big shot, a big noise; -er, *n.* gunner; -isere, *v. t.* canonize.

kanske, *adv.* perhaps, maybe.

kansler, *n.* chancellor.

kant, *n.* edge; border; margin; rim; quarter; region; part; -e, *v. t.* border, edge; -et, *adj.* angular, edged; *fig.* awkward; -sten, *n.* kerbstone; *am.* curbstone.

kantor, *n.* precentor.

kantre, *v. i. naut.* capsize.

kanut, *n. sl.* bloke, guy, blighter.

kap, *n. n.* cape, headland.

kap, *u. n.* om ~, in competition; løbe om ~, race; -løb, *n. n.* race; -roning, *n.* boat-race; -sejlads, *n.* regatta.

kapel, *n. n.* mortuary; orchestra; chapel; -lan, *n.* curate; -mester, *n.* conductor.

kaper, *n.* privateer; -brev, *n. n.* letter of marque; -e, *v. t.* grasp, understand; get.

kapital, *n.* capital; ~ og renter, principal and interest; -anbringelse, *n.* investment.

kapitel, *n. n.* chapter.

kappe, *v. t.* (træ) poll; *naut.* cut, clear away; ~, *n.* cloak, mantle, greatcoat; cap; hood, cowl; -s, *v. i.* ~ med, vie with, emulate; ~ om, compete for; -strid, *n.* competition.

kapre, *v. t.* seize, capture; get hold of; *sl.* pinch.

kaprifolium, *n. bot.* woodbine, honeysuckle.

kapriol, *n.* gøre -er, cut capers.

kapsel, *n.* capsule; (ur) case; (mælkeflaske) cap; (ølflaske) top, crown cork.

kapsko, *n.* clog.

Kapstaden, *n.* Cape Town.

kaptajn, *n.* captain; *naut.* master, commander.

kaput, *adj.* ruined, done for; washed out.

kar, *n.n.* vessel; (stort) vat.

karaffel, *n.* decanter; water bottle.

karakter, *n.* character, disposition; (skole) marks.

karamelbudding, *n.* butterscotch pudding.

karantæne, *n.* quarantine.

karbad, *n.n.* bath [as opposed to shower(bath)].

karbolsyre, *n.* carbolic acid.

karbonade, *n.* chop.

karburator, *n.* carburettor.

kardan, *n.* cardan; -aksel, *n.* propeller shaft; -led, *n.n.* universal joint.

karduspapir, *n.n.* packing paper, brown paper; cartridge paper.

karet, *n.* coach.

karl, *n.* man; farm-hand; boots; (stald) groom, ostler.

karm, *n.* door-frame, window-frame.

karmosinrød, *adj.* crimson.

karnapvindue, *n.n.* bay-window, bow-window.

karneval, *n.n.* carnival; fancy dress ball.

karosse, *n.* coach, carriage; -ri, *n.n.* body; coach-work.

karpe, *n.* carp.

karré, *n.* block; *mil.* square.

karriere, *n.* career; gallop.

karrig, *adj.* stingy, miserly; sparing af; niggardly.

karrusel, *n.* merry-go-round; roundabout.

karry, *n.* curry.

karse, *n.* cress; -hår, *n.n. coll.* crew-cut.

karsk, *adj.* hale, sound.

karskrubbe, *n.* scrubbing-brush.

kartoffel, *n.* potato.

karton, *n.* cardboard.

kartotek, *n.n.* card index; filing cabinet.

kaserne, *n.* barracks.

kasket, *n.* cap.

kassabel, *adj.* worthless; useless; worn out.

kasse, *n.* case, box; chest; coffer; *commerc.* cash-desk; -apparat, *n.n.* cash register; -beholdning, *n.* cash-in-hand; -mangel, *n.* deficit.

kassere, *v.t.* discard, scrap; reject; cashier; -r, *n.* cashier; teller; paymaster; treasurer.

kasserolle, *n.* saucepan.

kast, *n.n.* fling, toss, pitch, throw; gust (of wind); toss, jerk.

kastanie, *n.* chestnut.

kaste, *n.* caste; -e, *v.t.* throw, cast, toss; pitch, fling; bowl; -evind, *n.* squall, sudden gust.

kastel, *n.n.* citadel, fortress.

kastespyd, *n.n.* spear; javelin. -våben, *n.n.* missile.

kat, *n.* cat.

katalog, *n.n.* catalogue, list.

katastrofal, *adj.* disastrous.

katolsk, *adj.* Catholic.

katte|killing, *n.* kitten; -vask, *n. coll.* a lick and a promise; -øje, *n.* cat's eye; (cycle) reflector.

kattun, *n.n.* calico.

kaudervælsk, *n.n.* gibberish.

kaution, *n.* surety; bail; security; guarantee.

ked, *adj.* ~ af, tired of, weary of; sorry; led og ~ af, sick and tired of; bored to death with; -e, *v.t.* tire, weary, bore.

kedel, *n.* kettle; copper; cauldron; boiler; -flikker, *n.* tinker; -sten, *n.* scale; incrustation.

ked|elig, -sommelig, *adj.* tiresome, tedious, irksome; slow; annoying; unpleasant.

kegle, *n.* cone; (spil) nine-

pin; skittle; -formet, *adj.*
conical.

kejser, *n.* emperor; -dømme,
n. n. empire; -inde, *n.* em-
press; -krone, *n.* imperial
crown; ~, *bot.* crown-im-
perial; -lig, *adj.* imperial.

kejt|et, *adj.* awkward,
clumsy; -håndet, *adj.* left-
handed.

kel, *n.* groove; moulding.

keltring, *n.* scoundrel; gipsy.

kemi, *n.* chemistry.

kende, *n.* trifle, bit; ~, *v. t.*
& *i.* know; lære at ~, make
the acquaintance of; ~
skyldig, find guilty; -lig,
adj. noticeable, recogniza-
ble; perceptible; -r, *adv.*
considerably; -lse, *n.*
award; verdict; ruling,
decision, judgement;
-mærke, *n. n.* sign; crite-
rion, characteristic; -r, *n.*
judge, connoisseur; -rblik,
n. n. eye of an expert;
-tegn, *n. n.* distinctive
mark; sign.

kend|ing, *n.* acquaintance;
naut. sight of land; en gam-
mel ~ af politiet, an old
offender; -sgerning,*n.*fact;
-skab, *n. n.*,~til, knowled-
ge of; acquaintance with;
-t, *adj.* (well-)known;
familiar; acquainted.

kerne, *n.* seed; pip; grain;
stone; core; essence; sa-
gens ~, the crux of the
matter; ~, *n.* churn; ~,
v. t. churn; core.

kerte, *n.* candle; taper.

ketsjer, *n.* (tennis) racket;
(fjerbold-) battledore;
(*til* sommerfugle) butter-
fly-net; (*til* fisk) landing-
net.

kid, *n. n.* kid.

kig, *n. n.* peep; få ~ på,
catch sight of; -hoste, *n.*
whooping cough.

kigge, *v.i.* peep, peer; glance;
look.

kikkert, *n.* telescope; field
glass; (*til* 2 øjne) field

glasses, *pl.*; (teater) opera
glasses, *pl.*

kiks, *n.* biscuit; *n. n.* miss;
-e, *v. i.* miss, go wrong.

kilde, *n.* spring, fountain;
source; authority.

kilden, *adj.* ticklish; delicate,
awkward.

kile, *n.* wedge; *mech.* key;
cotter; -formet, *adj.*
wedge-shaped, cuneiform.

killing, *n.* kitten.

kilt(r)e, *v. t.* ~ op, tuck up.

kim, *n. n.* germ, embryo;
-blad, *n. n.* seed-leaf; co-
tyledon.

kime, *v. i.* ring, chime.

kimse, *v. i.* ~ ad, turn up
one's nose at; ikke til at
~ ad, not to be sneezed at.

kind, *n.* cheek.

kineser, *n.* Chinese; (fyrvær-
keri) firecracker; -i, *n. n.*
pedantry; red tape; -tråd,
n. carpet thread.

kinesisk, *adj.* Chinese.

kinin, *n.* quinine.

kipning, *n.* (flag) dipping;
tilting, tipping.

kippe, *v. t.* (flag) dip; tilt, tip.

kirke, *n.* church; -bog, *n.*
parish register; -gård *n.*
churchyard; graveyard;
cemetery; -lig, *adj.* eccle-
siastical; -lov, *n.* Church
Law; canon law; -lysning,
n. banns, *pl.*; -skib, *n. n.*
nave; -stol, *n.* pew; -tårn,
n. n. (spids) church steeple;
(firkantet) tower; (klok-
ke-) belfry; -værge, *n.*
churchwarden.

kirsebær, *n. n. bot.* cherry.

kirtel, *n.* gland; -svag, *adj.*
scrofulous.

kirurg, *n.* surgeon.

kis! *int.* puss!, pussy!; ~, *n.*
pyrites; -pus, *n.* puss in
the corner; -sejav, *n. n.*
hurry; -semisse, *v. i* flirt.

kiste, *n.* chest; *naut.* locker;
(lig-) coffin.

kit, *n. n.* putty; -te, *v. t.*
putty.

kittel, *n.* smock; overall;

(håndværkers) overall(s);
(læges, videnskabsmands)
(white) coat.

kives, *v. i.* quarrel, dispute, wrangle.

kjole, *n.* dress, gown; frock; (herre) dress coat, tail-coat; -sæt, *n. n.* dress-suit.

kladask, *int.* bang!, crash!, wallop!

kladde, *n.* rough draft.

klage, *v. i.* complain; wail, moan; lament; ~, *n.* lament, wail, moan; claim; complaint; -nde, *adj.* plaintive, doleful; wailing; lamenting; -r, *n. jur.* plaintiff; -sang, *n.* dirge, elegy, lament.

klam, *adj.* damp, clammy.

klamme, *n.* cramp, clamp; -r, *pl. typ.* brackets, *pl.*

klammeri, *n.n.* quarrel; row; shindy.

klampe, *n.* cleat, clamp.

klamre, *v. refl.* ~ sig til, cling to.

klang, *n.* sound, ring, clang, chink, clink; -fuld, *adj.* sonorous; -løs, *adj.* dull, toneless.

klap, *n.* leaf, flap, flap; (ventil) valve; der gik en ~ ned for mig, my mind went blank; ~, *n. n.* applause, clapping of hands; pat, tap, rap; ikke et ~, not a bit, not the slightest; -hammer, *n.* mallet; -jagt, *n.* battue; -pe, *v.t. & i.* clap, applaud; pat; caress; -perslange, *n.* rattlesnake; -re, *v. i.* clatter, rattle; (tænder) chatter; -salve, *n.* round of applause; -stol, *n.* folding-chair; -ventil, *n.* flap-valve.

klar, *adj.* clear; bright; serene; plain, evident; ready; limpid, lucid; -e, *v.t.* clear, clarify; manage; -e, *v. refl.* ~ sig, manage, pull through; -ere, *v. t.* clear; clear through customs; -lægge, *v. t.* ex-

plain; -synet, *adj.* perspicacious, clear-sighted.

klase, *n.* cluster, bunch; truss; *bot.* raceme.

klask, *n. n.* flop, splash, plop.

klaskvåd, *adj. coll.* sopping wet.

klasse, *n.* class; form.

klasse|bevidsthed, *n.* class-consciousness; -forskel, *n.* class distinction; -lærer, *n.* form-master.

klassificere, *v. t.* classify, class, grade.

klat, *n.* bit; lump; blot; -gæld, *n.* small debts; -maler, *n.* dauber; -mikkel, *n.* butter-fingers; -papir, *n. n.* blotting paper.

klatre, *v. i.* climb, clamber; -tyv, *n.* cat burglar.

klatte, *v. i.* blot; daub; trifle, dabble; ~ bort, fritter away.

klausul, *n.* clause, stipulation; proviso.

klaver, *n. n.* piano.

klaviatur, *n. n.* key-board.

klavre, *v. i.* climb, scramble.

klejnsmed, *n.* locksmith.

klem, *u. n.* på ~, ajar.

klemme, *n.* clothes peg; (brød) thick sandwich; i ~, jammed; in trouble; in a hole.

klemte, *v. i.* toll, peal; clang.

klenodie, *n. n.* jewel, treasure, gem.

kleppert, *n.* nag; burly fellow.

kliché, *n.* block; cliché; *fig.* cliché; set phrase.

klid, *n. n.* bran.

klike, *n.* set; clique.

klikke, *v. i.* miss fire; click, snap; fail.

klimpre, *v. i.* thrum.

kline, *v. t.* paste, daub; cram, pack tightly.

klinge, *n.* blade; sword; ~, *v. i.* sound, ring, jingle.

klinke, *v. t.* rivet; ~, *v. i.* touch glasses; ~, *n.* latch; rivet; (sten) clinker.

klint, *n.* cliff.

klinte, n. cockle; *bibl.* tares, *pl.*

klipfisk, n. split cod.

klippe, *v. t.* cut, clip, shear; ~ kort, crop; ~, n. rock; -spids, n. peak, pinnacle.

klirre, *v. i.* clink, jingle, clank; (*råsle*) rattle, chink.

klistre, *v. t.* paste.

klit, n. dune, sand hill.

klo, n. claw; talon; (håndskrift) scrawl, fist; *pl. fig.* clutches.

kloak, n. sewer; -vand, n. n. sewage.

klode, n. globe; sphere.

klodrian, n. bungler.

klods, n. log, block, stock; impediment; (om benet) drag; på ~, *sl.* on tick; -et, *adj.* clumsy, awkward.

klog, *adj.* wise, prudent, judicious, sagacious; intelligent.

klokke, n. bell, clock; hvor mange er -n?, what's the time?; -n er mange, it is late; -r, n. sexton; bell-ringer; -slæt, n. n. hour; -tårn, n. n. belfry.

kloster, n. n. monastery, convent, abbey; -broder, n. friar; -gang, n. cloister.

klov, n. hoof.

klovn, n. clown.

klovsyge, n. foot-rot; mund- og klovsyge, foot-and-mouth disease.

klub, n. club.

klud, n. rag, cloth.

kludder, n. n. muddle, mess; jam.

kludre, *v. t. & i.* bungle; make a mess of.

klukke, *v. i.* cluck; chuckle; gurgle.

klump, n. lump; -e, *v. i.* clot, lump; (mennesker) huddle together; -fod, n. clubfoot.

klunke, n. tassel; -tiden, the Victorian era.

kluns, n. n. *sl.* togs; *mil.* kit.

kluntet, *adj.* clumsy, awkward, ungainly.

klynge, n. cluster; crowd.

klynke, *v. i.* whimper, whine, wail.

klys, n. n. *naut.* hawse.

klyver, n. *naut.* jib.

klæb|e, *v. i.* stick, adhere; cleave; ~, *v. t.* stick, paste, glue; -rig, *adj.* sticky.

klæde, n. n. cloth; ~, *v. t.* clothe, dress; -dragt, n. dress; -lig, *adj.* becoming, graceful; ~, *r, pl.* n. clothes *pl.*, garments, *pl.*; clothing; -skab, n. n. wardrobe.

klædning, n. suit of clothes.

klæg, *adj.* pasty; (jord) sticky, clayey.

klække, *v. t.* hatch; ~ ud, hatch (out).

klø, *v. t. & i.* scratch, itch; (prygle) thrash.

kløft, n. cleft, crack; ravine, fissure; crevice; (hage) dimple; (gren) fork; *fig.* breach; -et, *adj.* cleft, cloven.

kløgtig, *adj.* shrewd, clever, sagacious, ingenious.

klør, n. (kort) clubs.

kløve, *v. t.* cleave, split.

kløver, n. clover, trefoil.

knag, n. (person) a brick; a plucky fellow (*el.* girl).

knage, n. peg; ~, *v. i.* creak, groan; -me, *int.* det ser ~ godt ud!, it looks jolly good!; -ende, *adj.* creaking, groaning, cracking; *coll.* jolly, awfully.

knald, n. n. report, pop, explosion; crack; -ende, *adj.* glaring; roaring; dazzling; bright; -ert, n. cracker; -hætte, n. percussion cap; -roman, n. novelette; thriller.

knallert, n. moped; autocycle, motor-assisted bicycle.

knap, *adj.* scanty; short; stingy; brief; ~, *adv.* hardly, scarcely; ~, n. button, stud; knob; -hul, n. n. buttonhole; -pe, *v. t.* button (up); -pe af på,

reduce, curtail; ~ op, un-
button; -penål, _n._ pin.
knark, _n._ old fellow; fogey.
knarvorn, _adj._ cross, peevish.
knas, _n. n._ sweets; _radio._
crackling; -e, _v. t._ crunch,
_v. i._ crackle.
knast, _n._ knot, gnarl; _mech._
stop, cam.
kneb, _n. n._ trick, artifice;
(mave) the gripes, _pl._
knebel, _n._ gag; (klokke)
tongue.
kneben, _adj._ narrow; scanty;
meagre.
knejpe, _n._ pub; dive.
knejse, _v. i._ strut; tower.
knibe, _n._ pinch, dilemma,
scrape, fix; ~, _v. t. & i._
pinch, nip; save, pinch and
scrape; (kort) finesse.
knibsk, _adj._ coy, prudish.
knibtang, _n._ (a pair of)
pincers, _pl._
kniks, _n. n._ courtesy.
kniplinger, _pl. n._ lace.
knippe, _n. n._ bunch; bundle;
truss; (brænde) faggot.
knippel, _n._ cudgel, blud-
geon; (politi) truncheon;
~, _adj._ thumping, tip-top.
knips, _n. n._ fillip; flick; flip.
knirke, _v. i._ creak, crackle;
(sko) squeak; (sne) crunch.
kniv, _n._ knife; -smed, _n._
cutler; -spids, _n._ the point
of a knife; -stik, _n. n._ stab.
kno, _n._ knuckle.
knob, _n._ _naut._ knot.
knogle, _n._ bone.
knokkel, _n._ big strapping
fellow.
knold, _n._ knoll; (klump)
clod; _bot._ tuber; (hoved)
_sl._ nob, nut.
knop, _n._ bud; knob.
knortet, _adj._ gnarled, knotty.
knubs, _n. n._ knock, blow.
knude, _n._ knot; bump,
lump; (intrige) plot.
knuge, _v. t._ press, squeeze;
hug; depress; oppress. .
knurre, _v. i._ growl, snarl;
rumble; grumble.
knuse, _v. t._ crush, smash;

break; et knust hjerte, a
broken heart.
knyst, _n._ bunion, corn.
knytte, _v. t._ tie, bind, attach;
(hånden) clench.
knæ, _n. n._ knee; joint;
-bukser, _pl. n._ breeches;
plus fours; shorts _(alle pl.)._
knægt, _n._ (kort) knave, Jack;
lad, youngster.
knække, _v. t. & i._ crack, snap,
break.
knækkort, _adj._ knee-length.
knæle, _v. i._ kneel.
knæskal, _n._ knee-cap.
knøs, _n._ lad.
ko, _n._ cow.
kobbel, _n. n._ couple, leash;
pack.
kobber, _n. n._ copper;
-stik, _n. n._ copperplate;
print; copperplate en-
graving.
ko|ben, _n. n._ (redskab) crow-
bar; -bjælde, _n._ cowbell;
bot. pasque-flower.
koble, _v. t._ couple, link; ~
fra, detach; disconnect;
declutch; relax; ~ sam-
men, link.
kobling, _n._ coupling; (auto)
clutch.
kode|lås, _n._ combination-
lock; -ord, _n. n._ code
word; -skrift, _n._ cipher,
code.
ko|driver, _n._ _bot._ cowslip;
-fanger, _n._ cowcatcher;
(bil) bumper.
koffardi|fart, _n._ merchant
service; -skib, _n. n._ mer-
chantman.
kofte, _n._ _arch._ peasant's coat.
koge, _v. t. & i._ boil; cook;
seethe; -kunst, _n._ cookery;
-plade, _n._ hot-plate;
-punkt, _n. n._ boiling point.
kogger, _n. n._ quiver.
kogle, _n._ cone; _v. i._ cast
spells, practice witchery;
-ri, _n. n._ spell, enchant-
ment.
kognak, _n._ brandy; cognac.
kok, _n._ cook.
kokettere, _v. i._ flirt.

kokkepige, n. cook.
kokkerere, v. i. cook; mess about in the kitchen.
kokos|-bast, n. coir; -kerner, pl. n. copra; -nød, n. coconut.
koks, n. coke.
kolbe, n. (gevær) butt; (beholder) flask; bot. spadix.
kolbøtte, n. somersault.
kold, adj. cold; chilly; frigid; -blodet, adj. cold-blooded; -blodig, adj. cool, composed; -brand, n. gangrene; -feber, n. the ague; -mejsel, n. cold chisel; -sindighed, n. coolness, composure; -skål, n. [Danish dish based on cold beer or buttermilk].
kolibri, zool v. humming-bird.
kollega, n. colleague.
koloni, n. colony, settlement; -alvarer, pl. n. groceries, pl.; -have, n. allotment (garden).
kolos, n. colossus.
kolportere, v.t. canvass; sell, books from door-to-door.
kombinere, v. t. combine.
komedie, n. comedy, play; row, shindy; -spil, n. n. acting, bluff.
komfur, n. n. kitchen range.
komisk, adj. comic; comical.
komité, n. committee.
kommandere, v. t. command, order; be in charge.
komme, v. i. come; get; hvordan -r man fra Cairo til Timbuctoo?, how does one get from C. to T.?; ~, v. t. put, mix; ~, v. refl. ~ sig, recover; ~ af med, get rid of; ~ frem, get on; ~ galt af sted, get into difficulties; ~ bort fra sagen, wander, digress; ~ tilbage, return; ~ til sig selv, come to, come round.
kommen, n. caraway seed.
kommers, n. fun, hubbub, lark; på ~, sl. on the spree.

kommis, n. shop-assistant.
kommission, n. commission, board.
kommode, n. chest of drawers.
kommune, n. municipality; borough; commune; parish.
kompagn|i, n. n. company; partnership; -on, n. partner.
kompact, adj. compact; solid; dense.
kompas, n. n. compass; -hus, n. n. naut. binnacle.
kompleks, n. n. block; collection, mass; complex.
komplet, adj. complete.
komplot, n. n. plot, conspiracy.
komponere, v. t. compose.
kompromittere, v. t. compromise.
koncept, n. draft; bringe fra -erne, disconcert.
konditor, n. confectioner.
kondom, n. contraceptive sheath, condom.
konduktør, n. rail. guard; U. S. conductor.
kone, n. wife; woman; charwoman, domestic help.
konfekt, n. [assorted chocolates and sweets].
konfektion, n. ready-made clothing; sl. off-the-peg.
konfirmand, n. (før) candidate for confirmation; (efter) newly confirmed person.
konfirmere, v. t. confirm; ratify.
konge, n. king; -borg, n. royal castle; -dømme, n. n. kingdom, monarchy; -lig, adj. royal, regal; -ligt, adv. royally; hugely, immensely; -lys, n. n. bot. mullein; -mord, n. n. regicide; -rige, n. n. kingdom, realm; -tro, adj. loyal; -ørn, n. zool. golden eagle.
konjunktur, n. conditions, pl; state of the market; gode -er, prosperity, boom;

dårlige **-er**, slump, depression.

konkurrence, *n.* competition.

konkurs, *n.* bankruptcy; failure.

konkylie, *n.* conch, shell.

konossement, *n. n.* bill of lading.

konseilspræsident, *n. arch.* prime minister.

konsekvent, *adj.* consistent.

konservere, *v. t.* preserve.

konsol, *n. archit.* bracket; corbel; console.

konsortium, *n.n.* syndicate.

konstabel, *n.* mil. gunner.

konstatere, *v. t.* (påvise) establish; (finde ud af) ascertain; find.

konstitueret, *adj.* acting; deputy; temporary.

konsulent, *n.* adviser, consultant.

kontakt, *n.* contact; (afbryder) switch.

kontant, *adj. & adv.* cash; cash down, ready money; **-e udlæg,** out-of-pocket expenses.

kontingent, *n. n.* mil. contingent; (bidrag) subscription; quota, share.

konto, *n.* account; **-kurant,** *n.* current account.

kontor, *n. n.* office; **-chef,** head of a department in an office; **-ist,** *n.* clerk; **-ius,** *n.* bureaucrat; **-stol,** *n.* swivel chair; **-tid,** *n.* office hours.

kontra, *prep.* versus; **-bas,** *n.* double-bass; **-bog,** *n.* pass-book; **-here,** *v. i.* contract; **-møtrik,** *n. tech.* locknut, jam-nut.

kontreadmiral, *n.* rear-admiral.

kontrollere, *v. t.* control; check; test, verify; supervise.

kontur, *n.* outline, contour.

konvolut, *n.* envelope.

kop, *n.* cup; **et par -per,** a cup and saucer.

kopi, *n.* copy, transcript; carbon copy.

koppe|attest, *n.* vaccination certificate; **-epidemi,** *n.* smallpox epidemic; **-r,** *pl. n.* smallpox.

kor, *n.* chorus; choir; *archit.* chancel.

koraltræ, *n. n.* red sandal-wood.

kordegn, *n.* sacristan, sexton.

korende, *n.* currant.

kork, *n.* cork.

korn, *n.n.* corn; grain; granule; cereals; (sigte-) sight; **tage på-et,** *coll.* draw a bead on; *fig.* hit (off) exactly; **-et,** *adj.* granular, grainy; **-mod,** *n.n.* summer-lightning; **-neg,** *n.n.* sheaf; **-rensning,** *n.* winnowing.

korpige, *n.* chorus girl.

korps, *n. n.* corps, body.

korrektur, *n.* proof.

korrigere, *v. t.* correct.

korrumpere, *v. t.* corrupt.

kors, *n. n.* cross; **-blomstret,** *adj. bot.* cruciferous; **-bånd,** *n. n.* wrapper; **-fæste,** *v. t.* crucify; **-tog,** *n. n.* crusade; **-vej,** *n.* cross-roads, *pl.*

kort, *n.n.* card; map; chart; ticket; **~,** *adj. & adv.* short; brief; **om ~ tid,** shortly; **-fattet,** *adj.* concise, brief, succinct; **-fristet,** *adj.* short-term; **-klippet,** *adj.* close-cropped, bobbed; **-lægge,** *v.t.* chart; map out; **-slutning,** *n.* short circuit; **-varig,** *adj.* of short duration, transitory, short-lived.

kost, *n.* food, victuals, *pl.*; fare; board; (feje-) broom; **-bar,** *adj.* precious, valuable; costly; **-e,** *v.t.& i.* cost; **hvad -er det?,** how much it it?; **-elig,** *adj.* precious, costly, delightful; **-e med,** order about; **-foragter,** *n.* **han er ingen ~,** he's not fussy (*el.* squeamish); **-penge,** *pl.n.* maintenance; **-skole,** *n.* boarding school; public school.

kotelet, *n.* cutlet, chop.

ko|vende, *v. i. naut.* veer (round); **-vending**, *n. fig.* volte-face; face-about; **-øje**, *n. n. naut.* port-hole.

krabask, *n.* cane.

krabat, *n.* fellow.

krabbe, *n.* crab.

krads|børstig, *adj.* crusty; fierce; **-e**, *v. t. & i.* scratch, scrape, irritate; **-uld**, *n.* shoddy.

kraft, *n.* strength; power; force, vigour; energy; **-idiot**, *n.* blithering idiot; **-ig**, *adj.* vigorous; powerful; strong; energetic; forcible; **-overføring**, *n.* transmission of power.

krage, *n.* crow; **-klo**, *n. bot.* rest-harrow; **-mål**, *n. n.* gibberish; **-tæer**, *pl. n.* (håndskrift) scrawl.

krak, *n. n.* crash, breakdown.

krakilsk, *adj.* quarrelsome, cantankerous.

kram, *n. n.* wares; stuff; trash; at kunne sit ~, know one's job; **-me**, *v. t.* crumple; crush, squeeze; hug.

krampe, *n.* fit, convulsions; (jern-) cramp, staple.

kran, *n.* crane; **-arm**, *n.* jib.

kraniebrud, *n. n.* fracture of the skull.

krans, *n.* wreath; *bot.* whorl; **-ekage**, *n.* [cone-shaped Danish almond cake].

krap, *n.* madder; **-sø**, *n.* choppy sea.

krapyl, *n. n.* rabble.

kras, *adj.* gross, crass; pungent, evil-smelling.

krat, *n. n.* thicket, copse; brushwood, scrub.

krav, *n. n.* claim; demand, request; exigencies, *pl.*; gøre ~ på, lay claim to.

krave, *n.* collar.

kravle, *v. i.* crawl, creep.

kreatur, *n. n.* cattle, livestock; (håndlanger) creature, tool.

krebs, *zool. n.* crawfish;

crayfish; **-ens vendekreds**, the Tropic of Cancer.

kredit, *n.* credit; *sl.* tick; **-oplag**, *n. n. commerc.* bond; bonded warehouse.

kreds, *n.* circle; ring; sphere; district; **-e**, *v. i.* circle; **-løb**, *n. n.* circulation.

krepere, *v. i.* die; *sl.* kick the bucket.

krible, *v. i.* creep, tickle; prick, itch.

krid|hvid, *adj.* white as chalk; **-t**, *n. n.* chalk; **-tpibe**, *n.* clay-pipe; **-ttegning**, *n.* crayon (drawing).

krig, *n.* war; warfare; føre ~, wage war; **-er**, *n.* warrior; **-ersk**, *adj.* martial, warlike; -smaling, *n.* war-paint; i ~, dressed to kill; **-sfange**, *n.* prisoner of war; **-sfartøj**, *n. n.* man-of-war; **-sførende**, *adj.* belligerent; **-sinvalid**, *n.* disabled soldier; **-sret**, *n.* court martial, military tribunal; **-stjeneste**, *n.* military service.

krikand, *n. zool.* teal.

krikke, *n.* jade, hack.

krille, *v. i.* itch, tickle.

kriminal-, criminal, *adj.* **-assistent**, *n.* police inspector; **-roman**, *n.* detective novel.

krinkelkroge, *pl. n.* [odd nooks and corners].

kringle, *n.* pretzel.

krise, *n.* crisis; *commerc.* depression, slump; **-fond**, *n.* emergency fund.

krist|elig, *adj.* **-en**, *n.* Christian; **-enhed**, *n.* Christendom; **-torn**, *n. bot.* holly.

Kristus, *n.* Christ.

kritik, *n.* criticism; review.

kro, *n.* inn; public-house, tavern; (fugls) craw, crop; **-ejer**, *n.* innkeeper; **-stue**, *n.* tap room.

krog, *n.* corner, nook; (jern) hook, crook; **-et**, *adj.* crooked; **-vej**, *n.* round-about way; **-veje**, *pl. fig.* underhand means.

kroket, *n.* croquet.

kroki, *n. n.* sketch (from life).

krokodille, *n. zool.* crocodile.

krom, *n.* chromium.

kron|blad, *n. n.* petal; -dyr, *n. n.* red deer; -e, *v. t.* crown; coronet; (træ) top, crown; (mønt) *krone* (*pl. kroner*); *bot.* corolla; -e, *v. t.* crown; -ing, *n.* coronation; -prins, *n.* crown prince; -ragning, *n.* tonsure; -vidne, *n. n.* king's (queen's) evidence.

krop, *n.* body; trunk; (død) carcase.

krudt, *n. n.* gunpowder.

krukke, *n.* jar; pitcher.

krukket, *adj.* affected.

krum, *adj.* bent, curved, crooked; -me, *v. t.* bend, bow; curve, arch; -ning, *n.* bend, curve, curvature; -passer, *n.* calipers *pl.* -sabel, *n.* scimitar: -spring, *n. n.* caper, gambol, -tap, *n.* crank.

krus, *n. n.* jug; mug; tankard.

kruse, *v. t. & i.* curl, crisp, ripple, ruffle; -dulle, *n.* flourish; -t, *adj.* curly.

kry, *adj.* proud, conceited; spry, brisk, pert, cheeky.

kryb, *n. n.* vermin; creepy-crawly thing(s).

krybbe, *n.* manger, crib.

kryb|e, *v. i.* creep, crawl; fawn upon, cringe, grovel; -dyr, *n. n.* reptile; -skytte, *n.* poacher.

krydder, *n.* [type of Danish rusk]; -eddike, *n.* aromatic vinegar; -fedt, *n. n.* flavoured lard; -i, *n. n.* spice, seasoning; -nellike, *n.* clove; -urter, *pl. n.* aromatic herbs, *pl.*

kryds, *n. n.* cross; *naut.* cruise; *anat.* loin; *mus.* sharp; -befrugtning, *n.* cross-fertilisation;-e, *v. t. & i.* cross; inter-sect; interbreed; -er,

n. cruiser; -finér, *n. n.* plywood; -forhør, *n. n.* cross-examination; -ordsopgave, *n.* crossword puzzle; -togt, *n. n.* cruise.

krykke, *n.* crutch.

krympe, *v. refl.* ~ sig, shrink; wince.

kryste, *v. t.* squeeze, press; hug.

kryster, *n.* coward; funk.

kræ, *n. n.* creature.

kræft, *n.* cancer; *bot.* canker; -svulst, *n.* tumour.

krænge, *v. i.* turn inside out; *naut.* careen; heel over.

krænke, *v. t.* violate; hurt, injure, offend, insult, outrage; -lse, *n.* violation, affront, outrage; -nde, *adj.* insulting, offensive.

kræsen, *adj.* particular, fastidious, dainty; hard to please; choosy.

kræve, *v. t.* claim; require; demand; exact; collect; press.

krøbling, *n.* cripple.

krølle, *v. t.* curl; crease; crumple; ~, *n.* curl; crease; -jern, *n. n.* curling iron.

krønike, *n.* chronicle; annals; (løgnehistorie) cock-and-bull story.

kube, *n.* hive.

kue, *v. t.* cow, subdue.

kuffert, *n.* trunk; suitcase; grip; portmanteau.

kugle, *n.* globe, sphere, orb; ball, shot, bullet; bowl; bulb; pellet; -bane, *n.* trajectory; -formet, *adj.* globular, spherical; -leje, *n. n.* ball-bearing; -ramme, *n.* abacus.

kujon, *n.* coward.

kuk, *n. n.* the call of the cuckoo; ikke et ~, not a

word; not a thing; not a bit.

kukkelure, *v. i.* mope.

kul, *n. n.* coal.

kulant, *adj.* obliging; fair.

kuld, *n. n.* brood; litter.

kulde, *n.* cold, frost; coldness.

kuldkaste, *v. t.* overthrow, upset; *jur.* invalidate.

kuldsejle, *v. i.* capsize.

kuld|skær, *adj.* susceptible to cold; **-slå,** *v. t.* take the chill off.

kule, *n.* pit; **-grave,** *v. t.* trench.

kulgrube, *n.* coal mine.

kuling, *n. naut.* breeze.

kulisse, *n. theat.* wing; **-feber,** *n.* stage-funk.

kul|kasse, *n.* coal scuttle; **-lemper,** *n.* coal-trimmer.

kuller, *n. zool.* haddock.

kul|rum, *n. n. naut.* bunker; **-skib,** *n. n.* collier; **-sort,** *adj.* jet-black; (mørke) pitch dark; **-stof,** *n. n.* carbon; **-svier,** *n.* charcoal burner; **-syre,** *n.* carbonic acid gas; **-tegning,** *n.* charcoal drawing.

kultur, *n.* civilisation, culture; cultivation; way of life.

kultus, *n.* cult, worship.

kulør, *n.* colour.

kumme, *n.* bowl, basin, cistern; (w. c.) pan (el. bowl).

kummer, *n.* grief, sorrow, distress, affliction; **-lig,** *adj.* miserable, wretched.

kun, *adv.* only, but; mere.

kunde, *n.* customer; client; patron; **-konto,** *n.* charge account.

kundgøre, *v. t.* make known, publish, notify, announce, proclaim.

kundskab, *n.* knowledge; information; intelligence.

kunne, *v. i.* be able to; know; **-n,** *n.* ability, competence.

kunst, *n.* art; **-anmelder,** *n.*

art critic; **-drejer,** *n.* ivory-turner; **-fuld,** *adj.* ingenious; **-færdig,** *adj.* ingenious; elaborate; **-genstand,** *n.* objet d'art; **-greb,** *n. n.* artifice, trick; **-gødning,** *n.* fertilizer; **-ig,** *adj.* artificial; curious; synthetic; imitation; **-industri,** *n.* applied art; industrial art; **-let,** *adj.* affected; **-ner,** *n.* artist; **-maler,** *n.* artist, painter; **-nerisk,** *adj.* artistic; *coll.* arty; **-stof,** *n. n.* plastic (material), **-stykke,** *n. n.* feat; trick; **-værk,** *n. n.* work of art.

kup, *n. n.* coup; scoop; surprise; (politisk) coup d'état.

kupé, *n.* (railway) compartment.

kuperet, *adj.* (hale) docked; (terræn) undulating, hilly.

kupon, *n.* coupon; suit-length; dress-length; counterfoil.

kuppel, *n.* dome; cupola; (glas-) case.

kur, *n.* cure; (hof) levee; gøre ~ til, make love to, court; **-anstalt,** *n.* health resort, sanatorium.

kurant, *adj.* current, salable.

kurator, *n.* curator; trustee.

kurere, *v. t.* cure, heal.

kurs, *n.* course; *commerc.* rate of exchange; **-notering,** *n.* quotation; være i ~, be popular; ude af ~, out of fashion.

kursiv, *n.* italics.

kursus, *n. n.* course, classes.

kurtisere, *v. t.* flirt with.

kurv, *n.* basket; hamper; **-blomst,** *n.* composite flower; **-e,** *n.* curve; graph; **-eflaske,** *n.* wicker bottle; (stor) demijohn; **-efletning,** *n.* wickerwork, basketwork; **-estol,** *n.* wicker chair.

kusine, *n.* cousin.

kusk, *n.* driver, coachman; waggoner; **-esæde,** *n. n.*

arch. box; -e, *v. t.* boss, order about.

kutte, *n.* cowl.

kutyme, *n.* custom; usage; practice.

kuvert, *n.* cover; envelope; -afgift, *n.* cover charge.

kvad, *n. n. arch.* lay, song.

kvadrat, *n. n.* square; 4 fod i ~, four feet square.

kvaj, *n. n.* fathead, ass.

kvak|le, *v. i.* bungle, dabble; -salver, *n.* quack.

kval, *n.* pang, agony, anguish, torment; (besvær) trouble; -fuld, *adj.* agonizing, excruciating.

kvalificere, *v. t.* qualify.

kvalitet, *n.* quality.

kvalkved, *n. bot.* guelder rose.

kvalm, *adj.* close, stuffy, -e, *n.* nausea, sickness; -ende, *adj.* sickly.

kvantum, *n. n.* quantity.

kvart, *n.* quarter; (bind) quarto; -al, *n. n.* quarter (of a year); -er, *n. n.* quarter; district, area; billet; quarter (of an hour); *naut.* watch.

kvarts, *n.* quartz.

kvas, *n. n.* brushwood; (frugt) pomace; squash; -e, *v. t.* squash, squeeze, crush.

kvase, *n.* [fishing-boat with a well].

kvast, *n.* tassel; *bot.* cyme.

kvide, *n.* pain; agony.

kvidre, *v. i.* chirp, twitter.

kvie, *n.* heifer; ~ sig ved, be loath to; writhe, squirm.

kvik, *adj.* quick; bright, sharp, quick-witted; -græs, *n. n.* couch-grass; -ke, *v. t. & i.* ~ op, stimulate; cheer up; -sølv, *n. n.* mercury.

kvind|agtig, *adj.* effeminate; -e, *n.* woman, female; -bedårer, *n.* lady-killer; -elig, *adj.* female; feminine; womanly; -esagsbevægelsen, feminism; -esygdom, *n.* women's disease.

kvint, *n. n.* five grams; ~, *n. mus.* first string; fifth; (fægtning) quinte.

kvist, *n.* twig, sprig, spray; (hus) attic, garret; -lejlighed, *n.* a flat in an attic.

kvit, *adj.* blive én ~, get rid of somebody.

kvittere, *v. t. & i.* give a receipt for; discharge.

kvæde, *n. bot.* quince; ~, *v. t.* chant, sing.

kvæg, *n. n.* cattle.

kvæge, *v. t.* refresh.

kvække, *v. i.* croak.

kvæle, *v. t.* strangle; smother, quell, choke, stifle, suffocate; -rslange, *n.* boa constrictor.

kvælstof, *n. n.* nitrogen.

kværke, *n.* throttle.

kværn, *n.* mill; grinder.

kvæstelse, *n.* contusion; trauma; hurt; wound.

kyle, *v. t.* fling, toss, pitch.

kylling, *n.* chicken; chick; -esteg, *n.* roast chicken.

kyndig, *adj.* expert, skilled; knowledgeable.

kyniker, *n.* cynic; **kynisk**, *adj.* cynical; **kynisme**, *n.* cynicism.

kype, *n.* vat.

Kypern, *n.* Cyprus.

kys, *n. n.* kiss; -se, *v. t.* kiss.

kyse, *v. t.* scare, frighten; ~, *n.* hood, bonnet.

kysk, *adj.* chaste.

kyst, *n.* coast, shore; seaside; -vagt, *n.* coastguard.

kæbe, *n.* jaw.

kæde, *n.* chain; series; *mil.* line, cordon; range; -garn, *n. n.* warp; -kasse, *n.* gear case; -regning, *n.* chainrule; -sting, *n. n.* chainstitch.

kæft, *n.* jaw; *sl.* hold ~!, shut up!, pipe down!; ikke en ~, not a bit; not a thing; not a sausage.

kæk, *adj.* brave, bold; -hed, *n.* bravery, cheerfulness.

kælder, *n.* cellar; -etage, *n.*

basement; -mester, *n.* butler.

kæle, *v. t.* fondle, pet, caress; -dægge, *v. t.* pet, darling; -n, *adj.* loving, affectionate.

kælenavn, *n. n.* pet name.

kælke, *n.* sleigh, toboggan, sledge.

kælling, *n.* old woman; hag; -eknude, *n.* granny's knot; -etand, *n. bot.* bird's foot trefoil.

kæltring, *n.* villain, scoundrel.

kælve, *v. i.* calve.

kæmme, *v. t.* comb.

kæmner, *n.* town treasurer.

kæmpe, *n.* giant; ~, *v. i.* fight, struggle; contend with; -grav, *n.* tumulus; -høj, *n.* barrow, tumulus; -mæssig, *adj.* gigantic, enormous, huge; -vise, *n.* ballad.

kænguru, *n. zool.* kangaroo.

kæntre, *v. i.* capsize.

kæp, *n.* stick, cudgel; -hest, *n.* hobby (horse); -høj, *adj.* pert, stuck-up.

kær, *adj.* dear; have ~, be fond of, love; ~, *n. n.* dear; pond, bog, fen; -este, *n.* fiancé(e), sweetheart; -kommen, *adj.* welcome, acceptable; -lighed, *n.* love, affection; charity; -tegn, *n. n.* caress.

kærre, *n.* cart.

kærv, *n. n.* notch, nick.

kætter, *n.* heretic.

kætting, *n. naut.* chain.

kævl(eri), *n. n.* wrangling, squabbling, bickering.

kø, *n.* (billard) cue; (række) queue, line; *mil.* rear.

køb, *n. n.* purchase; bargain; -e *v. t.* buy, purchase; -elyst, *n.* demand.

København, *u. n.* Copenhagen.

køb|esum, *n.* price; purchase-money; -mand, *n.* grocer; merchant; tradesman; shopkeeper; drive a bargain; -stad, *n.* town.

kød, *n. n.* meat; flesh; pulp;

-fars, *n.* forcemeat; -maskine, *n.* mincing-machine; -ædende, *adj.* carnivorous.

køje, *n.* berth; bunk; (hænge-) hammock.

køkken, *n. n.* kitchen; *naut.* galley; -bord, *n. n.* kitchen table; dresser; -mødding, *n.* kitchenmidden; -urter, *pl. n.* vegetables, *pl.*; -vask, *n.* sink.

køl, *n.* keel.

køle, *v. t.* cool; -anlæg, *n. n.* refrigeration plant.

køll|er, *n.* (auto) radiator; -erum, *n. n.* cold store, cold room; -eskab, *n. n.* refrigerator; -ig, *adj.* cool, chilly.

kølle, *n.* mallet; club, mace; (af dyr) haunch.

køn, *n. n.* sex; gender; det smukke ~, the fair sex; ~, *adj.* handsome; pretty; comely; -slig, *adj.* sexual.

kønrøg, *n.* lamp-black.

kønssygdom, *n.* venereal disease.

køre, *v.t. & i.* drive, ride; go; run; travel; ~ over, run over; ~, *n.* i én ~, incessantly, without a pause; -bane, *n.* roadway; -kort, *n. n.* driving licence; -plan, *n.* time-table; -tur, *n.* drive, ride; -tøj, *n. n.* vehicle; conveyance.

kørner, *n. mech.* centre punch.

kørvel, *n.* chervil.

køter, *n.* cur; mongrel.

kåbe, *n.* cloak, mantle; (embeds-) gown.

kåd, *adj.* playful, frisky; frolicsome; wanton; -mundet, *adj.* flippant.

kål, *n.* cabbage: -orm, *n.* caterpillar; -rabi. *n.* kohlrabi; turnip-cabbage; -roe, *n.* swede.

kår, *pl. n.* condition(s); circumstances, *pl.*

kårde, *n.* sword, rapier.

kåre, *v.t.* choose, select; elect.

lab, *n.* paw.
laban, *n.* scamp.
laborant, *n.* laboratory worker; chemist's assistant.
labskovs, *n.* lobscouse; stew.
labyrint, *n.* maze.
lad, *adj.* lazy, indolent; ~ *n. n.* trestle; scaffolding; platform.
lade, *n.* barn; ~, *v.t.&i.* (synes) seem, appear; pretend; (bevirke at) have; (tvinge til) make; ~ som ingenting, look innocent; take no notice; ~, *v. t.* load, charge; let; lad ham være, leave him alone; lad mig gå, let me go; ~ være at, not do; desist from, refrain from; omit; lad være med det!, stop that!; -stok, *n.* ramrod; -strøm, *n. elect.* charging current.
ladning, *n.* cargo; load; charge.
lag, *n. n.* layer, stratum; coat, coating; et muntert ~, a merry party; -deling, *n.* stratification; -vis, *adv.* in layers.
lagde, *v. t.* se lægge.
lage, *n.* pickle, brine.
lagen, *n. n.* sheet.
lager, *n. n.* stock, store; store room; på ~, in stock; -bygning, *n.* warehouse; -kælder, *n.* storage cellar.
lager|opgørelse, *n.* stocktaking; -opkøb, *n. n.* stockpiling; -plads, *n.* storage space, storage capacity; -øl, *n. n.* dark lager beer.
lagkage, *n.* layer cake; livet er ikke lutter ~, life is not all beer and skittles.
lagre, *v.t.* store, warehouse; (vin, ost) season.
lak, *n.* sealing wax.
lakaj, *n.* footman; lackey; flunkey.
lak|eret, *adj.* lacquered, glazed, japanned, enamelled; -sko, *n.* patent leather shoe.

lakrids, *n.* liquorice.
laks, *n. zool.* salmon; ~, *adj.* vague; lax; indefinite.
lakserød, *adj.* salmon-pink.
lakune, *n.* blank, gap.
lalle, *v. i.* babble; drool.
lam, *n. n.* lamb; -mefrom, *adj.* as pious as a lamb; -mekød, *n. n.* lamb.
lammelse, *n.* paralysis.
lampe, *n.* lamp; (radio) valve; -afbryder, *n.* lamp switch; -feber, *n.* stage fright.
lamslået, *adj.* dumbfounded.
lancere, *v. t.* start, set up; put on the market; launch.
land, *n. n.* land; country; territory; i ~, ashore; inde i -et, inland; på -et, in the country; rejse uden-s, go abroad; -befolkning, *n.* rural population; -bo(er), *n.* countryman; -bohøjskole, *n.* agricultural college; -brug, *n. n.* agriculture; -bruger, *n.* farmer; -dyr, *n.* terrestrial animal; -e, *v. i.* land; -eplage, *n.* scourge; -evej, *n.* highroad, highway; -evejskro, *n.* wayside inn; -evejsrøver, *n.* highwayman; -eværn, *n. n.* militia; -flygtig, *adj.* exiled; -gang, *n.* landing, disembarkation; *mil.* invasion; -kort, *n. n.* map; -krabbe, *n.* landlubber; -lig, *adj.* rural; -måler, *n.* surveyor; -sby, *n.* village; -skab, *n.* landscape; scenery; -skamp, *n.* international match; -smand, *n.* countryman, compatriot; -sted, *n.n.* country house; -storm, *n.* militia; -stryger, *n.* tramp; vagrant; -væsen, *n. n.* agriculture, farming.
lang, *adj.* long; (høj) tall; han blev ~ i ansigtet, his face fell; trække i -drag, hang fire; be protracted.
lange, *v. t.* hand, pass; (slag)

land, fetch; ~ ud efter, reach for; ~ til fadet, fall to (with a will); do justice to.

lang|fredag, *n.* Good Friday; tærske -halm, thrash out; repeat oneself endlessly; -kål, *n.* stewed kale; løjer og ~, fun and games, high jinks; -modig, *adj.* long-suffering; -s, *prep.* along; på ~, lengthwise, longi-tudinally.

langsom, *adj.* slow, tardy.

langt, *adv.* far, much, very much, far and away.

lang|trukken, *adj.* lengthy, protracted; long-winded; -varig, *adj.* long; of long duration.

lanse, *n.* lance, spear.

lanterne, *n.* lantern; light.

lap, *n.* patch; en ~ papir, a scrap of paper.

lap, *n.* Lapp, Laplander.

Lapland, *n. n.* Lapland.

lap|landsk, *adj.* Lappish; -lænder, *n.* Lapp, Laplander.

lappe, *v. t.* patch, mend; -pegrejer, *n.* repair outfit.

laps, *n.* dandy, swell, fob; -e, *v. refl.* ~ sig med, sport. air.

larm, *n.* noise, din, uproar.

larve, *n.* caterpillar, grub, maggot.

laset, *adj.* ragged, tattered.

lasket, *adj.* obese, flabby.

last, *n.* weight, burden; cargo; *naut.* hold; (fejl) vice, depravity; -bil, *n.* lorry, truck; -damper, *n.* cargo-steamer; tramp; -dyr, *n. n.* beast of burden; -e, *v. t.* load; (dadle) blame; -elinie, *n.* load-line; -pumpe, *n.* bilge-pump; -rum, *n. n.* hold.

lasur, *n.* glaze.

latinskole, *n.* grammar school.

latter, *n.* laughter; laugh; -lig, *adj.* ridiculous, ludi-crous, laughable.

laurbær, *n. n.* bay; *pl. fig.* laurels *pl.*

lav, *adj.* low; shallow; mean;

base; ~, *n. bot.* lichen; ~, *n. n.* fraternity, guild, cor-poration.

lave, *v. t.* make; do; com-mit; fabricate; prepare, make up; mix; dress, cook, concoct; coin; mend, repair; ~, *u. n.* af ~, out of order; i ~, in order.

lavendel, *n. bot.* lavender.

lavet, *n.* gun-carriage.

lavine, *n.* avalanche.

lav|komisk, *adj.* burlesque; under -mål, incredibly bad; beyond description; -t, *adv.* low; -vande, *n. n.* low water, ebb; -værge, *n.* (widow's) guardian.

le, *n.* scythe; ~, *v. i.* laugh; chuckle.

led, *n.* side, direction; ~, *n. n.* joint; link; part; gener-ation; unit, element; gate; wicket-gate; ~, *adj.* odi-ous, revolting, disgusting; ~ og ked af, *se* ked.

lede, *v. t.* lead, guide; con-duct, direct; ~ efter, search for, look for; ~ frem, seek out; ~, *n.* loathing, disgust; -lse, *n.* direction, guidance, management; -r, *n.* leader, guide; con-ductor; (i avis) leader; -stjerne, *n.* loadstar, lode-star; -tråd, *n.* guide; clue.

ledig, *adj.* (plads, embede, *osv.*) vacant; (om person; fri) disengaged; (om tid) spare; (arbejdsløs) unem-ployed; (doven, ubeskæf-tiget) idle; -gænger, *n.* loafer.

leding, *n. arch.* war.

ledning, *n.* pipe, main; line; wire; conductor; lead.

ledsage, *v. t.* accompany; -r, *n.* companion.

ledvogter, *n.* gatekeeper.

leg, *n.* game; play.

legat, *n. n.* legacy, bequest; (studielegat) bursary, scholarship.

legem|e, *n. n.* body; frame; -lig, *adj.* bodily, cor-

poreal; -liggøre, v. t. embody; -sbygning, n. physique; -sstor, adj. life-size.
legeplads, n. playground.
legere, v. t. alloy; (mad) thicken.
legetid, n. mating-time, spawning-time; -tøj, n. n. toys, playthings.
legitim, adj. legitimate.
lejde, n. n. frit ~, safe-conduct.
leje, n. n. couch; (dyr) lair, cover; stratum; bed; berth; ~, v. t. & n. hire; rent; ~ ud, hire out; -bibliotek, n. n. circulating (el. lending) library; -r, n. tenant; (værelse) lodger; -svend, n. hireling; -tropper, pl. n. mercenaries, pl.
lejlighed, n. opportunity, occasion; accomodation; (hus) flat; U. S. apartment; dwelling; rooms.
lejr, n. camp; slå ~, pitch a camp; -bål, n. n. camp fire; -e, v. refl. ~ sig, encamp; settle.
lektie, n. lesson; homework; task.
lem, n. shutter; trapdoor; hatch; ~, n. n. (arm, ben) member, limb; -fældig, adj. lenient, mild, indulgent; -læste, v. t. mutilate, maim; cripple.
lempe, v. t. adapt, accommodate; (kul) trim; -lig, adj. gentle, soft; på -lige vilkår, on easy terms.
len, n. n. hist. fief; entailed estate; county, province; -s, adj. empty; (penge) sl. broke; -svæsen, n. n. feudalism.
ler, n. n. clay; -klinet, adj. mud-walled; -muld, n. loam; -varer, pl. n. earthenware.
let, adj. light; easy; slight; nimble; mild; -bygget, adj. light; -fængelig, adj. inflammable; -færdig, adj. loose, frivolous; -hed, n. lightness; facility; ease;

-købt, adj. cheap; -sindig, adj. thoughtless; rash, flighty; -te, v. t. lighten, ease, facilitate; relieve, lift; alleviate; ~ anker, naut. weigh anchor; -telse, n. relief; comfort, alleviation; -tilgængelig, adj. easy of access, accessible; -troende, adj. credulous.
leve, n. n. udbringe et ~ for, long live (the King, osv.).
leve, v. i. live, be alive; -brød, n. n. livelihood; -dygtighed, n. vitality; chances of surviving; viability; -fod, n. living standard; -nde, adj. living, alive; fig. lively; -omkostninger, pl. n. cost of living, living expenses, pl.
lever, n. liver.
leverandør, n. supplier; purveyor; contractor.
levere, v. t. deliver; yield; furnish, supply; produce; contribute.
leveregel, n. maxim, rule of conduct.
levering, n. delivery, supply, order; part, instalment.
leve|tid, n. lifetime; -vej, n. vocation, living, career; -vilkår, pl. n. conditions of life; general conditions, pl.
levkøj, n. bot. stock.
levn, n. n. remnant; survival; -e, v. t. leave; -ing, n. remnant, leavings.
levned, n. n. life; -sløb, n. n. career; curriculum vitæ; -smiddel, n. n. foodstuff; -smidler, pl. n. provisions, pl.; food, foodstuffs, pl.
levvel, n. n. farewell, good-bye.
lid, n. trust, confidence; fæste ~ til, trust, pin one's faith on.
lide, v. t. & i. suffer; endure; kunne ~, v. t. like; -lse, n. suffering; hardship; agony.
liden, lidet, adj. little, small, diminutive.

lidenskab, *n.* passion; -elig, *adj.* passionate, impassioned.

liderlig, *adj.* lecherous; bawdy.

lidt, *adj.* little, a little, some; om ~, shortly; ~ efter ~, by degrees; vent ~!, wait a moment (*el.* a minute)!

liebhaver, *n.* would-be buyer; likely buyer.

liflig, *adj.* delicious.

lig, *n.n.* corpse; dead body; *adj.* like; similar, equal to.

lig|bleg, *adj.* white as a sheet, deathly pale; -brænding, *n.* cremation.

lige, *adj.* straight, direct; equal, alike; uden ~, unparalleled; ~ ved, close by; just about; ~, *n.* match, equal; -frem, *adj.* plain; straightforward; downright; -gyldig, *adj.* indifferent; trivial; of no consequence; negligible; -ledes, *adv.* likewise; also, too; -lig, *adj.* in equal proportion; even; uniform; -så, *adv.* likewise, as well; besides; -sidet, *adj.* equilateral; -som, *adv. & conj.* like, just as; as if; as it were; -vægt, *n.* equilibrium; balance; -vægtighed, *n.* equanimity.

ligfærd, *n.* funeral.

ligge, *v.i.* lie; (hus, *osv.*) stand, be, be situated; spend; det ~r til familien, it runs in the family; det ~r ikke for mig, it is not in my line; (*el.* not my line of country); ~ ude, sleep out; -høne, *n.* brood hen, sitter; -stol, *n.* deck chair.

lighed, *n.* likeness, resemblance, similarity.

lig|kiste, *n.* coffin; -klæde, *n. n.* pall.

ligne, *v. t.* resemble, be like; take after; -nde, *adj.* (the) like, similar.

ligning, *n.* equation; (skat) assessment.

ligsyn, *n.n.* post-mortem examination; inquest; -sat-test, *n.* death certificate.

ligtorn, *n.* corn.

liguster, *n. bot.* privet.

ligvogn, *n.* hearse.

likør, *n.* liqueur.

likvid, *adj.* available, liquid; -e midler, available funds.

likvidation, *n.* winding-up, liquidation.

lilje, *n. bot.* lily; -konval, *n. bot.* lily of the valley.

lilla, *adj.* mauve, lilac.

lille, *adj.* little, small; -bitte, *adj.* diminutive, tiny; ~, *u.n.* en (den) ~, a (the) baby.

lim, *n.* glue; size; -farve, *n.* distemper; -pind, *n.* lime-twig; hoppe på -en, be led up the garden path.

lind, *adj.* soft, mild; -e, *v. t.* alleviate; -e (på døren), open the door a little.

lindetræ, *n. n. bot.* lime-tree.

lindre, *v. t.* relieve, alleviate; assuage; ease.

line, *n.* rope, line; -danser, *n.* tight-rope walker.

lineal, *n.* ruler.

linie, *n.* line; -betaling, *n.* lineage; -re, *v. t.* rule; -skib, *n. n.* ship of the line.

linned, *n. n.* linen; household linen; personal linen; underwear; -skab, *n. n.* linen press (*el.* cupboard).

linning, *n.* band.

linolie, *n.* linseed oil.

linse, *n.* lentil; (glas) lens.

lirekasse, *n.* barrel organ.

lirke, *v. i.* worm one's way; feel one's way; coax (off, on, *osv.*).

list, *n.* stratagem; ruse; cunning.

liste, *v. refl.* ~ sig bort, slip away; steal away; ~, *v. t. & i.* walk softly, creep, sneak; steal.

liste, *n.* list, inventory; (til spædbarn) swaddling-band; selvage; moulding; (metal, *osv.*) strip, slip.

listig, *adj.* crafty, sly, cunning.

litterat, *n.* man of letters.
litteratur|anmeldelse, *n.* review; critique; -fortegnelse, *n.* bibliography.

liv, *n.n.* life; *anat.* waist;(kjole) bodice; *fig.* gaiety, spirit, animation; -agtig, *adj.* lifelike; -egen, *n.* serf; -garde, *n.* body-guard; -lig, *adj.* lively, vivacious, sprightly, gay; -løs, *adj.* lifeless, inanimate; -moder, *n.anat.* uterus, womb; -rem, *n.* belt; -rente, *n.* annuity; -sfarlig, *adj.* perilous, dangerous; -sforsikring, *n.* life insurance; -sglad, *adj.* happy, cheerful; -skraft, *n.* vitality; -sstraf, *n.* capital punishment; -svarig, *adj.* life; lifelong; for life.

lo, *n.* barn, threshing-floor.

lod, *n.* lot, share, portion; ~, *n. n.* weight; plummet, plumb; *naut.* lead; -de, *v. t.* solder; plumb; *naut.* sound; -ret, *adj.* perpendicular, vertical.

lods, *n.* pilot.

lodseddel, *n.* lottery ticket.

loft, *n.n.* ceiling; (rum) loft; -skammer, *n. n.* garret; -svindue, *n. n.* skylight.

loge, *n.* lodge; *thea.* box.

logere, *v.t. & i.* lodge; -nde, *n.* lodger.

logis, *n. n.* lodging.

logre, *v. i.* wag one's tail; ~ for, fawn upon.

lok, *n.* curl, tress, lock.

lokale, *n. n.* premises, *pl.*; place; office, shop; rooms, *pl.*

lokke, *v. t. & i.* allure, entice, tempt; decoy; seduce; -fugl, *n.* decoy; -mad, *n.* bait; -maskine, *n.* punching machine.

lomme, *n.* pocket; -lygte, *n.* electric torch; -tyv, *n.* pickpocket; -tørklæde, *n. n.* handkerchief.

loppe, *n.* flea; -stik, *n. n.* flea-bite.

lorgnetter, *pl. n.* pince-nez, *pl.*; lorgnette.

los, *n. zool.* lynx.

losse, *v. t. & i.* unload, discharge, land; -plads, *n.* dump; -pram, *n.* lighter, barge.

lotteri, *n. n.* lottery; -gevinst, *n.* prize.

lov, *n.* law; statute; act; bill; (tilladelse) permission; leave; have ~ til, be allowed to; (ret) have a right to; bede om ~ til, ask permission to; ~, *n. el. n. n.* praise; Gud ske ~, thank God!; -bog, *n.* Statute Book; code; -e, *v. t.* promise; praise; (højtideligt) vow; jeg skal ~ for han kunne!, I'll say he could!; -ende, *adj.* promising; auspicious; -forslag, *n. n.* bill; -lig, *adj.* lawful, legal; (temmelig) rather; -sang, *n.* hymn of thanksgiving; paean; -tale, *n.* eulogy, panegyric.

lud, *n.* lye; -doven, *adj.* lazy.

lude, *v. i.* stoop, droop, hang over.

luder, *n.* whore, tart.

ludfattig, *adj.* penniless.

lue, *n.* blaze, flame.

luft, *n.* air; i fri ~, in the open air; -art, *n.* gas; -bombardement, *n. n.* air raid; -e, *v. i.* blow gently; ~, *v. t.* air; (mening) parade; air; (hund) take a dog out, exercise a dog; ~ sig, take air; -havn, *n.* airport, aerodrome; -ig, *adj.* airy, breezy; -kastel, *n.n.* castle in the air (*el.* in Spain); -madras, *n.* air mattress; -skipper, *n.* (*af* luftballon) balloonist; aeronaut; -skyts, *n. n.* antiaircraft gun('s); -spejling, *n.* mirage; -tryk, *n. n.* air pressure; -tæt, *adj.* airtight; -værn. *n. n.* air defence.

luge, *n.* trapdoor; shutter, *naut.* hatch.

luge, *v. t.* weed.

lugt, *n.* smell; scent, odour; -e, *v.t. & i.* smell; ~ lunten, smell a rat; -sans, *n.* sense of smell.

lukaf, *n. n. naut.* cabin; fo'c's'le, forecastle.

Lukas, *n.* Luke.

lukke, *v. t.* shut, close; ~, *n. n.* fastening, lock; -tid, *n.* closing time.

lukrere, *v. i.* profit.

luksus, *n.* luxury, extravagance.

lukt, *adv.* lige ~, straight.

lulle, *v. t.* lull, put to sleep.

lummer, *adj.* sultry, close.

lumpen, *adj.* paltry; mean.

lumre, *v. i.* frowst (in a room).

lumsk, *adj.* cunning, sly, deceitful; insidious.

lun, *adj.* sheltered, snug.

lund, *n.* grove.

lune, *n. n.* humour, whim, caprice; mood.

lune, *v. t. & i.* shelter; warm.

lunge, *n.* lung; (dyr) lights, *pl.*; -betændelse, *n.* pneumonia; -hindebetændelse, *n. med.* pleurisy.

lunken, *adj.* tepid, lukewarm; *fig.* half-hearted.

lunte, *v. i.* loiter, jog; ~, *n. n.* fuse, match; -trav, *n. n.* jog-trot.

lup, *n.* magnifying-glass.

lur, *n.* nap, doze; på ~, on the watch; -e, *v. i.* lurk; spy (on); waylay; listen, eavesdrop; -endrejer, *n.* sly dog.

lurvet, *adj.* ragged; shabby.

lus, *n.* louse (*pl.* lice).

luske, *v. i.* sneak, skulk about; ~ af, slink away.

lussing, *n.* box on the ear; cuff.

lutre, *v. t.* purify.

lutter, *adj.* nothing but; sheer; pure; utter.

luv, *n.* nap; pile; ~, *adj. naut.* weather; -slidt, *adj.* threadbare.

luvart, *adj. naut.* windward.

luve, *v. i. naut.* luff.

ly, *n. n.* shelter, cover.

lyd, *n.* sound; -e, *v. i.* sound; run; go; (*f. eks.* the story runs (*el.* goes) like this); ~, *v.t.* obey; ~ et navn, answer to a name; lyd mit råd!, take my advice!; -eligt, *adv.* audibly, loudly, aloud.

lyde, *n.* blemish; defect.

lyd|forhold, *n. n.* acoustics; -hør, *adj.* attentive.

lydig, *adj.* obedient.

lydløs, *adj.* silent.

lygte, *n.* lantern; (street) lamp; (bil) headlight; -mand, *n.* will-o'-thewisp; -pæl, *n.* lamp-post.

lykke, *n.* fortune, luck; chance; success; prosperity; happiness; held og ~, good luck!; -dyr, *n. n.* mascot; -lig, *adj.* happy, fortunate, glad; -s, *v. i.* succeed; (trives) thrive.

lyk|salig, *adj.* blissful; -ønske, *v. t.* congratulate.

lyn, *n. n.* (flash of) lightning; -afleder, *n.* lightning-conductor; -lås, *n.* zipper, zip-fastener; -skud, *n.* snapshot; -tog, *n. n.* high speed diesel train.

lyng, *n. bot.* heather; ling.

lys, *n. n.* light; candle; -brydning, *n.* refraction; -e, *v. i.* shine; (*i kirken*) put up (*el.* call) the banns; -eblå, *adj.* pale (*el.* light) blue; -edug, *n.* table centre; -ekrone, *n.* chandelier; -ende, *adj.* luminous; light, bright; -erød, *adj.* pink; -håret, *adj.* fairhaired; -kaster, *n.* searchlight; -kurv, *n.* traffic light; -måler, *n.* photometer; -ne, *v. i.* grow lighter, become brighter; become more favourable; -sky, *adj.* shady; -skær, *n. n.* gleam of light; -skærm, *n.* shade; -vågen, *adj.* wide awake; -ægte, *adj.* colour-fast.

lyske, n. anat. groin.

lyst, n. delight, pleasure; inclination, liking; -e, v. t. please, desire; have ~ til, feel inclined to; -hus, n. n. summerhouse; arbour; -ig, adj. merry, gay, jolly, jovial; -kutter, n. yacht.

lystre, v. t. obey; answer.

lyst|rejse, n. pleasure trip; -spil, n. n. comedy.

lytte, v. i. listen; -apparat, n. n. mil. sound-locator.

lyve, v. i. lie, tell a lie.

læ, n. n. shelter; naut. leeward, lee.

læbe, n. lip.

læder, n. n. leather.

lædere, v. t. hurt, injure; damage.

læg, n. anat. calf; ~, n. n. fold, pleat; tuck; ~, adj. lay; -folk, pl. n. the laity; laymen.

lægdsrulle, n. conscription register.

læge, n. doctor; physician; surgeon; -hjælp, n. medical advice; -middel, n. n. medicine; medicament; drug.

lægge, v. t. put, lay; ~ an, take aim; make a dead set at; ~ sig efter, go in for; ~ fra land, naut. put off; shove off; put to sea; ~ hen, lay aside; ~ sig imellem, intervene; ~ sig ud, get fat, become stout; -kartoffel, n. seed potato; -t, adj. pleated.

lægte, n. lath; batten.

lægter, n. naut. lighter.

læk, adj. leaky; ~, n. leak.

lækat, n. zool. stoat.

lækker, adj. delicious; dainty, nice; -bisken, n. titbit, dainty, delicacy; -mund, n. være en ~, have a sweet tooth.

lænd, n. anat. loin.

læne, v. refl. ~ sig, lean; ~ sig tilbage, lean back; recline; -stol, n. armchair.

længde, n. length; longitude; i -n, in the long run.

læng|e, adv. long; farvel så ~!, so long!; sove ~, sleep late; ~, n. wing; out-house; -es, v. i. long, yearn; -sel, n. longing, yearning.

lænke, n. chain; fetter.

læns, adj. se lens.

lærd, adj. learned; erudite.

lære, v. t. teach; learn, ~ udenad, learn by heart; ~ fra sig, teach; ~, n. lesson; science; dogma; apprenticeship; doctrine; -bog, n. text-book; primer; catechism; -r, n. teacher, master; tutor; instructor.

lærk, n. bot. larch.

lærke, n. zool. lark.

lærling n. apprentice.

lærred, n. n. linen; canvas.

læs, n. n. load.

læse, v. t. & i. read; peruse; study; -lig, adj. legible; readable; -plan, n. curriculum; -r, n. reader; -rkreds, n. circle of readers; book club.

læske, v. t. (kalk) slake; (tørst) slake, quench; -drik, n. refreshing drink.

læspe, v. i. lisp.

læsse, v. t. ~ på, load; ~ af, unload; ~ over på, shift on to.

læst, n. (skomagers) last; shoe-tree.

løb, n. n. run, course; (bøsse) barrel; mus. run; (vædde-) race; -e, v. t. & i. run; -e hornene af sig, sow one's wild oats; -e løbsk, bolt; -ebane, n. career; -ebille, n. ground-beetle; -egrav, n. trench; -ehjul, n. scooter; -eild, n. wildfire; -eseddel, n. handbill; -sk, adj. runaway.

lød, n. hue, complexion.

lødig, adj. fine, genuine; sterling.

løfte, v. t. lift, raise; elevate;

~, *n. n.* promise; -stang, *n.* lever.

løg, *n. n.* onion; bulb.

løgn, *n.* lie, falsehood; (mindre) fib; -agtig, *adj.* lying, mendacious; -er, -hals, *n.* liar.

løjbænk, *n.* couch.

løjer, *pl. n.* fun, sport; jinks; for ~, for fun, for a lark; -lig, *adj.* funny, droll; queer.

løjtnant, *n.* lieutenant.

løkke, *n.* loop; noose.

lømmel, *n.* lout, scamp.

løn, *n.* wages; pay; salary; reward; -aftale, *n.* wage-contract; wage agreement; -arbejder, *n.* wage-earner; -lig, *adj.* secret, clandestine; -ne, *v.t.* pay; reward.

lørdag, *n.* Saturday.

løs, *adj.* loose; slack; lax; idle; -e, *v. t.* loose, loosen, unfasten, untie; release; settle; (gåde) solve; -elig, *adj.* cursory; vague; desultory; superficial; perfunctory; -epenge, *pl. n.* ransom; -gænger, *n.* vagrant; tramp; -lade, *v. t.* release, set free; -ne, *v. t.* loose, loosen; relax; -ning, *n.* solution; re-ven, -revet, *adj.* detached, disconnected; -rive, *v. t.* disengage; detach; sever; -rivelse, *n.* (politisk) secession, severance; -sluppen, *adj.·* unrestrained; wild; abandoned; -øre, *n.n.* movables, *pl.*, chattels, *pl.*

løv, *n. n.* leaves, *pl.*; foliage.

løve, *n.* lion; (laps) gay spark, lady-killer; -mund, *n. bot.* snapdragon; -tand, *n. bot.* dandelion.

løv|frø, *n.* tree frog; -fældende, *adj.* deciduous; -hytte, *n.* bower; -sav, *n.* fret-saw; -spring, *n. n.* leafing.

lå, *v. i. se* ligge.

lådden, *adj.* hairy, furry, shaggy.

låg, *n. n.* cover, lid.

låge, *n.* gate, wicket.

lån, *n. n.* loan; -e, *v. t.* borrow; -e ud, lend; -e øre, listen to; -eseddel, *n.* pawn ticket; -giver, *n.* lender; -tager, *n.* borrower.

lår, *n.n. anat.* thigh; -ben, *n.n. anat.* femur, thigh-bone.

lås, *n.* lock; (hænge-) padlock; -ebeslag, *n.n.* lock fittings, *pl.*; -e, *v.t.* lock.

mad, *n.* food, provisions; cookery, cooking; lave ~, cook.

maddike, *n.* maggot.

madding, *n.* bait.

made, *v. t.* feed.

mad|kurv, *n.* hamper, lunch basket; -lavning, *n.* cookery, cooking; -opskrift, *n.* recipe; -pakke, *n.* packed lunch (sandwiches).

madras, *n.* mattress.

mad|rest, *n.* left-over; -æble, *n. n.* cooking apple.

mag, *n.* ease, leisure; i ro og ~, at (one's) ease; -elig, *adj.* comfortable, easy, commodious; easy-going, indolent.

magasin, *n. n.* store, department store; magazine.

mage, *n.* match, equal; fellow; mate; ~, *v.t.* manage, contrive; -løs, *adj.* matchless, incomparable; *adv.* wonderfully, exceptionally.

mager, *adj.* lean; meagre; spare, thin; gaunt; poor.

mageskifte, *n. n.* exchange (of real property).

magi, *n.* magic; -sk, *adj.* magic; -ker, *n.* magician.

magister, *n.* Master of Arts; M.A.; *U. S.* A.M.

magnet, *n.* magnet; magneto.

magt, *n.* might, power, potency, sway, control; -e,

v. t. master, be equal to; -esløs, *adj.* impotent; -haver, *n.* ruler; -påliggende, *adj.* important, of great consequence; -sprog, *n.n.* dictate.

mahogni, *n. n.* mahogany.

maj, *n.* May.

majestæt, *n.* majesty.

majs, *n.* maize, Indian corn; -kolbe, *n.* corncob.

makke, *v. t. & i.* tinker with, fiddle with; patch; fix up; make work.

makker, *n.* partner; blind ~, dummy.

makrel, *n. zool.* mackerel.

makron, *n.* macaroon.

maksimalpris, *n.* ceiling price, maximum price.

makulere, *v. t.* destroy; disfigure; make dirty.

makværk, *n. n.* bungled work, botched work.

male, *v. t. & i.* paint; (mølle) grind, crush; mill; churn; -ri, *n. n.* painting, picture; -risk, *adj.* picturesque; -rkost, -rpensel, *n.* painter's brush; paint-brush.

malke, *v.t. & i.* milk; -besætning, *n.* dairy stock, dairy herd; -evne, *n.* milking capacity; -ko, *n.* milch-cow.

malle, *n.* (til hægte) eye.

malm, *n. n.* ore; metal; bronze, brass; -fuld, *adj.* sonorous.

mal|placeret, *adj.* untimely, misplaced; -proper, *adj.* dirty, slovenly.

malstrøm, *n.* whirlpool, vortex.

malt, *n. n.* malt; -bolsje, *n.* barley sugar; -gører, *n.* maltster.

malteser, *n.* Maltese; -kors, *n. n.* Maltese cross.

maltraktere, *v. t.* maltreat.

malurt, *n.* wormwood.

man, *pron.* one; you; people; they; ~ har sagt mig, I have been told; ~ kan ikke vide det, there is no

knowing; ~ kan aldrig vide, you never can tell.

manchet, *n.* cuff; sleeve; band; -knap, *n.* cuff-(sleeve-)link.

mand, *n.* man; husband; *naut.* hand.

mandag, *n.* Monday.

mandarin, *n.* mandarin; (frugt) tangerine.

mandat, *n.* mandate; (parlament) seat.

manddom, *n.* manhood.

mandel, *n.* almond; *anat.* tonsil.

mand|drab, *n. n.* homicide, manslaughter; -folk, *n. n.* man; et rigtigt ~, a masculine person; he-man; -haftig, *adj.* mannish; masculine; -ig, *adj.* male, masculine; virile; -lig, *adj.* male, masculine; -skab, *n. n.* troops, men; *naut.* crew; -stro, *n. bot.* sea-holly; -stærkt, *adj.* in large numbers; -tal, *n. n.* census.

mane, *v. t. & i.* conjure, exorcise; urge.

manér, *n.* manner, fashion, way; mannerism; courtesy; gracefulness.

mange, *adj. & pron.* (pl.)many; ~ penge, much money; klokken er ~, it is late; -artet, *adj.* multifarious; -fold, *n. n.* multiple; ~, *adj.* manifold; -kant, *n.* polygon.

mangel, *n.* want, lack, absence; need; scarcity; (fejl) defect, shortcoming, deficiency; drawback; -fuld, *adj.* defective, deficient, faulty.

mangeårig, *adj.* of many years' standing.

mangfoldig, *adj.* manifold, multiple; many, a great many; -hed, *n.* variety; multiplicity; multitude; complexity; (mods. enhed) plurality.

mangle, *v.t.&i.* want, lack; be short of; be wanting; det

-nde led, the missing link.

mani, *n.* mania, craze.

manke, *n.* mane.

manuducere, *v. t.* coach.

manufakturhandler, *n.* draper; dry goods dealer.

mappe, *n.* portfolio; folder; brief-case; dispatch case.

marchere, *v. i.* march.

marcipan, *n.* marzipan.

mare, *n.* nightmare.

marengs, *n.* meringue.

mareridt, *n. n.* nightmare.

margarine, *n.* margarine; *sl.* marge.

marine, *n.* navy; -billede, *n. n.* seascape; -re, *v. t.* pickle, marinate; -soldat, *n.* marine.

marionet, *n.* puppet; marionette.

mark, *n.* field; -jord, *n.* arable land.

markant, *adj.* marked, pronounced; distinctive.

marked, *n. n.* fair; market; -sanalyse, *n.* market analysis.

markere, *v. t.* mark; emphasize; stress.

marketender, *n.* canteen barman; -i, *n. n.* canteen.

markis, *n.* marquess; -e, *n.* marchioness; ~, *n.* awning.

markskrigeri, *n. n.* bally-hoo.

marmor, *n.* marble.

marodør, *n.* marauder.

marsk, *n.* marsh, salt meadow; ~, *n. hist.* Lord High Constable.

marskal, *n.* · field-marshal; -stav, *n.* field-marshal's baton.

marskandiser, *n.* secondhand dealer, furniture broker; junk dealer.

marskland, *n. n.* marshland.

marsvin, *n. n. zool.* guinea pig; (delfin) porpoise.

martre, *v. t.* torture.

marts, *n.* March.

marv, *n.* marrow; pith.

mas, *n. n.* trouble, bother.

mase, *v. t.* squeeze; mash, crush; pulp; *v. i.* push;

ase og ~, sweat and toil.

maske, *n.* mask; disguise; make-up; (net) mesh; (strikke) stitch; sprungen ~ i strømpe, ladder.

maskepi, *n. n.* collusion, dealings.

maskin|e, *n.* machine; (kraft) engine; -hammer, *n.* power-hammer; -mester, *n.* engineer; -mæssig, *adj.* mechanical; -passer, *n.* engineman; -skrevet, *adj.* typewritten; -skriver, *n.* typist; -sætter, *n.* machine operator, machine compositor, linotype operator.

masse, *n.* mass, bulk; (papir) pulp; -kommunikationsmidler, *pl. n.* mass media.

massiv, *adj.* solid, massive.

mast, *n.* mast; (lednings-) pylon; -ekran, *n.* rigging sheers; -etop, *n.* masthead.

mat, *adj.* faint, languid; flat, vapid; dim, dull; (skak) mate.

materiale, *n. n.* material, data; stuff; equipment; -handel, *n.* (omtr.) dry-saltery; *U. S.* (omtr.) drugstore.

materie, *n.* matter, substance; subject; *med.* matter, pus.

materiel, *n. n.* equipment, supplies, *pl.*; stores, *pl.* kørende ~, rolling stock; ~, *adj.* material, concrete; substantial; pecuniary.

matrikel, *n.* land register.

matros, *n.* sailor; able seaman, A.B.

matte, *v. t. & i.* weaken; dim; droop; -re, *v. t. & i.* deaden, dull; (glas) frost.

mave, *n.* stomach; belly; abdomen; -kneb, *n. n.* gripes, *pl.* colic; -sur, *adj.* bilious; -sår, *n. n.* gastric ulcer.

med, *prep.* with; along with; together with; ~ ét ord,

in one word; og jeg ~, and I too; ~ damper, by steamer; ~, *n. n.* uden mål og ~, at random, aimlessly.

medalje, *n.* medal.

medansvar, *n. n.* joint responsibility.

med|arbejder, *n.* collaborator; contributor; -**bejler**, *n.* rival; -**borger**, *n.* fellow citizen; -**delagtig**, *adj.* accessory; party to; accomplice; -**dele**, *v. t.* communicate; report; tell; relate; impart to; -**delelse**, *n.* communication; report; (piece of) information.

mede, *n.* (slæde-) runner; ~, *v. i.* angle; -**krog**, *n.* fishing-hook.

medens, (**mens**), *conj.* while, whilst.

med|fart, *n.* handling, treatment; -**født**, *adj.* innate, inborn, congenital; -**følelse**,*n.* sympathy;-**før**,*n.n.* i ~ af, in virtue of; -**føre**,*v.t.* bring along, carry; entail, imply, involve; -**gift**, *n.* dowry, portion; -**gørlig**, *adj.* amenable, compliant, manageable; -**gå**, *v. i.* be consumed; be spent; take; -**hjælper**, *n.* assistant; -**hold**, *n. n.* approbation; support.

medicin, *n.* medicine; -**flaske**, *n.* medicine bottle; phial.

medisterpølse, *n.* [kind of Danish pork sausage].

med|lem, *n. n.* member; fellow; -**lidende**, *adj.* compassionate; -**mindre**, *conj.* unless; -**regne**, *v. t.* count in, include; -**skyldig**, *n.* accomplice; accessory; -**taget**, *adj.* worn out; battered, damaged; the worse for wear; -**underskrift**, *n.* counter-signature; -**vind**, *n.* fair wind; -**virke**, *v. i.* co-operate; contribute; -**ynk**, *n.* pity, compassion.

megen, *adj.* much; a lot of; a great deal of.

meget, *adv. & adj.* very; much; a great (*el.* good) deal; lots.

meje, *v. t.* reap, mow.

mejeri, *n.n.* dairy, creamery; -**st**, *n.* dairyman.

mejse, *n.* *zool.* titmouse.

mejsel, *n.* chisel.

mejsle, *v. t.* chisel, carve, chip.

mekanisk, *adj.* mechanical.

mel, *n. n.* flour; meal.

melankolsk, *adj.* melancholy.

melde, *v. t.* report, notify; announce, state; (kort) declare; bid, call; go; (til politi) denounce.

meldug, *n.* mildew.

mele, *v. t.* meal, sprinkle with flour; ~ sin egen kage, feather one's nest.

melis, *n.* (refined) sugar; hugget ~, lump sugar; stødt ~, castor (*el.* granulated) sugar.

mellem, *prep.* between; among; mellem-; central, intermediate, inter-; medium; middle; -**akt**, *n.* interval; -**dæk**, *n. n.* between-deck; -**dækspassager**, *n.* steerage passenger; -**europa**, *n.* Central Europe; -**gulv**, *n. n.* midriff; -**komst**, *n.* intervention; -**mand**, *n.* intermediary; middleman, go-between; mediator; -**pris**, *n.* medium price; -**rum**, *n. n.* interval; interstice; *typ.* space; -**tid**, *n.* interval; -**spil**, *n. n.* interlude; -**værende**, *n.n.* account; (strid) difference; -**værk**, *n. n.* insertion.

melodi, *n.* melody; tune, air.

men, *conj.* but; only; though; still; yet; ~ dog! really! ~, *n.* harm; hurt; damage; injury.

mene, *v. t.* think; be of the opinion; mean; man -r,

they say, it is said; ~ det alvorligt, be in earnest.

mened, *n.* perjury.

menig, *adj.* private; -hed, *n.* congregation; parishioners; -mand, *n.* the man in the street.

mening, *n.* opinion; sense, meaning; import, purport, intention; -sfælle, *n.* sympathiser; -sløs, *adj.* irrelevant, absurd, meaningless, pointless.

menneske, *n.* man, human being, person; intet ~, no one, nobody; -forstand, *n.* common sense; -hader, *n.* misanthrope; -kærlig, *adj.* humane, philanthropic.

mens, *conj.* while, whilst.

mente, *n.* number carried; have i ~, bear in mind.

mer, mere, *adj. & adv.* more.

mergelgrav, *n.* marlpit.

messe, *n.* mass; (marked) fair; *mil.* mess ~, *v. i.* chant; -dreng, *n.* choirboy; cabin boy; -hagel, *n.* chasuble; -særk, *n.* surplice.

messing, *n.* brass.

mest, *adj. & adv.* most; for det -e, mostly.

mester, *n.* master; (sport) champion; crack; adept; -svend, *n.* foreman.

mestre, *v. t.* master.

metal, *n. n.* metal; brass; -tråd, *n.* wire.

meteorsten, *n.* meteorite.

metode, *n.* method; system.

miave, *se* mjave.

midaldrende, *adj.* middle-aged.

middag, *n.* noon, midday; dinner; spise til ~, dine.

middel, *n. n.* means; expedient, measure; remedy; mean, average; -alderen, *n. n.* the Middle Ages; -havet, *n. n.* the Mediterranean; -god, *adj.* medium, medium quality; -høj, *adj.* of medium height; -høst, *n.*

average crops; -mådig, *adj.* mediocre; indifferent; -tal, *n. n.* mean; -vej, *n.* mean, medium.

mide, *n.* mite.

midje, *n.* waist.

midlertidig, *adj.* provisional, temporary, interimistic.

midnat, *n.* midnight.

midt, *adv.* middle; ~ iblandt, in the midst of; ~ igennem, through the middle of; midt-, midter-, *adj.* centre-, mid-; -e, *n.* middle, centre.

mig, *pron.* me, myself; det er ~, it is I; *coll.* it is me.

mikroskopisk, *adj.* microscopic(al).

mikse, *v. t.* mix, jumble; meddle with, tamper with; *film.*, *radio.*, mix.

mikstur, *n.* mixture.

mil, *n.* (dansk ~) Danish mile = 4.68 statute miles; (engelsk ~) (statute) mile = 1.609 kilometres.

mild, *adj.* gentle; mild; lenient; -ne, *v. t.* mitigate, alleviate; temper; appease, soothe, soften.

mile|pæl, *n.* milestone; -vidt, *adv.* for miles around.

miliegræs, *n. n.* millet-grass.

milieu, *n.* environment; background; surroundings, *pl.*; social background.

milits, *n.* militia.

militær, *n. n. & adj.* military.

million, *n.* million; -ær, *n.* millionaire.

milt, *n.* spleen, milt; -brand, *n. med.* anthrax.

mimik, *n.* facial expression; gestures, *pl.*

min (mit, mine), *pron.* my; mine, my own.

minde, *n. n.* memory, remembrance; commemoration, memorial; reminiscence; ~, *v. t. & i.* remind, warn; -lighed, *n.* amicably; -lse, *n.* vestige, trace; suggestion; -s, *v. t.*

remember, recall; be re-
membered; call to mind;
-smærke, *n.pl.* monument;
memorial.
mindre, *adj.* smaller, less,
minor; lesser; -tal, *n. n.*
minority; -værdskom-
pleks, *n.n.* inferiority com-
plex; -årig, *n.* minor.
mindske, *v.t.*diminish, lessen.
mindst, *adj. & adv.* smallest,
least; at least.
mine, *n.* mien, air, look;
(sø, kul) mine; -arbejder,
n. miner; -stryger, *n.*
mine-sweeper.
mingelere, *v. t.* mix up.
minister, *n.* minister; (*i* Eng.)
Minister (of the Crown);
(om visse ministre) Secre-
tary of State.
minus, *n. n.* minus; ~, *adv.*
less.
minut, *n. n.* minute.
mis, *n.* pussy.
mis|billige, *v. t.* disapprove
of; -brug, *n. n.* abuse;
misuse; -dannelse, *n.* de-
formity; -dæder, *n.* male-
factor.
miserabel, *adj.* wretched.
misère, *n.* misery, wretched-
ness.
mis|forhold, *n. n.* dispropor-
tion; disparity; -fornøjet,
adj. dissatisfied, displeased,
discontented; -forstå, *v. t.*
misunderstand, mistake;
misapprehend; -foster,
n. n. monster; monstros-
ity, abortion; -gerning, *n.*
misdeed, crime, offence;
-greb, *n.n.* mistake, error;
blunder; fault; -hag,
n. n. displeasure, dislike;
-handle, *v. t.* ill-treat;
-kendt, *adj.* unappreci-
ated; -klæde, *v. t.* be un-
becoming to; not become
(*f. eks.* a person); -kredit,
n. discredit; bad odour.
miskundhed, *n. bibl.* mercy,
mercifulness.
mis|lig, *adj.* doubtful; ques-
tionable, irregular; -lyd,

n. discord; -lykkes, *v. i.*
fail, not succeed; et -lyk-
ket forsøg, a failure; -mo-
dig, *adj.* despondent.
mispel, *n. bot.* medlar.
misse, *v. i.* ~ med øjnene,
blink, screw up one's eyes.
mistanke, *n.* suspicion; mis-
giving.
mistbænk,*n.*hotbed;forcing-
frame.
miste, *v. t.* lose; forfeit.
mistelten, *n. bot.* misteltoe.
mis|tillid, *n.* mistrust, dis-
trust; diffidence; -troisk,
adj. distrustful, suspicious;
-tyde, *v. t.* misconstrue;
-tænke, *v. t.* suspect; -tæn-
kelig, *adj.* suspicious, sus-
pect; -undelse, *n.* envy,
grudge; -visende, *adj.* mis-
leading, fallacious.
mit, *pron. se* min.
mjave, *v. i.* mew.
mjød, *n.* mead; -urt, *n. bot.*
meadowsweet.
mod, *prep.* against; towards,
to.
mod, *n. n.* courage, pluck;
mettle; heart; samle alt sit
~, pluck up all one's
courage; -angreb, *n. n.*
counter-attack; -arbejde,
v. t. counteract, work
against; oppose; -beskyld-
ning, *n.* recrimination;
-bevise, *v. t.* refute, dis-
prove; -bydelig, *adj.* dis-
gusting, loathsome.
mode, *n.* fashion, mode;
-handlerinde, *n.* milliner;
-journal, *n.* fashion paper
(*el.* fashion magazine).
model, *n.* model; pattern;
-lere, *v. t.* model.
moden, *adj.* ripe, mature.
moder, *n.* mother; mummy;
(*om dyr*) dam; -lig,
adj. motherly; maternal;
-mærke, *n. n.* birthmark;
-smål, *n.n.* mother tongue.
mod|falden, *adj.* disheart-
ened, despondent; -gang,
n. adversity; reverse; -gift,
n. antidote; -hage, *n.* barb.

modificere, *v. t.* modify, alter, adapt; temper; qualify.

modig, *adj.* courageous, plucky.

modist, *n.* milliner.

mod|kandidat, *n.* opponent; -krav, *n.n.* counter-claim; -løs, *adj.* disheartened, dejected.

modne, *v. t.* ripen; -s, *v. i.* ripen; mature.

mod|part, *n.* adversary, opponent; opposite number, opposite party; -sat, *adj.* opposite, contrary, reverse, adverse; i ~ fald, if not; otherwise; -sige, *v. t.* contradict, gainsay; -stand, *n.* resistance; -stander, *n.* opponent, antagonist; -stræbende, *adv.* reluctantly, grudgingly; -stå, *v. t.* resist, withstand. -sætning, *n.* contrast; opposition; -tage, *v. t.* receive; accept; -tagelig, *adj.* susceptible; liable to; amenable; -tagelse, *n.* reception; receipt; acceptance; welcome; -træk, *n.n.* counter move; -vilje, *n.* reluctance; repugnance; aversion; -vind, *n.* head wind; -virke, *v.t.* counteract; work against; oppose; -vægt, *n.* counterweight; counterbalance; -værge, *n. n.* defence.

mol, *n. mus.* minor (key).

mole, *n.* pier, mole.

moment, *n.n.* moment; point, feature; factor; element.

mon, *adv.* I wonder, I should like to know.

monark, *n.* monarch.

mondæn, *adj.* fashionable.

montage, *n.* mounting, fittings; assembling; *film.* montage.

montere, *v. t.* mount; furnish; instal; fit (up).

moppe, *n.* pug-dog.

mor, *n.* Moor.

mora, *n. jur.* default.

morads, *n. n.* marsh, swamp, morass, bog.

moral, *n.* ethics; (moralitet) morality; (adfærd) morals, *pl.*; (belæring) moral; (ånd i hær, *osv.*) morale.

moralisere, *v. i.* moralize.

morbær, *n. n. bot.* mulberry.

mord, *n. n.* murder; -er, *n.* murderer; assassin; -erlig, *adv. sl.* jolly, awfully; -forsøg, *n. n.* attempted murder.

more, *v. t.* amuse, divert.

morgen, *n.* morning; i ~, to-morrow; i ~ tidlig, to-morrow morning; i morges, this morning; -bord, *n.n.* breakfast; -brød, *pl.n. n.*breakfast rolls,*pl.*;-dæmring, *n.* dawn; -frisk, *adj.* refreshed (after a good night's rest); -frue, *n. bot.* marigold; -kaffe, *n.* breakfast; -mand, *n.* early riser.

morian, *n.* blackamoor.

morild, *n.* phosphorescence.

morskab, *n.* amusement, diversion, entertainment.

morsom, *adj.* amusing, funny, droll; -hed, *n.* joke.

mortensaften, *n.* Martinmas Eve.

mortificere, *v.t.* annul, nullify, declare null and void.

mos, *n. n. bot.* moss; ~, *n.* pulp; mash.

mose, *n.* bog; moor.

Mosebog, *n.* [one of the books of the Pentateuch]: I. ~, Genesis; 2. ~, Exodus; 3. ~, Leviticus; 4. ~, Numbers; 5. ~, Deuteronomy.

mosgroet, *adj.* mossy, moss-covered.

moskus, *n.* musk; -svin, *n.n. zool.* peccary.

Moskva, *n.* Moscow.

most, *n.* cider; must.

moster, *n.* maternal aunt.

motion, *n.* exercise; (lovforslag) motion.

motivere, *v. t.* justify, give reasons for.

motor, *n.* motor; -bad, *n.* motor boat; -hjælm, *n.* bonnet; *U. S.* hood; -løb, *n. n.* motor race; -rum, *n. n.* engine room; -stop, *n.* engine failure.

moussere, *v. i.* effervesce; -nde vin, sparkling wine.

mudder, *n. n.* mud, mire; *sl.* noise, row, fuss; -maskine, *n.* dredger.

muffe, *n.* (*til hænderne*) muff; *mech.* muff, sleeve; socket; coupling-box.

mug, *n.* mould.

muge, *v. t.* clean out.

muggen, *adj.* musty, mouldy, fusty; (*tvær*) sulky.

muk, *n. n.* sound, syllable, word.

mukke, *v. i.* mutter, grumble.

mukkert, *n.* maul.

mulat, *n.* mulatto.

muld, *n.* mould; -jord, *n.* mould; -varp, *n. zool.* mole; -varpeskud, *n. n.* molehill.

mule, *n.* muzzle, snout; ~, *v. t.* drub; ~, *v. i.* pout; -pose, *n.* nose-bag.

mulig, *adj.* possible; meget ~, I dare say; alt -t, all sorts of things; -hed, *n.* possibility; -vis, *adv.* possibly; perhaps.

mulkt, *n.* fine; mulct.

mulm, *n. n.* darkness, gloom.

mumle, *v. t. & i.* mutter, mumble.

mund, *n.* mouth.

mundering, *n.* kit; uniform; accoutrements.

mund|harpe, *n.* Jew's harp; mouth-organ; -held, *n. n.* adage, saying; -huggeri, *n. n.* bickering, quarrel, wrangling; -ing, *n.* mouth, outlet; (*flod*) estuary; (*sky-devåben*) muzzle; -kurv, *n.* muzzle; -kåd, *adj.* flippant; pert; -smag, *n.* taste;

-stykke, *n. n.* mouthpiece; (*cigaret*) tip; -svejr, *n. n.* idle words; -tlig, *adj.* verbal; oral; -tligt, *adv.* verbally, by word of mouth; -vig, *n.* corner of the mouth.

munk, *n.* monk, friar; -ekloster, *n. n.* monastery; -ekutte, *n.* cowl.

munter, *adj.* lively, cheerful, merry, gay, blithe.

mur, *n.* wall; -brokker, *pl. n.* rubble; -brækker, *n.* battering ram; -er, *n.* bricklayer, mason; -kalk, *n.* mortar; -puds, *n. n.* plaster; -ske, *n.* trowel; -sten, *n.* brick.

mus, *n. zool.* mouse (*pl.* mice).

muse|fælde, *n.* mouse-trap; -rede, *n.* mouse nest; -stille, *adj.* as quiet as a mouse.

musik, *n.* music.

muskat, *n. bot.* nutmeg; -blomme, *n.* mace.

muskedonner, *n.* blunderbuss.

muskel, *n.* muscle; -stærk, *adj.* muscular, brawny; -trækning, *n.* spasm.

musling, *n.* mussel; bivalve shell.

musvit, *n. zool.* tomtit; great titmouse.

mut, *adj.* sulky.

myg, *n.* mosquito, gnat; ~, *adj.* lithe; supple, pliable; submissive.

myld|er, *n. n.* throng, crowd, shoal; -re, *v. i.* swarm, teem (with).

mynde, *n.* greyhound.

myndig, *adj.* authoritative; imperious; of age.

myndling, *n.* ward.

mynte, *n. bot.* mint.

myrde, *v. t.* murder.

myre, *n.* ant; -tue, *n.* ant-hill.

mytteri, *n.* mutiny.

mæcen, *n.* patron of the arts.

mægler, *n.* mediator; *comm.* broker; -kurtage, *n.* brokerage.

mægtig, *adj.* powerful, potent, mighty.

mæle, *n. n.* speech, voice; ~, *v. t.* speak.

mælk, *n. n.* milk; -esukker, *n. n.* lactose; -udsalg, *n. n.* dairy; -evej, *n.* milky way, galaxy.

mænd, *pl. af* mand.

mængde, *n.* multitude, number; abundance.

mærke, *n. n.* mark; token; sign; note; *naut.* buoy, beacon; bide ~ i, take note of; ~, *v. t.* mark; letter; number; heed, note, notice; find, perceive; mærk dig!, mind what I say!; -blæk, *n. n.* indelible ink; -dag, *n.* red-letter day; -lig, *adj.* remarkable; strange; curious; marked; -lig, *adv.* remarkably, curiously.

mærs, *n. n.* naut. top.

mæslinger, *pl. n.* measles, *pl.*

mæt, *adj.* satisfied; full; replete; satiated.

mø, *n.* maid, maiden, virgin.

møbel, *n. n.* piece of furniture; -plade, *n.* laminated plywood; -politur, *n.* French polish; -polstrer, *n.* upholsterer.

møblement, *n. n.* furniture; set of furniture; suite.

mødding, *n.* dunghill.

møde, *v. t. & i.* meet, meet with; fall in with; encounter; attend; appear; ~, *n. n.* meeting, encounter; rendezvous; appointment; sitting; -sted, *n. n.* meeting place, place of assembly.

mødom, *n. anat.* maidenhead, hymen.

mødre, *pl. af* moder; -hjælpen [Danish institution for providing aid to mothers, married or otherwise).

mødrene, *adj.* maternal.

møg, *n. n.* dung, muck; -greb, *n.* dungfork; -ke-

delig, *adj.* as dull as ditch-water, deathly boring.

møje, *n.* pains, *pl.*; trouble.

møjsommelig, *adj.* laborious, troublesome, with difficulty.

møl, *n. n.* moth; -behandlet, *adj.* moth-proof(ed); -kugle, *n.* moth ball.

mølle, *n. n.* mill; -r, *n.* miller.

møl|urt, *n. bot.* sweet trefoil; -ædt, *adj.* moth-eaten.

mønje, *n.* minium, red lead.

mønst|er, *n. n.* model, pattern, design, figure; (dyds-) paragon; -ergyldig, -erværdig, *adj.* exemplary; -re, *v. t. & i.* muster; inspect; -ret, *adj.* figured; -ring, *n.* mustering, review.

mønt, *n.* coin; mint; (valuta) currency; -e, *v. t.* coin, stamp, mint; -falskner, *n.* forger; -fod, *n.* (monetary) standard; -kundskab, *n.* numismatics.

mør, *adj.* tender, soft; mouldering, crumbling; -banke, *v. t.* beat black and blue; -brad, *n.* inner piece of loin.

mørk, *adj.* dark, gloomy; -e, *n. n.* darkness, obscurity, dark, gloom; -lægge, *v. t. & i.* black out; impose a black-out; keep a matter secret; -ning, *n.* nightfall.

mørtel, *n.* mortar.

møtrik, *n.* nut.

må, *u. n.* på ~ og få, at random, haphazardly; ~, *se* måtte.

måbe, *v. i.* mope, gape.

måde, *n.* manner, way; fashion; measure; -holden, *adj.* moderate, temperate; -lig, *adj.* middling, mediocre.

måge, *n. zool.* gull, sea-gull.

mål, *n. n.* measure; dimension; goal; (formål) aim, end; object; (sport) butt; mark; goal; target; winning post; (sprog) tongue,

language; voice; dialect;
accent; -e, *v. t.* & *i.*
measure; gauge; -ebånd,
n. n. tape-measure; -er, *n.*
meter; -estok, *n.* standard,
rule; scale; -løs, *adj.*
speechless; -mand, *i.* goal-
keeper; -tid, *n. n.* meal.

måne, *n.* moon.

måned, *n.* month; -lig; *adj.*
monthly.

måne|skin, *n. n.* moonlight;
-syg, *adj.* moonstruck,
lunatic.

mår, *n. zool.* marten.

måske, *adv.* perhaps, maybe.

måtte, *v. i.* & *aux.* (*præs.*
må; *imperf.* måtte; *perf.*
part. måttet) may; might;
be bound to; be free to;
be allowed to; be per-
mitted to; must, have to,
be obliged to; ∼, *n.* mat.

nabo, *n.* neighbour; -lag,
n. n. neighbourhood.

nadver, *n.* supper; den hel-
lige ∼, the Lord's Supper;
-bord, *n. n.* communion
table; -brød, *n.* the Host;
-offer, *n. n.* the Blessed
Sacrament.

nag, *n. n.* bære ∼, bear
malice (*el.* a grudge); -e,
v. t. gnaw, rankle.

nagle, *n.* nail; rivet; pin;
spike.

naiv, *adj.* simple, childish,
naïve, artless.

nakke, *n.* nape of the neck,
scruff.

nap, *n. n.* nip, pinch; tage
et ∼ med, lend a hand.

nappe, *v. t.* & *i.* snatch, snap;
sl. (stjæle) pinch, filch; -s,
v. t. wrangle, quarrel.

nar, *n.* fool; (hof) jester,
buffoon; coxcomb; -ag-
tig, *adj.* foolish, droll; rid-
iculous; -re, *v. t.* dupe,
trick, hoax, fool, take in;
-restreg, *n.* foolery, non-
sense; -resut, *n.* comforter,
dummy.

nat, *n.* night; -arbejde, *n.*

n. night work. -dragt,
n. nightwear, nightdress,
nightgown; -hus, *n. n.*
naut. binnacle; -lys, *n. n.*
bot. evening primrose;
-påfugleøje, *n. n. zool.*
emperor moth.

natron, *n. n.* soda.

nat|sommerfugl, *n. n.* moth;
-sporvogn, *n.* late tram;
-sværmer, *n.* moth.

nat|tergal, *n.* nightingale;
-tero, *n.* peace and quiet
at night; -tetid, *n.* night-
time.

natur, *n.* nature; consti-
tution; scenery; -bega-
velse, *n.* natural gifts;
gifted person; genius;
-bænk, *n.* rustic seat; -for-
sker, *n.* naturalist; -lig,
adj. natural; native; -lig-
vis, *adv.* of course; as a
matter of course; natu-
rally; -videnskab, *n.* (natu-
ral) science.

natviol, *n. bot.* sweet rocket.

naur, *n. bot.* maple.

nav, *n. n.* hub; boss; nave.

navle, *n.* navel; -snor, *n.*
umbilical cord.

navn, *n. n.* name; -efætter,
n. namesake; -eklud, *n.*
sampler; -eopråb, *n. n.*
roll-call; -eord, *n. n.* noun;
-give, *v. t.* name; -kun-
dig, *adj.* celebrated, re-
nowned, famous; -lig, *adv.*
especially, particularly.

ned, nede, *adv.* down; -ad,
adv. downward(s); ∼,
prep. down; -adgående,
adj. descending, down-
ward, declining; -arvet,
adj. inherited; -bryde,*v. t.*
break down, demolish;
-bør, *n.* rainfall, precipi-
tation; -enfor, *adv.* below,
beneath.

ned|en, *adv.* for ∼ below;
gå -enom og hjem, go to
the dogs; -enstående, *adj.*
below; -enunder, *prep.* &
adv. beneath, underneath;
downstairs.

neder|del, *n.* skirt; -drægtig, *adj.* vile, base, villainous; abject; -lag, *n. n.* defeat; overthrow.

Neder|landene, *pl. n.* the Netherlands; -landsk, *adj.* Dutch.

nederst, *adj. & adv.* bottom, lowest.

ned|fald, *n. n.* (frugt) windfall; -grave, *v.t.* bury; -gående, *adj.* ~ sol, setting sun; ~, *n.n.* skibe for ~, down-going vessels; -komme, *v. i.* be delivered (of a child); ~ med, give birth to; -ladende, *adj.* condescending; -lægge, *v. t.* deposit; sink; lodge, place; give up, throw up, resign; abdicate; (slå ihjel) slay; abolish, discontinue; (konservere) preserve, pickle; -lægge arbejdet, cease work, down tools; -rakke, *v. t.* run down; -re, *adj.* lower; -rig, *adj.* base, mean, vile, abject; -ringet, *adj.* low(-necked); low-cut; -rive, *v. t.* pull down, demolish; *fig.* run down; -ruste, *v.i.* reduce armaments; disarm; -sable, *v.t.* massacre; tear to pieces; -skrive, *v. t.* write down; -skæring, *n.* reduction; -slået, *adj.* dejected, despondent, downcast; -stamme, *v. i.* descend; -stryger, *n.* hack saw; -sætte, *v.t.* reduce; abate, lower; ~, *v. refl.* ~ sig, settle; -trampe, *v.t.* trample down; -trykt, *adj.* depressed; -tynge, *v. t.* weigh down; -værdige, *v. t.* degrade, debase, demean.

neg, *n. n.* sheaf.

neger, *n.* negro; black; (*i* USA *ogs.*) coloured (man, woman, *osv.*).

negl, *n.* nail; -e, *v.t.* pinch.

negligé, *n. n.* undress.

nej, *n. n. & int.* no; ~ da!,

really!; du kan tro ~!, not on your life!

neje, *v. i.* curtsey.

nekrolog, *n.* obituary.

nellike, *n. bot.* carnation; pink; (krydderi) clove.

nem, *adj.* convenient, easy.

nemlig, *adv.* namely, to wit; that is to say.

nemme, *n.n.* ease of apprehension; aptitude.

nerve, *n.* nerve; -beroligende, *adj.* soothing; -klinik, *n.* nerve clinic; rest home; mental home; -pirrende, *adj.* exciting; -rystelse, *n.* shock; -styrkende, *adj.* tonic.

nertz, *n.* mink.

net, *adj.* neat, nice; ~, *n. n.* net; netting; -hinde, *n. anat.* retina; -op, *adv.* just, exactly; precisely.

nette, *v. t.* tidy, tidy up; ~ sig, *v. refl.* tidy oneself up; titivate oneself.

netto, *adj. & adv.* net; clear; -udbytte, *n. n.* net profit.

nevø, *n.* nephew.

ni, *n. & adj.* nine.

nid, *n. n.* envy, jealousy, spite; malice; -ding, *n.* knave; coward; -kær, *adj.* zealous; *bibl.* jealous; -sk, *adj.* spiteful, envious, jealous; stingy, mean; -stirre, *v. t.* ~ én, stare somebody out of countenance.

niece, *n.* niece.

niende, *adj.* ninth.

nier, *n.* nine; (sporvogn) number nine.

nik, *n. n.* nod.

nikke, *v. t. & i.* nod.

niks, *n.* nul og ~, not a thing, nothing.

nimbus, *n.* halo, glory.

nip, *n. n.* sip; på -pet, on the point of.

nips, *n.* knick-knacks, *pl.,* trinkets, *pl.*

niptang, *n.* (pair of) pliers.

nisse, *n.* brownie, hobgoblin.

nitte, *n.* rivet; (lotto) blank.

nitten, *n. & adj.* nineteen; -de, *n.* nineteenth; Per N-gryn, *n.* fusspot.

niveau, *n. n.* level; standard; plane.

nivellere, *v. t.* level.

nobel, *adj.* noble, distinguished; generous.

node, *n.* note; -r, *pl. n.* music.

nogen (noget, nogle), *pron.* some; somebody, anybody; -lunde, *adv.* tolerably, fairly, moderately, rather; -steds, *adv.* anywhere.

nok, *adj.* enough, sufficient, plenty; det er ~, that will do; -som *adv.* enough, sufficiently.

nonne, *n.* nun.

nor, *n. n.* baby; (vig) cove.

nord, *n. n. & adj.* north; -bo, *n.* Scandinavian; N-en, *n. n.* the North, Scandinavia; -lys, *n. n.* aurora borealis; -mand, *n.* Norwegian; N-pol, *n.* North Pole; N-polarhavet, *n. n.* the Arctic Ocean; N-søen, *n.* the North Sea.

Norge, *n. n.* Norway.

norm, *n.* rule, standard.

nor|mal, *adj.* normal; standard; -maltid, *n.* standard time; -mere, *v. t.* prescribe; fix; regulate.

norsk, *adj.* Norwegian.

not, *n.* groove.

nota, *n.* (regning) note, bill; (faktura) invoice; (meddelelse) account, statement.

notar, *n.* notary.

notarius publicus, *n.* notary public.

notat, *n. n.* note; gøre -er, take notes.

notere, *v. t.* take down, note, record; (pris) quote.

notits, *n.* note; notice; paragraph.

novelle, *n.* short story.

nu, *adv.* now, at present.

nuance, *n.* shade; nuance.

nul, *n. n.* nil, zero;

nought; (person) nonentity; -punkt, *n. n.* zero.

numerisk, *adj.* numerical.

nummer, *n. n.* number; (nr. = No., *pl.* Nos.); (avis) issue; item, lot; (størrelse) size; -ere, *v. t.* number; -orden, *n.* numerical order; -skive, *n.* dial.

numse, *n.* behind, bottom.

nusse, *v. i.* ~ omkring, potter about.

nusset, *adj.* untidy, slipshod.

nu|tid, *n.* the present (time); *gram.* the present (tense); -tildags, *adv.* nowadays.

nuttet, *adj.* dear, darling, sweet.

nuværende, *adj.* present, present-day; existing.

ny, *adj.* new, novel, recent; fresh, additional; *n. n.* i ~ og næ, off and on, at intervals, once in a while; -bygger, *n.* settler, colonist; pioneer.

nyde, *v. t.* enjoy; taste; -lig, *adj.* nice, charming; -lse, *n.* enjoyment, pleasure, delight.

nyerhvervelse, *n.* new (*el.* recent) acquisition.

nyfigen, *adj.* inquisitive, curious.

nyfødt, *adj.* newborn.

nyhed, *n.* novelty; news.

nykke, *n.* whim, fancy, freak, caprice.

ny|lagt, *adj.* new-laid; -lig, *adj.* recent; ~, *adv.* recently, lately.

ny|malket, *adj.* fresh from the cow; -modens, *adj.* new-fangled; modern.

nynne, *v. t.* hum.

nyre, *n.* kidney; -stykke, *n. n.* loin; -talg, *n.* suet.

nys, *n. n.* få ~ om, get the wind of; -e, *v. i.* sneeze; -gerrig, *adj.* curious, inquisitive, prying.

nyskabning, *n.* innovation.

nysnævnt, *adj.* recently mentioned.

nysselig, *adj.* lovely, sweet.

14

nyt, *n. n.* news.

nytte, *v. t. & i.* be of use, serve, avail; ~, *n.* use, utility, advantage, benefit; -tig, *adj.* useful, serviceable.

nytår, *n. n.* New Year.

næb, *n. n.* beak, bill; -bet, *adj.* saucy, pert, cheeky; -dyr, *n. n. zool.* duck-billed platypus.

nægte, *v. t.* deny, refuse.

nælde, *n.* nettle; brænde sig på en ~, be stung by a nettle; gøre i -rne, put one's foot in it.

næn|ne, *v. t.* have the heart; -som, *adj.* gentle.

næppe, *adv.* hardly, scarcely, barely; ~ ... før, ... no sooner ... than ...

nær (nærmere, nærmest) *adj. & adv.* near, nearly, close; almost; ~, *prep.* near, at hand.

nære, *v. t.* nourish, entertain, harbour, feel; -nde, *adj.* nourishing, nutritious.

nærgående, *adj.* impertinent; aggressive; offensive.

nærig, *adj.* stingy, mean.

næring, *n.* nourishment; food; nutriment; trade; -sbrev, *n. n.* licence; -sdrivende, *n.* tradesman; -svej, *n.* trade, livelihood.

nær|liggende, *adj.* adjacent, neighbouring; obvious; -me, *v. t.* bring nearer; ~ sig, draw near; approach; -synet, *adj.* short-sighted; -trafik, *n.* suburban traffic; -ved, *adv.* close by; -værelse, *n.* presence.

næs, *n. n.* headland, point.

næse, *n.* nose; (irettesættelse) reprimand; -ebor, *n. n.* nostril; -grus, *adj.* prostrate; blatant.

næsehorn, *n. n. zool.* rhinoceros.

næst, *adv.* after, next to; -bedst, *adj.* next-best, second-best; -e, *n.* neigh-

bour; ~, *adj.* next, the following.

næstekærlighed, *n.* charity.

næsten, *adv.* almost, nearly, all but.

næst|kommanderende, *n.* second-in-command; *naut.* first lieutenant; (første styrmand) first officer, chief officer; -sidst, *adj.* last but one.

næsvis, *adj.* saucy, impudent.

næve, *n.* fist; -nyttig, *adj.* officious.

nævn, *n. n.* board; tribunal.

nævne, *v. t.* name; mention; -værdig, *adj.* appreciable, noticeable.

nævning, *n.* juryman; -ekendelse, *n.* verdict.

nød, *n. n. bot.* nut; *snedk.* walnut; (fattigdom) need, want; distress, necessity; nød-, *adj.* emergency; -anker, *n. n.* sheet-anchor; -bremse, *n.* emergency brake; -debusk, *n. n. bot.* hazel shrub.

nøde, *v. t.* urge, press; oblige, constrain, compel.

nød|hjælp, *n.* makeshift; -ig, *adv.* reluctantly; unwillingly; -landing, *n.* forced landing; -lidende, *adj.* distressed; -mast, *n.* jury-mast; -sage, *v. t.* compel, oblige; -stilfælde, *n.* emergency; -t, *adj.* være ~ til, be obliged (*el.* forced) to; have to; -tørft, *n.* forrette sin ~, relieve oneself; -udgang, *n.* emergency exit; -vendig, *adj.* necessary, essential; requisite; -vendigvis, *adv.* necessarily; -værge, *n.* self-defence.

nøgen, *adj.* naked, nude.

nøgle, *n.* key; clue; *mus.* clef; ~ *n. n.* (af garn, *osv.*) ball; -ben, *n. n.* collar-bone; -knippe, *n. n.* bunch of keys.

nøgtern, *adj.* sober.

nøjagtig, *adj.* exact, precise, accurate; true.

nøje, *adj.* precise, exact,

accurate; -regnende, *adj.* particular.

nøjes, *v. i.* ~ med, be content with, rest content with (to).

nøjsom, *adj.* easily satisfied, content with little.

nøle, *v. i.* hesitate; linger; tarry, delay; dawdle.

nørkle, *v. i.* potter about.

nørre, nørre-, *adj.* north, northern.

nå! *int.* well!, why!; oh yes?; oh no?; I say; well; ~ så-dan, I see.

nå, *v. t. & i.* reach, get at, gain; be in time for; come up to; equal; attain.

nåd|e, *n.* grace, favour; mercy; clemency; -ig, *adj.* gracious, merciful.

nål, *n.* needle; (knappe-) *n.* pin; -epenge, *pl. n.* pin money; -epude, *n.* pin-cushion; -eskov, *n.* coniferous forest; -estik, *n.n.* pinprick; -træ, *n. n.* conifer; -eøje, *n. n.* eye of a needle.

når, *adv & conj.* when, at what time; if.

oase, *n.* oasis.

obducere, *v. t.* conduct a post-mortem (examination).

obduktion, *n.* autopsy; post-mortem (examination).

oberst, *n.* colonel.

objektiv, *n. n.* lens, objective; *gram.* the objective (case); ~, *adj.* objective; detached; -åbning, *n.* lens aperture.

oblat, *n.* wafer.

obligat, *adj.* obligatory; necessary.

obligation, *n.* bond; debenture.

obligatorisk, *adj.* compulsory.

od, *n.* point.

odde, *n.* point, headland, tongue of land.

odder, *n. zool.* otter.

odel, *n.* allodium, freehold.

offentlig, *adj.* public; -gøre, *v. t.* publish, make public.

offer, *n.n.* offering; sacrifice; victim; -vilje, *n.* spirit of self-sacrifice.

ofre, *v. t. & i.* sacrifice; devote, dedicate; spend; ~ sit liv, give (*el.* lay down) one's life.

ofte, *adv.* often, frequently.

og, *conj.* and.

også, *adv.* also; too; even, as well; of course; eller ~, or else.

okse, *n.* ox; bullock; -brem-se, *n.* gad-fly, ox warble fly; -hoved, *n. n.* (mål) hogshead; -kød, *n.n.* beef; -mørbrad, *n.n.* tenderloin of beef; -steg, *n.* roast beef; -talg, -tælle, *n.* suet; -øje, *n.* ox-eye; bull's eye; gul ~, *bot.* corn marigold.

oktav, *n. typ.* octavo; *mus.* octave.

oktroj, *n.* charter; statutes, *pl.*; octroi.

okulere, *v. t.* bud.

olde|barn, *n. n.* great-grand-child; -fader, *n.* great-grandfather.

olden, *n.* mast; -borre, *n. zool.* cockchafer.

oldesøn, *n.* great-grandson.

olding, *n.* old man.

oldtid, *n.* antiquity.

olie, *n.* oil; -fyr, *n. n.* oil burner; oil-fired stove; -tøj, *n. n.* oilskin; (-klæ-der) oilskins, *pl.*

oliven, *n. bot.* olive.

om, *conj.* whether, if; in case; ~, *prep.* about; round; around; for; over; of; in; on; at; *fig.* der er noget ~ det, there is something in it; ~ lidt, shortly; en gang ~ året, once a year; -adressere, *v. t.* re-direct; -bestemme, *v.refl.* ~ sig, change one's mind; -bord, *adv.* on board, aboard; -bringe, *v. t.* distribute, deliver; (dræbe) put to death; -bygge, *v. t.*

rebuild; -bøje, *v. t.* fold
down, turn down; -danne,
v. t. transform; convert;
remodel, reshape; -dele,
v. t. distribute; -drejende,
adj. revolving; rotating;
-drejning, *n.* revolution;
rotation; -dømme, *n. n.*
judgement, opinion; repu-
tation; -egn, *n.* neighbour-
hood, environs, *pl.* -fang,
n. n. circumference; pro-
portions; extent; -fatte,
v. t. encompass, comprise,
comprehend; embrace;
-favne, *v. t.* embrace, hug;
-flakkende, *adj.* rambling,
vagabond; vagrant.

om|gang, *n.* intercourse; ac-
quaintance; round; in-
nings; revolution; turn;
-give, *v. t.* surround, en-
circle, encompass; -gæn-
gelig, *adj.* sociable, easy to
get on with; -gå, *v. t. mil.*
outflank; elude, evade;
-gående, *adv.* immediate-
ly, promptly; by return
of mail; -gås, *v. t.* associ-
ate with; treat, behave
towards; -handle, *v. t.* deal
with, treat (of); -hu, *n.* care,
solicitude; -hyggelig, *adj.*
careful, painstaking; -hæl-
de, *v. t.* decant; -hæng,
n. n. curtain, hangings, *pl.*;
-klædning, *n.* change of
clothes; -komme, *v. i.*
perish; -kostning, *n.* ex-
pense, charge, cost; -kreds,
n. circumference; -kring,
prep. & adv. round, a-
round, about; -kuld, *adv.*
down; vælte ~, up-
set; -kvæd, *n. n.* refrain,
chorus; -løb, *n. n.* circu-
lation; ~ i hovedet,
smartness; *coll.* gumption.

omme, *adv.* over; at an end;
out; up.

om|plante, *v. t.* transplant;
re-pot; -prikle, *v. t.* prick
out; -regne, *v. t.* convert;
-ringe, *v. t.* surround;
-røre, *v. t.* stir; -råde, *n. n.*

territory, area; domain,
field; -sejle, *v. t.* circum-
navigate; -sider, *adv.* at
last, at length; -sigtsfuld,
adj. prudent, thoughtful,
circumspect; -skibe, *v. t.*
trans-ship; -skiftelse, *n.*
change; vicissitude; -slag,
n.n. cover, envelope; (bog)
dust-cover, (dust) jacket,
wrapper; *med.* compress;
(grød-) poultice; (foran-
dring) change, reaction,
revulsion; -sonst, *adv.* in
vain; -sorg, *n.* care;
-spænde, *v. t.* span, clasp;
cover; encircle; -stig-
ningsbillet, *n.* transfer
ticket; -stillingsbord, *n. n.*
switchboard; exchange;
-strejfende, *adj.* vagrant,
roaming; -stridt, *adj.* dis-
puted; -styrte, *v. t.* over-
throw, subvert; -stænde-
lig, *adj.* circumstantial, de-
tailed, prolix; -stændig-
hed, *n.* circumstance, fact;
particular; detail; -støbe,
v. t. recast, remould;
-støde, *v. t.* quash, set
aside; invalidate; annul;
-stående, *adj.* overleaf;
-svøb, *n. n.* beating about
the bush; red-tape; -sæt-
ning, *n.* turnover, sales,
trade.

om|tale, *v. t.* mention, speak
of; kende af ~, know by
repute; -tanke, *n.* circum-
spection; discretion; fore-
thought; -trent, *adv.* about,
nearly; -tumle, *v. t.* toss
about; -tvistelig, *adj.*
disputable, contestable;
-tåget, *adj.* fuddled; -valg,
n. n. re-election, second
ballot; -vandrende, *adj.*
itinerant; -vej, *n.* de-
tour; circuitous route,
roundabout way; -vende,
v. t. convert; -vendt, *adj.*
inverted; reverse; -vikle,
v. t. wrap up; -vælte, *v. t.*
overturn, upset; -væltning,
n. revolution; upheaval.

ond, *adj.* bad, evil, wicked; -artet, *adj.* malignant, virulent; -skabsfuld, *adj.* malicious, malignant, mischievous.

onkel, *n.* uncle.

onsdag, *n.* Wednesday.

op, *adv.* up; ~ af sengen, out of bed; ~ med dig!, get up!; -ad, *adv.* up; upward; uphill; -bevaring, *n.* keeping, safe custody; preservation; -blomstre, *v. i.* flourish, prosper; -blussen, *n.* flare up; fresh outbreak; -blæsthed, *n.* conceit; -blødt, *adj.* saturated; -bragt, *adj.* enraged, exasperated; -bringelse, *n.* capture; seizure; -brud, *n. n.* departure; rising; -brusende, *adj.* effervescent; *fig.* hot-headed, quick-tempered; -bud, *n. n.* call-to-arms; summons; strong force; -byde, *v. t.* (sine kræfter) exert one's strength; -byggelig, *adj.* edifying; -dage, *v. t.* discover; detect; find out; -dagelse, *n.* discovery, detection; -dagelsesbetjent, *n.* detective; -digtet, *adj.* fictitious; -drage, *v. t.* educate; bring up; -drift, *n.* buoyancy; -drive, *v. t.* obtain, procure, raise; -drætte, *v. t.* breed, raise, rear; -dynge, *v. t.* heap up, accumulate; -dyrke, *v. t.* reclaim, cultivate.

op|efter, *adv.* up; upwards; -fange, *v. t.* catch, pick up, intercept; -farende, *adj.* hasty, passionate, choleric, fiery, irascible; -fattelse, *n.* apprehension; understanding; view; interpretation; perception; notion; hans ~ af sagen er ..., the construction he puts on the matter is ...; -findelse, *n.* invention; -findsomhed, *n.* ingenui-

ty; -fordre, *v. t.* invite, call upon, challenge, exhort; -fostre, *v. t.* rear; *fig.* foster; -friske, *v. t.* refresh, brush up; revive; -fyldelse, *n.* fulfilment; gå i ~, be fulfilled, come true; -føre, *v. t.* erect, construct; *thea.* present, perform, enact; ~, *v. refl.* ~ sig, behave, conduct oneself; -førsel, *n.* behaviour, conduct, manners.

op|gang, *n.* ascent; rise, improvement; (trappegang) stairs; -gave, *n.* problem; task; question; puzzle; -give, *v. t.* give up, forego; abandon, relinquish; (meddele) state; -grave, *v. t.* dig up, unearth, disinter, exhume; -gørelse, *n.* making up, settlement; -gående, *adj.* rising; -havsmand, *n.* author, originator; perpetrator; -hidse, *v. t.* excite; stir up; provoke; -hjælpe, *v. t.* encourage; -hobe, *v. t.* heap up, accumulate; -holde, *v. refl.* ~ sig, stay, reside; sojourn; -holdssted, *n. n.* whereabouts; domicile; -holdsværelse, *n. n.* living room; -hovne, *v. i.* swell; -hugge, *v. t.* break up; -hænge, *v. t.* suspend, sling; -hæve, *v. t.* break off, do away with, abolish, repeal; -hævelse, *n.* breaking off, abolition, repeal, rupture; gøre -r, make difficulties, make a fuss; -høje, *v. t.* raise; -høre, *v. i.* cease, discontinue, leave off, stop; -ildne, *v. t.* rouse, stimulate, stir up; -irre, *v. t.* irritate, exasperate, provoke.

op|kalde, *v. t.* name after; -kaste, *v. i.* be sick, vomit; advance (theory, *etc.*); throw up; -kiltre, *v. t.* tuck up; -klare, *v. t.* clear up; elucidate; -klæbe, *v. t.*

paste, stick, glue; -klække,
v. t. hatch, rear; -kog, *n.n.*
(*ogs. fig.*) boil up, re-hash;
-komling, *n.* upstart;
-krævning, *n.* collection;
-kørt, *adj.* (vej) cut-up,
rough; -lade, *v. t.* (batteri)
recharge; -lag, *n. n.* stock,
store; impression; issue;
edition; circulation; -lagt,
adj. (afgjort) obvious;
clear; flagrant; certain;
patent; (stemning) in form,
on form, disposed, in the
mood; (henlagt) put by;
stored; *naut.* laid-up; -land,
n. n. surrounding area;
hinterland; -leve, *v. t.* ex-
perience; live to see; see;
know; live through; -li-
vende, *adj.* reviving, cheer-
ing, exhilarating; -lyse,
v. t. illuminate; elucidate;
enlighten, inform; -lys-
ning, *n.* information, en-
lightenment; -lægge, *v. t.*
lay up; store; -lære, *v. t.*
train; bring up; educate; re-
-læser, *n.* reciter; -løb, *n.n.*
street-gathering; mob;
(sport) finish; standse no-
get i ~, nip something in
the bud; -løse, *v. t.* dis-
band; dissolve; decom-
pose; break up.
op|muntre, *v. t.* encourage,
animate; enliven; -mærk-
som, *adj.* attentive; -måle,
v. t. measure, survey; -nå,
v. t. attain; gain; achieve;
-ofre, *v. t.* sacrifice; de-
vote; -pakning, *n.* pack;
load; burden; -passer, *n.*
orderly; -pe, *adv.* up,
above; -pebie, *v.t.* await,
wait for; -pebære, *v. t.*
receive; collect; -pustet,
adj. blown up, inflated.
op|regne, *v. t.* enumerate;
-ret, *adj.* upright, erect;
-retholde, *v. t.* maintain,
uphold; -rette, *v. t.* es-
tablish; institute, found;
repair; retrieve; make up
for; -rigtig, *adj.* sincere,

candid; ~ talt, to tell the
truth; really!; -rindelig,
adj. original; -ringning, *n.*
('phone) call; -ruste, *v. i.*
re-arm; -rykning, *n.* pro-
motion; -rømt, *adj.* cheer-
ful, gay, elated; -rør, *n. n.*
rebellion, sedition; in-
surrection, revolt, uproar;
-rørt, *adj.* agitated, disturb-
ed; astir; shocked; -råb,
n. n. appeal, summons,
proclamation, manifesto.
op|sat, *adj.* ~ på, bent upon,
intent on; -sige, *v. t.* give
notice; terminate; de-
nounce; -sigt, *n.* sensa-
tion, stir; -skrift, *n.* recipe;
-skruet, *adj.* (pris) exorbi-
tant; -skrække, *v. t.* scare,
alarm, startle, rouse; -slidt,
adj. worn-out; -slå, *v. t.*
post, stick up; -snappe,
v. t. intercept, pick up;
-snuse, -spore, -støve, *v. t.*
scent out, ferret out; track
down, hunt down; -stand,
n. insurrection, rising, re-
bellion; -stille, *v. t.* set up,
put up; arrange; draw up;
lay down; -stoppernæse,
n. snub-nose; -styltet, *adj.*
stilted; -stød, *n. n.* belch,
eructation; -stå, *v. i.* arise,
rise; appear; break out;
-suge, *v. t.* absorb; -sving,
n. n. rise, boom, improve-
ment; -svulmet, *adj.* dis-
tended; bloated; swollen;
-syn, *n.n.* inspection, super-
vision, superintendence;
-sætsig, *adj.* refractory;
-sættelse, *n.* delay, post-
ponement; -søge, *v. t.*
search out; visit.
op|tagelse, *n.* admission, re-
ception; adoption; record;
photo. exposure; -teg-
nelse, *n.* note, memoran-
dum; record; -tog, *n. n.*
procession, pageant; -trin,
n. n. scene; -tryk, *n. n.*
new impression, reprint;
-træde, *v. i.* appear, act;
-trævle, *v. t.* unravel;

-tælle, v. t. add up, sum up; count; -tøjer, pl. n. row, riot; -vakt, adj. bright; -varte, v. t. wait on, attend; ~ med, regale with, treat to; -varter, n. waiter; -veje, v. t. counterbalance, outweigh, make up for; -vise, v. t. show, exhibit; boast; -visning, n. display; -vækst, n. adolescence; regeneration; -øve, v. t. train.

ord, n. n. word, term, expression; proverb; saying; rene ~ for pengene, plain speaking; godt ~ igen!, no offence!; -blindhed, n. word-blindness; -bog, n. dictionary; -brug, n. n. usage, terminology.

orden, n. order; -shåndhæver, n. custodian of the law; -ssans, n. sense of good order; tidy mind; -tlig, adj. orderly, regular; proper.

ord|forråd, n. n. vocabulary; -fører, n. spokesman; -knap, adj. taciturn, of few words; -kløver, n. word-splitter, hairsplitter; -lyd, n. wording.

ordne, v. t. arrange; order, regulate, adjust; class.

ordning, n. arranging, ordering; settlement; system, organization.

ordre, n. order.

ord|ret, adj. literal, verbatim; -rig, adj. verbose, wordy; -spil, n. n. pun; -sprog, n. n. proverb.

organ, n. n. organ; voice.

orgel, n. n. organ.

orkan, n. hurricane.

orke, v. t. be able to; jeg -r simpelt hen ikke mere, I simply haven't the strength (el. I can't be bothered) to do any more.

orkester, n.n. orchestra, band.

orlogs|mand, n. man-of-war; -kaptajn, n. commander.

orlov, n. leave, furlough.

orm, n. worm.

orne, n. boar.

os, pron. us; ourselves.

os, n. smoke; (ilde lugt) stench; -e, v. i. smoke; (lugte) reek.

ost, n. cheese; -ehandler, n. cheesemonger; -eløbe, n. rennet; -eskorpe, n. cheese-paring; rind; crust; -estof, n. n. casein.

otium, n. n. leisure, retirement from active work.

otte, adj. & n. eight; -kantet, adj. octagonal; -nde, adj. & n. eighth; -ndedel, n. eighth.

oven, adv. & prep. above; ~ i købet, into the bargain, to boot; ~ vande, above water; ~ senge, out of bed; -lys, n. n. skylight; -over, adv. above, overhead; -på, adv. upstairs; above; (ogs. fig.) on top.

over, prep. & adv. over; above, across, by; -alt, adv. everywhere; -anstrengt, adj. overworked; -arbejde, n. n. overtime; -bevisning, n. conviction; -blik, n. n. comprehensive view; -bringer, n. bearer; -byde, v. t. outbid; -bærende, adj. indulgent; tolerant; -drage, v. t. make over, transfer, convey; charge with, commission; delegate; -dreven, adj. exaggerated; exorbitant, excessive; -drive, v. t. exaggerate, overdo; -dyne, n. eiderdown; -døve, v. t. drown, shout down; -dådig, adj. luxurious.

overens, adv. stemme ~, agree; komme ~ om noget, come to terms; -komst, n. agreement, accord; contract.

over|fald, n.n. assault; -flade, n. surface; -flod, n. a-bundance, plenty; -flødig, adj. superfluous; -for,

prep. opposite; -formyn-
der, *n.* public trustee;
-frakke, *n.* overcoat; -fuse,
v. t. abuse; -fyldt, *adj.*
over-crowded; congested;
-føre, *v.t.* transport; trans-
fer; convey; transmit;
bring forward; copy; ap-
ply; -ført, *adj.* i ~ betyd-
ning, in a figurative sense.

over|gang, *n.* passage, cross-
ing; transition; -give,
v. t. deliver, hand over;
surrender; make over;
-given, *adj.* exuberant,
frolicsome; -gå, *v. t.* ex-
ceed surpass; change.

over|hale, *v.t.* overtake, catch
up; *naut.* overhaul; -herre-
dømme, *n.n.* supremacy;
-holde, *v.t.* keep; observe;
obey; comply with; -ho-
ved, *n. n.* head; chief,
chieftain; -hovedet, *adv.*
altogether, at all; -hud, *n.*
epidermis, cuticle; -hus,
n. n. Upper House; (*Eng.*)
House of Lords; -hæn-
gende, *adj.* impending,
imminent; -hånd, *n.* upper
hand; prevalence; pre-
dominance; -ilet, *adj.* rash,
precipitate; -jordisk, *adj.*
superhuman, unearthly.

over|komme, *v. t.* manage,
cope with; afford; -kom-
melig, *adj.* practicable;
bearable; reasonable; not
too expensive; -komplet,
adj. supernumerary; -kop,
n. cup; -krop, *n.* upper
part of the body; torso;
-køre, *v. t.* run over; -lade,
v. t. entrust, leave to; let
have; spare; hand over.

over|lagt, *adj.* deliberate, wil-
ful; -last, *n.* molestation;
harm; injury; damages, *pl.*;
-legen, *adj.* superior; bril-
liant; supercilious; master-
ful; -leve, *v.t.* survive, out-
live; -levere, *v. t.* deliver,
hand over, surrender; -li-
ste, *v.t.* dupe, outwit; -læ-
der, *n. n.* upper(s), vamp;

-læg, *n. n.* premeditation,
reflection; med ~, de-
liberately; -læge, *n.* chief
physician, head-surgeon;
-lægge, *v. t.* deliberate,
consider; -læsse, *v. t.* over-
load, overburden; over-
decorate; -løber, *n.* de-
serter, renegade, runaway;
-løbsrør, *n.n.* overflow
pipe.

over|magt, *n.* superior force;
-mande, *v.t.* overpower;
-modig, *adj.* arrogant;
presumptuous; insolent;
-mægtig, *adj.* predomi-
nant; -mæt, *adj.* sur-
feited; -måde, *adv.* ex-
ceedingly; very; highly;
-mål, *n.n.* abundance, ex-
cess; -naturlig, *adj.* super-
natural; -opsyn, *n.n.* super-
vision, superintendence,
control; -ordentlig, *adj.*
extraordinary; -ordnet,
adj. superior; -postmester,
n. head postmaster.

over|raske, *v.t.* take by sur-
prise; take unawares; sur-
prise; astonish, startle;
-rende, *v. t.* pester; over-
run; -ret, *n.* High Court;
-risle, *v.t.* irrigate; -rump-
le, *v. t.* take by surprise;
-række, *v. t.* hand over;
present with.

over|se, *v. t.* overlook, dis-
regard; -sigt, *n.* survey,
general view, account;
kort ~, summary; re-
sumé; synopsis; -skride,
v. t. overstep, pass; ex-
ceed, surpass; transgress;
-skrift, *n.* heading; -skrævs,
adv. astride; -skud, *n. n.*
surplus, excess; balance;
-skue, *v. t.* survey; com-
mand; grasp; -skyet, *adj.*
overcast, cloudy; -skæg,
n. n. moustache; -skære,
v. t. cut; -skæring, *n.*
cutting; crossing, inter-
section; level crossing;
-slag, *n. n.* estimate; -smø-
re, *v. t.* besmear, bedaub;

-sprøjte, v. t. spray; be-spatter; sprinkle; -spændt, adj. high-flown; over-wrought, highly strung; -stadig, adj. jubilant, hi-larious, elated; -stige, v. t. exceed, surpas; -strege, v. t. cross out, strike out; delete; -stryge, v. t. coat; give a coat of (paint, etc.); -strømmende, adj. ex-uberant; bubbling over; -stråle, v. t. eclipse; -styr, se styr; -stænke, v.t. splash; -størrelse, n. outsize; -stå, v.t.overcome; go through with; get over; have over and done with; -svøm-melse, n. inundation, flood; -sætte, v. t. trans-late; -søisk, adj. over-sea(s); -sået, adj. sprinkled, dotted.

over|tage, v. t. take over; take possession of; take charge of; assume; -tale, v. t. persuade, prevail upon; -tro, n. super-stition; -træde, v.t. break; infringe; transgress; -træk-ke, v. t. (f.eks. møbler) cover; *commerce.* over-draw; -træne, overtrain; -tyde, convince; -tøj, n. n. overcoat; outdoor clothes, pl.

over|veje, v. t. consider; -vinde, v. t. conquer, de-feat; -vurdere, v. t. over-estimate; -vægt, n. over-weight; excess weight; *fig.* advantage; pre-ponderance; predomi-nance; -vældende, adj. overwhelming; -værelse, n. presence, attendance; -vættes, adv. excessively, extremely.

ovn, n. oven; stove; furnace, kiln.

ovre, adv. over (there, here, etc.); across, on the other side; (finished) over and done with.

padde, n. (tudse) toad; -hat, n. toadstool, mushroom; -rokke, n. horse-tail.

paf, adj. dumbfounded, a-stonished; jeg var helt ~, you could have knocked me down with a feather.

pagehår, n. n. bobbed hair.

pagt, n. covenant; pact.

pak, n. n. rabble, mob; -dyr, n. n. beast of burden, pack animal.

pakhus, n. n. warehouse.

pakke, v. t. & i. pack; ~ ud, unpack; pak dig!, *arch.* get you gone!, begone!; ~, n. parcel, package, packet; (pige) baggage; -nelliker, pl. n. traps, pl., things, pl.; -post, n. parcel post.

pak|ning, n. *mech.* packing, washer; -rum, n. n. store room; -vogn, n. luggage van.

palme, n. palm; -søndag, n. Palm Sunday.

pande, n. forehead; brow; (stege-) pan; rynke -n, knit one's brows, frown; -kage, n. pancake; U. S. flapjack; -skal, n. skull.

panel, n. panel; (fod-) skirting-board; dado; wainscot.

panere, v. t. roll in bread-crumbs.

panik, n. panic, scare.

panser, n. n. (harnisk) ar-mour; (på bil, skib, osv.) armour-plating; (ring-brynje) coat of mail; *zool.* carapace, shell.

pant, n. n. security; pledge; mortgage; forfeit; -efoged, n. bailiff; -eleg, n. game of forfeits; -elåner, n. pawnbroker; -sætte, v. t. pawn, pledge; mortgage.

pap, n. (el. n.n.) cardboard, pasteboard.

papegøje, n. parrot.

papir, n.n. paper; -handler, n. stationer; -kurv, n. waste paper basket; -masse, n.

pulp; -æske, *n.* cardboard box.

par, *n. n.* pair, couple; (vildt) brace; a few, some; et ~ dage, a couple of days; et ~ kopper, a cup and saucer.

parafere, *v. t.* countersign.

para|ply, *n.* umbrella; -sol, *n.* sunshade, parasol.

parat, *adj.* ready, at hand.

parcel, *n.* site; lot; allotment; plot.

pardon, *n.* arch. quarter.

parere, *v. t. & i.* parry, ward off; (hest) pull up; ~ ordre, obey.

parforcejagt, *n.* hunting with hounds.

parfume, *n.* perfume.

pari, *adv.* par; til ~, at par; under ~, below par.

parkere, *v. t.* park.

parket, *n. n.* stalls; -gulv, *n. n.* parquet flooring; wood block floor.

parlamentere, *v. i.* negotiate; parley; palaver.

parløb, *n. n.* partner race.

parlør, *n.* phrase-book.

parole, *n.* password; watchword; countersign; slogan; lystre ~, obey orders; parole.

parre, *v. t.* pair, match; ~ sig, *v. refl.* pair, mate, copulate.

part, *n.* part, portion, share; party, side; -ere, *v. t.* cut up, divide into pieces.

parterre, *n. n.* ground floor; *thea.* pit; parterre.

parthavende, *adj.* participating; ~, *n.* joint owner; participant.

parti, *n. n.* parcel, lot, consignment; party; -fælle, *n.* fellow-partisan; -sk, *adj.* partial.

partitur, *n. n. mus.* score.

parvenu, *n.* upstart.

parvis, *adv.* in pairs; two and two; two by two.

paryk, *n.* wig.

pas, *n. n. geogr.* pass, defile;

passport; (kort) no bid, pass; -indehaver, *n.* holder of a passport; -ning, *n.* care, tending; attendance; (tøj, *osv.*) fit; (fodbold) pass.

passage, *n.* passage; traffic; ingen ~!, no thoroughfare!; -r, *n.* passenger.

passant, *adv.* en ~, in passing; by the way; casual.

passat, *n.* trade-wind.

passe, *v. t.* fit, adapt; tend; take care of; ~, *v. i.* suit, agree; (kort) pass; pas på!, take care!, look out!; pas Dem selv!, mind your own business!; -nde, *adj.* suitable, convenient; becoming; proper.

passer, *n* (pair of) compasses; dividers, *pl.*

passere, *v. t.* pass (by); cross; ~, *v. i.* occur, happen.

passiar, *n.* talk, gossip, chat.

passus, *n. n.* (i en bog) passage.

pastelfarve, *n.* pastel; crayon.

pastil, *n.* lozenge.

pastor, *n.* rector; vicar; ~ X, the Reverend Mr. X.

patent, *n. n.* patent; *naut.* certificate.

patron, *n.* cartridge; (skyts-) patron; *mech.* chuck.

patte, *n.* nipple; teat; ~, *v. t. & i.* suck; -barn, *n. n.* baby; -dyr, *n. n.* mammal.

pauke, *n.* kettledrum.

pause, *n.* pause, stop, interval; *mus.* rest.

pave, *n.* pope.

peber, *n. n.* pepper; -mø, *n.* spinster; old maid; -rod, *n. bot.* horse-radish; -svend, *n.* bachelor.

pege, *v. t & i.* point; -finger, *n.* forefinger, index finger.

pejle, *v. t & i.* sound; take a bearing.

pejs, *n.* fireplace.

pels, *n.* fur, pelt; fur coat.

pen, *n.* pen; nib; -nepose, -nefjer, *n.* quill; -neskaft, *n. n.* pen-holder.

penge, *pl. n.* money; rede ~,

ready money, cash; -afpresning, *n.* blackmail; -anbringelse, *n.* investment; -hjælp, *n.* pecuniary aid, subsidy; -puger, *n.* money-grubber; -pung, *n.* purse; -skab, *n. n.* safe; -skuffe, *n.* till; -stykke, *n. n.* coin.

pensel, *n.* (paint-)brush.

pension, *n.* pension; half pay, superannuation; board and lodging; -at, *n. n.* boarding-house; -eret, *adj.* retired, on half pay, pensioned off; -ær, *n.* boarder.

pergament, *n. n.* parchment.

perle, *n.* pearl; bead; *fig.* jewel, treasure; -gryn, *n. n.* pearl-barley; -høne, *n. zool.* guinea fowl; -mor, *n. n.* mother-of-pearl.

permission, *n.* leave of absence, furlough; -er, (benklæder) unmentionables, *pl.*

perpleks, *adj.* mystified, bewildered.

perron, *n.* platform.

perser, *n.* Persian.

persianer, *n.* Persian lamb; Astrakhan.

persienne, *n.* Venetian blind.

persiflere, *v. t.* ridicule.

persille, *n.* parsley.

person, *n.* person; individual; personage; party; actor, character; -ale, *n. n.* staff; -lig, *adj.* personal, individual; -tog, *n. n.* passenger train.

pertentlig, *adj.* finical.

pessar, *n. n. med.* pessary.

pest, *n.* plague, pestilence.

pestilens, *n.* abomination; thorn in the flesh.

phil. dr. = Ph.D. (*el.* D.Ph.).

pibe, *n.* pipe; fife; whistle; ~, *v. i.* pipe; whistle; whimper; whizz, whine; squeak; -krave, *n.* ruff; -læg, *n. n.* pleat, ruche.

pible, *v. i.* trickle.

piccolo, *n.* page-boy, buttons; bellhop.

piece, *n.* (skrift) pamphlet, booklet; (teaterstykke) play; (skyts) gun, piece of ordnance.

pietet, *n.* reverence, respect; piety.

pift, *n. n.* whistle; -e, *v. i.* whistle.

pig, *n.* spike; pike; quill.

pige, *n.* girl, maid, lass; -spejder, *n.* girl guide.

pig|hvar, *n.* turbot; -tråd, *n.* barbed wire.

pikke, *v. t.* rap, tap; (*om fugl*) peck.

pil, *n. bot.* willow; (bue) arrow; bolt; shaft.

pile, *v. i.* dash off, run off; scamper off; -mønster, *n. n.* willow pattern.

pilfinger, *n.* busybody.

pille, *v. t. & i.* pick; shell, peel; meddle (with); finger; ~, *n.* pillar, column; *med.* pill; scrap, bit; -ri, *n. n.* trifles, *pl.*

pilotering, *n.* piling; pile-driving.

pilrådden, *adj.* rotten to the core.

pilskaldet, *adj.* bald as a coot.

pimpe, *v. i. sl.* booze, tipple.

pimpsten, *n.* pumice (stone).

pincet, *n.* tweezers.

pind, *n.* stick; pin, peg; -ebrænde, *n. n.* firewood; kindling-wood; *fig.* matchwood; -ehuggeri, *n. n.* hairsplitting; -svin, *n. n. zool.* hedgehog.

pin|e, *v. t.* torment, torture, plague; ~, *n.* pain; pang; torture; -ebænk, *n.* rack; -lig, *adj.* painful; *fig.* embarassing.

pinse, *n.* Whitsun; første -dag, Whit Sunday; anden ~, Whit Monday.

pippe, *v. i.* chirp; ~ frem; peep out.

pirke, *v. t. & i.* poke, prod.

pirre, *v. t. & i.* stir, poke; tickle; titillate; irritate; stimulate; -lig, *adj.* irritable, touchy, fretful.

pisk, *n.* whip; (hår-) pigtail; -e, *v. t. & i.* whip, lash, flog; (æg) whisk, beat; -esnært, *n. n.* lash.

pjadder, *n. n.* drivel; -hoved, *n. n.* twaddler, driveller; -våd, *adj.* dripping wet.

pjalt, *n.* rag, tatter; (*om person*) worm, twerp; contemptible wretch.

pjank, *n. n.* twaddle; tomfoolery; -et, *adj.* silly, childish.

pjask|e, *v. i.* splash, paddle; -våd, *adj.* dripping wet, drenched.

pjat, *n. n.* twaddle; -tegås, *n.* chatterbox; -tet, *adj.* silly.

pjece, *n. se* piece.

pjok, *n. n.* milksop; sissy.

pjusket, *adj.* dishevelled, rumpled, tousled.

pjække, *v. i.* shirk; play truant.

pladask, *adv. & int.* flop, splash.

pladder, *n.n.* mud, mire; *fig.* nonsense, rubbish.

plade, *n.* (sten-, *osv.*) slab, flag; (*af bord, osv.*) top; (*til forlængelse af* bord) leaf; *photo.* plate; (grammofon-) record; -jern, *n. n.* sheetiron; -skifter, *n.* automatic record changer.

plads, *n.* place, position; situation, post; (*i tog, biograf, osv.*) seat; *naut.* berth; space; (torv, *osv.*) place; (*firkantet*) square; (*rund*) circus; gøre ~, make room, make way, clear the way; tag ~, take a seat.

plage, *v. t.* torment; worry, bother; annoy, pester, plague; -ånd, *n.* tormentor.

plagiat, *n. n.* plagiarism.

plakat, *n.* poster, placard, bill, handbill; -bærer, *n.* sandwich-man.

plan, *n.* plan, design; ~, *n. n.* plane; -ere, *v. t.* level.

planke, *n.* plank; -værk, *n. n.* board fence; hoarding; paling.

plantage, *n.* plantation.

plante, *n.* plant, herb; ~, *v. t.* plant; -føde, *n.* vegetable food; -stof, *n.n.* vegetable matter; -skole, *n.* nursery.

plapre, *v. i.* babble; ~ ud med det hele, let the cat out of the bag.

plaske, *v. i.* splash.

plat, *adj. & adv.* flat; vulgar, low; -bor, *n. n.* bradawl.

plat-de-menage, *n.* cruetstand.

plat|fodet, *adj.* flat-footed; -fodsindlæg, *n. n.* arch support.

plattenslager, *n.* impostor, cheat.

plattysk, *n. & adj.* Low German.

pleje, *v. t.* tend, nurse, take care of; be used to, be accustomed to, be in the habit of; ~, *n.* care, nursing, treatment; -barn, *n. n.* foster-child; -stiftelse, *n.* orphanage, children's home.

plejl, *n.* flail; -stang, *n. mech.* piston rod, connecting rod.

plet, *n.* spot, speck, stain; flaw; (skive) bull's eye; ~, *n. n.* electro plate; -tere, *v. t.* plate.

pligt, *n.* duty; -ig, *adj.* due; liable; bound.

plissere, *v. t.* pleat.

plombere, *v. t.* seal with lead; plug; ~ en tand, fill (*el.* stop) a tooth.

plov, *n.* plough.

pludder, *n. n.* mud; mire; sludge.

pludre, *v. i.* jabber, chatter, prattle, babble.

pludselig, *adj.* sudden; ~, *adv.* suddenly.

plukfisk, *n.* kedgeree; slå én til ~, make mincemeat of somebody.

plukke, *v. t.* (bær, blomster)

pick, gather; (fjerkræ) pluck.

plump, adj. clumsy; coarse, vulgar, low; ~, n. n. flop, plop; -e, v.i. flop, plop, plump;~udmed,blurtout.

plumret, adj. turbid, muddy.

plyndre, v. t. plunder, pillage, loot, spoil, rob; strip, rifle, sack.

plys, n. n. plush; Peter P~, Winnie the Pooh.

plæne, n. lawn.

pløje, v. t. plough; -land, n. n. arable land.

pløk, n. peg.

pløre, n. n. slush, mud.

pochere, v. t. poach.

podagra, n. med. gout.

pode, v. t. graft; ~, n. scion, offspring; -kvist, n. scion.

podium, n. n. platform; proscenium.

poesi, n. poetry.

point, n. n. point; mark; -ere, v. t. emphasize.

pokal, n. cup; goblet.

pokker, n. the deuce, the devil, the dickens; ~!, hang it!; confound it!; -s, int. & adj. damned, confounded, blasted.

pol, n. pole.

polak, n. Pole.

polarkreds, n. polar circle; nordlige ~, Arctic circle; sydlige ~, Antarctic circle.

Polen, n. n. Poland.

polere, v. t. polish; burnish.

police, n. policy.

polisk, adj. sly, cunning.

politi, n. n. police; -afspærring n. cordon; -betjent, n. policeman, constable.

politik, . n. policy; politics; -er, n. politician.

politur, n. polish.

polsk, adj.Polish; ~, n.(sprog) Polish.

polstre, v. t. stuff; upholster.

poppel, n. poplar.

porcelæn, n. n. china, porcelain.

porre, n. leek.

port, n. gate, doorway; naut.

port, porthole; -al, n. door, portal; -er, n. stout, porter; -hammer, n. knocker.

portion, n. portion, share; helping; allowance.

portlåge, n. wicket.

portner, n. porter; doorman, janitor; -bolig, n. porter's lodge.

porto, n. postage; carriage; -fri, adj. postpaid.

portstolpe, n. gatepost.

Portugal, n. n. Portugal.

portu|giser, n. Portuguese; -gisisk, n. (sprog) Portuguese; ~, adj. Portuguese.

portvagt, n. gatekeeper.

portvin, n. port (wine).

portør, n. (bane) porter; (hospital) hospital orderly.

pose, n. bag; pouch.

positur, n. posture, attitude.

post, n. (postvæsen) post; (postsager) post, mail; (vandhane) tap; U. S. faucet;(pumpe)pump;mil. post, station; (skildvagt) sentinel, sentry; (i regnskab osv.) entry; item; være på sin ~, be on guard, be on the alert; -anvisning, n. postal order, money order; -bud, n. n. postman; -e, v.t. pump; (sende med -n)post,send by mail; -hus, n. n. post office; -stempel, n. n. postmark.

postyr, n. n. fuss.

pote, n. paw.

potte, n. pot; -mager, n. potter; -magervarer, pl. n. pottery, earthenware; -skår, n. n. potsherd.

pragt, n. pomp, magnificence, splendour; -fuld, adj. splendid.

praje, v. t. naut. hail.

prakke, v. t. ~ én noget på, foist upon, palm off upon.

praksis, n. practice; custom.

praktik, n. practice; -ant, n. student employee.

praktisk, adj. practical, useful; profitable.

pral, n.n. boasting, swagger-

(ing), boastfulness; -bønne, n. scarlet runner; -e, v. i. brag, boast; -hans, n. boaster, braggart; -ende, adj. (farve) gaudy.

pram, n. lighter, barge.

prangende, adj. resplendent, high-flown, gaudy.

pranger, n. cattle-dealer; horse-dealer.

prelle, v. i. ~ af, rebound, glance off.

pres, n. n. pressure.

presenning, n. tarpaulin.

present, n. present, gift.

presse, v. t. press, squeeze; ~, n. press; -frihed, n. freedom of the press; -omtale, n. coverage; -polemik, n. newspaper controversy; -rende, adj. urgent.

prik, n. dot; point, speck; på en ~, to a nicety; -en over i'et, the finishing touch; -ken, adj. touchy, testy.

prikle, v. t. transplant, prick out.

prima, adj. first-class; choice; choicest.

primula, n. bot. primrose, cow-slip.

princip, n. n. principle; -iel, adj. fundamental.

prins, n. prince.

prioritet, n. mortgage; priority, precedence.

pris, n. price, rate; charge; praise; prize; pinch (of snuff); -e, v. t. praise, glorify, extol; -e, n. prize; -elig, commendable, praiseworthy; -give, v. t. abandon, leave at the mercy (of); -noting, n. (cost of living) index.

prislag, n. n. price level.

privat, adj. private; -mand, n. private person, private individual.

probat, adj. effective, proved.

probere, v. t. try; attempt.

procent, n. percent.

proces, n. lawsuit, action;

process; gøre kort ~, cut the matter short.

produkt, n. n. produce, product; -ion, n. production, output, yield.

profession, n. trade; business; profession.

projektør, n. searchlight; spotlight; headlight.

proklamere, v. t. proclaim.

prokur|a, n. [authority to sign on behalf of a firm or company]; -ist, n. [person holding authority to sign on behalf of others].

prop, n. cork; stopper; (i badekar, osv.) plug; elec. fuse; få en ~, throw a fit, have a fit; -fuld, adj. brimful, crammed; -pe, v. t. cork; stuff, cram, ram into; -trækker, n. corkscrew.

proper, adj. tidy, clean.

proprietær, n. landed proprietor; landowner; country gentleman.

prosit! int. (God) bless you!

prostituere, v. t. disgrace; prostitute.

protektion, n. patronage.

protokol, n. record, register; minutes, pl.; protocol.

provenu, n. n. proceeds, pl.

proviant, n. provisions, pl.; supplies, pl.; -ere, v. t. victual; take in supplies.

provinsby, n. country town.

provision, n. commission; percentage.

provisorisk, adj. provisional, temporary.

provst, n. dean; -i, n. n. deanery.

prunk, n. pomp, show, ostentation.

pruste, v. i. snort, puff.

prutte, v. i. haggle, bargain, beat down.

pryde, v. t. adorn, decorate, embellish; sl. deck out.

prygl, pl. n. drubbing, thrashing, flogging.

præcis, adj. precise, punctual;

~ klokken 3, at 3 o'clock
sharp.

prædik|ant, n. preacher; -e,
v. t. & i. preach; -en, n.
sermon; -estol, n. pulpit.

præg, n. n. impression;
stamp; character.

prægtig, adj. splendid, mag-
nificent; excellent.

præludium, n. n. prelude.

præmie, n. (afgift) premium;
(belønning) reward; (ge-
vinst) prize.

præsens, n. n. gram. the pre-
sent (tense).

præsentere, v. t. introduce;
present.

præst, n. clergyman; priest;
pastor, parson; rector,
vicar, minister; -egård, n.
vicarage, rectory; parson-
age; -ekald, n. n. living,
benefice.

prætendent, n. pretender,
claimant.

prøve, n. trial, proof, test;
commerc. sample, speci-
men, pattern; theat. re-
hearsal; (metal) assay; (som
aflægges af musiker, osv.)
audition; (tøj) fitting; på
~, on probation; on ap-
proval; ~, v. t. & i. try;
thea. rehearse; (tøj) try on;
-kollektion, n. sample as-
sortment (el. collection);
-lse, n. trial; examination;
ordeal; scrutiny; -måltid,
n. n. test meal; -sten, n.
touchstone; -sølv, n. n.
standard silver; hall-
marked silver.

publikum, n. n. the public;
audience.

puddel, n. poodle.

pudder, n. n. powder; dust;
-kvast, n. powder-puff;
-sukker, n. n. brown sugar.

pude, n. (på sofa, osv.)
cushion; (senge-) pillow;
pad; -betræk, -vår, n. n.
pillow-case.

puds, n. trick; practical
joke; ~, n. (mur) plaster;
(pynt) finery, trim; -e,

v. t. trim; plaster; finish;
clean; polish; blow (one's
nose); swindle, cheat;
-epomade, n. polish;
-høvl, n. sned. smoothing
plane; -ig, adj. funny.

puf, n. n. nudge, prod, push,
shove, thrust, dig; ~, n.
box-ottoman.

pukkel, n. hump, hunch;
-rygget, adj. hump-
backed, hunchbacked.

puld, n. crown.

puls, n. pulse; -slag, n. n. pul-
sation; pulse-beat; throb
of the pulse; -åre, n. artery.

pult, n. desk.

pulterkammer, n. n. lumber-
room; box-room.

pulver, n. n. powder; -isere,
v. t. pulverize, powder.

pumpe, n. pump; -stempel,
n. n. mech. pump piston.

pund, n. n. pound; lb.; i
-evis, adv. by the pound.

pung, n. purse; bag; pouch;
anat. scrotum; -dyr, n. n.
marsupial; -e ud, sl. fork
out; -odder, n. zool. water
opposum.

punkt, n. n. point; dot; head,
item; article; particular;
-ere, v.t. puncture; stipple;
point; -lig, adj. punctual;
-um, n. n. full-stop; U. S.
period.

puppe, n. chrysalis, pupa,
-hylster, n. n. cocoon.

pur, adj. pure; absolute; sheer.

purk, n. little fellow.

purløg, n. n. chives, pl.

purpur, adj. purple; scarlet.

purre, n. se porre.

purre, v. t. (hår) ruffle;
rumple; ~ ud, call, rouse.

purung, adj. very young.

pusle, v. i. rustle; be busy;
~, v. t. wash and dress;
nurse; coddle; -spil, n. n.
(jig-saw) puzzle.

pusling, n. imp, sprite;
(mandsling) manikin;
(barn) chit, tot.

puste, v. t. & i. blow; puff;
(stønne) pant; breathe;

-rum, *n. n.* breathing space.

putte, *v. t.* put, stick.

pynt, *n. geog.* headland, point; (stads) finery, dress; -e, *v.t.* dress, decorate, embellish; -elig, *adj.* fine, smart.

pyt, *int.* rot!, nonsense!, pooh!

pyt, *n.* pool, puddle.

pægl, *n. arch.* half-pint.

pæl, *n.* stake, pole, pile; post; picket, pale.

pæn, *adj.* nice, dainty; handsome, pretty.

pæon, *n. bot.* peony.

pære, *n. bot.* pear; (elektrisk) bulb; *sl.* (forstand) brains.

pøbel, *n.* mob, rabble; -sprog, *n. n.* vulgar language; slang.

pøjt, *n. n.* trash, bosh; dishwash, hogwash.

pøl, *n.* pool, puddle.

pølse, *n.* sausage; -mand, *n.* sausage-man, hot-dog man.

pønse, *v. i.* ~ på, consider, ponder, meditate.

pøs, *n.* bucket; -e, *v.i.* pour.

på, *prep. & adv.* on, upon; at; in; to; after; by; of; ~ gaden, in the street; ~ ny, *adv.* afresh, anew; ~ restaurant, at a restaurant; -anke, *v.t.* appeal against; -begynde, *v. t.* start, begin, commence; -beråbe, *v. refl.* ~ sig, invoke; refer to; plead; -bud, *n. n.* injunction, order; command; -drage, *v. t.* inflict; subject (somebody to something); ~ sig, *v. refl.* incur; catch, contract; -dømme, *v. t.* judge; try, decide; -faldende, *adj.* strange; extraordinary; striking.

påfugl, *n. zool.* peacock.

på|fund, *n. n.* invention, device; -følgende, *adj.* following, ensuing, succeeding, subsequent; -gribelse, *n.* seizure, arrest; -gældende, *adj.* in question;

den ~, the party (person, thing) concerned; -gående, *adj.* pushing; aggressive; -hit, *n. n.* device; -holdende, *adj.* close, close-fisted; -hvile, *v.t.* be incumbent on, rest with; lie with; -hængende, *adj.* importunate; -hængsmotor, *n.* (til båd) outboard motor; (til cykel) auxiliary engine; -hængsvogn, *n.* trailer; -hør, *n. n.* hearing, presence.

på|kalde, *v. t.* call upon, invoke; -kende, *v. t.* decide; -klædning, *n.* dress, clothing; attire; -krævet, *adj.* required, necessary; -kørsel, *n.* collision, crash; -landsvind, *n.* onshore wind; -lidelig, *adj.* trustworthy, reliable; -ligne, *v.t.* assess; -lægge, *v.t.* impose on; direct; charge with, impress upon, enjoin; -løbende, *adj.* den ~ rente, the accruing interest; -minde, *v.t.* remind, admonish; -passelig, -passende, *adj.* careful; vigilant; attentive; -pege, *v.t.* point out, indicate; -rørende, *n.* relative; -se, *v.t.* take care of, attend to; see to; -sejling, *n. naut.* collision.

påske, *n.* Easter; i -n, at Easter; -lilje, *n. bot.* daffodil; -æg, *n. n.* Easter egg.

på|skud, *n. n.* pretext; -skynde, *v. t.* hasten, quicken, expedite, accelerate; -skønne, *v. t.* appreciate; -stå, *v. t.* assert, maintain; -syn, *n. n.* presence, sight; -tage, *v.refl.* ~ sig, undertake, assume, take on; -tale, *n.* complaint; -tegne, *v. t.* endorse; certify; sign; -trængende, *adj.* obtrusive, importunate; -tvinge, *v. t.* force; -tænke, *v. t.* contemplate; intend; -virke,

v. t. influence, affect; -vise,
v. t. point out; prove; demonstrate.

rabalder, *n. n.* noise; row; crash.

rabarber, *n.* rhubarb.

rabat, *n.* discount, rebate, allowance; (have) border; -mærke, *n. n.* discount coupon (*el.* ticket).

rable, *v.i. sl.* det -r for ham, he is going off his rocker; ~, *v. t.* rattle off, knock out (verses, *etc.*).

race, *n.* race, breed; -adskillelse, *n.* colour bar; segregation; -hest, *n.* thoroughbred; blood-horse; -hygiejne, *n.* eugenics.

rad, *n.* rank; row; tier; tre dage i ~, three days running; fellow; en snu ~, a sly fox; en ~ efter pigerne, a great lad for the girls.

radbrække, *v. t.* break on the wheel; maim; mangle; ~ et sprog, murder a language.

rader|e, *v.t. & i.* erase; etch; -gummi, *n. n.* ink eraser; -ing, *n.* etching; erasure.

radio, *n.* broadcasting; wireless; radio; -apparat, *n. n.* wireless set; radio set; receiver; -forbindelse, *n.* radio communication; -foredrag, *n. n.* talk; -forstyrrer, *n.* jammer; -reportage, *n.* news commentary; running commentary.

radise, *n.* radish.

raffineret, *adj.* refined; studied; smart.

rage, *v. t. & i.* shave; stir up, poke; rummage; grope; concern, regard; hvad er det dig?, what's that to you?; ~ sammen, rake together; ~ frem, jut out, project, protrude; -kniv, *n.* razor.

ragelse, *n.* trash.

raillere, *v. t.* jeer at, chaff.

rak, *n. n.* rabble, riff-raff.

raket, *n.* rocket; -blomst, *n.* red-hot poker; -drevet, *adj.* rocket-propelled; -kaster, *n.* rocket launching apparatus.

rakitis, *n. med.* rickets, rachitis.

rakke, *v.t. & i.* ~ til, spoil, ill-use, ill-treat; ~ ned på, depreciate, run down; revile; -r, *n.* hangman's mate; (skraldemand) scavenger; -rpak, *n.n.* rabble.

ralle, *v. i.* rattle.

ram, *adj.* acrid, rank, sharp; i -me alvor, in deadly earnest.

ramaskrig, *n. n.* outcry of indignation.

rambuk, *n.* pile-driver.

ramle, *v. i.* tumble down.

ramme, *v. t.* hit, strike; ram, drive; ~, *n.* frame; setting.

rampe, *n.* ramp, slope, incline; *thea.* footlights, *pl.*

ramponere, *v. t.* batter, break, damage, spoil.

ramse, *v. i. & ~ op,* reel off, rattle off.

ran, *n. n.* theft; rape; loot.

rand, *n.* edge; margin; border; brim, rim; welt; -håret, *adj. bot.* ciliated; -syning, *n.* welting.

rang, *n.* rank; precedence; af første ~, first-rate; -ere, *v.t. & i.* rank; (tog) shunt; -følge, *n.* order of precedence.

rangle, *n.* rattle; ~, *v. i.* jingle, rattle.

rank, *adj.* straight, erect.

ranke, *n. bot.* vine.

ransage, *v. t.* search, ransack; overhaul.

rap, *adj.* quick, swift, brisk; smart; ~, *n. n.* blow, rap; -mundet, *adj.* cheeky; fresh; -pe sig, *v. refl.* make haste, look alive.

rappenskralde, *n.* shrew, virago.

rapport, *n.* report; relation; connexion; touch; contact.

raps, *n. bot.* rape.

rapse, *v. t. coll.* pilfer, filch.

raptus, *n.* fit, craze.

rapunsel, *n. bot.* rampion.

rar, *adj.* nice, good, fine; pleasant; -itet, *n.* curiosity; curio.

rase, *v. i.* rage; foam, fume, chafe; rave; storm; -nde, *adj.* furious, raging, infuriated; ~, *adv.* furiously; extremely; -re, *v. t.* raze, level; -ri, *n. n.* rage, fury, frenzy.

rask, *adj.* quick, active, brisk; well; -hed, *n.* quickness, briskness, smartness; dash.

rasle, *v. i.* rattle, clatter, clank; rustle.

raspe, *v. t.* rasp; grate.

rast, *n.* rest; holde ~, halt; -løs, *adj.* restless; fidgety.

rat, *n. n.* wheel.

rate, *n.* instalment.

ration, *n.* ration, allowance.

rav, *n. n.* amber; -e, *v. i.* totter, reel; -gal, *adj.* utterly wrong, absurd; stark mad; -jydsk, *adj.* broad Jutlandish.

ravn, *n.* raven; -ekrog, *n.* out-of-the-way place; -emoder, *n.* unnatural mother.

razzia, *n.* raid.

reagere, *v. i.* react.

realisation, *n.* realization; clearance sale.

reb, *n. n.* rope; *naut.* reef; -e, *v. t.* reef; -erbane, *n.* ropewalk; -slager, *n.* ropemaker.

recept, *n.* (læge) prescription; (mad) recipe.

red, *n. naut.* roads, *pl.*; roadstead.

redak|tion, *n.* editing; editorship; editorial staff; editorial offices, *pl.*; drafting, wording, form; -tør, *n.* editor.

redde, *v. t.* save; rescue.

rede, *n.* nest; (rovfugle-) eyrie, aerie; gør ~ for, give an account of, explain;

analyse; review; få ~ på, understand, make out, grasp; ~ til, ready to; have ~ på, know all about; ~, *v. t. & i.* disentangle, comb (one's hair); ~ en seng, make a bed; ~ ud af, extricate from; ~, *adj.* ready, in readiness; ~ penge, hard cash, ready money; -bon, *adj. arch.* ready, willing, prompt; -gørelse, *n.* account, statement; -lig, *adj.* upright, honest, straightforward.

reder, *n.* shipowner; -i, *n. n.* shipping company, firm of shipowners.

redigere, *v. t.* edit; draft, word.

redning, *n.* rescue; -sbælte, *n. n.* lifebelt; -sbåd, *n.* lifeboat; -skorps, *n. n.* salvage corps; -sstige, *n.* fire escape; -sstol, *n.* breeches-buoy; -svest, *n.* life-jacket.

redskab, *n. n.* instrument, tool; implement; apparatus.

reel, *adj.* genuine, real; fair, honest.

referat, *n. n.* report.

referent, *n.* reporter.

refræn, *n. n.* chorus, refrain; -sanger, *n.* crooner.

regel, *n.* rule, precept; -mæssig, *adj.* regular.

regent, *n.* ruler, sovereign, regent; -skab, *n. n.* regency.

reger|e, *v. t. & i.* (styre) govern, reign; (lave ståhej) carry on; fuss; (tyrannisere) browbeat; shout and curse; -ing, *n.* government; reign.

regiment, *n. n.* regiment; -e, *n. n.* rule; regime.

register, *n. n.* register; index; (orgel-) stop.

reglement, *n. n.* regulations, *pl.*; -eret, *adj.* regulation, statutory.

regn, *n.* rain; øsende ~, downpour; det ser ud til

~, it looks like rain; -bue, n. rainbow; -buehinde, n. iris; -byge, n. shower; -e, v. i. rain, pour; ~, v. t. & i. calculate, reckon, compute, figure; do sums, count; ~ for, consider, regard, look upon; ~ fra, deduct; ~ med, count on; allow for, anticipate; reckon with; -efejl, n. miscalculation; -emaskine, n. calculating machine; -opgave, n. arithmetical problem; -estok, n. slide-rule.

regnfrakke, n. waterproof, raincoat, mackintosh.

regning, n. arithmetic; account; reckoning; calculation; computation; (for varer) bill; invoice.

regnorm, n. earthworm.

regnskab, n. n. account(s); -sbilag, n. n. voucher; -står n. n. financial year.

regres, n. recourse, remedy.

regulerbar, adj. adjustable.

regulere, v. t. regulate, adjust; control; grade.

regulær, adj. regular; proper; thorough.

reje, n. shrimp; prawn.

rejse, v. i. travel, journey; go; leave, depart; ~, n. (kortere) trip; (længere) journey; (sø-) voyage, passage; ~, v. t. raise, set up, erect; -akkreditiv, n. n. letter of credit; -bureau, n. n. travel agency; -gods, n. n. luggage; baggage; -taske, n. suitcase; -tæppe, n. n. rug, plaid.

rejsning, r. raising, erection; (holdning) carriage; noble lines; air.

reklamation, n. claim; complaint.

reklame, n. advertising, publicity; -fif, n.n. advertising (el. publicity) stunt; -kampagne, n. publicity drive, (el. campaign); -re, v.t.&i. advertise; boost; put in a claim; -tegner, n. pub-

licity artist; -øjemed, n.n. i ~, with a view to publicity.

rekognoscere, v. t. & i. reconnoitre.

rekreation, n. recuperation; rest cure.

rekrut, n. recruit.

rektor, n. head-master; head; principal.

rekvirere, v. t. order; requisition.

rekvisit, n. appliance; requisite; theat. properties, pl.

rekylgevær, n. n. automatic rifle.

relativt, adv. comparatively.

religion, n. religion; faith; creed; (skolefag) religious instruction, scripture.

relikvie, n. relic.

rem, n. strap, thong; belt; strop; sling; -burs, n. documentary credit; åbne ~, open a credit; -is, n. drawn game, draw; -isse, n. remittance; -ittent, n. payee; -samler, n. belt fastener; -se, n. rigmarole; string of words; ~, v. t. & i. reel off, rattle off.

ren, adj. clean; pure; mus. in tune; et ~t barn, a mere child; gøre -t, tidy, clean.

rend, n. n. run; coming and going; gadding about.

rende, n. conduit; pipe; gutter, spout; channel; canal, drain; chute; groove; ~, v. t. & i. run; -maske, n. run; ladder; gadabout; -sten, n. gutter.

rengøring, n. cleaning; -skone, n. charwoman.

ren|hed, n. purity, cleanness, pureness; -holde, v. t. keep clean; -lig, adj. cleanly, clean; -lighed, n. cleanliness.

renommé, n. n. reputation; character; fame, repute; renown.

renovation, n. house-refuse; scavenging; renovation.

rensdyr, n. n. zool. reindeer.

rense, *v. t.* clean, cleanse; purify; dress; -ri, *n.n.* dry-cleaning establishment; dry cleaners.

rentabel, *adj.* paying, remunerative, profitable.

rente, *n.* interest; -fod, *n.* rate of interest.

rentier, *n.* person of independent means.

rentrykke, *v. t.* print off, strike off.

reol, *n.* shelves, *pl.*; bookshelf; book-case; -gravning, *n.* bastard trenching.

reparere, *v. t.* repair, mend.

repetere, *v.t. & i.* repeat; do revision; re-read; revise.

replik, *n.* reply, retort; remark; speech, line(s).

reportage, *n.* reporting; report, commentary; reportage.

repressalier, *pl. n.* reprisals, *pl.*

reprimande, *n.* rebuke, reprimand.

repræsentant, *n.* representative, agent, deputy; -skab, *n. n.* committee; council, board.

reseda, *n. bot.* mignonette.

reservat, *n. n.* reserve, reservation.

reserve|del, *n.* spare part; -re, *v. t.* reserve, put aside, earmark; -udgang, *n.* emergency exit.

resolut, *adj.* determined; prompt, unhesitating, resolute.

respektere, *v. t.* respect.

respit, *n.* (udsættelse) respite; (sport) handicap; (løbedage) days of grace.

rest, . *n.* rest, remainder; remnant; residue; -ance, *n.* arrears, *pl.*

restituere, *v. t.* restore; reinstate; restore to health; -t, *adj.* recovered.

resultat, *n. n.* result, upshot, outcome.

ret, *n.* (mods. uret) right; (adkomst) title; law, court of justice; (mad) dish;

course; stå ~, stand to attention; ~, *adj.* right, straight, true; proper; ~, *adv.* right; rather, pretty; -færdig, *adj.* just; righteous; -færdiggøre, *v. t.* justify; ~ sig, *v. refl.* clear oneself; -mæssig, *adj.* lawful, legitimate; -ning, *n.* direction, trend; tendency, bent, drift; respect.

ret| belæring, *n.* summing up, charge to the jury; -sgyldig, *adj.* valid; -shjælp, *n.* legal aid; -skaffen, *adj.* upright, righteous; -skaffenhed, *n.* integrity, righteousness; -skrivning, *n.* orthography; -skrænkelse, *n.* infringement; violation of right; -slig, *adj.* legal, judicial; -spleje, *n.* administration of justice; -ssag, *n.* lawsuit, process; -ssal, *n.* court(-room); -sstilling, *n.* legal status; -sstridig, *adj.* illegal; -te, *v. t.* straighten; correct; rectify; adjust; regulate; ~ sig, *v. refl.* draw oneself up; -telse, *n.* correction; rectification; -tesnor, *n.* rule, guide; -tidig, *adv.* punctually, in time; -tighed, *n.* right; title; privilege; -troende, *adj.* orthodox.

retur, *n.* return; tur og ~, there and back; round trip; på ~, declining; on the wane; -billet, *n.* return ticket; -nere, *v. t. & i.* return; send back; give back; reply to.

ret| vinklet, *adj.* right-angled, rectangular; -visende, *adj. naut.* true.

rev, *n. n.* reef.

revanche, *n.* revenge.

revers, *n.* (af mønt, medalje) reverse; (på jakke) lapel.

revidere, *v. t.* revise, audit, check.

revisor, *n.* auditor, accountant.

revle, n. shoal, bar, sand-bank; *archit.* batten.

revne, v. i. crack, split; tear, flaw, rent; ~, n. crack, chink, cranny, crevice, fissure.

revse, v. t. chastise, punish.

revu, revy, n. *mil.* review; *theat.* revue; (tidsskrift) review.

ribbe, n. rib; -n, n. n. rib.

ribs, n. n. *bot.* red currant.

ridder, n. knight; vandrende ~, knight-errant; -lig, *adj.* chivalrous; -slag, n. n. accolade; -spore, n. *bot.* larkspur, delphinium.

ride, v. t. & i. ride; ~ en storm af, *naut. & fig.* ride out a storm; ~ en hest til, break in a horse; -knægt, n. groom; -pisk, n. crop; -tur, n. ride.

rids, n. n. plan, diagram; draft; tracing, sketch; -e, v. t. scratch; score; notch.

riffel, n. rifle; (fure) groove; (på søjle) fluting.

rift, n. tear, rent; scratch; ~ om, run on, rush for, great demand for.

rig, n. rigging; *U. S.* rig.

rig, *adj.* rich, wealthy; opulent; affluent; (rigelig) copious, abundant; -dom, n. riches; *pl.* wealth; -elig, *adj.* plentiful, abundant, ample, liberal, copious.

rige, n. n. realm; kingdom; empire.

rigsdag, n. parliament.

rigtig, *adj.* right, correct; perfect, thorough, regular; proper; ~, *adv.* (ogs.) quite, very, duly; -hed, n. accuracy, correctness; truth, justice.

rille, n. groove; drill.

rim, n. hoar-frost; ~, n. n. rhyme; -e, v. t. & i. rhyme.

rimelig, *adj.* reasonable; -vis, *adv.* probably, likely.

rimesse, n. remittance.

ring, n. ring; circle; hoop; link; halo; -brynje, n.

chain mail; -e, v. t. & i. ring, chime.

ringe, *adj.* small, inconsiderable; slight; -eagt, n. contempt, disdain; behandle med ~, slight; -eagte, v. t. despise, disdain, slight; -apparat, n. n. electric bell; -forlovet, *adj.* formally engaged; -hed, n. inferiority; smallness; -vej, n. ring road, circular road.

ripost, n. (svar) repartee, retort.

rippe, v. i. ~ op, rake up; revive.

ris, n. rice; birch; ~, n. n. ream (of paper); ~, *pl.* brushwood; -engryn, n. n. rice; -engrød, n. rice boiled in milk; rice pudding: -gærde, n. n. wattle fence.

risik|abel, *adj.* risky; -ere, v. t. risk; run the risk of; -o, n. risk.

risle, v. i. ripple; murmur; purl.

rismel, n. n. ground rice.

rist, n. grate; grating; gridiron; -e, v. t. grill; broil; (brød, *osv.*) toast; -et brød, toast.

ritmester, n. captain (of the horse).

rive, v. t. rend, tear; grate, pluck, pull; rake; ~, n. rake; -jern, n. n. grater, rasp; -nde, *adj. & adv.* (om lugt) pungent; (om lyd) piercing; violent; rapid; ~ gal, stark staring mad; have ~ travlt, be dreadfully busy.

ro, v. t. & i. row, scull, pull; ~, n. rest, repose; quiet, calm, tranquillity; -lig, *adj.* tranquil; quiet, calm; placid; sedate; collected.

rod, n. root.

rode, v. i. root, rake; ~, n. *mil.* file; -butik, n. muddle, mess; -kontor, n. n. tax-collector's office; -mester, n. tax-collector; -ri, n. n. mess, muddle, disorder.

rod|fæste, *n. n.* rootedness; ~, *v. t.* take root; -skud, *n. n.* sucker; -stok, *n.* rhizome; -trevl, *n.* rootlet.

roe, *n.* turnip, beet; mangold, swede; -sukker, *n. n.* beet sugar.

rogn, *n.* roe, spawn.

rok, *n.* spinning-wheel.

rokke, *v. t. & i.* rock; shake; ~, *n. zool.* ray.

rolig, *adj.* still, quiet, peaceful; even, calm; composed, tranquil.

rolle, *n.* part, character, rôle; -besætning, *n.* cast.

rom, *n.* rum.

Rom, *n. n.* Rome.

roman, *n.* novel; -forfatter, *n.* novelist.

romersk, *adj.* Roman; ~ bad, Turkish bath.

ror, *n. n.* rudder, helm; -bænk, *n.* thwart; -gænger, *n.* helmsman; -pind, *n.* tiller.

ros, *n.* praise; ~, *n. n.* (pak) rabble, riff-raff; (brændeaffald) chips, shavings, *pl.*; -værdig, *adj.* praiseworthy.

rosa, rosafarvet, *adj.* pink.

rose, *v. t.* praise; commend, laud; ~, *n.* rose; -nkrans, *n.* rosary; -nkål, *n.* Brussels sprouts, *pl.*; -nolie, *n.* attar (of roses).

rosin, *n.* raisin.

rosmarin, *n. bot.* rosemary.

rotte, *n.* rat; ~, *v. refl.* ~ sig sammen, conspire.

rov, *n. n.* prey, spoil, plunder; robbery; -begærlig, *adj.* rapacious; -dyr, *n. n.* beast of prey; -fugl, *n.* bird of prey.

ru, *adj.* rough; rugged.

rub, *n. n.* ~ og stub, bag and baggage; lock, stock and barrel.

rubank, *n.* jointer.

rubbe, *v. i.* rub af!; clear off!; ~ sig, hurry up, hustle.

rubin, *n.* ruby.

rubricere, *v. t.* classify; pigeon-hole.

rubrik, *n.* (plads) space; (overskrift) headline; (avisartikel) article; -annonce, *n.* classified advertisement.

rude, *n.* pane (of glass); square; -formet, *adj.* diamond-shaped; lozenge-shaped; -r, *pl.* (kort) diamonds, *pl. bot.* rue.

ruf, *n.* i en ~, in a trice (*el.* twinkling); ~, *n. n. naut.* deck-house; -fer, *n.* procurer, pimp.

rug, *n.* rye; -brød, *n. n.* rye bread.

ruge, *v. i.* brood, hatch; -høne, *n.* sitting hen; -maskine, *n.* incubator.

rulle, *v. t. & i.* roll, trundle; (vasketøj) mangle; calender; -gardin, *n. n.* blind; -skøjter, *pl.* n. roller-skates, *pl.*; -sten, *n.* (stor) boulder; (lille) pebble; -stol, *n.* Bath chair.

rum, *n. n.* room; space; compartment; pigeon-hole; ~, *adj.* i ~ sø, in the open sea; -fang, *n. n.* capacity; volume; cubic content.

rumle, *v. i.* rumble.

rum|me, *v. t.* contain, hold; *fig.* involve; -melig, *adj.* roomy, spacious, capacious, commodious; -rejse, *n.* space travel.

rumstere, *v. i.* rummage.

rund, *adj.* round; circular; -del, *n.* circus; -e, *n.* round; politibetjents ~, beat; ~, *v. t. & i.* round off; make round; -holt, *naut. n. n.* spar; -håndet, *adj.* generous; open-handed; -kaste, *v. t.* broadcast; -stykke, *n. n.* roll; -t, *adv.* round; året ~, all year round; døgnet ~, night and day.

rune, *n.* rune; runic letter.

runge, *v. i.* resound, ring.

runken, *adj.* shrivelled, wrinkled, wizened.

rus, *n.* intoxication, inebriation; (student) freshman, first-year student.

ruse, *n.* trap.

ruske,*v.t.&i.* pull; jerk; shake.

ruskind, *n.n.* suede; -s-, *adj.* (handsker, sko, *osv.*) suede.

ruskregn, *n.* drizzle.

Rusland, *n.n.* Russia.

rus|ser, *n.* Russian; -sisk, *adj.* Russian; ~, *n.* (language) Russian.

rust, *n.* rust; corrosion; (*på korn*) rust, smut; -e, *v.i.* rust; (*til krig*) arm; furnish with arms; ~ sig, *v. refl.* prepare (*el.* arm) oneself; -en, *adj.* rusty; -fri, *adj.* stainless; -kammer, *n.n.* armoury; -ning, *n.* armour; -vogn, *n.* hearse.

rute, *n.* route; service; -bil, *n.* bus; motor coach; -båd, *n.* liner; coastal steamer.

rutineret, *adj.* experienced.

rutsche, *v.i.* glide, slide; -bane, *n.* switchback; *U.S.* roller-coaster.

rutte, *v.i.* ~ med, squander.

ry, *n.n.* renown, fame; reputation.

rydde, *v.t.* clear; ~ af vejen, remove, clear away; ~ op, clear up, put in order; -lig, *adj.* orderly, tidy.

ryg, *n.* back; (tag-, bjerg-) ridge; (*om kød*) saddle.

ryge, *v.t. & i.* smoke; (ose) reek; fumigate; (fare) tear, rush; (gå fløjten) go (*f. eks.* there goes our best teapot!); *sl.* go to pot.

rygfinne, *n.* dorsal fin.

ryggesløs, *adj.* reprobate, profligate, depraved.

ryg|marv, *n.* spinal cord; -rad, *n.* spine, backbone; -stød, *n.n.* (stol, *osv.*) back; *fig.* support, backing; -sæk, *n.* rucksack.

rygte, *n.n.* report, rumour; reputation, character; et godt ~, a good name.

ryk, *n.n.* tug, jerk, pull; -ind, *n.n.* crowd; influx; -ke, *v.t. & i.* pull, jerk; dun (somebody for payment, *etc.*); -kerbrev, *n.n.* reminder; dunning letter; -vis, *adv.* in jerks, by fits and starts.

ryle, *n. zool.* sandpiper.

rynke, *v.t.* wrinkle; pucker, fold; (i vrede) frown; scowl; (stof) gather; -t, *adj.* wrinkled; puckered; knitted; (stof) gathered.

rype, *n. zool.* grouse; red grouse.

ryste, *v.t.&i.* shake; tremble; -nde, *adj.* appalling; horrible; harrowing; shocking.

rytme, *n.* rhythm.

rytter, *n.* rider, horseman; equestrian; (cyklist) cyclist; -i, *n.n.* horse; cavalry; -statue, *n.* equestrian statue.

ræbe, *v.i.* belch, burp.

ræd, *adj.* frightened, afraid.

rædsel, *n.* horror; terror; -sfuld, *adj.* horrid, dreadful; appalling, ghastly; terrific; -sgerning, *n.* atrocity; -slagen, *adj.* horror-stricken; -svælde, *n.n.* reign of terror, terrorism.

række, *v.t. & i.* give, hand, pass; (nå) reach; (strække, forlænge) stretch; (slå bedre til) go further; ~, *n.* row, series, range; *mil.* rank; -evne, *n.* reach; range; -følge, *n.* series, succession; order.

rækværk, *n.* railing, handrail, balustrade; banisters, *pl.*

ræling, *n.* gunwale.

ræv, *n. zool.* fox.

røbe, *v.t.* disclose; betray; let out; give away.

rød, *adj.* red, crimson; -bede, *n.* beetroot; -blond, *adj.* sandy; -brun, *adj.* reddish-brown; -bynke, *n. bot.*

dock; -bøg, *n.* copper beach; R-e Kors, the Red Cross; -glødende, *adj.* red-hot; -hud, *n.* redskin; -håret, *adj.* redhaired; -kælk, *n. zool.* robin; -me, *v. i.* blush; -mosset, *adj.* ruddy; -skimlet, *adj.* roan; -spætte, *n.* plaice; -vin, *n.* claret.

røffel, *n.* reprimand; dressing-down; rating; telling-off.

rog, *n.* smoke; -e, *v. t.* smoke; dry; fumigate; -else, *n.* incense; -elsekar, *n. n.* censer; -forgiftning, *n.* asphyxiation; -kanal, *n.* flue.

røgt, *n.* care, tending; -er, *n.* cattleman, cowman.

røgtobak, *n.* smoking tobacco; mixture.

rømme, *v. i.* run away; desert, decamp; evacuate; ~ *sig, v. refl.* clear one's throat.

røn, *n. bot.* mountain ash; rowan.

rønne, *n.* hovel; -bær, *n. n. bot.* rowanberry.

røntgen, *u. n.* (-stråler) X-rays; han skal have ~, he's going to be X-rayed; -billede, *n. n.* X-ray picture, radiograph; -ograf, *n.* radiographer.

rør, *n. n.* tube, pipe; tubing, piping; *tlf.* receiver; *radio.* valve; tube; (plante) reed; (bambus-, sukker-) cane. rør, *int. mil.* stand easy!

røre, *v. t. & i.* touch; move; stir; concern; ~, *n. n.* commotion, stir; excitement; -lse, *n.* emotion, agitation, movement; -nde, *adj.* moving, touching, pathetic.

rør|ig, *adj.* active, agile, brisk; -lig, *adj.* movable; -lægge, *v. t.* drain; -lægger, *n.* pipe fitter; -måtte, *n.* rush mat; -stol, *n.* cane-

bottomed chair; -æg, *n. n.* scrambled egg(s).

røst, *n.* voice.

røv, *n. vulg.* arse.

røve, *v. t. & i.* rob; steal; seize; -r, *n.* robber; highwayman; brigand; (sø-) pirate; -rhistorie, *n.* cock-and-bull story; -rkøb, *n. n.* bargain.

rå, *n. naut.* yard; ~, *adj.* (om mad) raw; (ubehandlet) crude; (primitiv) uncivilized, rude; (barsk) damp, raw; (uerfaren) green; (grov) coarse.

råb, *n. n.* cry, call, shout; -e, *v. t. & i.* cry, call, shout; -er, *n.* megaphone, speaking trumpet.

rå|buk, *n.* roe-buck; -båndsknude, *n.* reef knot.

råd, *n. n.* (vejledning) advice, counsel; (rådsforsamling) council; (middel) means, expedient; remedy; jeg har ikke ~ til det, I cannot afford it; (forrådnelse) rot, putrefaction; -den, *adj.* rotten; decayed; putrid; -denskab, *n.* rottenness, putrefaction, decomposition, decay; -e, *v. t.* advise, counsel; -e over, rule over; control; dispose of; -elig, *adj.* advisable; -erum, *n. n.* scope; -giver, *n.* counsellor, adviser; -hus, *n.n.* town hall; -ighed, *n.* disposal, command; -man, *n.* alderman; -ne, *v. i.* rot, decompose; -slå, *v. i.* consult, deliberate; -snar, *adj.* resourceful; -spørge, *v. t.* consult; -vild, *adj.* irresolute, perplexed.

rådyr, *n.* roe, roe-deer.

råge, *n.* rook.

rå|kost, *n.* raw vegetables & fruit; -olie, *n.* crude oil; -stof, -vare, *n.* raw material; -t *adv.* crudely; coarsely; uncritically; sluge noget ~, swallow something hook, line and sinker.

sabel, *n.* sabre; sword; cutlass; -hug, *n. n.* sabre cut.

sachsisk, *adj.* Saxon.

sadel, *n.* saddle; -knap, *n.* pommel; -mager, *n.* saddlemaker; (møbel) upholsterer; -plads, *n.* paddock.

sadie, *v. t. & i.* saddle; ~ om, *fig.* change one's mind.

safran, *n.* saffron.

saft, *n.* juice, sap; syrup; (kød) gravy; -ig, *adj.* juicy, succulent; (historie) racy, pithy.

sag, *n.* matter; cause; case; action; affair; business; concern; det bliver hans ~, that's his look-out; det er en anden ~\med ham, it's a different case with him; det bliver min ~, that's up to me; -esløs, *adj.* blameless, innocent; unoffending; -fører, *n.* lawyer; solicitor; barrister; -kundskab, *n.* expert knowledge; -kyndig, *adj.* expert, competent, conversant with; -lig, *adj.* objective; real; expert.

sagn, *n. n.* tradition, legend, myth.

sago, *n.* sago; -gryn, *n. n.* pearl-sago.

sag|søge, *v. t.* sue, bring an action against; take to court; -søger, *n.* plaintiff.

sagt|e, *adv.* softly, gently; slowly, ~, *adj.* low, soft; subdued; gentle; -ens, *adv.* easily; I dare say; han kan ~, he's a lucky blighter! -modig, *adj.* gentle, meek; -ne, *v. t. & i.* moderate; slacken; abate; subside.

sakke, *v. i. naut.* drop astern.

sakristi, *n. n.* vestry.

saks, *n.* scissors, *pl.*; shears, *pl.*

sal, *n.* large room, hall; drawing-room, saloon; første, anden ~, first, second floor (storey).

salat, *n.* lettuce; salad.

saldo, *n.* balance.

salg, *n. n.* sale; -spris, *n.* selling price; -sværdi, *n.* market value.

salig, *adj.* blessed; blissful; the late.

salme, *n.* hymn, psalm.

salmiak, *n.* sal ammoniac; ammonium chloride; -spiritus, *n.* ammonia (water).

salpeter, *n. n.* saltpetre, potassium nitrate; -syre, *n.* nitric acid.

salt, *n. n.* salt; -e, *v. t.* salt; pickle; corn; -holdig, *adj.* saline.

salve, *n.* volley; round of applause; *med.* ointment, salve; ~, *v. t.* anoint; -lsesfuld, *adj.* unctuous.

salær, *n. n.* fee, salary.

sam|arbejde, *v. i.* co-operate; ~, *n. n.* co-operation; -drægtighed, *n.* harmony; unanimity; unison.

samarit, *n.* first-aid man.

sam|eje, *n. n.* joint ownership; -fund, *n. n.* community, society; fellowship; -færdsel, *n.* communication; -klang, *n.* concord, harmony, unison; -kvem, *n. n.* intercourse; -le, *v. t.* collect; gather; assemble; amass; -leje, *n. n.* coitus, sexual intercourse; -ler, *n.* collector; compiler; (om primitive folkeslag) food-gatherer; -leve, *v. i.* cohabit (with); -liv, *n. n.* life together; marital relations; matrimonial cohabitation; -ling, *n.* collection; meeting; gå fra sans og ~, lose one's senses.

samme, *adj.* the same; den selv ~, the very same; det kan være det ~, never mind.

sammen, *adv.* together; jointly; -bidte tænder, clenched teeth; -brygge, *v. t.* concoct; -drag, *n. n.* summary, digest, epitome; -fatte, *v. t.* comprise, sum up; -flikke, *v. t.* patch together; -folde, *v. t.* fold up; -foldelig, *adj.* collapsible; -føje, *v. t.* join, put together; -hobe, *v. t.* pile up, accumulate; -hold, *n. n.* cohesion; solidarity; -hængende, *adj.* coherent, connected, consecutive; -kalde, *v. t.* call together, summon, convene; -kitte, *v. t.* cement; -klumpe, *v. t.* conglomerate; huddle (together); cluster (together); -komst, *n.* meeting, interview; -krøben, *adj.* crouching; -ligne, *v. t.* compare; -ligning, *n.* comparison, parallel; -rotte, *v. t.* ~ sig, conspire, plot; -sat, *adj.* compound, complex, composite; -skrumpet, *adj.* shrivelled; -skudsgilde, *n.n.* bottle-party; [party at which each pays his own share]; -skyde, *v. t.* club together, subscribe; -slutning, *n.* union; *commerc.* merger; pool; amalgamation; -slutte, *v.t.* join; ~sig, *v.refl.* combine; unite; -slynge, *v. t.* interweave, interlace; -snerpende, *adj.* astringent; -spare, *v. t.* save; -spil, *n. n.* interplay; teamwork; ensemble; -stød, *n. n.* collision, conflict; encounter; -sunken, *adj.* collapsed, caved in; -sværge *v. refl.* ~ sig, conspire; -sætning, *n.* composition, compound; -trykke, *v. t.* compress; -træf, *n. n.* coincidence; -trængt, *adj.* condensed, concise; -tælling, *n.* summing up; -vokset, *adj.* united, coalesced; grown together; (sår) healed up; fused; adherent.

sammesteds, *adv.* in the same place; ibidem (*el.* ibid.).

samordne, *v. t.* coordinate.

samråd, *n. n.* joint deliberation; joint council; consultation.

samt, *conj.* together with; and also; as well as.

sam|tale, *n.* conversation; talk; -taleemne, *n.* topic; -tidig, *adj.* contemporary; simultaneous; concurrent; contemporaneous; ~, *adv.* at the same time; -tlige, *adj.* all; -tykke, *n. n.* consent; -virkende, *adj.* cooperative; concurrent; interacting; -vittighed, *n.* conscience; -vittighedsfuld, *adj.* conscientious; -vittighedsnag, *n. n.* remorse, compunction; pangs of conscience; self-reproach.

sand, *adj.* true; real; proper; regular, downright; veracious, truthful; -t at sige, to tell the truth, ~, *n. n.* sand; grit; -banke, *n.* sandbank; dune; -dru, *adj.* veracious, truthful; -elig, *adv.* indeed, truly; -grav, *n.* sand-pit; -hed *n.* truth; -kage, *n.* [plain yellow Danish cake]; -siger, *n.* soothsayer; -sten, *n.* sandstone; grit; -synlig, *adj.* likely, probable; -synliggøre, *v. t.* render (*el.* make) probable; -synligvis, *adv.* probably; very likely; as likely as not; -sæk, *n.* sandbag.

sanering, *n.* reconstruction, slum clearance; reorganization; rationalization.

sang, *n.* song; -er, *n.* singer, vocalist; (fugl) warbler; *poet.* bard, minstrel; -forening, *n.* choral union; glee society; -lærke, *n. zool.* skylark; -undervisning, *n.* singing lessons, *pl.*

sanke, *v. t.* gather, collect, pick; (aks) glean.

sankt, *adj.* Saint, St.; S~ Hansaften, *n.* Midsummer

Eve; -hansorm, *n.* glow-worm.

sans, *n.* sense; ~ for musik, taste for music; sund ~, common sense; (kort) no trumps; -e, *v. t.* perceive; feel; have sensation; -ebedrag, *n. n.* illusion, hallucination; -elig, *adj.*sensuous; (erotisk) sensual; material.

sart, *adj.* delicate, tender.

sat, *adj.* sedate, steady, staid.

Satan, *n.* Satan; en ~, a devil; -s, *adj.* damned, blasted; bloody; *U.S.* goddamned.

satirisk, *adj.* satirical.

sats, *n.* rate; *typ.* composition, form; *mus.* movement; (tændstik) head.

sauce, *se* sovs.

sav, *n.* saw; -buk, *n.* sawing-horse; -e, *v. t. & i.* saw.

savle, *v. i.* slaver; drivel; slobber; drool.

savmølle, *n.* sawmill.

savn, *n. n.* want, privation, lack; loss, bereavement; -e, *v. t.* want, miss.

sav|skærer, *n.* sawyer; -smuld, *n. n.* sawdust; -snit, *n. n.* kerf.

scene, *n.* scene; -n, the stage, the theatre; (del af en akt) scene; (optrin) scene; -instruktør, *n.* (teater) producer; director; (film) director; -mester, *n.* stage manager.

se, *v. t. & i.* see; notice; learn; visit; look; behold; ~!; look!; ~ godt, have good eyesight; ~ noget flygtigt, catch a glimpse of something; lade sig ~, put in an appearance; ~ tiden an, wait and see; ~ sig om, look about; ~ til, look on; ~ efter, (passe) look after; (følge med blikket)follow; (lede) look for; ~ ud, look; ~ bort fra, disregard; ~ sig for, look out, be careful.

seddel, *n.* slip of paper; (bank-) note; *am.* bill;

ticket, label; (kort brev) note; -bank, *n.* note-issuing bank.

segl, *n. n.* seal, signet; ~, *n.* sickle; (måne) crescent; -lak; *n.* sealing-wax; -oblat, *n.* wafer.

segne, *v. i.* sink down; drop; droop.

sejg, *adj.* tough; (metal) ductile; (stædig) dogged, stubborn, tenacious; (besværlig) tough, laborious

sejl, *n. n.* sail; -ads, *n.* navigation, sailing; -bar, *adj.* navigable; -dug, *n.* sailcloth, canvas; -e, *v. t. & i.* sail; -garn, *n. n.* twine, string; -løb, *n. n.* fairway.

sejr, *n.* victory; -e, *v. i.* triumph; be victorious, conquer.

sekel, *n. n.* century.

sekondløjtnant, *n.* *mil.* second-lieutenant; *naut.* sub-lieutenant.

sekret, *n. n.* secretion.

seks, *adj. & n.* six; -kant, *n.* hexagon; -ten, *adj. & n.* sixteen.

sekund, *n. n.* second; -ant, *n.* second.

sele, *n.* strap, brace; -r, *pl.* braces,*pl.*; *U.S.*suspenders, *pl.*; -tøj, *n. n.* harness.

selleri, *n.* celery.

selskab, *n.n.* company; society; party; companionship; association; -elig, *adj.* social; sociable; -elighed, *n.* parties, *pl.*; entertaining.

selskabs|leg, *n.* parlour game; -mand, *n.* diner-out.

selv, *pron.* self; jeg ~, I myself; ~, *adv.* even; ~ om, even if, even though; -angivelse, *n.* (skat) income tax return; (blanket) income tax form; confession; -antændelse, *n.* spontaneous ignition (*el.* combustion); -beherskelse, *n.* self-control; -bevidst, *adj.*

conceited, arrogant; self-asserting; -e, *adj.* actual; very (*f. eks.* on the a. day; on the v. spot); **-erhverv,** *n. n.* independent employment; hun har ~, she earns her own living; -este, *adj.* himself, herself (it was Lady Broadbottom herself); **-foragt,** *n.* self-contempt; **-forsynende,** *adj.* self-supporting, self-sufficient; **-følge,** *n.* matter of course; matter that can be taken for granted; **-følgelig,** *adv.* (as a matter) of course, obviously; **-glad,** *adj.* conceited, self-satisfied, complacent; **-hersker,** *n.* autocrat; **-isk,** *adj.* selfish, self-seeking; **-mord,** *n. n.* suicide; **-opgivende,** *adj.* despairing; **-opofrende,** *adj.* self-sacrificing; **-optaget,** *adj.* self-centred; **-sikker,** *adj.* cocksure, self-reliant; **-skreven,** *adj.* obvious; eminently qualified; **-styre,** *n. n.* self-government; **-styring,** *n. naut.* automatic steering; *aero.* automatic control; **-stændig,** *adj.* independent; **-tilfreds,** *adj.* complacent.

seminar, *n. n.* seminar; **-ium,** *n. n.* training college, teachers' college.

sen, *adj.* slow, tardy; late.

sende, *v. t.* send, forward, transmit; dispatch; **-bud,** *n. n.* messenger; **-lse,** *n.* mission.

sending, *n.* consignment; shipment; parcel.

sendrægtig, *adj.* slow, tardy, dilatory.

sene, *n.* sinew, tendon.

senere, *adj.* later; subsequent (to); late; ~ år, recent years; ~ generationer, future generations; at a later date.

seng, *n.* bed; **-etæppe,** *n. n.* blanket; (vatteret) quilt; (*til pynt*) counterpane.

sennep, *n.* mustard.

sensibel, *adj.* sensitive.

sent, *adv.* late.

separere, *v. t.* separate.

september, *n.* September.

serie, *n.* series; **-fremstilling,** *n.* mass production.

servante, *n.* washstand.

servere, *v. t.* serve.

service, *n.* service; ~, *n. n.* (bordstel) service; breakfast (lunch, dinner, *osv.*) set.

serviet, *n.* napkin; (dække-serviet) table mat.

servitut, *n.* easement, servitude.

seværdigheder, *pl. n.* sights; *pl.* objects (*el.* places) of interest.

si, *n.* strainer, filter; ~, *v. t.* strain, filter.

sidde, *v. i.* sit, be seated; *sl.* be in prison; do time; ~ fast, stick; be stuck; ~ godt i det, be well off; ~ over, be kept in, be detained (at school); **-nde,** *adj.* sitting; *bot.* sessile; **-plads,** *n.* seat.

side, *n.* side; flank; face; (bog) page; *fig.* feature, phase, aspect; ~ om ~, side by side; **side-,** *adj.* lateral; **-bygning,** *n.* wing; **-læns,** *adj.* & *adv.* sideways, sidelong.

siden *adv.* since; afterwards, subsequently; then; by and by.

side|ordnet, *adj.* co-ordinate; **-skib,** *n. n.* aisle; **-spor,** *n. n.* siding; **-stillet,** *adj.* co-ordinate; on a equal footing with; **-stykke,** *n. n. fig.* parallel, counterpart; **-våben,** *n. n.* side arm.

sidst, *adj.* last; latter.

sig, *pron.* oneself, himself, herself, itself, themselves.

sige, *v. t.* say, speak, tell; mention; mean; ~ sandheden, speak the truth; hvad skal det ~?, what does that mean?; **-nde,**

n.n. efter ~, according to; ~, *adj.* expressive; significant.

signal, *n. n.* signal; -ement, *n. n.* description.

signet, *n. n.* seal, signet.

sigt, *n. n. commerc.* sight; på kort ~, at short sight, short view; -bar, *adj.* clear; -barhed, *n.* visibility.

sigte, *v. i.* aim, take aim, point; (til) refer to; ~, *v. t.* charge (with), accuse (of); sift, pass through a sieve; ~, *n. n.* sight; aim; (sigtekorn) foresight; ~, *n.* sieve; screen; strainer; -lse, *n.* charge; -skive, *n.* target; -veksel, *n. commerc.* sight draft.

sikken, *pron. & adv.* what a ...; such a ...

sikker, *adj.* safe, secure, sure, certain; confident; -hed, *n.* safety; security; (kaution ved løsladelse) bail; -hedsforanstaltning, *n.* precautionary measure; safety measure; -hedsnål, *n.* safety-pin.

sikre, *v. t.* secure, ensure, guarantee; safeguard.

sild, *n.* herring.

silde, *adv.* late; tidlig og ~, at all hours; -ben, *n. n.* herringbone.

sile, *v. i.* (regn) pour; seep; ooze.

silke, *n.* silk; -handler, *n.* (silk-) mercer; -papir, *n. n.* tissue paper.

simpel, *adj.* simple, plain, easy; common, ordinary, inferior; vulgar.

simplificere, *v. t.* simplify.

simul|ant, *n.* malingerer; scrimshanker; -ere, *v. t. & i.* feign, sham, simulate.

sin (sit, sine) *pron.* his, her, hers; its, one's.

sind, *n. n.* mind; temper; disposition; temperament; -billede, *n. n.* emblem, symbol; -elag, *n. n.* disposition; temper; -et, *adj.*

minded, disposed; -sro, *n.* peace of mind; serenity; -sstemning, *n.* mood, frame of mind; -ssyg, *adj.* insane, lunatic, of unsound mind; -ssygeanstalt, *n.* mental hospital; lunatic asylum.

sinke, *v. t.* retard; delay; detain; ~, *n.* laggard; backward child; *snedk.* dovetail; -dorte, *n.* slowcoach.

sippet, *adj.* prudish.

sirlig, *adj.* elegant, dapper; trim; tidy, particular; (pertentlig) finical.

sirts, *n. n.* calico, chintz.

sirup, *n.* treacle; syrup.

sitre, *v. i.* quiver, tremble.

situeret, *adj.* situated, placed; dårligt ~, badly off; godt ~, well off.

siv, *n. n. bot.* rush.

sive, *v. i.* ooze, filter, percolate.

sivebrønd, *n.* cesspool.

sixpence, *n.* cloth cap.

sjak, *n. n.* gang; hele -ket, the whole lot of them.

sjakre, *v.i.* hawk; traffic in; barter, peddle.

sjap, *n. n.* mud, mire; slosh; -pe, *v. i.* slosh.

sjasket, *adj.* sloppy, slushy.

sjette, *adj. n.* sixth.

sjippe, *v. i.* skip; -tov, *n. n.* skipping-rope.

sjofel, *adj.* dirty; shabby; mean; indecent; base (-minded).

sjokke, *v. i.* trudge, shuffle; jog; slouch.

sjov, *n. n.* (morskab) fun; (besvær) trouble, bother; for -s skyld, for the fun of it; tilfældigt ~, odd jobs; -er, *n.* dirty dog, cad; blackguard, swine.

sjus, *n.* whisky-and-soda.

sjuske, *v. i.* slut, slattern; ~, *v. i.* scamp (work); -fejl, *n.* careless error; -ri, *n.n.* slovenliness.

sjæl, *n.* soul; uden ~, soulless.

sjælden, *adj.* rare, scarce,

infrequent; uncommon, unusual; exceptional, outstanding; -t, *adv.* seldom.

sjæle|angst, *n.* agony of mind; -glad, *adj.* delighted, overjoyed; -lig, *adj.* mental, psychic; -messe, *n.* requiem; -røgt, *n.* cure of souls.

skab, *n. n.* wardrobe, cabinet, closet, cupboard; locker; show-case.

skabagtig, *adj.* affected.

skabe, *v. t.* create; ~ sig, behave affectedly; show off; put on an act; -lse, *n.* creation; -lon, *n.* templet; mould; -nde, *adj.* creative; -r, *n.* creator, maker; Skabet, the Creator.

skabet, *adj.* scabby, mangy.

skabning, *n.* creature; shape, form; creation.

skade, *v. t.* hurt, injure, damage, harm, prejudice; det -r ikke, it does no harm; ~, *n.* hurt, harm, damage; injury; prejudice; detriment; *zool.* magpie; -fro, *adj.* mischievous; malicious; -fryd, *n.* malicious pleasure; -lig, *adj.* injurious, pernicious, harmful, noxious; detrimental; -serstatning, *n.* indemnity, compensation; damages.

skaffe, *v. t.* procure; provide; find; get.

skafot, *n. n.* scaffold.

skaft, *n. n.* handle, shaft; stock.

Skagen, *n.* the Skaw.

skagle, *n.* trace; slå til -rne, go on the spree; kick over the traces.

skak, *n.* chess; ~!, check!; -brik, *n.* chessman.

skakt, *n.* shaft.

skal, *n.* shell; peel; rind.

skala, *n.* scale; gamut; range.

skaldet, *adj.* bald.

skalk, *n.* rogue, wag; -e, *v. t. naut.* batten down; -eskjul, *n. n.* blind, false pretext.

skalle, *n.* give én en ~, *sl.*

smash somebody's face in; butt somebody.

skalte, *v. i.* ~ og valte med noget, do as one likes with something.

skam, *n.* shame, disgrace, ignominy; -fere, *v. t.* deface, mar, spoil; -file, *v. t.* chafe; -fuld, *adj.* shamefaced, ashamed, abashed; -løs, *adj.* shameless, impudent; -me, *v. refl.* ~ sig, be ashamed; -mekrog, *n.* the corner; *sl.* the doghouse.

skammel, *n.* footstool; stool.

skandale, *n.* disgrace; scandal; scandalous scene.

skandere, *v. t.* scan.

Skandinavien, *n.* Scandinavia.

skank, *n.* shank; leg; bruge (el. flytte) -rne, stir one's stumps.

skanse, *n.* redoubt; *naut.* quarter-deck; -klædning, *n. naut.* bulwarks, *pl.*

skare, *n.* host, crowd; body, party, band.

skarlagen, *n. n. & adj.* scarlet; -sfeber, *n.* scarlet fever.

skarn, *n. n.* dirt, filth, muck; (feje-) sweepings, *pl.*; (om person) wretch; -bøtte, *n.* dustbin; garbage can; -tyde, *n. bot.* hemlock.

skarp, *adj.* sharp; keen; acute; acrid; -retter, *n.* executioner; hangman; -sindig, *adj.* acute, shrewd, penetrating; -syn, *n. n.* sharp eyes, good sight.

skarv, *n. zool.* cormorant.

skarøkse, *n.* adze.

skat, *n.* treasure; store; (kæleord) darling, ducks, sweetheart; (ejendoms-, indkomst-, osv.) tax; rate; -kammer, *n. n.* treasury, exchequer; -skyldig, *adj.* tributary; -te, *v. t.* esteem, appreciate, value, prize; treasure; -temyndighederne, *pl. n.* the taxation authorities; -tepligtig, *adj.* liable to pay tax; -terestance, *n.* unpaid balance of taxes; -teyder, *n.* tax-payer.

skavank, *n.* defect, flaw; fault; shortcoming; (u-lempe) drawback.

ske, *v. i.* happen, take place; be done; occur, come to pass; ~, *n.* spoon; (stor) ladle.

skede, *n.* sheath, case; scab-bard; *anat.* vagina; -vand, *n. n.* aqua fortis.

skel, *n. n.* boundary, limit; *fig.* distinction.

skele, *v. i.* squint; look askance.

skelet, *n. n.* skeleton.

skel|mærke, *n. n.* boundary mark; landmark; -ne, *v. t. & i.* distinguish; discern; tell from; make out; -ne-mærke, *n. n.* distinguish-ing mark; -sættende, *adj.* epoch-making; -øjet, *adj.* squint-eyed, cross-eyed.

skema, *n. n.* form; schedule; framework; plan; (skole) timetable.

ski, *n.* ski.

skib, *n. n.* ship, vessel; (kirke) nave; -brud, *n. n.* shipwreck; -besætning, *n.* crew; -sbro, *n.* pier, quay; -shandler, *n.* ship-chandler; -smæssig, *adj.* shipshape; -sreder, *n.* ship-owner; -sskrog, *n. n.* hull; -sværft, *n. n.* shipyard.

skid, *n. vulg.* (vind) fart; (af-føring) shit; (skældsord) shit; -e, *n.* ~ være med det, to hell with it!; ~, *adj.* beastly, rotten; ~, *v. t. vulg.* shit; det -r vi på, to hell with it!; -eangst, *adj.* scared stiff; -en, *adj.* dirty, filthy.

skidt, *n. n.* dirt, muck; dung; trash; det er bare ~ det hele, the whole thing's no bloody good.

skifer, *n.* slate; -tavle, *n.* slate.

skift, *n. n.* change; (scene-skifte), change of scenery; (arbejdshold) shift; -e, *n. n. naut.* watch; administra-tion of an estate; change; -e, *v. t. & i.* change; alter; vary; alternate; divide, partition; -eret, *n.* probate court; *U. S.* surrogate's court; -es, *v. i.* take turns; -espor, *n. n.* points, *pl.*; switchrail; -evis, *adv.* by turns.

skik, *n.* custom; practice; habit; usage; -ke, *v. refl.* behave; conduct oneself; -kelig, *adj.* good-natured; honest; inoffensive; -kelse, *n.* form, shape, figure; -ket, *adj.* fit, suitable.

skilderhus, *n. n.* sentry box.

skilderi, *n. n.* picture.

skildpadde, *n.* tortoise; (hav-) turtle; forloren ~, mock turtle.

skildre, *v. t.* depict, describe; delineate, portray.

skildring, *n.* description.

skildvagt, *n.* sentry, sentinel.

skille, *v. t.* separate; part; distinguish; come apart; take apart; sever, divide; -mønt, *n.* small change; -rum, *n. n.* partition; -s, *v. i.* (ved et ægteskabs op-løsning) divorce; part company; split up; dis-band, disperse; (om mælk) curdle, turn; -vej, *n.* cross-roads.

skilling, *n.* [obsolete small coin equivalent to a farthing]; han ejer ikke en ~, he doesn't have a penny to his name; spare på -en og lade daleren rulle, be penny-wise and pound-foolish; -e, *v. i.* ~ sammen, club together, get up a subscription.

skilning, *n.* (i håret) parting.

skilsmisse, *n.* divorce.

skilt, *n. n.* sign, signboard, name-plate.

skilte, *v. i.* advertise by

means of a signboard,
advertise one's wares.

skimlet, *adj.* mouldy, musty; (*om hestefarve*) dappled.

skimmel, *n.* mould.

skimmer, *n. n.* shimmer, glimmer.

skimte, *v.t.&i.* see faintly; discern.

skin, *n. n.* light, glare, shine; *fig.* show, appearance; ~, *adj.* pseudo-, sham, false; -angreb, *n. n.* mock attack, feint; -barlig, *adj.* incarnate; den -barlige djævel, the Devil incarnate.

skind, *n. n.* skin; (*af stort dyr*) hide; (*til pelsværk*) fur, pelt; leather; ~, *n. n.* (stakkel) poor thing, poor fellow, wretch.

skindød, *adj.* asphyxiated; apparently dead.

skingre, *v.i.* shrill; -ende, *adj.* shrill; piercing, strident.

skinhellig, *adj.* hypocritical; sanctimonious.

skinke, *n.* ham.

skinne, *v. i.* shine; ~, *n.* rail; *med.* splint.

skinsyg, *adj.* jealous.

skipper, *n.* skipper, master.

skitse, *n.* sketch; -re, *v. t.* sketch, outline.

skive, *n.* disk; target; (*kød, brød, osv.*) slice; (bacon) rasher; (*på ur, instrument, osv.*) face, dial.

skjald, *n.* bard.

skjold, *n. n.* shield; escutcheon; (*plet*) stain; -brusk-kirtel, *n.* thyroid gland.

skjorte, *n.* shirt; -bryst, *n. n.* shirt-front; -linning, *n.* (hånd-) wristband; (hals-) neckband.

skjul, *n. n.* cover, shelter; -e, *v. t.* hide, conceal, secrete; -ested, *n. n.* hiding place.

sko, *n.* shoe; ~, *v. t.* shoe; -bånd, *n. n.* shoelace.

skod, *n. n. naut.* bulkhead; (cigar, *osv.*) stump.

skodde, *n.* shutter; ~, *v. i.*

naut. back oars, back water; ~, *v.t. coll.* ~ en cigaret, save part of a cigarette.

skoggerle, *v. i.* roar with laughter; guffaw.

skogre, *v. i.* screech.

skolde, *v. t.* scald; (sol) scorch, shrivel; (hud) scorch.

skole, *n.* school; -bænk, *n.* form; -inspektør, *n.* principal (of a primary and 'middle' school); -kommission, *n.* education committee; -pligtig, *adj.* of school age; -ridning, *n.* haute école; -søgende, *adj.* attending school; child who attends (*el.* goes to) school; day pupil; -time, *n.* period, lesson; -udsendelse, *n.* broadcast for schools; -væsen, *n.n.* education; educational system.

skomager, *n.* shoemaker.

skonnert, *n.* schooner.

skopudser, *n.* shoeblack.

skorpe, *n.* crust; scab.

skorsten, *n.* chimney; (*på skib el.* lokomotiv) funnel; *U. S.* smokestack; -sfejer, *n.* chimney-sweep.

skorte, *v.i.* det -r på, there is a want of (*el.* shortage of).

skose, *n.* taunt, gibe.

skosværte, *n.* shoeblacking.

skotsk, *adj.* Scotch; Scottish.

skotskternet, *adj.* tartan.

skotte, *v. i.* glance, steal a glance; ~, *n.* Scotchman.

skotøj, *n. n.* boots and shoes; footwear.

skov, *n.* wood; forest; jungle; -foged, *n.* ranger.

skovl, *n.* shovel, scoop.

skov|mærke, *n. bot.* woodruff; -nymfe, *n.* dryad; woodland nymph; -rider, *n.* ranger, forest superintendent; -skade, *n. zool.* jay; -slette, *n.* glade; -syre, *n. bot.* wood sorrel; -økse, *n.* woodman's axe.

skrab|e, *v. t. & i.* scrape,

scratch; (hest) paw the ground; -er, n. (lur) nap; -sammen, n. n. medley; junk.

skrald, n. n. clap, peal, crack; bang, crash; -e, v. i. peal; rattle; han lo så det -ede, he laughed his head off; -e, n. rattle; ratchet; -emand; n. dustman, scavenger; garbage man.

skramme, v. t. scar; scratch.

skrammel, n. n. lumber, rubbish; -bil, n. stock car.

skranke, n. bar, barrier; counter; træde i -n for, stand up for.

skrante, v. i. be ailing, be in delicate health.

skrap, adj. sharp, keen; smart; active; severe; stiff.

skratte, v. i. grate, jar.

skred, n. n. subsidence; landslide; (prisfald) collapse.

skribent, n. writer.

skride, v. i. slide, skid; ~ fremad, advance, proceed; (korn) ear; dip; (dø) sl. kick the bucket; -spor, n. n. skid mark.

skridt, n. n. pace, step; (foranstaltning) measure; anat. crutch; fork; groin; holde ~ med, keep pace with; -e, v. t. & i. stride, step out; ~ af, pace off (el. out); -gang, n. walking pace; -tæller, n. pedometer; -vis, adv. step by step.

skrift, n. writing; type; letter; ~, n. n. publication, book; work; writings, pl.

skrifte, v. t. & i. confess; -fader, n. (father-)confessor; -mål, n. n. confession.

skriftlig, adj. in writing, written; -lig afstemning, n. poll; -sprog, n. n. written (el. literary) language; -sted, n. n. text; -tegn, n. n. character.

skrig, n. n. cry; scream; shriek; screech; -e, v. i. cry; scream, shriek, screech.

skrin, n. n. box; casket; -lægge, v. t. shelve.

skrive, v. t. write; type; -bog, n. copybook; -fejl, n. clerical error; -maskine, n. typewriter; -r, n. clerk.

skrog, n. n. body; carcass; fig. wretch; naut. hull; body; aero. fuselage.

skrubbe, v. t. scrub; ~, n. scrubbing brush; zool. flounder; -høvl, n. jack-plane; -tudse, n. zool. toad.

skrud, n. n. i mit fineste ~, in my best bib and tucker.

skrue, n. screw; propeller; spiral; ~, v. t. & i. screw, turn; (is) v. t. press together; ~, v. i. pack; ~ af (løs) unscrew; ~ ned, (gas) turn down; -brækker, n. blackleg; scab; -gang, n. (screw-)thread; -is, n pack-ice; -linie, n. helix; -nøgle, n. spanner; monkey-wrench; -stik, n. vice; -trækker, n. screwdriver; -tvinge, n. cramp, clamp.

skrukhøne, n. broody hen.

skrumle, v. i. jolt, rumble.

skrummel, n. n. bulky thing; lumber.

skrumpe, v. i. ~ ind, ~ sammen, shrivel up, shrink.

skrupforelsket, adj. madly in love; -forkert, adj. completely wrong; -gal, adj. stark staring mad; -grine, v. i. guffaw; -skør, adj. mad as a hatter, off one's rocker; -sulten, adj. ravenous, as hungry as a hunter; -tosset, adj. mad as a hatter, utterly silly.

skryde, v. i. (om æsel) bray; (prale) brag; -r, n. braggart.

skrædder, n. tailor; -kridt, n. n. tailor's chalk; -syet, adj. tailored; tailor-made.

skræk, n. terror; fright; dread; -kelig, adj. terrible, dreadful, frightful.

skræl, n. peel; rind; paring;

15

-le, *v. t.* peel, pare; -ling, *n.* sickly person.

skræmme, *v. t.* scare, startle, frighten; -billede, *n. n.* bogey, bugbear.

skrænt, *n.* slope; rock-face.

skræppe, *n. bot.* dock; ~, *v. i.* quack, croak, cackle, jabber.

skræve, *v. i.* stride, straddle.

skrøbelig, *adj.* fragile, brittle; frail, infirm, feeble.

skrømt, *n.* feint; gøre noget på ~, feign; make a pretence of; uden ~, frankly, candidly.

skrøne, *n.* fib, cock-and-bull story.

skrå, *adj.* sloping, slanting, inclined; oblique; tilted; ~, *n.* chewing tobacco; en ~, a plug, a quid.

skrål|e, *v. i.* squall, bawl, roar; -hals, *n.* bawler.

skrå|ne, *v. i.* slope, slant; -ning, *n.* slope: -plan, *n. n.* incline; *fig.* downward path; komme ind på et ~, begin a dangerous practice; go downhill.

skub, *n. n.* shove, push, thrust; -be, *v. t. & i.* push, thrust.

skud, *n. n.* shot; *bot.* shoot; *sl.* fag-end; -e, *n.* small boat, barge; old tub; (kinde) lump of a woman; -fast, -sikker, *adj.* bullet-proof; -smål, *n. n.* character, testimonial; -t, *adj.* shot; være ~ i, be in love with (*el.* stuck on); -vidde, *n.* range; -år, *n. n.* leap-year.

skue, *n. n.* sight, spectacle; ~, *v. t. & i.* view, behold; -plads, *n.* stage; scene; -spil, *n. n.* play; -spilforfatter, *n.* playwright, dramatist; -spiller, *n.* actor.

skuffe, *n.* drawer; (penge-) till; ~, *v. t.* disappoint; let down; deceive; -jern, *n. n.* hoe; -lse, *n.* disappointment; -nde, *adj.* delusive, deceptive.

skulder, *n.* shoulder.

skule, *v. i.* scowl; glower.

skulke, *v. i.* shirk, skulk; play truant.

skulle, *v. aux.* have to, be obliged to; must; should; ought to; be to.

skulp|tur, *n.* sculpture; piece of sculpture; -tør, *n.* sculptor.

skum, *n. n.* foam; scum; froth, lather.

skumle, *v. i.* grumble, murmur.

skummel, *adj.* gloomy, dismal, sinister; lowering.

skumple, *v. i.* jolt, bump.

skumring, *n.* dusk, twilight; gloaming.

skur, *n. n.* shed, shelter, shanty; lean-to; penthouse.

skure, *v. t. & i.* scour; scrub, rub; score; grate, grind; ~, *n.* groove; -kone, *n.* charwoman.

skurk, *n.* rascal, scoundrel; villain, knave.

skurre, *v. i.* grate, jar.

skurv, *n. med.* favus, scald-head; common scab.

skvadder, *n. n. sl.* twaddle, bilge, drivel; chatter; -hoved, *n. n.* nitwit, chatterbox.

skvadronør, *n.* blusterer; swaggerer.

skvalderkål, *n. bot.* bishop's weed, goutweed.

skvat, *n.* portion, spot, drop; ~, *n. n.* (slapsvans) spineless individual; twerp.

skvulpe, *v. i.* wash; gurgle; splash, ripple.

sky, *n.* cloud; (kødsaft) gravy; ~, *adj.* shy, timorous; ~, *v. t.* shun, eschew, avoid; -brud, *n. n.* heavy downpour, cloudburst.

skyde, *v. t. & i.* shoot, fire; (skubbe) push, shove; ~ forbi, miss; -bomuld, *n.* guncotton; -skår, *n. n.* loop-hole; -våben, *n. n.* firearm.

sky|et, *adj.* cloudy; **-fri**, *adj.* cloudless.

skygge, *n.* shade; shadow; (hatte-) brim; ~, *v. t. & i.* shade, give shade, cast shade upon; (udspionere) shadow; **-side**, *n.* fig. drawback.

skyklapper, *pl. n.* blinkers, *pl.*

skyld, *n.* guilt, offence; blame, fault; **-e**, *v.t. & i.* owe; **-ig**, *adj.* guilty; indebted, owing, liable, bound; in duty; **-ner**, *n.* debtor.

skylle, *v. t. & i.* rinse, wash; pour, flow, rush; flush; ~ned, (drikke) wash down, gulp, swill; (regn) pour down; ~ *n.* heavy shower; (overhaling) *sl.* dressing-down, blowing-up; få en ~, be on the mat, be hauled over the coals.

skylregn, *n.* downpour.

skynd|e, *v. t. & i.* ~ sig, hasten, hurry; ~ på, urge on, hurry on; **-som**, *adj.* hasty, hurried.

skyts, *n. n.* artillery, ordnance; **-engel**, *n.* guardian angel; **-helgen**, *n.* patron saint.

skytte, *n.* marksman, good shot; (herregårds-) gamekeeper; (til symaskine) shuttle; **-grav**, *n.* trench.

skytæppe, *n. n.* cloud cover.

skæbne, *n.* fate, destiny, fortune; **-ramt**, *adj.* ill-fated; **-tung**, *adj.* momentous.

skæfte, *n. n.* (på gevær) stock, butt-end; butt.

skæg, *n. n.* beard; (overskæg) moustache.

skæl, *n. n.* scale; (i hovedbunden) dandruff.

skæld|e, *v. i.* ~ og smælde, storm and rage; *sl.* blow one's top off; curse and swear; ~ ud, scold; *sl.* blow up, bawl out; **-sord**, *n. n.* abuse.

skælm, *n.* rogue; **-sk**, *adj.* arch, roguish, waggish.

skælve, *v. i.* tremble, quiver, shake, vibrate; **-nde**, *adj.* trembling, quivering, shaking; tremulous.

skæmme, *v. t.* disfigure, deform, spoil; mar; be an eyesore.

skæmt, *n.* jest, joke; **-efuld**, *adj.* joking.

skænd|e, *v. t. & i.* scold; chide; (vanære) dishonour; (voldtage) ravish, violate; (vanhellige) desecrate, ravage; **-eri**, *n. n.* squabble, quarrel; **-ig**, *adj.* disgraceful, infamous, nefarious; outrageous.

skænk, *n.* sideboard; bar; **-e**, *v.t. & i.* pour out; present with; grant; hun **-ede** ham et barn, she bore him a child.

skæppe, *n.* arch. half-a-bushel; sætte sit lys under en ~, hide one's light under a bushel.

skær, *n.n.* (anstrøg) tinge; (farve-) tint; (lys) gleam; glare; (værktøj) ploughshare; (i havet) rock, skerry; ~, *adj.* sheer, pure; (kød) lean, boneless.

skære, *v.t. & i.* cut; carve.

skærf, *n. n.* sash.

skærm, *n.* screen; shade; cover; guard; (på køretøj) mudguard, wing, fender; shield; bot. umbel; **-e**, *v.t.* screen, shield, protect; shade.

skærmydsel, *n.* skirmish; squabble, row.

skærpe, *v.t.* (farve-) sharpen, whet; (gøre strengere) make something more difficult (el. strict, el. severe).

skærsild, *n.* purgatory; ordeal.

skærslipper, *n.* knife-grinder.

skærsommer, *n.* midsummer.

skærv, *n.* mite.

skærver, *pl. n.* broken stones, *pl.*; road metal.

skæv, *adj.* oblique; wry; slanting; crooked; en ~ stilling, a false position; -e, *v. i.* look askance; -tbygget, *adj.* lopsided.

skød, *n. n.* lap, knees; womb; (frakke) tail, flap.

skøde, *n. n.* deed of conveyance; title-deed; *naut.* sheet.

skød|ebarn, *n. n.* baby, infant; -ehund, *n.* lap-dog; -esløs, *adj.* careless, heedless, negligent; slipshod; -esynd, *n.* besetting sin; -skind, *n. n.* leather apron.

skøge, *n.* prostitute, harlot, whore.

skøjte, *n.* skate; -bane, *n.* skating rink, ice-rink.

skøn, *n. n.* discretion, opinion, judgement, estimate; assessment; ~, *adj.* beautiful; en -ne dag, one fine day; de -ne kunster, the fine arts; -hed *n.* beauty; -hedsmiddel, *n. n.* cosmetic; -litteratur, *n.* fiction; -ne, *v. t. & i.* discern, estimate; -sforretning, *n.* appraisal; valuation; -som, *adj.* judicious, sensible; -ssag, *n.* matter of opinion.

skønt, *conj.* though, although.

skør, *adj.* brittle, fragile; crazy; *sl.* dotty, nuts; -bug, *n.* scurvy.

skørt, *n. n.* skirt, petticoat.

skøtte, *v. t. & i.* mind, take care of, attend to; ~ sig selv, shift for oneself; ~ om, care for.

skål, *n.* bowl, cup; drikke en ~, drink a toast, drink (to) somebody's health; -kopper, *pl. n.* chickenpox; -tale, *n.* toast (-speech).

Skån|e, *n.* Scania.

skån|e, *v.t.* spare; -sel, *n.* lenience; forbearance; mercy;

-selsløs, *adj.* unsparing, merciless; -som, *adj.* gentle, sparing, lenient, considerate.

skår, *n. n.* potsherd; hack, cut, incision; (korn) swath; -et, *adj.* chipped.

slad|der, *n.* chat; gossip; back-biting; -dertaske, *n.* gossip, scandal-monger; -re, *v. i.* chat; gossip; tell tales.

slag, *n. n.* blow, stroke, hit, cuff; kick; (hjertets, *osv.*) beat; throb; (kamp) battle, engagement; (klædningsstykke) cape; -fjeder, *n.* main spring; -færdig, *adj.* quick-witted; prompt.

slagger, *pl. n.* slag, cinder; scoria.

slag|hul, *n.n.* (i vej) pothole; -lod, *n.n.* solder; -mark, *n.* battlefield; -orden, *n.* battle array.

slags, *n.* sort, kind, description.

slag|sbroder, *n.* brawler; companion-in-arms; -side, *n. naut.* list; -smål, *n. n.* fight; fray; rough-and-tumble.

slagte, *v.t.& i.* kill, slaughter, butcher; -r, *n.* butcher; -bænk, *n.* shambles, *pl.*

slag|tilfælde, *n. n.* apoplectic (*el.* paralytic) stroke.

slam, *n. n.* mud, ooze; -kiste, *n.* cesspool.

slange, *n.* serpent, snake; viper; (sprøjte) hose; (på cykel) inner tube; -bugtet, *adj.* serpentine; -gift, *n.* venom; -menneske, *n. n.* contortionist; -tæmmer, *n.* snake-charmer.

slank, *adj.* slim, slender; -e, *v. t.* slim, reduce (one's figure).

slap, *adj.* slack, loose, flabby; limp; sagging; -hed, *n.* slackness; flabbiness; laxity; -pe, *v. t. & i.* slacken, loosen, ease; relax; weaken; ~ af, relax, ease up; -svans, *n.* spineless individual.

slaraffenland, *n. n.* fool's paradise.

slaske, *v. i.* flap, flop; ~ sammen, collapse.

slatten, *adj.* flabby; loose.

slave, *n.* slave; *sl.* blighter, beggar.

slavisk, *adj.* slavish, servile.

sleben, *adj.* polished; sharp; -hed, *n.* polish, polished manners; smoothness.

slem, *adj.* bad, nasty, sad; ~, *n.* (kort) slam.

slendrian, *n.* blive ved den gamle ~, stay in the same old rut.

slentre, *v. i.* saunter, stroll; lounge.

slesk, *adj.* oily, fawning, wheedling; -e, *v. i.* make up to somebody; ~ sig ind hos, ingratiate oneself with somebody.

slet, *adj.* bad, ill; wicked, evil, vicious; level, plain; ~ og ret, pure and simple, plain; -te, *n.* plain; -te, *v. t.* delete; cross out; strike out.

slibe, *v. t.* grind; sharpen, hone; (glas) cut; polish.

slibrig, *adj.* slippery; lubricious; obscene.

slid, *n. n.* wear (and tear); toil, drudgery; -e, *v. t. & i.* pull at, tear; wear; toil.

slids, *n. n.* slit, slash, vent; slot, groove.

slidt, *adj.* worn, worn out, shabby; threadbare.

slig, *adj. arch.* such.

slik, *n.* få noget for en ~, pick something up for a song; ~, *n. n.* sweets; *am.* candy; tuck; -ke, *v. t.* lick; -kepind, *n.* lollipop; -keri, *n. n.* sweets; -mund, *n.* sweet tooth.

slim, *n.* mucus, phlegm; slime; -hinde, *n.* mucous membrane.

slingre, *v. i.* reel; roll, lurch,

stagger; sway; swing to and fro.

slip, *n. n.* give ~ på, let go; -pe, *v. t.* release, let go; ~, *v. i.* be let off; -pe bort, *v. i.* escape; -pe op, *v. i.* run low.

slips, *n. n.* necktie, tie.

slot, *n. n.* palace; castle; -sgrav, *n.* moat.

slub|bert, *n.* scoundrel; -re, *v. t.* ~ noget i sig, drink noisily, gulp something down.

slud, *n. n.* sleet.

slud|der, *n. n.* nonsense; ~, *n.* talk; -re, *v. i.* chat; talk nonsense.

slug|e, *v. t.* swallow; devour; -hals, *n.* glutton.

slukke, *v. t.* extinguish; put out; (stille) satisfy; (tørst) slake, quench.

slukøret, *adj.* crestfallen.

slummer, *n.* slumber, doze.

slump, *n.* lot, portion; en ~ penge, a lump sum; på ~, at random, haphazardly.

slumre, *v. i.* slumber; doze; *fig.* lie dormant.

slunken, *adj.* lank, gaunt.

slup, *n.* sloop; pinnace.

slurk, *n.* draught, drink, gulp, swig.

sluse, *n.* lock; sluice.

slut, *n. n.* close, end; få ~ på noget, finish something; til ~, finally, in the end; -ning, *n.* end; conclusion; close; -skive, *n.* washer; -te, *v. t. & i.* close, finish; conclude, infer, judge; -tet, *adj.* close; serried; ~ selskab, private company.

slyng|e, *v. t. & i.* hurl, fling, pitch, sling; (flette) twine, wind; -plante, *n.* creeper; -tråd, *n.* tendril.

slyngel, *n.* rascal; -streg, *n.* dirty (or mean) trick.

slæb, *n. n.* (slid) toil, drudgery; (på kjole) train; tage på ~, take in tow; -e, *v. t. & i.* drag; ~, *v. i.* toil, drudge;

track;~, *v.t.&i. naut.* tow, tug; -edamper, *n.* tug.

slæde, *n.* sledge, sleigh, sled, toboggan.

slægt, *n.* family; race; kindred; lineage; generation; *bot. & zool.* genus; -led, *n. n.* generation; -ning, *n.* relative, kinsman; -skab, *n.n.* relationship, kinship; connexion; affinity.

slække, *v. t.* slacken, ease off; ~ af, slow down; ~ på sine krav, reduce one's demands.

slæng, *n. n.* train, crowd.

slænge, *v. t.* fling.

sløj, *adj.* slack; poor; lazy; unwell; off colour, off form.

sløjd, *n.* woodwork, carpentry; sloid.

sløjfe, *n.* bow; ~, *v. t.* raze, demolish, level; leave out, omit; discard, drop, discontinue.

slør, *n. n.* veil; *mil.* screen; *mech.* play, clearance; -e, *v. i.* sail large, run before the wind; veil, blur; dim; muffle; *phot.* fog; -et, *adj.* (stemme) husky; dimmed, blurred, fogged.

sløse, *v. t. & i.* scamp one's work; waste time, dawdle; squander, fritter away.

sløv, *adj.* blunt, obtuse; dull; stupid; apathetic; sluggish.

slå, *v. t. & i.* beat, strike, smite, knock, hit; (synge) warble, sing; (*om puls, osv.*) beat, throb; (græs) mow; ~ alarm, give (*el.* raise) the alarm; ~ blærer, blister; ~ dej, knead dough; ~ hul i, knock a hole in; ~ en knude, tie a knot; ~ en kreds, form a circle; ~ mønt, coin (money); ~ rod, take root; lad os ~ en streg over det, let's forget about it; ~ takt, beat time; min time er -et, my hour has come;

det slog mig, it struck me, it occurred to me, it crossed my mind; ~ sig sammen, join forces, combine, conspire; ~ an, strike up; catch on, make a hit, become popular; ~ benene bort under ham, bowl him over; ~ hen, ignore, take no notice of; ~ igennem, penetrate; succeed, make a name for oneself; ~ ned på, crack down on, pounce upon; ~ om, wrap round; (vejret) change; (mening) change one's mind; ~, *n.* bolt.

slåbrok, *n.* dressing-gown.

slåen, *n. bot.* sloe, blackthorn.

slås, *v. i.* fight; struggle; scrap, scuffle; *fig.* contend (with).

smadre, *v. t.* smash.

smag, *n.* taste; liking; flavour; relish, savour; style; -e, *v. i.* taste, have a taste; taste nice; ~, *v.t.* taste; -fuld, *adj.* in good taste; -løs, *adj.* tasteless; flat; in bad taste.

smal, *adj.* narrow; slender; slim; -hans, *n.* poverty; der var ~ i huset, they had very little to eat; -kost, *n.* short commons; -sporet, *adj.* narrow gauge; *fig.* narrow-minded.

smaragd *n.* emerald.

smart, *adj.* smart, clever, brisk; chic; -e tricks, sharp practice, pulling a fast one.

smask, *n. n.* smack; noisy chewing.

smed, *n.* smith; blacksmith, farrier; -ejern, *n. n.* malleable iron; (smedet) wrought iron; -je, *n.* forge, smithy.

smelte, *v. t. & i.* melt; fuse; smelt; dissolve; -digel, *n.* crucible; *fig.* melting-pot; -ovn, *n.* furnace; -ske, *n.* ladle.

smergel, *n.* emery.

smerte, *n.* pain, ache; (sorg)

grief, sorrow, suffering; -fuld, -lig, *adj.* painful; -stillende, *adj.* soothing, analgesic.

smide, *v. t.* fling, pitch, throw, heave.

smidig, *adj.* supple, agile; flexible, pliable.

smig, *n.* bevel.

smiger, *n.* flattery.

smigre, *v.t. &i.* flatter.

smil, *n. n.* smile; -e, *v. i.* smile; -ebånd, *n. n.* trække på -ebåndet, smile; -ehul, *n.n.* dimple.

sminke, *n.* paint, rouge; ~, *v. t.* make up, paint; -ør, *n.* make-up man, make-up artist.

smiske, *v. t. & i.* smirk; leer.

smitsom, *adj.* contagious, infectious; catching.

smitte, *n.* infection; ~, *v. i.* be catching, be infectious (*ogs. fig.*); *v.t.* infect; communicate to.

smoking, *n.* dinner-jacket; *U. S.* tuxedo.

smuds, *n.n.* filth, dirt; -ig, *adj.* soiled, dirty; foul; filthy.

smug, *u. n.* i ~, secretly, by stealth; clandestinely; on the quiet, on the sly.

smugle, *v. t.* smuggle, run goods; -r, *n.* smuggler.

smuk, *adj.* beautiful, handsome, pretty, fine; fair, comely; det -ke køn, the fair sex.

smul, *adj.* *naut.* smooth; smult vande, a calm sea.

smuld, *n.n.* dust; screenings, *pl.*; -re, *v. i.* crumble, disintegrate.

smule, *n.n.* bit, trifle.

smut, *n.n.* flying visit; -hul, *n.n.* hiding-place; hide-out; -te, *v.i.* (stikke) *sl.* slip, nip, pop; (hurtig) scurry.

smykke, *n. n.* ornament, piece of jewellery; trinket; -r, *pl.* jewels; jewellery;

~, *v.t.* adorn, decorate, embellish.

smæde, *v.t.* abuse, revile; defame; -skrift, *n.n.* lampoon.

smægte, *v. i.* languish, pine.

smæk, *n. n.* rap, smack, slap; (endefuld) a spanking; -ke, *v. t. & i.* smack; rap, slap; clap; ~ en dør i, slam a door; -kys, *n. n.* smack; -låsnøgle, *n.* latchkey.

smækker, *adj.* slender; slim.

smæld, *n. n.* smack, crack, slam; -e, *v. i.* crack, slap, pop, flap, bang.

smog, *n. sl.* fag, smoke, gasper.

smøge, *v. t.* ~ af, slip off; ~ op, tuck up; roll up, turn back, turn up; ~, *n.* passage; alley.

smøle, *v. t. & i.* dawdle, linger, waste time.

smør, *n. n.* butter; -blomst, *n. bot.* buttercup; -e, *v. t.* grease, oil; lubricate; butter; smear; bribe; (prygle) lick; thrash; scribble; daub; -else, *n.* grease; -eolie, *n.* lubricating oil; -ing, *n.* lubricating; greasing; lubrication; -rebrød, *n.n.* [Danish style] sandwich(es).

små (*pl. af lille*) *adj.* small, little, diminutive; wee; -børn, *pl. n.* little children; -folk, *pl. n.* humble folk, people of humble means; (børn) little ones; -kager, *pl. n.* (sweet) biscuits; *U.S.* cookies; -lig, *adj.* narrow-minded; petty; small-minded; (nærig) stingy; close-fisted; -penge, *pl. n.* change; -regne, *v. i.* drizzle; -sager, -ting, *pl. n.* trifles, *pl.*; small matters, *pl.*; -skrift, *n. n.* booklet, pamphlet; -t, *adj. & adv.* ~ begavet, backward, not very bright; det går ~ fremad, things are slowly getting better; så ~, gradually, little by little,

slowly, gently; -tyveri, *n.
n.* petty larceny;
-udgifter, *pl. n.* petty expenses.

snabel, *n.* trunk; proboscis.

snadre, *v. i.* cackle, quack, jabber.

snak, *n.* talk; twaddle; stuff and nonsense; gossip; -ke, *v. i.* chat, talk, chatter; -kesalig, *adi.* talkative, garrulous, loquacious.

snappe, *v. t. & i.* snatch, snap; ~ efter vejret, gasp; (enkelt gang) catch one's breath.

snaps, *n.* [Scandinavian drink like gin]; snaps; der er langt mellem ~ene, things are pretty quiet, very little seems to happen.

snare, *n.* snare, gin, trap.

snar|ere, *adv.* sooner; rather; if anything; -est, *adv.* as soon as possible; earliest, soonest; ~ belejligt, at your earliest convenience.

snar|lig, *adv.* soon; ~, *adj.* early, approaching; speedy; -rådighed, *n.* presence of mind, resource; resourcefulness; resolution; -t, *adv.* soon, shortly, presently; quickly.

snask, *n.* (beværtning) dive; ~, *n.n.* mess; -e, *v.i.* ~ i noget, muck about (*el.* mess about) with something; -ebasse, *n.* coll. sweetiepie, darling.

snavs, *n. n.* dirt, filth, muck; -et, *adj.* grubby, muddy; dirty, filthy, soiled; -etøj, *n.n.* washing, dirty clothes, *pl.*

sne, *n.* snow; -bold, *n.* snowball; *bot.* guelder rose; -bær, *n. n. bot.* snowberry.

sned, *u.n.* på ~, aslant, askew, lop-sided.

snedig, *adj.* wily, crafty, cunning, shrewd.

snedker, *n.* (bygnings-) joiner; carpenter; (møbel-) cabinet-maker.

sne|drive, *n.* snowdrift; -fnug, *n. n.* snowflake; -fog, *n. n.* snowdrift; snowstorm.

snegl, *n.* snail; (uden hus) slug; *mech.* worm, screw; (ornament) scroll; gammel ~, old fogey; -edannet, *adj.* spiral; -egang, *n.* volute; (øre) cochlea; -ehus, *n. n.* shell.

snekæde, *n.* anti-skid chain; (*ofte i pl.*) chains.

sneppe, *n. zool.* snipe.

snerle, *n. bot.* bindweed.

snerpe, *v. t. & i.* contract, purse (up); -nde, *adj.* astringent; ~, *n.* prude; -t, *adj.* prudish; prim.

snert, *n.* whip-lash; cracker; flick (of a whip); gibe, taunt; ~, *v. t.* gibe, taunt; *sl.* make a nasty crack at somebody.

sne|skred, *n. n.* avalanche, snowslide; -storm, *n.* snowstorm, blizzard.

snes, *n.* score.

snig|e, *v.i. & refl.* sneak; ~ sig, sneak, slink, skulk; steal upon; -morder, *n.* assassin; -skytte, *n.* sniper.

snik, *n.* give én en ~ for en snak, put somebody off with a lot of talk.

sniksnak, *n. n.* rubbish, nonsense; fiddlesticks.

snild, *adj.* shrewd, ingenious; (værktøj) handy; -t, *adv.* ingeniously; artfully.

snilde, *n.n.* genius.

snip, *n.* tip, end, corner.

snirk|el, *n.* volute; flourish, scroll; -let, *adj.* scrolled; florid, ornate.

snit, *n.* cut, incision; edge; (konstruktion) build; lines, *pl.*; han så sit ~, he seized the opportunity; -mønster, *n.n.* pattern; -te, *v.t. & i.* cut, chip; carve; pare, whittle; ~, *n.* slice; [small version of a Danish smørrebrød]; canapé; -tebønne, *n.* French bean.

sno, v. t. twist, twine; wind; -ning, n. twisting, winding.

snog, n. snake; -eham, n. grass snake's slough.

snoldet, adj. paltry; mean, stingy.

snor, n. line, cord, string; lace, braid.

snorke, v. i. snore.

snorlige, adj. dead straight.

snot, n. n. snot; -dum, adj. bone-headed, stupid; -sentimental, adj. maudlin, slobbery; -tet, adj. snotty, with a runny nose.

snu, adj. cunning, sly, crafty.

snuble, v. i. stumble.

snude, n. snout, muzzle; nozzle; (støvle) toe.

snue, n. cold in the head; ~, v. i. snooze.

snup, u. n. i en ~, in a twinkling, in a jiffy.

snuppe, v. t. snatch, grab.

snurre, v. i. buzz, hum, whir; purr; sing; ~ rundt, whirl round, spin round.

snurrig, adj. droll; funny; queer.

snus, n. snuff; -e, v. i. sniff; -e i, poke one's nose into, pry into; ~ op, scent out; -fornuftig, adj. plodding, prosaic; matter of fact.

snusket, adj. slovenly, grimy, messy, untidy.

snyde, v. t. cheat; blow (one's nose); snuff (f. eks. a candle); -r, n. cheat, swindler.

snylte, v. i. sponge; biol. be a parasite; -dyr, n. n. parasite; -gæst, n. sponger, hanger-on.

snære, v. t. & i. be too tight; cut; hamper; constrict.

snærre, v. i. growl, snarl.

snært, n. lash; fig. sneer.

snæver, adj. narrow, strait; tight, restricted.

snøfte, v. i. sniff; snort; snuffle, sniffle.

snøre, n. cord, string, line; ~, v. t. lace; -bånd, n. n.

lace; shoe-lace; -hul, n. n. eyelet.

snøvle, v. i. speak with a nasal twang, speak through the nose; dawdle.

so, n. sow.

sobelskind, n. n. sable.

sober, adj. sober, soberminded.

sod, n. soot.

sodavand, n. soda water; (kulørt) fizzy lemonade (el. orangeade, etc.).

sogn, n. n. parish; -ebarn, n. n. parishioner; -efoged, n. parish executive officer; -epræst, n. incumbent; rector; vicar; (katolsk kirke)parishpriest; (i Skotland) minister; -eråd, n. n. parish council.

soignere, v. t. trim; tidy (up); titivate; -t, adj. wellgroomed, neat, dapper.

soja, n. soy.

sok, n. sock.

sokkel, n. socle; plinth.

sol, n. sun; -brændt, adj. sunburnt, tanned; -bær, n. n. black currant.

sold, n. pay; han står i en fremmed magts ~, he is in the pay of a foreign power; ~, n. n. sl. binge, spree.

soldat, n. soldier.

solde, v. i. sl. go on the spree, go drinking, go boozing; ~ med (money, strength, etc.) waste, spend lavishly, squander.

sol|dug, n. bot. sundew; -dyrkelse, n. sun-worship; -e sig, v. refl. sun oneself; bask (in the sun); -eklar, adj. obvious; -formørkelse, n. eclipse of the sun; -højde, n. altitude of the sun; fig. meridian, acme.

solid, adj. solid; strong, firm, substantial, sound; safe.

sol|nedgang, n. sunset, sundown; -opgang, n. sunrise; -ring, n. halo; -sejl, n. n. awning; -side, n.

sunny side; -sikke, n. bot.
sunflower; -skin, n. n. sun-
shine; -sort, n. blackbird;
-stik, n. n. sunstroke;
-stråle, n. sunbeam; -ur,
n. n. sundial; -øje, n. n.
bot. sunrose, rockrose.

som, pron. who, which, that;
~, conj. as, like; ~ om, as if;
~ oftest, most frequently.

somme, pl. adj. some; ~, n.
some (people).

sommer, n. summer; i ~,
this summer; om -en, in
the summer; -fugl, n.
butterfly.

sommetider, adv. sometimes.

sondere, v.t. probe; sound.

sondring, n. separation; dis-
tinction.

sone, v. t. expiate, atone for.

soppe, v. i. paddle.

sopran, n. soprano; treble.

sordin, n. mus. mute; damper.

sorenskriver, n. judge.

sorg, n. sorrow, grief, af-
fliction, care; mourning;
det er min mindste ~,
that's the least of my
problems; -løs, adj. care-
free.

sort, n. sort, species, kind,
description; grade; ~, adj.
black; sable; snakke ~,
speak in riddles; den -e
kunst, necromancy, the
black art.

sortere, v.t. sort; ~, v. i. ~
under, belong, be under
the orders of; belong
under.

sortering, n. sorting, grad-
ing; sort, grade, quality.

sorthåret, adj. blackhaired.

sortie, n. exit; final speech;
retirement.

sortiment, n. n. assortment,
range.

sort|laden, adj. swarthy; -ne,
v.i. darken; det -nede for
mine øjne, everything
went black; -seer, n.
pessimist.

sot, n. arch. disease; epi-
demic.

sottise, n. blunder, faux pas;
jeg har begået en ~, I have
put my (big) foot in it.

souvenir, n. keepsake, me-
mento, souvenir.

sove, v.i. sleep, be asleep; mit
ben sover, my leg's asleep;
ogs. I've got pins and
needles in my leg; -kam-
mer, n.n. bedroom; -mid-
del, n.n. sleeping medi-
cine, soporific; sleeping
draught; -sal, n. dormi-
tory.

sove|vogn, n. sleeper, sleep-
ing car; -værelse, n. n.
bedroom.

spade, n. spade; -stik, n. n.
spit (of earth).

spader, se spar.

spadsere, v. i. walk, prome-
nade; -stok, n. walking-
stick; -tur, n. walk, stroll.

spag, adj. meek, subdued;
-færdig, adj. gentle, quiet.

spalier, n.n. lane; danne ~,
line, form a lane.

spalte, n. split, cleft, fissure;
typ. column.

spaltning, n. splitting; fig.
division, rupture.

spand, n. pail, bucket; ~,
n.n. team.

Spanien, n. n. Spain.

spanier, n. Spaniard.

spankulere, v. i. strut, stalk.

spansk, adj. Spanish; ~, n.
(language) Spanish; -grønt,
n. n. verdigris; -gult, n. n.
orpiment; -rør, n. n. cane.

spant, n. n. frame, rib.

spar, n. (kort) spade; det
siger -to til alt, that beats
everything.

spare, v.t. (lægge til side)
save; (skåne) spare; ~, v.i.
(være sparsommelig) eco-
nomize, save; -kasse, n.
savings bank; -penge, pl.
n. savings, pl.

spark, n. n. kick; -e, v. t. & i.
kick.

sparsommelig, adj. thrifty,
economical.

spas, n. jest, joke, fun;

drive ~, chaff, poke fun;
-mager, n. jester, joker.
specielt, adv. especially, par-
ticularly.
spedalsk, adj. leprous.
speditør, n. forwarding
agent.
spege, v. t. salt; (bringe i
urede) tangle; -sild, n.
pickled herring.
spejde, v. i. be on the look-
out for; watch; recon-
noitre; ~ efter, search for;
-r, n. scout; -rbevægelsen,
the Boy Scout movement.
spejl, n. n. looking-glass;
mirror; -billede, n. n. re-
flection; -e, v. t. fry (eggs)
~ sig, v. refl. be reflected;
look in a glass; -glas, n. n.
mirror-glass; plate-glass;
-glat, adj. slippery; -vendt,
adj. inverted; -æg, n. n.
fried egg.
spektakel, n. n. uproar, hub-
bub; row, racket.
spekulere, v. i. (gründe)
ponder, speculate, cogi-
tate; commerc. speculate.
spid, n. n. spit; -de, v. t. spit;
run through; impale.
spids, n. point, tip, end;
nib; top, summit, apex;
~, adj. pointed, peaked,
tapering; fig. smart, sharp,
pointed, cutting, biting;
tart; acute; -borgerlig,
adj. bourgeois, narrow-
minded, snobbish; -bue,
n. Gothic arch, pointed
arch; -e, v. t. point,
sharpen; -findig, adj.
subtle, hair-splitting, cap-
tious, sophistic; -hammer,
n. pick hammer; -mus,
n. shrew, shrew-mouse;
-rod, n. løbe ~, run the
gauntlet.
spiger, n. n. spike, nail.
spil, n. n. play; game; gam-
bling; acting; naut. cap-
stan; ærligt ~, fair play;
et ~ kort, a pack of cards;
frit ~, free scope; -bom,
n. naut. capstan bar.

spilde, v. t. spill, drop, lose;
waste; -vand, n. n. dis-
charge water, waste water.
spile, v. t. ~ ud, stretch;
distend; ~ øjnene op, open
one's eyes wide.
spil|le, v. t. & i. play, act,
perform; gamble; flicker,
sparkle; pretend to be;
-ledåse, n. musical box;
-lefugl, n. gambler; -le-
lærer, n. music teacher; -le-
mand, n. fiddler; organ
grinder; -ler, n. player;
gambler; -lerum; n. n.
scope; clearance, play; lati-
tude, margin; -levende,
adj. full of life, bubbling,
vivacious; -opmager, n.
imp; little mischief; wag;
-opper, pl. n. fun, tricks,
pl.; -vågen, adj. wide
awake.
spinat, n. spinach.
spind, n. n. web; yarn; -e,
v. t. spin; ~, v. i. (kat) purr.
spindel, n. spindle; -væv,
n. n. cobweb.
spinde|maskine, n. spinning
machine; -eri, n. n. spin-
ning-mill; -erok, n. spin-
ning-wheel; -eside, n. dis-
taff side; female line.
spinkel, adj. slender, tiny.
spion, n. spy.
spir, n. n. spire.
spire, n. germ, sprout; ~,
v. i. sprout, germinate.
spiritualitet, n. brilliancy, wit.
spirituosa, pl. n. spirits, pl.
spiritus, n. alcohol; spirits;
-forbud, n. n. prohibition;
-kompas, n. n. fluid (el.
wet) compass.
spirrevip, n. whipper-
snapper.
spise, v. t. & i. eat; have
(breakfast, lunch, dinner,
tea); dine; -bestik, n. n.
cutlery; U. S. flatware;
-bord, n. n. dining table;
-kammer, n. n. larder;
-lig, adj. eatable, edible;
-rør, n. n. gullet; -seddel,
n. menu, bill of fare; -ske,

n. tablespoon; -stel, *n. n.* dinner service; -varer, *pl. n.* eatables, victuals (begge *pl.*); -vægring, *n.* refusal to eat; -æble, *n. n.* eating apple.

spjæld, *n.n.* damper, throttle; (arrest, *sl.*) lock-up, clink.

spjætte, *v. i.* kick, start; jerk, twitch.

splejse, *v. t. & i.* splice; (skyde penge sammen) club together.

splint, *n.* splinter; -erny, *adj.* brand-new; novel; -re, *v.t. & i.* splinter, shiver; -rende, *adj.* ~ gal, stark staring mad.

split, *n.* cotter pin; split pin; (slids) slit, slash; (flag) cleft end; -flag, *n. n.* swallow-tailed flag.

splitte, *v.t.* split, slit; disrupt; divide; disperse, scatter; disintegrate; -lse, *n.* schism, disruption, dissension, discord; split; -rgal, *adj.* stark mad; -rnøgen, *adj.* stark naked.

spole, *n.* spool, bobbin, reel; *radio.* coil.

spolere, *v.t.* spoil; ruin; mar.

spor, *n. n.* footprint, footstep; track, trail; (hjul-) rut; *fig.* vestige, trace; mark(s); (skinne) line, rails, *pl.*; tabe -et, lose the scent; ikke ~!, not a bit!, not the slightest!; ikke ~ af tvivl, not the slightest doubt.

spore, *n.* spur; (tilskyndelse) spur, stimulus, incentive; *bot.* spore; ~, *v. t.* (følge sporet af) track; (vejre) scent; -nstrengs, *adv.* posthaste; double quick time; hotfoot.

spor|hund, *n.* sleuth hound; -løs, *adj.* trackless; -løst, *adv.* without a trace; -skifte, *n. n.* points.

sport, *n.* sport; sports, *pl.*; athletics; games.

spor|vidde, *n.* gauge; -vogn,

n. tramcar, tram; *U. S.* streetcar, trolley.

spot, *n.* mockery, ridicule; derision, jeering; til -pris, for an absurdly low price; for a song; dirt cheap; -sk *adj.* mocking, sneering, derisive; -te, *v. t.* scoff, deride, mock, jeer at; -ter, *n.* scoffer.

spove, *n.* zool. curlew.

spraglet, *adj.* mottled, gaudy; variegated, pied; motley.

spred|e, *v. t.* spread; scatter, disperse; dispel; -ning, *n.* diffusion, spread, spreading, scattering.

spring, *n. n.* jump, leap, spring, bound, plunge; skip; gap; i ~, *fig.* by leaps and bounds; der er et stort ~, it is a far cry; -bræt, *n. n.* springboard; -e, *v. i.* jump, spring, leap, bound, skip; run; burst, snap, crack; ~ i luften, blow up; -sk, *adj.* frisky, frolicsome; -vand, *n. n.* fountain.

sprit, *n.* spirit, alcohol; (spirituosa) spirits; -ter, *n.* alcoholic.

sprog, *n. n.* language; style; speech; diction; -forsker, *n.* philogolist; -kundskaber, *pl. n.* language qualifications, *pl.*; knowledge of languages; -lig, *adj.* linguistic; -lære, *n.* grammar; -nemme, *n.n.* talent for languages; -stridig, *adj.* contrary to usage; -videnskab, *n.* philology; linguistics.

sprosse, *n.* crosspiece, crossbar; glazing bar; (på stige) rung; (på gevir) point.

sprudle, *v. i.* gush, well, bubble; effervesce, sparkle; -nde, *adj.* (ogs. *fig.*) sparkling, bubbling, effervescent.

sprukken, adj. cracked; (hud) chapped.

sprutte, v. i. spurt, spout, splutter, sputter, crackle.

spryd, n. n. naut. sprit; bow-sprit.

sprække, n. crevice, crack, chink; fissure; ~, v. i. crack, burst; (i huden) chap; hans hænder er -r, his hands are chapped.

spræl, n. n. gøre ~, make a fuss; der er ingen ~ i ham, there's no kick (el. spunk) left in him; -le, v. i. flounder; kick; sprawl; -sk, adj. unruly; ~ fantasi, a lively imagination.

spræng|e, v. t. burst, break; blow up, blast; scatter; split; disperse, break up; -es, v. i. burst, split; mit hoved er ved at ~, I have a splitting headache; -stof, n.n. explosive; (let saltet) pickled; -værk, n.n. archit. strut frame.

spræt, n. n. kick, start; jerk; twitch; -te, v. i. kick; jump; twitch; ~ op, v. t. rip open; unstitch, unpick.

sprød, adj. brittle, crisp, short.

sprøjte, n. sprayer; fire-engine; squirt, syringe; ~, v. i. spurt, spout, squirt, play a hose; ~, v. t. spray; -slange, n. hose.

spule, v. t. wash down, flush.

spuns, n. (i tønde) bung.

spurv, n. sparrow; -chagl, n. n. small shot; -ehøg, n. zool. sparrow-hawk.

spyd, n. n. spear, javelin.

spydig, adj. sarcastic, acid.

spyt, n. n. spittle, spit, saliva; -kirtel, n. salivary gland; -slikker, n. toady, lick-spittle; -te, v. t. & i. spit; sputter.

spæd, adj. tender, delicate, tiny, feeble; -barn, n. n. infant, babe (in arms);

-barnsdødelighed, n. infant mortality.

spæde, v. t. dilute; ~ til, contribute.

spæge, v. t. ~ sig, mortify, chasten.

spæk, n. n. blubber; -høker, n. provision dealer; -ke, v. t. lard; -ket, adj. ~ med faldgruber, studded with pitfalls; en vel ~ tegnebog, a well-padded wallet, a well-lined notecase; -lag, n.n. layer of blubber.

spænd, n. n. span; team; (sjov) fun, -e, v. t. & i. stretch, strain, tighten; span, buckle; -e, n. n. buckle, clasp; -ende, adj. exciting, thrilling; -etrøje, n. strait jacket; -ing, n. tension; excitement; -stig, adj. elastic; buoyant; springy; resilient; -t, adj. tight, tensed; stretched, taut; anxious, in suspense; curious; ~, adv. anxiously; -thed, n. tension; suspense; excitement; -vidde, n. span.

spær, n. n. rafter.

spær|re, v. t. bar, block up, close; obstruct; -reild, n. barrage; -rekonto, n. blocked (el. frozen) account; -ring, n. stoppage; obstruction; barring.

spætmejse, n. zool. nuthatch.

spætte, n. zool. woodpecker; -t, adj. spotted, speckled.

spøg, n. joke, jest; fun, pleasantry, witticism; -e, v. i. jest, joke; haunt; -efugl, n. joker, wag; -efuld, adj. joking, jocular; -else, n. ghost, spectre.

spørg|e, v.t. & i. ask, question, inquire; -ende, adj. inquiring, questioning; -s-mål, n.n. question, query; inquiry.

spå, v.t. & i. prophesy; -dom, n. prophecy, forecast; -kone, n. fortune-teller.

spån, n. chip; (høvl-)

shaving; -tag, *n.n.* shingle-roof.

stab, *n.* staff.

stabel, *n.* pile; stocks, *pl.*; slipway; -afløbning, *n.* launching.

stabil, *adj.* stable.

stable, *v. t.* stack, pile up.

stad, *n.* arch. & poet. city, town.

stade, *n. n.* stand; stall; station; (bi-) hive.

stadfæste, *v. t.* confirm, corroborate, ratify.

stadig, *adj.* steady, constant; continual; *adv.* always, constantly; ~ værre, worse and worse.

stadion, *n. n.* stadium.

stadium, *n. n.* stage; phase.

stads, *n.* finery; frills; frippery; rubbish; hele-en, the whole caboodle; ~, *adj.* municipal, borough, city; -læge, *n.* borough medical officer; -tøj, *n. n.* one's Sunday best.

stafet, *n.* dispatch rider; -løb, *n. n.* relay race.

staffage, *n.* ornamentation, figures.

staffeli, *n. n.* easel.

stage, *n.* pole, stake; (lyse-) candlestick; ~, *v. t.* (båd) pole, punt.

stag|sejl, *n.n.* staysail; -vende, *v. i.* naut. tack, go about.

stak, *n.* stack; rick.

stakit, *n. n.* paling, railing.

stakkels, *adj.* poor.

stak|ket, *adj.* short, brief; -åndet, *adj.* short-breathed.

stald, *n.* (heste) stable; (ko-) cowshed, cowhouse, byre; -broder, *n.* confederate, crony; -indhegning, *n.* paddock; -karl, *n.* groom; -mester, *n.* equerry, ostler.

stam|fader, *n.* progenitor; founder of a family; earliest ancestor; -gæst, *n.* regular customer, patron, habitué; -herre, *n.* heir apparent; -hus, *n. n.* entailed estate; -me, *v. t. & i.*

stammer, stutter; *v. i.* descend from; be due to; date from, date back to; be caused by; -me, *n.* stem, trunk, stock; (folke-) tribe, race; -mekrig, *n.* intertribal war.

stampe, *v. t. & i.* stamp, trample; (hest) paw; naut. pitch; stå i ~, be at a standstill; become stunted; stop growing.

stamtavle, *n.* pedigree; genealogical table.

stand, *n.* state, condition, order; station, situation, rank, position, degree; calling, trade, profession; class; (på udstilling) stand; se sig i ~ til, be in a position to; være i ~, be in order; -er, *n.* (flag) pendant; (mast) standard; -haftig, *adj.* constant, firm, steadfast; (hest) staunch; -køje, *n.* bunk; -punkt, *n. n.* position, stage, standpoint; point of view; attitude; -ret, *n.* military court; court martial; -se, *v.t. & i.* stop, check; pause; pull up; suspend; bring to a standstill; -sning, *n.* stoppage, break, pause; suspension; cessation.

stang, *n.* bar; pole; rod; stick, shaft; naut. topmast; holde én -en, be a match for; -e, *v. t. & i.* butt; gore; toss; -fiskeri, *n. n.* angling; -passer, *n.* beam compasses, *pl.*

stank, *n.* stench.

stankelben, *n. n.* crane-fly, daddy-long-legs.

stanniol, *n. n.* tinfoil.

start, *n.* start; starting-up; launching; outset, commencement; -e, *v. t. & i.* start; take off; start up; launch; commerc. float (a company); -kapital, *n.* initial capital; -klar, *adj.* ready to start; -nøgle, *n.* ignition key.

stat, *n.* state; common-
wealth; empire; govern-
ment; -elig, *adj.* stately,
imposing; fine.

station, *n.* station; fri ~,
board and lodging; all
found.

statist, *n.* walker-on, super-
numerary; (film) extra.

stats|advokat, *n.* Public
Prosecutor; -anliggende,
n.n. Government business
(*el.* service); -ansat, *adj.*
Government (*el.* State)
employed; -bidrag, *n.n.*
subsidy (*el.* subvention);
-borger, *n.* citizen; na-
tional, subject; -ejendom,
n. national property;
-forvaltning, *n.* public
administration; -indtægt,
n. public revenue; -kas-
sen, the Exchequer; the
public purse; -kirke, *n.*
the national (*el.* State, *el.*
established) Church; -lån,
n.n. national loan, govern-
ment loan; -mand, *n.*
statesman; -minister, *n.*
prime minister; -obliga-
tion, *n.* government bond;
-råd, *n. n.* [in Denmark]
meeting of cabinet minis-
ters; -tidende, *n.* official
gazette; -tjeneste, *n.* pub-
lic service, civil service;
-videnskab, *n.* political
science.

statuere, *v.t.* make an ex-
ample of.

status, *n.* balance sheet, state-
ment; standing; state of
affairs.

statut, *n.* rule, article, regu-
lation, by(e)-law.

staude, *n.* perennial; -bed, *n.*
n. herbaceous border.

stav, *n.* staff; stick; rod;
truncheon; baton; wand;
stave.

stave, *v. t. & i.* spell; -lse, *n.*
syllable; -måde, *n.* spell-
ing; -r, *n.* løbe sig en ~
i livet, burn one's fingers,
get into hot water; falde i

~ *fig.* be lost in thought,
be wool-gathering.

stav|gulv, *n.n.* parquet floor;
-kirke, *n.* stave church;
-n, *n.* se stævn; -ning, *n.*
spelling, orthography.

stavre, *v. i.* trudge; dodder,
totter.

stavrim, *n. n.* alliteration.

stearin, *n.* stearin; -lys, *n. n.*
(paraffin wax) candle.

sted, *n. n.* place, spot, lo-
cality; (bog) passage; et
andet ~, somewhere else;
another place; finde ~,
take place; af~!, off!, off we
(you, *etc.*) go!; hvis jeg var
i Deres ~, if I were in your
place (*el.* in your shoes); til
-e, present; ikke til ~, ab-
sent; alle -er, everywhere;
ingen ~, nowhere; -barn,
n.n. stepchild, være ~, be
left out in the cold; -fader,
n. stepfather; -fortræder,
n. deputy; substitute; -for-
ældre, *pl.* step-parents, *pl.*;
-fæstelse, *n.* location, lo-
calization; -kendt, *adj.* fa-
miliar with local con-
ditions (*el.* roads, *etc.*); -lig,
adj. local; -moderblomst,
n. bot. pansy, heart's ease;
-sans, *n.* sense of direction;
-se, *adv.* ever, always; -se-
grøn, *adj.* evergreen; -vis,
adv. locally.

steg, *n.* roast, joint.

stege, *v.t.&i.* roast; grill;
broil; fry; bake; -fedt,
n.n. dripping; -pande, *n.*
frying pan; -spid, *n. n.*
spit; -nde hede, sweltering
heat.

stejl, *adj.* steep, precipitous;
fig. obstinate.

stejle, *v.i.* (*om hest*) rear;
start; (være forbløffet) be
staggered; boggle at (*f.eks.*
a price).

stel, *n.n.* set; service; frame.

stemme, *v.t.&i.* vote; *mus.*
tune; dispose, put in a
mood; agree; tally; be

correct; ~, n. voice; part; vote; (orgel) stop; -bånd, n. n. vocal chord; -berettiget, adj. entitled to vote; -flerhed, n. majority; -gaffel, n. tuning fork; -højde, n. pitch; -jern, n. n. chisel; -klang, n. timbre; -nøgle, n. tuning hammer; -procent, n. poll; -r, n. tuner; -ret, n. franchise, suffrage; -seddel, n. ballot paper, voting paper; -værk, n. n. dam; weir.

stemning, n. mood, humour; feeling, spirit; affection; disposition; tone, atmosphere; -sforladt, adj. dull, dreary; -sudbrud, n. n. burst of feeling.

stempel, n. n. stamp; die; piston; brand; punch; -mærke, n. n. stamp; -pude, n. stamp pad; -stang, n. mech. piston rod.

stemple, v. t. stamp; brand; mark; postmark; stigmatize, denounce; label.

stemt, adj. in tune; ikke ~, out of tune; være ~ for noget, favour something (el. be in favour of something); be disposed to do something.

sten, n. stone; rock; pebble; brick; -bider, n. lumpfish; -bro, n. pavement; stone bridge; -buk, n. ibex; S-bukkens vendekreds, the tropic of Capricorn; -bræk, n. bot. saxifrage; -død, adj. stone dead; -et, adj. stony; -hugger, n. stone-mason; stone-cutter; -kalk, n. quicklime; -kast (afstandsbetegnelse) stone's throw; -krus, n. n. stone jug; -kulsdannelse, n. carbonization.

stenograf, n. shorthand writer; shorthand typist; stenographer; -ere, v. t. & i. take down in shorthand.

stente, n. stile.

sten|trappe, n. flight of stone

steps; -trykker, n. lithographer; -tøj, n. n. stoneware; -urt, n. stone-crop; -økse, n. stone axe; -ørken, n. stony desert; stony wilderness.

step, n. tap-dance, tap-dancing, step-dancing.

steppe, n. steppe; ~, v. i. step-dance, tap-dance.

sti, n. path; track; -finder, n. pathfinder.

stift, n. (hovedløst søm) sprig, brad; (tegne-) drawing-pin; tin tack; (grammofon) needle; (fyldeblyant) refill; (i cigartænder) flint.

stift, n. n. diocese; -e, v. t. found, establish, institute; -else, n. foundation, institution; almshouse; -er, n. founder.

stig|bord, n. n. sluice, floodgate; -bøjle, n. stirrup; -e, v. i. mount, rise; ascend; increase; ~, n. ladder; (brand-) fire escape; -ning, n. rise, gradient; increase; (skrue) pitch.

stik, adv. direct, right; due; dead; ~ imod, directly opposed to, complete opposite; diametrically opposed; contrary to; ~, n. n. stab; (kort) trick; prick; thrust; (insekt-) sting; bite; naut. bend, hitch; (kobber-, stål-) engraving; -brev, n. n. warrant, writ; -hævert, n. siphon; -ke, v. t. & i. stab; prick; sting; engrave; stitch; put, pass, slip; (kort) take, cover, trump, ruff; ~, v. i. ~ til nogen, be sarcastic at somebody's expense; -kelsbær, n. n. bot. gooseberry; -ken, n. pricking sensation; shooting pain; ~, adj. irritable; -ker, n. informer; sl. nark; -kontakt, n. elect. plug; (stikdåse) socket (outlet); -ling, n.

cutting, slip; -ord, *n. n.* cue, catchword, slogan, cry; -ordsfortegnelse, *n.* subject index; -passer, *n.* dividers, *pl.*; -penge, *pl.* bribe; -pille, *n. med.* suppository; *fig.* sarcastic remark.

stil, *n.* style; exercise; theme; manner; essay; composition; -art, *n.* style; -bar, *adj.* adjustable; -e, *v. t.* address; aspire to; make a bid for; aim for; -ebog, *n.* exercise-book; -fuld, *adj.* stylish; -færdig, *adj.* gentle, quiet; -hed, *n.* silence; hush, stillness; quiet.

stilk, *n.* stem, stalk.

stillads, *n. n.* scaffold; scaffolding; staging.

stille, *adj. & adv.* still, quiet, tranquil; hushed; calm; dull, slow; den ~ uge, Holy Week; ~, *n.* silence; *naut.* calm; ~, *v. t.* place, furnish, set, post, station; adjust; satisfy, allay, alleviate; S-havet, the Pacific; -siddende, *adj.* sedentary; -stående, *adj.* stationary; stagnant; -t, *adj.* situated, placed, positioned; ~ over for, confronted by (*el.* with).

stillids, *n. zool.* goldfinch.

stilling, *n.* attitude, posture; status; situation; position, post, occupation, job; pose; state; tage ~, commit oneself, pass judgement; tage ~ til, make up one's mind; være uden ~, have no (fixed) occupation, be unemployed (*el.* out of work, *el.* out of a job).

stilmøbler, *pl. n.* period furniture.

stilne, *v. i.* ~ af, calm down, abate, subside.

stilren, *adj.* pure in style.

stilstand, *n.* standstill; stagnation, stagnancy.

stiltiende, *adj.* tacit, implicit.

stiløvelse, *n.* [book containing passages for translation]; exercise.

stime, *n.* shoal; (hvaler, marsvin) school.

stimle, *v. i.* ~ sammen, throng, crowd together.

stimmel, *n.* crowd, throng.

sting, *n. n.* stitch.

stink|e, *v. i.* stink; -dyr, *n. n. zool.* skunk.

stipendium, *n.n.* scholarship.

stirre, *v. i.* stare, gaze; goggle.

stirrids, *n. n. naut.* pantry.

stiv, *adj.* stiff, rigid; -e, *v. t.* starch; brace up; shore up (*el.* prop up, *f. eks.* a wall); stiffen; steady; bolster up; -else, *n.* starch; -er, *n.* prop, stay; shore; -frossen, *adj.* frozen stiff; -krampe, *n.* tetanus; -lærred, *n. n.* buckram; -nakket, *adj.* obstinate, pigheaded; -ne, *v. i.* stiffen, harden; coagulate; stagnate; fossilize; -sindet, *adj.* obstinate, stubborn, stiffnecked.

stjålen, *adj.* furtive, stolen.

stjerne, *n.* star; *typ.* asterisk; -banneret, the star-spangled banner, the Stars & Stripes; -billede, *n. n.* constellation; -hær, *n.* galaxy; -kigger, *n.* star-gazer; -klar, *adj.* starry, starlit; -kort, *n. n.* celestial chart; -skud, *n.n.* falling(*el.* shooting) star; -tyder, *n.* astrologer.

stjæle, *v.t. & i.* steal; pilfer.

stjært, *n.* tail.

stodder, *n.* beggar; ragamuffin.

stof, *n.n.* matter; substance; material; subject, theme, topic; (tekstil) stuff, fabric; -skifte, *n.n.* metabolism.

stok, *n.* stick, cane; -døv, *adj.* stone deaf; -konservativ, *adj.* ultra-Conservative; -rose, *n. bot.* hollyhock; -værk, *n. n.* storey, floor.

stol, *n.* chair, seat; stool; pew; den pavelige ~, the Holy See; sætte én -en for døren, *fig.* put one's foot down, take a firm line with someone; -e, *v. i.* ~ på, rely on, depend upon, trust; -esæde, *n. n.* chair-bottom, seat.

stolpe, *n.* post.

stolpre, *v. i.* totter; (barn) toddle.

stolt, *adj.* proud; haughty; noble; supercilious; være ~ af, be proud of, take pride in; -hed, *n.* pride; haughtiness; arrogance; superciliousness.

stop, *n. n.* stop, halt; fuldt ~, a dead stop; (i pibe) fill; køre på ~, (blaffe) hitch-hike; ~, *int.* stop!

stopning, *n.* stuffing, filling; stopping, plugging; (tøj) darning.

stoppe, *v. t.* fill, cram, stuff; stop; (strømper, *etc.*) darn; plug; -nål, *n.* darning needle; -sted, *n. n.* stop, stopping-place.

stopur, *n. n.* stop watch.

stor, *adj.* great; big; large; tall; grown up; *typ.* capital; -artet, *adj.* grand; -borger, *n.* bigwig; -e-bror, *n.* big brother; S-ebælt, *n. n.* Great Belt; -eslem, grand slam; -età, *n.* big toe; -fyrste, *n.* grand-duke; -hedsvanvid, *n. n.* megalomania.

stork, *n.* stork; -enæb, *n. n. bot.* geranium, crane's bill.

storm, *n.* gale; storm; tempest; *mil.* assault, storm; -buk, *n.* battering-ram; -e, *v. i.* blow hard, blow a gale; rush; charge; ~, *v. t.* make an assault on; storm; -flod, *n.* spring tide; -hat, *n. bot.* monkshood, aconite; -klokke, *n.* alarm bell; tocsin; -stige, *n.* scaling ladder; -svale, *n. zool.* stormy petrel.

stor|magt, *n.* Great Power; -mand, *n.* magnate; -mast, *n.* mainmast; -mester, *n.* Grand Master; -politik, *n.* high politics; -praler, *n.* braggart; -sejl, *n. n.* mainsail; -slået, *adj.* magnificent, grand; -snudet, *adj.* arrogant; bumptious, swollen-headed; -stue, *n.* parlour; -synet, *adj.* large-minded; large of vision; -talende, *adj.* swaggering, grandiloquent; S-ting, *n. n.* Storting [Norwegian Parliament]; -vask, *n.* washing, wash; -vildt, *n. n.* big game; -værk, *n. n.* great achievement, magnum opus.

strabadser, *pl. n.* hardships.

straf, *n.* punishment, penalty; sentence; chastisement; -arbejde, *n. n.* penal servitude; -fe, *v. t.* punish; chastise, correct; -feanstalt, *n.* prison, penitentiary; -fe-fange, *n.* convict; -fefrihed, *n.* impunity, exemption from punishment; -nedsættelse, *n.* mitigation of sentence; -porto, *n.* surcharge; -skyldig, *adj.* guilty, culpable.

straks, *adv.* at once; directly; immediately, right away, straight away; forthwith.

stram, *adj.* tight, strait, close; stiff, precise; (lugt) pungent, rank; taut; -me, *v. i.* tighten, stretch; ~ sig op, brace oneself up.

strand, *n.* shore, beach; seaside; -asters, *n. bot.* Michaelmas daisy; -bred, *n.* beach; -e, *v. i.* be wrecked, run aground; fail, miscarry; be frustrated; -eng, *n.* littoral meadow, salt marsh; -grus, *n. n.* coarse sand; gravel; -ingsgods, *n. n.* wreck, wreckage; -løber, *n.* sandpiper; -snegl, *n.* periwinkle; -tidsel, *n.* sea-holly; -vagt, *n.* coast-guard.

stratenrøver, *n.* highway-man.

streg, *n.* line, streak, stroke, dash, stripe; (puds) trick, prank; (kompas) point; slå en ~, draw a line; slå en ~ over, cancel; -e, *v. t. & i.* rule, draw lines; -e ud, strike out; -mål, *n. n.* marking gauge; -papir, *n. n.* ruled paper.

strejf|e, *v. t.* graze; glance; ~, *v. i.* roam, ramble, wander, rove; -lys, *n. n.* gleam of light; -skud, *n.n.* grazing shot; -tog, *n. n.* incursion.

strejke, *n.* strike; ~, *v. i.* strike, go on strike; down tools; refuse to operate (*f. eks.* brakes on a car); -ramt, *adj.* strikebound; -understøttelse, *n.* strike pay; -vagt, *n.* picket.

streng, *n.* string, chord; strand; ~, *adj.* severe; strict, austere, rigorous; stringent; harsh; -t taget, strictly speaking.

stribe, *n.* stripe, streak; band; (lys) shaft.

strid, *adj.* rough, coarse, bristly; headstrong; ~, *n.* strife, conflict, contest, struggle; quarrel, dispute; -bar, *adj.* combative, belli-cose, quarrelsome; -ig, *adj.* headstrong, obstinate; stubborn, contrary; -s-handske, *n.* gauntlet; -s-kræfter, *pl. n.* military force(s); -spunkt, *n.n.* point of issue; matter in dispute; moot point; -sspørgsmål, *n. n.* controversial issue; -svant, *adj.* veteran; -s-vogn, *n. hist.* chariot; -sæble, *n.n.* apple of discord; -søkse, *n.* battle axe; hatchet; begrave -søksen, *fig.* bury the hatchet.

strigle, *n.* curry-comb.

strikke, *n.* rope, cord, halter;

~, *v.t. &i.* knit; -pind, *n.* knitting needle; -tøj, *n. n.* knitting.

striks, *adj.* strict.

strime, *n.* weal; streak.

strimmel, *n.* slip; strip; ribbon; shred; (kruset) frill.

stritte, *v. t. & i.* bristle; ~ imod, resist; ~, *v. t. & i.* pitch, fling, hurl; -nde, *adj.* bristly; erect.

strofe, *n.* stanza.

strop, *n.* strap; loop; tab; tag.

stroppetur, *n. mil.* punishment drill; pack-drill; *sl.* jankers.

strube, *n.* throat; -hoste, *n.* catarrhal laryngitis; croup; -hoved, *n. n.* larynx; -lyd, *n.* guttural accent (*el.* sound).

struds, *n. zool.* ostrich.

strunk, *adj.* erect, upright.

strutmave, *n.* pot-belly.

strutte, *v. i.* bulge; burst; bristle.

stryge, *v.t.&i.* stroke, rub, sweep; brush; paint; coat; (hvæsse) sharpen, whet; (slette) delete, cut out, cross out; (linned) iron; ~ en væg, paint a wall; ~ flaget, strike (*el.* lower) a flag; ~ en tændstik, strike a match; -bræt, *n. n.* ironing board; -instru-ment, *n. n.* stringed in-strument; -jern, *n. n.* (electric) iron; flat-iron; -kvartet, *n.* string quartet; -rem, *n.* (razor) strop; -spån, *n.* strickle, scythe sharpener.

stræbe, *v. i.* exert oneself; endeavour, strive; ~ af alle kræfter, make a great effort, do one's utmost; ~ én efter livet, have de-signs on somebody's life; ~ efter, aim for, aspire to; strain to achieve; -pille, *n.* buttress.

stræbsom, *adj.* industrious, hard-working, plodding.

stræde, *n. n.* lane; narrow street; *naut.* strait.

stræk, *n. n.* stretch; *naut.* reach; -ke, *v. t.* stretch; draw out; make go a longer way; ~ sig, reach, extend, stretch; ~ til, suffice; ~ gevær, lay down arms; -ning, *n.* stretch, length; tract, range; distance; stretching.

strø, *v. t.* strew; sprinkle; litter; ~ om sig med, be lavish (*el.* profuse) (with); throw about(*f. eks.* money); -else, *n.* litter.

strog, *n. n.* stroke, touch; stroke (*f. eks.* of a pen, of a brush); tract, region, neighbourhood; main street, thoroughfare.

strøget, *adj.* level (*f. eks.* spoonful).

strøgforretning, *n.* [shop in ᾿main shopping thoroughfare of a town].

strøm, *n.* river; stream; current; power; flow; en ~ af tårer, a flood of tears; -fordeler, *n. elect.* distributor; -førende, *adj. elect.* current-carrying; live; -kreds, *n. elect.* circuit; -kæntring, *n.* turn of the tide; reversal of the current; -leder, *n. elect.* conductor; -liniet, *adj.* streamlined; -måler, *n. elect.* ammeter; -me, *v. i.* stream, flow, pour, rush; -ning, *n.* flow; current (*ogs. fig.*).

strømpe, *n.* stocking; -bånd, *n. n.* garter; -holder, *n.* suspender.

strå, *n. n.* straw; trække det korteste ~, get the worst of it.

stråle, *n.* ray, beam; jet; shoot; flash; ~, *v. i.* radiate; beam, shine; -brydning, *n.* refraction; -glans, *n.* radiance; -krone, *n.* glory, halo; -nde, *adj.* radiant; splendid; marvellous; shining, lustrous;

luminous; brilliant; -rør, *n. n.* nozzle.

stub, *n.* stub, stump; (*i* checkhæfte) counterfoil; -be, *n.* (korn, skæg) stubble.

stud, *n.* bullock; ox; *fig.* boor, oaf.

student, *n.* undergraduate, student; -ereksamen, *n.* matriculation [svarer til General Certificate i England]; -erråd, *n.n.* students' council.

studie, *n.* (udkast) study; ~, *n. n.* (studium) study; -besøg, *n. n.* study tour; visit for study purposes; -gæld, *n.* debt incurred for the purpose of studying; -legat, *n. n.* scholarship, bursary, exhibition; -ophold, *n.n.* permanency (*el.* stay, *el.* sojourn) for the purposes of study; -rejse, *n.* [journey to somewhere in order to study].

studine, *n.* woman undergraduate, girl student.

studium, *n. n.* study.

studs, *adj.* gruff, curt; ~, *n.* på en ~, straight away; -e, *v. t.* crop, dock, curtail, lop, trim; ~, *v. i.* start; be taken aback; be startled; be astonished; -mus, *n. zool.* vole.

stue, *n.* room; (-etage) ground floor; (hospitals-) ward; -antenne, *n.* indoor aerial; -etage, *n.* ground floor; -gang, *n.* (*på* hospital) rounds; -lejlighed, *n.* ground-floor flat; -lærd, *n.* bookish person; -pige, *n.* housemaid; (*på* hotel) chambermaid; -plante, *n.* indoor plant; -ren, *adj.* (*om* hund) house-trained; -temperatur, *n.* indoor temperature; -ur, *n. n.* clock.

stuk, *n. n.* stucco.

stum, *adj.* mute, dumb; silent; -film, *n.* silent, silent film.

stump, *adj.* blunt, dull;

truncated; ~, n. stump; fragment; end; bit; remnant; snatch (*f. eks.* of conversation); snippet (*f. eks.* of cloth); ~ vinkel, obtuse angle; -halet, *adj.* docktailed; bob-tailed; -næset, *adj.* snub-nosed.

stund, *n. n.* time; while; -e, *v. i. arch. & poet.* ~ til, draw near; -esløs, *adj.* fussy, bustling, fidgety; -om, *adv.* at times.

stutteri, *n. n.* stud (farm).

stuve, *v. t.* stew; [boil and serve in white sauce]; *naut.* stow, trim; -r, *n. naut.* stevedore.

stuvning, *n. naut.* stowage; *cul.* white sauce.

styg, *adj.* ugly, bad-looking, nasty.

styk, *n. n.* 10 kr. pr. ~, 10 kr. apiece (*el.* each).

stykgods, *n. n. naut.* general cargo, piece goods.

stykke, *n. n.* piece, bit; scrap; snatch; slice (bread, cake, *etc.*); passage; (avisartikel) piece, article; (skuespil) play; et ~ vej, some distance; et ~ arbejde, a piece of work; ~ ud, *v. t.* parcel out; ~ noget sammen, piece something together.

stylte, *n.* stilt.

stymper, *n.* bungler; poor wretch.

styr, *n. n.* (*på cykel*) handlebars, *pl.*; hold ~ på, keep in hand, keep in check; sætte over ~, squander; be lost; come to nothing; -bar, *adj.* dirigible; -bord, *n. n.* starboard; -e, *n. n.* rule; government; administration; management; -e, *v. t. & i. naut.* steer; direct, guide, conduct, manage; rule, control; govern; ~ sin vrede, curb one's anger; -eapparat, *n. n.* steering gear; -efart, *n.* steerage(-way);

-else, *n.* rule; management; -epind, *n.* tiller; -estand, *n. mech.* steering-gear, connecting-rod.

styrke, *n.* strength; force; power; ~, *v. t.* strengthen, fortify; -nde middel, tonic; -prøve, *n.* trial of strength; test.

styr|mand, *n. n.* mate; -mandsbevis, *n. n.* mate's certificate; -mandsskole, *n.* navigation school.

styrte, *v. i.* fall, come down, tumble down, topple; (fare) rush, dash, hurry; tear; ~, *v. t.* overthrow, bring about the fall of; -bad, *n. n.* shower-bath; -gods, *n. n. naut.* bulkcargo; -nde, *adj. coll.* tremendous, terrific; -sø, *n.* heavy sea.

stædig, *adj.* refractory, obstinate, stubborn.

stække, *v. t.* clip (*f. eks.* wings of a bird).

stænge, *v. t.* bar, bolt.

stængel, *n.* stem, stalk.

stænk, *n. n.* stain, spot, splash; *naut.* spray; *fig.* dash, touch, sprinkling; -e, *v. t.* sprinkle; splash, splatter.

stær, *n.* starling; *med.* grå ~, cataract, grøn ~, glaucoma; sort ~, black cataract; operere for ~, couch somebody for cataract.

stærk, *adj.* strong; stout; intense, severe; loud; high; deep; powerful; rigorous.

stævn, *n. naut.* (for-) stem, bow(s), prow; (agter-) stern(-post); -e, *v. i.* ~ mod, head for, steer towards; ~, *v. t.* summon, serve with a writ; -emøde, *n. n.* assignation; date; rendezvous; -ing, *n.* writ; summons; -ingsmand, *n.* bailiff, sheriff's officer.

støbe, *v. t.* cast, found; mould; (korn) steep; -gods, *n. n.* cast-iron ware, castings, *pl.*; -jern, *n. n.* cast iron; -ri, *n. n.* foundry; -stål, *n. n.* cast steel.

stød, *n. n.* push, thrust, jab; butt; kick; stab; shock, blow; thump, bump; jog, jolt; gust, puff; blast; bruise; afværge -et, ward off the blow; -e, *v. t. & i.* push, thrust, jostle; offend, hurt; jar upon; pound; jolt, jog; kick, recoil; strike; blive -t, take offence; -e sammen, collide; meet; -nde, *adj.* objectionable, offensive, shocking; disagreeable; -er, *n.* pestle; -kårde, *n.* rapier; -pude, *n.* buffer; -t, *adj.* ground; powdered; bruised; *fig.* offended; pained; shocked; -tand, *n.* tusk; -tropper, *pl. n.* shock troops, *pl.*; -vis, *adv.* by fits and starts; jerkily; (*om* vind) in gusts.

støj, *n.* noise, racket; -ende, *adj.* noisy; -sender, *n.* (radio) jamming station.

stønne, *v. i.* moan, groan.

stør, *n.* sturgeon.

størkne, *v. i.* coagulate; curdle; congeal, clot; harden; -t blod, clotted blood.

stør|re, *adj.* great(er), large(r), big(ger), tal(ler); largish, considerable; blive ~, grow; (forøges) increase; widen; det er ikke noget ~, it is of no great importance; -relse, *n.* greatness, magnitude; size; bigness, bulk; height; quantity; -relsesforhold, *n. n.* dimensions, *pl.*; -relsesorden, *n.* magnitude; size; dimensions, *pl.*; -stedelen, the greater part, the best part; for ~, mostly.

støt, *adj.* steady; *adv.* steadily.

støtte, *v. t. & i.* stay, prop; support, sustain; back up; shore; ~, *n.* prop; stay; support; pillar, column; statue; ~ sig til, lean on; rest on; depend upon for

support; -pille, *n.* buttress; -punkt, *n. n.* point of support.

støv, *n. n.* dust; scales, *pl.*; pollen; -blomst, *n.* male flower; -bold, *n. bot.* puffball; -briller, *pl. n.* goggles, *pl.*; -drager, *n.* stamen; -e, *v. t. & i.* dust; ~ noget igennem, search through something; nose out something; -eklud, *n.* duster; -ekost, *n.* dustbrush; -er, *n.* hound; *fig.* (police) sleuth-hound; -fang, *n. n. bot.* stigma; -frakke, *n.* dust-coat; -gran, *n. n.* dust; dustparticle; mote.

støvle, *n.* boot; -blok, *n.* boot-tree; -knægt, *n.* boot-jack; -pudser, *n.* boot-black; -t, *n.* bootee.

støv|regn, *n.* drizzle; -suger, *n.* vacuum-cleaner; -tråd, *n.* filament; -tæt, *adj.* dust-proof.

stå, gå i ~, stop; come to a standstill; ~, *v. i.* stand; be (flasken står på hylden, the bottle is on the shelf); say (det står i avisen, it says in the paper); kom som du står og går, come just as you are; lade skægget ~, grow a beard; ~ af; get off, get down; alight; dismount; det er ikke til at ~ for, it is irresistible; vi må lade det ~ hen, we must leave it at that (for the moment); ~ på, insist on; (bus, *osv.*) get on, board; (vare) last; ~ sammen, stick together; ~ ved noget, stick to something, abide by (a promise).

ståhej, *n.* to-do; turmoil; disturbance; stir, uproar.

stål, *n. n.* steel; -orm, *n.* slowworm; -stik, *n. n.* steel engraving; -sætte, *v. t.* steel (*f.eks.* a copper plate); (*ogs. fig., f.eks.* one's nerves); -tråd, *n.* wire; -uld, *n.* steel wool.

ståplads, *n.* standing room.

s. u. [*abbr. of* svar udbedes], r.s.v.p. [*fk. af* répondez, s'il vous plait].

subjekt, *n.n.* subject; *fig.* a bad lot, a black sheep.

subskribere, *v. i.* ~ på, subscribe to.

substantiv, *n.n.* noun, substantive.

subtil, *adj.* subtle; -t, *adv.* subtly; -itet, *n.* subtlety.

succes, *n.* success; hit.

sufflere, *v. t. & i.* prompt.

sufflør, *n.* prompter; -kasse, *n.* prompter's box.

suge, *v. t. & i.* suck; absorb; ~ sig fast, stick to, cling to; -rod, *n.* root; -rør, *n. n.* drinking straw; -ventil, *n.* suction valve.

suggerere, *v. t.* hypnotize; mesmerize; use suggestion (on).

sugning, *n.* sucking, suction.

suite, *n.* (følge) retinue; (sammenhængende værelser) suite; (kort) sequence.

suk, *n. n.* sigh; groan; -at, *n.* candied peel; -ke, *v. i.* heave a sigh; sigh.

sukker, *n.n.* sugar; -roe, *n.* sugar-beet; -rør, *n. n.* sugar-cane; -skål, *n.* sugar-bowl; -syge, *n.* diabetes; -sygepatient, *n.* diabetic; -top, *n.* sugar-loaf; -varer, *pl. n.* confectionery.

sul, *n.n.* meat; flesh.

sulfat, *n. n.* sulphate.

sult, *n.* hunger; -e, *v. i.* starve; be starving; ~ ihjel, die of starvation; ~, *v. t.* starve; -ekur, *n.* fasting diet; -en, *adj.* hungry; famished; -estrejke, *n.* hunger-strike.

summe, *v. i.* buzz, hum; -rtone, *n. radio.* buzzer tone; -tone, *n. tel.* dial tone.

sump, *n.* swamp, fen, bog; marsh; -et, *adj.* swampy,

marshy; -feber, *n.* marsh fever.

sund, *n.n.* sound; strait(s); ~, *adj.* sound, healthy; hale; wholesome, salutary; en ~ sjæl i et -t legeme, a healthy mind in a healthy body; -e, *v. refl.* ~ sig, compose one's mind, recover one's balance; collect one's thoughts.

sundhed, *n.* health; -hedskommission, *n.* board of health; -hedspleje, *n.* hygiene; -hedsvedtægt, *n.* sanitary regulation.

suppe, *n.* soup, broth; (kraft)stock; -das, *n.* en køn ~, a pretty kettle of fish, a pretty pickle; -tallerken, *n.* soup plate; -terrin, *n.* tureen; -urter, *pl. n.* potherbs, *pl.*; -visk, *n.* [bunch of vegetables for flavouring soup].

supple|ant, *n.* substitute, deputy; -re, *v. t.* supplement, eke out; replace; -ringsvalg, *n. n.* by(e)-election.

supplikant, *n.* petitioner; applicant.

supremati, *n. n.* supremacy.

sur, *adj.* sour, acid; sharp; gøre -e miner, frown, look surly; gøre sig livet -t, embitter one's life; -brød, *n.n.* [bread made of bolted rye-meal]; -dej, *n.* leaven; -hed, *n.* sourness, acidity; surliness, crossness, sulkiness; -mule, *v. i.* sulk, mope; -øjet, *adj.* bleary-eyed.

surre, *v. i.* hum, buzz; ~, *v. t. naut.* lash, secure; -n, *n.* humming, buzz(ing).

surrogat, *n.n.* substitute.

sus, *n.n.* det store ~, *fig.* something sensational; leve i ~ og dus, lead a gay life, live in a whirl of pleasures; -e, *v. i.* whistle; bluster; whiz; hum; -en,

n. (for ørene) buzzing; whistling, singing; soughing (f.eks. wind in the trees).

sut, n. (narre-) comforter; (på pattaflaske) teat; (listesko) carpet slipper; (drukkenbolt) sot.

sutte, v. i. suck.

suveræn, adj. sovereign; supreme.

svaber, n. swab.

svag, adj. weak, feeble; faint, dim, slight; en ~ støj, a slight noise; et -t håb, a faint (el. forlorn) hope; hans -e side, his weak point; -elig, adj. weakly, infirm, delicate; -elighed, n. weakness, feebleness; -før, adj. semi-invalid, delicate; -synet, adj. weaksighted.

svaje, v. i. sway, swing.

svajrygget, adj. (om hest) sway-backed.

sval, adj. cool; -e, v. t. cool; tech. dovetail.

svale, n. swallow; -gang, n. (external) gallery; -hale, n. swallowtail; dovetail.

svalhed, n. coolness.

svamp, n. sponge; bot. fungus; mushroom; (paddehat) toadstool; (i hustømmer) dry rot; -ekundskab, n. mycology; -et, adj. spongy.

svane, n. swan; -unge, n. cygnet.

svang, n. arch (of the foot); gå i ~, be rife, prevail, be rampant.

svanger, adj. pregnant; -skab, n. n. pregnancy; -skabsafbrydelse, n. induced abortion; -skabsforebyggende, adj. contraceptive; -skabsprøve, n. pregnancy test.

svans, n. tail; -e, v. i. wag the tail; strut; hun -ede ud af værelset, she flounced out of the room.

svar, n. n. answer, reply,

response; -e, v. t. & i. answer, reply; (betale) pay; -konvolut, n. addressed envelope; -kupon, n. postal reply coupon.

sved, n. perspiration, sweat; -e, v. t. & i. perspire, sweat.

sveden, adj. scorched, singed; fig. sly, shrewd, knowing.

svejf|e, v. t. curve, sweep; -sav, n. sweep saw.

svejse, v. t. weld.

Svejts, n. n. Switzerland.

svejtser, n. Swiss; doorkeeper.

svelle, n. jernb. sleeper.

svend, n. journeyman, swain, lad; -ebrev, n. n. certificate of completion of apprenticeship; -estykke, n.n. [test piece upon completion of apprenticeship].

svensk, adj. Swedish; ~, n. (sproget) Swedish; -er, n. Swede; -nøgle, n. adjustable spanner.

sveske, n. prune; -blomme, n. damson.

svibel, n. bot. bulb.

svide, v. t. singe, scorch; burn.

svie, v. i. smart; sharp pain; smarting pain; erstatning for tort og ~, damages for pain and suffering.

svig, n. fraud, deceit; guile; -e, v. t. deceive, disappoint; defraud.

sviger|datter, n. daughter-in-law; -fader, n. father-in-law; -forældre, pl. n. parents-in-law; -inde, n. sister-in-law; -moder, n. mother-in-law; -søn, n. son-in-law.

svigte, v. t. & i. fail; forsake; abandon; desert; disappoint; (om motor) fail, break down; sl. conk out.

svikmølle, n. vicious circle.

svim|le, v. i. be dizzy, be giddy; -lende, adj. dizzy, giddy; -melhed, n. dizziness, giddiness; vertigo.

svin, *n. n.* hog, swine, pig.

svind, *n. n.* shrinkage; waste; loss, decrease, diminution; -e, *v. i.* vanish, fade away; dwindle, diminish, shrink.

svindel, *n.* swindle.

svindle, *v. t. & i.* swindle, cheat.

svine, *v. i.* mess about, muck about; ~ noget til, make something dirty; -blære, *n.* hog's bladder; -børster, *pl. n.* bristles, *pl.*; -held, *n.n.* great luck; windfall, fluke; -kotelet, *n.* pork chop; -kød, *n.n.* pork meat; -slagter, *n.* pork butcher.

sving, *n. n.* swing; flourish; turn, sweep; (vej) bend, turning; *auto.* crank-handle; *fig.* flight; -bom, *n.* derrick; -e, *v.t. & i.* swing; fluctuate, vacillate; oscillate; brandish; flourish; -ende, *adj.* ~ fuld, brimful; -hjul, *n. n.* fly-wheel.

svingle, *v. i.* reel, stagger.

svingom, *n.* dance.

svinsk, *adj.* dirty; slovenly.

svip, *n.* i en ~, in a trice; ~, *n.n.* smack, crack, flick; -pe, *v.t. & i.* (smutte) pop, nip; ~ med en stok, swish a stick (*el.* cane); -ser, *n.* failure, flop; -tur, *n.* trip, flying visit.

svir, *n.* revel, drinking bout, boozing party; -e, *v. i.* revel; *sl.* go on the spree, have a booze-up; -ebro-der, *n.* reveller; -egilde, *n. n.* drinking bout.

svirre, *v. i.* whir; buzz.

svoger, *n.* brother-in-law.

svovl, *n. n.* sulphur, brim-stone; -holdig, *adj.* sul-phurous, sulphuretted; -kis, *n.* pyrites; -sur, *adj.* sulphate; -syre, *n.* sul-phuric acid; -syrling, *n.* sulphurous acid.

svullen, *adj.* swollen, tumid.

svulme, *v. i.* swell.

svulst, *n.* swelling, tumour.

svække, *v. t.* weaken, en-feeble; impair; -lse, *n.* weakening; infirmity.

svælg, *n. n.* throat, gullet; abyss; -e, *v.t. & i.* swallow; gulp down; ~ i, revel in.

svær, *n.* (bacon) rind; (på flæskesteg) crackling.

svær, *adj.* heavy; big; bulky; difficult; hard; strong, substantial; grievous; ~ sø, heavy sea.

sværd, *n. n.* sword; -fæste, *n. n.* hilt; -lilje, *n. bot.* iris, flag; -side, *n.* male line; sword side.

sværge, *v.t. & i.* swear; vow; curse; ~ til, swear by (*f. eks.* she swears by Dr. X).

sværlemmet, *adj.* large-limbed.

sværm, *n.* swarm; -e, *v. i.* swarm; ~ for, daydream about, have a passion for; -er, *n.* fanatic, visionary; (fyrværkeri) serpent; (nat-sværmer) moth; -erisk, *adj.* romantic, visionary; hot-headed, fanatical.

svært, *se* svær.

sværte, *v. t.* black; blacken; (*ogs. fig., f.eks.* a person's character); ~, *n.* blacking.

sværvægt, *n.* heavyweight; -sbokser, *n.* heavyweight boxer.

svæve, *v. i.* hang; hover; sail; float; glide; skim.

svøb, *n. n.* swaddling-cloth; *bot.* involucre; -e, *v. t.* swaddle; wrap; ~, *n.* whip; scourge; -elsbarn, *n. n.* infant (in arms).

svømme, *v. i.* swim; -bas-sin, *n. n.* swimming-bath; -bukser, *pl. n.* swimming-trousers, *pl.*, bathing-pants, *pl.*, bathing-suit; -bælte, *n.n.* swimming- (*el.* cork-) belt; -fugl, *n.* web-footed bird; -hud, *n.* web; *mar. n.* få sig en ~, go for (*el.* have) a swim.

svømning, *n.* swimming; fri ~, free-style swimming.

sweater, *n.* sweater.

sy, *v. t. & i.* sew; make (*f. eks.* a dress); do needlework; embroider; be a dressmaker.

syd, *n.* south; ~ for, south of; ~, *adj.* southern, south.

syde, *v. i.* seethe, boil.

syd|efter, *adv.* southward; -landsk, *adj.* southern; exotic, Mediterranean.

syerske, *n.* needle-woman, seamstress.

syg, *adj.* ill; sick; indisposed; ~, *u. n.* en ~, an invalid, a patient, a sick person; -dom, *n.* illness, sickness, disease; complaint; disorder; malady; -domstegn, *n. n.* symptom; engelsk -e, *n.* rickets; -ebærer, *n.* stretcher-bearer; -ebåre, *n.* stretcher; -eforsikring, *n.* health insurance; -ehjælp, *n.* sick(ness) benefit; -ehus, *n. n.* hospital; -ekasse, *n.* sickness benefit association; health insurance society; være i -ekassen (i England) be on the panel; -ekasselæge, *n.* panel doctor; -eleje, *n. n.* sickbed; illness; bedside; -elig, *adj.* sickly; infirm; ailing; morbid; -eplejerske, *n.* nurse; -estol, *n.* invalid's chair; -estue, *n.* hospital ward.

sygne, *v. i.* ~ hen, waste away, pine away; wilt.

syl, *n.* awl; -espids, *adj.* sharply pointed; sharp.

sylte, *v. t.* preserve; conserve, pickle; *fig.* shelve; ~, *n.* brawn; -tøj, *n. n.* jam; -tøjskrukke, *n.* jam pot, jam jar.

sy|løn, *n.* dressmaker's charges; stof og ~, material and making; -maskine, *n.* sewing-machine.

symbol, *n. n.* symbol; -isere, *v. t.* symbolize; -sk, *adj.* symbolic.

symfoni, *n.* symphony.

sympati, *n.* sympathy; (NB. sympathy *er ofte brugt i betydning* medfølelse); få ~ for én, take a liking to somebody; -sere, *v. i.* sympathize; -sk, *adj.* congenial, sympathetic; pleasant; engaging; attractive; likeable; nice; -tilkendegivelse, *n.* demonstration (*el.* mark) of sympathy.

syn, *n. n.* sight, eyesight, vision; spectacle, outlook, view; survey; inspection; (genfærd) apparition; ude af -e, out of sight; komme til ~, appear; come into sight (*el.* view).

synd, *n.* sin: det er ~, it is a pity; -ernes forladelse, forgiveness (*el.* remission) of sins; -e, *v. t. & i.* sin, commit a sin; -ebod, *n.* penance; -ebuk, *n.* scapegoat; -er, *n.* sinner; et langt -eregister, a black record.

synderlig, *adj. & adv.* ikke ~, not particularly, not very much.

synd|ig, *adj.* sinful, wicked; -sforladelse, *n.* remission of sins; -flod, *n.* deluge, flood.

syn|e, *v. i.* look well, appear to advantage; -e, *v. t.* inspect, view; -es, *v. i.* think, find; seem, appear; som De ~, as you please; ~ om, like; det ~, apparently.

synge, *v. t. & i.* sing.

syning, *n.* evaluation, appraisement; survey; (det at sy) needlework, sewing; embroidery.

synke, *v. t.* swallow; ~, *v. i.* sink; subside; fall; -bevægelse, *n.* swallow; gøre en ~, swallow.

synlig, *adj.* visible; apparent; blive ~, come into view.

synonym, *n. n.* synonym; ~, *adj.* synonymous.

syns|bedrag, *n. n.* optical

illusion; -evne, *n.* vision, sight; visual power; -felt, *n. n.* field of vision; -forretning, *n.* survey; inspection: evaluation: -kreds, *n.* horizon; range of vision; -måde, *n.* view; -punkt, *n. n.* point of view.

syre, *n.* acid; *bot.* sorrel; sour dock; -holdig, *adj.* acidiferous.

syren, *n. bot.* lilac.

Syrien, *n. n.* Syria.

syrlig, *adj.* sourish; acid.

sysle, *v. i.* be busy, occupy oneself with

sysselsætte, *v. t.* busy, employ, occupy.

system, *n. n.* system.

sy|sting, *n. n.* stitch; -stue, *n.* dressmaker's workroom; -tråd, *n.* sewing thread, sewing cotton.

sytten, *adj. & n.* seventeen; -de, *adj. & n.* seventeenth.

sytøj, *n. n.* needlework.

syv, *adj. & n.* seven; -ende, *adj. & n.* seventh; i den ~ himmel, in raptures; -kantet, *adj.* heptagonal, seven-sided; -milestøvler, *pl. n.* seven-league boots, *pl.*; -sover, *n.* dormouse; lie-a-bed; S-stjernen, *n.* the Seven Stars, the Pleiades; -årskrigen, the Seven Years' War.

sæbe, *n.* soap; -boble, *n.* soap bubble; -kasse, *n.* soapbox; -kost, *n.* shaving brush; -lud, *n.* lye; -skum, *n. n.* lather; -spåner, *pl. n.* soap flakes; -vand, *n. n.* soapsuds, *pl.*

sæd, *n.*(frø)seed; (korn) grain; (afgrøde) crop; (sperma) sperm; ~, *n.* manners, *pl.*; morals, *pl.*; custom; usage; -e, *n. n.* seat; domicile; -ebad, *n. n.* hip bath; -ekorn, *n.* seed-corn; -elig, *adj.* moral; -elære, *n.* ethics, *pl.*; -emand, *n.* sower; -rensning, *n.* winnowing; -skifte, *n. n.* rotation of crops: -vane, *n.* custom, usage, habit, practice; -vanlig, *adj.* usual, customary, habitual; -vanligvis, *adv.* usually, generally.

sæk, *n.* bag, sack; -kelærred, *n. n.* sack-cloth, jute; -kepibe, *n.* bagpipe.

sæl, *n.* seal.

sælge, *v. t.* sell; ~ ud, sell off; -lig, *adj.* saleable; -r, *n.* seller; vendor; salesman.

sælsom, *adj.* strange, singular, odd.

sænk, *n. n.* sinker; bore et skib i ~, sink (*el.* scuttle) a ship; -e, *v. t.* sink; let down; lower; med -et blik, with downcast eyes; -ekasse, *n.* caisson.

sær, *adj.* singular, odd, bizarre, strange; funny, peculiar; peevish, difficult; -deles, *adv.* particularly, peculiarly; i -deleshed, in particular, more especially; -egen, *adj.* peculiar, special, particular, specific; -eje, *n.n. jur.* separate estate.

særk, *n.* shift.

sær|kende, *n. n.* characteristic; -lig, *adj.* separate, distinct; especial, particular; -ling, *n.* crank, eccentric person; -lov, *n.* Emergency Act; special law; -præge, *v. t.* characterize; -præget, *adj.* with a character (charm, *etc.*) of its (his, *etc.*) own; characteristic; -skilt, *adj.* separate, distinct; ~, *adv.* severally, individually; -syn, *n. n.* phenomenon; something very special, a rare thing; -tog, *n. n.* special train; -tryk, *n. n.* offprint.

sæson, *n.* season; -bestemt, *adj.* seasonal; -kort, *n. n.* season ticket.

sæt, *n. n.* (spring) bound;

jump; (ryk) start, (sammenhørende ting) set; (tøj) suit; (måde) manner, way.

sæter, n. mountain pasture; alpine meadow; -hytte, n. mountain cottage; (i Svejts) chalet.

sæt|ning, n. sentence, clause; placing, putting, setting; typ. composing; -ningsbygning, n. sentence structure; -ningslære, n. syntax; -te, v. t. set, place, put; compose, set up, put in type; fix; appoint; deposit; estimate; suppose; postulate; assume; stake; ~ af, discharge, put off (f.eks. somebody at a bus-stop); ~frem, lay out, display; ~ højt, rate highly; ~ i, invest in; ~ i at, begin, start; ~ igennem, carry through, accomplish; ~ ind, concentrate (f.eks. one's efforts); ~ ind i, inform of, acquaint with; ~ ondt mellem, make bad blood between; ~ mod, bet against, stake against; ~ op, put up, raise; ~ over, leap; cross, ferry; ~ kedlen over, put the kettle on; ~ sammen, put together; join; ~ til, lose, waste, squander; ~ sig, sit down; ~ sig fast, become stuck; ~ sig for, decide on, undertake; ~ sig i gæld, run into debt; ~ sig ud over, disregard, take no notice of; -temaskine, n. type-setting machine; -ter, n. compositor; -teri, n. n. composing room, case department.

sø, n. (indsø) lake; (hav) sea; (bølge) wave; (dønninger) swell; sø-, marine, naval, maritime; på -en, at sea; -alperne, the Maritime Alps; -assurandør, n. marine underwriter.

søbe, v. t. & i. eat with a spoon; ~ den kål man har spyttet i, eat humble pie.

søbund, n. bottom of a lake.

sød, adj. sweet; good; pretty; dear; charming; holde af -e sager, have a sweet tooth; -e, v. t. sweeten; -laden, adj. sweetish, cloying; mawkish; sugary; -me, n. sweetness; -mælk, n. whole milk, full-cream milk.

sø|dygtig, adj. seaworthy; -fare, n. perils of the sea; -farer, n. seaman, mariner; -fart, n. navigation; -folk, pl. n. n. seamen, mariners (begge pl.); -forsikring, n. marine insurance; -gang, n. heavy sea; swell.

søge, v. t. & i. seek, search for; look for; attend; consult; frequent; endeavour, try; sue; apply for; -n, n. search, quest; -lys, n. n. searchlight; i -lyset, fig. in the limelight.

søgnedag, n. weekday.

søg|ning, n. custom, patronage, goodwill; demand, request; seeking, search; -smål, n. n. action; proceedings, pl.; lawsuit.

søgt, adj. in demand; well-attended; much sought after, popular; far-fetched; unnatural; affected.

sø|gående, adj. sea-going; -handelsstad, n. seaport; -helt, n. naval hero.

søjle, n. pillar, column; -fod, n. pedestal; -gang, n. colonnade; -hal, n. peristyle; -hoved, n. n. capital.

sø|kadet, n. naval cadet, midshipman; -kaptajn, n. master, skipper, captain; -kort, n. n. chart; -kyndig, adj. experienced in seamanship.

søle, n. n. mire, slush, mud; ~, v. t. & i. ~ sig i, wallow in; -t, adj. muddy, dirty.

sølle, *adj.* poor, abject, feeble; paltry.

sølov, *n.* maritime law.

sølv, *n.n.* silver; -beslået, *adj.* silver-mounted; -bryllup, *n. n.* silver wedding; -glans, *n.* silvery lustre; -gran, *n.* silver fir; -grå, *adj.* silvery; -holdig, *adj.* argentiferous; -klar, *adj.* (*om* vand) silvery; -smed, *n.* silversmith; -tøj, *n. n.* silver; silver plate.

søm, *n. n.* nail; ~, *n.* seam; hem.

sø|magt, *n.* naval power; -maleri, *n. n.* seascape; -mand, *n.* sailor, seaman; -mandsudtryk, *n. n.* nautical term; -mil, *n.* sea mile; -mine, *n.* mine.

sømme, *v. t. & i.* hem; nail; ~ sig for, be becoming, be proper; befit; -lig, *adj.* becoming, seemly, decent, decorous.

sømærke, *n.n.* beacon; buoy, navigation mark.

søn, *n.* son.

søndag, *n.* Sunday; -shumør, *n. n.* high spirits, good mood; -støj, *n. n.* Sunday clothes, Sunday best.

søndenvind, *n.* south wind, southerly wind.

sønder, *adv.* ~ og sammen, to fragments, to bits; -bryde, *v. t.* break, crush; -flænge, *v. t.* tear, rend, lacerate; -hakke, *v. t.* cut to pieces, mince.

sønder|jyde, *n.* Slesviger; S-jylland, *n. n.* (North) Slesvig.

sønder|knuse, *v. t.* crush (to pieces); -knust, *adj. fig.* broken-hearted; -revet, *adj. fig.* distracted; -skyde, *v. t.* shatter; -slå, *v. t.* smash to pieces.

sønne|datter, *n.* granddaughter; -søn, *n.* grandson.

sø|rejse, *n.* voyage; -ret, *n.* maritime court; maritime law.

sørge, *v. i.* mourn; grieve; ~ for, take care of, provide for; provide, furnish; -digt, *n. n.* elegy, dirge; -dragt, *n.* mourning; -klædt, *adj.* dressed in mourning; -lig, *adj.* sad, mournful, doleful, distressing, sorrowful; -march, *n.* funeral march; -pil, *n. bot.* weeping willow; -spil *n. n.* tragedy.

sørgmodig, *adj.* melancholy, sad, sorrowful.

sørøver, *n.* pirate.

søskende, *pl. n.* brothers and sisters.

sø|slag, *n. n.* naval battle; -slange, *n.* sea serpent; -spejder, *n.* sea scout; -stad, *n.* seaport.

søster, *n.* sister.

sø|stjerne, *n.* starfish; -stykke, *n. n.* seascape; -stærk, *adj.* a good sailor; -syg, *adj.* seasick; -træfning, *n.* naval engagement; -ulk, *n.* old salt, jack-tar; -vant, *adj.* accustomed to the sea; -vej, *n.* sea-route.

søvn, *n.* sleep; falde i ~, fall asleep; i -e, asleep, in one's sleep; -drukken, *adj.* drowsy; -dyssende, *adj.* soporific; -gænger, *n.* somnambulist; -ig, *adj.* sleepy, drowsy; -løs, *adj.* sleepless.

søvæsen, *n. n.* maritime affairs, nautical matters.

så, *v.t. & i.* sow; ~, *adv. & conj.* so, so that; then; om ~ var, if such were the case; ~ at sige, so to speak, as it were; ja~?, indeed?; i ~ fald, in that case, if so; -dan, *adj.* such; ~, *adv.* like this; like that; ~ da, more or less; ~ går det, that's life; ~ set, up to a point, in a way; -fremt, *conj.* provided; -kaldt, *adj.* so-called.

sål, *n.* sole.

så|ledes, *adv.* so, thus, like

this, in this way; -mænd, adv. indeed, really, after all.

sår, n. n. wound, cut; gash; sore; ulcer; -bar, adj. vulnerable; være ~, fig. have a weak spot.

såre, v. t. & i. wound; hurt; injure; (krænke) offend; ~, adv. (meget) very, greatly.

sår|ende, adj. painful, cruel, harsh, mortifying.

sål|som, conj. such as, as for instance; whereas; -vel ... som, adv. as well ... as.

tab, n. n. loss; (ved dødsfald) bereavement; -e, v. t. lose; lide et ~, sustain (el. bear, el. suffer) a loss; ~ modet, lose heart; ~ sig, v. refl. deteriorate; fade, die away; wear off; lose weight; disappear; -sliste, n. mil. casualty list.

tabu, n. n. taboo.

taburet, n. stool.

taffel, n. n. (royal) banquet.

taft, n. n. taffeta.

tag, n. n. grasp, grip, hold, mar. stroke, pull; han har -et, he's got the knack.

tag, n. n. roof.

tage, v. t. take; (betaling) charge; (rumme) hold, contain; ~ med dampskib, go by steamer; ~ en maske op, pick up a stitch; (erobre) capture, take; stand (f.eks. I cannot stand the thought of another bout of 'flu); ~ med, accept (without complaint); ~ med til, bring along; accompany; ~ sig af, attend to, deal with, see to; ~ sig sammen, pull oneself together; ~ sig ud, look well, show up to good advantage; ~, v. i. ~ af; decrease, lessen, reduce; ~ bort, go away; ~ efter (ligne) be like, resemble;

~ fra (et sted) leave; ~ hen til, go to; ~ imod, receive, accept; meet; hold (el. give) a reception; ~ imod fornuft, listen to reason; ~ med, come with; take (f. eks. a bus, train, etc.); ~ på, handle, finger; (svække) tell on; ~ på, put on weight, gain (weight); ~ tilbage, go back, return.

tagfat, n. game of tig; leje ~, play (a game of) tig (el. tag).

tag|kammer, n. n. garret; -lægte, n. batten; -pap, n. n. roofing felt; -rende, n. gutter; -ryg, n. ridge; -rør, n. n. reed; -skæg, n. n. eaves pl.; -spån, n. shingle; -spær, n. n. rafter; -sten, n. tile; -strå, n. n. thatch; -vindue, n. n. skylight.

taifun, n. typhoon.

tak, n. (på tandhjul) tooth, cog; (spids) jag; (på gevir) prong, branch; -er, pl. antlers.

tak, n. thanks, pl.; reward; ja ~!, yes, thank you!, yes, please!; (do you want to come? jo ~! yes, please! nej ~! no, thank you!) -ke, v. t. & i. thank, give thanks; ~ af, resign; ikke noget at ~ for!, not at all!, don't mention it!; takket være, thanks to; -kefest; -sigelse, n. thanksgiving.

takkel, n. n. tackle; -age, n. rigging.

takket, adj. toothed, jagged, indented; bot. serrate.

takle, v. t. rig; (sport) tackle.

tak|nemmelig, adj. grateful, thankful; -nemmelighed, n. gratitude.

taksation, n. valuation, estimate, appraisement.

taksere, v. t. estimate, appraise, size up; take for (f.eks. I would take him for a Frenchman).

takskyldig, *adj.* be indebted to somebody.
takst, *n.* rate; fare; charge.
takstræ, *n. n. bot.* yew.
takt, *n.* time; *mus.* bar; tact, discretion; *mech.* stroke; -fast, *adj.* measured, rhythmical, steady.
taktik, *n.* tactics.
takt|løs, *adj.* indiscreet, tactless; -stok, *n.* baton.
tal, *n. n.* number; figure, cipher; holde ~ på, keep tally of.
talar, *n.* robe; gown.
tale, *v. t. & i.* speak, converse; discourse; talk; mens vi taler om penge, while on the subject of money; for ikke at ~ om, to say nothing of; ~, *n.* speech, address; talk, conversation; -film, *n.* sound film; -flom, *n.* verbiage, flow of words; -fod, *n.* komme på ~, get on speaking terms; -færdighed, *n.* fluency; -kunst, *n.* oratory; -måde, *n.* phrase.
talende, *adj.* talking, speaking; talkative; garrulous; eloquent; striking; significant.
talent, *n. n.* talent, aptitude; natural gift; -fuld, *adj.* talented, gifted.
taler, *n.* speaker; orator; -stol, *n.* platform.
talforhold, *n. n.* numerical proportion.
talg, *n.* tallow.
talje, *n.* waist; figure; *naut.* tackle, -blok, *n.* block; -reb, *n. n.* lanyard.
tallerken, *n.* plate; dyb ~, soup plate; flad ~, meat plate.
tal|løs, *adj.* countless; -on, *n.* counterfoil, stub; -ord, *n. n.* numeral; -rig, *adj.* numerous.
talsmand, *n.* spokesman, advocate.
talstærk, *adj.* numerous.
talt, *perf. part. (of* tale) spoken;

mildest ~, to put it mildly; ærlig ~, to be quite honest; frankly speaking.
tam, *adj.* tame; domesticated.
tamburmajor, *n.* drummajor.
tamp, *n.* rope's end; cat-o'-nine-tails; (person) big strapping fellow; lout; få ~, get flogged; det er dér -en brænder, *fig.* that is the crux of the matter.
tand, *n.* tooth; prong; cog; tidens ~, the ravages of time; holde ~ for tunge, keep one's own counsel; skære tænder, gnash one's teeth; -byld, *n.* gumboil; -et, *adj.* toothed; *bot.* dentate; -hjul, *n. n.* cogwheel; -kød, *n. n.* gum; -læge, *n.* dental surgeon; dentist; -pine, *n.* toothache; -stang, *n.* rack; -stikker, *n.* tooth-pick.
tang, *n.* tongs *pl.*; nippers, pliers, tweezers, pincers; forceps (*allesammen pl.*); *bot.* seaweed.
tange, *n.* isthmus; barrier reef.
tangent, *n.* tangent; key.
tanke, *n.* thought; idea; conception; intention; ~, *v. t.* fill up (with petrol, *etc.*) refuel; -forbindelse, *n.* association of ideas; -fuld, *adj.* thoughtful, pensive; -gang, *n.* reasoning; train of thought; -overføring, *n.* telepathy; -streg, *n. n.* dash; -tom, *adj.* vacant, blank; -vækkende, *adj.* thought-provoking.
tankskib, *n. n.* tanker.
tant, *n. n. arch.* vanity, futility.
tante, *n.* aunt.
tantieme, *n.* bonus, commission on profits.
tap, *n.* tenon; tap, spigot, faucet; journal, pivot.

tapet, *n. n.* wallpaper; (væ-
vet) tapestry; bringe på
-et, bring up, bring for-
ward; -sere, *v. t.* paper;
-serer, *n.* paper-hanger;
(saddelmager og ~) up-
holsterer.

tap|hul, *n. n.* mortise; (*i
tønde*) bung-hole; -leje,
n. n. bearing; -pe, *v. t.*
draw off, tap.

tappenstreg, *n.* tattoo.

tapper, *adj.* brave, valiant,
valorous, gallant; holde
sig ~, stick to one's guns.

tara, *n.* tare.

tarm, *n.* intestine, gut; -ka-
nal, *n.* intestinal tube; -ka-
tarrh, *n. med.* enteritis;
-slyng, *n.* volvolus.

tarv, *n. n.* benefit; interests;
-elig, *adj.* frugal; scanty;
plain, homely, modest;
cheap; *fig.* scurvy, shabby;
vulgar.

taske, *n.* bag; handbag; case;
portfolio; satchel, wallet;
(tøs) minx, hussy; -nspil-
ler, *n.* conjuror.

taste, *n.* key.

tater, *n.* gipsy.

tatovere, *v. t.* tattoo.

tavl, *n. n.* square; panel;
slab, flag; -e, *n.* table;
board; slate; blackboard;
tablet; -et, *adj.* chequered.

tavs, *adj.* silent; taciturn;
reticent; discreet; -hed, *n.*
silence, secrecy; -heds-
pligt, *n.* professional se-
crecy.

te, *n.* tea; drikke ~, have (*el.*
take) tea.

te, *v. t.* ~ sig, behave.

teater, *n. n.* theatre, stage;
playhouse; stage; -anmel-
delse, *n.* (theatrical) re-
view; -hvisken, *n.* stage
whisper; -kasse, *n.* box-
office; -plakat, *n.* playbill;
-rekvisitter, *pl. n.* theatri-
cal properties, *pl.*

tegl, *n.* tile; brick; -ovn, *n.*
brick kiln; -sten, *n.* tile;

brick; -værk, *n. n.* tile-
works.

tegn, *n. n.* sign, mark, indi-
cation, token; symptom;
omen; badge; signal;
ticket, check; -e, *v. t. & i.*
draw, design, delineate,
sketch; promise; (kapital)
subscribe; (abonnement)
subscribe to; -ebog, *n.*
pocket-book, wallet; -e-
film, *n.* cartoon; -ekul,
n. n. charcoal crayon; -er,
n. draughtsman, designer;
-serie, *n.* (strip) cartoon;
-ing, *n.* drawing, sketch,
diagram; subscription; -e-
stift, *n.* drawing-pin;
thumb tack; -estub, *n.*
stump; -sætning, *n.* punc-
tuation.

teint, *n.* complexion.

tekst, *n.* text; *mus.* words;
læse én a -en, tell somebody
off, give somebody a
talking to.

telefon|central, *n.* telephone
exchange; -dame, *n.* oper-
ator; -kiosk, *n.* call-box;
-skive, *n.* dial.

telegram, *n. n.* telegram,
wire, cable, message,
radiogram.

telt, *n. n.* tent; rejse et ~,
pitch a tent.

tema, *n. n.* theme, subject.

temmelig, *adv.* rather, fairly,
pretty; tolerably.

tempel, *n. n.* temple.

tempo, *n. n. mus.* time,
movement, tempo, mo-
tion; pace, rate.

tendens, *n.* tendency, trend,
bias, drift.

termin, *n.* term; settling-
day; day fixed for pay-
ment; deadline.

terne, *n.* tern, sea swallow.

ternet, *adj.* chequered.

terning, *n.* die (*pl.* dice);
cube; falsk ~, loaded die;
-bæger, *n. n.* dice-box.

terpe, *v. t. & i.* cram (*el.* din)
something into some-

body's head; *sl.* swot, mug up.

terpentin, *n.* turpentine.

terrin, *n.* tureen.

territorium, *n. n.* territory.

terræn, *n. n.* ground; country; terrain.

terts, *n.* tierce; third.

tesalon, *n.* tea-room, café.

teske, *n.* teaspoon.

testamente, *n. n.* will, testament; **-re,** *v. t.* leave, bequeath.

tetid, *n.* tea-time.

Themsen, *n.* the Thames.

thi, *conj.* for.

ti, *adj. & n.* ten.

tid, *n.* time; *gram.* tense; en ~ lang, for a time; fordrive -en, kill time; når -en kommer, when the time comes.

tidende, *n.* tidings, news.

tid|evande, *n. n.* tide; **-lig,** *adj. & adv.* early; in good time; for ~, too early, premature; ~ moden, precocious; forward; **-løs,** *n. bot.* meadow saffron; **~,** *adj.* timeless.

tids, *adv.* ~ nok, early enough, in good time; **-alder,** *n.* age; **-begrænsning,** *n.* time limit.

tidsel, *n. bot.* thistle; **-fnug,** *n. n.* thistledown.

tids|fordriv, *n. n.* pastime; **-grænse,** *n.* time limit; **-orden,** *n.* chronological order; **-punkt,** *n. n.* date; moment; occasion; **-skrift,** *n. n.* periodical; **-spørgsmål,** *n. n.* question of time.

tie, *v. i.* be silent, keep silence.

tiende, *n.* tithe; **~,** *adj. & n.* tenth.

tier, *n.* ten-kroner note; (sporvogn) No. 10 tram.

tiere, *adj.* more frequently, more often; ikke ~, no more.

tigge, *v. t. & i.* beg; **-r,** *n.* beggar; **-rmunk,** *n.* mendicant friar.

til, *prep.* to, towards; till; for; on; of; at; by; as; with; spise ~ middag, dine; gå ~ spilde, go to waste; af og ~, now and then; én ~, one more.

tilbage, *adv.* back, backward(s); left; **-betale,** *v. t.* repay; **-blik,** *n. n.* retrospect; **-erobre,** *v. t.* recapture, retake; **-fald,** *n. n.* relapse; **-gang,** *n.* decline, retrogression; **-give,** *v. t.* return, restore, give back; **-holde,** *v. t.* retain, keep back; **-holden,** *adj.* reserved; **-kalde,** *v. t.* recall; repeal; revoke; **-komst,** *n.* return; **-køb,** *n. n.* repurchase; **-levere,** *v. t.* return, restore; **-lægge,** *v. t.* cover; travel; **-lænet,** *adj.* recumbent; **-rejse,** *n.* return journey; **-slag,** *n. n.* repulse; rebound; kick-back; back-fire; blow-back; back-wash; **-slå,** *v. t.* repel; **-stående,** *adj.* remaining, unpaid; **-stød,** *n. n.* repulsion; (våben) recoil, kick; *mech.* back-stroke; **-tog** *n. n.* retreat; **-vej** *n.* way back, return; **-vendende,** *adj.* recurrent; **-virkende,** *adj.* reacting, reflexive, retroactive; **-værende,** *adj.* remaining.

til|bede, *v. t.* adore, worship; **-behør,** *n. n.* accessories; appliances; spare parts; spares; fixtures & fittings; paraphernalia; (*allesammen pl.*); **-berede,** *v. t.* prepare; cook; **-bringe tiden,** spend time; **-bud,** *n. n.* offer; **-byde,** *v. t.* offer; proffer; tender; **-bygning,** *n.* annex; wing; lean-to; addition; extension; **-bytte,** *v. t.* ~ sig, obtain by way of exchange; **-bøjelig til,** inclined, disposed, prone, apt, given (*allesammen* to); **-børlig,** *adj.* due, proper, suitable; **-danne,** *v. t.*

16

fashion, form; -dele, *v. t.* allot, assign (to), confer (upon);apportion;-deling, *n.* allotment; -dels, *adv.* partly, in part; -dragelse, *n.* occurrence, event, incident; -dække, *v. t.* cover (up); -egne, *v. t.* appropriate; dedicate.

til|falde, *v. t.* fall, accrue to, devolve on; -fals, *adv.* for sale; -flugt, *n.* refuge; tage sin ~ til, have recourse to; -flugtssted, *n. n.* refuge, asylum; -fods, *adv.* on foot, afoot; -forladelig, *adj.* reliable; dependable; -forn, *adv.* formerly, heretofore; -freds, *adj.* content, satisfied, pleased; -fredsstillende, *adj.* satisfactory; gratifying; -frossen, *adj.* frozen over, icebound; -fulde, *adv.* fully, completely; -fælde, *n. n.* case, instance; accident, occurrence; chance; (anfald) fit, attack; -fælles, *adv.* in common; -føje, *v.t.* add, affix, append; inflict upon; -føjelse, *n.* addition, supplement; addendum; note; -førsel, *n.* supply.

til|gang, *n.* increase, augmentation; accession; influx; -gift, *n.* makeweight, surplus; i ~, into the bargain, thrown in; -give, *v.t.* forgive, pardon; -givelig, *adj.* pardonable; -gode, *adv.* due, owing; gøre sig ~ med, regale oneself with; -godehavende, *n. n.* due, claim, outstanding debt; -grise, *v. t.* dirty, soil; -groet, *adj.* overrun, overgrown; -grundliggende, *adj.* basic; -grænsende, *adj.* adjacent, adjoining; -gængelig, *adj.* accessible, available.

til|hold, *n. n.* injunction; -holdssted, *n. n.* haunt, place of resort; -hylle, *v.t.*

veil, wrap up; muffle up; -hæng, *n. n.* appendix, supplement; -hænger, *n.* adherent;partisan; follower; supporter; -høre, *v. t.* belong to; -hører, *n.* listener; -intetgøre, *v. t.* destroy, annihilate, demolish; defeat, frustrate; -kalde, *v. t.* summon, send for; -kende, *v. t.* adjudge; award; -kendegive, *v. t.* notify, declare; show; evince; -knappe, *v. t.* button up; -knappet, *adj. fig.* reserved, stand-offish; -knytning, *n.* connexion (*el.* connection) -knytte, *v.t.* attach; -kommende, *adj.* coming, future; due; -køre, *v.t.* (hest) break in; (bil) run in.

til|lade, *v. t.* permit, allow; -ladelse, *n.* permission, permit; -lave, *v. t.* prepare, make, dress; cook; -lempe, *v. t.* adapt, accomodate, modify; -lid, *n.* confidence, trust; reliance; -lidsfuld, *adj.* confident, confiding; -ligemed, *adv.* together with, along with; -lokkende, *adj.* enticing, alluring, tempting; -lukke, *v. t.* close, shut up; -læg, *n. n.* addition; supplement; addendum; appendix; increase; (tillæg til lønnen) raise; (skrædders) trimmings; -løb, *n. n.* preliminary run; afflux; concourse; start; *fig.* attempt, effort; -løbende, *adj.* ~ hund, stray dog.

til|med, *adv.* moreover, besides; even; -meldelse, *n.* notification, notice; enrolment; -navn, *n. n.* surname; nickname; -nærmelse, *n.* approach, approximation; *fig.* advances; -overs, *adv. & adj.* left, to spare; left over; superfluous; -pas, *adv.* &

adj. suitable, opportune, just at the right moment; kom -pas, came in very well (*el.* handy); er det ~ ?, will that do?; -passe, *v. t.* fit, suit, adapt, adjust; -proppe, *v. t.* cork.

til|rane, *v. refl.* ~ sig, usurp; -rede, *v. t.* ~ slemt, maltreat, ill-use, manhandle; ilde -redt, *adj.* badly damaged; roughly handled; -regnelig, *adj.* sane, of a sound mind, accountable for one's actions; -rettelægge, *v. t.* arrange, prepare; organize; adjust; -rettevise, *v. t.* reprimand, rebuke; snub; -ride, *v. t.* break in; -råde, *v. t.* advise, recommend, counsel.

til|sagn, *n. n.* promise; -sammen, *adv.* together; in all; between them (you, us, *etc.*); -side sætte, *v. t.* neglect, slight; set aside, disregard; -sidst, *se* sidst; -sige, *v. t.* pledge, promise; summon; -sigte, *v. t.* aim at, intend, mean; -skud, *n. n.* contribution; grant, subsidy; -skuer, *n,* spectator, onlooker; -skuerplads, *n.* stand; *theat.* house, auditorium; -skyndelse, *n.* inducement, incentive; prompting, impulse, incitement; -skære, *v. t.* cut out; saw up; -skøde, *v. t.* convey to; -slutning, *n.* support, favour; sympathy; (møde) attendance; following; *elect.* connexion (*el* connection); -sløre, *v. t.* veil; -smudse, *v. t.* dirty, soil; -snit, *n. n.* cut, form; -spidse, *v. t.* point, taper; *fig.* bring to a head; -stand, *n.* condition; state; -stede, *v. t.* allow, grant; permit; ~, *adv.* present, at hand; -stedeværelse, *n.* presence; -stille, *v. t.* remit; -stoppe, *v. t.* choke, fill up, ob-

struct; -strækkelig, *adj.* sufficient, adequate; -strømning, *n.* influx; concourse; -stødende, *adj.* adjacent; neighbouring; adjoining; unforeseen; -stå, *v. t.* confess; admit, own; grant; allow; -ståelse, *n.* confession; concession; -svarende, *adj.* corresponding; proportionate; proportional; analogous; equivalent; -syn, *n. n.* supervision; care; superintendence; attention; -syneladende, *adj.* apparent; seeming; -sætning, *n.* addition, admixture; (tab) loss.

til|tage, *v. i.* increase; grow; -tale, *v. t.* (henvende sig til) address; accost; (behage) please, attract; *jur.* prosecute; -tro, *n.* confidence, trust, faith; credit: ~, *v. t.* credit (with); think; believe; -træde, *v. t.* enter upon; join; agree with; endorse; -trække, *v. t.* attract, raise; -trækkende, *adj.* attractive; -trækning, *n.* attraction; charm; -tænke, *v. t.* intend (for); -vant, *adj.* habitual, customary, usual; -vejebringe, *v. t.* procure; provide; raise; bring about; -vende, *v. t.* ~ sig, purloin, embezzle, appropriate; -virke, *v. t.* manufacture; -vækst, *n.* growth, increment, increase; -værelse, *n.* existence, life; fortsat ~, survival.

time, *n.* hour; lesson; period; den yderste ~, the eleventh hour; om en ~, in an hour; for en ~ siden, an hour ago; -betaling, *n.* payment by the hour; -glas, *n. n.* hour glass; -lang, *adj.* by the hour, for hours; -lig, *adj.* temporal; -løn, *n.* payment by the hour; -s, *v. t.*

happen; *poet.* befall; -vis, *adv.* by the hour, for hours.

timian, *n.* thyme.

tin, *n. n.* tin; pewter.

tinde, *n.* peak, summit, pinnacle; (mur) battlement.

tinding, *n. anat.* temple.

tindre, *v. i.* sparkle.

ting, *n.* thing; matter; passe sine ~, mind one's business; ~, *n. n.* court; assize; (i parlament) House.

tinge, *v. i.* bargain; haggle.

tingest, *n.* thing, doodah, contraption, thingummyjig; gadget, gimmick.

ting|lyse, *v. t. jur.* register, record; -bog, *n.* register of mortgages.

tinsoldat, *n.* tin (*el.* lead) soldier.

tinte, *n. zool.* bladder-worm.

tip, *n.* end, tip.

tipning, *n.* tipping; playing the pools; (vipning) tilting.

tipolde|barn, *n. n.* great-great-grandchild; -fader, *n.* great-great-grandfather.

tippe, *v. t.* tip.

tirre, *v. t.* tease; irritate, provoke.

tirsdag, *n.* Tuesday; i -s, last Tuesday.

tisse, *v. i.* wee-wee, piddle, pee.

tit, *adv.* often, frequently.

titel, *n.* title; -billede, *n. n.* frontispiece; -kamp, *n.* championship, title match; -side, *n.* title page.

titte, *v. i.* peep.

tjat, *n. n.* tat, rap.

tjavs, *n.* wisp.

tjene, *v. t. & i.* serve; earn; ~ penge, make money; -r, *n.* waiter; man-servant, footman; -ste, *n.* service; duty; place; -stemand, *n.* functionary, civil servant; -stepige, *n.* maidservant, domestic; *sl.* slavey.

tjenlig, *adj.* serviceable, useful.

tjenst|gørende, *adj.* on duty;

-villig, *adj.* obliging, willing.

tjære, *n.* tar; -pap, *n.* tarboard, tarred roofing felt.

tjørn, *n.* thorn, hawthorn.

to, *n. n.* & *n.* two; begge ~, both; ~ gange, twice; -ben, *n.* biped.

tobak, *n.* tobacco; -shandler, *n.* tobacconist.

tofte, *n. naut.* thwart.

tog, *n. n.* train; expedition; procession; campaign.

togt, *n. n.* cruise; expedition.

toilet, *n. n.* lavatory, toilet, w c; public convenience.

told, *n.* (customs) duty, toll; -behandle, *v. t.* clear; -betjent, *n.* custom-house officer; -klarering, *n.* customs clearance; -pligtig, *adj.* liable to duty.

tolk, *n.* interpreter; -e, *v. t.* explain, expound; interpret.

tollekniv, *n.* sheath-knife, bowie-knife.

tolv, *adj.* & *n.* twelve; -te, *adj.* & *n.* twelfth; -tedel, *n.* twelfth.

tom, *adj.* empty, void; blank; idle; inane.

tomat, *n.* tomato.

tom|gang, *n.* idling, idle running; -hed, *n.* emptiness, blankness; bareness.

tomme, *n.* inch; -stok, *n.* foot rule.

tommel|finger, *n.* thumb; -fingret, *adj.* butter-fingered.

tomt, *n.* site, plot, lot.

tone, *n.* sound, tone; ~, *v. t.* & *i.* sound; tone; ~ ud, *film.* fade out; ~ frem, loom up, appear; ~ flag, fly the colours; -fald, *n. n.* accent, emphasis; -film, *n.* sound-film; -højde, *n.* pitch.

tonløs, *adj.* toneless; husky.

top, *n.* top, summit; tuft; crest; *naut.* masthead; *bot.* panicle; -figur, *n.* figure head; -mave, *n.* pot-belly;

-målt, *adj.* heaped; *fig.*
thorough; arch-; -punkt,
n. n. pinnacle, *fig.* climax,
acme; -sukker, *n. n.* loaf-
sugar; -ydelse, *n.* top
performance.

torden, *n.* thunder; -kile, *n.*
thunderbolt; -skrald, *n. n.*
clap (*el.* peal) of thunder;
-vejr, *n. n.* thunderstorm.

torn, *n.* thorn, spine, prickle;
spike; -blad, *n.n. bot.* furze,
gorse; -erose, *n.* Sleeping
Beauty; -skade, *n.* shrike.

tornyster, *n. n.* knapsack.

torpedojager, *n.* destroyer.

torsdag, *n.* Thursday; i -s,
last Thursday.

torsk, *n.* cod, codfish; *sl.* fool;
-elevertran, *n.* (*el. n. n.*)
cod liver oil.

tort, *n.* injury, wrong, hu-
miliation, disgrace.

tortur, *n.* torture.

torv, *n. n.* market, market-
place.

tosse, *n.* fool, mug, booby,
blockhead; -ri, *n. n.*
tomfoolery; -t, *adj.* foolish,
silly, stupid, idiotic.

tot, *n.* tuft; wisp; ryge i
-erne hinanden, quarrel,
scrap, fly at one another.

totaktsmotor, *n.* two-stroke
engine.

total, *n. n.* (figure) two; ~, *adj.*
total; complete; utter; ~-,
adj. total; aggregate.

totalafholdsmand, *n.* tee-
totaller.

touche, *n. mus.* flourish.

tov, *n. n.* rope; -trækning,
n. tug-of-war; -værk, *n. n.*
cordage; ropes, *pl.*

trafik, *n.* traffic; -eret, *adj.*
busy, crowded, heavily
trafficated.

tragedie, *n.* tragedy.

tragiker, *n.* tragedian.

tragisk, *adj.* tragic.

tragt, *n.* funnel.

tragte, *v. t.* strain; pour
through a funnel; ~ efter,
v. i. aspire to; covet.

traktat, *n.* treaty; tract.

traktement, *n. n.* entertain-
ment; treat.

traktere, *v. t. & i.* entertain;
treat to; *v. t.* stand.

tralle, *v. t. & i.* sing, hum.

trampe, *v. t. & i.* trample,
tramp.

tran, *n.* (*el. n. n.*) train oil,
fish oil; cod liver oil.

tranchere, *v. t.* carve.

trane, *n. zool.* crane; -bær,
n. n. bot. cranberry.

trang, *n.* want, need; ~, *adj.*
narrow; hard, difficult.

transpirere, *v. i.* perspire.

transport, *n.* transport, con-
veyance; *jur.* transfer,
commerc. (amount) carried
(*el.* brought) forward.

trappe, *n.* staircase, stairs;
steps; -gelænder, *n.n.* ban-
isters, handrail; -løb, *n.*
flight of steps; -rum, *n. n.*
stairway; cupboard under
the stairs; -trin, *n. n.* step.

traske, *v. i.* trudge, plod.

trasslat, *n. commerc.* drawee;
-ent, *n.* drawer; -ere, *v. t.*
draw on.

tratte, *n.* draft.

trav, *n. n.* trot; i ~, at a trot;
-er, *n.* trotter; *fig.* gammel
~, hackneyed cliché; stale
joke.

travl, *adj.* busy; -hed, *n.*
bustle, press, rush.

tre, *adj. & n.* three; -dive,
adj. & n. thirty; -divte,
adj. thirtieth; -die, -dje,
adj. third; -dobbelt, *adj.*
triple; -enighed, *n.* Trinity;
-faset, *adj.* three-phase;
-fliget, *adj.* trilobate; -fod,
n. tripod; -fork, *n.* three-
pronged pitchfork; tri-
dent; -kant, *n.* triangle;
-kløver, *n.* clover-leaf;
shamrock; trefoil; *fig.*
trio; -kvart, *n.* three-
quarter(s).

tremme, *n.* crossbar; rung,
bar.

trels, *adj. & n.* sixty; -sindsty-
vende, *adj.* sixtieth; -slået,
adj. three-stranded.

tresse, *n.* braid, galloon.
tretten, *adj. & n.* thirteen.
treven, *adj.* slow; loth, sullen; *commerc.* dull, flat.
tribune, *n.* grand stand; platform, stage; band-stand.
trikot, *n.* tights, *pl.*; jersey; lock-knit, rayon jersey; -age, *n.* hosiery, knitwear; knitted goods, *pl.*
trille, *n. mus.* trill, warble, quaver; ~, *v. t. & i.* roll, trundle; wheel; trickle; trill, warble, quaver; -bånd, *n. n.* hoop; -bør, *n.* wheelbarrow.
trilling, *n.* triplet.
trimle, *v. i.* ~ om, roll over.
trin, *n. n.* step; tread; rung; *fig.* stage; *mus.* degree.
trind, *adj.* round, plump.
trip, *n. n.* trip; short step; (tur) trip; ~, *int.* ~, trap, træsko, noughts and crosses, *pl.*; (om højde) descending (*el.* ascending) order of height.
trippe, *v. i.* trip, mince; toddle.
trisse, *n.* pulley; ~ af, *v. i.* toddle, trot, pad, shuffle; toddle off.
trist, *adj.* sad, dreary, depressing, cheerless.
trit, *n. n.* step; holde ~, keep time; *fig.* keep pace with.
triumf|ere, *v. i.* triumph, exult; -tog, *n. n.* triumphal procession.
trive|lig, *adj.* plump, well-fed; -s, *v. i.* thrive, get on, do well.
trivialitet, *n.* tediousness; triteness; truism, platitude.
triviel, *adj.* trite, commonplace, hackneyed.
tro, *adj.* true; faithful; trusty; loyal; ~, *v. t. & i.* believe; think; imagine; credit; ~, *n.* faith, belief, creed.
trods, *n.* defiance, obstinacy; ~, *prep.* ~ alt, in spite of everything; han håbede

~ alt, he hoped against hope; -e, *v. t. i.* defy; brave; baffle; -ig, *adj.* defiant, refractory, obstinate.
trofast, *adj.* faithful, trusty, loyal.
trofæ, *n. n.* trophy.
tro|ende, *adj.* believing; en ~, a believer; -hjertig, *adj.* open-hearted; -lig, *adj.* credible, probable; *adv.* steadily, faithfully.
trold, *n.* ogre; gnome, troll; -dom, *n.* witchcraft, magic, sorcery; -mand, *n.* sorcerer, wizard.
troløs, *adj.* faithless, perfidious.
tromle, *n.* roller; drum.
tromme, *v. t.* drum; ~, *n.* drum; -hinde, *n. anat.* ear drum; -hvirvel, *n.* roll; -stik, *n.* drumstick.
trompet, *n.* trumpet; -stød, *n. n.* flourish, blast.
tron|e, *n.* throne; -frasigelse, *n.* abdication; -følger, *n.* successor to the throne; -himmel, *n.* canopy; -tale, *n.* speech from the throne.
trop, *n.* squad; troop; følge ~, follow suit.
trope-, *adj.* tropical; -hjelm, *n.* sun-helmet, topee; -klima, *n. n.* tropical climate.
troperne, *pl. n.* the tropics, *pl.*
troppe, *v. i.* ~ op, gather, collect, assemble; turn out; turn up; -afdeling, *n.* detachment, force; -bevægelse, *n.* troop movement; -tog, *n. n.* troop train.
tropsfører, *n.* scoutmaster.
tros, *n. n. mil.* baggage train.
tro|bekendelse, *n.* profession of faith; confession; creed; -skab, *n.* fidelity; faithfulness; loyalty; -skyldig, *adj.* simple-minded, confiding; unsuspecting; -sretning, *n.* religious persuasion.

trosse, n. hawser; rope; warp.

troværdig, adj. credible, veracious, truthful; reliable, trustworthy.

true, v. t. & i. threaten, intimidate, menace.

trug, n. n. trough.

trumf, n. trump; -e, v. t. & i. trump; ~ over kors, cross ruff.

trup, n. troupe, company.

trussel, n. threat, menace; -sbrev, n. n. threatening letter.

trusser, pl. n. panties, briefs, knickers (allesammen pl.).

trut, n. n. toot; honk.

trutmund, n. pout; lave ~, pout.

trutte, v. t. & i. toot, honk.

tryg, adj. secure, safe; confident; sound, easy; -hed, n. security, peace of mind; confidence.

trygle, v. t. beg, entreat, supplicate.

tryk, n. n. pressure, strain; compression, thrust; stress; typ. print; -fejl, n. misprint, printer's error.

trykke, v. t. & i. press, squeeze; force, thrust; pinch; print; ~ på en fjeder, touch a spring; ansvaret -r ham, the responsibility weighs on him; maden -r ham, his food lies heavily on his stomach; hans kundskaber -r ham ikke, his knowledge is not too strong; ~sig, v. refl. hesitate, jib, hang back; cuddle up to somebody; ~ sig ved at gøre sin pligt, shrink from, shirk (el. fight shy of) one's duty; -frihed, n. liberty (el. freedom) of the press; -nde, adj. oppressive, close, sultry; burdensome, onerous; -ri, n. n. printing works.

tryk|klar, adj. ready for press; -knap, n. press-button, press-stud; push-button; -luft, n. compressed air; -luftbor, n. n. pneumatic drill; -luft-pumpe, n. air compressor; -ning, n. printing; -sag, n. printed matter; -sværte, n. printer's ink.

trylle, v. t. & i. conjure; -drik, n. potion; -fløjte, n. magic flute; -ri, n. n. enchantment, charm, magic; -slag, n. n. ved et ~, by magic; -stav, n. magic wand.

tryne, n. snout.

træ, n. n. bot. tree; (ved) wood; (tømmer) timber; af ~, wooden.

træde, v. t. & i. tread; step; ~, v. t. (nål) thread; ~ nærmere, approach, draw near; ~ tilbage, step back, stand down, resign; ~ under fødder, trample on; -bræt, n. n. treadle; -mølle, n. treadmill; livets ~, the daily grind.

træet, adj. woody, ligneous; stringy.

træf, n. n. chance; coincidence; hit; -fe, v. t. hit; meet, come across; hit off; ~ én hjemme, find one at home; -r jeg hr. X? may I speak to Mr. X?; -ning, n. battle, action, engagement, encounter; -sikkerhed, n. markmanship.

træg, adj. sluggish, slow.

træ|gruppe, n. clump of trees; -gulv, n. n. wooden floor; -hammer, n. mallet.

træk, n. n. (ryk) pull, traction; (karakter-, osv.) trait, feature; fig. move; (fugl) passage, flight, migration; (kort) trick; ~, n. (luft) draught; -dyr, n. n. draught animal; -harmonika, n. accordion; -ke, v. t. & i. draw, pull, drag; move; pass; stretch; (om prostitueret) walk the streets, solicit; (opsuge)

absorb; det -r op til regn,
it looks like rain; ~ sig
sammen, contract; shrink;
~ sig tilbage, retire, re-
treat, resign; -kes, *v. i.*
(have at) ~ med, be
saddled with, be en-
cumbered with; -ning,
n. twitch, spasm, con-
vulsion; -papir, *n. n.*
blotting-paper; -plaster.
n. n. blister; *fig.* attraction;
-vogn, *n.* hand-cart.
træ|kul, *n. n.* charcoal; -kro-
ne, *n.* tree-top.
træl, *n.* thrall, serf, bonds-
man.
træ|last, *n.* timber; -lasthand-
ler, *n.* timber merchant;
-masse, *n.* wood pulp.
træl|binde, *v. t.* enthrall; -le,
v. i. slave, drudge, toil.
træn, *n. n.* baggage; *mil.*
transport, army service
corps.
trænagle, *n.* peg, wooden
pin.'
træne, *v. i.* train, practise;
v. t. train, coach.
trænge, *v. t. & i.* press, force;
drive; push; crowd; ~
igennem, penetrate;
pierce; prevail; ~ til, want,
need; -nde, *adj.* indigent,
needy; destitute.
trængsel, *n.* crowd, crush;
press; distress.
træsk, *adj.* wily, crafty.
træsko, *n.* wooden shoe;
clog; patten.
træt, *adj.* tired, fatigued,
weary.
træ|tallerken, *n.* platter.
træthed, *n.* tiredness, fatigue,
weariness.
trætte, *n.* quarrel, dispute;
~, *v. t.* tire, fatigue, weary.
trætøffel, *n.* patten.
trævl, *n.* fibre, thread; rag,
shred; uden en ~ på krop-
pen, without a stitch on,
stark naked; ~ e op, *v. t. & i.*
unravel; ~ ud, *v.t.&i.* fray,
become frayed.
~-l. *n.* truffle.

trøje, *n.* jacket, jerkin.
trøske, *n.* touchwood; dry
rot.
trøst, *n.* comfort, conso-
lation; -e, *v. t.* console,
comfort; -esløs, *adj.* de-
solate, inconsolable; -ig,
adj. cheerful.
tråd, *n.* thread; cotton;
wire; filament; *fig.* clue;
~, *n. n.* treadle; -formet,
adj. filiform; -handler, *n.*
haberdasher; -løs, *adj.*
wireless; -rulle, *n.* reel;
coil; spool; -søm, *n. n.*
wire nail.
tud, *n.* spout; lip; nozzle.
tude, *v. i.* howl, hoot; toot;
cry, blubber; -grim, *adj.*
as ugly as sin.
tudse, *n.* toad.
tue, *n.* tuft, tussock; mound;
(myre) hill.
tugt, *n.* discipline; -e, *v. t.*
chastise, castigate; -hus-
straf, *n.* hard labour; -ig,
adj. decent.
tulipan, *n. bot.* tulip.
tumle, *v. i.* tumble, topple;
~, *v. t.* manage; ~ sig,
disport oneself, gambol,
frolic.
tummel, *n.* bustle, uproar,
racket; -umsk, *adj.* be-
wildered.
tung, *adj.* heavy, oppressive;
cumbrous, ponderous.
tunge, *n.* tongue; language;
(fisk) sole; -færdig, *adj.*
voluble.
tung|hør, *adj.* hard of
hearing; -nem, *adj.* dull,
slow; -sindig, *adj.* melan-
choly.
tur, *n.* trip, turn; excursion;
walk; drive; tramp.
turde, *v. i.* (tør, turde, tur-
det) dare, venture; det tør
antages, presumably.
turkis, *n.* turquoise.
turné, *n.* tour; gå på ~, be
on tour, be on the road.
turnering, *n.* tournament.
turteldue, *n.* turtledove; leve
som -r, bill and coo.

tusind, *adj. & n. n.* thousand; -år, *n.n.* millennium; -ben, *n.n.* centipede; -fryd, *n. bot.* daisy; -kunstner, *n.* Jack of all trades.

tuskhandel, *n.* barter.

tusmørke, *n. n.* dusk, twilight.

tvang, *n.* coercion, constraint, force; compulsion, obligation; -fri, *adj.* unrestrained; informal; -s-auktion, *n.* sale by order of the court; -sopsparing, *n.* compulsory saving; -stanke, *n.* obsession; -s-udskrive, *v. t. & i.* requisition.

tve|bak, *n.* biscuit, rusk; -dragt, *n. arch.* dissension, discord; -kamp, *n.* single combat, duel; -lyd, *n.* dipthong; -tydig, *adj.* ambiguous; questionable; -ægget, *adj.* two-edged.

tvilling, *n.* twin.

tvinde, *v. t.* twist, wind.

tvinge, *v. t.* force, compel, constrain, coerce.

tvist, *n.* dispute, disagreement; ~, *n. n.* twist; cotton waste; -ens æble, the apple of discord.

tvivl, *n.* doubt(s); -e, *v. i.* doubt; -rådig, *adj.* doubtful, irresolute; hesitant; -som, *adj.* doubtful, dubious, questionable.

tvungen, *adj.* forced, constrained; stiff, laboured.

tvær, *adj.* cross, sullen, surly, grumpy; -driver, *n.* obstinate person; -e, *v. t. & i.* mash, crush; smear; drag out, spin out; -gående, *adj.* transverse; cross; -mål, *n. n.* diameter.

tværs, *adv. naut.* abeam; på ~, across; på ~ af, contrary to, across, crosswise.

tværtimod, *adv.* on the contrary.

tværvej, *n.* crossroad.

tvætte, *v. i.* wash.

ty, *v. i.* ~ til, resort to; turn to, have recourse to.

tyde, *v. t.* decipher; explain; interpret; ~ på, seem to show, be indicative of; suggest, imply; -lig, *adj.* plain, distinct, clear.

tyende, *n. n.* servant; farm hand; (kollektivt) domestic staff; servants, *pl.*

tyfus, *n.* typhoid fever.

tygge, *v. t. & i.* chew, masticate; ~ drøv, chew the cud, *fig.* ponder on; -gummi, *n. (el. n. n.)* chewing-gum.

tyk, *adj.* thick; corpulent, stout, fat, chubby; -hudet, *adj.* thick-skinned; -kelse, *n.* thickness; -ning, *n.* (skov-)thicket; thickening.

tyl, *n. n.* tulle.

tylle, *v. t.* pour; ~ i sig, swill down, guzzle.

tynd, *adj.* thin; slender; lean; rare; sparse; weak; -slidt, *adj.* threadbare.

tyngde, *n.* weight, heaviness, gravity; -punkt, *n. n.* centre of gravity.

tynge, *v. i.* be heavy, weigh heavy; *v. t.* weigh upon, oppress.

type, *n.* type, kind; *typ.* type; fede -r, bold-face type; -bestemmelse, *n.* typological classification; -enhed, *n. typ.* -enheder pr. side, units of type per page [i.e. letters, open spaces, punctuation marks, etc.]. [NB. *I engelsktalende lande bruges ord pr. side*].

typisk, *adj.* typical.

typograf, *n.* typographer, compositor, type-setter.

tyr, *n.* bull; T-en, *astron.* Taurus; tag -en ved hornene, take the bull by the horns.

tyran, *n.* tyrant; bully.

tyre|fægtning, *n.* (forestilling) bull-fight; (erhverv) bull-fighting; -kalv, *n.* bull calf; -nakke, *n.* bull neck; -pande, *n. (svarer til)* thick skull.

tyrker, *n.* Turk.

Tyrkiet, *n. n.* Turkey.

tyrkisk, *adj.* Turkish.

tys!, *int.* hush!

tysk, *adj.* German; (sproget) German; -er, *n.* German; -fjendtlig, *adj.* anti-German.

Tyskland, *n. n.* Germany.

tysse, *v. i.* hush; ~ på én, tell somebody to hush (*el.* be quiet).

tyst, *adj.* silent.

tyttebær, *n. n. bot.* cowberry.

tyv, *n.* thief; robber; burglar; -ekoster, *pl. n.* stolen goods, *pl.*

tyve, *adj. & n.* twenty; -nde, *adj.* twentieth; -ri, *n. n.* theft; *jur.* larceny; (indbrud) burglary, housebreaking.

tyvstarte, *v. i.* start too early.

tæge, *n.* bug.

tække, *n. n.* grace; ~, *v. t.* thatch, roof; -lig, *adj.* attractive, winning; -s, *v. t.* please.

tælle, *v. t.&i.* count, number; ~, *n.* tallow; -apparat, *n. n.* turnstile; -lys, *n.n.* tallow candle, dip; -maskine, *n.* adding machine; -prås, *n.* dip.

tælling, *n.* counting; count; census.

tæmme, *v. t.* tame, domesticate; break (in); curb.

tænd|e, *v. t.* kindle, light, ignite; -rør, *n. n.* sparking plug; -stik, *n.* match.

tænke, *v. t. & i.* think; suppose; believe; intend, mean; think of; ~ sig, fancy, picture, imagine; -lig, *adj.* imaginable, thinkable, conceivable.

tæppe, *n. n.* (gulv) carpet, rug; (sengetæppe) blanket; (stukket) quilt; (i teater) curtain.

tære, *v. t. & i.* (metal) cor-... ~, *v. i.* (give appetit) ...ne an appetite; ~ på ...ital, live on (*el.*

spend) one's capital; -s hen, (*om* person) pine away, waste away; -penge, *pl. n.* travelling expenses, *pl.*

tæring, *n.* consumption; (metal) corrosion; sætte ~ efter næring, cut one's coat according to one's cloth.

tærske, *v. t.* thresh; (prygl) thrash.

tærskel, *n.* threshold.

tærte, *n.* tart.

tæt, *adj.* tight; close; near; dense; compact; thick; -klippet, *adj.* close cropped.

tæve, *n.* bitch; få én på -n, *sl.* get a sock on the jaw; *fig.* a setback; ~, *v. t. sl.* bash, wallop, sock, beat, beat up.

tø, *n. & v. t. & i.* thaw.

tøddel, *n.* ikke en ~, not a jot; han har ikke skrevet en ~ af det, he hasn't written a word of it.

tøffel, *n.* slipper; under tøflen, henpecked.

tøfle, *v. i.* ~ af, trudge off, shuffle away.

tøj, *n.* cloth, stuff, fabric; things, gear; clothes, *pl.*; dress; -hus, *n. n.* arsenal; -klemme, *n.* clothes-peg.

tøjle, *n.* rein; ~, *v. t.* bridle; *fig.* check, keep in hand, curb; -sløs, *adj.* unbridled, licentious.

tøjre, *v. t.* tether.

tøjrenseri, *n. n.* dry cleaners, *pl.*; dry cleaning establishment.

tøjte, *n.* hussy; tart.

tølper, *n.* rude fellow, cad.

tømme, *n.* rein; ~, *v. t.* empty, drain; clear, evacuate.

tømmer, *n. n.* timber, lumber; -flåde, *n.* raft; -mand, *n.* carpenter; -mænd, *pl. n. sl.* a hangover; -plads,*n.*timberyard.

tønde, *n.* barrel; measure (four bushels); *naut.* buoy; -bånd, *n. n.* hoop.

tør, *v. i. se* turde; ~, *adj.*
dry; -ke, *n.* drought;
-klæde, *n. n.* scarf; neck-
cloth; -lægge, *v. t.* drain;
reclaim; -mælk, *n.* dried
milk, milk-powder; -re,
v. t. & i. dry; -reovn, *n.*
kiln; -resnor, *n.* clothes-
line; -skoet, *adj.* dry-shod.

tørn, *n.* turn; spell.

tørst, *n.* thirst; -ig, *adj.*
thirsty.

tørv, *n.* peat; turf; -emos,
n. n. sphagnum.

tøs, *n.* girl, lass; wench;
hussy, baggage.

tøve, *v. i.* hesitate; hang
back; procrastinate.

tøvejr, *n. n.* thaw.

tøven, *n.* hesitation; pro-
crastination; faltering.

tå, *n.* toe; gå på tærne,
walk on tiptoe.

tåbe, *n.* fool, simpleton; -lig-
hed, *n.* foolishness, silli-
ness, stupidity, folly.

tåge, *n.* fog; mist; -signal,
n. n. fog signal; -t, *adj.*
foggy, misty, hazy, nebu-
lous; dim; *fig.* hazy, vague.

tålle, *v. t.* bear, stand; suffer,
endure; tolerate; put up
with; -elig, *adj.* tolerable,
bearable; indifferent, pass-
able; -modig, *adj.* patient.

tåls, *u. n.* slå sig til ~, resign
oneself (to).

tår, *n.* drop.

tåre, *n.* tear; fælde -r, shed
tears; -kanal, *n. anat.* la-
chrymal duct.

tårn, *n. n.* tower; steeple;
(skak) rook, castle; (skibs-)
turret; -e, *v. i.* ~ op, heap
up, pile up; -falk, *n. zool.*
kestrel; -høj, *adj.* towering;
-ugle, *n. zool.* screech-owl.

tåspids, *n.* tip of the toe;
-danserinde, *n.* toe dancer;
-gænger, *n. zool.* ungulate.

uadskillelig, *adj.* inseparable.

uafbrudt, *adj.* uninterrupted,
continual; unbroken.

uafgjort, *adj.* unsettled; un-

decided; pending; (sport)
a draw, a drawn game.

uafhængig, *adj.* independent.

uafladelig, *adj.* incessant.

uagtet, *conj.* though, al-
though; ~, *prep.* notwith-
standing.

uagtsomhed, *n.* inadvert-
ence.

ualmindelig, *adj.* uncommon;
unusual; exceptional.

uanmeldt, *adj.* unannounced.

uanselig, *adj.* insignificant.

uansvarlig, *adj.* irresponsible.

uartig, *adj.* naughty; rude.

ubarmhjertig, *adj.* merciless,
relentless.

ubeboet, *adj.* uninhabited.

ubedragelig, *adj.* infallible;
unmistakable.

ubegribelig, *adj.* incompre-
hensible.

ubegrænset, *adj.* boundless,
unlimited.

ubehagelig, *adj.* unpleasant,
annoying, disagreeable,
nasty; offensive; rude.

ubehersket, *adj.* uncon-
trolled, unrestrained.

ubehjælpsom, *adj.* awkward.

ubehændig, *adj.* clumsy;
awkward.

ubehøvlet, *adj.* rude.

ubekendt, *adj.* unknown; ~
med, ignorant of; un-
acquainted with.

ubekvem, *adj.* uncomfort-
able; awkward.

ubekymret, *adj.* uncon-
cerned; imperturbed; care-
less, carefree; reckless.

ubelejlig, *adj.* inconvenient;
inopportune.

uberegnelig, *adj.* unpredict-
able; incalculable; erratic.

uberettiget, *adj.* unauthor-
ized; unwarranted, un-
justified.

uberørt, *adj.* untouched; un-
affected; (om kvinde)
virgin; lade noget ~, pass
something over, avoid
mention of something.

ubesindig, *adj.* imprudent,
heedless, rash; thoughtless.

ubeskeden, *adj.* immodest; pretentious; immoderate; pushing.

ubeskrivelig, *adj.* indescribable.

ubeslutsom, *adj.* irresolute, hesitant.

ubestandig, *adj.* fickle.

ubestemt, *adj.* indefinite; vague; undetermined.

ubestikkelig, *adj.* incorruptible.

ubestridt, *adj.* uncontested.

ubetalelig, *adj.* invaluable, priceless.

ubetimelig, *adj.* ill-timed.

ubetinget, *adj.* unconditional; absolute; *adv.* absolutely; implicitly; wholeheartedly.

ubetvingelig, *adj.* indomitable; irrepressible; uncontrollable; unconquerable.

ubetydelig, *adj.* insignificant; trifling.

ubetænksom, *adj.* thoughtless, unthinking, inconsiderate.

ubevidst, *adj.* unconscious.

ubevogtet, *adj.* unguarded; ~ jernbaneoverskæring, ungated level crossing; blive overrumplet i et ~ øjeblik, be taken off one's guard.

ubevægelig, *adj.* immovable; inflexible.

ubillig, *adj.* unfair.

ublid, *adj.* inclement; rough; hard.

ublu, *adj.* barefaced; -færdig, *adj.* shameless; immodest; en ~ pris, an exorbitant price.

ubuden, *adj.* uninvited.

ubønhørlig, *adj.* inexorable.

ud, *adv.* out; år ~, år ind, year in, year out; jeg ved hverken ~ eller ind, I am at my wit's end.

udarbejde, *v. t.* work out, elaborate, draw up, draft; compile.

udarte, *v. i.* degenerate; become; deteriorate; develop (into).

udbede, *v. refl.* ~ sig, request.

udbetale, *v. t.* pay, disburse.

udbrede, *v.t.* spread; extend; circulate.

udbringe, *v. t.* deliver; ~ en skål, propose the health of.

udbrud, *n. n.* exclamation; outbreak; eruption.

udbryde, *v. t. & i.* exclaim; break out.

udbytte, *n. n.* dividends, *pl.*; profit; yield; returns, *pl.*; result; ~, *v. t.* exploit.

uddan|ne, *v.t.* train, educate; instruct; perfect; ~ sig i, study, learn; qualify oneself; -nelse, *n.* training; education.

uddeling, *n.* distribution, giving away, handing out.

uddrive, *v. t.* drive out; expel.

uddrag, *n. n.* extract; excerpt.

uddybe, *v.t.* deepen, dredge; *fig.* go into deeply (*el.* thoroughly), get to the bottom of something.

uddø, *v. i.* die out, become extinct.

uddød, *adj.* extinct.

ude, *adv.* out, outside, out of doors; ~ af sig selv, beside oneself; være ~ efter, be after; make a bid for; be out to; være ~ om, ask for; jeg er ~ over den slags, I am past that sort of thing; -blivelse, *n.* absence; failure to appear; non-attendance, default; -fra, *adv.* from outside; from the outside; from abroad; -lade, *v. t.* leave out; omit.

udelelig, *adj.* indivisible.

ude|lukke, *v.t.* exclude, shut out; -stående, *n. n.* claim, account.

uden, *prep.* without; except; but; -ad, *adv.* by heart; -bys, *adv.* out of town; -forstående, *adj.* outsider;

-lands, *adv.* abroad; -om, *adv.* gå ~ sagens kerne, avoid the issue; *coll.* beat about the bush; -rigsminister, *n.* Minister of Foreign Affairs; Foreign Minister; (i England) Foreign Secretary; (i U.S.A.) Secretary of State.

udfald, *n. n.* issue, result; *mil.* sally; sortie; (i fægtning) lunge, pass.

udflugt, *n.* trip; excursion, outing; *fig.* subterfuge, evasion.

udfolde, *v. t.* expand, unfold, spread; show, exert; display, develop; ~ sig, unfold; expand.

udfordre, *v. t.* challenge.

udforme, *v. t.* work out, elaborate, amplify.

udfylde, *v. t.* fill out, complete; supplement; (kryds og tværs) solve, work out, do.

udfør|e, *v. t.* carry out; export; execute, accomplish; -lig, *adj.* detailed; full; -ligt, *adv.* in detail; fully.

udgang, *n.* exit; way out; *fig.* issue.

udgave, *n.* edition.

udgift, *n.* expense.

udgive, *v. t.* publish; ~ sig for, pass oneself off as, pretend to be; -r, *n.* publisher; (redaktør) editor.

udgyde, *v. t.* pour out; unbosom oneself; ~ tårer, shed tears.

udgøre, *v. t.* constitute, form, make; amount to.

udgå, *v. i.* be left out, be omitted; emanate; branch off; -et, *adj.* (vare) no longer in stock; (plante) dead.

udholde, *v. t.* bear, stand, endure; undergo.

udkant, *n.* outskirts, *pl.*; fringe(s).

udkast, *n.* draft, sketch, outline; design.

udkig, *n. n.* look-out.

udklip, *n. n.* cutting.

udkomme, *n. n.* livelihood, living.

udkonkurrere, *v. t.* oust; outstrip.

udkræve, *v. t.* call for, require; -s, *v. i.* be necessary.

udlandet, *n. n.* foreign countries; i ~, abroad.

udleje, *v. t.* hire out, let out on hire; (hus, jord) rent, let.

udlevere, *v. t.* deliver, hand over, surrender, return, hand back.

udligne, *v. t.* settle; balance; set off.

udlæg, *n. n.* outlay; *jur.* execution, distraint.

udlænding, *n.* foreigner; alien.

udlængsel, *n.* call of the wild; longing to go abroad.

udlært, *adj.* skilled.

udløb, *n. n.* outlet, mouth; expiration.

udløse, *v. t.* disconnect, release; disengage; redeem; ransom; start (*f. eks.* this started a new thought).

udlåne, *v. t.* lend.

udmagring, *n.* emaciation.

udmatte, *v. t.* exhaust.

udmelde, *v. t.* take out; withdraw.

udmærket, *adj.* excellent.

udnytte, *v. t.* utilize, make use of; take advantage of; turn to account; exploit.

udnævne, *v. t.* appoint.

udpege, *v. t.* designate; point out.

udpensle, *v. t.* elaborate; develop; explain in detail.

udplyndre, *v. t.* rob, plunder.

udpræget, *adj.* pronounced, marked.

udpønse, *v. t.* think out, devise.

udrede, *v. t.* ~ udgifterne, pay (*el.* defray, *el.* meet) the expenses.

udrette, *v. t.* do, effect, perform, accomplish.

udruge, v. t. hatch.
udruste, v. t. fit out, equip.
udrydde, v. t. exterminate, root out.
udråb, n. n. outcry, shout; exclamation.
udsagn, n. n. statement, utterance.
udsalg, n. n. sale; clearance sale, bargain sale; (salgslokale) shop; store.
udsat, adj. exposed, open, liable, subject (to).
udseende, n. n. appearance; exterior; look; face.
udsending, n. delegate; envoy, emissary.
udsigt, n. view, prospect.
udskille, v. t. separate, sort out; isolate.
udskrift, n. copy; address; label.
udskrive, v. t. levy, enlist; (hospital) discharge.
udskud, n. n. refuse; dregs, trash, scum.
udskyde, v. t. postpone, put off; stave off.
udslag, n. n. swing, deflection, turn; (resultat) result, effect; (tegn) manifestation.
udslette, v. t. blot out, wipe out, obliterate.
udslidt, adj. worn out.
udslukt, adj. extinct.
udslæt, n. n. eruption; rash.
udsnit, n. n. section; slice; extract.
udsolgt, adj. sold out, out of print.
udsondre, v. t. secrete.
udsone, v. t. atone for; expiate.
udspekuleret, adj. deep, crafty.
udspil, n. n. lead.
udspionere, v. t. spy upon.
udsprede, v. t. circulate, disseminate, spread.
udstede, v. t. issue.
udstilling, n. exhibition.
udstoppe, v. t. stuff.
udstrakt, adj. stretched out; at full length; extensive.
udstråle, v. t. & i. radiate.

udstykke, v. t. divide- up into portions.
udstyr, n. n. portion; trousseau; dowry; outfit, equipment, kit; get-up.
udstå, v. t. endure, suffer; jeg kan ikke ~ gin, I can't stick (el. bear, el. stand, el. abide) gin.
udsætte, v. t. postpone, adjourn, defer; der var ikke noget at ~ på det, there was nothing to find fault with; ~ en præmie, offer a prize; mus. adapt, arrange; ~ for, expose to.
udsøgt, adj. choice, picked, exquisite.
udtale, n. pronunciation; ~, v. t. & i. pronounce
udtryk, n. n. expression; term; -kelig, adv. expressly.
udtrække, v. t. withdraw, pull out, extract.
udtværet, adj. prolix, wordy, verbose.
udtæret, adj. emaciated.
udtørre, v. t. dry up; drain.
uduelig, adj. incompetent, useless; inefficient.
udvalg, n. n. selection, choice; committee.
udvandre, v. i. emigrate.
udvej, n. expedient, resource, means, way out.
udveksle, v. t. exchange; trade; barter; sl. swop.
udvendig, adj. outward, exterior, external.
udvide, v. t. & i. enlarge, widen; dilate, expand.
udvikle, v. t. develop; explain.
udvinde, v. t. extract.
udvirke, v. t. effect; obtain; secure; procure.
udvise, v. t. show, display, exhibit; evince; manifest; send out, order out.
udvokset, adj. fully grown, fully developed.
udvortes, adj. exterior, external; ~, adv. externally, outwardly.

udvælge, v. t. select, pick out.

udæske, v. t. provoke, challenge.

udødelig, adj. immortal.

udøve, v. t. exercise, practise.

ueffen, adj. odd; uneven; ikke så ~, not bad.

uegennytte, n. unselfishness, altruism.

uegnet, adj. unfit; unsuitable.

uendelig, adj. infinite, endless, interminable; boundless; limitless.

uenig, adj. være ~, disagree, differ.

uens, adj. different, dissimilar.

uerfaren, adj. inexperienced.

ufattelig, adj. inconceivable.

ufarlig, adj. safe, harmless, innocuous.

ufejlbarlig, adj. infallible.

uforanderlig, adj. unchangeable, unalterable.

uforandret, adj. unchanged.

uforbeholden, adj. open, free; unreserved.

ufordærvet, adj. unspoiled; innocent; unsophisticated.

ufordøjelig, adj. indigestible.

uforenelig, adj. incompatible; inconsistent (with).

uforfalsket, adj. genuine, unadulterated.

uforfærdet, adj. fearless, undaunted.

uforglemmelig, adj. unforgettable.

uforgængelig, adj. imperishable.

uforholdsmæssig, adj. disproportionate.

uforkortet, adj. unabridged; whole; entire; complete.

uforlignelig, adj. matchless, peerless; incomparable.

uformel, adj. informal.

ufornuftig, adj. unreasonable, absurd; irrational.

uforrettet, adj. med ~ sag, to no avail, without success.

uforsagt, adj. dauntless.

uforsigtig, adj. imprudent, incautious.

uforskammet, adj. insolent, impudent, barefaced.

uforsonlig, adj. implacable.

uforståelig, adj. unintelligible.

uforsvarlig, adj. inexcusable; unjustifiable.

ufortjent, adj. undeserved, unmerited.

ufortrøden, adj. indefatigable, assiduous.

ufortøvet, adv. immediately, without delay; without hesitation.

uforudselig, adj. unforeseeable, unpredictable.

uforudset, adj. unforeseen, unexpected.

ufrankeret, adj. unpaid, unstamped.

ufravendt, adv. intently.

ufred, n. strife, discord; trouble(s); dissension.

ufremkommelig, adj. impassable; impracticable.

ufrivillig, adj. involuntary, unintentional.

ufrugtbar, adj. barren; sterile; infertile: unfruitful; unproductive.

ufuld|endt, adj. unfinished; -kommen, adj. imperfect; -stændig, adj. incomplete.

ufølsom, adj. insensible; insensitive; indolent; unfeeling.

uføre, n. n. fig. mess; deadlock.

uge, n. week; -blad, n. n. weekly magazine (paper, etc.); -kort, n. n. weekly season ticket.

ugenert, adj. free and easy; cool; unconcerned.

ugerne, adv. unwillingly, reluctantly, grudgingly.

ugerning, n. misdeed; outrage; crime.

ugestid, n. a week's time, a week or so.

ugift, adj. unmarried, single.

ugle, n. owl; ~ ud, bedizen; ~ sig ud i, rig oneself out,

dress up; fange en ~, naut. catch a crab.

ugudelig, adj. impious, ungodly.

ugunstig, adj. unfavourable; untoward, adverse, unpropitious; under -e omstændigheder, under disadvantages, against difficult odds.

ugyldig, adj. invalid, void.

ugæstfri, adj. inhospitable.

uh! uha! int. oh! ugh!

uheld, n. n. bad luck; mishap; misfortune; accident; -ig, adj. unfortunate, unlucky; ungainly, awkward; objectionable; -igvis, adv. unluckily, unfortunately.

uhensigtsmæssig, adj. inexpedient; inappropriate.

uhildet, adj. unbiassed.

uhindret, adj. unhindered; unimpeded, unobstructed.

uhjælpelig, adj. hopeless; irreparable.

uholdbar, adj. untenable; perishable; not durable; indefensible.

uhumsk, adj. filthy.

uhygge, n. discomfort; sinister atmosphere; uneasy feeling; horror; -lig, adj. uncomfortable; sinister; uncanny.

uhyre, adj. enormous, huge, tremendous; ~, n.n. monster.

uhæderlig, adj. dishonourable.

uhøflig, adj. discourteous, impolite.

uhørlig, adj. inaudible.

uhørt, adj. unheard of.

uhåndterlig, adj. unwieldy, unmanageable; bulky.

uigenkaldelig, adj. irrevocable.

uigennem|førlig, adj. impracticable; -sigtig, adj. opaque; -trængelig, adj. impenetrable.

uimodståelig, adj. irresistible.

uimponeret, adj. unimpressed.

uind|buden, -budt, adj. uninvited.

uindskrænket, adj. unlimited, absolute; unrestricted, uncontrolled.

uindtagelig, adj. impregnable.

uinteressant, adj. uninteresting.

ukampdygtig, adj. disabled, out of action; hors de combat.

ujævn, adj. uneven, rough.

ukendt, adj. unknown; ignorant of.

uklar, adj. indistinct, obscure; dim; turbid; confused; hazy; cloudy; muddy; blurred.

uklog, adj. unwise, imprudent, ill-advised.

uklædelig, adj. unbecoming.

ukristelig, adj. unchristian; ~, adv. sl. awfully, terrifically.

ukrudt, n. n. weed(s).

ukrænkelig, adj. inviolable.

ukuelig, adj. indomitable.

ukultiveret, adj. bad-mannered; ill-bred; rude.

ukunstlet, adj. artless, unaffected.

ukvemsord, n. n. term of abuse; abusive language.

ukyndig, adj. ignorant of; unskilled (in); not conversant with.

ulastelig, adj. impeccable.

ulave, n. n. disorder; i ~, out of gear; upset; deranged.

uld, n. wool; -garn, n. n. woollen yarn, worsted; -trøje, n. vest; -tæppe, n.n. blanket.

ulejlige, v. t. trouble, inconvenience; -hed, n. trouble, inconvenience.

ulempe, n. drawback, disadvantage; nuisance.

ulidelig, adj. insufferable.

ulig, adj. unlike; i ~, adv. unequal; (tal) odd, uneven.

ulme, v. i. smoulder.

ulogisk, adj. illogical.

ulovlig, adj. illegal.

ulv, *n.* zool. wolf.

ulydig, *adj.* disobedient.

ulykke, *n.* misfortune, disaster; calamity, accident; -ligvis, *adv.* unfortunately, unluckily; -sfugl, *n.* bird of ill omen.

ulyksalig, *adj.* unhappy; ill-fated; disastrous.

ulyst, *n.* dislike; reluctance; aversion; disinclination.

ulæselig, *adj.* illegible.

ulønnet, *adj.* unpaid; unrewarded.

uløselig, *adj.* insoluble.

umage, *n.* pains, *pl.*; trouble; gøre sig ~, take pains; ~, *adj.* odd, (*f. eks.* glove).

umeddelsom, *adj.* reticent; incommunicative.

umedgørlig, *adj.* unmanageable, intractable.

umenneske, *n. n.* monster; brute; inhuman wretch.

umiddelbar, *adj.* immediate; direct; spontaneous; unsophisticated.

umiskendelig, *adj.* evident; unmistakable.

umoden, *adj.* unripe; immature.

umotiveret, *adj.* uncalled for; unmotivated.

umulig, *adj.* impossible; -gøre, *v. t.* render impossible; preclude; forbid.

umyndig, *adj.* not of age; a minor; -e børn, minors; -gøre, *v. t.* [declare somebody incapable of managing his own affairs].

umærkelig, *adj.* imperceptible; unnoticeable; indiscernible.

umættelig, *adj.* insatiable.

umøbleret, *adj.* unfurnished.

umådelig, *adj.* immense, enormous, huge.

unaturlig, *adj.* unnatural; forced; affected.

unavngiven, *adj.* unnamed; anonymous.

unddrage, *v. t.* withdraw, withhold; deprive of; ~

sig fra, avoid, shun, shirk, evade.

unde, *v. t.* ikke ~, grudge; begrudge; (forunde) grant, give; det er dig vel undt, you are welcome to it.

under, *n. n.* wonder; marvel; prodigy.

under, *prep.* under; beneath; below; during; amidst; by; on; to; gå ~, founder; be lost; -balance, *n.* deficit; -benklæder, *pl. n.* (under)pants; drawers, (*begge pl.*); -bevidsthed, *n.* unconsciousness; -byde, *v. t.* undercut, undersell; -danig, *adj.* submissive; subservient; obsequious; compliant; cringing, fawning; -drive, *v. t.* understate; -dyne, *n.* featherbed; -forstå, *v. t.* understand; imply; -fundig, *adj.* crafty, cunning; -gang, *n.* destruction, ruin; -given, *n.* subordinate; -grave, *v. t.* undermine; sap; -grund, *n.* subsoil; underground; -grundsbane, *n.* underground (railway); tube; -gå, *v. t.* undergo, go through.

under|handle, *v. i.* negotiate, treat; -holde, *v. t.* entertain; support; provide for; keep; -holdende, *adj.* entertaining; -huset, *n. n.* the House of Commons; -hånden, *adv.* privately; -jordisk, *adj.* subterranean, underground; -kaste, *v. t.* subject, submit to; -kjole, *n.* slip; -kop, *n.* saucer; -kue, *v. t.* subdue; subjugate; -købe, *v. t.* tamper with; suborn.

under|lag, *n. n.* support; substratum; writing pad; -lagsmusik, *n.* background music; -legen, *adj.* inferior to; outnumbered; -lig, *adj.* strange; singular; queer; -liv, *n. n.* abdomen;

bodice; -livsbetændelse, n.
inflammation of internal
sexual organs; -læbe, n.
lower lip, underlip; -ne-
den, adv. below; -officer,
n. non-commissioned offi-
cer; -ordnet, adj. sub-
ordinate; minor; second-
ary.

under|retning, n. intelli-
gence, information; -skrift,
n. signature; -skud, n. n.
deficit; loss; -skøn, adj.
ravishingly beautiful;
-skørt, n. n. petticoat;
-slæb, n. n. embezzlement;
-st, adj. lowest; bottom;
-strege, v. t. emphasize,
stress; underline; -støtte,
v. t. prop; support, back,
second; subsidize; -stå, v.t.
~ sig, have the nerve to;
dare, presume; -sætsig,
adj. stocky, thick-set;
-søge, v. t. examine, in-
vestigate, inquire into;
probe; scrutinize; search;
-søisk, adj. submarine,
submerged; -såt, n. sub-
ject.

under|tegne, v. t. sign;
-tekst, n. film. subtitle;
-tiden, adv. sometimes;
-trykke, v. t. stifle; re-
strain, subdue, suppress;
oppress; -tøj, n. n. under-
wear, underclothes, pl.;
-vands, adj. submarine;
-vejs, adv. on the way;
en route; -verden, n.
underworld; -vise, v.t. in-
struct; teach; give lessons;
-visningsministerium, n. n.
Ministry of Education;
-vægt, n. short weight;
-værk, n. n. wonder; mira-
cle.

und|fange, v. t. conceive;
-fangelse, n. conception;
-gælde, v. i. pay, suffer;
-gå, v. t. shun, avoid,
elude, escape; hvis jeg kan
~ det, if I can help it;
-komme, v. i. escape;
-lade, v. t. omit; fail;

neglect; -re, v. t. surprise,
astonish; puzzle; -se, v. i.
~ sig, be ashamed of;
-selig, adj. bashful, shy;
-sige, v. t. denounce,
threaten; -skyldning, n.
excuse, apology; -slippe,
v. i.&t. escape; -sætning, n.
relief; -tage, v. t. except;
-tagelsesvis, adv. rarely, as
an exception; -tagen, prep.
& conj. except(ing), save,
barring, but.

undulat, n. zool. budgerigar.

undvære, v. t. do without,
dispense with.

ung, adj. young.

ungar|er, n. Hungarian; U-n,
n. n. Hungary; -sk, adj.
Hungarian.

ung|dommelig, adj. youth-
ful; juvenile; -domsher-
berg, n. n. youth hostel.

unge, n. (dyr) young (one);
cub; (barn) kid; kiddie;
snottet ~, brat.

ungkarl, n. bachelor.

universitet, n. n. university.

unyttig, adj. useless, futile.

unægtelig, adj. undeniable.

unødvendig, adj. unneces-
sary; superfluous.

unøjagtig, adj. inaccurate,
incorrect.

unåde, n. disgrace, disfavour.

uomstødelig, adj. incontro-
vertible, irrefutable.

uopdragen, adj. ill-mannered,
rude.

uopfordret, adj. uninvited;
unasked.

uophørlig, adv. incessantly.

uoplagt, adj. indisposed; not
on form; off colour.

uopløselig, adj. insoluble.

uopnåelig, adj. unattainable.

uoprettelig, adj. irreparable.

uopsigelig, adj. irrevocable;
unredeemable.

uopslidelig, adj. imperish-
able; capable of lasting
for ever.

uopsættelig, adj. urgent;
pressing.

uorden, n. disorder; i ~,

out of order; deranged; -tlig, adj. disorderly; untidy.

uoverensstemmelse, n. discrepancy; inconsistency; disagreement; incompatibility.

uoverkommelig, adj. impracticable; insurmountable.

uoverlagt, adj. ill-advised, rash.

uoverskuelig, adj. unpredictable, incalculable; immense; boundless.

uoversættelig, adj. untranslatable.

uovertruffen, adj. unrivalled, unsurpassed, unexcelled.

uovervindelig, adj. invincible; insuperable.

upartisk, adj. impartial, unbiassed.

upasselig, adj. unwell; indisposed.

upassende, adj. improper, unseemly; unbecoming.

upersonlig, adj. impersonal.

upraktisk, adj. impractical.

upåklagelig, adj. irreproachable, impeccable.

upålidelig, adj. unreliable.

ur-, adj. first; primitive; primeval.

ur, n. n. watch; clock; efter mit ~, by my watch.

uredt, adj. tangled, dishevelled.

uregelmæssig, adj. irregular.

uregerlig, adj. ungovernable, unruly, unmanageable.

uret, n. injustice, wrong; injury; have ~, be wrong; med -te, unjustly.

uretfærdig, adj. unjust, unfair.

urigtig, adj. wrong, incorrect.

urimelig, adj. absurd, preposterous; unreasonable.

urmager, n. watchmaker.

uro, n. disturbance; unrest; anxiety; alarm.

urokkelig, adj. firm, unshakeable, inflexible, unswerving; determined.

urolig, adj. disturbed; troubled; restless, uneasy; anxious; stormy, turbulent, rough; boisterous.

urskive, n. dial.

urskov, n. primeval forest, virgin forest.

urt, n. herb, plant; -eagtig, adj. herbaceous; -ekræmmer, n. grocer; -epotte, n. flower-pot.

uryddelig, adj. disorderly, untidy.

urør|lig, adj. immovable; stationary; intact, untouched.

uråd, n. n. mischief.

usalig, adj. unhappy; ill-starred, ill-fated.

usammenhængende, adj. incoherent, disconnected.

usand, adj. untrue, false; -hed, n. untruth, falsehood; -synlig, adj. improbable, unlikely.

uselvisk, adj. unselfish, selfless; disinterested.

uselvstændig, adj. dependent, subordinate; weak.

usigelig, adj. unspeakable.

usikker, adj. insecure, precarious; uncertain, doubtful; unsteady.

uskadelig, adj. harmless; -gøre, v. t. demolish; neutralize; render harmless.

uskadt, adj. unhurt, uninjured.

uskik, n. bad habit.

uskrømtet, adj. unfeigned; unaffected, sincere.

uskyld, n. chastity, virginity.

uskyldig, adj. innocent; guiltless; pure; chaste.

usling, n. wretch.

usoigneret, adj. slovenly; untidy, neglected.

uspiselig, adj. uneatable, inedible.

ussel, adj. poor, wretched; paltry, miserable.

ustadig, adj. unsteady, unsettled, changeable.

ustandselig, adj. incessant, never-ceasing.

ustraffet, adj. unpunished; ~, adv. with impunity.
ustyrlig, adj. unmanageable.
usund, adj. unhealthy.
usvigelig, adj. unfailing.
usvækket, adj. unabated.
usympatisk, adj. unpleasant, unattractive.
usynlig, adj. invisible.
usædvanlig, adj. unusual, uncommon.
usømmelig, adj. indecent.
utaknemmelig, adj. ungrateful; thankless.
utal, n. n. no end of; -lige, adj. innumerable, countless.
utidig, adj. untimely, ill-timed; indisposed; out of sorts.
utilbøjelig, adj. disinclined.
utilbørlig, adj. improper; undue.
utilforladelig, adj. unreliable; suspicious.
utilfreds, adj. dissatisfied.
utilgivelig, adj. unpardonable, unforgivable.
utilgængelig, adj. inaccessible; un-get-at-able; fig. impervious.
utilladelig, adj. inadmissible; illicit; outrageous; disgraceful.
utilpas, adj. unwell.
utilregnelig, adj. insane, of an unsound mind.
utilstrækkelig, adj. insufficient; inadequate.
utiltalende, adj. unpleasant, unattractive.
uting, n. absurdity, nuisance.
utro, adj. unfaithful; faithless; false.
utrolig, adj. incredible, unbelievable.
utroskab, n. infidelity; unfaithfulness; adultery.
utryg, adj. insecure, uncertain.
utrættelig, adj. indefatigable; untiring.
utrøstelig, adj. disconsolate; unconsolable.

utugt, n. fornication, prostitution; -ig, adj. immoral; lewd; pornographic.
utvivlsom, adj. undoubted.
utydelig, adj. indistinct.
utyske, n. n. ogre, monster.
utænkelig, adj. inconceivable.
utæt, adj. leaky; not tight.
utøj, n. n. vermin.
utålelig, adj. intolerable, unbearable.
utålmodig, adj. impatient.
uundgåelig, adj. unavoidable, inevitable.
uundværlig, adj. indispensable.
uvane, n. bad habit.
uvant, adj. unaccustomed.
uvederhæftig, adj. irresponsible; unreliable.
uvedkommende, n. stranger, intruder; ~, adj. irrelevant.
uvenlig, adj. unfriendly, unkind.
uventet, adj. unexpected.
uviden|de, adj. ignorant; -hed, n. ignorance.
uvilje, n. ill-will; reluctance; aversion; disgust.
uvilkårlig, adj. involuntary.
uvirksom, adj. inactive, inert, idle; inefficacious, ineffective, inefficient.
uvis, adj. uncertain, doubtful.
uvorn, adj. naughty, troublesome, mischievous.
uværdig, adj. unworthy, undeserving (of); base.
uvæsentlig, adj. unessential; immaterial.
uægte, adj. artificial, sham; false, imitation; not genuine; ~ barn, illegitimate child.
uænset, adj. disregarded.
uærbødig, adj. disrespectful.
uærlig, adj. dishonest.
uønske|lig, adj. undesirable; -t, adj. unwanted.
uøvet, adj. untrained; unpractised; raw.
uåbnet, adj. unopened.

vable, *n.* blister.

vade, *v. i.* wade; ~ over, ford; -sted, *n. n.* ford.

vadmel, *n. n.* homespun; frieze.

vadsæk, *n.* carpet-bag.

vaffel, *n.* wafer; waffle; cone.

vag, *adj.* vague, ill-defined, indefinite.

vagabond, *n.* tramp, vagabond, vagrant.

vager, *n.* buoy.

vagt, *n.* watch, guard, vigil; watchman, sentry, guard; afløse ~en, *naut.* relieve the watch.

vagtel, *n. zool.* quail; -konge, *n. zool.* corncrake.

vagt|havende, *adj.* on duty; on guard; ~, *n.* person on duty; sentry; guard; watchman; -hund, *n.* watchdog; -post, *n.* guard, sentry; -skifte, *n.n.* changing of the guard; -som, *adj.* watchful, vigilant; -stue, *n.* guardroom.

vaje, *v. i.* fly; wave; float.

vajsenhus, *n. n.* orphanage.

vakance, *n.* vacancy.

vakker, *adj.* pretty, comely.

vakle, *v. i.* totter, stagger; falter; vacillate; -vorn, *adj.* rickety, ramshackle.

vaks, *adj.* wide-awake, bright, alert.

valdhorn, *n. n.* French horn.

valen, *adj.* benumbed; *fig.* feeble, half-hearted, lukewarm.

valfart, *n.* pilgrimage.

valg, *n. n.* choice, option, selection; alternative; (politisk) election; -bar, *adj.* eligible; -berettiget, *adj.* entitled to vote; ~ person, elector, voter; -kreds, *n.* constituency; -ret, *n.* franchise; suffrage; -sprog, *n. n.* motto; -tribune, *n.* (electioneering) platform; -urne, *n.* ballot-box.

Valhal, *n. n.* Valhalla.

vallak, *n.* gelding.

valle, *n.* whey.

valliser, *n.* Welshman.

vallon, *n.* Walloon.

valmtag, *n. n. archit.* hip roof.

valmue, *n. bot.* poppy.

valnød, *n. bot.* walnut.

valplads, *n.* battle-field.

vals, *n.* -se, *v. i.* waltz.

valse, *n.* cylinder, roller; -t kobber, sheet copper; -værk, *n. n.* rolling mill.

valuta, *n.* currency, exchange; value; -central, *n.* exchange control office; -restriktion, *n.* exchange restriction.

vammel, *adj.* nauseous, sickly.

vampyr, *n.* vampire.

vanartet, *adj.* vicious; degenerate; depraved.

vand, *n. n.* water; gå i -et, bathe; et glas ~, a glass of water; en storm i et glas ~, a storm in teacup; -afkølet, *adj.* water-cooled; -afledning, *n.* drainage; -anker, *n. n. naut.* breaker; -beholder, *n.* cistern, tank; reservoir; -bygning, *n.* hydraulic engineering; hydraulics; -bøffel, *n. zool.* water buffalo; -e, *v. t.* water.

vandel, *n.* conduct; morals; person af hæderlig ~, person of good character; -sattest, certificate of good conduct.

vandet, *adj.* watery; *fig.* insipid; feeble.

vand|fad, *n. n.* basin; -fald, *n. n.* waterfall; cataract; cascade; falls, *pl.*; (ikke lodret) rapids, *pl.*; -farve, *n.* water-colour; -fast, *adj.* waterproof; -forurening, *n.* pollution; -gang, *n. naut.* water line; *fig.* blunder; -hane, *n.* tap; U. S. faucet; (på gaden, osv.) hydrant; -kande, *n.* water-jug; ewer; (have) watering-can; -ingssystem, *n. n.* irrigation

system; -kraft, *n.* hydrau-
lic power; -kraftværk,
n. n. hydro-electric power
station; -ledning, *n.* water
main; aqueduct; conduit;
-lås, *n.* water trap; -post,
n. pump.

vandre, *v. i.* hike; wander,
roam; -lav, *n. n.* Youth
Hostel Association, Y. H.
A.; -nde, *adj.* itinerant.

vand|ret, *adj.* horizontal,
level; -skel, *n. n.* water-
shed; -skræk, *n.* hydro-
phobia; -slange, *n.* water-
hose; -støvler, *pl. n.* water-
proof (*el.* gum, *el.* rubber)
boots, *pl.*; -tæt, *adj.* water-
proof, watertight; -værk,
n. n. waterworks.

vane, *n.* habit, custom;
practice.

vanfør, *adj.* crippled, dis-
abled.

vanheld, *n. n.* misfortune.

vanhellige, *v. t.* profane,
desecrate.

vanke, *v. i.* der -r, there will
be; they (he, she, it, *etc.*)
will get; der ~ gerne
et par kroner, når hans
onkel kommer, he usu-
ally gets a couple of kro-
ner when his uncle comes.

vankelmodig, *adj.* fickle, in-
constant; vacillating.

vanlig, *adj.* usual, customary.

vanry, *n. n.* ill repute, dis-
repute; discredit.

vanrøgt, *n. t.* neglect.

vansire, *v. t.* disfigure.

vanskabt, *adj.* deformed;
monstrous.

vanskelig, *adj.* difficult,
hard; hard to please; -hed,
n. difficulty.

vanslægte, *v. i.* degenerate.

vansmægte, *v. i.* languish;
grow faint.

vant, *adj.* accustomed, used;
~, *n. n. naut.* shroud; -e,
n. woollen glove; mitten.

vantreven, *adj.* stunted.

vantro, *adj.* incredulous; *rel.*
unbelieving.

vanvare, *u. n.* af ~, in-
advertently.

vanvid, *n. n.* lunacy, crazi-
ness, insanity.

vanvittig, *adj.* insane, luna-
tic, deranged, mad; -t, *adv.*
crazily, madly; (forstær-
kende) awfully, frightful-
ly, terribly.

vanærende, *adj.* ignominious;
disgraceful; infamous.

varde, *n.* cairn; landmark.

vare, *v. i.* last, endure; *v. t.*
warn; ~, *n.* article; com-
modity; wares, *pl.*; mer-
chandise; goods, *pl.*;
tage sig i ~ for, beware
of; tage ~ på, attend to,
watch; -hus, *n. n.* de-
partment store; -lager,
n. n. stock-in-trade;
-mærke, *n. n.* trade mark;
-tægt, *n.* care; tage i ~,
take charge of; -tægts-
arrest, *n.* custody.

varig, *adj.* durable; lasting;
permanent; enduring.

varm, *adj.* warm, hot; -e,
v. t. warm, heat; ~, *n.*
heat, warmth; fervour;
ardour; -edunk, *n.* hot-
water bottle; -eenhed, *n.*
caloric unit; thermal unit;
-cfylde, *n.* specific heat;
-eleder, *n.* heat conductor.

varp|e, *v. t.* warp, kedge,
-anker, *n. n.* kedge (anchor).

varsel, *n. n.* warning; notice,
summons; omen, fore-
boding.

varsko!, *int.* look out!; take
care!; ~, *n. n.* warning,
notice; ~, *v. t.* warn, give
notice.

varsle, *v. t.* warn; presage;
notify; augur.

varsom, *adj.* cautious.

vask, *n.* wash, washing;
(køkken-) sink; gå i en,
come to nothing; -e, *v. t.*
& *i.* wash; -ebalje, *n.* wash-
tub; -ekone, *n.* washer-
woman, laundress; -eri,
n. n. laundry; -etøj, *n. n.*
washing, laundry.

vat, n. n. cotton wool; wadding.

vaterpas, n. n. spirit level.

vatersot, n. dropsy.

ve, n. anguish, woe; -er, pl. labour pains, pl.; pains of childbirth.

ved, n. n. wood; ~, prep. at; by; on; of; to; in; about; ~ et tilfælde, by chance, by accident; ~ Gud!, by God!; ~ døren, at the door; ~ denne lejlighed, on this occasion; jeg var ~ at skrive, I was writing; I was about to write; blive ~ sagen, stick to the point.

vedbend, n. bot. ivy.

vedblive, v. i. continue, keep on, go on, persevere.

veder|fares, v. t. happen to; befall; -hæftig, adj. responsible, solvent; reliable; -kvægelse, n. refreshment; -lag, n. n. payment; consideration; compensation; uden ~, gratuitously; -styggelig, adj. abominable.

ved|føje, v.t. annex; append; -gå, v. t. admit, own, confess to; -holdende, adj. persevering, continuous; persistent, incessant; -hæng, n. n. appendage, appendix; -kende, v. refl. ~ sig, own to; acknowledge; recognize; -kommende, n. person(s) concerned; -ligeholde, v.t. keep in repair; maintain, preserve; keep up; -lægge, v. t. enclose, append; -røre, v. t. concern, affect; -tage, v. t. resolve, adopt; pass; agree to; -tægt, n. convention; by-law; article; -varende, adj. constant; continual; enduring.

vegetar, n. vegetarian.

veghed, n. weakness, feebleness.

vegne, pl. n. på mine ~, on my behalf; alle ~, every-

where; ~, v. t. ~ et søm, clinch a nail.

vej, n. road, way; track; route; distance; af -en!, out of the way!; -bane, n. roadway; -bred, n. bot. plantain.

veje, v. t. weigh; v. i. weigh (f.eks. the letter weighs 4 ozs.); (være af betydning) carry weight.

vej|farende, n. wayfarer; -kant, n. roadside; -ledning, n. guidance; instruction.

vejr, n. n. weather; (ånde) breath; -e, v. t. & i. scent; wind; -hane, n. weathercock; -kyndig, adj. weatherwise; -lig, n. n. climate; -mølle, n. windmill; slå -møller, turn (el. do) cartwheels; -spådom, n. weather forecast.

vejviser, n. guide; signpost; (bog) directory.

veksel, n. bill (of exchange); draft; -blanket, n. bill of exchange form; -drift, n. rotation of crops; -rytter, n. coll. kiteflyer; -strøm, n. alternating current; -virkning, n. interaction; reciprocal action; -vis, adv. alternately, by turns.

veksle, v. t. & i. change; exchange.

vel, n. n. benefit; advantage; welfare; good; weal; ~, adv. & conj. well; -anstændig, adj. proper, decorous; -befindende, n. n. wellbeing, comfort; -behag, n. n. relish; zest; enjoyment; -beholden, adj. safe and sound; -beråd, adj. calculated, studied; med ~ hu, deliberately; -bevandret, adj. well versed in; -dædig, adj. charitable; -fortjent, adj. well-deserved; -færd, n. welfare; -gerning, n. charitable deed; benefit; kindness; benefaction; -gører, n. benefactor; -gående, n. n. health; hun lever endnu i bedste ~, she is still in the best of health; -havende, adj. well-to-do, prosperous; wealthy; -holdt, adj. well-kept; -indrettet, adj. well-equipped; well-organized; well-appointed; -kendt, adj. well-known; -klang, n. harmony; -kommen adj. welcome; acceptable; -komst, n. reception, welcome; -lugt, n. fragrance, perfume; -lyd, n. euphony; -lykket, adj. successful, felicitous; -lystig, adj. voluptuous; -lønnet, adj. well paid; -oplagt, adj. in good form; fit; -plejet, adj. trim, neat; well kept; -signe, v. t. bless; -smagende, adj. tasty; -soigneret, adj. well cared for, neat, tidy; -stand, n. prosperity; -talende, adj. eloquent; -underrettet, adj. well-informed; -vilje, n. benevolence; kindness; good-will; -være, n. n. comfort, well-being; -ærværdighed, n. reverence; hans -ærværdighed pastor O., the Rev. O.

vemodig, adj. sad, melancholy.

ven, n. friend; en ~ af mig, a friend of mine.

vend|e, v. t. & i. turn; *naut.* put about, tack, veer; ~ sig, change; shift; come round; -ekreds, n. tropic; -ekåbe, n. turncoat; -epunkt, n. n. turning-point; -ing, n. turning; turn; phrase; i en snæver ~, at a pinch.

Venedig, n. n. Venice.

ven|inde, n. lady friend, girl-friend; -lig, adj. kind, friendly; pleasant; -skab, n. n. friendship; amity; -skabsbånd, n. n. ties, *pl.* (*el.* bonds) of friendship.

venstre, adj. left; -skrue, n. left-handed screw.

vente, v. t. expect; await, wait for; i ~, in prospect; -sal, n. waiting-room.

ventil, n. valve; air-hole.

verbum, n. n. verb.

verden, n. world; hele ~, all the world; the whole world; drømmenes ~, dreamland; -sfjern, adj. secluded; unworldly; -shjørne, n. n. point of the compass; quarter of the globe.

verdslig, adj. temporal, secular, worldly; mundane.

vers, n. n. verse, stanza; -emål, n. n. metre; -ere, v. i. go round, be current (*f.eks.* a story).

vest, n. waistcoat; vest.

vest, n. (the) west; mod ~, west, westwards; stik ~, due west; -lig, adj. westerly, west.

Vesterhavet, n. n. the North Sea.

vi, *pron.* we; ~ alle, all of us, we all; ~ tre, the three of us.

vibe, n. *zool.* lapwing.

vibrere, v. i. vibrate.

vice-, *pref.* vice, deputy; -admiral, n. vice-admiral; -konge, n. viceroy; -præsident, n. vice-president.

vid, n. n. wit; wits; ~, adj. wide; ample; large; -de, n. width; fulness; gauge; girth.

vide, v. t. know, be aware of; -begærlig, adj. curious; inquisitive; inquiring; -n, n. -nde, n. n. knowledge; -nskab, n. science; -n-skabsmand, n. scientist.

videre, adj. ampler, wider; further; much; komme ~, get on, make progress; jeg ser ikke noget ~ til ham, I don't see much of him.

viderværdigheder, *pl.* n. troubles, *pl.*